BKI OBJEKTDATEN

Kosten abgerechneter Bauwerke

S4 Sonderband Holzbau

BKI Objektdaten:
Kosten abgerechneter Bauwerke und statistische Kostenkennwerte
S4 Sonderband Holzbau - Neubau

BKI Baukosteninformationszentrum (Hrsg.)
Stuttgart: BKI, 2022

Mitarbeit:
Hannes Spielbauer (Geschäftsführer)
Brigitte Kleinmann (Prokuristin)
Dokumentation: Catrin Baumeister, Anna Bertling, Heike Elsäßer,
Sabine Egenberger, Sylva Rautenstrauch, Irmgard Schauer, Sibylle Vogelmann
Produktmanagement: Tabea Wessel, Yvonne Walz
Endbearbeitung: Jeannette Sturm

Fachautoren:
Univ.-Prof. Dr.-Ing. Wolfdietrich Kalusche
Holzbau Deutschland Institut e.V.

Layout, Satz:
Marvin Bisceglie
Hans-Peter Freund
Thomas Fütterer

Fachliche Begleitung:
Beirat Baukosteninformationszentrum
Stephan Weber (Vorsitzender)
Markus Lehrmann (stellv. Vorsitzender)
Prof. Dr. Bert Bielefeld
Markus Fehrs
Andrea Geister-Herbolzheimer
Oliver Heiss
Prof. Dr. Wolfdietrich Kalusche
Martin Müller
Markus Weise

Seelbergstraße 4, 70372 Stuttgart
Kundenbetreuung: 0711 954 854-0
Telefax: 0711 954 854-54
Baukosten-Hotline: 0711 954 854-41
info@bki.de, www.bki.de

Titelabbildungen:
Einfamilienhaus (6100-1474) Arch.: bau grün ! gmbH; Mönchengladbach; Fotograf: Yvonne & Sebastian Fehlings, Medilor
Kindertagesstätte (4400-0354) Arch.: werk.um architekten; Darmstadt; Fotograf: Thomas Ott, www.o2t.de
Landratsamt (1300-0292) Arch.: ArGe Gurland+Seher+Rapp Architekten; Ulm; Fotograf: Conné van d´Grachten

Vorwort

Das Interesse am Bauen mit dem Rohstoff Holz – insbesondere im Neubau – hat in den letzten Jahren stetig zugenommen. Für Bauen mit Holz sprechen im Vergleich zu anderen Materialien die gute Ökobilanz, ein geringerer Energieverbrauch für Gewinnung und Transport, die hohe Energieeffizienz und auch die vielfältigen Recycling-Möglichkeiten. Bei zunehmender Bedeutung nachhaltigen Bauens können dies wichtige Argumente für die Wahl des Baustoffs Holz sein.

Bei der Planung von Holzbauprojekten unterstützt das Baukosteninformationszentrum Deutscher Architektenkammern (BKI) Architektur- und Planungsbüros und alle Baubeteiligten mit aktuellen Baukosten-Auswertungen von bereits realisierten Vergleichsobjekten. Die Neuerscheinung „Baukosten im Bild für Holzbau" liefert statistische Baukosten-Auswertungen für den Neubau (Büro- und Verwaltungsgebäude; Schulen; Kindergärten, nicht unterkellert; Ein- und Zweifamilienhäuser, unterkellert; Ein- und Zweifamilienhäuser, nicht unterkellert; Ein- und Zweifamilienhäuser, Passivhausstandard; Doppel- und Reihenendhäuser; Mehrfamilienhäuser und Gemeindezentren). Zudem beinhaltet der neue BKI-Sonderband 126 realisierte Holzbau-Projekte als Einzelobjektdokumentationen – eine gute Grundlage für Kostenvergleiche, Kostenkontrolle und Kostensteuerung.

Die neu erhobenen Objekte veröffentlicht BKI kontinuierlich in der Fachbuchreihe BKI OBJEKTDATEN und aktualisiert auf diese Weise die BKI-Baukostendatenbanken. Die mit jedem weiteren Band wachsende Sammlung von Vergleichsobjekten leistet wertvolle Dienste bei Kostenermittlungen und trägt zu mehr Kostensicherheit bei allen am Bau Beteiligten bei. Die Reihe „BKI OBJEKTDATEN" mit den objektbezogenen Kostenkennwerten und die Reihe „BKI BAUKOSTEN" mit statistisch ermittelten Kostenkennwerten sind aufeinander abgestimmt und ergänzen sich zu einem Expertensystem der Kostenplanung.

Der Dank des BKI gilt allen Architektinnen und Architekten, die Daten und Unterlagen zur Verfügung stellen. Sie profitieren von der Dokumentationsarbeit durch BKI und unterstützen zugleich den eigenen Berufsstand. Die in Buchform veröffentlichten Architekt*innen-Projekte bilden eine fundierte und anschauliche Dokumentation gebauter Architektur. Zudem ermöglichen sie eine kompetente Kostenermittlung von Folgeobjekten und eignen sich hervorragend zur Akquisition neuer Planungsaufgaben.

Zur Pflege der Baukostendatenbanken sucht BKI weitere Objekte aus allen Bundesländern. Weitere Informationen dazu werden auf unserer Webseite www.bki.de unter „Daten an BKI liefern" zur Verfügung gestellt. BKI berät gerne über alle Möglichkeiten, realisierte Projekte zu veröffentlichen. Datenlieferanten erhalten eine Vergütung und können weitere Vorteile nutzen.

Besonderer Dank gilt abschließend auch dem BKI-Beirat, der mit seinem Expert*innenwissen aus der Architektenpraxis, den Architekten- und Ingenieurkammern, Normausschüssen und Hochschulen zum Gelingen der BKI-Fachinformationen beiträgt.

Wir wünschen allen Anwender*innen des Fachbuchs viel Erfolg in allen Phasen der Kostenplanung und vor allem eine große Übereinstimmung zwischen geplanten und realisierten Baukosten im Sinne zufriedener Bauherr*innen. Anregungen und Kritik zur Verbesserung der BKI-Fachbücher sind uns jederzeit willkommen.

Hannes Spielbauer - Geschäftsführer
Brigitte Kleinmann - Prokuristin

Baukosteninformationszentrum
Deutscher Architektenkammern GmbH
Stuttgart, im November 2022

Inhalt — Seite

Benutzerhinweise

1 Büro- und Verwaltungsgebäude

2 Schulen

9 Gemeindezentren

10 Sonstige Gebäude

Kostenkennwerte für Kostengruppen der 2. und 3. Ebene nach DIN 276

Aufgrund der großen Datenmenge werden die detaillierten Daten der 2. Ebene und der 3. Ebene DIN 276 online zur Verfügung gestellt. Erläuterungen dazu siehe Seite 74-75.

Anhang

Obj.-Nr.	Objektbezeichnung	Holzskelettbau	Holzrahmenbau	Holztafelbau	Massivholzbau	Holzmodulbau	Hybridkonstruktion, horizontale Bauteile	Holzdecken, Balken	Holzdecken, massiv	Holzdach, Balken	Holzdach, massiv	Seite
Büro- und Verwaltungsgebäude												
1300-0235	Bürogebäude (12 AP) - Effizienzhaus ~60%				•				•		•	148
1300-0249	Verwaltungsgebäude (42 AP)	•			•				•		•	154
1300-0254	Bürogebäude (8 AP) - Effizienzhaus ~73%		•					•		•		160
1300-0259	Bürogebäude (30 AP) - Effizienzhaus ~53%		•				•	•		•		168
1300-0292	Landratsamt - Effizienzhaus ~44%	•							•		•	176
Schulen												
4100-0167	Oberschule (2 Klassen, 40 Schüler)		•							•		190
4100-0174	Gesamtschule (10 Klassen) - Effizienzhaus		•				•	•		•		198
4100-0175	Grundschule (160 Schüler) - Effizienzhaus		•				•					206
4100-0179	Gymnasium, Sporthalle - Plusenergiehaus	•	•					•		•		214
4100-0183	Mittelschule (125 Schüler) - Effizienzhaus				•		•		•		•	220
4100-0192	Ganztagsschule (96 Schüler) - Passivhaus		•				•			•		226
4100-0198	Gesamtschule Tanz- und Atelierräume (3 Kl)		•							•		234
4100-0200	Selbstlernzentrum (60 Schüler)	•	•							•		240
4100-0204	Unterrichtsgebäude (2 Klassen)				•						•	246
4100-0219	Gymnasium (12 Klassen, 330 Schüler)			•				•		•		254
4200-0032	Berufsschule	•					•			•		260
4200-0035	Bildungszentrum (400 Schüler)		•						•		•	268
4200-0039	Bildungszentrum Holzbauberufe	•	•		•				•		•	274
Kindergärten, nicht unterkellert												
4400-0245	Kindertagesstätte (9 Gruppen, 150 Kinder)		•					•		•		288
4400-0247	Kindertagesstätte (2 Gruppen, 20 Kinder)		•						•		•	294
4400-0250	Kinderkrippe (4 Gruppen, 50 Kinder)		•		•				•		•	300
4400-0255	Kinderkrippe (4 Gruppen, 40 Kinder)		•							•		308
4400-0259	Kinderkrippe (4 Gruppen, 40 Kinder)		•							•		314
4400-0267	Kindergarten (2 Gruppen, 50 Kinder)		•							•		320
4400-0273	Kinderkrippe (2 Gruppen, 30 Kinder)		•							•		326
4400-0284	Kinderhort (150 Kinder) - Effizienzhaus ~32%				•				•		•	332
4400-0288	Kinderkrippe (1 Gruppe, 12 Kinder) Modulbau					•				•		338
4400-0298	Kinderhort (40 Kinder) - Effizienzhaus ~30%		•							•		346
4400-0301	Kindertagesstätte (1 Gruppe, 25 Kinder)				•					•		354
4400-0307	Kindertagesstätte (100 Ki) - Effizienzhaus ~60%		•							•		360
4400-0310	Kindergarten (80 Kinder) - Effizienzhaus		•							•		368
4400-0316	Kindertagesstätte (97 Kinder) - Effizienzhaus				•						•	374
4400-0344	Kindertagesstätte			•							•	382
4400-0345	Kindertagesstätte			•						•		388
4400-0347	Kindertagesstätte				•		•		•		•	394
4400-0348	Kinderhort		•		•			•	•	•		400
4400-0349	Kinderhaus		•		•				•		•	406
4400-0351	Kindertagesstätte				•				•	•		412

Obj.-Nr.	Objektbezeichnung	Holzskelettbau	Holzrahmenbau	Holztafelbau	Massivholzbau	Holzmodulbau	Hybridkonstruktion, horizontale Bauteile	Holzdecken, Balken	Holzdecken, massiv	Holzdach, Balken	Holzdach, massiv	Seite
4400-0354	Kindertagesstätte (90 Kinder)		•						•		•	418
4400-0356	Kindergarten, Wohnungen				•				•		•	424
4400-0357	Kinderhaus				•				•		•	432
4400-0358	Schulhort (15 Gruppen, 250 Kinder)				•				•		•	440
4400-0360	Kinderkrippe (3 Gruppen)		•							•		446
4400-0362	Kindertagesstätte (124 Kinder)		•				•		•		•	452
Ein- und Zweifamilienhäuser, unterkellert												
6100-1106	Einfamilienhaus, Garage - Effizienzhaus 70		•		•			•	•	•		466
6100-1254	Einfamilienhaus - Effizienzhaus 55	•						•		•		474
6100-1268	Einfamilienhaus, Garage - Effizienzhaus 55		•					•		•		480
6100-1289	Einfamilienhaus, Garage - Effizienzhaus ~31%		•					•		•		486
6100-1291	Einfamilienhaus, Garage		•					•		•		494
6100-1365	Einfamilienhaus - Effizienzhaus 40			•				•		•		502
6100-1382	Einfamilienhaus, teilunterkellert		•					•		•		508
6100-1407	Einfamilienhaus, Doppelgarage - Effizienzhaus		•					•		•		514
6100-1527	Einfamilienhaus				•		•		•	•		520
6100-1531	Einfamilienhaus		•							•		528
6100-1535	Einfamilienhaus		•					•		•		534
6100-1556	Doppelhaushälfte		•					•		•		540
6100-1564	Einfamilienhaus, Garage		•						•	•		546
6100-1568	Einfamilienhaus				•				•		•	552
6100-1575	Einfamilienhaus, Garage		•					•		•		558
Ein- und Zweifamilienhäuser, nicht unterkellert												
6100-1097	Einfamilienhaus, Carport - Effizienzhaus 55		•					•		•		572
6100-1190	Einfamilienhaus, Garage - Effizienzhaus 40		•					•		•		580
6100-1214	Einfamilienhaus, Garage - Effizienzhaus 70				•				•		•	588
6100-1272	Einfamilienhäuser (2 Gebäude) - Effizienzhaus				•				•		•	594
6100-1273	Einfamilienhaus - Effizienzhaus ~56%				•				•		•	600
6100-1276	Einfamilienhaus, Garage - Effizienzhaus ~72%		•						•	•		606
6100-1304	Einfamilienhaus, ELW		•					•		•		612
6100-1325	Einfamilienhaus - Effizienzhaus 40				•				•	•		618
6100-1339	Einfamilienhaus, Garage - Effizienzhaus 40		•					•		•		624
6100-1344	Einfamilienhaus - Effizienzhaus ~53%		•							•		632
6100-1495	Einfamilienhaus		•					•		•		638
6100-1513	Einfamilienhaus		•					•		•		646
6100-1539	Einfamilienhaus				•						•	652
6100-1546	Einfamilienwohnhaus		•					•		•		658
6100-1550	Einfamilienhaus		•					•		•		664
6100-1563	Ferienhaus (1 WE), Garage				•					•	•	670
6100-1565	Einfamilienhaus		•						•	•		678

Obj.-Nr.	Objektbezeichnung	Holzskelettbau	Holzrahmenbau	Holztafelbau	Massivholzbau	Holzmodulbau	Hybridkonstruktion, horizontale Bauteile	Holzdecken, Balken	Holzdecken, massiv	Holzdach, Balken	Holzdach, massiv	Seite
Ein- und Zweifamilienhäuser, Passivhausstandard												
6100-0947	Doppelhaushälfte - Passivhaus		•					•		•		688
6100-0970	Einfamilienhaus, Garage - Passivhaus		•					•		•		694
6100-1017	Einfamilienhaus - Passivhaus		•					•		•		700
6100-1018	Einfamilienhaus - Passivhaus		•					•		•		706
6100-1058	Doppelhaushälfte - Passivhaus		•						•	•		712
6100-1156	Reihenmittelhaus - Passivhaus		•						•	•		718
6100-1169	Reihenendhaus - Passivhaus		•						•	•		724
6100-1177	Einfamilienhaus, Carport - Passivhaus		•					•		•		730
6100-1209	Zweifamilienhaus, Garage - Passivhaus		•					•		•		738
6100-1326	Einfamilienhaus, Carport - Passivhaus		•					•		•		744
6100-1360	Einfamilienhaus, Garage - Passivhaus			•				•		•		750
6100-1474	Einfamilienhaus Passivhaus		•					•		•		756
6100-1559	Einfamilienhaus, Praxis		•					•		•		762
6100-1562	Einfamilienhaus, Büro		•							•		770
Doppel- und Reihenendhäusern												
6100-0663	Doppelhaushälfte - KfW 40				•				•		•	784
6100-1028	Doppelhaushälfte, Carport - Effizienzhaus 55		•					•		•		792
6100-1048	Doppelhaushälfte - KfW 60		•				•		•	•		798
6100-1199	Doppelhaus - Effizienzhaus 55		•				•			•		804
6100-1586	Doppelhaus (2 WE)		•		•				•	•		812
Mehrfamilienhäuser												
6100-1186	Mehrfamilienhaus (9 WE) - Effizienzhaus Plus		•				•					826
6100-1241	Mehrfamilienhaus (6 WE), TG - Effizienzhaus		•		•		•		•		•	834
6100-1336	Mehrfamilienhäuser (37 WE) - Effizienzhaus		•		•				•		•	840
6100-1484	Mehrfamilienhaus (3 WE)		•					•		•		848
6100-1532	Mehrfamilienhäuser (23 WE)				•				•		•	854
6100-1560	Mehrfamilienhaus (16 WE)			•					•		•	860
6100-1561	Mehrfamilienhaus (7 WE)		•						•	•		866
6100-1573	Wohnanlage (96 WE, 77 STP)		•				•					872
6100-1587	Mehrfamilienhaus (9 WE)		•					•		•		878
Gemeindezentren												
6400-0063	Begegnungszentrum		•							•		892
6400-0078	Gemeindehaus		•						•	•		900
6400-0082	Gemeindehaus		•							•	•	906
6400-0094	Spielhaus, Jugendtreff - Effizienzhaus ~62%		•					•		•		912
6400-0096	Gemeindezentrum		•					•		•		918
6400-0105	Bürgerhaus	•					•			•		924
6400-0110	Jugendhaus		•							•		930
6400-0112	Evang.-Luth. Gemeindezentrum				•					•		936
6400-0113	Bildungscampus - Effizienzhaus ~87%		•							•		944
6400-0114	Kirchliches Gemeindezentrum		•					•		•		950
6400-0116	Dorfgemeinschaftshaus		•						•	•		958

Obj.-Nr.	Objektbezeichnung	Holzskelettbau	Holzrahmenbau	Holztafelbau	Massivholzbau	Holzmodulbau	Hybridkonstruktion, horizontale Bauteile	Holzdecken, Balken	Holzdecken, massiv	Holzdach, Balken	Holzdach, massiv	Seite
Sonstige Gebäude												
2200-0060	Forschungs- und Laborgebäude		•				•	•		•		964
3100-0033	Arztpraxis für Oralchirurgie		•		•		•					970
5100-0131	Sporthalle (Einfeldhalle)		•							•	•	976
5300-0019	Flussbad				•						•	982
6100-1512	Wohn- und Geschäftshaus (4 WE)				•		•		•		•	988
6100-1541	Einfamilienhäuser			•					•	•		994
6200-0115	Hospiz (10 Betten)				•				•		•	1000
6200-0118	Begegnungsstätte, Wohnheim (15 WE)				•				•		•	1008
6500-0055	Schulmensa (160 Sitzplätze)		•						•		•	1014
7700-0090	Streugutlagerhalle	•								•		1020
7800-0030	Fahrradparkhaus (224 STP)		•				•	•		•		1028

Einführung

In der Fachbuchreihe „BKI OBJEKTDATEN" werden für Kostenermittlungszwecke und Wirtschaftlichkeitsvergleiche realisierte und vollständig abgerechnete Bauwerke aus allen Bundesländern veröffentlicht.

Jährlich erscheinen mehrere Bände mit den im Laufe eines Jahres neu erhobenen Objekten der BKI-Baukostendatenbanken. Innerhalb dieser Reihen werden die einzelnen Bände nach Baumaßnahme unterschieden in Neubau, Altbau, Innenräume und Freianlagen.

Dieser Band enthält neu dokumentierte Objekte in Holzbauweise und auszugsweise aus den Statistikbänden extrahierte Neubau-Objekte in Holzbauweise.

Die Kostenkennwerte der Objekte dienen dazu, die Kosten von Bauprojekten im Vergleich mit den Kosten bereits realisierter Objekte zu ermitteln bzw. Kostenermittlungen mit büroeigenen Daten oder den Daten Dritter zu überprüfen, solange Kostenanschläge auf der Grundlage von Ausschreibungsergebnissen noch nicht vorliegen.

Dieser Vergleich wird erleichtert durch die eingesetzte „Normierung der Kostenkennwerte auf Bundesniveau". Durch Übernahme der BKI Regionalfaktoren in die Datenbanken ist es möglich die Objekte hinsichtlich des Bauortes zu bewerten. BKI rechnet so, als ob das Objekt nicht am Bauort, sondern in einer mit dem Bundesdurchschnitt identischen Region gebaut worden wäre. Diese regionale Normierung vereinfacht die Bewertung der Kostenkennwerte für den/die Anwender*in erheblich.

Unterstützt werden Kostenermittlungen nach DIN 276 in den frühen, für die Kostenentwicklung eines Projektes aber entscheidenden Planungsphasen. Dabei finden für überschlägige Kostenermittlungen z. B. das Aufstellen eines Kostenrahmens oder für Plausibilitätsprüfungen die groben Kostenkennwerte im Teil „Statistische Kostenkennwerte" dieses Buchs Anwendung. Für differenziertere Kostenermittlungen auf der Ebene der Bauelemente bieten sich die Kosteninformationen im Teil „Kostenkennwerte für Kostengruppen der 2. und 3. Ebene nach DIN 276 " dieses Buchs an. Aufgrund der großen Datenmenge werden diese detaillierten Daten online zur Verfügung gestellt. Erläuterungen dazu siehe Seite 74-75.

Darüber hinaus enthält das Buch Planungskennwerte, die Wirtschaftlichkeitsprüfungen anhand von Flächenvergleichen ermöglichen.

Die BKI Baukostendatenbanken selbst umfassen einen wesentlich größeren Bestand an Altbau-, Neubau-, Innenraum- und auch Freianlagen-Objekten. Zugriff auf alle Einzelobjekte bietet auch die Software „BKI Kostenplaner".

Die große Anzahl der neu dokumentierten Objekte hat BKI veranlasst einen Teil der Kostendaten als Datei online zur Verfügung zu stellen.

Folgende Daten sind im Download enthalten:
- die Kostendaten der 2. Ebene aller neu dokumentierten Objekte
- die Kostendaten der 3. Ebene aller neu dokumentierten Objekte
- die Zusammenstellung der Kostenkennwerte der 3. Ebene nach DIN 276 sortiert nach Kostengruppen.

Den Download-Link und die Beispielseiten finden Sie im Kapitel „Erläuterungen" auf den Seiten 74-75.

Benutzerhinweise

1. Definitionen
Kostenkennwerte sind Werte, die das Verhältnis von Kosten bestimmter Kostengruppen nach DIN 276:2018-12 zu bestimmten Bezugseinheiten nach DIN 277:2021-08 darstellen. Planungskennwerte im Sinne dieser Veröffentlichung sind Werte, die das Verhältnis bestimmter Flächen und Rauminhalte zur Nutzungsfläche (NUF) und Brutto-Grundfläche (BGF) darstellen, angegeben als Prozentsätze oder als Faktoren.

2. Kostenstand und Mehrwertsteuer
Kostenstand aller Kennwerte ist das 3. Quartal 2022. Alle Kostenkennwerte dieser Fachbuchreihe enthalten die Mehrwertsteuer. Die Angabe aller Kostenkennwerte erfolgt in Euro.
Die vorliegenden Kosten- und Planungskennwerte sind Orientierungswerte, Sie können nicht als Richtwerte im Sinne einer verpflichtenden Unter- oder Obergrenze angewendet werden.

Die Umrechnung von Kostendaten dieses Buchs wird durch ein Beispiel erläutert:
Ein Kostenkennwert von 500 €/m² BGF mit dem Kostenstand 3. Quartal 2022 soll auf den Kostenstand 3. Quartal 2015 umgerechnet werden. Verwendet wird die Indexreihe mit dem Basisjahr 2015=100.

Index 3. Quartal 2022 (2015=100) = 151,0
Index 3. Quartal 2015 (2015=100) = 100,2

$$\frac{500\ €/m^2\ BGF \times 100{,}2}{151{,}0} = 332\ €/m^2\ BGF$$

3. Datengrundlage
Grundlage der Tabellen sind abgerechnete Bauvorhaben. Die Daten wurden mit größtmöglicher Sorgfalt von uns bzw. unseren Dokumentationsstellen erhoben. Dies entbindet den/die Benutzer*in aber nicht davon, angesichts der vielfältigen Kosteneinflussfaktoren die genannten Orientierungswerte eigenverantwortlich zu prüfen und entsprechend dem jeweiligen Verwendungszweck anzupassen. Für die Richtigkeit der im Rahmen einer Kostenermittlung eingesetzten Werte können daher weder Herausgeber noch Verlag eine Haftung übernehmen.

4. Betrachtung der Kostenauswirkungen aktueller Energiestandards
Gerade im Hinblick auf die wiederholte Verschärfung gesetzgeberischer Anforderungen an die energetische Qualität, insbesondere von Neubauten, wird von Kundenseite die Frage nach dem Energiestandard der statistischen Fachbuchreihe BKI BAUKOSTEN gestellt. BKI hat Untersuchungen zu den kostenmäßigen Auswirkungen der erhöhten energetischen Qualität von Neubauten vorgenommen. Die Untersuchungen zeigen, dass energetisch bedingte Kostensteigerungen durch Rationalisierungseffekte größtenteils kompensiert werden.

BKI dokumentiert derzeit ca. 200 neue Objekte pro Jahr, die zur Erneuerung der statistischen Auswertungen verwendet werden. Etwa im gleichen Maße werden ältere Objekte aus den Auswertungen entfernt. Mit den hohen Dokumentationszahlen der letzten Jahre wurden die BKI-Datenbanken damit noch aktueller.

In nahezu allen energetisch relevanten Gebäudearten sind zudem Objekte enthalten, die über den nach GEG geforderten energetischen Standard hinausgehen. Diese über den geforderten Standard hinausgehenden Objekte kompensieren einzelne Objekte, die den aktuellen energetischen Standard nicht erreichen. Insgesamt wird daher ein ausgeglichenes Objektgefüge pro Gebäudeart erreicht.

Obwohl BKI fertiggestellte und schlussabgerechnete Objekte dokumentiert, können durch die Dokumentation von Objekten, die über das gesetzgeberisch geforderte Maß energetischer Qualität hinausgehen, Kostenkennwerte für aktuell geforderte energetische Standards ausgewiesen werden. Die Kostenkennwerte der Fachbuchreihe BKI BAUKOSTEN 2022 entsprechen somit dem aktuellen GEG-Niveau.

5. Anwendungsbereiche

Die Kostenkennwerte dienen als Orientierungswerte für Kostenermittlungen in den frühen Planungsphasen, z. B. zur Aufstellung eines „Kostenrahmens" auf der Grundlage von Bedarfsplänen oder Baumassenkonzepten, bei Kostenschätzungen und Kostenberechnungen auf der Grundlage von Vor- und Entwurfsplanungen, für Mittelbedarfsplanungen von Investoren, für Plausibilitätsprüfungen von Kostenermittlungen Dritter, für Begutachtungen von Beleihungsanträgen durch Kreditinstitute, für Wertermittlungsgutachten u.ä. Zwecke.

Für die Projektentwicklung und die frühen Planungsphasen werden auch die Kostenkennwerte für Herrichten und Erschließen, Außenanlagen, sowie Ausstattung und Kunstwerke ausgewiesen. Gleiches gilt für die Kosten und den Flächenbedarf für Nutzeinheiten und den Bauzeitbedarf bezogen auf die Brutto-Grundfläche.

Die formalen Mindestanforderungen hinsichtlich der Darstellung der Ergebnisse einer Kostenermittlung sind in DIN 276: 2018-12 unter Ziffer 4 Grundsätze der Kostenplanung festgelegt.

6. Geltungsbereiche

Die genannten Kostenkennwerte spiegeln in etwa das durchschnittliche Baukostenniveau in Deutschland für die jeweilige Kategorie von Gebäudearten wider. Die Geltungsbereiche der Tabellenwerte sind fließend. Die „von-/bis-Werte" markieren weder nach oben noch nach unten absolute Grenzwerte. Um diesen Sachverhalt zu verdeutlichen, werden objektbezogene Kostenkennwerte angegeben, die teilweise außerhalb des statistisch ermittelten „Streubereichs" (Standardabweichung) liegen. Es empfiehlt sich daher in Einzelfällen, ergänzend die Kostendokumentationen einzelner Objekte aus dem vorliegendem Fachbuch heranzuziehen, um die Ermittlungsergebnisse ggf. anhand der Daten dieser Vergleichsobjekte anzupassen.

7. Berechnung der „von-/bis-Werte"

Im Abschnitt „Statistische Kostenkennwerte" zu Beginn der 9 Kapitel wird eine Berechnung der Streubereiche (auch als „von-/bis-Werte" bezeichnet) durchgeführt. Der Streubereich wird in der Grafik „Vergleichsobjekte" als Balken markiert.
Um dem Umstand Rechnung zu tragen, dass im Bauwesen Abweichungen nach oben wahrscheinlicher sind als Abweichungen nach unten, werden die Werte oberhalb des Mittelwertes getrennt von den Werten unterhalb des Mittelwertes betrachtet. Besonders teure Gebäude haben somit keinen Einfluss auf die statistischen Werte unterhalb des Mittelwerts.
Der Mittelwert liegt daher nicht zwingend in der Mitte des Streubereiches. In den Tabellen wird kenntlich gemacht, ob nur ein Einzelwert vorliegt (z. B. - 27 -), oder ob mehrere Werte vorliegen, die aber noch keine Berechnung der Bandbreite zulassen (z. B. 27 27 27).
Der Vorteil dieser Betrachtungsweise liegt in der genaueren Wiedergabe der Realitäten im Bauwesen.

8. Kosteneinflüsse

In den Bandbreiten der Kostenkennwerte spiegeln sich die vielfältigen Kosteneinflüsse aus Nutzung, Markt, Gebäudegeometrie, Ausführungsstandard, Projektgröße etc. wider.
Die Orientierungswerte können nicht schematisch übernommen werden, sondern müssen entsprechend den spezifischen Planungsbedingungen überprüft und ggf. angepasst werden. Mögliche Einflüsse, die eine Anpassung der Orientierungswerte erforderlich machen, können sein:
- besondere Nutzungsanforderungen
- Standortbedingungen (Erschließung, Immission, Topographie, Bodenbeschaffenheit)
- Bauwerksgeometrie (Grundrissform, Geschosszahlen, Geschosshöhen, Dachform, Dachaufbauten)
- Bauwerksqualität (gestalterische, funktionale und konstruktive Besonderheiten),
- Baumarkt (Zeit, regionaler Baumarkt, Vergabeart).

9. Budgetierung nach Kostengruppen

Die in den Tabellen „Kostenkennwerte für die Kostengruppen der 1. und 2. Ebene DIN 276" genannten Prozentanteile ermöglichen eine erste grobe Aufteilung der ermittelten Bauwerkskosten in „Teilbudgets". Solche geschätzten „Teilbudgets" können als Kontrollgrößen dienen für die entsprechenden, zu einem späteren Zeitpunkt und anhand genauerer Planungsunterlagen ermittelten Kosten (Kostenkontrolle).
Aus Prozentsätzen abgeleitete Kostenaussagen können ferner zur Überprüfung von Kostenermittlungen dienen, die auf büroeigenen Kostendaten oder den Angaben Dritter basieren (Plausibilitätskontrolle).
Die Ableitung von überschlägig geschätzten Teilbudgets schafft auch die Voraussetzung dafür, dass die kostenplanerisch relevanten Kostenanteile erkenn-bar werden, bei denen z. B. die Entwicklung kostensparender Alternativen primär Erfolg verspricht (Kostentransparenz, Kostenplanung, Kostensteuerung).

10. Budgetierung nach Vergabeeinheiten

In den Tabellen „Kostenkennwerte für Leistungsbereiche" sind nur die Leistungsbereichskosten in die Prozentsätze eingegangen, die den Kostengruppen 300 und 400 zuzuordnen sind; also nicht z. B. Erdarbeiten nach LB 002, die nach DIN 276 ggf. zur Kostengruppe 500 (Außenanlagen) gehören.
Die unter „Rohbau" und „Ausbau" zusammengefassten Leistungsbereiche sind nicht exakt der Kostengruppe 300 gleichzusetzen (nur näherungsweise!). Mit Hilfe der angegebenen Prozentsätze lassen sich die ermittelten Bauwerkskosten in Teilbudgets für einzelne Leistungsbereiche aufteilen. Man sollte jedoch nicht den Eindruck erwecken, die Kosten solcher Teilbudgets nach Leistungsbereichen seien bereits (wie später unerlässlich) aus Einzelansätzen „Menge x Einheitspreis" positionsweise ermittelt worden. Die auf diese Weise überschlägig ermittelten Leistungsbereichskosten können aber zur Kostenkontrolle der späteren Ausschreibungsergebnisse herangezogen werden.

11. Planungskennwerte / Baukostensimulation

Neben den Kosten werden von BKI auch die Flächen und Rauminhalte der abgerechneten Objekte dokumentiert. Aus den einzelnen Flächen und Rauminhalten werden Planungskennwerte gebildet. Ein Planungskennwert stellt das Verhältnis bestimmter Flächen und Rauminhalte zueinander dar, z. B. der Anteil der Verkehrsfläche an der Nutzungsfläche, angegeben als Prozentwert oder als Faktor.
Die Planungskennwerte aller Objekte einer Gebäudeart werden statistisch ausgewertet und auf der 4. Seite jeder Gebäudeart dargestellt. Sie erlauben z. B. die Überprüfung der Wirtschaftlichkeit einer Entwurfslösung.

Es werden auch die Flächen der Grobelemente (2.Ebene nach DIN 276) ausgewertet und ihr Anteil an der Nutzungsfläche (NUF) und der Bruttogrundfläche (BGF) dokumentiert. Diese Planungskennwerte können dazu dienen die Grobelementflächen einer Planung statistisch zu ermitteln, solange konkrete Planungen oder Skizzen noch nicht vorliegen. Anhand der Brutto-Grundfläche kann somit z. B. eine statistische Aussage über die zu erwartende Menge der Außenwandfläche getroffen werden. Multipliziert mit dem Kostenkennwert der Außenwand können dadurch die Kosten der Außenwand ermittelt werden. BKI spricht bei diesem Verfahren von „Baukostensimulation". Eine komplett ausgeführte Baukostensimulation liefert als Ergebnis einen Kostenrahmen mit Kosten für die 1. und 2. Ebene DIN 276 der Kostengruppen 300 und 400.

Für die Baukostensimulation hat BKI eine Excel-Tabelle vorbereitet. Diese wird kostenfrei im Internet unter:
www.bki.de/kostensimulationsmodell.html
zur Verfügung gestellt. Hier werden auch weitere Informationen zu den Grundlagen des Verfahrens und der Handhabung der Tabelle angeboten.

12. Regionaliseriung der Kosten
Grundlage der BKI Regionalfaktoren sind Daten aus der amtlichen Bautätigkeitsstatistik der statistischen Landesämter, eigene Berechnungen auch unter Verwendung von Schwerpunktpositionen und regionale Umfragen. Zusätzlich wurden von BKI Verfahren entwickelt, um die Eingangsdaten auf Plausibilität prüfen und ggf. anpassen zu können. Auf der Grundlage dieser Berechnungen hat BKI einen bundesdeutschen Mittelwert gebildet. Anhand des Mittelwertes lassen sich die einzelnen Land- und Stadtkreise prozentual einordnen. Diese Prozentwerte wurden die Grundlage der BKI Deutschlandkarte mit „Regionalfaktoren für Deutschland".

Für die größeren Inseln Deutschlands wurden separate Regionalfaktoren ermittelt. Dazu wurde der zugehörige Landkreis in Festland und Inseln unterteilt. Alle Inseln eines Landkreises erhalten durch dieses Verfahren den gleichen Regionalfaktor. Der Regionalfaktor des Festlandes enthält keine Inseln mehr und ist daher gegenüber früheren Ausgaben verringert.

Die Kosten der Objekte der BKI Datenbanken wurden auf den Bundesdurchschnitt umgerechnet. Für den Anwender bedeutet die Umrechnung der Daten auf den Bundesdurchschnitt, dass einzelne Kostenkennwerte oder das Ergebnis einer Kostenermittlung mit dem Regionalfaktor des Standorts des geplanten Objekts multipliziert werden können. Die BKI Landkreisfaktoren befinden sich im Anhang des Buchs.

13. Urheberrechte
Alle Objektinformationen und die daraus abgeleiteten Auswertungen (Statistiken) sind urheberrechtlich geschützt. Die Urheberrechte liegen bei den jeweiligen Büros, Personen bzw. beim BKI. Es ist ausschließlich eine Anwendung der Daten im Rahmen der praktischen Kostenplanung im Hochbau zugelassen. Für eine anderweitige Nutzung oder weiterführende Auswertungen behält sich das BKI alle Rechte vor.

Fotopräsentation der Objekte

Fotopräsentation der Objekte

© Nick Frank

1300-0235 Bürogebäude (12 AP) - Effizienzhaus ~60%
Büro- und Verwaltungsgebäude
⌂ MIND Architects Collective
Bischofsheim

© Rainer Retzlaff

1300-0249 Verwaltungsgebäude (42 AP)
Büro- und Verwaltungsgebäude
⌂ F64 Architekten, Architekten u. Stadtplaner PartGmbB
Kempten / Allgäu

© AW+ Planungsgesellschaft mbH

1300-0254 Bürogebäude (8 AP) - Effizienzhaus ~73%
Büro- und Verwaltungsgebäude
⌂ AW+ Planungsgesellschaft mbH
Eiterfeld

© Rainer Graf

1300-0259 Bürogebäude (30 AP) - Effizienzhaus ~53%
Büro- und Verwaltungsgebäude
⌂ RAINER GRAF architekten GmbH
Ofterdingen

© Conné van d'Grachten

1300-0292 Landratsamt (136 AP), TG - Effizienzhaus ~44%
Büro- und Verwaltungsgebäude
⌂ ArGe Gurland+Seher+Rapp Architekten
Biberach a.d. Riss

© Gustav Williet

2200-0060 Forschungs- und Laborgebäude (275 AP)
Sonstige Gebäude
⌂ Schulz und Schulz Architekten GmbH
Leipzig

3100-0033 Arztpraxis, Oralchirurgie, Kinderzahnheilkunde
Sonstige Gebäude
PURE GRUPPE Architektengesellschaft mbH
Regensburg

4100-0167 Oberschule (2 Klassen, 40 Schüler)
Schulen
Bosse Westphal Schäffer Architekten
Winsen/Luhe

4100-0174 Gesamtschule (10 Kl) - Effizienzhaus ~66%
Schulen
Tectum Hille Kobelt Architekten BDA
Weimar

4100-0175 Grundschule (160 Sch) - Effizienzhaus ~3%
Schulen
ralf pohlmann architekten
Waddeweitz

4100-0179 Gymnasium, Sporthalle - Plusenergiehaus
Schulen
Hermann Kaufmann ZT GmbH & Florian Nagler Architekten GmbH "ARGE Diedorf", München

4100-0183 Mittelschule (125 Sch) - Effizienzhaus ~72%
Schulen
ABHD Architekten Beck und Denzinger
Neuburg a.d. Donau

4100-0192 Ganztagsschule (96 Schüler) - Passivhaus
Schulen
Architekten_FSB
Bremen

4100-0198 Gesamtschule Tanz- und Atelierräume (3 Kl)
Schulen
qbatur Planungsgenossenschaft eG
Quedlinburg

4100-0200 Selbstlernzentrum (60 Schüler)
Schulen
tun-architektur PartGmbB
Hamburg

4100-0204 Unterrichtsgebäude (2 Klassen, 56 Schüler)
Schulen
MURZIK architekten
Leipzig

4100-0219 Gymnasium (12 Kl, 330 Sch), Erweiterung
Schulen
werk.um architekten
Darmstadt

4200-0032 Berufsschule
Schulen
PH2 Architektur + Stadtplanung
Eschlkam

Fotopräsentation der Objekte

© Werner Huthmacher

4200-0035 Bildungszentrum (400 Schüler)
Schulen
Kersten Kopp Architekten GmbH
Berlin

© Daniel Vieser

4200-0039 Bildungszentrum Holzbauberufe (4 Klassen)
Schulen
Lieb Architekten BDA
Freudenstadt

© Diana Schaugg Freie Architektin

4400-0118 Kindertageseinrichtung (3 Gruppen)*
Kindergärten, nicht unterkellert
Diana Schaugg Freie Architektin
Stuttgart

© Dagmar Zschocke

4400-0131 Kindertageseinrichtung (3 Gruppen)*
Kindergärten, nicht unterkellert
evaplan Architektur + Stadtplanung
Karlsruhe

© Christoph Ostermeyer

4400-0190 Kindertagesstätte (4 Gruppen)*
Kindergärten, nicht unterkellert
bmwquadrat architekten
Hamburg

© heine I reichold architekten

4400-0216 Kinderkrippe (4 Gruppen, 60 Kinder)*
Kindergärten, nicht unterkellert
heine I reichold architekten Partnerschaftsgesell. mbB
Lichtenstein

* Diese Objekte wurden zur Bildung der statistischen Werte herangezogen sind jedoch nicht als Einzelobjektdokumentation in diesem Band veröffentlicht.

4400-0225 Kinderkrippe (2 Gruppen, 30 Kinder)*
Kindergärten, nicht unterkellert
Bosse Westphal Schäffer Architekten
Winsen/Luhe

4400-0234 Kindertagesstätte (5 Gr, 100 Ki) - Passivhaus*
Kindergärten, nicht unterkellert
Birk Heilmeyer und Frenzel Gesellschaft von Architekten mbH, Stuttgart

4400-0235 Kinderkrippe (3 Gruppen, 36 Kinder)*
Kindergärten, nicht unterkellert
goldbrunner + hrycyk architekten
München

4400-0237 Kindertagesstätte (4 Gruppen, 36 Kinder)*
Kindergärten, nicht unterkellert
dreier + lauterbach architekten und ingenieure gmbh
München

4400-0240 Kindertagesstätte (6 Gruppen, 149 Kinder)*
Kindergärten, nicht unterkellert
Hirner und Riehl Architekten und Stadtplaner BDA
München

4400-0245 Kindertagesstätte (9 Gruppen, 150 Kinder)
Kindergärten, nicht unterkellert
güldenzopf rohrberg architektur + design
Hamburg

* Diese Objekte wurden zur Bildung der statistischen Werte herangezogen sind jedoch nicht als Einzelobjektdokumentation in diesem Band veröffentlicht.

4400-0247 Kindertagesstätte (2 Gruppen, 20 Kinder)
Kindergärten, nicht unterkellert
Meyer Steffens Architekten und Stadtplaner BDA
Lübeck

4400-0249 Kindertagesstätte (6 Gruppen, 90 Kinder)*
Kindergärten, nicht unterkellert
AV1 Architekten GmbH
Kaiserslautern

4400-0250 Kinderkrippe (4 Gruppen, 50 Kinder)
Kindergärten, nicht unterkellert
Leonhard Architekten
München

4400-0255 Kinderkrippe (4 Gruppen, 40 Kinder)
Kindergärten, nicht unterkellert
heinobrodersen architekt
Flensburg

4400-0256 Kinderkrippe (4 Gr, 48 Ki) - Effizienzhaus ~76%*
Kindergärten, nicht unterkellert
Schindhelm Moser Architekten
München

4400-0259 Kinderkrippe (4 Gruppen, 40 Kinder)
Kindergärten, nicht unterkellert
Architekturbüro Werner Grannemann
Bremerhaven

* Diese Objekte wurden zur Bildung der statistischen Werte herangezogen sind jedoch nicht als Einzelobjektdokumentation in diesem Band veröffentlicht.

4400-0263 Kindertagesstätte (2 Gruppen, 37 Kinder)*
Kindergärten, nicht unterkellert
ABHD Architekten Beck und Denzinger
Neuburg

4400-0265 Kinderkrippe (6 Gruppen, 72 Kinder)*
Kindergärten, nicht unterkellert
ABHD Architekten Beck und Denzinger
Neuburg a.d. Donau

4400-0266 Kindertagesstätte (80 Ki) - Effizienzhaus ~10%*
Kindergärten, nicht unterkellert
Markurt Architekturkontor
Wermsdorf

4400-0267 Kindergarten (2 Gruppen, 50 Kinder)
Kindergärten, nicht unterkellert
Breitenbücher Hirschbeck Architektengesell. mbH
München

4400-0273 Kinderkrippe (2 Gruppen, 30 Kinder)
Kindergärten, nicht unterkellert
Bosse Westphal Schäffer Architekten
Winsen/Luhe

4400-0282 Kindertagesstätte (8 Gruppen, 140 Kinder)*
Kindergärten, nicht unterkellert
Neustadtarchitekten (LPH 1-5) und
lup-architekten (LPH 6-9), Hamburg

* Diese Objekte wurden zur Bildung der statistischen Werte herangezogen sind jedoch nicht als Einzelobjektdokumentation in diesem Band veröffentlicht.

Fotopräsentation der Objekte

© hiepler, brunier

4400-0284 Kinderhort (150 Kinder) - Effizienzhaus ~32%
Kindergärten, nicht unterkellert
Raum und Bau Planungsgesellschaft mbH
München

© Bosse Westphal Schäffer Architekten

4400-0288 Kinderkrippe (1 Gr, 12 Kinder) - Modulbau
Kindergärten, nicht unterkellert
Bosse Westphal Schäffer Architekten
Winsen/Luhe

© Bosse Westphal Schäffer Architekten

4400-0289 Kindergarten (1 Gr, 12 Kinder) - Modulbau*
Kindergärten, nicht unterkellert
Bosse Westphal Schäffer Architekten
Winsen/Luhe

© Rainer Erhard

4400-0298 Kinderhort (40 Kinder) - Effizienzhaus ~30%
Kindergärten, nicht unterkellert
ralf pohlmann architekten
Waddeweitz

© Bosse Westphal Schäffer Architekten

4400-0301 Kindertagesstätte (1 Gruppe, 25 Kinder)
Kindergärten, nicht unterkellert
Bosse Westphal Schäffer Architekten
Winsen/Luhe

© wagner + ewald architekten

4400-0307 Kindertagesstätte (100 Ki) - Effizienzhaus ~60%
Kindergärten, nicht unterkellert
wagner + ewald architekten
Ginsheim-Gustavsburg

* Diese Objekte wurden zur Bildung der statistischen Werte herangezogen sind jedoch nicht als Einzelobjektdokumentation in diesem Band veröffentlicht.

Fotopräsentation der Objekte

4400-0310 Kindergarten (80 Ki) - Effizienzhaus ~76%
Kindergärten, nicht unterkellert
Kemper Steiner & Partner Architekten GmbH
Bochum

4400-0316 Kindertagesstätte (97 Ki) - Effizienzhaus ~67%
Kindergärten, nicht unterkellert
Prof. Rollmann + Partner Architekten PartGmbB
Homburg

4400-0339 Kindertagesstätte (99 Ki) - Effizienzhaus ~26%*
Kindergärten, nicht unterkellert
Angele Architekten GmbH
Oberhausen

4400-0344 Kindertagesstätte (4 Gruppen, 60 Kinder)
Kindergärten, nicht unterkellert
JEBENS SCHOOF ARCHITEKTEN BDA
Heide

4400-0345 Kindertagesstätte (2 Gruppen, 45 Kinder)
Kindergärten, nicht unterkellert
maurer - ARCHITEKTUR (LPH 1-5), Vechelde und
Jensen Gronau Architekten (LPH 6-9), Braunschweig

4400-0347 Kindertagesstätte (7 Gruppen, 110 Kinder)
Kindergärten, nicht unterkellert
Werkgruppe Kleinmachnow Architekten PartGmbB
Kleinmachnow

* Diese Objekte wurden zur Bildung der statistischen Werte herangezogen sind jedoch nicht als Einzelobjektdokumentation in diesem Band veröffentlicht.

© Petra Höglmeier-Wübert

4400-0348 Kinderhort (4 Gruppen, 100 Kinder)
Kindergärten, nicht unterkellert
goldbrunner + hrycyk architekten
München

© Sebastian Schels

4400-0349 Kinderhaus (8 Gruppen, 161 Kinder)
Kindergärten, nicht unterkellert
Hrycyk Architekten
München

© Felix Meyer

4400-0351 Kindertagesstätte (6 Gruppen, 138 Kinder)
Kindergärten, nicht unterkellert
Bär Stadelmann Stöcker Architekten und Stadtplaner PartGmbH, Nürnberg

© Thomas Ott, www.o2t.de

4400-0354 Kindertagesstätte (5 Gruppen, 90 Kinder)
Kindergärten, nicht unterkellert
werk.um architekten
Darmstadt

© Sebastian Schels

4400-0356 Kindergarten (4 Gr, 112 Ki), Wohnungen (4WE)
Kindergärten, nicht unterkellert
goldbrunner + hrycyk architekten
München

© Sebastian Schels

4400-0357 Kinderhaus (4 Gr, 74 Ki) Effizienzhaus ~45%
Kindergärten, nicht unterkellert
goldbrunner + hrycyk architekten
München

Fotopräsentation der Objekte

4400-0358 Schulhort (15 Gruppen, 250 Kinder)
Kindergärten, nicht unterkellert
°pha design Banniza, Hermann, Öchsner und Partner
Potsdam

4400-0360 Kinderkrippe (3 Gruppen, 45 Kinder)
Kindergärten, nicht unterkellert
KUKUK Architekten Partnerschaftsgesellschaft mbB
Bremen

4400-0362 Kindertagesstätte (124 Ki) - Effizienzhaus ~36%
Kindergärten, nicht unterkellert
härtner architekten PartGmbB
Stuttgart

5100-0131 Sporthalle (Einfeldhalle) - Effizienzhaus ~31%
Sonstige Gebäude
Wagner Architekten
Dingolfing

5300-0019 Flussbad, Eingangsgebäude, Brücke
Sonstige Gebäude
JORDAN BALZER SCHUBERT Architekten PartG mbH
Dresden

6100-0212 Doppelhaushälfte Holzrahmenbau*
Doppel- und Reihenendhäuser
Kottkamp & Schneider Freie Architekten VFA
Stuttgart

* Diese Objekte wurden zur Bildung der statistischen Werte herangezogen sind jedoch nicht als Einzelobjektdokumentation in diesem Band veröffentlicht.

Fotopräsentation der Objekte

6100-0476 Doppelhaushälfte - 3-Liter-Haus*
Ein- und Zweifamilienhäuser, nicht unterkellert
Thorsten Kappelmeyer Dipl.-Ing. Architekt
Hannover

6100-0491 Doppelhaushälfte - 3-Liter-Haus*
Ein- und Zweifamilienhäuser, nicht unterkellert
Thorsten Kappelmeyer Dipl.-Ing. Architekt
Hannover

6100-0495 Einfamilienhaus, Holzrahmenbau*
Ein- und Zweifamilienhäuser, unterkellert
Planungsgruppe Barthelmey
Erfurt

6100-0545 Doppelhaushälfte - KfW 40*
Ein- und Zweifamilienhäuser, unterkellert
Erber Architekten
Lindau

6100-0549 Doppelhaushälfte - KfW 60*
Ein- und Zweifamilienhäuser, unterkellert
Erber Architekten
Lindau

6100-0550 Doppelhaushälfte, Holzbau*
Ein- und Zweifamilienhäuser, unterkellert
Freier Architekt Dipl.-Ing. Tim Günther
Sipplingen

* Diese Objekte wurden zur Bildung der statistischen Werte herangezogen sind jedoch nicht als Einzelobjektdokumentation in diesem Band veröffentlicht.

Fotopräsentation der Objekte

6100-0552 Reihenendhaus*
Ein- und Zweifamilienhäuser, unterkellert
Architekten + Diplom-Ingenieure Jünger + Logar
Darmstadt

6100-0556 Reihenmittelhaus*
Ein- und Zweifamilienhäuser, unterkellert
Architekten + Diplom-Ingenieure Jünger + Logar
Darmstadt

6100-0571 Einfamilienhaus - Passivhaus*
Ein- und Zweifamilienhäuser, Passivhausstandard
Martin Wamsler Freier Architekt BDA Dipl.-Ing. (FH)
Friedrichshafen

6100-0575 Einfamilienhaus - Passivhaus*
Ein- und Zweifamilienhäuser, Passivhausstandard
Martin Wamsler Freier Architekt BDA Dipl.-Ing. (FH)
Friedrichshafen

6100-0587 Einfamilienhaus - Passivhaus*
Ein- und Zweifamilienhäuser, Passivhausstandard
Architekturbüro Dipl.-Ing. (FH) Werner Friedl
Adelzhausen

6100-0627 Einfamilienhaus - Passivhaus*
Ein- und Zweifamilienhäuser, Passivhausstandard
Dipl.-Ing. (FH) Wolfgang Klein
Pleisweiler-Oberhofen

* Diese Objekte wurden zur Bildung der statistischen Werte herangezogen sind jedoch nicht als Einzelobjektdokumentation in diesem Band veröffentlicht.

© Büro Architekten GrundRiss

6100-0663 Doppelhaushälfte - KfW 40
Doppel- und Reihenendhäuser
Büro Architekten GrundRiss
Landsberg am Lech

© Planungsbüro future-proved

6100-0715 Einfamilienhaus - Passivhaus*
Ein- und Zweifamilienhäuser, Passivhausstandard
Planungsbüro future-proved Alexander Grab
Augsburg

© Planungsgruppe Barthelmey

6100-0719 Einfamilienhaus, Lehmbau*
Ein- und Zweifamilienhäuser, nicht unterkellert
Planungsgruppe Barthelmey
Erfurt

© Planungsgruppe Barthelmey

6100-0720 Einfamilienhaus, Lehmbau*
Ein- und Zweifamilienhäuser, nicht unterkellert
Planungsgruppe Barthelmey
Erfurt

© Martin Wamsler Freier Architekt

6100-0765 Einfamilienhaus - Passivhaus*
Ein- und Zweifamilienhäuser, Passivhausstandard
Martin Wamsler Freier Architekt BDA Dipl.-Ing. (FH)
Friedrichshafen

© Martin Wamsler Freier Architekt

6100-0766 Einfamilienhaus - Passivhaus*
Ein- und Zweifamilienhäuser, Passivhausstandard
Martin Wamsler Freier Architekt BDA Dipl.-Ing. (FH)
Friedrichshafen

* Diese Objekte wurden zur Bildung der statistischen Werte herangezogen sind jedoch nicht als Einzelobjektdokumentation in diesem Band veröffentlicht.

Fotopräsentation der Objekte

6100-0794 Einfamilienhaus - Passivhaus*
Ein- und Zweifamilienhäuser, Passivhausstandard
Architekt Rainer Graf Architektur + Energiekonzepte
Ofterdingen

6100-0796 Einfamilienhaus - Passivhaus*
Ein- und Zweifamilienhäuser, Passivhausstandard
Architekt Rainer Graf Architektur + Energiekonzepte
Ofterdingen

6100-0809 Einfamilienhaus - Passivhaus*
Ein- und Zweifamilienhäuser, Passivhausstandard
Raum für Architektur Dipl.-Ing. Kay Künzel
Wachtberg

6100-0810 Einfamilienhaus - Passivhaus*
Ein- und Zweifamilienhäuser, Passivhausstandard
Raum für Architektur Dipl.-Ing. Kay Künzel
Wachtberg

6100-0811 Einfamilienhaus - Passivhaus*
Ein- und Zweifamilienhäuser, Passivhausstandard
Raum für Architektur Dipl.-Ing. Kay Künzel
Wachtberg

6100-0813 Einfamilienhaus - Passivhaus*
Ein- und Zweifamilienhäuser, Passivhausstandard
Martin Wamsler Freier Architekt BDA Dipl.-Ing. (FH)
Friedrichshafen

* Diese Objekte wurden zur Bildung der statistischen Werte herangezogen sind jedoch nicht als Einzelobjektdokumentation in diesem Band veröffentlicht.

Fotopräsentation der Objekte

6100-0828 Einfamilienhaus - Effizienzhaus 70*
Ein- und Zweifamilienhäuser, nicht unterkellert
Locke Lührs Architektinnen
Dresden

6100-0847 Einfamilienhaus, 2 Garagen - Effizienzhaus 40*
Ein- und Zweifamilienhäuser, nicht unterkellert
Architekturbüro Ising
Marsberg

6100-0870 Einfamilienhaus - Plusenergiehaus*
Ein- und Zweifamilienhäuser, Passivhausstandard
Jirka + Nadansky Architekten
Borgsdorf

6100-0873 Einfamilienhaus - Effizienzhaus 70*
Ein- und Zweifamilienhäuser, unterkellert
Jaks Architekten + Ingenieure
München

6100-0874 Doppelhaushälfte, Garage*
Ein- und Zweifamilienhäuser, unterkellert
Jaks Architekten + Ingenieure
München

6100-0883 Einfamilienhaus - KfW 60*
Ein- und Zweifamilienhäuser, unterkellert
Hatzius Sarramona Architekten
Hamburg

* Diese Objekte wurden zur Bildung der statistischen Werte herangezogen sind jedoch nicht als Einzelobjektdokumentation in diesem Band veröffentlicht.

Fotopräsentation der Objekte

© Herbert Stolz

6100-0885 Einfamilienhaus - Effizienzhaus 40*
Ein- und Zweifamilienhäuser, unterkellert
fabi architekten bda
Regensburg

© Werkgruppe Freiburg Architekten

6100-0905 Einfamilienhaus - KfW 40*
Ein- und Zweifamilienhäuser, unterkellert
Werkgruppe Freiburg Architekten
Freiburg

© brenner architekten

6100-0911 Einfamilienhaus*
Ein- und Zweifamilienhäuser, unterkellert
brenner architekten
München

© Architekturbüro Thyroff-Krause

6100-0947 Doppelhaushälfte - Passivhaus
Ein- und Zweifamilienhäuser, Passivhausstandard
Architekturbüro Thyroff-Krause
Kaltenkirchen

© Architekturbüro Thiel

6100-0970 Einfamilienhaus, Garage - Passivhaus
Ein- und Zweifamilienhäuser, Passivhausstandard
Dejozé & Dr. Ammann und Architekturbüro Thiel
Münster

© evaplan Architektur + Stadtplanung

6100-0980 Einfamilienhaus - Effizienzhaus 55*
Ein- und Zweifamilienhäuser, unterkellert
evaplan Architektur + Stadtplanung
Karlsruhe

* Diese Objekte wurden zur Bildung der statistischen Werte herangezogen sind jedoch nicht als Einzelobjektdokumentation in diesem Band veröffentlicht.

6100-0981 Einfamilienhaus - Passivhaus*
Ein- und Zweifamilienhäuser, Passivhausstandard
amunt architekten martenson und nagel theissen
Aachen, Stuttgart

6100-0991 Einfamilienhaus*
Ein- und Zweifamilienhäuser, unterkellert
bau grün ! energieeffiziente Gebäude
Mönchengladbach

6100-1017 Einfamilienhaus - Passivhaus
Ein- und Zweifamilienhäuser, Passivhausstandard
architekten dd Dipl.-Ing. Dietmar Eichelmann
Dresden

6100-1018 Einfamilienhaus - Passivhaus
Ein- und Zweifamilienhäuser, Passivhausstandard
architekten dd Dipl.-Ing. Dietmar Eichelmann
Dresden

6100-1028 Doppelhaushälfte, Carport - Effizienzhaus 55
Doppel- und Reihenendhäuser
Aslaksen-Schürholz Architektin
Bochum

6100-1031 Einfamilienhaus - Effizienzhaus 70*
Ein- und Zweifamilienhäuser, unterkellert
Planungsgruppe Barthelmey
Erfurt

* Diese Objekte wurden zur Bildung der statistischen Werte herangezogen sind jedoch nicht als Einzelobjektdokumentation in diesem Band veröffentlicht.

6100-1042 Einfamilienhaus, Doppelgarage - Passivhaus*
Ein- und Zweifamilienhäuser, Passivhausstandard
Wimmer Architekten
Rosenheim

6100-1044 Einfamilienhaus - Effizienzhaus 85*
Ein- und Zweifamilienhäuser, unterkellert
TRÄNKNER ARCHITEKTEN Dipl.-Ing. Architekt
Matthias Tränkner, Naumburg (Saale)

6100-1048 Doppelhaushälfte - KfW 60
Doppel- und Reihenendhäuser
Hirschhäuser Liedtke Architekten BDA
München

6100-1058 Doppelhaushälfte - Passivhaus
Ein- und Zweifamilienhäuser, Passivhausstandard
Agathos Baukontor Dipl. Ing. Bernward Sutmann
Roetgen

6100-1078 Einfamilienhaus*
Ein- und Zweifamilienhäuser, nicht unterkellert
Schauer + Volhard Architekten BDA
Darmstadt

6100-1083 Einfamilienhaus, Carport - Effizienzhaus 70*
Ein- und Zweifamilienhäuser, nicht unterkellert
Architekturbüro Peter Walach
Schmallenberg

* Diese Objekte wurden zur Bildung der statistischen Werte herangezogen sind jedoch nicht als Einzelobjektdokumentation in diesem Band veröffentlicht.

6100-1086 Einfamilienhaus - Effizienzhaus 55*
Ein- und Zweifamilienhäuser, nicht unterkellert
puschmann architektur
Recklinghausen

6100-1094 Einfamilienhaus - Effizienzhaus 70*
Ein- und Zweifamilienhäuser, unterkellert
Wacker Zeiger Architekten
Hamburg

6100-1096 Einfamilienhaus, Garagen*
Ein- und Zweifamilienhäuser, nicht unterkellert
puschmann architektur
Recklinghausen

6100-1097 Einfamilienhaus, Carport - Effizienzhaus 55
Ein- und Zweifamilienhäuser, nicht unterkellert
Planungsgruppe Barthelmey
Erfurt

6100-1106 Einfamilienhaus, Garage - Effizienzhaus 70
Ein- und Zweifamilienhäuser, unterkellert
Lilienström Architekten PartG mbB
Dormagen

6100-1133 Einfamilienhaus*
Ein- und Zweifamilienhäuser, nicht unterkellert
ARCHITEKTanBORD Dipl.-Ing. Viktor Walter
Augsburg

* Diese Objekte wurden zur Bildung der statistischen Werte herangezogen sind jedoch nicht als Einzelobjektdokumentation in diesem Band veröffentlicht.

Fotopräsentation der Objekte

6100-1156 Reihenmittelhaus - Passivhaus
Ein- und Zweifamilienhäuser, Passivhausstandard
Architekturbüro Thyroff-Krause
Kaltenkirchen

6100-1158 Einfamilienhaus, Carport*
Ein- und Zweifamilienhäuser, unterkellert
grau. architektur Dipl.-Ing. Architektin Petra Grau
Wuppertal

6100-1167 Einfamilienhaus - Effizienzhaus 40*
Ein- und Zweifamilienhäuser, nicht unterkellert
sellger architektur Martin Sellger, M.Sc.
Hamburg

6100-1169 Reihenendhaus - Passivhaus
Ein- und Zweifamilienhäuser, Passivhausstandard
Architekturbüro Thyroff-Krause
Kaltenkirchen

6100-1177 Einfamilienhaus, Carport - Passivhaus
Ein- und Zweifamilienhäuser, Passivhausstandard
Architekt Rainer Graf Architektur + Energiekonzepte
Ofterdingen

6100-1186 Mehrfamilienhaus (9 WE) - Effizienzhaus Plus
Mehrfamilienhäuser
Martin Wamsler Freier Architekt BDA Dipl.-Ing. (FH)
Friedrichshafen

* Diese Objekte wurden zur Bildung der statistischen Werte herangezogen sind jedoch nicht als Einzelobjektdokumentation in diesem Band veröffentlicht.

6100-1190 Einfamilienhaus, Garage - Effizienzhaus 40
Ein- und Zweifamilienhäuser, nicht unterkellert
brack architekten
Kempten

6100-1199 Doppelhaus - Effizienzhaus 55
Doppel- und Reihenendhäuser
Planungsbüro Clobes GmbH
Wabern

6100-1209 Zweifamilienhaus, Garage - Passivhaus
Ein- und Zweifamilienhäuser, Passivhausstandard
Sabine Schmidt freie architektin
Scheidegg

6100-1214 Einfamilienhaus, Garage - Effizienzhaus 70
Ein- und Zweifamilienhäuser, nicht unterkellert
Thomas Pscherer Architekt
München

6100-1217 Einfamilienhaus, Garage - Effizienzhaus 40*
Ein- und Zweifamilienhäuser, nicht unterkellert
bau grün ! energieeffiziente Gebäude
Mönchengladbach

6100-1240 Einfamilienhaus, Carport - Effizienzhaus 70*
Ein- und Zweifamilienhäuser, nicht unterkellert
LÖSER-SCHWARZOTT ENERGIE.BEWUSSTE.
ARCHITEKTUR., Regenstauf

* Diese Objekte wurden zur Bildung der statistischen Werte herangezogen sind jedoch nicht als Einzelobjektdokumentation in diesem Band veröffentlicht.

Fotopräsentation der Objekte

6100-1241 Mehrfamilienhaus (6 WE), TG - Effizienzhaus 85
Mehrfamilienhäuser
Roswag Architekten GvAmbH
Berlin

6100-1254 Einfamilienhaus - Effizienzhaus 55
Ein- und Zweifamilienhäuser, unterkellert
son.tho architekten
Besigheim

6100-1268 Einfamilienhaus, Garage - Effizienzhaus 55
Ein- und Zweifamilienhäuser, unterkellert
kg architektur Dipl.-Ing. Arch. Kai Grosche
Köln

6100-1272 Einfamilienhäuser - Effizienzhaus ~50%
Ein- und Zweifamilienhäuser, nicht unterkellert
finsterwalderarchitekten
Stephanskirchen

6100-1273 Einfamilienhaus - Effizienzhaus ~56%
Ein- und Zweifamilienhäuser, nicht unterkellert
finsterwalderarchitekten
Stephanskirchen

6100-1276 Einfamilienhaus, Garage - Effizienzhaus ~72%
Ein- und Zweifamilienhäuser, nicht unterkellert
Märkplan GmbH
Brandenburg an der Havel

6100-1289 Einfamilienhaus, Garage - Effizienzhaus ~31%
Ein- und Zweifamilienhäuser, unterkellert
⌂ bau grün ! energieeffiziente Gebäude
Mönchengladbach

6100-1291 Einfamilienhaus, Garage
Ein- und Zweifamilienhäuser, unterkellert
⌂ studio moeve architekten
Darmstadt

6100-1304 Einfamilienhaus, ELW
Ein- und Zweifamilienhäuser, nicht unterkellert
⌂ adbarchitektur
Wuppertal

6100-1325 Einfamilienhaus - Effizienzhaus 40
Ein- und Zweifamilienhäuser, nicht unterkellert
⌂ brack architekten
Kempten

6100-1326 Einfamilienhaus, Carport - Passivhaus
Ein- und Zweifamilienhäuser, Passivhausstandard
⌂ RoA RONGEN ARCHITEKTEN PartG mbB
Wassenberg

6100-1336 Mehrfamilienhäuser - Effizienzhaus ~38%
Mehrfamilienhäuser
⌂ Deppisch Architekten GmbH
Freising

6100-1339 Einfamilienhaus, Garage - Effizienzhaus 40
Ein- und Zweifamilienhäuser, nicht unterkellert
Architekt Rainer Graf Architektur + Energiekonzepte
Ofterdingen

6100-1344 Einfamilienhaus - Effizienzhaus ~53%
Ein- und Zweifamilienhäuser, nicht unterkellert
bau grün ! energieeffiziente Gebäude
Mönchengladbach

6100-1360 Einfamilienhaus, Garage - Passivhaus
Ein- und Zweifamilienhäuser, Passivhausstandard
bau grün ! energieeffiziente Gebäude
Mönchengladbach

6100-1365 Einfamilienhaus - Effizienzhaus 40
Ein- und Zweifamilienhäuser, unterkellert
Jirka + Nadansky Architekten
Hohen Neuendorf

6100-1382 Einfamilienhaus, teilunterkellert
Ein- und Zweifamilienhäuser, unterkellert
Hatzius Sarramona Architekten
Hamburg

6100-1407 Einfamilienhaus, Garage - Effizienzhaus 55
Ein- und Zweifamilienhäuser, unterkellert
2P-Raum Architekten
Nattheim

Fotopräsentation der Objekte

6100-1474 Einfamilienhaus - Passivhaus
Ein- und Zweifamilienhäuser, Passivhausstandard
⌂ bau grün ! energieeffiziente Gebäude
Mönchengladbach

6100-1484 Mehrfamilienhaus (3 WE)
Mehrfamilienhäuser
⌂ Inke von Dobro-Wolski Dipl. Ing. Architektin
Stedesand

6100-1495 Einfamilienhaus
Ein- und Zweifamilienhäuser, nicht unterkellert
⌂ Ruge+Göllner GmbH
Vechta

6100-1512 Wohn- u. Geschäftshaus - Effizienzhaus ~54%
Sonstige Gebäude
⌂ ASUNA Dipl.Ing.(FH) Architekt Dirk Stenzel
Leipzig

6100-1513 Einfamilienhaus - Effizienzhaus ~64%
Ein- und Zweifamilienhäuser, nicht unterkellert
⌂ Maximilian Hartinger
München

6100-1527 Einfamilienhaus
Ein- und Zweifamilienhäuser, unterkellert
⌂ claus arnold architekt bda
Würzburg

6100-1531 Einfamilienhaus - Effizienzhaus ~63%
Ein- und Zweifamilienhäuser, unterkellert
Grosche Burgmer Architekten Part GmbB
Köln

6100-1532 Mehrfamilienhäuser (2 Gebäude, 23 WE)
Mehrfamilienhäuser
Praeger Richter Architekten BDA
Berlin

6100-1535 Einfamilienhaus
Ein- und Zweifamilienhäuser, unterkellert
Laura Hirsch Architektin
Hamburg

6100-1539 Einfamilienhaus
Ein- und Zweifamilienhäuser, nicht unterkellert
Zeller & Moye
Berlin

6100-1541 Einfamilienhäuser (6 WE) - Effizienzhaus ~31%
Sonstige Gebäude
ASs Flassak & Tehrani Freie Architekten und Stadtplaner, Stuttgart

6100-1546 Einfamilienhaus, Carport
Ein- und Zweifamilienhäuser, nicht unterkellert
Henschke Schulze Reimers Architekten
Lüneburg

6100-1550 Einfamilienhaus, Doppelgarage
Ein- und Zweifamilienhäuser, nicht unterkellert
burgemeister+marx architekten
Berlin

6100-1556 Doppelhaushälfte (1 WE)
Ein- und Zweifamilienhäuser, unterkellert
riekMANUFAKTUR
Nonnenhorn

6100-1559 Einfamilienhaus, Praxis - Passivhaus
Ein- und Zweifamilienhäuser, Passivhausstandard
messmerarchitektur gmbh
Wehingen

6100-1560 Mehrfamilienhaus (16 WE)
Mehrfamilienhäuser
wbg Nürnberg GmbH Immobilienunternehmen
Nürnberg

6100-1561 Mehrfamilienhaus (7 WE) - Effizienzhaus ~21%
Mehrfamilienhäuser
Architekturbüro Constanze Prause-Bergner
Remptendorf

6100-1562 Einfamilienhaus, Büro, Passivhaus
Ein- und Zweifamilienhäuser, Passivhausstandard
Shakti Haus
Bad König

© Lür Meyer-Bassin

6100-1563 Ferienhaus (1 WE), Garage
Ein- und Zweifamilienhäuser, nicht unterkellert
meyer-bassin und partner freie architekten bda
Dresden

© Jan Rottler

6100-1564 Einfamilienhaus, Garage
Ein- und Zweifamilienhäuser, unterkellert
Partner und Partner Architekten
Berlin

© Michael Bohl

6100-1565 Einfamilienhaus
Ein- und Zweifamilienhäuser, nicht unterkellert
Nina und Michael Bohl Dipl. Ing. M. Sc. Architekten
Wolfhagen

© Dieter Leistner

6100-1568 Einfamilienhaus, Carport
Ein- und Zweifamilienhäuser, unterkellert
claus arnold architekt bda
Würzburg

© dietzsch & weber architekten bda

6100-1573 Wohnanlage (96 WE, 77 STP)
Mehrfamilienhäuser
dietzsch & weber architekten bda
Halle (Saale)

6100-1575 Einfamilienhaus, Garage
Ein- und Zweifamilienhäuser, unterkellert
sgfa schäfer gaukel kammerer freie architekten partnerschaft mbb, Karlsruhe

Fotopräsentation der Objekte

6100-1586 Doppelhaus (2 WE)
Doppel- und Reihenendhäuser
JEBENS SCHOOF ARCHITEKTEN BDA
Heide

6100-1587 Mehrfamilienhaus (9 WE)
Mehrfamilienhäuser
Plan-R-Architektenbüro Martin Brüdigam
Hamburg

6200-0115 Hospiz (10 Betten)
Sonstige Gebäude
Sweco GmbH, München und
HSP Projektmanagement, Beratung GmbH, Töging

6200-0118 Begegnungsstätte, Tagespflege, Wohnheim
Sonstige Gebäude
Architekten Bökamp
Bad Oeynhausen

6400-0063 Begegnungszentrum
Gemeindezentren
maurer - ARCHITEKTUR
Vechelde

6400-0078 Gemeindehaus
Gemeindezentren
Stoy-Architekten
Neumünster

6400-0082 Gemeindehaus
Gemeindezentren
hage.felshart.griesenberg Architekten BDA
Ahrensburg

6400-0094 Spielhaus, Jugendtreff - Effizienzhaus ~62%
Gemeindezentren
Püffel Architekten
Bremen

6400-0096 Gemeindezentrum
Gemeindezentren
Studio b2
Brackel

6400-0105 Bürgerhaus
Gemeindezentren
STUDIOBORNHEIM Unger Ritter Architekten
PartG mbB, Frankfurt am Main

6400-0110 Jugendhaus
Gemeindezentren
MATTES//EPPMANN ARCHITEKTEN GbR
Abstatt

6400-0112 Evang. Gemeindezentrum - Effizienzhaus ~37%
Gemeindezentren
Architekturbüro Thiemann
Hersbruck

6400-0113 Bildungscampus - Effizienzhaus ~87%
Gemeindezentren
heinobrodersen architekt
Flensburg

6400-0114 Kirchliches Gemeindezentrum
Gemeindezentren
MMST Architekten GmbH
Hamburg

6400-0116 Dorfgemeinschaftshaus - Effizienzhaus ~42%
Gemeindezentren
jup. architektur
Winsen (Luhe)

6500-0055 Schulmensa (160 Sitzplätze)
Sonstige Gebäude
Renner Architekten GmbH
Berlin

7700-0090 Streugutlagerhalle
Sonstige Gebäude
Eßmann I Gärtner I Nieper Architekten GbR
Leipzig

7800-0030 Fahrradparkhaus (224 STP)
Sonstige Gebäude
slb_architekten und ingenieure Hachenberg & Roll GbR, Boppard

Erläuterungen

1

Büro- und Verwaltungsgebäude

Kostenkennwerte für die Kosten des Bauwerks (Kostengruppen 300+400 nach DIN 276)

2

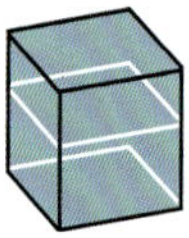

BRI 630 €/m³
von 495 €/m³
bis 850 €/m³

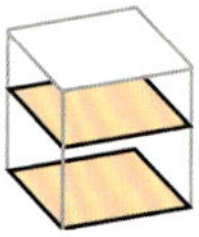

BGF 2.275 €/m²
von 1.795 €/m²
bis 2.640 €/m²

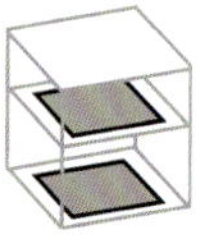

NUF 3.565 €/m²
von 2.715 €/m²
bis 4.875 €/m²

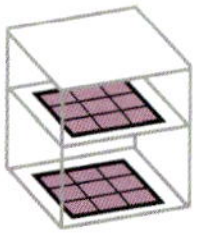

NE 74.935 €/NE
von 55.650 €/NE
bis 101.800 €/NE
NE: Arbeitsplätze

Objektbeispiele

Kosten:
Stand 3. Quartal 2022
Bundesdurchschnitt
inkl. 19% MwSt.

3

1300-0292

1300-0249

1300-0235

4

Kosten der 5 Vergleichsobjekte **Seiten 148 bis 183**

- ● KKW
- ▶ min
- ▷ von
- | Mittelwert
- ◁ bis
- ◀ max

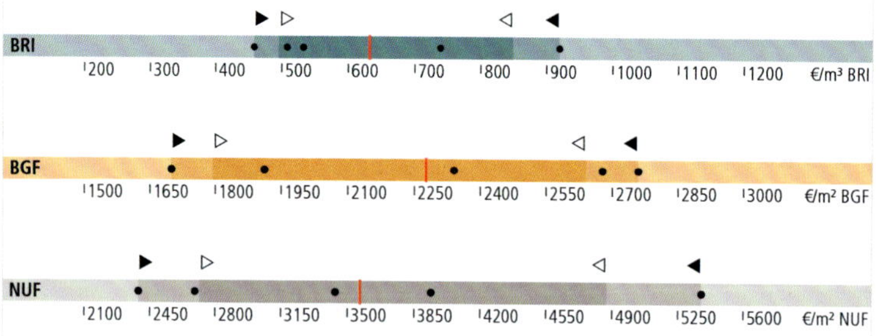

5

Kostenstand: 3. Quartal 2022, Bundesdurchschnitt, **inkl. 19% MwSt.**

Erläuterung nebenstehender Tabellen und Abbildungen

Kostenkennwerte für die Kosten des Bauwerks (Kostengruppe 300+400 DIN 276)

①

Bezeichnung der Gebäudeart

②

Kostenkennwerte für Bauwerkskosten inkl. MwSt. mit Kostenstand 3. Quartal 2022.
Kosten und Kostenkennwerte umgerechnet auf den Bundesdurchschnitt.

Angabe von Streubereich (Standardabweichung; „von-/bis"-Werte) und Mittelwert (Fettdruck).
- Bauwerkskosten: Summe der Kostengruppen 300 und 400 (DIN 276)
- Kostengruppe 300: Bauwerk-Baukonstruktionen
- Kostengruppe 400: Bauwerk-Technische Anlagen
- BRI: Brutto-Rauminhalt (Summe der Regelfall (R)- und Sonderfall (S)-Rauminhalte nach DIN 277)
- BGF: Brutto-Grundfläche (Summe der Regelfall (R)- und Sonderfall (S)-Rauminhalte nach DIN 277)
- NUF: Nutzungsfläche (Summe der Regelfall (R)- und Sonderfall (S)-Rauminhalte nach DIN 277)
- NE: Nutzeinheit

Auf volle 5 bzw. 10€ gerundete Werte

③

Zeigt Abbildungen beispielhaft ausgewählter Vergleichsobjekte aus der jeweiligen Gebäudeart. Die Objektnummer verweist auf die im gleichen Kapitel veröffentlichte Objektdokumentation. Jedoch sind nicht alle Objekte, die zur Bildung der statistischen Werte herangezogen wurden, als Einzelobjektdokumention in diesem Band veröffenlticht.

Vergleichsobjekte

④

Die Punkte zeigen auf die objektbezogenen Kostenkennwerte €/m³ BRI, €/m² BGF und €/m² NUF der Vergleichsobjekte. Diese Tabelle verdeutlicht den Sachverhalt, dass die Kostenkennwerte realer und abgerechneter Einzelobjekte auch außerhalb des statistisch ermittelten Streubereichs (Standardabweichung) liegen können. Der farbintensive innere Bereich stellt diesen Streubereich (von-bis) grafisch mit der Angabe des Mittelwerts dar. Von allen Vergleichsobjekten können beim BKI bei Bedarf die ausführlichen Kostendokumentationen angefordert werden. Die Breiten der Streubereiche variieren bei den unterschiedlichen Gebäudearten.

⑤

Anzeige des Kostenstandes

Kostenkennwerte für die Kostengruppen der 1. und 2. Ebene DIN 276

(1)

KG	Kostengruppen der 1. Ebene	Einheit	▷	€/Einheit	◁	▷	% an 300+400	◁
100	Grundstück	m² GF	–	**–**	–	–	**–**	–
200	Vorbereitende Maßnahmen	m² GF	< 1	**< 1**	< 1	0,2	**0,7**	1,7
300	Bauwerk – Baukonstruktionen	m² BGF	1.324	**1.739**	2.058	71,3	**76,2**	82,3
400	Bauwerk – Technische Anlagen	m² BGF	455	**538**	861	17,7	**23,8**	28,7
	Bauwerk 300+400	m² BGF	1.794	**2.277**	2.640	100,0	**100,0**	100,0
500	Außenanlagen und Freiflächen	m² AF	–	**21**	–	1,1	**1,1**	1,1
600	Ausstattung und Kunstwerke	m² BGF	–	**18**	–	0,6	**0,6**	0,6
700	Baunebenkosten*	m² BGF	457	**510**	562	20,5	**22,8**	25,1 ◁
800	Finanzierung	m² BGF	–	**–**	–	–	**–**	–

* Auf Grundlage der HOAI 2021 berechnete Werte nach §§ 35, 52, 56. Weitere Informationen siehe Seite 56

(2)

KG	Kostengruppen der 2. Ebene	Einheit	▷	€/Einheit	◁	▷	% an 1. Ebene	◁
310	Baugrube / Erdbau	m³ BGI	64	**264**	658	0,4	**0,8**	1,7
320	Gründung, Unterbau	m² GRF	387	**467**	626	6,8	**14,2**	18,7
330	Außenwände / vertikal außen	m² AWF	466	**637**	880	27,7	**32,3**	41,1
340	Innenwände / vertikal innen	m² IWF	189	**326**	421	5,8	**12,7**	16,4
350	Decken / horizontal	m² DEF	325	**481**	636	0,0	**12,2**	20,5
360	Dächer	m² DAF	458	**598**	878	12,5	**20,4**	34,0
370	Infrastrukturanlagen		–	**–**	–	–	**–**	–
380	Baukonstruktive Einbauten	m² BGF	41	**51**	60	0,0	**2,2**	3,3
390	Sonst. Maßnahmen für Baukonst.	m² BGF	59	**89**	146	4,0	**5,2**	7,7
300	**Bauwerk – Baukonstruktionen**	**m² BGF**					**100,0**	
410	Abwasser-, Wasser-, Gasanlagen	m² BGF	39	**60**	70	8,2	**10,4**	14,7
420	Wärmeversorgungsanlagen	m² BGF	94	**108**	122	3,5	**12,2**	25,7
430	Raumlufttechnische Anlagen	m² BGF	82	**147**	191	19,4	**24,4**	31,7
440	Elektrische Anlagen	m² BGF	203	**225**	269	31,2	**39,0**	42,9
450	Kommunikationstechnische Anlagen	m² BGF	18	**46**	101	3,5	**6,5**	11,7
460	Förderanlagen	m² BGF	–	**17**	–	0,0	**0,7**	2,0
470	Nutzungsspez. / verfahrenstech. Anl.	m² BGF	–	**< 1**	–	0,0	**< 0,1**	< 0,1
480	Gebäude- und Anlagenautomation	m² BGF	39	**67**	96	0,0	**6,4**	10,0
490	Sonst. Maßnahmen f. techn. Anl.	m² BGF	3	**4**	4	0,0	**0,4**	0,6
400	**Bauwerk – Technische Anlagen**	**m² BGF**					**100,0**	

(3)

Prozentanteile der Kosten 2. Ebene an den Kosten des Bauwerks nach DIN 276 (Von/Mittel/Bis)

KG	Kostengruppe	%
310	Baugrube / Erdbau	0,6
320	Gründung, Unterbau	10,7
330	Außenwände / vertikal außen	23,7
340	Innenwände / vertikal innen	9,3
350	Decken / horizontal	8,5
360	Dächer	15,5
370	Infrastrukturanlagen	
380	Baukonstruktive Einbauten	1,5
390	Sonst. Maßnahmen für Baukonst.	3,8
410	Abwasser-, Wasser-, Gasanlagen	2,8
420	Wärmeversorgungsanlagen	2,9
430	Raumlufttechnische Anlagen	6,7
440	Elektrische Anlagen	10,1
450	Kommunikationstechnische Anlagen	1,8
460	Förderanlagen	0,2
470	Nutzungsspez. / verfahrenstech. Anl.	< 0,1
480	Gebäude- und Anlagenautomation	1,9
490	Sonst. Maßnahmen f. techn. Anl.	< 0,1

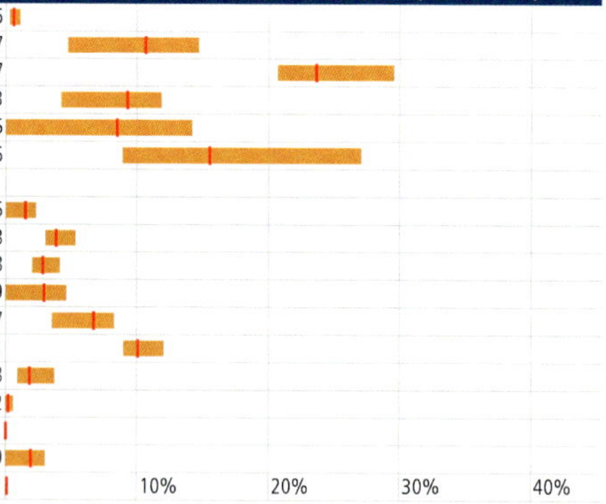

Kostenstand: 3. Quartal 2022, Bundesdurchschnitt, **inkl. 19% MwSt.**

Erläuterung nebenstehender Baukostentabellen

Alle Kostenkennwerte enthalten die Mehrwertsteuer. Kostenstand: 3. Quartal 2022.
Kosten und Kostenkennwerte umgerechnet auf den Bundesdurchschnitt.
Die Bezugseinheiten der Kostenkennwerte entsprechen der DIN 276:2018-12: Mengen und Bezugseinheiten.

Kostenkennwerte für die Kostengruppen der 1. und 2. Ebene DIN 276

①

Kostenkennwerte in €/Einheit für die Kostengruppen 200 bis 600 der 1. Ebene DIN 276 mit Angabe von Mittelwert (Spalte: €/Einheit) und Standardabweichung („von-/bis"-Werte). Anteil der jeweiligen Kostengruppen in Prozent der Bauwerkskosten (100%) mit Angabe von Mittelwert (Spalte: % an 300 + 400) und Streubereich („von-/bis"-Werte). Die Werte in den Spalten „von" bzw. „bis" sind aus statistischen Gründen nicht addierbar, sonstige Abweichungen sind rundungsbedingt.

②

Angaben zum Bauwerk, jedoch für Kostengruppen der 2. Ebene DIN 276. Die Kostenkennwerte zur Kostengruppe 300 (Bauwerk-Baukonstruktionen) sind wegen der unterschiedlichen Bezugseinheiten nicht addierbar.
Bei der Ermittlung der Kostenkennwerte dieser Tabelle variiert der Stichprobenumfang von Kostengruppe zu Kostengruppe und auch gegenüber dem Stichprobenumfang der Tabelle der 1. Ebene. Um kostenplanerisch realistische Kostenkennwerte für die einzelnen Kostengruppen angeben zu können, wurden bei jeder Kostengruppe nur diejenigen Objekte einbezogen, bei denen für die betreffende Kostengruppe auch tatsächlich Kosten angefallen sind.
Zur Berechnung der Prozentanteile wurden jedoch alle Objekte herangezogen, zwischen den Kostenkennwerten und den Prozentanteilen kann daher kein direkter Bezug hergeleitet werden. Beispiel: Da Büro- und Verwaltungsgebäude nicht immer eine Förderanlage enthalten, ergibt sich bezogen auf die gesamte Stichprobe der geringe mittlere Prozentanteil von nur 0,7% an den Kosten der Technischen Anlagen. Diesem Prozentsatz steht der Kostenkennwert von 17€/m² BGF gegenüber, ermittelt aus den Objekten, bei denen Kosten für Förderanlagen abgerechnet worden sind.

Prozentualer Anteil der Kostengruppen der 2. Ebene an den Kosten des Bauwerks nach DIN 276

③

Die grafische Darstellung verdeutlicht, welchen durchschnittlichen Anteil die Kostengruppen der 2. Ebene DIN 276 an den Bauwerkskosten (Kostengruppe 300 + 400 = 100%) haben. Für Kostenermittlungen werden die kostenplanerisch besonders relevanten Kostengruppen auch optisch sofort erkennbar. Der senkrechte Strich markiert den durchschnittlichen Prozentanteil (Mittelwert); der farbige Balken visualisiert den „Streubereich" (Standardabweichung). Bei der Aufsummierung aller Prozentanteile der Kostengruppen sind Abweichungen zu 100% rundungsbedingt.

Kostenkennwerte für die Kostengruppen der 1. und 2.Ebene DIN 276

KG	Kostengruppen der 1.Ebene	Einheit	▷	€/Einheit	◁	▷	% an 300+400	◁
100	Grundstück	m² GF	–	–	–	–	–	–
200	Vorbereitende Maßnahmen	m² GF	< 1	**< 1**	< 1	0,2	**0,7**	1,7
300	Bauwerk – Baukonstruktionen	m² BGF	1.324	**1.739**	2.058	71,3	**76,2**	82,3
400	Bauwerk – Technische Anlagen	m² BGF	455	**538**	861	17,7	**23,8**	28,7
	Bauwerk 300+400	m² BGF	1.794	**2.277**	2.640	100,0	**100,0**	100,0
500	Außenanlagen und Freiflächen	m² AF	–	**21**	–	1,1	**1,1**	1,1
600	Ausstattung und Kunstwerke	m² BGF	–	**18**	–	0,6	**0,6**	0,6
700	Baunebenkosten*	m² BGF	457	**510**	562	20,5	**22,8**	25,1 ◁
800	Finanzierung	m² BGF	–	–	–	–	–	–

(1) 700 Baunebenkosten

* Auf Grundlage der HOAI 2021 berechnete Werte nach §§ 35, 52, 56. Weitere Informationen siehe Seite 56

KG	Kostengruppen der 2.Ebene	Einheit	▷	€/Einheit	◁	▷	% an 1. Ebene	◁
310	Baugrube / Erdbau	m³ BGI	64	**264**	658	0,4	**0,8**	1,7
320	Gründung, Unterbau	m² GRF	387	**467**	626	6,8	**14,2**	18,7
330	Außenwände / vertikal außen	m² AWF	466	**637**	880	27,7	**32,3**	41,1
340	Innenwände / vertikal innen	m² IWF	189	**326**	421	5,8	**12,7**	16,4
350	Decken / horizontal	m² DEF	325	**481**	636	0,0	**12,2**	20,5
360	Dächer	m² DAF	458	**598**	878	12,5	**20,4**	34,0
370	Infrastrukturanlagen		–	–	–	–	–	–
380	Baukonstruktive Einbauten	m² BGF	41	**51**	60	0,0	**2,2**	3,3
390	Sonst. Maßnahmen für Baukonst.	m² BGF	59	**89**	146	4,0	**5,2**	7,7
300	**Bauwerk – Baukonstruktionen**	**m² BGF**					**100,0**	
410	Abwasser-, Wasser-, Gasanlagen	m² BGF	39	**60**	70	8,2	**10,4**	14,7
420	Wärmeversorgungsanlagen	m² BGF	94	**108**	122	3,5	**12,2**	25,7
430	Raumlufttechnische Anlagen	m² BGF	82	**147**	191	19,4	**24,4**	31,7
440	Elektrische Anlagen	m² BGF	203	**225**	269	31,2	**39,0**	42,9
450	Kommunikationstechnische Anlagen	m² BGF	18	**46**	101	3,5	**6,5**	11,7
460	Förderanlagen	m² BGF	–	**17**	–	0,0	**0,7**	2,0
470	Nutzungsspez. / verfahrenstech. Anl.	m² BGF	–	**< 1**	–	0,0	**< 0,1**	< 0,1
480	Gebäude- und Anlagenautomation	m² BGF	39	**67**	96	0,0	**6,4**	10,0
490	Sonst. Maßnahmen f. techn. Anl.	m² BGF	3	**4**	4	0,0	**0,4**	0,6
400	**Bauwerk – Technische Anlagen**	**m² BGF**					**100,0**	

Prozentanteile der Kosten 2.Ebene an den Kosten des Bauwerks nach DIN 276 (Von/Mittel/Bis)

KG	Kostengruppe	%
310	Baugrube / Erdbau	0,6
320	Gründung, Unterbau	10,7
330	Außenwände / vertikal außen	23,7
340	Innenwände / vertikal innen	9,3
350	Decken / horizontal	8,5
360	Dächer	15,5
370	Infrastrukturanlagen	
380	Baukonstruktive Einbauten	1,5
390	Sonst. Maßnahmen für Baukonst.	3,8
410	Abwasser-, Wasser-, Gasanlagen	2,8
420	Wärmeversorgungsanlagen	2,9
430	Raumlufttechnische Anlagen	6,7
440	Elektrische Anlagen	10,1
450	Kommunikationstechnische Anlagen	1,8
460	Förderanlagen	0,2
470	Nutzungsspez. / verfahrenstech. Anl.	< 0,1
480	Gebäude- und Anlagenautomation	1,9
490	Sonst. Maßnahmen f. techn. Anl.	< 0,1

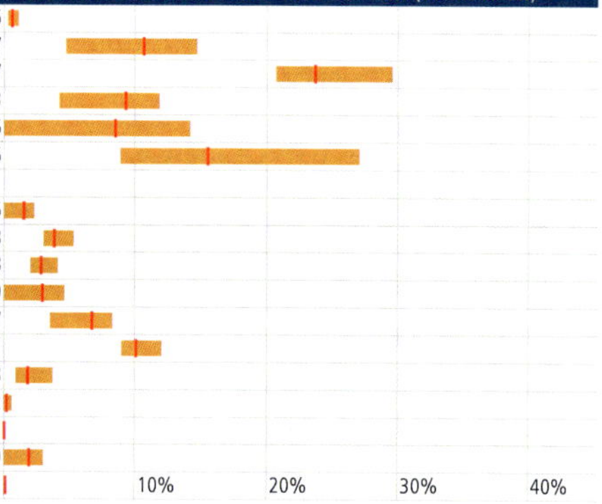

Kostenstand: 3.Quartal 2022, Bundesdurchschnitt, **inkl. 19% MwSt.**

Erläuterung nebenstehender Baukostentabellen

Alle Kostenkennwerte enthalten die Mehrwertsteuer. Kostenstand: 3. Quartal 2022.
Kosten und Kostenkennwerte umgerechnet auf den Bundesdurchschnitt.
Die Bezugseinheiten der Kostenkennwerte entsprechen der DIN 276:2018-12: Mengen und Bezugseinheiten.

Kostenkennwerte für die Kostengruppe 700 Baunebenkosten

(1)

Im Fachbuch „BKI Baukosten 2022 - Gebäude" werden die Honorare für die Architekten- und Ingenieurleistungen rechnerisch ermittelt. Als Grundlage dienen die Bauwerkskosten (KG 300 und 400) der jeweiligen Objekte, welche eine detaillierte Berechnung ermöglichen.

Für jedes in der Gebäudeart enthaltene Objekt wurden anhand der jeweils anrechenbaren Kosten:
- die Honorare für Grundleistungen bei Gebäuden und Innenräumen (Honorartafel § 35),
- die Honorare für Grundleistungen bei Tragwerksplanungen (Honorartafel §52),
- die Honorare für Grundleistungen der Technischen Ausrüstung (Honorartafel §56).

Es handelt sich dabei um regelmäßig anfallende Leistungsbilder der HOAI. Die berechneten Honorare beinhalten jeweils alle Grundleistungen (100%) des Leistungsbildes und keine besonderen Leistungen.

Je nach Anforderung können weitere Leistungsbilder (z.B. für Freianlagen, Umweltverträglichkeitsstudien, Bauphysik, Geotechnik, Ingenieurvermessung und weitere) und besondere Leistungen erforderlich werden. Diese müssen bei Kostenermittlungen separat ermittelt und kostenplanerisch erfasst werden. Dafür kann der Artikel „Orientierungswerte und frühzeitige Ermittlung der Baunebenkosten ausgewählter Gebäudearten" von Univ.-Prof. Dr.-Ing. Wolfdietrich Kalusche und Dr.-Ing. Sebastian Herke (Fachbuch BKI Baukosten Gebäude 2022, ab Seite 80) eine wesentliche Hilfestellung geben, oder die ebenfalls bei BKI erhältliche Software „BKI Honorarermittler".

Die Honorarberechnungen wurden jeweils für den Mindest-, Mittel- und Höchstsatz der entsprechenden Leistungsbilder berechnet und in der BKI Systematik bei den Von-, Mittel-, und Bis-Werten eingetragen. Bei mehreren möglichen Honorarzonen wurde die jeweils niedrigere gewählt.

Für die rechnerisch ermittelten Kostenkennwerte der KG 700 wurde eine blaue Schriftfarbe verwendet, um diese von den empirisch erhobenen Werten der anderen Kostengruppen abzuheben. Damit soll auch verdeutlicht werden, dass der hier abgebildete Kostenkennwert nicht die gesamten Kosten der KG 700 abbildet. Es werden ausschließlich die Honorare nach den Paragrafen 35, 52, 56 der HOAI 2013 ermittelt. Für eine überschlägige Berechnung der weiteren Bestandteile der Baunebenkosten wird die Tabelle 10 im Artikel „Orientierungswerte und fühzeitige Ermittlung der Baunebenkosten ausgewählter Gebäudearten" empfohlen.

Büro- und Verwaltungsgebäude

Kosten:
Stand 3.Quartal 2022
Bundesdurchschnitt
inkl. 19% MwSt.

Prozentanteile der Kosten für Leistungsbereiche nach STLB (Kosten Bauwerk nach DIN 276)

LB	Leistungsbereiche	▷	% an 300+400	◁
000	Sicherheits-, Baustelleneinrichtungen inkl. 001	2,4	**3,3**	4,1
002	Erdarbeiten	1,0	**1,4**	1,9
006	Spezialtiefbauarbeiten inkl. 005	0,2	**1,5**	2,6
009	Entwässerungskanalarbeiten inkl. 011	0,2	**0,4**	0,6
010	Drän- und Versickerarbeiten	–	**–**	–
012	Mauerarbeiten	0,0	**< 0,1**	< 0,1
013	Betonarbeiten	6,6	**9,6**	11,5
014	Natur-, Betonwerksteinarbeiten	0,0	**0,3**	0,5
016	Zimmer- und Holzbauarbeiten	12,6	**15,0**	17,8
017	Stahlbauarbeiten	0,4	**0,6**	0,8
018	Abdichtungsarbeiten	< 0,1	**0,4**	0,8
020	Dachdeckungsarbeiten	–	**–**	–
021	Dachabdichtungsarbeiten	3,4	**5,6**	6,9
022	Klempnerarbeiten	0,6	**1,0**	1,3
	Rohbau	37,0	**39,1**	41,0
023	Putz- und Stuckarbeiten, Wärmedämmsysteme	0,3	**2,2**	3,5
024	Fliesen- und Plattenarbeiten	0,2	**0,4**	0,6
025	Estricharbeiten	0,4	**1,9**	3,0
026	Fenster, Außentüren inkl. 029, 032	3,5	**6,0**	8,3
027	Tischlerarbeiten	3,0	**5,0**	7,5
028	Parkettarbeiten, Holzpflasterarbeiten	0,1	**1,3**	2,3
030	Rollladenarbeiten	0,6	**1,2**	2,1
031	Metallbauarbeiten inkl. 035	3,3	**6,8**	9,2
034	Maler- und Lackiererarbeiten inkl. 037	0,5	**0,9**	1,3
036	Bodenbelagarbeiten	0,2	**1,9**	3,2
038	Vorgehängte hinterlüftete Fassaden	1,3	**2,7**	4,2
039	Trockenbauarbeiten	4,2	**4,5**	5,0
	Ausbau	33,1	**34,8**	36,6
040	Wärmeversorgungsanl. - Betriebseinr. inkl. 041	1,4	**2,7**	4,8
042	Gas- und Wasserinstallation, Leitungen inkl. 043	0,4	**0,4**	0,5
044	Abwasseranlagen - Leitungen	0,4	**0,5**	0,8
045	GWE-Einrichtungsgegenstände inkl. 046	0,9	**1,4**	1,9
047	Dämmarbeiten an betriebstechnischen Anlagen	0,1	**0,7**	1,2
049	Feuerlöschanlagen, Feuerlöschgeräte	0,0	**< 0,1**	< 0,1
050	Blitzschutz- und Erdungsanlagen	0,2	**0,2**	0,2
052	Mittelspannungsanlagen	0,0	**0,3**	0,6
053	Niederspannungsanlagen inkl. 054	6,1	**7,8**	10,3
055	Sicherheits- u. Ersatzstromversorgungsanl.	0,0	**0,3**	0,7
057	Gebäudesystemtechnik	–	**–**	–
058	Leuchten und Lampen inkl. 059	0,2	**1,4**	2,1
060	Sprechanlagen, elektroakust. Anlagen inkl. 064	0,0	**0,6**	1,2
061	Kommunikationsnetze inkl. 062	0,8	**0,9**	1,1
063	Gefahrenmeldeanlagen	0,0	**0,3**	0,6
069	Aufzüge	0,0	**0,2**	0,4
070	Gebäudeautomation	1,0	**1,9**	3,3
075	Raumlufttechnische Anlagen inkl. 078	4,7	**6,1**	8,4
	Gebäudetechnik	23,0	**25,8**	29,7
	Sonstige Leistungsbereiche inkl. 008, 033, 051	0,1	**0,3**	0,4

Diagrammskala: 5% 10% 15% 20%

- ● KKW
- ▶ min
- ▷ von
- | Mittelwert
- ◁ bis
- ◀ max

Markierungen: 1, 2, 2, 2, 3

Kostenstand: 3.Quartal 2022, Bundesdurchschnitt, **inkl. 19% MwSt.**

Erläuterung nebenstehender Baukostentabelle

Alle Kostenkennwerte enthalten die Mehrwertsteuer. Kostenstand: 3.Quartal 2022.
Kosten und Kostenkennwerte umgerechnet auf den Bundesdurchschnitt.

Prozentanteile der Kosten für Leistungsbereiche nach STLB (Kosten des Bauwerks DIN 276)

①

LB-Nummer nach Standardleistungsbuch (STLB).
Bezeichnung des Leistungsbereichs (zum Teil abgekürzt).

Die grafische Darstellung verdeutlicht, welchen durchschnittlichen Anteil die einzelnen Leistungsbereiche an den Bauwerkskosten (Kostengruppe 300 + 400 = 100%) haben. Für Kostenermittlungen werden die kostenplanerisch besonders relevanten Leistungsbereiche auch optisch sofort erkennbar. Der senkrechte Strich markiert den durchschnittlichen Prozentanteil (Mittelwert); der farbige Balken visualisiert den „Streubereich" (Standardabweichung). Bei der Aufsummierung aller Prozentanteile der Leistungsbereiche sind Abweichungen zu 100% rundungsbedingt.

Anteil der jeweiligen Leistungsbereiche in Prozent der Bauwerkskosten (100%):
Mittelwerte: siehe Spalte „% an 300 + 400"
Standardabweichung: siehe Spalten „von/bis".

②

Prozentanteile für „Leistungsbereichspakete" als Zusammenfassung bestimmter Leistungsbereiche. Leistungsbereiche mit relativ geringem Kostenanteil wurden in Einzelfällen mit anderen Leistungsbereichen zusammengefasst.

Beispiel:
LB 000 Baustelleneinrichtung zusammengefasst mit
LB 001 Gerüstarbeiten (Angabe: inkl. 001).
vollständige Leistungsbereichsgliederung siehe S. 140

③

Ergänzende, den STLB-Leistungsbereichen nicht zuordenbare Leistungsbereiche, zusammengefasst mit den LB-Nr. 008, 033, 051 u.a.

Anmerkung:
Die Werte in den Spalten „von" bzw. „bis" sind aus statistischen Gründen nicht addierbar, sonstige Abweichungen sind rundungsbedingt.
Bei zu geringem Stichprobenumfang entfällt bei einzelnen Leistungsbereichen die Angabe „von/bis".

Planungskennwerte für Flächen und Rauminhalte nach DIN 277

(1)

Grundflächen		▷	Fläche/NUF (%)	◁	▷	Fläche/BGF (%)	◁
NUF	Nutzungsfläche	100,0	**100,0**	100,0	64,4	**66,6**	74,9
TF	Technikfläche	4,9	**5,0**	5,6	3,1	**3,2**	3,5
VF	Verkehrsfläche	19,2	**23,9**	27,8	10,4	**13,5**	14,5
NRF	Netto-Raumfläche	123,4	**127,9**	132,5	81,1	**82,6**	86,9
KGF	Konstruktions-Grundfläche	27,6	**27,6**	30,0	13,1	**17,4**	18,9
BGF	Brutto-Grundfläche	141,6	**155,5**	163,1	100,0	**100,0**	100,0

(2)

Brutto-Rauminhalte		▷	BRI/NUF (m)	◁	▷	BRI/BGF (m)	◁
BRI	Brutto-Rauminhalt	5,51	**5,71**	6,29	3,42	**3,74**	3,74

(3)

Flächen von Nutzeinheiten	▷	NUF/Einheit (m²)	◁	▷	BGF/Einheit (m²)	◁
Nutzeinheit: Arbeitsplätze	19,31	**21,65**	24,62	30,34	**33,72**	43,76

(4)

Lufttechnisch behandelte Flächen	▷	Fläche/NUF (%)	◁	▷	Fläche/BGF (%)	◁
Entlüftete Fläche	–	–	–	–	–	–
Be- und entlüftete Fläche	–	–	–	–	–	–
Teilklimatisierte Fläche	–	–	–	–	–	–
Klimatisierte Fläche	–	–	–	–	–	–

(5)

KG	Kostengruppen (2. Ebene)	Einheit	▷	Menge/NUF	◁	▷	Menge/BGF	◁
310	Baugrube / Erdbau	m³ BGI	0,12	**0,12**	0,12	0,08	**0,08**	0,10
320	Gründung, Unterbau	m² GRF	0,61	**0,74**	0,74	0,42	**0,56**	0,56
330	Außenwände / vertikal außen	m² AWF	1,13	**1,31**	1,31	0,83	**0,89**	0,89
340	Innenwände / vertikal innen	m² IWF	0,97	**0,97**	1,17	0,65	**0,65**	0,71
350	Decken / horizontal	m² DEF	1,03	**1,03**	1,03	0,59	**0,59**	0,59
360	Dächer	m² DAF	0,74	**0,88**	0,88	0,54	**0,68**	0,68
370	Infrastrukturanlagen		–	–	–	–	–	–
380	Baukonstruktive Einbauten	m² BGF	1,42	**1,55**	1,63	1,00	**1,00**	1,00
390	Sonst. Maßnahmen für Baukonst.	m² BGF	1,42	**1,55**	1,63	1,00	**1,00**	1,00
300	**Bauwerk – Baukonstruktionen**	**m² BGF**	1,42	**1,55**	1,63	1,00	**1,00**	1,00

Planungskennwerte für Bauzeiten — 5 Vergleichsobjekte

(6)

Bauzeit in Wochen

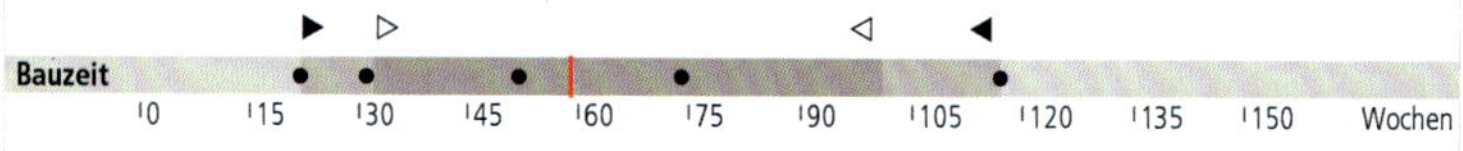

© **BKI** Baukosteninformationszentrum

Kostenstand: 3. Quartal 2022, Bundesdurchschnitt, **inkl. 19% MwSt.**

Erläuterung nebenstehender Planungskennwerttabellen

Planungskennwerte für Grundflächen und Rauminhalte DIN 277

In Ergänzung der Kostenkennwerttabellen werden für jede Gebäudeart Planungskennwerte angegeben, die die Überprüfung der Wirtschaftlichkeit einer Entwurfslösung anhand nicht-monetärer Kennwerte ermöglichen.
Ein Planungskennwert im Sinne dieser Veröffentlichung ist ein Wert, der das Verhältnis bestimmter Flächen und Rauminhalte darstellt, angegeben als Prozentwert oder als Faktor (Mengenverhältnis).

①

Grundflächen im Verhältnis zur Nutzungsfläche (NUF = 100%) und Brutto-Grundfläche (BGF = 100%) in Prozent. Angegeben sind Mittelwerte und Streubereich (Spalten „von" bzw. „bis"). Die „von-/bis"-Werte sind aus statistischen Gründen nicht addierbar, sonstige Abweichungen sind entweder rundungsbedingt oder es lagen bei einzelnen Objekten nicht alle Flächenangaben vor.

②

Verhältnis von BRI zur Nutzungsfläche und zur Brutto-Grundfläche (mittlere Geschosshöhe), angegeben als Faktor (in Meter).

③

Verhältnis der Nutzeinheiten (NE) zur Nutzungsfläche und Brutto-Grundfläche.

④

Verhältnis von lufttechnisch behandelten Flächen (nach BKI) zur Nutzungsfläche und zur Brutto-Grundfläche in Prozent. Diese Angaben sind nicht bei allen Objekten verfügbar. Wenn in der Tabelle kein Streubereich angegeben ist, handelt es sich bei dem Mittelwert um den Wert eines einzelnen Objekts.

⑤

Verhältnis der Mengen dieser Kostengruppen nach DIN 276 („Grobelemente") zur Nutzungs- und Brutto-Grundfläche, angegeben als Faktor. Wenn aus der Grundlagenermittlung die Nutzungsfläche oder Brutto-Grundfläche für ein Projekt bekannt ist, ein Vorentwurf als Grundlage für Mengenermittlungen aber noch nicht vorliegt, so können mit diesen Faktoren die Grobelementmengen überschlägig ermittelt werden.

⑥

Die statistische Auswertung der Bauzeiten der einzelnen Objekte zeigt die mittlere Bauzeit, sowie den Von-Bis-Bereich und die Minimal- und Maximal-Zeiten jeweils in Wochen. Die Skala wechselt, um die unterschiedliche Zeitdauer bei wechselnden Gebäudearten darstellen zu können. Untypische Objekte werden nicht in die Auswertung einbezogen.

(1) 1300-0292
Landratsamt
(136 AP)
TG (19 STP)
Effizienzhaus ~44%

Objektübersicht

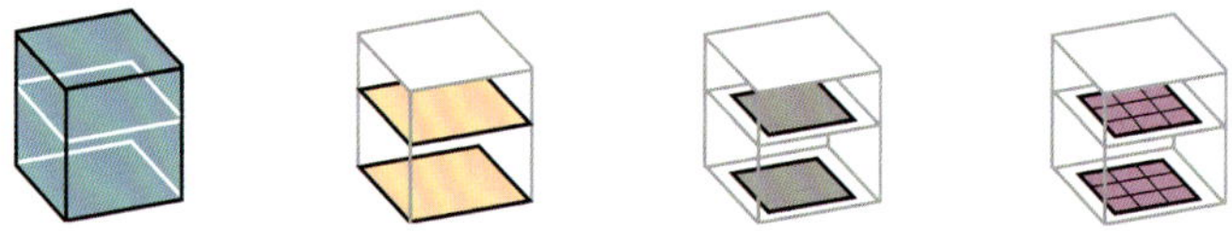

(2) BRI 739€/m³ | BGF 2.758€/m² | NUF 5.376€/m² | NE 97.162€/NE

NE: Arbeitsplätze

Objekt:
a) Kennwerte: 3. Ebene DIN 276
b) BRI: 17.882 m³
BGF: 4.790 m²
NUF: 2.458 m²
c) Bauzeit: 117 Wochen
d) Bauende: 2020
e) Standard: über Durchschnitt
f) Bundesland: Baden-Württemberg
Kreis: Biberach

(3)

Architekt*in:
ArGe
Gurland+Seher+Rapp
Architekten
Bleicherstraße 1
88400 Biberach a.d. Riss
Magirus-Deutz-Straße 14
89077 Ulm

(4)

Bauherr*in:
Landratsamt Biberach
Amt für Liegenschaften und
Gebäude
Rollinstraße 9
88400 Biberach

© Conné van d´Grachten

© Conné van d´Grachten

(5)

© Conné van d´Grachten

© Conné van d´Grachten

(6)

Kostenstand: 3. Quartal 2022, Bundesdurchschnitt, **inkl. 19% MwSt.**

Objektdaten

Erläuterungen nebenstehender Tabellen und Abbildungen

Alle Kostenkennwerte enthalten die Mehrwertsteuer. Kostenstand 3. Quartal 2022.
Kosten und Kostenkennwerte umgerechnet auf den Bundesdurchschnitt.

Objektübersicht

①
BKI-Objektnummer und -bezeichnung.

②
Kostenkennwerte für Bauwerkskosten (Kostengruppe 300+400 nach DIN 276) bezogen auf:

- BRI: Brutto-Rauminhalt (DIN 277)
- BGF: Brutto-Grundfläche (DIN 277)
- NUF: Nutzungsfläche (DIN 277)
- NE: Nutzeinheiten (z. B. Betten bei Heimen, Stellplätze bei Garagen)
  Wohnfläche nach der Wohnflächenverordnung WoFlV, nur bei Wohngebäuden

③
a) „Kennwerte" gibt die Kostengliederungstiefe nach DIN 276 an. Die BKI Objekte sind unterschiedlich detailliert dokumentiert: Eine Kurzdokumentation enthält Kosteninformationen bis zur 1. Ebene DIN 276, eine Grobdokumentation bis zur 2. Ebene DIN 276 und eine Langdokumentation bis zur 3. Ebene (teilweise darüber hinaus bis zu den Ausführungsarten einzelner Kostengruppen).
b) Angaben zu BRI, BGF und NUF
c) Angaben zur Bauzeit
d) Angaben zum Bauenede
e) Angaben zum Standard
f) Angaben zum Kreis, Bundesland

④
Planendes und/oder ausführendes Architektur- oder Planungsbüro, sowie teilweise Angaben zum Bauherrn.

⑤
Abbildungen des Objekts

⑥
Anzeige des Kostenstands

1300-0292
Landratsamt
(136 AP)
TG (19 STP)
Effizienzhaus ~44%

Objektbeschreibung

Allgemeine Objektinformationen

Der viergeschossige Neubau in Holz-Beton-Hybridbauweise ergänzt die vorhandenen Gebäude des Landratsamts. Das Gebäude beinhaltet im Erdgeschoss die Kfz-Zulassungsstelle, in den Obergeschossen das Verkehrsamt, das Gesundheitsamt und die IT-Abteilung des Landratsamts. Hauptzugang und öffentliche Schalterhalle sind durch großflächige Verglasungen deutlich erkennbar und ermöglichen Kundennähe und Transparenz. Das Erdgeschoss mit der hohen Publikumsfrequenz der Kfz-Zulassungsstelle wird zum Charakteristikum des Gebäudes. Alle Obergeschosse sind ringartig um einen Innenhof orientiert und werden über diesen Hof zusätzlich belichtet.

(1)

Nutzung

1 Untergeschoss
Tiefgarage, Technikzentrale, Archiv, Umkleiden, Hausmeisterraum

1 Erdgeschoss
Schalterhalle, Anmeldung, Wartehalle, Foyer, Büros, Kasse, Schilderladen, Lager, Schutzraum, Kopierraum, Teeküche, Sanitärräume, Putzraum, Technikraum

3 Obergeschosse
Büros, Arztzimmer, Untersuchungszimmer, Besprechungszimmer, Teeküche, Sanitärräume, Putzräume, Technikraum, Serverraum

Nutzeinheiten

Arbeitsplätze: 136
Bürofläche: 1.545 m²
Stellplätze: 19

Grundstück

Bauraum: Baulücke
Neigung: Ebenes Gelände
Bodenklasse: BK 1 bis BK 5

Markt

Hauptvergabezeit: 3. Quartal 2018
Baubeginn: 3. Quartal 2018
Bauende: 4. Quartal 2020
Konjunkturelle Gesamtlage: über Durchschnitt
Regionaler Baumarkt: Durchschnitt

Baukonstruktion

Der Skelettbau aus Brettschichtholzstützen und -unterzügen wird von einer Massivholz-Betonverbunddecke überspannt, in welche deckengleiche Stahlbetonunterzüge an den Außenwandachsen integriert sind. Zwei gegenüberliegende, sich aus dem massiven Untergeschoss entwickelnde Stahlbetonkerne stabilisieren das Skelett. Die Gründung erfolgt über Brunnenfundamente. Dünne nichttragende Brettsperrholz-Fassadenelemente umschließen das Bauwerk und nehmen die vorgehängte gedämmte Fassade aus Ton-Keramik-Platten auf. Alle Einzelfenster sind Holz-Alufenster. Die Innenhoffassaden sowie die Westfassade im EG sind als Holz-Alu-Pfosten-Riegel-Fassade und die Eingangsfassade als Alu-Pfosten-Riegel-Fassade ausgebildet. Die Holzoberflächen innen sind in Sichtqualität ausgeführt.

Technische Anlagen

Die Heizung und Kühlung erfolgt mit einer Wasser-Wasser-Wärmepumpe, die an einen Saug- und Schluckbrunnen angeschlossen ist. Eine Rückgewinnung der Serverabwärme unterstützt die Wärmepumpe. Deckensegel dienen der Wärme-/Klimakälteverteilung und leisten einen Beitrag zur Verbesserung der Raumakustik. Auf dem Dach befindet sich eine zentrale Lüftungsanlage mit hocheffizienter Wärmerückgewinnung sowie eine Photovoltaikanlage mit Energiespeicher. Das Gebäude ist mit Zeiterfassungsterminals, Einbruch- und Brandmeldeanlagen, einer Zugangskontrollanlage sowie einem Datenübertragungsnetz ausgestattet und verfügt über eine umfassende Gebäudeautomation. Ein Aufzug verbindet alle Ebenen barrierefrei.

Sonstiges

Das Projekt wurde vom Land Baden-Württemberg und dem Europäischen Fonds für regionale Entwicklung – EFRE 2014-2020 – als zukunftsweisendes Vorhaben im Holzbau gefördert. Beim Deutschen Holzbaupreis 2021 wurde es unter der Rubrik „Engere Wahl" ausgewählt.

Kostenstand: 3. Quartal 2022, Bundesdurchschnitt, **inkl. 19% MwSt.**

Erläuterungen nebenstehender Tabellen und Abbildungen

Objektbeschreibung

①
Objektbeschreibung mit:
- Allgemeine Objektinformationen
- Angaben zur Nutzung
- Nutzeinheiten
- Grundstück
- Markt
- Baukonstruktion
- Technische Anlagen
- Sonstiges

1300-0292
Landratsamt
(136 AP)
TG (19 STP)
Effizienzhaus ~44%

Planungskennwerte für Flächen und Rauminhalte nach DIN 277

1

Flächen des Grundstücks		Menge Einheit	% an GF
BF	Bebaute Fläche	–	–
UF	Unbebaute Fläche	–	–
GF	Grundstücksfläche	–	–

2

Grundflächen des Bauwerks		Menge Einheit	% an NUF	% an BGF
NUF	Nutzungsfläche	2.458,00 m²	100,0	51,3
TF	Technikfläche	155,00 m²	6,3	3,2
VF	Verkehrsfläche	1.288,00 m²	52,4	26,9
NRF	Netto-Raumfläche	3.901,00 m²	158,7	81,4
KGF	Konstruktions-Grundfläche	889,33 m²	36,2	18,6
BGF	Brutto-Grundfläche	4.790,33 m²	194,9	100,0

3

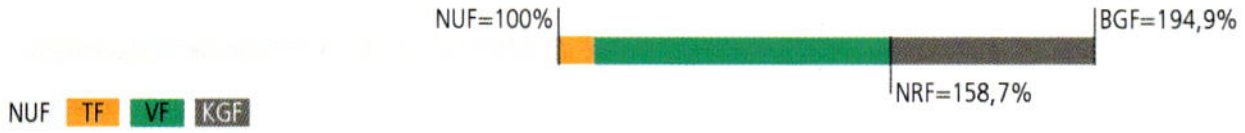

4

Brutto-Rauminhalt des Bauwerks		Menge Einheit	BRI/NUF (m)	BRI/BGF (m)
BRI	Brutto-Rauminhalt	17.882,38 m³	7,28	3,73

5

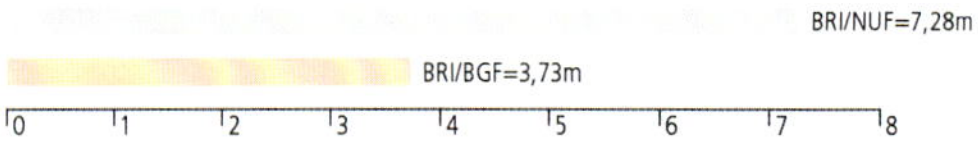

6

Lufttechnisch behandelte Flächen	Menge Einheit	% an NUF	% an BGF
Entlüftete Fläche	–	–	–
Be- und entlüftete Fläche	–	–	–
Teilklimatisierte Fläche	–	–	–
Klimatisierte Fläche	–	–	–

7

KG	Kostengruppen (2. Ebene)	Menge Einheit	Menge/NUF	Menge/BGF
310	Baugrube / Erdbau	230,93 m³ BGI	0,09	0,05
320	Gründung, Unterbau	991,79 m² GRF	0,40	0,21
330	Außenwände/Vertikale Baukonstruktionen, außen	3.058,87 m² AWF	1,24	0,64
340	Innenwände/Vertikale Baukonstruktionen, innen	3.429,99 m² IWF	1,40	0,72
350	Decken/Horizontale Baukonstruktionen	3.430,11 m² DEF	1,40	0,72
360	Dächer	997,64 m² DAF	0,41	0,21

Kostenstand: 3. Quartal 2022, Bundesdurchschnitt, **inkl. 19% MwSt.**

Erläuterungen nebenstehender Planungskennwerte- und Baukostentabellen

Alle Kostenkennwerte enthalten die Mehrwertsteuer. Kostenstand 3.Quartal 2022.
Kosten und Kostenkennwerte umgerechnet auf den Bundesdurchschnitt.

Planungskennwerte für Flächen und Rauminhalte nach DIN 277

In Ergänzung der Kostenkennwerttabellen werden für jedes Objekt Planungskennwerte angegeben, die zur Überprüfung der Vergleichbarkeit des Objekts mit der geplanten Baumaßnahme dienen.
Ein Planungskennwert im Sinne dieser Veröffentlichung ist ein Wert, der das Verhältnis bestimmter Flächen und Rauminhalte zur Nutzungsfläche (NUF) und Brutto-Grundfläche (BGF) darstellt, angegeben als Prozentwert oder als Faktor (Mengenverhältnis).

①
Bebaute und unbebaute Flächen des Grundstücks sowie deren Verhältnis in Prozent zur Grundstücksfläche (GF).

②
Grundflächen im Verhältnis zur Nutzungsfläche (NUF = 100%) und Brutto-Grundfläche (BGF = 100%) in Prozent.

③
Grafische Darstellung der Grundflächen im Verhältnis zur Nutzungsfläche (NUF = 100%)

④
Verhältnis von Brutto-Rauminhalt (BRI) zur Nutzungsfläche (NUF) und Brutto-Grundfläche (BGF), (BRI / BGF = mittlere Geschosshöhe), angegeben als Faktor (in Meter).

⑤
Grafische Darstellung der Verhältnisse Brutto-Rauminhalt (BRI) zur Nutzungsfläche (NUF = 100%) und Brutto-Grundfläche (BGF); (BRI / BGF = mittlere Geschosshöhe), angegeben als Faktor (in Meter).

⑥
Verhältnis von lufttechnisch behandelten Flächen (nach BKI), Nutzungsfläche (NUF) und Brutto-Grundfläche (BGF) in Prozent.

⑦
Verhältnis der Mengen dieser Kostengruppen nach DIN 276 („Grobelemente") zur Nutzungsfläche (NUF) und Brutto-Grundfläche (BGF), angegeben als Faktor. Wenn aus der Grundlagenermittlung die Nutzungs- oder Brutto-Grundfläche für ein Projekt bekannt ist, ein Vorentwurf als Grundlage für Mengenermittlungen aber noch nicht vorliegt, so können mit diesen Faktoren die Grobelementmengen überschlägig ermittelt werden.

1300-0292
Landratsamt
(136 AP)
TG (19 STP)
Effizienzhaus ~44%

(1)

(2)

(3)

Kostenkennwerte für die Kostengruppen der 1. Ebene DIN 276

KG	Kostengruppen (1. Ebene)	Einheit	Kosten €	€/Einheit	€/m² BGF	€/m³ BRI	% 300+400
100	Grundstück	m² GF	–	–	–	–	–
200	Vorbereitende Maßnahmen	m² GF	230.308	–	48,08	12,88	1,7
300	Bauwerk – Baukonstruktionen	m² BGF	9.090.770	1.897,73	1.897,73	508,36	68,8
400	Bauwerk – Technische Anlagen	m² BGF	4.123.199	860,73	860,73	230,57	31,2
	Bauwerk 300+400	**m² BGF**	**13.213.969**	**2.758,47**	**2.758,47**	**738,94**	**100,0**
500	Außenanlagen und Freiflächen	m² AF	142.120	–	29,67	7,95	1,1
600	Ausstattung und Kunstwerke	m² BGF	84.938	17,73	17,73	4,75	0,6
700	Baunebenkosten	m² BGF	–	–	–	–	–
800	Finanzierung	m² BGF	–	–	–	–	–

KG	Kostengruppe	Menge Einheit	Kosten €	€/Einheit	%
200	**Vorbereitende Maßnahmen**	–	230.308	–	1,7
	Suchgräben; Abbruch von Hauptgebäude, massiv, unterkellert, Nebengebäuden, Garagenzeile, Carports, Asphaltbelägen, Pflaster, Schächten, Hofabläufen, Leichtstoffabscheider, Gartentoren, Pollern, Schildern; Bäume fällen, Sträucher roden; Entsorgung, Deponiegebühren				
3+4	**Bauwerk**				**100,0**
300	**Bauwerk – Baukonstruktionen**	4.790,33 m² BGF	9.090.770	**1.897,73**	68,8
	Baugrundverbesserung, Stb-Bodenplatten, Brunnengründung, Epoxidharzbeschichtung, Estrich; Stb-Wände, Brettsperrholzwände, Stützen, Holz-Alufenster, hinterlüftete Keramikbekleidung, Stb-FT-Fassaden, Alu-Lamellenelemente, Holz-Alu-Pfosten-Riegel-Fassaden, Sonnenschutz; KS-Sichtmauerwerk, GK-Wände, Glastrennwände, Innentüren, Putz, Beschichtung, Wandfliesen, Holzlasur, Betonlasur, WC-Trennwände, mobile Trennwand; Holz-Beton-Verbunddecken, Stb-Decken, Hohlböden, Kautschuk, Teppich, Parkett, Bodenfliesen, Doppelböden, abgehängte Decken, Akustikdecken; Brettschichtholzdach, Stb-Dächer, Holz-Beton-Verbunddach, Dachverglasungen, extensive Begrünung, Kiesschüttung, Dachentwässerung; Einbaumöbel, Beschilderung				
400	**Bauwerk – Technische Anlagen**	4.790,33 m² BGF	4.123.199	**860,73**	31,2
	Gebäudeentwässerung, Kalt- und Warmwasserleitungen, Sanitärobjekte; Wasser-Wasser-Wärmepumpe, Pufferspeicher, Plattenwärmeübertrager, Gas-Brennwertkessel, Heizungsrohre, Heizkörper, Rampenheizung, Abgasanlage; Zu-/Abluftgerät, Teilklimaanlage, Kälteanlage, Kühldeckensegel, GK-Kühldecken; Trafo, Mittelspannungsanlage, Energiespeicher, Photovoltaikanlage, USV-Anlage, Zentralbatteriesystem, Niederspannungsschaltanlage, Elektroinstallation, Beleuchtung, Blitzschutz; Sprechanlage, Notrufset, Zeiterfassung, ELA-Anlage, Einbruch-/Überfallmeldeanlage, Brandmeldeanlage, Zugangskontrolle, Datenübertragungsnetze; Personenaufzug; Feuerlöscher; Gebäudeautomation				
500	**Außenanlagen und Freiflächen**	–	142.120	–	1,1
	Bodenarbeiten; Gebäudeentwässerung, Schluck- und Saugbrunnen, Außenbeleuchtung				
600	**Ausstattung und Kunstwerke**	4.790,33 m² BGF	84.938	**17,73**	0,6
	Büromöblierung, Duschtrennwände, Sanitärausstattung; LCE-Fernseher, Signage-Displays				

Kostenstand: 3. Quartal 2022, Bundesdurchschnitt, **inkl. 19% MwSt.**

Erläuterung nebenstehender Baukostentabelle

Alle Kostenkennwerte enthalten die Mehrwertsteuer. Kostenstand 3. Quartal 2022.
Kosten und Kostenkennwerte umgerechnet auf den Bundesdurchschnitt

Kostenkennwerte für die Kostengruppen der 1. Ebene DIN 276

①
Kostenübersicht, Kostenkennwerte in €/Einheit, €/m² BGF und €/m³ BRI für die Kostengruppen der 1. Ebene DIN 276. Anteil der jeweiligen Kostengruppe in Prozent an den Bauwerkskosten (Spalte: % 300+400). Die Bezugseinheiten der Kostenkennwerte entsprechen der DIN 277-3: 2005-04: Mengen und Bezugseinheiten.

②
Codierung und Bezeichnung der Ausführung zur Kostengruppe entsprechend der 1. Ebene nach DIN 276

③
Abgerechnete Leistungen zu dokumentierten Objekten mit Beschreibung, Menge, Einheit, Kosten, Kostenkennwert bezogen auf die Kostengruppeneinheit oder alternativ bezogen auf die übergeordnete Einheit.

Bei den Mengen handelt es sich um ausgeführte Mengen.

1300-0292
Landratsamt
(136 AP)
TG (19 STP)
Effizienzhaus ~44%

Kostenkennwerte für die Kostengruppen 300 der 2. und 3. Ebene DIN 276 (Übersicht)

KG	Kostengruppe	Menge Einheit	€/Einheit	Kosten €	% an 3+4
300	**Bauwerk – Baukonstruktionen**	**4.790,33 m² BGF**	**1.897,73**	**9.090.769,61**	**68,8**
310	**Baugrube / Erdbau**	**230,93 m³ BGI**	**657,53**	**151.843,24**	**1,1**
311	Herstellung	230,93 m³ BGI	618,49	142.828,32	1,1
312	Umschließung	–	–	–	–
313	Wasserhaltung	230,93 m³	39,04	9.014,91	< 0,1
314	Vortrieb	–	–	–	–
319	Sonstiges zur KG 310 (1)	–	–	–	–
320	**Gründung, Unterbau**	**991,79 m² GRF**	**626,20**	**621.061,20**	**4,7**
321	Baugrundverbesserung	–	–	10.273,52	< 0,1
322	Flachgründungen und Bodenplatten	991,79 m²	251,30	249.232,19	1,9
323	Tiefgründungen	962,11 m²	164,65	158.415,85	1,2
324	Gründungsbeläge	846,99 m²	143,47	121.519,53	0,9
325	Abdichtungen und Bekleidungen	1.013,29 m²	73,17	74.140,46	0,6
326	Dränagen (2)	–	–	–	–
329	Sonstiges zur KG 320	991,79 m² GRF	7,54	7.479,65	< 0,1
330	**Außenwände/Vert. Baukonstrukt., außen**	**3.058,87 m² AWF**	**880,09**	**2.692.065,80**	**20,4**
331	Tragende Außenwände	982,90 m²	309,85	304.548,44	2,3
332	Nichttragende Außenwände	912,13 m²	211,88	193.260,56	1,5
333	Außenstützen	295,07 m	319,60	94.303,17	0,7
334	Außenwandöffnungen	599,94 m²	579,36	347.583,60	2,6
335	Außenwandbekleidungen, außen	1.871,59 m²	485,90	909.407,79	6,9
336	Außenwandbekleidungen, innen	1.155,16 m²	61,03	70.497,16	0,5
337	Element. Außenwandkonstruktionen	563,90 m²	1.004,67	566.535,54	4,3
338	Lichtschutz zur KG 330	917,99 m²	202,82	186.185,58	1,4
339	Sonstiges zur KG 330	3.058,87 m² AWF	6,45	19.743,94	0,1
340	**Innenwände/Vert. Baukonstrukt., innen**	**3.429,99 m² IWF**	**460,82**	**1.580.611,96**	**12,0**
341	Tragende Innenwände	1.053,80 m²	362,30	381.786,47	2,9
342	Nichttragende Innenwände	1.752,11 m²	116,61	204.319,75	1,5
343	Innenstützen	120,56 m	281,87	33.981,98	0,3
344	Innenwandöffnungen	517,72 m²	1.252,64	648.517,77	4,9
345	Innenwandbekleidungen	4.512,67 m²	57,36	258.842,70	2,0
346	Elementierte Innenwandkonstruktionen	106,36 m²	429,48	45.679,01	0,3
347	Lichtschutz zur KG 340	–	–	–	–
349	Sonstiges zur KG 340	3.429,99 m² IWF	2,18	7.484,30	< 0,1
350	**Decken/Horizontale Baukonstruktionen**	**3.430,11 m² DEF**	**635,98**	**2.181.496,41**	**16,5**
351	Deckenkonstruktionen	3.430,11 m²	376,47	1.291.319,68	9,8
352	Deckenöffnungen	–	–	–	–
353	Deckenbeläge	3.164,02 m²	183,58	580.855,37	4,4
354	Deckenbekleidungen	2.817,27 m²	82,18	231.521,92	1,8
355	Elementierte Deckenkonstruktionen	–	–	–	–
359	Sonstiges zur KG 350	3.430,11 m² DEF	22,68	77.799,42	0,6
360	**Dächer**	**997,64 m² DAF**	**877,92**	**875.849,32**	**6,6**
361	Dachkonstruktionen	924,38 m²	389,25	359.816,07	2,7
362	Dachöffnungen	20,22 m²	6.915,70	139.835,52	1,1
363	Dachbeläge	977,42 m²	297,62	290.899,85	2,2
364	Dachbekleidungen	693,04 m²	79,93	55.397,33	0,4
365	Elementierte Dachkonstruktionen	–	–	–	–
366	Lichtschutz zur KG 360	–	–	–	–
369	Sonstiges zur KG 360	997,64 m² DAF	29,97	29.900,57	0,2
370	**Infrastrukturanlagen**	**–**	**–**	**–**	**–**
380	**Baukonstruktive Einbauten**	**4.790,33 m² BGF**	**60,08**	**287.826,39**	**2,2**
390	**Sonst. Maßnahmen für Baukonstrukt.**	**4.790,33 m² BGF**	**146,13**	**700.015,32**	**5,3**

© **BKI** Baukosteninformationszentrum

Kostenstand: 3. Quartal 2022, Bundesdurchschnitt, **inkl. 19% MwSt.**

123

Erläuterung nebenstehender Baukostentabelle

Alle Kostenkennwerte enthalten die Mehrwertsteuer. Kostenstand 3. Quartal 2022.
Kosten und Kostenkennwerte umgerechnet auf den Bundesdurchschnitt

Kostenkennwerte für Kostengruppen der 2. und 3. Ebene DIN 276 (Übersicht)

①
Codierung und Bezeichnung der Kostengruppe entsprechend der 2. und 3. Ebene nach DIN 276

②
Abgerechneten Leistungen mit Menge, Einheit, Kostenkennwert in Euro pro Einheit, Kosten in Euro und prozentualer Anteil an den Kostengruppen 300 und 400 DIN 276

1300-0292
Landratsamt
(136 AP)
TG (19 STP)
Effizienzhaus ~44%

Kostenkennwerte für Leistungsbereiche nach STLB (Kosten des Bauwerks nach DIN 276)

	LB	Leistungsbereiche	Kosten €	€/m² BGF	€/m³ BRI	% an 3+4
(1)						
	000	Sicherheits-, Baustelleneinrichtungen inkl. 001	648.772	135,40	36,30	4,9
	002	Erdarbeiten	219.726	45,90	12,30	1,7
	006	Spezialtiefbauarbeiten inkl. 005	108.872	22,70	6,10	0,8
	009	Entwässerungskanalarbeiten inkl. 011	21.741	4,50	1,20	0,2
	010	Drän- und Versickerarbeiten	–	–	–	–
	012	Mauerarbeiten	4.200	0,88	0,23	< 0,1
	013	Betonarbeiten	1.772.565	370,00	99,10	13,4
	014	Natur-, Betonwerksteinarbeiten	104.126	21,70	5,80	0,8
	016	Zimmer- und Holzbauarbeiten	1.342.649	280,30	75,10	10,2
	017	Stahlbauarbeiten	105.693	22,10	5,90	0,8
	018	Abdichtungsarbeiten	19.777	4,10	1,10	0,1
	019	Kampfmittelräumarbeiten	–	–	–	–
	020	Dachdeckungsarbeiten	–	–	–	–
	021	Dachabdichtungsarbeiten	399.590	83,40	22,30	3,0
	022	Klempnerarbeiten	219.097	45,70	12,30	1,7
(2)		**Rohbau**	**4.966.807**	**1.036,80**	**277,70**	**37,6**
	023	Putz- und Stuckarbeiten, Wärmedämmsysteme	221.615	46,30	12,40	1,7
	024	Fliesen- und Plattenarbeiten	85.185	17,80	4,80	0,6
	025	Estricharbeiten	23.148	4,80	1,30	0,2
	026	Fenster, Außentüren inkl. 029, 032	436.089	91,00	24,40	3,3
	027	Tischlerarbeiten	833.997	174,10	46,60	6,3
	028	Parkettarbeiten, Holzpflasterarbeiten	87.121	18,20	4,90	0,7
	030	Rollladenarbeiten	186.186	38,90	10,40	1,4
	031	Metallbauarbeiten inkl. 035	780.717	163,00	43,70	5,9
	034	Maler- und Lackiererarbeiten inkl. 037	170.573	35,60	9,50	1,3
	036	Bodenbelagarbeiten	159.863	33,40	8,90	1,2
	038	Vorgehängte hinterlüftete Fassaden	579.430	121,00	32,40	4,4
	039	Trockenbauarbeiten	602.382	125,70	33,70	4,6
		Ausbau	**4.166.308**	**869,70**	**233,00**	**31,5**
	040	Wärmeversorgungsanl. - Betriebseinr. inkl. 041	383.604	80,10	21,50	2,9
	042	Gas- und Wasserinstallation, Leitungen inkl. 043	73.381	15,30	4,10	0,6
	044	Abwasseranlagen - Leitungen	115.306	24,10	6,40	0,9
	045	GWE-Einrichtungsgegenstände inkl. 046	129.258	27,00	7,20	1,0
	047	Dämmarbeiten an betriebstechnischen Anlagen	215.735	45,00	12,10	1,6
	049	Feuerlöschanlagen, Feuerlöschgeräte	2.514	0,52	0,14	< 0,1
	050	Blitzschutz- und Erdungsanlagen	21.792	4,50	1,20	0,2
	053	Niederspannungsanlagen inkl. 052, 054	709.463	148,10	39,70	5,4
	055	Sicherheits- u. Ersatzstromversorgungsanl.	136.487	28,50	7,60	1,0
	057	Gebäudesystemtechnik	–	–	–	–
	058	Leuchten und Lampen inkl. 059	386.333	80,60	21,60	2,9
	060	Sprechanlagen, elektroakust. Anlagen inkl. 064	236.290	49,30	13,20	1,8
	061	Kommunikationsnetze inkl. 063	246.031	51,40	13,80	1,9
	069	Aufzüge	80.635	16,80	4,50	0,6
	070	Gebäudeautomation	458.464	95,70	25,60	3,5
	075	Raumlufttechnische Anlagen inkl. 078	813.721	169,90	45,50	6,2
		Gebäudetechnik	**4.009.012**	**836,90**	**224,20**	**30,3**
	084	Abbruch, Rückbau, Schadstoffsanierung	–	–	–	–
		Abbrucharbeiten	**–**	**–**	**–**	**–**
(3)		**Sonstige Leistungsbereiche**	**71.949**	**15,00**	**4,00**	**0,5**

Kostenstand: 3. Quartal 2022, Bundesdurchschnitt, **inkl. 19% MwSt.**

Erläuterung nebenstehender Baukostentabelle

Alle Kostenkennwerte enthalten die Mehrwertsteuer. Kostenstand 3.Quartal 2022.
Kosten und Kostenkennwerte umgerechnet auf den Bundesdurchschnitt.

Kostenkennwerte für Leistungsbereiche nach STLB

①
LB-Nummer nach Standardleistungsbuch (STLB).
Bezeichnung des Leistungsbereichs (zum Teil abgekürzt).

Kostenkennwerte für Bauwerkskosten (Kostengruppe 300+400 nach DIN 276) je Leistungsbereich in €/m² Brutto-Grundfläche (BGF nach DIN 277).
Anteil der jeweiligen Leistungsbereiche in Prozent an den Bauwerkskosten (100%).

②
Kostenkennwerte und Prozentanteile für „Leistungsbereichspakete" als Zusammenfassung bestimmter Leistungsbereiche. Leistungsbereiche mit relativ geringem Kostenanteil wurden in Einzelfällen mit anderen Leistungsbereichen zusammengefasst.
Beispiel:
LB 000 Baustelleneinrichtung zusammengefasst mit
LB 001 Gerüstarbeiten (Angabe: inkl. 001).

③
Ergänzende, den STLB-Leistungsbereichen nicht zuzuordnende Leistungsbereiche, zusammengefasst mit den LB-Nr. 008, 033, 051.

1300-0292
Landratsamt
(136 AP)
TG (19 STP)
Effizienzhaus ~44%

Kostenkennwerte für die Kostengruppen der 3. Ebene DIN 276

KG	Kostengruppe	Menge Einheit	Kosten €	€/Einheit	%
310	**Baugrube / Erdbau**				**100,0**
311	**Herstellung**	230,93 m³ BGI	142.828	**618,49**	94,1
	Baugrubenaushub, Auffüllungen, abfahren (1.844m³), Bodenaushub, abfahren (157m³), Handschachtung (8m³), Hinterfüllung mit Lieferkies (765m³), Grabenaushub BK 3-5, t bis 1,25m, lagern, verfüllen (60m³), Schachtaushub BK 3-5, t=1,25-1,75m, lagern, verfüllen (6m³), Planum (1.120m²)				
313	**Wasserhaltung**	230,93 m³	9.015	**39,04**	5,9
	Wasserhaltung, Pumpensümpfe (2St), Pumpe 10l/s (1St), Absetzbecken (1St), Wassermengenmesseinrichtung (1St)				
320	**Gründung, Unterbau** (1)				**100,0**
321	**Baugrundverbesserung**	–	10.274	–	1,7
	Baugrundverbesserung mit Wacken (342t)				
322	**Flachgründungen und Bodenplatten**	991,79 m²	249.232	**251,30**	40,1
	(2) Stb-Streifenfundamente C30/37, Schalung, Bewehrung (14m³), Stb-Einzelfundamente C30/37 (13m³), Stb-Bodenplatten C35/45, WU, d=25-45cm (580m²), d=30cm (340m²), Stb-Rampe, d=25cm (61m²), Stb-Schachtböden, d=25cm (10m²), Hartstoffeinstreuung (544m²), Höhenversprung C35/45,				

310
Baugrube/Erdbau

Kostenkennwerte für die Kostengruppen 300 der 3.Ebene DIN 276

KG	Kostengruppe	Menge Einheit	Kosten €	€/Einheit	€/m² BGF
311	**Herstellung** (1)				
	(3) **1300-0254 Bürogebäude (8 AP) - Effizienzhaus ~73%**	26,99 m³ BGI	842	**31,21**	3,73
	Baugrubenaushub BK 3-6, Tiefe bis 1,00m, entsorgen, Grobplanum herstellen (27m³)				
	1300-0259 Bürogebäude (30 AP) - Effizienzhaus ~53%	72,85 m³ BGI	7.505	**103,03**	8,75
	Feinplanum Gründungsebene, Verdichtung (1.119m²), Rohrgrabenaushub (25m³), Rohrgräben und Arbeitsräume verfüllen, mit Schottergemisch (62m³), mit Mineralbeton (11m³)				
	1300-0292 Landratsamt (136 AP), TG - Effizienzhaus ~44%	230,93 m³ BGI	142.828	**618,49**	29,82
	Baugrubenaushub, Auffüllungen, abfahren (1.844m³), Bodenaushub, abfahren (157m³), Handschachtung (8m³), Hinterfüllung mit Lieferkies (765m³), Grabenaushub BK 3-5, t bis 1,25m, lagern, verfüllen (60m³), Schachtaushub BK 3-5, t=1,25-1,75m, lagern, verfüllen (6m³), Planum (1.120m²)				
	4100-0167 Oberschule (2 Klassen, 40 Schüler)	26,00 m³ BGI	2.668	**102,61**	14,96
	Rohrgräben BK 1-4 (26m³)				

Ergänzende Daten (online verfügbar)

Erläuterung nebenstehender Baukostentabelle

Alle Kostenkennwerte enthalten die Mehrwertsteuer. Kostenstand 3. Quartal 2022.
Kosten und Kostenkennwerte umgerechnet auf den Bundesdurchschnitt.

Kostenkennwerte für die Kostengruppen 200 bis 600 der 2. und 3. Ebene nach DIN 276

(1)
Codierung und Bezeichnung der Ausführung zur Kostengruppe entsprechend der 2. und 3. Ebene nach DIN 276

Sortierung nach Objekten (2. und 3. Ebene)

(2)
Abgerechnete Leistungen zu den dokumentierten Objekten mit Beschreibung, Menge, Einheit, Kosten, Kostenkennwert bezogen auf die Kostengruppeneinheit oder alternativ bezogen auf die übergeordnete Einheit.

Sortierung nach Kostengruppen (3. Ebene)

(3)
Abgerechnete Leistungen zu dokumentierten Objekten mit BKI Objektnummer, Beschreibung, Menge, Einheit, Kosten, Kostenkennwert bezogen auf die Kostengruppeneinheit oder alternativ bezogen auf die übergeordnete Einheit.

Bei den Mengen handelt es sich um ausgeführte Mengen.

Hinweis:
Aufgrund der großen Datenmenge werden die Daten der 2. und 3. Ebene DIN 276 nur online zur Verfügung gestellt. Bitte rufen Sie den folgenden Download-Link auf, um das BKI Dokument herunterzuladen: ***www.bki.de/bki_s4_ergaenzung***

Nach dem Download erhalten Sie die Datei **BKI_S4_Ergaenzungslieferung** mit zusätzlichen Inhalten:
- die Kostendaten der 2. und 3. Ebene aller neu dokumentierten Objekte - sortiert nach Objektnummern
- die Zusammenstellung der Kostenkennwerte der 3. Ebene nach DIN 276 - sortiert nach Kostengruppen.

Bitte beachten Sie, dass das BKI Dokument an den Kauf des Buches gebunden ist.

Hilfe und Support:
Bei technischen Fragen zum Download wenden Sie sich direkt an unsere IT-Hotline:
Telefon: 0711 945 854-43
hotline-it@bki.de

Vergleich Holzbau und Massivbau - Grundflächen, Bauwerkskosten, Bauzeiten

von Univ.-Prof. Dr.-Ing. Wolfdietrich Kalusche

Vergleich Holzbau und Massivbau – Grundflächen, Bauwerkskosten, Bauzeiten

ein Beitrag von Wolfdietrich Kalusche

Ende des Jahres 2021 beschlossen Geschäftsführung und Beirat des Baukosteninformationszentrum Deutscher Architektenkammern (BKI) im folgenden Jahr den Sonderband S4 – Objektdaten Holzbau herauszubringen. In der Architektenschaft wie in der Bauherrenschaft besteht seit einiger Zeit zunehmend Interesse am Bauen mit Holz.

Holzbauten sind schon immer in der BKI-Datensammlung enthalten gewesen. Im diesjährigen Band Baukosten Gebäude Neubau sind, unterteilt in 78 Gebäudearten, insgesamt 1.683 Objekte enthalten. Davon zählen 154 Objekte zu den Holzbauten, die wiederum in 4 Gebäudearten (Holzbau) unterschieden werden. BKI ordnet Objekte dem Holzbau zu, wenn beim Tragwerk ein erheblicher Teil aus Holz besteht. Die „Ein- und Zweifamilienhäuser (Holzbau)" gibt es bereits seit 2002. Inzwischen wurden diese in „unterkellert" und „nicht unterkellert" aufgeteilt.
2011 kamen noch „Passivhäuser als Holzbauten" hinzu. Die Bezeichnungen der Holzbauten wurden im Jahr 2022 überarbeitet. Anstelle der bisherigen, nicht immer einheitlichen Bezeichnungen der Holzbauten werden für alle Objekte nunmehr fünf Attribute für die Konstruktion verwendet, die in zukünftigen Publikationen veröffentlicht werden. Es sind die Attribute: Holzskelettbau, Holzrahmenbau, Holztafelbau, Massivholzbau und Holzmodulbau.

BKI-Einteilung der Holzbauten seit 2022

Mit dem vorliegenden Fachaufsatz möchte der Autor die spezifischen Eigenschaften des Holzbaus gegenüber dem weit verbreiteten Massivbau (Beton, Mauerwerk) herausarbeiten. Grundlage hierfür sind ausschließlich die zur Verfügung stehenden BKI-Objektdaten und -beschreibungen. Der Vergleich wird an Gebäudearten durchgeführt, für die eine größere Anzahl von Vergleichsobjekten zur Verfügung steht – sowohl für Holzbauten als auch für Massivbauten (→ **Tab. 01-01**). Damit konzentriert sich die Untersuchung auf Kindergärten und Wohngebäude. Unabhängig davon wären auch Büro- und Verwaltungsgebäude, Sportbauten oder Gewerbegebäude von Interesse. Hierfür sollen in Zukunft noch mehr Objekte dokumentiert werden.

Die BKI-Dokumentationen und die Untersuchungsfelder des Fachartikels

Das Baukosteninformationszentrum Deutscher Architektenkammern (BKI) ist die zentrale Service-Einrichtung nicht nur für Architekt*innen. Die BKI-Baukostendatenbanken umfassen mehrere tausend abgerechnete Objekte. Hierbei handelt es sich um Neubauten, Altbauten und Freianlagen. Diese sind die Grundlage für das BKI-Fachinformationsprogramm im Bereich der Kostenplanung.

Bei der Dokumentation von Kosten- und Planungskennwerten, z.B. von Neubauten, werden alle betreffenden Rechtsvorschriften und technischen Regeln angewendet. Dazu zählen unter anderem:

- DIN 276:2018-12, Kosten im Bauwesen
- DIN 277:2021-08, Grundflächen und Rauminhalte im Hochbau
- Verordnung über die Honorare für Architekten- und Ingenieurleistungen – HOAI 2021
- Vergabe- und Vertragsordnung für Bauleistungen (VOB 2019), Stand 2019
- Standardleistungsbuch für das Bauwesen (STLB-Bau), Stand 2018-04

Darüber hinaus werden Nutzeinheiten, z.B. Arbeitsplätze bei Büro- und Verwaltungsgebäuden, angegeben und als Bezugseinheiten für Planungs- und Kostenkennwerte Flächen verwendet. Zusätzlich werden seit vielen Jahren Bauzeiten und seit zwei Jahren auch Planungszeiten dokumentiert.

Um die Besonderheiten und gegebenenfalls Vorteile oder vielleicht auch Nachteile des Holzbaus im Vergleich mit dem Massivbau herauszufinden, werden folgende Untersuchungsfelder gewählt: Grundflächen, Bauwerkskosten und Bauzeiten. Gegenstand der Untersuchung sind vier Gebäudearten des Holzbaus im Vergleich mit zehn Gebäudearten des Massivbaus gleicher Nutzungen. Die höhere Anzahl der Gebäudearten des Massivbaus ergibt sich aus der teilweise weiteren Unterscheidung der Kindergärten sowie der Ein- und Zweifamilienhäuser des Massivbaus in Standards („einfach", „mittel", „hoch"). Eine Standardklassifikation der Holzbauten gibt es bislang noch nicht.

Durch die Zusammenfassung der Standards bleibt es bei vier Gruppen von Gebäuden:

- Kindergärten, nicht unterkellert
- Ein- und Zweifamilienhäuser, unterkellert
- Ein- und Zweifamilienhäuser, nicht unterkellert
- Ein- und Zweifamilienhäuser, Passivhausstandard.

Für die Auswahl einer Gebäudeart müssen ausreichenden viele Objekte dokumentiert sein. Die Untersuchung startet mit rund 120 Kindergärten, 290 Ein- und Zweifamilienhäusern sowie 60 Passivhäusern. Im Verlauf der Untersuchung kommen weitere neu dokumentierte Objekte hinzu.

Attribute	Erläuterungen
Holzskelettbau	Die tragende Konstruktion besteht aus durchlaufenden Stützen und Trägern. Diagonale Streben und Verspannungen bieten zusätzliche Stabilität und zur Aussteifung.
Holzrahmenbau	Die Elemente sind nur teilweise, aber nicht vollständig industriell vorgefertigt. 1)
Holztafelbau	Die Elemente sind vollständig industriell vorgefertigt, einschließlich aller Oberflächen und Einbauten. 1)
Massivholzbau	Typisch für den Massivholzbau ist die Verwendung großformatiger Holzbauteile. Die Außenwände werden beim Massivholzbau mit zusätzlichen Dämmschichten kombiniert und nachträglich verputzt oder bekleidet. Es wird eine Vielzahl von Systemen unterschieden, z.B. massive Flächenelemente wie Brettstapel-, Dübelholz- und Brettschichtholzelemente aus Latten, Brettern, Bohlen, vertikalen Stäben oder Plattenwerkstoffen oder Elemente in Holzkastenbauweise.
Holzmodulbau	Raumbildende Systeme, Raumzellen, Modul- oder Zellenbauweise.
1) Holzrahmenbau und Holztafelbau haben dasselbe Konstruktionsprinzip, unterscheiden sich aber im Umfang der Vorfertigung.	

Tab. 01-01: BKI-Einteilung der Holzbauten seit Sommer 2022.

Annahmen und Gegenstand der Untersuchung

Zu Beginn der Untersuchung werden Annahmen getroffen:

1. Anteile von Holz am Tragwerk bei Holzbau und Massivbau

Die Zimmer- und Holzbauarbeiten (LB 016 nach STLB-Bau) machen bei Holzbauten im Mittel mindestes die Hälfte der Kosten des Tragwerks aus. Als Tragwerk im engeren Sinne werden die (Kosten der) Baukonstruktionen der Leistungsbereiche Mauerarbeiten (LB 012), Betonarbeiten (LB 013) und Stahlbauarbeiten (LB 017) verstanden.

2. Flächenwirtschaftlichkeit in Bezug auf die Konstruktions-Grundfläche

Holzbauten unterscheiden sich von Massivbauten möglicherweise hinsichtlich der Flächenwirtschaftlichkeit. Der Anteil der Konstruktions-Grundfläche an der Brutto-Grundfläche (KGF/BGF) könnte bei schlanken Konstruktionen im Holzbau geringer sein als beim Massivbau.

3. Kostenwirtschaftlichkeit von Holzbau und Massivbau

Die Kosten von Holzbauten (€/m² BGF) könnten aufgrund von Vorfertigung und Modularisierung geringer sein als bei meist konventionell erstellten Massivbauten. Dagegen hört man immer wieder, dass der Holzbau wesentlich teurer wäre als der Massivbau.

4. Vergleich der Bauzeiten von Holzbau und Massivbau

Die Bauzeiten von Holzbauten sind erfahrungsgemäß kürzer als die von Massivbauten. Die weitergehende Unterscheidung der Holzbauten in Holzskelettbau, Holzrahmenbau, Holztafelbau, Massivholzbau und Holzmodulbau kann möglicherweise unterschiedliche Bauzeiten erklären.

Für die Prüfung der getroffenen Annahmen liegen folgende Daten – entsprechend BKI-Band Baukosten Gebäude Neubau 2022 sowie weiterer Objekte – aus der Datenbank vor:

- Brutto-Grund-Fläche (BGF) in m²
- Konstruktions-Grundfläche (KGF) in m²
- Bauzeit (BZ) in Wochen (Wo)
- Bauwerkkosten (KG 300+400) in € (Kostenstand 3. Quartal 2022), auf Grundlage der Kostenwerte (1. Quartal 2022) im Band Baukosten Gebäude Neubau 2022 hochgerechnet

Darüber hinaus stehen Kennwerte zu den Leistungsbereichen, die für das Tragwerk und für die Zuordnung Holzbau oder Massivbau von Bedeutung sind, zur Verfügung. Die Anzahl der Vergleichsobjekte veränderte sich während der Untersuchung aufgrund weiterer neu dokumentierter Holzbauten. Vereinzelt wurden Objekte aus der Untersuchung herausgenommen, wenn die Konstruktionsweise nicht eindeutig getroffen werden konnte oder es sich um eine „Mischkonstruktion", z. B. Holzbau und Lehmbau oder Holzbau und Massivbau handelte.

Alle berücksichtigten und in den Tabellen dargestellten Objekte haben eine Objektnummer, z. B. 4400-0305, eine Objektbezeichnung, z. B. Kindertagesstätte (125 Kinder) – Passivhaus, sowie die Angabe zur Brutto-Grundfläche (BGF) in m². Alle Holzbauten verfügen über eine Angabe zur Konstruktion (Attribut), z. B. Holztafelbau.

Art und Anzahl der Vergleichsobjekte

Folgende Gruppen von Gebäudearten werden untersucht. Die Gliederung der Vergleichsobjekte wird für alle Untersuchungsfelder verwendet.

Gebäudearten: Kindergärten, nicht unterkellert:

- Kindergärten, Holzbau, nicht unterkellert (39 Vergleichsobjekte)
- Kindergärten, Massivbau, nicht unterkellert, einfacher Standard (12 Vergleichsobjekte)
- Kindergärten, Massivbau, nicht unterkellert, mittlerer Standard (52 Vergleichsobjekte)
- Kindergärten, Massivbau, nicht unterkellert, hoher Standard (17 Vergleichsobjekte)

Gebäudearten: Ein- und Zweifamilienhäuser, unterkellert:

- Ein- und Zweifamilienhäuser, Holzbau, unterkellert (31 Vergleichsobjekte)
- Ein- und Zweifamilienhäuser, Massivbau, unterkellert, einfacher Standard (9 Vergleichsobjekte)
- Ein- und Zweifamilienhäuser, Massivbau, unterkellert, mittlerer Standard (46 Vergleichsobjekte)
- Ein- und Zweifamilienhäuser, Massivbau, unterkellert, hoher Standard (55 Vergleichsobjekte)

Gebäudearten: Ein- und Zweifamilienhäuser, nicht unterkellert:

- Ein- und Zweifamilienhäuser, Holzbau, nicht unterkellert (31 Vergleichsobjekte)
- Ein- und Zweifamilienhäuser, Massivbau, nicht unterkellert, einfacher Standard (6 Vergleichsobjekte)
- Ein- und Zweifamilienhäuser, Massivbau, nicht unterkellert, mittlerer Standard (68 Vergleichsobjekte)
- Ein- und Zweifamilienhäuser, Massivbau, nicht unterkellert, hoher Standard (45 Vergleichsobjekte)

Gebäudearten: Ein- und Zweifamilienhäuser, Passivhausstandard:

- Ein- und Zweifamilienhäuser, Passivhausstandard, Holzbau (36 Vergleichsobjekte)
- Ein- und Zweifamilienhäuser, Passivhausstandard, Massivbau (23 Vergleichsobjekte)

1. Anteile von Holz, Mauerwerk, Beton (und Stahl) an den Kosten des Tragwerks

Die am häufigsten verwendeten Baustoffe für die Herstellung von Tragwerken sind Mauerwerk, Beton, Holz und Stahl. In Bezug auf die Konstruktionsweise werden Massivbau (Mauerwerk und Beton), Holzbau und Stahlbau unterschieden. Bei der Leistungsbeschreibung werden die entsprechenden Leistungspositionen nach dem Standardleistungsbuch im Bauwesen (STLB-Bau) in Leistungsbereiche (LB) unterschieden:

- Mauerarbeiten (LB 012)
- Betonarbeiten (LB 013)
- Zimmer- und Holzbauarbeiten (LB 016)
- Stahlbauarbeiten (LB 017)

Zu den Leistungsbereichen stehen in den BKI-Datenbanken in großem Umfang Kostenkennwerte zur Verfügung. Es können damit die Anteile der Leistungsbereiche bzw. Konstruktionsweisen an den Bauwerkskosten (KG 300+400 nach DIN 276:2018-12) ermittelt werden. Das ist eine wichtige Voraussetzung für die den Vergleich der Holzbauten und der Massivbauten.

Die meisten Wohngebäude und Kindergartengebäude sind herkömmliche Massivbauten. In den letzten Jahren wurden diese Gebäude in zunehmendem Maße als Holzbauten errichtet. Unabhängig davon besteht fast jedes Bauwerk zu einem Teil aus Beton, dabei handelt es sich um Kellerwände, Bodenplatten und Fundamente. Das gilt auch für Holz- und Stahlbauten. Andererseits bestehen Dachtragwerke, auch die von Massivbauten, aus Holz. Insofern sind Tragwerke – erst recht Gebäude – nur in Ausnahmefällen aus einem Material. Damit stellt sich die Frage: Wie groß ist der Anteil von Holz bei einem Gebäude, das als Holzbau bezeichnetet werden kann.

Auf Grundlage der vorliegenden Daten werden im Rahmen dieser Untersuchung Holzbauten mit konventionellen Massivbauten verglichen. Dabei konzentriert sich der Vergleich auf das Tragwerk im engeren Sinne. Schwerpunkte der Untersuchung sind die Anteile der Massivbauelemente (LB 012 und LB 013) einerseits und der Holzbauelemente (LB 016) andererseits. Anteilige Stahlbauarbeiten (LB 017) werden angegeben, jedoch nicht weiter betrachtet.

Für alle Gebäudearten werden in Tabellen die Kostenanteile des Tragwerks aufgezeigt. Das sind zunächst die Kindergärten und anschließend die Ein- und Zweifamilienhäuser, letztere werden in Standards unterschieden, dazu gehört auch der Passivhausstandard. Es wird jeweils die Anzahl der Vergleichsobjekte angegeben.

1.1 Kindergärten

Holzbau, nicht unterkellert
→ **Tab. 01-02**
Massivbau, nicht unterkellert, einfacher Standard
→ **Tab. 01-03**
Massivbau, nicht unterkellert, mittlerer Standard
→ **Tab. 01-04**
Massivbau, nicht unterkellert, hoher Standard
→ **Tab. 01-05**

1.2 Ein- und Zweifamilienhäuser, unterkellert

..., Holzbau unterkellert
→ **Tab. 01-06**
..., Massivbau, unterkellert, einfacher Standard
→ **Tab. 01-07**
..., Massivbau, unterkellert, mittlerer Standard
→ **Tab. 01-08**
..., Massivbau, unterkellert, hoher Standard
→ **Tab. 01-09**

1.3 Ein- und Zweifamilienhäuser, nicht unterkellert

..., Holzbau
→ **Tab. 01-10**
..., Massivbau, einfacher Standard
→ **Tab. 01-11**
..., Massivbau, mittlerer Standard
→ **Tab. 01-12**
..., Massivbau, hoher Standard
→ **Tab. 01-13**

1.4 Ein- und Zweifamilienhäuser, Passivhausstandard

..., Holzbau
→ **Tab. 01-14**
..., Massivbau
→ **Tab. 01-15**

Holz sowie Mauerwerk und Beton am Tragwerk bei Holz- und Massivbauten

Bei den untersuchten nicht unterkellerten Kindergärten sowie den Ein- und Zweifamilienhäusern, mit oder ohne Keller und unterschiedlichem Standard, auch Passivhausstandard, sind die Anteile von Holz sowie Mauerwerk und Beton am Tragwerk bei Holz- und Massivbauten sehr unterschiedlich. Elemente des Stahlbaus machen einen sehr geringen Teil aus. Stahlbauten kommen bei diesen Nutzungen – zumindest in der Datensammlung bisher nicht vor.

Deutliche Unterschiede in Bezug auf die Anteile der Baustoffe Holz, Mauerwerk und Beton zwischen den betrachteten Nutzungen sind beim Holzbau nicht zu erkennen. Bei den Kindergärten ist der Anteil von Mauerwerk und Beton vergleichsweise geringer als bei den Ein- und Zweifamilienhäusern. Dafür ist bei den Kindergärten als Massivbauten der Anteil der Zimmer- und Holzbauarbeiten höher. Das mag daran liegen, dass Kindergärten häufig eingeschossig sind und dabei ein größeres Dachtragwerk aus Holz haben.

Holzbauten

Der Anteil der Zimmer- und Holzbauarbeiten am Tragwerk beträgt bei nicht unterkellerten Kindergärten im Mittel rund 82,0 %, der andere Teil, vor allem Bodenplatten bzw. Fundamente besteht aus Beton.

Bei Ein- und Zweifamilienhäusern unterscheiden sich die Anteile von Holz am Tragwerk deutlich. Wenn das Gebäude unterkellert ist – dabei in der Regel Kellerwände und Decken als Massivkonstruktionen – beträgt der Holzanteil 65,3 %. Wenn es nicht unterkellert ist, sind es im Mittel 85,8 %, vergleichbar den Kindergärten als Holzbau. Bei den Ein- und Zweifamilienhäusern mit Passivhausstandard wird in der Datensammlung nicht in unterkellert und nicht unterkellert unterschieden. Deshalb liegt der Anteil für Holz mit durchschnittlich 76,9 % zwischen den Werten der anderen Massivbauten.

Massivbauten

Der Anteil der Zimmer- und Holzbauarbeiten liegt bei der Mehrzahl der Kindergärten als Massivbau bei durchschnittlich unter 40 %. Nicht unterkellerte Gebäude mit einfachem Standard erreichen im Durchschnitt Werte knapp unter 50 %. Bei den Ein- und Zweifamilienhäusern beträgt der Anteil von Holz am Tragwerk im Mittel mit oder ohne Keller und bei unterschiedlichem Standard zwischen rund 10 bis 25 %. Bei den Gebäuden mit Passivhausstandard liegt er im oberen Bereich bis knapp 30 %.

1.1.1 Kindergärten, Holzbau, nicht unterkellert

Kindergärten, Holzbau, nicht unterkellert			
Tragwerk und anteilige Kosten der Leistungsbereiche	% an BWK	% an Tragwerk	
Mauerarbeiten (LB 012)	0,6	Massivbau	15,7
Betonarbeiten (LB 013)	4,8		
Zimmer- und Holzbauarbeiten (LB 016)	28,2	Holzbau	82,0
Stahlbauarbeiten (LB 017)	0,8	Stahlbau	2,3
Summe der Leistungsbereiche	34,4		100,0

Tab. 01-02: Kindergärten, Holzbau, nicht unterkellert, 39 Vergleichsobjekte.
(BKI (Hrsg.): Baukosten Gebäude Neubau 2022. Statistische Kostenkennwerte, S. 284)

1.1.2 Kindergärten, Massivbau, nicht unterkellert, einfacher Standard

Kindergärten, Massivbau, nicht unterkellert, einfacher Standard			
Tragwerk und anteilige Kosten der Leistungsbereiche	% an BWK	% an Tragwerk	
Mauerarbeiten (LB 012)	5,3	Massivbau	51,5
Betonarbeiten (LB 013)	8,7		
Zimmer- und Holzbauarbeiten (LB 016)	13,2	Holzbau	48,5
Stahlbauarbeiten (LB 017)	0,0	Stahlbau	0,0
Summe der Leistungsbereiche	27,2		100,0

Tab. 01-03: Kindergärten, Massivbau, nicht unterkellert, einfacher Standard, 12 Vergleichsobjekte.
(BKI (Hrsg.): Baukosten Gebäude Neubau 2022. Statistische Kostenkennwerte, S. 248)

1.1.3 Kindergärten, Massivbau, nicht unterkellert, mittlerer Standard

Kindergärten, Massivbau, nicht unterkellert, mittlerer Standard			
Tragwerk und anteilige Kosten der Leistungsbereiche	% an BWK	% an Tragwerk	
Mauerarbeiten (LB 012)	8,5	Massivbau	67,8
Betonarbeiten (LB 013)	8,8		
Zimmer- und Holzbauarbeiten (LB 016)	8,1	Holzbau	31,8
Stahlbauarbeiten (LB 017)	< 0,1	Stahlbau	0,4
Summe der Leistungsbereiche	25,5		100,0

Tab. 01-04: Kindergärten, Massivbau, nicht unterkellert, mittlerer Standard, 52 Vergleichsobjekte.
(BKI (Hrsg.): Baukosten Gebäude Neubau 2022. Statistische Kostenkennwerte, S. 256)

1.1.4 Kindergärten, Massivbau, nicht unterkellert, hoher Standard

Kindergärten, Massivbau, nicht unterkellert, hoher Standard			
Tragwerk und anteilige Kosten der Leistungsbereiche	% an BWK	% an Tragwerk	
Mauerarbeiten (LB 012)	6,7	Massivbau	64,2
Betonarbeiten (LB 013)	9,1		
Zimmer- und Holzbauarbeiten (LB 016)	8,0	Holzbau	32,5
Stahlbauarbeiten (LB 017)	0,8	Stahlbau	3,3
Summe der Leistungsbereiche	24,6		100,0

Tab. 01-05: Kindergärten, Massivbau, nicht unterkellert, hoher Standard, 17 Vergleichsobjekte.
(BKI (Hrsg.): Baukosten Gebäude Neubau 2022. Statistische Kostenkennwerte, S. 274)

1.2.1 Ein- und Zweifamilienhäuser, Holzbau unterkellert

Ein- und Zweifamilienhäuser, Holzbau unterkellert			
Tragwerk und anteilige Kosten der Leistungsbereiche	% an BWK	% an Tragwerk	
Mauerarbeiten (LB 012)	2,9	Massivbau	34,7
Betonarbeiten (LB 013)	11,1		
Zimmer- und Holzbauarbeiten (LB 016)	26,3	Holzbau	65,3
Stahlbauarbeiten (LB 017)	< 0,0	Stahlbau	0,0
Summe der Leistungsbereiche	40,3		100,0

Tab. 01-06: Ein- und Zweifamilienhäusern, Holzbau, unterkellert, 31 Vergleichsobjekte.
(BKI (Hrsg.): Baukosten Gebäude Neubau 2022. Statistische Kostenkennwerte, S. 464)

1.2.2 Ein- und Zweifamilienhäuser, Massivbau, unterkellert, einfacher Standard

Ein- und Zweifamilienhäuser, Massivbau, unterkellert, einfacher Standard			
Tragwerk und anteilige Kosten der Leistungsbereiche	% an BWK	% an Tragwerk	
Mauerarbeiten (LB 012)	15,3	Massivbau	84,2
Betonarbeiten (LB 013)	15,6		
Zimmer- und Holzbauarbeiten (LB 016)	5,8	Holzbau	15,8
Stahlbauarbeiten (LB 017)	0,0	Stahlbau	0,0
Summe der Leistungsbereiche	36,7		100,0

Tab. 01-07: Ein- und Zweifamilienhäusern, Massivbau, unterkellert, einfacher Standard, 9 Vergleichsobjekte.
(BKI (Hrsg.): Baukosten Gebäude Neubau 2022. Statistische Kostenkennwerte, S. 344)

1.2.3 Ein- und Zweifamilienhäuser, Massivbau, unterkellert, mittlerer Standard

Ein- und Zweifamilienhäuser, Massivbau, unterkellert, mittlerer Standard			
Tragwerk und anteilige Kosten der Leistungsbereiche	% an BWK	% an Tragwerk	
Mauerarbeiten (LB 012)	9,6	Massivbau	74,8
Betonarbeiten (LB 013)	14,5		
Zimmer- und Holzbauarbeiten (LB 016)	7,5	Holzbau	23,3
Stahlbauarbeiten (LB 017)	0,6	Stahlbau	1,9
Summe der Leistungsbereiche	32,2		100,0

Tab. 01-08: Ein- und Zweifamilienhäusern, Massivbau, unterkellert, mittlerer Standard, 46 Vergleichsobjekte.
(BKI (Hrsg.): Baukosten Gebäude Neubau 2022. Statistische Kostenkennwerte, S. 352)

1.2.4 Ein- und Zweifamilienhäuser, Massivbau, unterkellert, hoher Standard

Ein- und Zweifamilienhäuser, Massivbau, unterkellert, hoher Standard			
Tragwerk und anteilige Kosten der Leistungsbereiche	% an BWK	% an Tragwerk	
Mauerarbeiten (LB 012)	6,7	Massivbau	86,6
Betonarbeiten (LB 013)	17,1		
Zimmer- und Holzbauarbeiten (LB 016)	3,2	Holzbau	11,6
Stahlbauarbeiten (LB 017)	0,5	Stahlbau	1,8
Summe der Leistungsbereiche	27,5		100,0

Tab. 01-09: Ein- und Zweifamilienhäusern, Massivbau, unterkellert, hoher Standard, 55 Vergleichsobjekte.
(BKI (Hrsg.): Baukosten Gebäude Neubau 2022. Statistische Kostenkennwerte, S. 368)

1.3.1 Ein- und Zweifamilienhäuser, Holzbau, nicht unterkellert

Ein- und Zweifamilienhäuser, Holzbau, nicht unterkellert			
Tragwerk und anteilige Kosten der Leistungsbereiche	% an BWK	% an Tragwerk	
Mauerarbeiten (LB 012)	0,5	Massivbau	13,8
Betonarbeiten (LB 013)	5,4		
Zimmer- und Holzbauarbeiten (LB 016)	36,8	Holzbau	85,8
Stahlbauarbeiten (LB 017)	0,2	Stahlbau	0,5
Summe der Leistungsbereiche	42,9		100,0

Tab. 01-10: Ein- und Zweifamilienhäusern, Holzbau, unterkellert, 31 Vergleichsobjekte.
(BKI (Hrsg.): Baukosten Gebäude Neubau 2022. Statistische Kostenkennwerte, S. 478)

1.3.2 Ein- und Zweifamilienhäuser, Massivbau, nicht unterkellert, einfacher Standard

Ein- und Zweifamilienhäuser, Massivbau, nicht unterkellert, einfacher Standard			
Tragwerk und anteilige Kosten der Leistungsbereiche	% an BWK	% an Tragwerk	
Mauerarbeiten (LB 012)	13,8	Massivbau	86,4
Betonarbeiten (LB 013)	13,5		
Zimmer- und Holzbauarbeiten (LB 016)	4,1	Holzbau	13,0
Stahlbauarbeiten (LB 017)	0,2	Stahlbau	0,6
Summe der Leistungsbereiche	31,6		100,0

Tab. 01-11: Ein- und Zweifamilienhäusern, Massivbau, nicht unterkellert, einfacher Standard, 6 Vergleichsobjekte.
(BKI (Hrsg.): Baukosten Gebäude Neubau 2022. Statistische Kostenkennwerte, S. 392)

1.3.3 Ein- und Zweifamilienhäuser, Massivbau, nicht unterkellert, mittlerer Standard

Ein- und Zweifamilienhäuser, Massivbau, nicht unterkellert, mittlerer Standard			
Tragwerk und anteilige Kosten der Leistungsbereiche	% an BWK	% an Tragwerk	
Mauerarbeiten (LB 012)	11,2	Massivbau	83,4
Betonarbeiten (LB 013)	12,9		
Zimmer- und Holzbauarbeiten (LB 016)	4,5	Holzbau	15,6
Stahlbauarbeiten (LB 017)	0,3	Stahlbau	1,0
Summe der Leistungsbereiche	28,9		100,0

Tab. 01-12: Ein- und Zweifamilienhäusern, Massivbau, nicht unterkellert, mittlerer Standard, 68 Vergleichsobjekte.
(BKI (Hrsg.): Baukosten Gebäude Neubau 2022. Statistische Kostenkennwerte, S. 398)

1.3.4 Ein- und Zweifamilienhäuser, Massivbau, nicht unterkellert, hoher Standard

Ein- und Zweifamilienhäuser, Massivbau, nicht unterkellert, hoher Standard			
Tragwerk und anteilige Kosten der Leistungsbereiche	% an BWK	% an Tragwerk	
Mauerarbeiten (LB 012)	9,5	Massivbau	82,1
Betonarbeiten (LB 013)	13,0		
Zimmer- und Holzbauarbeiten (LB 016)	4,8	Holzbau	17,5
Stahlbauarbeiten (LB 017)	< 0,1	Stahlbau	0,4
Summe der Leistungsbereiche	27,4		100,0

Tab. 01-13: Ein- und Zweifamilienhäusern, Massivbau, nicht unterkellert, hoher Standard, 45 Vergleichsobjekte.
(BKI (Hrsg.): Baukosten Gebäude Neubau 2022. Statistische Kostenkennwerte, S. 422)

1.4.1 Ein- und Zweifamilienhäuser, Passivhausstandard, Holzbau

Ein- und Zweifamilienhäuser, Passivhausstandard, Holzbau			
Tragwerk und anteilige Kosten der Leistungsbereiche	% an BWK	% an Tragwerk	
Mauerarbeiten (LB 012)	0,9	Massivbau	21,5
Betonarbeiten (LB 013)	7,2		
Zimmer- und Holzbauarbeiten (LB 016)	28,9	Holzbau	76,9
Stahlbauarbeiten (LB 017)	0,6	Stahlbau	1,6
Summe der Leistungsbereiche	37,6		100,0

Tab. 01-14: Ein- und Zweifamilienhäusern, Passivhausstandard, Holzbau, 36 Vergleichsobjekte.
(BKI (Hrsg.): Baukosten Gebäude Neubau 2022. Statistische Kostenkennwerte, S. 450)

1.4.2 Ein- und Zweifamilienhäuser, Passivhausstandard, Massivbau

Ein- und Zweifamilienhäuser, Passivhausstandard, Massivbau			
Tragwerk und anteilige Kosten der Leistungsbereiche	% an BWK	% an Tragwerk	
Mauerarbeiten (LB 012)	7,1	Massivbau	70,3
Betonarbeiten (LB 013)	14,0		
Zimmer- und Holzbauarbeiten (LB 016)	8,3	Holzbau	27,7
Stahlbauarbeiten (LB 017)	0,6	Stahlbau	2,0
Summe der Leistungsbereiche	30,0		100,0

Tab. 01-15: Ein- und Zweifamilienhäusern, Passivhausstandard, Massivbau, 23 Vergleichsobjekte.
(BKI (Hrsg.): Baukosten Gebäude Neubau 2022. Statistische Kostenkennwerte, S. 438)

2. Anteil der Konstruktions-Grundfläche an der Brutto-Grundfläche – Flächenwirtschaftlichkeit

Die Flächenwirtschaftlichkeit kann sich im Bauwesen zum einen auf die Bebauung und zum anderen auf das Gebäude beziehen. Bei der Flächenwirtschaftlichkeit einer Bebauung wird das Verhältnis der Gebäudefläche als Output, i.d.R. die Brutto-Grundfläche, zur Grundstücksfläche als Input ermittelt. Je größer der Verhältniswert ausfällt, desto größer ist die Flächenwirtschaftlichkeit, z.B. bei mehrgeschossiger Bebauung. Die Flächenwirtschaftlichkeit eines Gebäudes hat das Verhältnis von deren Grundflächen zum Gegenstand. Grundlagen der Ermittlungen sind die DIN 277:2021-08, Grundflächen und Rauminhalte im Hochbau, bei Wohngebäuden zusätzlich die Verordnung zur Berechnung der Wohnfläche (Wohnflächenverordnung – WoFlV).

Ist für die Flächenwirtschaftlichkeit auch die Konstruktion von Bedeutung? Spielt es eine Rolle, ob vorwiegend Beton, Mauerwerk, Stahl oder Holz verwendet werden? Die Tabelle Planungskennwerte ausgewählter Gebäudearten – Konstruktions-Grundfläche zeigt deutlich, wie unterschiedlich Konstruktions-Grundflächen im Verhältnis zur Brutto-Grundfläche (KGF/BGF) ausfallen können. → **Tab. 00-16**

Die Flächenwirtschaftlichkeit der Konstruktion am Grundriss eines Gebäudes kann als Verhältnis der Konstruktions-Grundfläche (KGF) zur Brutto-Grundfläche (BGF) in Prozent aufgezeigt werden. Je kleiner der Konstruktions-Grundflächen-Anteil ausfällt, desto größer ist die Netto-Raumfläche (NRF) des Gebäudes und damit die Flächenwirtschaftlichkeit. Die Netto-Raumfläche wird weiter in die Nutzungsfläche (NUF), die Verkehrsfläche (VF) und die Technikfläche (TF) aufgeteilt. Während die Nutzungsfläche in Form des Raumprogramms vom Auftraggebenden vorgegeben wird, resultieren die sonstigen Grundflächen aus dem Entwurf. Weitere Anforderungen an das Gebäude wie z.B. das Funktionsprogramm, Art und Umfang der Technischen Anlagen und der gewünschte Standard des Objekts werden hierbei berücksichtigt.

Die folgenden Tabellen geben Aufschluss über die anteiligen Konstruktions-Grundflächen von Kindergärten sowie Ein- und Zweifamilienhäusern im Vergleich von Holzbau und Massivbau. → **Tab. 01-17, 01-18, 01-19, 01-20**

Planungskennwerte ausgewählter Gebäudearten – Konstruktions-Grundfläche zu Brutto-Grundfläche in %	KGF/BGF (%)		
	von	mittel	bis
Büro- und Verwaltungsgebäude, mittlerer Standard, 64 Vergleichsobjekte, S. 124-127	12,7	14,8	17,0
Ein- und Zweifamilienhäuser, nicht unterkellert, mittlerer Standard, 68 Vergleichsobjekte, S. 396-399	18,5	21,3	24,3
Verbrauchermärkte, 12 Vergleichsobjekte, S. 814-817	8,7	10,2	13,1
Lagergebäude, ohne Mischnutzung, 17 Vergleichsobjekte, S. 828-831	5,4	7,3	10,4
Bibliotheken, Museen und Ausstellungen, 26 Vergleichsobjekte, S. 886-889	12,7	15,7	18,6

Tab. 01-16: Planungskennwerte ausgewählter Gebäudearten – Konstruktions-Grundfläche zu Brutto-Grundfläche in Prozent.
(BKI (Hrsg.): Baukosten Gebäude Neubau 2022. Statistische Kostenkennwerte, S. 124-889)

2.1. Kindergärten, nicht unterkellert

Kindergärten, nicht unterkellert, Holzbau und Massivbau, Konstruktions-Grundfläche zu Brutto-Grundfläche in %	KGF/BGF in Prozent		
	von	mittel	bis
Kindergärten, Holzbau, nicht unterkellert, 39 Vergleichsobjekte, S. 285	12,2	14,0	15,6
Kindergärten, Massivbau, nicht unterkellert, einfacher Standard, 12 Vergleichsobjekte, S. 249	12,9	13,4	14,6
Kindergärten, Massivbau, nicht unterkellert, mittlerer Standard, 52 Vergleichsobjekte, S. 257	13,4	15,0	18,3
Kindergärten, Massivbau, nicht unterkellert, hoher Standard, 17 Vergleichsobjekte, S. 275	13,4	15,7	18,8

Tab. 01-17: Kindergärten, nicht unterkellert, Holzbau und Massivbau, Konstruktions-Grundfläche (KGF) zu Brutto-Grundfläche (BGF) in Prozent.
(BKI (Hrsg.): Baukosten Gebäude Neubau 2022. Statistische Kostenkennwerte, S. 249-285)

2.2. Ein- und Zweifamilienhäuser, unterkellert

Ein- und Zweifamilienhäuser, unterkellert, Holzbau und Massivbau, Konstruktions-Grundfläche zu Brutto-Grundfläche in %	KGF/BGF in Prozent		
	von	mittel	bis
Ein- und Zweifamilienhäuser, Holzbau, unterkellert, 31 Vergleichsobjekte, S. 465	17,5	19,5	22,4
Ein- und Zweifamilienhäuser, Massivbau, unterkellert, einfacher Standard, 9 Vergleichsobjekte, S. 345	15,4	18,0	19,7
Ein- und Zweifamilienhäuser, Massivbau, unterkellert, mittlerer Standard, 46 Vergleichsobjekte, S. 353	18,0	20,5	23,0
Ein- und Zweifamilienhäuser, Massivbau, unterkellert, hoher Standard, 55 Vergleichsobjekte, S. 369	19,3	21,3	23,7

Tab. 01-18: Ein- und Zweifamilienhäuser, unterkellert, Holzbau und Massivbau, Konstruktions-Grundfläche (KGF) zu Brutto-Grundfläche (BGF) in Prozent.
(BKI (Hrsg.): Baukosten Gebäude Neubau 2022. Statistische Kostenkennwerte, S. 345-465)

2.3. Ein- und Zweifamilienhäuser, nicht unterkellert

Ein- und Zweifamilienhäuser, nicht unterkellert, Holzbau und Massivbau, Konstruktions-Grundfläche zu Brutto-Grundfläche in %	KGF/BGF in Prozent		
	von	mittel	bis
Ein- und Zweifamilienhäuser, Holzbau, nicht unterkellert, 31 Vergleichsobjekte, S. 479	18,0	19,5	22,5
Ein- und Zweifamilienhäuser, Massivbau, nicht unterkellert, einfacher Standard, 6 Vergleichsobjekte, S. 393	20,2	22,7	22,9
Ein- und Zweifamilienhäuser, Massivbau, nicht unterkellert, mittlerer Standard, 68 Vergleichsobjekte, S. 399	18,5	21,3	24,3
Ein- und Zweifamilienhäuser, Massivbau, nicht unterkellert, hoher Standard, 45 Vergleichsobjekte, S. 423	17,5	19,3	22,4

Tab. 01-19: Ein- und Zweifamilienhäuser, nicht unterkellert, Holzbau und Massivbau,Konstruktions-Grundfläche (KGF) zu Brutto-Grundfläche (BGF) in Prozent.
(BKI (Hrsg.): Baukosten Gebäude Neubau 2022. Statistische Kostenkennwerte, S. 393-479)

2.4. Ein- und Zweifamilienhäuser, Passivhausstandard

Ein- und Zweifamilienhäuser, Passivhausstandard, Holzbau und Massivbau, Konstruktions-Grundfläche zu Brutto-Grundfläche in %	KGF/BGF in Prozent		
	von	mittel	bis
Ein- und Zweifamilienhäuser, Passivhausstandard, Holzbau, 36 Vergleichsobjekte, S. 451	18,7	21,6	25,4
Ein- und Zweifamilienhäuser, Passivhausstandard, Massivbau, 23 Vergleichsobjekte, S. 439	18,7	21,3	23,2

Tab. 01-20: Ein- und Zweifamilienhäuser, Passivhausstandard, Holzbau und Massivbau, Konstruktions-Grundfläche (KGF) zu Brutto-Grundfläche (BGF) in Prozent.

Konstruktions-Grundfläche zu Brutto-Grundfläche (KGF/BGF) – Flächenwirtschaftlichkeit

Es gibt bei Gebäuden zahlreiche Einflüsse, welche auf die Flächenwirtschaftlichkeit wirken. Dazu zählen die Geometrie des Baukörpers, die Nutzung, das Raumkonzept, die Anzahl und Anordnung der Geschosse, der Standard des Gebäudes oder dessen Konstruktion. Die Flächenwirtschaftlichkeit der Konstruktion kann über das Verhältnis Konstruktions-Grundfläche (KGF) zur Brutto-Grundfläche (BGF) ermittelt werden: Flächenwirtschaftlichkeit = KGF/BGF in Prozent.

Für nicht unterkellerte Kindergärten, unterkellerte und nichtunterkellerte Ein- und Zweifamilienhäuser, auch mit Passivhausstandard, kann festgestellt werden:

- Die geringsten KGF/BGF-Kennwerte sind bei nicht unterkellerten Kindergärten mit Werten im Mittel von 14 bis 16 % anzutreffen. Ursächlich ist hierbei vermutlich die Nutzung als Kindergarten mit eher größeren Räumen im Vergleich zu Wohngebäuden. Dabei liegen die Holzbauten im unteren Bereich neben Massivbauten mit einfachem Standard. Ein einzelner Holzbau kommt sogar mit nur 12 % KGF/BGF-Anteil aus.
- Mittlere KGF/BGF-Kennwerte mit durchweg knapp über 20 % treten bei allen Ein- und Zweifamilienhäusern als Holzbauten auf. Das trifft für unterkellerte, nicht unterkellerte sowie für Objekte mit Passivhausstandard zu. Diese günstigen Werte sind auch bei wenigen unterkellerten Massivbauten einfachen Standards anzutreffen.
- KGF/BGF-Werte mit durchschnittlich über 20 %, vereinzelt bis zu 24 % kommen ausschließlich bei Ein- und Zweifamilienhäusern als Massivbauten vor, unabhängig von Unterkellerung oder Standard.

Die Ergebnisse zeigen, dass Holzbauten im Allgemeinen eine etwas geringere Konstruktions-Grundfläche als Massivbauten benötigen. KGF/BGF-Kennwerte unter 20 % sollten immer erreicht werden können, auch geringere Werte sind auf jeden Fall möglich.

3. Bauwerkskosten zu Brutto-Grundfläche – Kostenwirtschaftlichkeit

Unter Bauwerkskosten (BWK) sind die Kosten zu verstehen, die „sich als Summe der Kostengruppen 300 und 400 ergeben." (vgl. DIN 276:2018-12, S. 6) Die Brutto-Grundfläche (BGF) ist die „Gesamtheit der Grundflächen aller Geschosse oder eines Teilbereichs des Bauwerks, die sich in Netto- Raumfläche (NRF) und Konstruktions-Grundfläche (KGF) gliedert." (vgl. DIN 277:2021-08, S. 4) Die Bauwerkskosten sind Gegenstand der Kostenwirtschaftlichkeit. Das Verhältnis der Bauwerkskosten zur Brutto-Grundfläche zählt zu den ältesten Kostenkennwerten in der Geschichte der Kostenplanung. Entsprechende Kostenkennwerte (KKW) stehen in der BKI-Datensammlung für alle Gebäudearten zur Verfügung. Sie sind für den Kostenvergleich im Vorfeld der Objektplanung gut geeignet.

Lassen sich durch den Vergleich der Kostenkennwerte der Massivbauten und der Holzbauten Unterschiede in der Kostenwirtschaftlichkeit erkennen?

→ **Tab. 01-21**
→ **Tab. 01-22**
→ **Tab. 01-23**
→ **Tab. 01-24**

Der Kostenvergleich zeigt, dass bei allen Gebäudearten die Bauwerkskosten der Holzbauten höher sind als bei den Massivbauten:

- Kindergärten, nicht unterkellert ca. 9 %
- Ein- und Zweifamilienhäuser, unterkellert ca. 10 %
- Ein- und Zweifamilienhäuser, nicht unterkellert ca. 10 %
- Ein- und Zweifamilienhäuser, Passivhausstandard ca. 6 %

Die bundesweit von BKI durchgeführten Befragungen zu den Baukostensteigerungen in den Jahren 2021 und 2022 haben vergleichbare Preisentwicklungen aufgezeigt. Zu den als relevant eingestuften Leistungsbereichen (LB) zählten auch bei der wiederholten Befragung unter anderem Mauerwerk, Beton und Holz. Es wurden für den Zeitraum Mai 2020 bis Mai 2021 bundesweit folgende Preissteigerungen genannt:

- LB 012 Maurerarbeiten ca. 7 %
- LB 013 Betonarbeiten ca. 14 %
- LB 016 Zimmer- und Holzbauarbeiten ca. 21 %

(vgl. Befragung zu den Baukostensteigerungen im Sommer 2022 | BKI)

4. Bauzeiten, insbesondere Konstruktionsweisen des Holzbaus

Das Baukosteninformationszentrum Deutscher Architektenkammern (BKI) dokumentiert seit über 20 Jahren nicht nur Kosten- und Planungskennwerte, sondern auch Bauzeiten unterschiedlichster Objekte. Die Bauzeiten und deren Erläuterungen sind eine wesentliche Grundlage für das erste BKI Handbuch Terminplanung für Architekten im Jahr 2020 gewesen.

Unter Bauzeit wird die Dauer vom Beginn der Bauausführung bis zur Abnahme und Übergabe des Objekts verstanden. Schon die ersten Vergleiche von Gebäudearten im Jahr 2020 haben deutlich gemacht, dass die Bauzeiten von Holzbauten sehr kurz sein können bzw. im Mittel kürzer als die der Massivbauten sind. Die kürzeren Bauzeiten der Holzbauten sind auch bei den in diesem Jahr untersuchten Gebäudearten – also den Kindergärten sowie den Ein- und Zweifamilienhäusern – deutlich zu erkennen.

→ **Tab. 01-25**
→ **Tab. 01-26**
→ **Tab. 01-27**
→ **Tab. 01-28**

Die betrachteten Massivbauten – Kindergärten, Ein- und Zweifamilienhäuser – werden in Standards „einfach", „mittel" und „hoch" unterschieden. „Diese Unterteilung wurde immer dann vorgenommen, wenn der Standard als ein wesentlicher Kostenfaktor festgestellt wurde. Grundsätzlich gilt, dass immer mehrere Kosteneinflussfaktoren auf die Kosten und damit auf die Kostenkennwerte einwirken. Einige dieser vielen Faktoren seien hier aufgelistet: Zeitpunkt der Ausschreibung, Art der Ausschreibung, Regionale Konjunktur, Gebäudegröße, Lage der Baustelle, Erreichbarkeit [...] Wenn bei einem Gebäude große Mengen an Bauteilen hoher Qualität die übrigen Kosteneinflussfaktoren überlagern, dann wird von einem „hohen Standard" gesprochen." (FAQ bki.de)

Es ist darüber hinaus festzustellen, dass bei den untersuchten Objekten nicht nur die Bauwerkskosten je Standard höher sind, sondern fast immer gleichzeitig auch die Dauer der Bauzeiten.

3.1. Kindergärten, nicht unterkellert

Kindergärten, nicht unterkellert, Holzbau und Massivbau, Bauwerkskosten zu Brutto-Grundfläche in €/m²	BWK/BGF		
	von	mittel	bis
Kindergärten, Holzbau, nicht unterkellert, 39 Vergleichsobjekte, S. 282	2.130	2.610	3.330
Kindergärten, Massivbau, nicht unterkellert, einfacher Standard, 12 Vergleichsobjekte, S. 246	1.620	1.970	2.335
Kindergärten, Massivbau, nicht unterkellert, mittlerer Standard, 52 Vergleichsobjekte, S. 254	2.000	2.380	2.740
Kindergärten, Massivbau, nicht unterkellert, hoher Standard, 17 Vergleichsobjekte, S. 272	2.275	2.810	3.420
Kostenstand indexiert auf 3. Quartal 2022, Bundesdurchschnitt, inkl. MwSt.			

Tab. 01-21: Kindergärten, nicht unterkellert, Holzbau und Massivbau, Bauwerkskosten (BWK) zu Brutto-Grundfläche (BGF) in €/m².
(BKI (Hrsg.): Baukosten Gebäude Neubau 2022. Statistische Kostenkennwerte, S. 246-282)

3.2 Ein- und Zweifamilienhäuser, unterkellert

Ein- und Zweifamilienhäuser, unterkellert, Holzbau und Massivbau, Bauwerkskosten zu Brutto-Grundfläche in €/m²	BWK/BGF		
	von	mittel	bis
Ein- und Zweifamilienhäuser, Holzbau, unterkellert, 31 Vergleichsobjekte, S. 462	1.460	1.865	2.185
Ein- und Zweifamilienhäuser, Massivbau, unterkellert, einfacher Standard, 9 Vergleichsobjekte, S. 342	1.160	1.270	1.370
Ein- und Zweifamilienhäuser, Massivbau, unterkellert, mittlerer Standard, 46 Vergleichsobjekte, S. 350	1.470	1.715	2.060
Ein- und Zweifamilienhäuser, Massivbau, unterkellert, hoher Standard, 55 Vergleichsobjekte, S. 366	1.770	2.080	2.510
Kostenstand indexiert auf 3. Quartal 2022, Bundesdurchschnitt, inkl. MwSt.			

Tab. 01-22: Ein- und Zweifamilienhäuser, unterkellert, Holzbau und Massivbau, Bauwerkskosten (BWK) zu Brutto-Grundfläche (BGF) in €/m².
(BKI (Hrsg.): Baukosten Gebäude Neubau 2022. Statistische Kostenkennwerte, S. 342-462)

3.3 Ein- und Zweifamilienhäuser, nicht unterkellert

Ein- und Zweifamilienhäuser, nicht unterkellert, Holzbau und Massivbau, Bauwerkskosten zu Brutto-Grundfläche in €/m	BWK/BGF		
	von	mittel	bis
Ein- und Zweifamilienhäuser, Holzbau, nicht unterkellert, 31 Vergleichsobjekte, S. 476	1.675	2.010	2.465
Ein- und Zweifamilienhäuser, Massivbau, nicht unterkellert, einfacher Standard, 6 Vergleichsobjekte, S. 390	1.175	1.295	1.575
Ein- und Zweifamilienhäuser, Massivbau, nicht unterkellert, mittlerer Standard, 68 Vergleichsobjekte, S. 396	1.550	1.865	2.255
Ein- und Zweifamilienhäuser, Massivbau, nicht unterkellert, hoher Standard, 45 Vergleichsobjekte, S. 420	1.905	2.330	2.820
Kostenstand indexiert auf 3. Quartal 2022, Bundesdurchschnitt, inkl. MwSt.			

Tab. 01-23: Ein- und Zweifamilienhäuser, nicht unterkellert, Holzbau und Massivbau, Bauwerkskosten (BWK) zu Brutto-Grundfläche (BGF) in €/m².
(BKI (Hrsg.): Baukosten Gebäude Neubau 2022. Statistische Kostenkennwerte, S. 390-476)

3.4 Ein- und Zweifamilienhäuser, Passivhausstandard

Ein- und Zweifamilienhäuser, Passivhausstandard, Holzbau und Massivbau, Bauwerkskosten zu Brutto-Grundfläche in €/m²	BWK/BGF		
	von	mittel	bis
Ein- und Zweifamilienhäuser, Passivhausstandard, Holzbau, 36 Vergleichsobjekte, S. 448	1.615	1.950	2.300
Ein- und Zweifamilienhäuser, Passivhausstandard, Massivbau, 23 Vergleichsobjekte, S. 436	1.605	1.835	2.140
Kostenstand indexiert auf 3.Quartal 2022, Bundesdurchschnitt, inkl. MwSt.			

Tab. 01-24: Ein- und Zweifamilienhäuser, Passivhausstandard, Holzbau und Massivbau, Bauwerkskosten (BWK) zu Brutto-Grundfläche (BGF) in €/m².
(BKI (Hrsg.): Baukosten Gebäude Neubau 2022. Statistische Kostenkennwerte, S. 436-448)

4.1. Kindergärten, nicht unterkellert

Kindergärten, nicht unterkellert, Holzbau und Massivbau, Bauzeiten in Wochen	Bauzeiten in Wochen		
	von	mittel	bis
Kindergärten, Holzbau, nicht unterkellert, 39 Vergleichsobjekte, S. 286-295	26	42	60
Kindergärten, Massivbau, nicht unterkellert, einfacher Standard, 12 Vergleichsobjekte, S. 250-252	42	50	63
Kindergärten, Massivbau, nicht unterkellert, mittlerer Standard, 52 Vergleichsobjekte, S. 258-270	43	58	78
Kindergärten, Massivbau, nicht unterkellert, hoher Standard, 17 Vergleichsobjekte, S. 276-280	44	64	92

Tab. 01-25: Kindergärten, nicht unterkellert, Holzbau und Massivbau, Bauzeiten in Wochen.
(BKI (Hrsg.): Baukosten Gebäude Neubau 2022. Statistische Kostenkennwerte, S. 249, 257, 275, 285)

4.2. Ein- und Zweifamilienhäuser, unterkellert

Ein- und Zweifamilienhäuser, unterkellert, Holzbau und Massivbau, Bauzeiten in Wochen	Bauzeiten in Wochen		
	von	mittel	bis
Ein- und Zweifamilienhäuser, Holzbau, unterkellert, 31 Vergleichsobjekte, S. 466-474	27	40	65
Ein- und Zweifamilienhäuser, Massivbau, unterkellert, einfacher Standard, 9 Vergleichsobjekte, S. 346-348	36	51	70
Ein- und Zweifamilienhäuser, Massivbau, unterkellert, mittlerer Standard, 46 Vergleichsobjekte, S. 354-365	32	43	59
Ein- und Zweifamilienhäuser, Massivbau, unterkellert, hoher Standard, 55 Vergleichsobjekte, S. 370-385	36	50	68

Tab. 01-26: Ein- und Zweifamilienhäuser, unterkellert, Holzbau und Massivbau, Bauzeiten in Wochen.
(BKI (Hrsg.): Baukosten Gebäude Neubau 2022. Statistische Kostenkennwerte, S. 345, 353, 369, 465)

4.3. Ein- und Zweifamilienhäuser, nicht unterkellert

Ein- und Zweifamilienhäuser, nicht unterkellert, Holzbau und Massivbau, Bauzeiten in Wochen	Bauzeiten in Wochen		
	von	mittel	bis
Ein- und Zweifamilienhäuser, Holzbau, nicht unterkellert, 31 Vergleichsobjekte, S. 480-490	22	33	55
Ein- und Zweifamilienhäuser, Massivbau, nicht unterkellert, einfacher Standard, 6 Vergleichsobjekte, S. 394-395	27	32	40
Ein- und Zweifamilienhäuser, Massivbau, nicht unterkellert, mittlerer Standard, 68 Vergleichsobjekte, S. 400-418	30	43	66
Ein- und Zweifamilienhäuser, Massivbau, nicht unterkellert, hoher Standard, 45 Vergleichsobjekte, S. 424-435	35	46	69

Tab. 01-27: Ein- und Zweifamilienhäuser, nicht unterkellert, Holzbau und Massivbau, Bauzeiten in Wochen.
(BKI (Hrsg.): Baukosten Gebäude Neubau 2022. Statistische Kostenkennwerte, S. 393, 399, 423, 479)

4.4. Ein- und Zweifamilienhäuser, Passivhausstandard

Ein- und Zweifamilienhäuser, Passivhausstandard, Holzbau und Massivbau, Bauzeiten in Wochen	Bauzeiten in Wochen		
	von	mittel	bis
Ein- und Zweifamilienhäuser, Passivhausstandard, Holzbau, 36 Vergleichsobjekte, S. 452-461	22	32	51
Ein- und Zweifamilienhäuser, Passivhausstandard, Massivbau, 23 Vergleichsobjekte, S. 440-446	30	37	46

Tab. 01-28: Ein- und Zweifamilienhäuser, Passivhausstandard, Holzbau und Massivbau, Bauzeiten in Wochen
(BKI (Hrsg.): Baukosten Gebäude Neubau 2022. Statistische Kostenkennwerte, S. 439, 451)

Zusammenfassung der Bauzeiten (Mittelwerte)

Der Vergleich der Bauzeiten von Holzbauten und Massivbauten in den vorangegangenen Tabellen – beim Massivbau wird der mittlere Standard angesetzt – (→ **Tab. 01-29**) zeigt deutlich, dass die Bauzeiten von Holzbauten wesentlich kürzer sind:

- Kindergärten, nicht unterkellert 16 Wochen
- Ein- und Zweifamilienhäuser, unterkellert 3 Wochen
- Ein- und Zweifamilienhäuser, nicht unterkellert 10 Wochen
- Ein- und Zweifamilienhäuser, Passivhausstandard 5 Wochen

Darüber hinaus ist zu erkennen, dass sich unabhängig von der Konstruktionsweise die Bauzeiten von unterkellerten und nicht unterkellerten Gebäuden deutlich unterscheiden können. (→ **Tab. 01-30**)

Hinweis: Zusammenhang von Projektdauer und Projektkosten

Die Projektdauer eines Bauvorhabens hat auch Einfluss auf dessen Kosten, und zwar die Kosten der Finanzierung. Das sind die „Kosten, die im Zusammenhang mit der Finanzierung des Bauprojekts bis zum Beginn der Nutzung anfallen" (KG 800 nach DIN 276:2018-12, S. 35). Diese ergeben sich aus dem Verlauf der Kapitalbindung, z.B. im Grundstück, in den Planungsleistungen sowie Bauleistungen, dem Zinssatz für die Bereitstellung des Kapitals und der Dauer der Kapitalbildung. Wird die Projektdauer verkürzt, z.B. durch das Bauen mit Holz, verringern sich damit auch die Finanzierungskosten. Entsprechende Ermittlungen werden meist von den Auftraggebenden oder von deren Kreditinstitut aufgestellt. Auf jeden Fall können je nach dem Zinssatz und der Verkürzung der Bauzeit die Gesamtkosten des Bauprojekts (KG 100-800 nach DIN 276) um einige Prozentpunkte gemindert werden. Siehe hierzu: Herke, Sebastian; Kalusche, Wolfdietrich: Frühzeitige Ermittlung der Baunebenkosten und der Kosten der Finanzierung; in: BKI (Hrsg.): Baukosten Gebäude Neubau 2022. Statistische Kostenkennwerte, Stuttgart 2022, S. 79-100.

Bauzeiten in Wochen (Mittelwerte)	Holzbau	Massivbau		
Unterscheidung der Standards bei Massivbauten		einfach	mittel	hoch
Kindergärten, nicht unterkellert	42	50	58	64
Ein- und Zweifamilienhäuser unterkellert	40	51	43 1)	50
Ein- und Zweifamilienhäuser, nicht unterkellert	33	32	43	46
Ein- und Zweifamilienhäuser, Passivhausstandard	32	–	37	–

1) Bei den Ein- und Zweifamilienhäusern, unterkellert, ist die mittlere Bauzeit bei mittlerem Standard der Massivbauten kürzer als bei einfachem Standard.

Tab. 01-29: Bauzeiten in Wochen (Mittelwerte) mit Unterscheidung in Standards nur bei Massivbauten.

Bauzeiten in Wochen (Mittelwerte)	Holzbau	Massivbau		
Unterscheidung der Standards bei Massivbauten	–	einfach	mittel	hoch
Ein- und Zweifamilienhäuser unterkellert	40	51	43	50
Ein- und Zweifamilienhäuser, nicht unterkellert	33	32	43	46
Verkürzung der Bauzeit bei Verzicht auf Unterkellerung	7	19	–	4

Tab. 01-30: Bauzeiten in Wochen (Mittelwerte) mit Unterscheidung in unterkellert oder nicht unterkellert.

5. Holzskelettbau, Holzrahmenbau, Holztafelbau, Massivholzbau, Holzmodulbau

Die im vorhergehenden Abschnitt dargestellten Bauzeiten wurden auf der Grundlage der Vergleichsobjekte im Band Baukosten Gebäude Neubau 2022 ermittelt. Hierbei konnte festgestellt werden, dass im Allgemeinen die Bauzeiten der Holzbauten kürzer sind als bei den Massivbauten. Die Unterteilung der Holzbauten nach den Konstruktionsmerkmalen – Holzskelettbau, Holzrahmenbau, Holztafelbau, Massivholzbau, Holzmodulbau – erfolgte anschließend für den vorliegenden Sonderband Holzbau. Nicht alle Holzbauten konnten eindeutig einer Konstruktion zugeordnet werden. Sie waren z. B. als „Mischkonstruktion" bezeichnet worden. Diese wenigen Fälle sind nicht bei der weiteren Untersuchung berücksichtigt worden. Gleichzeitig sind zahlreiche weitere Holzbauten unterschiedlicher Gebäudearten hinzugekommen, auch Kindergärten sowie Ein- und Zweifamilienhäuser. (→ **Tab. 01-31**)

Für die vertiefte Untersuchung der Holzbauten und deren Bauzeiten stehen insgesamt 152 dokumentierte Vergleichsobjekte zur Verfügung. 105 und damit mehr als zwei Drittel der Gebäude zählen zu den Holzrahmenbauten. Die Holzskelettbauten mit anteilig 15 und der Massivholzbau mit 21 Vergleichsobjekten sind gering vertreten. Für Schlussfolgerungen sind zudem der Holztafelbau mit 9 und der Holzmodulbau mit nur 2 Beispielen viel zu gering vertreten. Es ist zu wünschen, dass zukünftig vor allem zuletzt genannten Objekte bevorzugt dokumentierte werden, um diese beurteilen zu können. → **Tab. 01-32** Welche Schlussfolgerungen können daraus gezogen werden? Die Untersuchung der Bauzeiten in Abschnitt 4 hat deutlich gezeigt, dass im Allgemeinen Holzbauten schneller errichtet werden können als Massivbauten. Zwei Drittel der dokumentierten Holzbauten zählen zur Kategorie Holzrahmenbau.

Bauzeiten der Holzbauten, unterschieden nach Gebäudearten und Konstruktion, Anzahl						
Anzahl der Holzbauten, unterschieden nach Gebäudearten (Kindergärten, Ein- und Zweifamilienhäuser, teilweise nicht unterkellert, unterkellert, Passivhausstandard) und Konstruktion (Holzskelettbau, Holzrahmenbau, Holztafelbau, Massivholzbau, Holzmodulbau).	Anzahl der Holzbauten, Anzahl der Holzbauten, unterschieden nach der Konstruktionsweise					
	Holzskelettbau	Holzrahmenbau	Holztafelbau	Massivholzbau	Holzmodulbau	[...]
Kindergärten, nicht unterkellert, 37 Vergleichsobjekte	2	22	3	8	2	–
Ein- und Zweifamilienhäuser, unterkellert, 35 Vergleichsobjekte	3	27	2	3	0	–
Ein- und Zweifamilienhäuser, nicht unterkellert, 43 Vergleichsobjekte	5	28	1	9	0	–
Ein- und Zweifamilienhäuser, Passivhausstandard, 37 Vergleichsobjekte	5	28	3	1	0	–
Anzahl der Vergleichsobjekte je Konstruktion:	15	105	9	21	2	–
Anzahl der Vergleichsobjekte insgesamt:	152					

Tab. 01-31: Bauzeiten der Holzbauten, unterschieden nach den Gebäudearten und der Konstruktion und deren Anzahl.

Bauzeiten der Holzbauten, unterschieden nach Gebäudearten und Konstruktion, in Wochen						
Bauzeiten der Holzbauten, unterschieden nach Gebäudearten (Kindergärten, Ein- und Zweifamilienhäuser, teilweise nicht unterkellert, unterkellert, Passivhausstandard) und Konstruktion (Holzskelettbau, Holzrahmenbau, Holztafelbau, Massivholzbau, Holzmodulbau), angegeben in Wochen (Mittelwerte).	Konstruktion und Bauzeiten in Wochen (Mittelwerte)					
	Holzskelettbau	Holzrahmenbau	Holztafelbau	Massivholzbau	Holzmodulbau	[...]
Kindergärten, nicht unterkellert, 37 Vergleichsobjekte	(41)	40	(51)	43	(9)	–
Ein- und Zweifamilienhäuser, unterkellert, 35 Vergleichsobjekte	(43)	40	(35)	(32)	–	–
Ein- und Zweifamilienhäuser, nicht unterkellert, 43 Vergleichsobjekte	24	31	(17)	46	–	–
Ein- und Zweifamilienhäuser, Passivhausstandard, 37 Vergleichsobjekte	29	32	(39)	(22)		–
Sofern die Anzahl der Vergleichsobjekte kleiner als 5 ist, wird die mittlere Bauzeit in Klammern gesetzt.						

Tab. 01-32: Bauzeiten der Holzbauten, unterschieden nach den Gebäudearten und der Konstruktion in Wochen (Mittelwerte).

Zusammenfassung

Die Untersuchungen zeigen folgende Ergebnisse:

1. Anteile von Holz am Tragwerk bei Holzbau und Massivbau

Holzbau: Die Zimmer- und Holzbauarbeiten (LB 016) machen bei Kindergärten, nicht unterkellert, im Mittel 82 % der Kosten des Tragwerks aus. Bei Ein- und Zweifamilienhäusern, unterkellert, sind es im Mittel 65,3 %. Bei nicht unterkellerten Objekten sind es im Mittel 85,8 %. Beim Passivhausstandard – es wird nicht in unterkellert oder nicht unterkellert nicht unterschieden – sind es durchschnittlich 76,9 %. Zusammengefasst macht der Anteil von Holz am Tragwerk bei den betrachteten Gebäudearten deutlich mehr als die Hälfte aus.

Massivbau: Bei Kindergärten, nicht unterkellert, sind hohe Anteile von Holz am Tragwerk von im Mittel 30 % zu beobachten, bei einfachem Standard sogar knapp die Hälfte. Bei den Ein- und Zweifamilienhäusern – unterkellert oder nicht unterkellert – beträgt der Anteil von Holz am Tragwerk zwischen 10 und 20 %. Interessant ist dabei, dass mit dem Standard der Holzanteil in kleinen Schritten steigt: einfacher Standard mit 13,0 %, mittlerer Standard mit 15,6 %, hoher Standard mit 17,5 % und schließlich Passivhausstandard mit 27,7 % (jeweils Mittelwerte).

2. Flächenwirtschaftlichkeit in Bezug auf die Konstruktions-Grundfläche

Holzbauten unterscheiden sich von Massivbauten hinsichtlich der Flächenwirtschaftlichkeit als Verhältnis von Konstruktions-Grundfläche zur Brutto-Grundfläche (KGF/BGF) im Fall der untersuchten Kindergärten sowie Ein- und Zweifamilienhäusern nur geringfügig.

Die anteiligen Grundflächen der Wände, Stützen und Schächte an der Gesamtfläche der Grundrisse machen bei allen untersuchten Objekten im Mittel zwischen rund 13 % und 23 % aus. Die Einflüsse auf die Flächenwirtschaftlichkeit (KGF/BGF) sind weniger in der Konstruktion als vielmehr im Raumkonzept zu suchen: kleine oder große Räume, Verzicht auf Innenwände, z. B. Überschneidung von Nutzungsflächen und Verkehrsflächen bei Kindergärten oder „offenes Wohnen“ bei Wohngebäuden.

Das schließt nicht aus, dass gegebenenfalls bei anderen Gebäudearten, z. B. Sportbauten, die Konstruktion vielleicht mehr Einfluss hat.

3. Kostenwirtschaftlichkeit von Holzbau und Massivbau

Beim Vergleich der Bauwerkskosten (KG 300+400 nach DIN 276) wurden Holzbauten ohne Unterscheidung des Standards den Massivbauten mit jeweils den Standards „einfach“, mittel“ und „hoch“ gegenübergestellt. Die Mittelwerte der Bauwerkskosten von Holzbauten liegen durchweg über denen der Massivbauten mit einfachem Standard, jedoch deutlich unter denen der Massivbauten mit hohem Standard.

Insgesamt sind die Holzbauten zwischen 6 % und 10 % teurer als Massivbauten. Da die Bauwerkskosten in den meisten Fällen – zumindest bei den betrachteten Gebäudearten – zwischen 50 % bis 60 % der Gesamtkosten (GK 100-800 nach DIN 276) ausmachen, halbieren sich die Unterschiede in Bezug auf die Investition. Im Zusammenhang mit weiteren Gesichtspunkten wie z. B. Nachhaltigkeit oder Planungs- und Bauzeit sollte der Kostenunterschied nicht die Entscheidung für die Frage „Holz oder Massiv“ sein. Inwieweit eine Vorfertigung, Elementbau oder Modularisierung zu geringen Kosten führte oder führen könnte, lässt sich mit den zur Verführung stehenden Vergleichsobjekten (noch) nicht nachweisen.

4. Vergleich der Bauzeiten von Holzbau und Massivbau

Die Unterscheidung von Holzbauten in Holzskelettbau, Holzrahmenbau, Holztafelbau, Massivholzbau und Holzmodulbau könnte möglicherweise unterschiedliche Bauzeiten erklären. Die Verkürzung der Bauzeit beträgt bei Kindergärten, nicht unterkellert rund 16 Wochen, bei Ein- und Zweifamilienhäusern, unterkellert rund 3 Wochen, bei Ein- und Zweifamilienhäusern, nicht unterkellert rund 10 Wochen und bei Ein- und Zweifamilienhäusern, Passivhausstandard rund 5 Wochen. Weitere Beispiele, besonders der Konstruktionsweisen Holzskelettbau, Holztafelbau, Massivholzbau und Holzmodulbau bedürfen weiterer Untersuchungen.

Anmerkungen zum Anhang

Grundlage der Ergebnisse in Abschnitt 5 waren die Daten und Kennwerte von 152 Holzbauten. Ein Teil der Daten, Bezeichnungen und Erläuterungen sind als Anhang diesem Fachartikel beigefügt. Alle Vergleichsobjekte sind einer Gebäudeart, z.B. Kindergärten, nicht unterkellert, sowie einer Konstruktionsweise, z.B. Holzbau, Holzrahmenbau, zugeordnet. Weiterhin tragen sie eine Objektnummer und eine Objektbezeichnung, z.B. 4400-0131, Kindertageseinrichtung (3 Gruppen), zudem wird die Größe des Objekts angegeben, z.B. 565 m^2 BGF, und die Bauzeit genannt, z.B. 31 Wochen. Weitere Informationen zu allen Holzbauten sind im vorliegenden Sonderband Holzbau zu finden. Entsprechende Informationen zu Massivbauten sind im Band Baukosten Gebäude Neubau enthalten.

Für alle Vergleichsobjekte wird die Bauzeit in Wochen angegeben. In den statistischen Berechnungen zu den Bauzeiten der verschiedenen Gebäudearten werden von-mittel- und bis-Wert angegeben (vgl. Abschnitt 4, Tabellen 25 bis 28). Bauzeiten von ungewöhnlich kurzer oder langer Dauer gehen nicht in die statistische Berechnung ein. Sie werden aber als min- oder max-Werte angegeben. In den nachfolgenden Tabellen sind auch diese enthalten und werden bei der Ermittlung des (arithmetischen) Mittelwerts berücksichtigt.

Die Angabe der Brutto-Grundfläche eines Vergleichsobjekts ist grundsätzlich eine wichtige Information, z.B. für die Kostenplanung. Auch für die Terminplanung ist die Größe des Objekts von Interesse. Ein direkter Zusammenhang zwischen der Größe eines Gebäudes und der Bauzeit lässt sich ohne weiteres nicht herstellen. Die Einflüsse auf die Bauzeit sind sehr vielfältig, die Größe ist ein Einfluss von vielen. Zur allgemeinen Orientierung enthalten die folgenden Tabellen für jedes Vergleichsobjekt neben der Bauzeit auch die Brutto-Grundfläche.

Kindergärten, nicht unterkellert, Bauzeiten bei Holzskelettbau			
Objektnummer Bezeichnung		BGF	Bauzeiten
4400-0237	Kindertagesstätte (4 Gruppen, 36 Kinder)	821	39
4400-0201	Kinderkrippe (2 Gruppen) - Effizienzhaus 55	283	43
Bauzeiten in Wochen (Mittelwert)		–	41

Tab. 01-33: Kindergärten, nicht unterkellert, 2 Vergleichsobjekte Holzskelettbau, Bauzeit in Wochen (Mittelwert) und Brutto-Grundfläche (m^2 BGF).
(BKI (Hrsg.): Baukosten Gebäude Neubau 2022. Statistische Kostenkennwerte, S. 286-295)

Ein- und Zweifamilienhäuser, unterkellert, Bauzeiten bei Holzskelettbau			
Objektnummer Bezeichnung		BGF	Bauzeiten
6100-1254	Einfamilienhaus - Effizienzhaus 55, Holzskelettbau	191	26
6100-0711	Einfamilienhaus, Holzskelettbau	156	30
6100-0692	Einfamilienhaus, Carport, Holzskelettbau	403	74
Bauzeiten in Wochen (Mittelwert)		–	43

Tab. 01-34: Ein- und Zweifamilienhäuser, unterkellert, 3 Vergleichsobjekte Holzskelettbau, Bauzeit in Wochen (Mittelwert) und Brutto-Grundfläche (m^2 BGF).
(BKI (Hrsg.): Baukosten Gebäude Neubau 2022. Statistische Kostenkennwerte, S. 466-474)

Ein- und Zweifamilienhäuser, nicht unterkellert, Bauzeiten bei Holzskelettbau			
Objektnr. Bezeichnung		BGF	Bauzeiten
6100-1088	Wochenendhaus, Holzskelettbau	90	9
6100-0754	Einfamilienhaus - KfW 60 Holzskelettbau; Holzrahmenbau	147	18
6100-1167	Einfamilienhaus - Effizienzhaus 40, Holzskelettbau	174	26
6100-0847	Einfamilienhaus, 2 Garagen - Effizienzhaus 40, Holzskelettbau; Holzrahmenbau	409	30
6100-1217	Einfamilienhaus, Garage - Effizienzhaus 40, Holzskelettbau	201	39
Bauzeiten in Wochen (Mittelwert)		–	24

Tab. 01-35: Ein- und Zweifamilienhäuser, nicht unterkellert, 5 Vergleichsobjekte Holzskelettbau, Bauzeit in Wochen (Mittelwert) und Brutto-Grundfläche (m^2 BGF).
(BKI (Hrsg.): Baukosten Gebäude Neubau 2022. Statistische Kostenkennwerte, S. 480-490)

Ein- und Zweifamilienhäuser, Passivhausstandard, Bauzeiten bei Holzskelettbau			
Objektnummer Bezeichnung		BGF	Bauzeiten
6100-0809	Einfamilienhaus – Passivhaus, Holzskelettbau	282	17
6100-0811	Einfamilienhaus – Passivhaus, Holzskelettbau	286	17
6100-0813	Einfamilienhaus – Passivhaus, Holzskelettbau	211	18
6100-0899	Einfamilienhaus, ELW – Passivhaus, Holzskelettbau	580	44
6100-0587	Einfamilienhaus – Passivhaus, Holzskelettbau	246	48
Bauzeiten in Wochen (Mittelwert)		–	29

Tab. 01-36: Ein- und Zweifamilienhäuser, Passivhausstandard, 5 Vergleichsobjekte Holzskelettbau, Bauzeit in Wochen (Mittelwert) und Brutto-Grundfläche (m^2 BGF).
(BKI (Hrsg.): Baukosten Gebäude Neubau 2022. Statistische Kostenkennwerte, S. 452-461)

Kindergärten, nicht unterkellert, Bauzeiten bei Holzrahmenbau			
Objektnummer	Bezeichnung	BGF	Bauzeiten
4400-0266	Kindertagesstätte (80 Kinder) - Effizienzhaus ~10%	594	13
4400-0229	Spielhaus auf Abenteuerspielplatz	151	22
4400-0190	Kindertagesstätte (4 Gruppen)	799	26
4400-0247	Kindertagesstätte (2 Gruppen, 20 Kinder)	588	30
4400-0131	Kindertageseinrichtung (3 Gruppen)	565	31
4400-0310	Kindergarten (80 Kinder) - Effizienzhaus ~76%	853	35
4400-0250	Kinderkrippe (4 Gruppen, 50 Kinder)	1.000	35
4400-0118	Kindertageseinrichtung (3 Gruppen)	552	35
4400-0282	Kindertagesstätte (8 Gruppen, 140 Kinder)	1.536	39
4400-0273	Kinderkrippe (2 Gruppen, 30 Kinder)	428	39
4400-0225	Kinderkrippe (2 Gruppen, 30 Kinder)	474	39
4400-0145	Kindertagesstätte (5 Gruppen, 90 Kinder)	806	39
4400-0259	Kinderkrippe (4 Gruppen, 40 Kinder)	830	43
4400-0349	Kinderhaus (8 Gruppen, 161 Kinder)	2.518	44
4400-0216	Kinderkrippe (4 Gruppen, 60 Kinder)	827	48
4400-0255	Kinderkrippe (4 Gruppen, 40 Kinder)	611	48
4400-0265	Kinderkrippe (6 Gruppen, 72 Kinder)	1.297	52
4400-0245	Kindertagesstätte (9 Gruppen, 150 Kinder)	1.866	52
4400-0249	Kindertagesstätte (6 Gruppen, 90 Kinder)	1.428	61
4400-0354	Kindertagesstätte (5 Gruppen, 90 Kinder)	1.424	70
4400-0234	Kindertagesstätte (5 Gruppen, 100 Kinder) - Passivhaus	1.221	70
4400-0267	Kindergarten (2 Gruppen, 50 Kinder)	538	83
Bauzeiten in Wochen (Mittelwert)		–	44

Tab. 01-37: Kindergärten, nicht unterkellert, 22 Vergleichsobjekte, Holzrahmenbau, Bauzeit in Wochen (Mittelwert) und Brutto-Grundfläche (m^2 BGF)
(BKI (Hrsg.): Baukosten Gebäude Neubau 2022. Statistische Kostenkennwerte, S. 286-295)

Ein- und Zweifamilienhäuser, unterkellert, Bauzeiten bei Holzrahmenbau			
Objektnummer	Bezeichnung	BGF	Bauzeiten
6100-0495	Einfamilienhaus, Holzrahmenbau	332	22
6100-0911	Einfamilienhaus	252	22
6100-0980	Einfamilienhaus - Effizienzhaus 55	275	22
6100-1382	Einfamilienhaus, teilunterkellert	234	22
6100-1407	Einfamilienhaus, Doppelgarage - Effizienz. 55	288	26
6100-0905	Einfamilienhaus - KfW 40	276	26
6100-1031	Einfamilienhaus - Effizienzhaus 70	298	26
6100-0545	Doppelhaushälfte - KfW 40	294	26
6100-1556	Doppelhaushälfte (1 WE)	313	30
6100-1106	Einfamilienhaus, Garage – Effizienz. 70	394	31
6100-1158	Einfamilienhaus, Carport	224	31
6100-1268	Einfamilienhaus, Garage – Effizienz. 55	408	31
6100-0867	Doppelhaushälfte, Garage	314	35
6100-0885	Einfamilienhaus - Effizienzhaus 40	386	35
6100-1575	Einfamilienhaus, Garage	290	39
6100-1094	Einfamilienhaus - Effizienzhaus 70	473	39
6100-1531	Einfamilienhaus - Effizienzhaus ~63%	280	39
6100-0834	Einfamilienhaus - KfW 40	233	39
6100-0991	Einfamilienhaus	353	43
6100-0907	Einfamilienhaus, Doppelgarage	395	48
6100-1535	Einfamilienhaus	456	48
6100-0552	Reihenendhaus	225	57
6100-0556	Reihenmittelhaus	208	57
6100-0883	Einfamilienhaus - KfW 60	351	61
6100-1291	Einfamilienhaus, Garage	308	78
6100-0549	Doppelhaushälfte - KfW 60	244	78
6100-0835	Einfamilienhaus, Garage	292	78
Bauzeiten in Wochen (Mittelwert)		–	40

Tab. 01-38: Ein- und Zweifamilienhäuser, unterkellert, 27 Vergleichsobjekte Holzrahmenbau, Bauzeit in Wochen (Mittelwert) und Brutto-Grundfläche (m^2 BGF).
(BKI (Hrsg.): Baukosten Gebäude Neubau 2022. Statistische Kostenkennwerte, S. 466-474)

Ein- und Zweifamilienhäuser, nicht unterkellert, Bauzeiten bei Holzrahmenbau			
Objektnummer	Bezeichnung	BGF	Bauzeiten
6100-1304	Einfamilienhaus, ELW	229	13
6100-1133	Einfamilienhaus	123	13
6100-0776	Einfamilienhaus - KfW 40	194	13
6100-1240	Einfamilienhaus, Carport - Effizienzhaus 70	288	17
6100-1495	Einfamilienhaus	287	21
6100-1096	Einfamilienhaus, Garagen	264	22
6100-0829	Einfamilienhaus	215	26
6100-1276	Einfamilienhaus, Garage - Effizienzhaus ~72%	280	26
6100-1339	Einfamilienhaus, Garage - Effizienzhaus 40	312	26
6100-1189	EFH (Musterhaus) - Effizienzhaus Plus	260	26
6100-1546	Einfamilienhaus, Carport	211	26
6100-1078	Einfamilienhaus	167	26
6100-1086	Einfamilienhaus - Effizienzhaus 55	177	26
6100-1253	Wochenendhaus	110	30
6100-1344	Einfamilienhaus - Effizienzhaus ~53%	232	30
6100-0828	Einfamilienhaus - Effizienzhaus 70	182	30
6100-0476	Doppelhaushälfte, 3-Liter-Haus	176	31
6100-0491	Doppelhaushälfte, 3-Liter-Haus	197	31
6100-0756	Einfamilienhaus - KfW 40	231	31
6100-0775	Einfamilienhaus - KfW 40	300	31
6100-1097	Einfamilienhaus, Carport - Effizienzhaus 55	226	35
6100-0763	Einfamilienhaus - KfW 40	275	35
6100-1083	Einfamilienhaus, Carport - Effizienzhaus 70	236	39
6100-1550	Einfamilienhaus, Doppelgarage	250	39
6100-1565	Einfamilienhaus	202	39
6100-1219	Einfamilienhaus	152	39
6100-1513	Einfamilienhaus - Effizienzhaus ~64%	202	65
6100-1190	Einfamilienhaus, Garage - Effizienzhaus 40	220	70
Bauzeiten in Wochen (Mittelwert)		–	31

Tab. 01-39: Ein- und Zweifamilienhäuser, nicht unterkellert, 28 Vergleichsobjekte Holzrahmenbau, Bauzeit in Wochen (Mittelwert) und Brutto-Grundfläche (m^2 BGF).
(BKI (Hrsg.): Baukosten Gebäude Neubau 2022. Statistische Kostenkennwerte, S. 480-490)

Ein- und Zweifamilienhäuser, Passivhausstandard, Bauzeiten bei Holzrahmenbau			
Objektnummer Bezeichnung		BGF	Bauzeiten
6100-0832	Wohnhaus (2 WE) - Passivhaus	306	13
6100-0947	Doppelhaushälfte - Passivhaus	198	13
6100-1287	Einfamilienhaus - Effizienzhaus Plus	283	18
6100-0810	Einfamilienhaus - Passivhaus	250	21
6100-0794	Einfamilienhaus - Passivhaus	253	21
6100-1156	Reihenmittelhaus - Passivhaus	212	22
6100-1169	Reihenendhaus - Passivhaus	250	22
6100-1177	Einfamilienhaus, Carport - Passivhaus	196	22
6100-0796	Einfamilienhaus - Passivhaus	372	22
6100-0766	Einfamilienhaus - Passivhaus	291	26
6100-1181	Einfamilienhaus, Garage - Passivhaus	288	26
6100-1326	Einfamilienhaus, Carport - Passivhaus	365	26
6100-0765	Einfamilienhaus - Passivhaus	287	26
6100-0627	Einfamilienhaus - Passivhaus	282	26
6100-0715	Einfamilienhaus - Passivhaus	255	30
6100-1017	Einfamilienhaus - Passivhaus	197	30
6100-1058	Doppelhaushälfte - Passivhaus	235	31
6100-1042	Einfamilienhaus, Doppelgarage - Passivhaus	325	31
6100-0655	Einfamilienhaus - Passivhaus	198	31
6100-1474	Einfamilienhaus Passivhaus	318	35
6100-0799	Einfamilienhaus - Passivhaus	306	39
6100-0895	Einfamilienhaus - Solaraktivhaus	303	43
6100-0571	Einfamilienhaus - Passivhaus	321	44
6100-0575	Einfamilienhaus - Passivhaus	279	48
6100-1559	Einfamilienhaus, Praxis - Passivhaus	610	52
6100-0853	Einfamilienhaus - Passivhaus	419	52
6100-1209	Zweifamilienhaus, Garage - Passivhaus	443	61
6100-0778	Reihenmittelhaus - Passivhaus	291	78
Bauzeiten in Wochen (Mittelwert)		–	32

Tab. 01-40: Ein- und Zweifamilienhäuser, Passivhausstandard, 28 Vergleichsobjekte, Holzrahmenbau, Bauzeit in Wochen (Mittelwert) und Brutto-Grundfläche (m² BGF).
(BKI (Hrsg.): Baukosten Gebäude Neubau 2022. Statistische Kostenkennwerte, S. 452-461)

Kindergärten, nicht unterkellert, Bauzeiten bei Holztafelbau			
Objektnummer Bezeichnung		BGF	Bauzeiten
4400-0344	Kindertagesstätte (4 Gruppen, 60 Kinder)	840	39
4400-0189	Kindertagesstätte (8 Gruppen)	1.123	48
4400-0345	Kindertagesstätte (2 Gruppen, 45 Kinder)	398	65
Bauzeiten in Wochen (Mittelwert)		–	51

Tab. 01-41: Kindergärten, nicht unterkellert, 3 Vergleichsobjekte Holztafelbau, Bauzeit in Wochen (Mittelwert) und Brutto-Grundfläche (m^2 BGF).
(BKI (Hrsg.): Baukosten Gebäude Neubau 2022. Statistische Kostenkennwerte, S. 286-295)

Ein- und Zweifamilienhäuser, unterkellert, Bauzeiten bei Holztafelbau			
Objektnummer Bezeichnung		BGF	Bauzeiten
6100-0550	Doppelhaushälfte, Holzbau	187	17
6100-1365	Einfamilienhaus - Effizienzhaus 40	282	52
Bauzeiten in Wochen (Mittelwert)		–	35

Tab. 01-42: Ein- und Zweifamilienhäuser, unterkellert, 2 Vergleichsobjekte Holztafelbau, Bauzeit in Wochen (Mittelwert) und Brutto-Grundfläche (m^2 BGF).
(BKI (Hrsg.): Baukosten Gebäude Neubau 2022. Statistische Kostenkennwerte, S. 466-474)

Ein- und Zweifamilienhäuser, nicht unterkellert, Bauzeiten bei Holztafelbau			
Objektnummer Bezeichnung		BGF	Bauzeiten
6100-0761	Einfamilienhaus - KfW 40	211	17
Bauzeit in Wochen (Mittelwert)		–	17

Tab. 01-43: Ein- und Zweifamilienhäuser, nicht unterkellert, 1 Vergleichsobjekt Holztafelbau, Bauzeit in Wochen (Mittelwert) und Brutto-Grundfläche (m^2 BGF).
(BKI (Hrsg.): Baukosten Gebäude Neubau 2022. Statistische Kostenkennwerte, S. 480-490)

Ein- und Zweifamilienhäuser, Passivhausstandard, Bauzeiten bei Holztafelbau			
Objektnummer Bezeichnung		BGF	Bauzeiten
6100-1360	Einfamilienhaus, Garage - Passivhaus	298	26
6100-0870	Einfamilienhaus, Garage - Passivhaus	364	39
6100-0679	Einfamilienhaus - Passivhaus	270	52
Bauzeiten in Wochen (Mittelwert)		–	39

Tab. 01-44: Ein- und Zweifamilienhäuser, Passivhausstandard, 3 Vergleichsobjekte Holztafelbau, Bauzeit in Wochen (Mittelwert) und Brutto-Grundfläche (m^2 BGF).
(BKI (Hrsg.): Baukosten Gebäude Neubau 2022. Statistische Kostenkennwerte, S. 452-461)

Kindergärten, nicht unterkellert, Bauzeiten bei Massivholzbau			
Objektnummer	Bezeichnung	BGF	Bauzeiten
4400-0301	Kindertagesstätte (1 Gruppe, 25 Kinder)	184	22
4400-0235	Kinderkrippe (3 Gruppen, 36 Kinder)	427	22
4400-0284	Kinderhort (150 Kinder) - Effizienzhaus ~32%	1.740	35
4400-0256	Kinderkrippe (4 Gruppen, 48 Kinder) - Effizienzhaus ~76%	1.033	39
4400-0215	Kindertagesstätte (5 Gruppen, 60 Kinder)	904	44
4400-0240	Kindertagesstätte (6 Gruppen, 149 Kinder)	1.823	48
4400-0263	Kindertagesstätte (2 Gruppen, 37 Kinder)	539	57
4400-0356	Kindergarten mit WE (4 Gruppen, 112 Kinder)	1.205	79
Bauzeiten in Wochen (Mittelwert)		–	43

Tab. 01-45: Kindergärten, nicht unterkellert, 8 Vergleichsobjekte Massivholzbau, Bauzeit in Wochen (Mittelwert) und Brutto-Grundfläche (m^2 BGF).
(BKI (Hrsg.): Baukosten Gebäude Neubau 2022. Statistische Kostenkennwerte, S. 286-295)

Ein- und Zweifamilienhäuser, unterkellert, Bauzeiten bei Massivholzbau			
Objektnummer	Bezeichnung	BGF	Bauzeiten
6100-0874	Doppelhaushälfte, Garage	308	22
6100-1044	Einfamilienhaus - Effizienzhaus 85	281	30
6100-0873	Einfamilienhaus - Effizienzhaus 70	360	43
Bauzeiten in Wochen (Mittelwert)		–	32

Tab. 01-46: Ein- und Zweifamilienhäuser, unterkellert, 3 Vergleichsobjekte Massivholzbau, Bauzeit in Wochen (Mittelwert) und Brutto-Grundfläche (m^2 BGF).
(BKI (Hrsg.): Baukosten Gebäude Neubau 2022. Statistische Kostenkennwerte, S. 466-474)

Ein- und Zweifamilienhäuser, nicht unterkellert, Bauzeiten bei Massivholzbau			
Objektnummer	Bezeichnung	BGF	Bauzeiten
6100-1211	Einfamilienhaus, Carport - Effizienzhaus 40	243	26
6100-1273	Einfamilienhaus - Effizienzhaus ~56%	218	43
6100-1449	Ferienhaus (1 WE)	217	44
6100-1449	Ferienhaus (1 WE)	217	44
6100-1539	Einfamilienhaus	131	44
6100-1213	Einfamilienhaus, Atelier - Effizienzhaus 70	352	48
6100-1266	Ferienhaus	140	56
6100-1272	EFH (2 Gebäude) - Effizienzhaus ~50%	352	57
6100-1214	Einfamilienhaus, Garage - Effizienzhaus 70	360	78
Bauzeiten in Wochen (Mittelwert)		–	49

Tab. 01-47: Ein- und Zweifamilienhäuser, nicht unterkellert, 9 Vergleichsobjekte, Massivholzbau, Bauzeit in Wochen (Mittelwert) und Brutto-Grundfläche (m^2 BGF).
(BKI (Hrsg.): Baukosten Gebäude Neubau 2022. Statistische Kostenkennwerte, S. 480-490)

Anhang: Holzmassivbau

Ein- und Zweifamilienhäuser, Passivhausstandard, Bauzeiten bei Massivholzbau			
Objektnummer	Bezeichnung	BGF	Bauzeiten
6100-0981	Einfamilienhaus - Passivhaus	254	22
Bauzeit in Wochen (Mittelwert)		–	22

Tab. 01-48: Ein- und Zweifamilienhäuser, Passivhausstandard, 1 Vergleichsobjekt, Massivholzbau, Bauzeit in Wochen (Mittelwert) und Brutto-Grundfläche (m² BGF).
(BKI (Hrsg.): Baukosten Gebäude Neubau 2022. Statistische Kostenkennwerte, S. 452-461)

Anhang: Holzmodulbau

Kindergärten, nicht unterkellert, Bauzeiten bei Holzmodulbau			
Objektnummer	Bezeichnung	BGF	Bauzeiten
4400-0289	Kindergarten (1 Gruppe, 12 Kinder)	104	9
4400-0288	Kinderkrippe (1 Gruppe, 12 Kinder) - Modulbau	135	9
Bauzeiten in Wochen (Mittelwert)		–	9

Tab. 01-49: Kindergärten, nicht unterkellert, 2 Vergleichsobjekte Holzmodulbau, Bauzeit in Wochen (Mittelwert) und Brutto-Grundfläche (m² BGF).
(BKI (Hrsg.): Baukosten Gebäude Neubau 2022. Statistische Kostenkennwerte, S. 286-295)

Literatur

BKI (Hrsg.): Baukosten Gebäude Neubau 2022. Statistische Kostenkennwerte, Stuttgart

DIN 276:2018-12, Kosten im Bauwesen

DIN 277:2021-08, Grundflächen und Rauminhalte im Hochbau

Kalusche, Wolfdietrich: Befragung zu den Baukostensteigerungen im Sommer 2022 – und wie geht es jetzt weiter?
Online-Veröffentlichung

(Befragung zu den Baukostensteigerungen im Sommer 2022 | BKI)

Kalusche, Wolfdietrich (Hrsg.): BKI Handbuch Terminplanung für Architekten, Baukosteninformationszentrum Deutscher Architektenkammern, Stuttgart 2020

Regelwerke im Holzbau

von Anke Blume
Maxi Broßat
Jörg Bühler
Max Köhnken
J. Niedermeyer
Tobias Röttgen

Regelwerke im Holzbau

ein Beitrag von

Anke Blume
Maxi Broßat
Jörg Bühler
Max Köhnken
J. Niedermeyer
Tobias Röttgen

1 Einleitung

Die Holzbauweise hat in den letzten dreißig Jahren eine kontinuierliche technische Weiterentwicklung in allen Marktsegmenten, insbesondere im Wohnungsbau und im Objektbau vollzogen. Mit dieser Entwicklung nahm auch die Anzahl der technischen Regelwerke zu. Regeln in Form von Richtlinien, europäisch harmonisierten Normen und nationalen DIN-Normen wurden sukzessive ergänzt und fortgeschrieben. In jüngster Zeit änderten sich vor dem Hintergrund des föderalen Systems die technischen Anforderungen und damit auch die Regelwerke besonders im Bereich des Brandschutzes, auch als Folge einer konsequenten Forschungs- und Entwicklungsarbeit der betroffenen Fach- und Verkehrskreise. Halbjährlich konnte man in den letzten beiden Jahren neue Regelungen zum Holzbau in der Struktur der Landesbauordnungen und den Verwaltungsvorschriften mit den technischen Baubestimmungen verfolgen.

Um mit überschaubarem Aufwand immer auf dem laufenden Stand der Regelungen und der bautechnischen Ausführung im Holzbau zu sein, sind folgende Internetseiten als stete Informationsquelle empfohlen:

→ www.brandschutznavigator.de
→ www.dataholz.eu
→ www.informationsdienst-holz.de

Der vorliegende Überblick zu den „Regelwerken im Holzbau" orientiert sich in der Struktur an den „Grundanforderungen an Bauwerke" (BWR)[1] der Musterverwaltungsvorschrift Technische Baubestimmungen (MVV TB)[2]:

BWR 1 Mechanische Festigkeit und Standsicherheit
BWR 2 Brandschutz
BWR 3 Hygiene, die Gesundheit und den Umweltschutz
BWR 4 Sicherheit und Barrierefreiheit bei der Nutzung
BWR 5 Schallschutz
BWR 6 Wärmeschutz

1. BWR – Basic Works Requirements – Grundanforderungen für Bauwerke
2. Aktuelle Mustervorschriften und Mustererlasse: www.is-argebau.de

Ergänzt wurde diese Betrachtung durch die siebte Grundanforderung „Nachhaltige Nutzung der natürlichen Ressourcen" (BWR 7) der europäischen Bauproduktenverordnung (BauPVo), die aktuell in der Musterverwaltungsvorschrift technische Baubestimmung (MVV TB) nicht abgebildet ist. Allerdings ist davon auszugehen, dass dieses mehr denn je wichtige Schutzziel 2023 auf Grundlage des geförderten QNG[3]-Rahmens in der Novellierung des Gebäudeenergiegesetzes (GEG) prominenter berücksichtigt wird.

3. QNG – Qualitätssiegel Nachhaltiges Gebäude

2 Regelwerke anhand der BWR 1- 7

2.1 BWR 1 – Mechanische Festigkeit und Standsicherheit

2.1.1 Allgemeines

Die Standsicherheit einer baulichen Anlage ist von besonderer Bedeutung für die öffentliche Sicherheit und Ordnung und nimmt somit eine wichtige Stellung im Bauordnungsrecht ein (§ 3 und § 12 Absatz (1) MBO). Die Standsicherheit definiert die Anforderung an Bauwerke, nicht einzustürzen. Diese Standsicherheitsanforderung umfasst dabei die einzelnen Bauteile, ihre Verbindungen bis hin zum gesamten Gebäude und seinem Baugrund. Die Standsicherheit muss sowohl für den Bauzustand als auch für die gesamte Nutzungsdauer für alle statisch tragenden Bestandteile nachgewiesen werden. Die nach MVV TB zu beachtenden technischen Regeln zur Erfüllung dieser Anforderung umfassen die Eurocodes zu den Grundlagen für die Tragwerksplanung, zu den Einwirkungen auf Bauwerke sowie zur Bemessung.

Die Bemessung von Tragwerken und Tragwerksteilen aus Holz oder Holzwerkstoffen werden durch die Normenreihe DIN EN 1995 „Bemessung und Konstruktion von Holzbauten" (Eurocode 5, EC 5) geregelt. Diese berücksichtigt die Anforderungen an die Tragfähigkeit, Gebrauchstauglichkeit, Dauerhaftigkeit und den Feuerwiderstand.

Für Bauten in Regionen seismischer Aktivität, sind zusätzlich Nachweise für ein Bemessungserdbeben nach DIN 4149 „Bauten in deutschen Erdbebengebieten - Lastannahmen, Bemessung und Ausführung üblicher Hochbauten" (zukünftig: Normenreihe DIN EN 1998 „Auslegung von Bauwerken gegen Erdbeben", Eurocode 8) zu führen.

Für tragende Holzbauteile müssen geeignete Maßnahmen zur Vermeidung einer hohen Holzfeuchte, die zu einem Befall durch zerstörende Pilze und/oder zu einer Abnahme der Festigkeit und Steifigkeit führen können, vorgenommen werden. Die Holzschutznormenreihe DIN 68800 „Holzschutz" ergänzt daher die Bemessungsnormen hinsichtlich der Sicherung der Gebrauchsdauer von Holzbauwerken.

2.1.2 Bemessung nach Eurocode 5

Der Eurocode 5 „Bemessung und Konstruktion von Holzbauten" besteht aus drei Teilen:

- DIN EN 1995-1-1: Allgemeines - Allgemeine Regeln und Regeln für den Hochbau
- DIN EN 1995-1-2: Allgemeine Regeln – Tragwerksbemessung für den Brandfall
- DIN EN 1995-2: Brücken

Der Eurocode 5 wird ergänzt durch die Nationalen Anhänge (NA). Diese enthalten national festgelegte Parameter (NDP) sowie zusätzliche, dem Eurocode nicht widersprechende Regelungen (NCI) wie beispielsweise

- Werte und / oder Klassen, für die im Eurocode Alternativen zugelassen werden, z.B. Teilsicherheitsbeiwerte, Klassen der Lasteinwirkungsdauer,
- länderspezifische Angaben,
- Ergänzung fehlender oder unzureichend definierter Bemessungsregeln, z.B. Verstärkungen von Queranschlüssen, Ausklinkungen und Durchbrüchen, zimmermannsmäßigen Verbindungen.

Festlegungen, die nicht in den EC 5 bzw. Nationalen Anhang aufgenommen werden durften, wurden in DIN 1052-10 „Herstellung und Ausführung von Holzbauwerken – Teil 10: Ergänzende Bestimmungen" verlagert. Hierbei handelt es sich um ergänzende Anforderungen an Verbindungsmittel (Korrosion) sowie um Festlegungen für die Ausführung und Überwachung von Klebungen bei Holztragwerken.

Die Nachweisführung erfolgt auf der Grundlage des semiprobabilistischen Sicherheitskonzepts nach DIN EN 1990: „Grundlagen der Tragwerksplanung". Bei der Nachweisführung wird zwischen dem Grenzzustand der Tragfähigkeit und dem Grenzzustand der Gebrauchstauglichkeit unterschieden. Der Nachweis der Tragfähigkeit von Holzbauteilen und mechanischen Verbindungen beruht auf der Gegenüberstellung der Beanspruchung und des Tragwiderstands. Zum Nachweis der Gebrauchstauglichkeit werden die Verformungen eines Tragwerks mit den in EC 5 / EC 5-NA empfohlenen oder mit der Bauherrschaft vereinbarten Grenzwerten verglichen.

Für die Ermittlung der Einwirkungen (Lasten) wird die Normenreihe DIN EN 1991 „Einwirkungen auf Tragwerke" (Eurocode 1, EC 1) zugrunde gelegt. Darin sind Einwirkungen wie Eigen- und Nutzlasten, Schnee- und Windlasten festgelegt.

Der EC 5 ist eine reine Bemessungsnorm und enthält, anders als die frühere DIN 1052:2008 „Entwurf, Berechnung und Bemessung von Holzbauwerken", keine Produktregelungen und auch keine Tabellen mit Materialkennwerten wie beispielsweise Festigkeits- oder Steifigkeitswerte. Waren die wesentlichen Materialkennwerte in der DIN 1052 anwenderfreundlich zusammengestellt, muss sich die Planer*in heute die erforderlichen Werte aus diversen Normen heraussuchen. **Tabelle 02-01** zeigt für die wesentlichen Produkte im Holzbau eine Zusammenstellung der zu beachtenden Normen.

2.1.3 Holzschutz nach DIN 68800

Die Normenreihe DIN 68800 spiegelt die im Holzbau langjährig geübte Praxis des konstruktiven Holzschutzes wieder. Sie enthält die Verpflichtung bauliche Maßnahmen vorrangig zu berücksichtigen; die Notwendigkeit des Einsatzes von chemischen Holzschutzmitteln muss hingegen belegt und gesondert vereinbart werden. Damit wird das Minimierungsgebot hinsichtlich der Verwendung von Bioziden im Bauwesen umgesetzt, welches sich u.a. aus der Biozidrichtlinie[4], der Gefahrstoffverordnung[5], dem Kreislaufwirtschaftsgesetz[6] und diversen Arbeitssicherheitsregeln ableitet.

Die Normenreihe besteht aus vier Teilen, von denen die MVV TB ausschließlich die Teile 1 und 2 in Bezug nimmt:

- DIN 68800-1: Holzschutz – Allgemeines
- DIN 68800-2: Holzschutz – Vorbeugende bauliche Maßnahmen im Hochbau

Für die Teile 3 und 4, in denen der chemische Holzschutz geregelt wird, ist dies nicht der Fall.

4. EU-Richtlinie 98/8/EG [Biozid-Produkt-Richtlinie; BiozidRL] – Richtlinie über das Inverkehrbringen von Biozid-Produkten
5. Die Gefahrstoffverordnung [GefStoffV] regelt umfassend die Schutzmaßnahmen für Beschäftigte bei Tätigkeiten mit Gefahrstoffen.
6. Kreislaufwirtschaftsgesetz [KrWG] – Gesetz zur Förderung der Kreislaufwirtschaft und Sicherung der umweltverträglichen Bewirtschaftung von Abfällen

<table>
<tr><th>Produkt</th><th colspan="2">Produktnorm</th><th>Anwendungsnorm [a]</th><th>Werte für Bemessung</th></tr>
<tr><td>Vollholz</td><td colspan="2">DIN EN 14081-1</td><td>DIN 20000-5</td><td>DIN EN 338</td></tr>
<tr><td>Brettschichtholz</td><td colspan="2">DIN EN 14080</td><td>DIN 20000-3</td><td>DIN EN 14080</td></tr>
<tr><td>Balkenschichtholz</td><td colspan="2">DIN EN 14080
abZ/aBG [b]</td><td>DIN 20000-3</td><td>DIN EN 14080
abZ/aBG [b]</td></tr>
<tr><td>Furnierschichtholz</td><td rowspan="8">DIN EN 13986 [c]</td><td>DIN EN 14374
DIN EN 14279</td><td rowspan="8">DIN 20000-1</td><td>abZ/aBG [b]</td></tr>
<tr><td>Sperrholz</td><td>DIN EN 636</td><td>DIN EN 12369-2</td></tr>
<tr><td>OSB-Platten</td><td>DIN EN 300</td><td>DIN EN 12369-1</td></tr>
<tr><td>Spanplatten</td><td>DIN EN 312</td><td>DIN EN 12369-1</td></tr>
<tr><td>Holzfaserplatten
– hart
– mittelhart
– MDF</td><td>
DIN EN 622-2
DIN EN 622-3
DIN EN 666-5</td><td>
EC5/NA
EC5/NA
DIN EN 12369-1</td></tr>
<tr><td>Massivholzplatten</td><td>DIN EN 13353
abZ/aBG bzw. ETA [b]</td><td>DIN EN 12369-3
abZ/aBG bzw. ETA [b]</td></tr>
<tr><td>zementgebundene Spanplatte</td><td>DIN EN 634-2</td><td>EC5/NA
abZ/aBG [b]</td></tr>
<tr><td>Gipsplatten</td><td colspan="2">DIN EN 520 und DIN 18180</td><td>–</td><td>EC5/NA</td></tr>
<tr><td>Gipsfaserplatten</td><td colspan="2">DIN EN 15283-2</td><td>–</td><td>abZ/aBG bzw. ETA [b]</td></tr>
<tr><td>Stiftförmige Verbindungsmittel</td><td colspan="2">DIN EN 14592</td><td>DIN 20000-6</td><td>EC5/NA
ETA [b]</td></tr>
<tr><td>nicht stiftförmige Verbindungsmittel</td><td colspan="2">DIN EN 14545</td><td>DIN 20000-6</td><td>EC5/NA
abZ/aBG bzw. ETA [b]</td></tr>
<tr><td>Nagelplattenbinder</td><td colspan="2">DIN EN 14250
aBG [b]</td><td>DIN 20000-4</td><td>EC5/NA
aBG [b]</td></tr>
</table>

a) Europäisch harmonisierten Produktnormen enthalten keine Anwendungsregeln. In Deutschland ist die Anwendung von Bauprodukten in Bauwerken durch die Normenreihe DIN 20000 geregelt. Anwendungsnormen stellen somit das Bindeglied zwischen europäischer Produkt- und nationaler Bemessungsnorm dar.

b) abZ allgemeine bauaufsichtliche Zulassungen
aBG allgemeine Bauartgenehmigung
ETA European Technical Assessment – Europäische Technische Bewertung
Die gültigen abZ/aBG/ETA werden beim DIBt gelistet ⟶ www.dibt.de

c) Als sogenannte „Deckelnorm" definiert die DIN EN 13 986 Holzwerkstoffe für die Verwendung im Bauwesen und legt deren wesentliche Eigenschaften und Prüfverfahren zur Bestimmung dieser Eigenschaften fest. Sie benennt die jeweiligen Produktnormen, in denen die Produktionsanforderungen an die verschiedenen Holzwerkstoffe geregelt sind.

Tabelle 02-01: Zusammenstellung wesentlicher Normen für Produkte im Holzbau

Gebrauchsklassen

Nach DIN 68800-1 werden Holzbauteile einer Gebrauchsklasse (GK) zugeordnet, um den erforderlichen Schutz gegenüber Holzschadorganismen festlegen zu können → **Abb. 02-01**. Maßgebendes Kriterium ist dabei die Holzfeuchte im Gebrauchszustand. Hierbei wird unterschieden, ob das Holz ständig trocken (GK 0 / GK 1) oder gelegentlich (GK 2 / GK 3.1), häufig (GK 3.2) bzw. ständig (GK 4 / GK 5) feucht ist. Diese Begriffe beschreiben eine zunehmende Beanspruchung des Holzes durch Feuchte, ohne dass hierfür in DIN 68800-1 konkrete Zahlenwerte benannt werden.

Als Kriterium für „trocken" gilt im Allgemeinen eine mittlere Holzfeuchte von unter 20 %, bei der auf der sicheren Seite liegend keine Gefährdung durch holzzerstörende Pilze vorliegt. Eine unmittelbare Gefährdung liegt erst dann vor, wenn lokal der Fasersättigungsbereich erreicht bzw. überschritten wird und freies Wasser in den Zellen über einen Zeitraum von mindestens drei Monaten vorliegt.

Die Zuordnung von Holzbauteilen zu den Gebrauchsklassen ist eine zentrale Aufgabe der Planung und muss in Ausschreibungen deutlich gemacht werden. Bei Umbauten oder Nutzungsänderungen sind etwaige Änderungen der Gebrauchsklasse und ihre Folgen zu beachten. Grundsätzlich gilt die Normenreihe DIN 68800 für tragende und sicherheitsrelevante Bauteile. Es wird empfohlen, diese auch für nicht tragende Bauteile anzuwenden.

Baulicher Holzschutz

DIN 68800-2 benennt baulich-konstruktive Randbedingungen, um Holzbauteile in die GK 0 einstufen bzw. überführen zu können und so auf weitere Holzschutzmaßnahmen – insbesondere die Verwendung chemischer Holzschutzmittel – verzichten zu können. Das einfachste Instrument zum Schutz vor holzzerstörenden Insekten besteht im Einsatz von technisch getrocknetem Holz. Die wichtigste Handlung zum Schutz vor holzzerstörenden Pilzen besteht in der Begrenzung der Holzfeuchte (≤ 20 %) durch

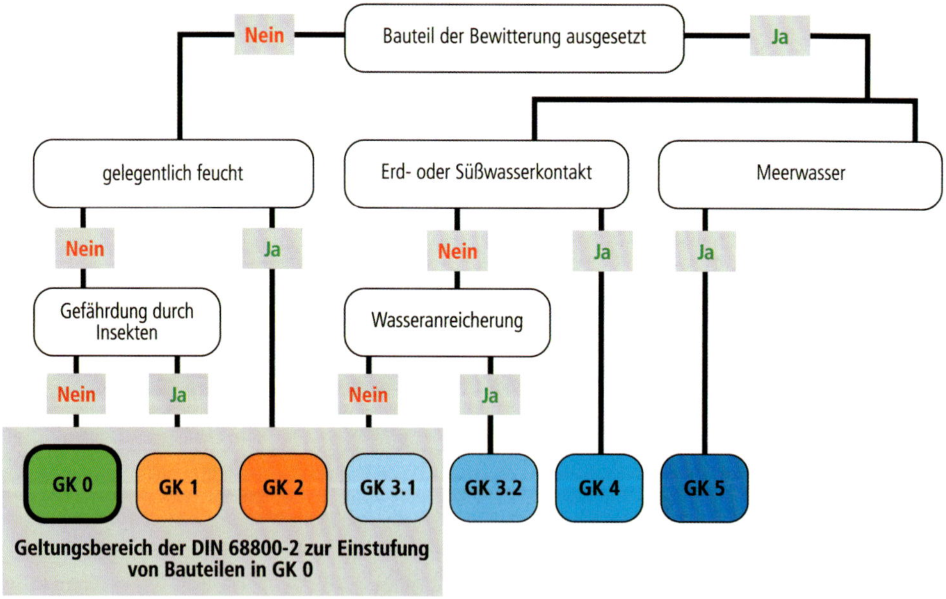

Abb. 02-01: Zuordnung von Holzbauteilen zu einer Gebrauchsklasse, Bildquelle: Holzschutz – Bauliche Maßnahmen, INFORMATIONSDIENST HOLZ, 2015

bauliche Maßnahmen. DIN 68800-2 differenziert hierbei zwischen grundsätzlichen und besonderen baulichen Maßnahmen.

Grundsätzliche bauliche Maßnahmen sind durch eine rechtzeitige und sorgfältige Planung des Holzschutzes immer zu berücksichtigen und beschreiben den umfassenden Feuchteschutz von Holzbauteilen. Dies betrifft sowohl die Feuchte während des Transports, Montage und Einbau als auch die Feuchte im Gebrauchszustand (→ **Abb. 02-02**).

Besondere bauliche Maßnahmen ermöglichen es Holzbauteile in die GK 0 zu überführen, wenn dies allein anhand der grundsätzlichen Maßnahmen nicht möglich ist. Hierzu zählen die technische Trocknung, besondere Konstruktionsprinzipien sowie besondere rechnerische Nachweise des Tauwasserschutzes (→ **Abb. 02-02**).

In Anhang A der DIN 68800-2 werden zahlreiche Beispielkonstruktionen dargestellt, bei denen die Bedingungen der GK 0 erfüllt sind und auf die Verwendung von chemischen Holzschutzmitteln verzichtet werden kann. Diese können ohne weiteren Nachweis angewendet werden.

Bei üblichen Holzbauten reichen die in der Norm aufgeführten vorbeugenden baulichen Maßnahmen aus. Für verbleibende Fälle, in denen das Schutzziel nicht alleine durch den baulichen Holzschutz sichergestellt werden kann, sind in DIN 68800-1 in Abhängigkeit der gegebenen Gebrauchsklasse Maßnahmen beschrieben, welche die geforderte Dauerhaftigkeit der Konstruktion dennoch sicherstellen sollen – beispielsweise durch die Auswahl besonders dauerhafter Holzarten.

Werden Außenwandbekleidungen, Balkone und Terrassen aus Holz nach den Fachregeln des Zimmererhandwerks ausgeführt, ist auch für diese Außenbauteile ein vorbeugender Schutz mit Holzschutzmitteln nicht erforderlich. Hinweise für Planer*innen und Ausführende werden mit zahlreichen Detaillösungen für Regelkonstruktionen ergänzt.

- Fachregel 01 des Zimmererhandwerks – Außenwandbekleidung aus Holz
- Fachregel 02 des Zimmererhandwerks – Balkone und Terrassen

2.2 BWR 2 – Brandschutz

2.2.1 Allgemeines

Die Formulierung des allgemeinen Schutzziels in § 3 MBO wird hinsichtlich des Brandschutzes in § 14 MBO konkretisiert. Bauliche Anlagen sind so zu errichten, zu ändern und instand zu halten, dass die Entstehung und Ausbreitung von Feuer verhindert wird, die Rettung von Menschen und Tieren bei einem Brand möglich und ein wirksamer Löschangriff durchführbar ist. Die Landesbauordnungen definieren hierzu fast ausschließlich Maßnahmen, die zum baulichen Brandschutz zählen (v.a. Gebäudekonstruktion, Flucht- und Rettungswege, Bildung von Brandabschnitten, Zufahrtswege für die Feuerwehr).

In Abhängigkeit von der Gebäudeklasse werden unterschiedliche Anforderungen an die Brennbarkeit der verwendeten Baustoffe sowie den Feuerwiderstand der Bauteile gestellt. Die Klassifizierung erfolgt hierbei nach der nationalen Normenreihe DIN 4102 „Brandverhalten von Baustoffen und Bauteilen" bzw. der europäischen Normenreihen DIN EN 13501 „Klassifizierung von Bauprodukten und Bauarten zu ihrem Brandverhalten".

Für den Holzbau relevant sind zudem die Holzrichtlinie M-HFHHolzR bzw. MHolzBauRL sowie die Bemessungsnorm für den Brandfall DIN EN 1995-1-2 (EC 5).

2.2.2 Normative Regelwerke

DIN EN 1995-1-2

Eine wichtige Grundanforderung jedes Bauwerks ist seine mechanische Festigkeit und Standsicherheit. Diese bauwerksbezogene Anforderung muss ebenso für die außergewöhnliche Situation eines Brandfalls erfüllt werden. Für die Bemessung und Konstruktion von Holzbauten verweist die MVV TB in Kapitel A 1.2.5 auf den Eurocode 5. Speziell für die Tragwerksbemessung im Brandfall werden als technische Regel der Teil DIN EN 1995-1-2 „Bemessung und Konstruktion von Holzbauten – Teil 1-2: Allgemeine Regeln – Tragwerksbemessung für den Brandfall" mit dem nationalen Anhang DIN EN 1995-1-2/NA angegeben.

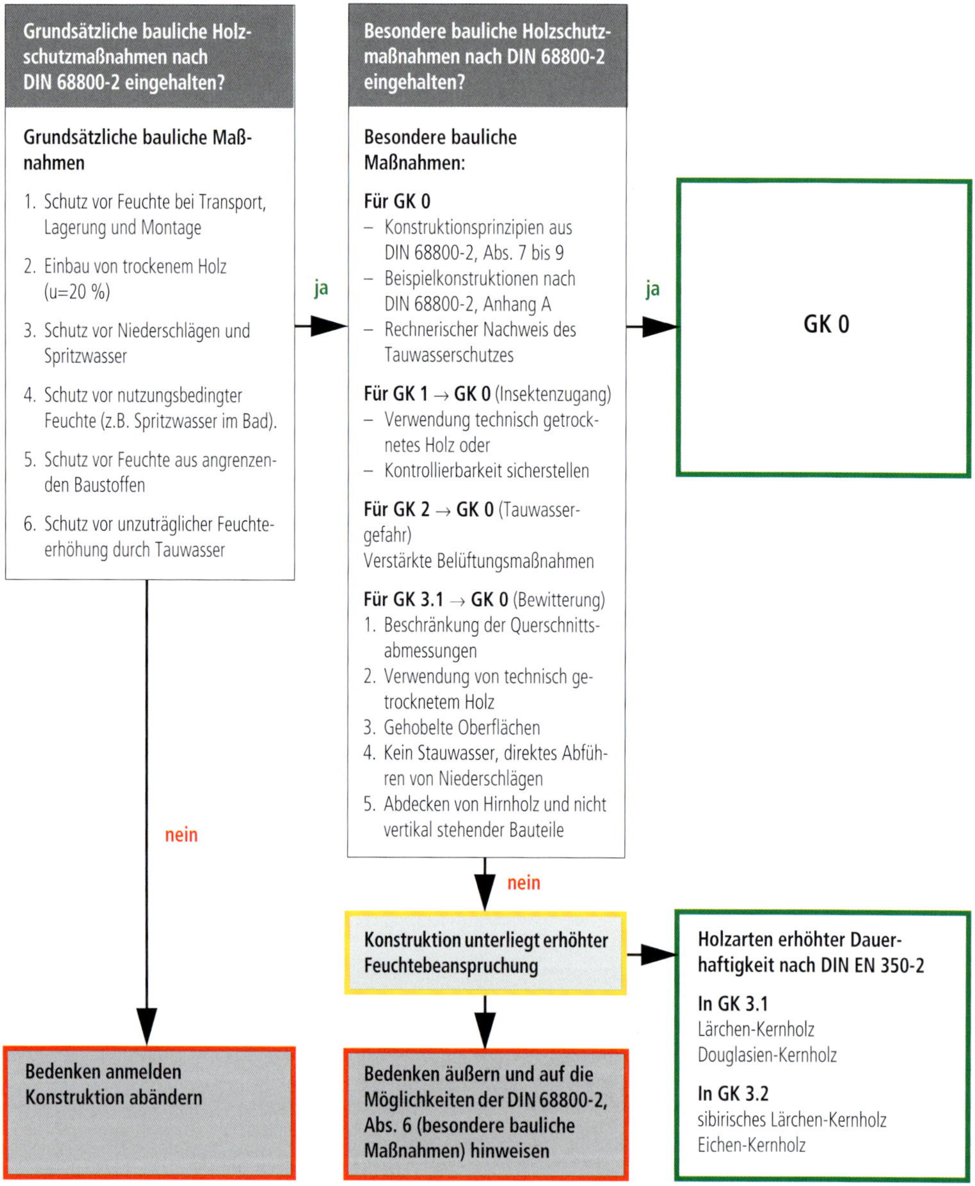

Abb. 02-02: Holzschutz nach DIN 68800

DIN EN 1995-1-2 gilt für Tragwerke oder Teile von Tragwerken, die in den Anwendungsbereich von EN 1995-1-1 fallen und entsprechend bemessen werden. Die enthaltenen Verfahren sind auf alle Produkte, deren Produktnormen auf die EN 1995-1-2 verweisen, anwendbar.

Sämtliche in dieser Norm behandelten Bemessungsverfahren beziehen sich ausschließlich auf den baulichen Brandschutz. Die Feuerwiderstandsdauern von Holzbauteilen, die entweder tragend (R), raumabschließend (EI) oder sowohl tragend als auch raumabschließend (REI) sind, können berechnet werden.

Der Nachweis der Tragfähigkeit für ein Bauteil (z. B. Stützen, Pfeiler, Unterzüge) wird über den Zeitraum der geforderten Branddauer geführt. Dies sind in der Regel 30, 60 oder 90 Minuten. Dabei wird mit einer holzartspezifischen Abbrandrate und der Branddauer ein Restquerschnitt bestimmt, mit dem eine entsprechend verminderte Tragfähigkeit auf der Widerstandsseite berechnet wird. Der Brandfall als außergewöhnliche Bemessungssituation führt zur Annahme von reduzierten Nutzlasten auf der Einwirkungsseite. Für Wand- und Deckenkonstruktionen kann über die jeweiligen Grundwerte der Wärmedämmung der Bekleidungs- und Wärmedämmstofflagen die Dauer des Raumabschlusses (EI) bestimmt werden (EC 5 Anhang E). Dies jedoch nur für maximal 60 Minuten.

Im Zusammenhang mit der speziellen Ausbildung von z.B. Anschlüssen und Fugen sind die Anwendungsregeln nach DIN 4102-4:2016-05 zu beachten, sofern die DIN EN 1995-1-2 für diese keine Angaben enthält.

DIN 4102-4

Für die Bauausführung ist insbesondere Teil 4 „Zusammenstellung und Anwendung klassifizierter Baustoffe, Bauteile und Sonderbauteile" der Normenreihe DIN 4102 „Brandverhalten von Baustoffen und Bauteilen" von besonderer Bedeutung. Dieser Normenteil enthält einen Bauteilkatalog, in dem Baustoffe, Bauteile und Sonderbauteile auf Grundlage der Prüfnormen dieser Normenreihe klassifiziert und Anwendungs- und Ausführungsregelungen für Bauteile festgelegt werden. Dabei erfolgt der Nachweis des Brandverhaltens bzw. der Feuerwiderstandsfähigkeit in „tabellarischer" Form.

Für Wände, Decken und Dächer bildet die DIN 4102-4 Tabellen mit Bauteilaufbauten ab. Darin werden die zu verwendenden Baustoffe bzw. Baustoffschichten, deren Eigenschaften (z.B. Rohdichte, Querschnitt oder Dicke) und Abmessungen (z.B. max. Ständerabstände) angegeben. Mögliche zusätzliche Angaben sind für tragende Bauteile die zulässige Spannung oder Schlankheit, sowie ggf. weitere erforderliche Randbedingungen. Werden die jeweiligen Vorgaben erfüllt, kann den Tabellen die zugehörige Klassifizierung entnommen werden. Dies sind für den Holzbau F 30-B, F 60-B oder F 90-B (vgl. DIN 4102-4:2016-05 Abs. 10).

Die Tabellenwerte leiten sich in der Regel aus Brandversuchen ab, die auf Basis der Einheitstemperaturzeitkurve (ETK) stattfanden.

Weitere Anwendungs- und Ausführungsregelungen für klassifizierte Holzbauteile mit Rechteckquerschnitt (z. B. Träger, Stützen, freiliegende Holzbalken) und Verbindungen finden sich in Abschnitt 8 der DIN 4102-4:2016-05. Der Nachweis der Tragfähigkeit und die Bemessung des Feuerwiderstandes erfolgt dabei grundsätzlich mit dem Eurocode 5. Für tragende Bauteile die dort nicht geregelt sind, erfolgt die Klassifizierung der Feuerwiderstandsfähigkeit auf Grundlage der DIN 4102-2.

2.2.3 Bauordnungsrechtliche Regelwerke

Landesbauordnungen und Verwaltungsvorschriften

Die Landesbauordnungen der sechzehn Bundesländern geben zusammen mit den technischen Baubestimmungen in Form der Verwaltungsvorschriften technische Baubestimmungen den formalen Rahmen für die bauordnungsrechtlichen Anforderungen für das Bauen mit brennbaren Baustoffen vor.

Die entscheidenden Anforderungen finden sich im Paragraphen § 26 der MBO „Allgemeine Anforderungen an das Brandverhalten von Baustoffen und Bauteilen".

Hieraus ergeben sich Anforderungen an die Konstruktion.

- *„§ 26 Abs. 2 Satz 3 der Musterbauordnung (MBO) vom 27.09.2019. Demnach müssen die tragenden und aussteifenden Teile feuerbeständiger Bauteile aus nichtbrennbaren Baustoffen bestehen. Raumabschließende Bauteile müssen zusätzlich eine in Bauteilebene durchgehende Schicht aus nichtbrennbaren Baustoffen haben. Hochfeuerhemmende Bauteile, deren tragende und aussteifende Teile aus brennbaren Baustoffen bestehen, müssen allseitig eine brandschutztechnisch wirksame Bekleidung aus nichtbrennbaren Baustoffen (Brandschutzbekleidung) haben und – sofern vorhanden – mit nichtbrennbaren Dämmstoffen gedämmt sein.*
- *§ 26 Abs. 2 Satz 4 MBO ist für Bauteile, die feuerbeständig oder hochfeuerhemmend sein müssen, eine Verwendung brennbarer Baustoffe eröffnet. Gleichwohl weisen solche Bauteile ein anderes Brandverhalten auf, weshalb es sich definitionsgemäß nicht um feuerbeständige bzw. hochfeuerhemmende Bauteile handelt. Die Verwendung brennbarer Baustoffe ist daher unter den Vorbehalt gestellt, dass die angewendeten Bauarten den Technischen Baubestimmungen nach § 85a MBO entsprechen.“* [7]

Über die Musterverwaltungsvorschrift Technische Baubestimmung (MVV TB) wird die Richtlinie für den Holzbau, die die Regelungen und Anforderungen für den Holzbau festlegt, benannt. Aktuell stehen in der Übergangszeit zwei Richtlinien je nach Version der Verwaltungsvorschrift zur Verfügung (→ **Tabelle 02-02**).

- Seit Juli 2004: Muster-Richtlinie über brandschutztechnische Anforderungen an hochfeuerhemmende Bauteile in Holzbauweise – M-HFHHolzR
- Ab Oktober 2020:Muster-Richtlinie über brandschutztechnische Anforderungen an Bauteile und Außenwandbekleidungen in Holzbauweise MHolzBauRL

Musterholzbaurichtlinie M-HolzbauRL (2020-10)[8]

Die neue Muster-Holzbaurichtlinie (M-HolzBauRL) umfasst in der Nachfolge der Muster-Richtlinie über brandschutztechnische Anforderungen an hochfeuerhemmende Bauteile in Holzbauweise – M-HFHHolzR (Juli 2004) drei Anwendungsbereiche des Holzbaus:

7. Quelle: www.dibt.de/de/aktuelles/meldungen/nachricht-detail/meldung/bauaufsichtliche-nachweise-im-holzbau
8. Aktuelle M-HolzbauRL: www.is-argebau.de

Bundesland	MVV TB	Muster-Holzbau-Richtlinie
Baden-Württemberg	MVV TB 2017/1	M-HFHHolzR: 2004-07
Bayern	MVV TB 2021/1	M-HolzBauRL:2020-10
Berlin	MVV TB 2021/1	M-HolzBauRL:2020-10
Brandenburg	MVV TB 2020/2	M-HolzBauRL:2020-10
Bremen	MVV TB 2021/1	M-HolzBauRL:2020-10
Hamburg	MVV TB 2021/1	M-HolzBauRL:2020-10
Hessen	MVV TB 2020/1	M-HFHHolzR: 2004-07
Mecklenburg-Vorpommern	MVV TB 2021/1	M-HolzBauRL:2020-10
Niedersachsen	MVV TB 2021/1	M-HolzBauRL:2020-10
Nordrhein-Westfalen	MVV TB 2021/1	M-HolzBauRL:2020-10
Rheinland-Pfalz	MVV TB 2021/1	M-HolzBauRL:2020-10
Saarland	MVV TB 2021/1	M-HolzBauRL:2020-10
Sachsen	MVV TB 2019/1	M-HFHHolzR: 2004-07
Sachsen-Anhalt	MVV TB 2021/1	M-HolzBauRL:2020-10
Schleswig-Holstein	MVV TB 2020/1	M-HFHHolzR: 2004-07
Thüringen	MVV TB 2019/1	M-HFHHolzR: 2004-07

Tabelle 02-02: Übersicht der Bundesländer mit der jeweiligen MVV TB und der jeweiligen Musterrichtlinie für den Holzbau (Stand 2022-09)

- Holztafelbauweise für Standardgebäude der Gebäudeklasse 4,
- Massivholzbauweise für Standardgebäude der Gebäudeklassen 4 und 5
- Außenwandbekleidungen aus Holz und Holzwerkstoffen bei Gebäuden der Gebäudeklasse 4 und 5

Es werden konkretisierende Regelungen zur Planung, Bemessung und Ausführung, respektive Anforderungen an feuerwiderstandsfähige Bauteile bzw. Bauarten dargestellt, für die eine Übereinstimmungserklärung durch den Anwender der Bauart (Unternehmer) nach § 16 a Abs. 5 MBO (nach Landesrecht) gefordert wird:

- Abschnitt 4: brandschutztechnische Anforderungen an hochfeuerhemmende Bauteile in Holzbauweise – (M-HFHHolzR) bei Gebäuden der Gebäudeklasse 4 aus brennbaren Baustoffen mit allseitiger Brandschutzbekleidung.
- Abschnitt 5: Errichtung hohlraumfreier Bauteile aus brennbaren Baustoffen (Massivholz) ohne vollständige Brandschutzbekleidung bei Gebäuden der Gebäudeklassen 4 und 5.
- Abschnitt 6: Errichtung von Außenwandbekleidungen aus normalentflammbaren Baustoffen bei Gebäuden der Gebäudeklassen 4 und 5. Inklusive Brandsperren zur Verhinderung der Brandausbreitung

Ferner ist in diesem Zusammenhang die bauaufsichtliche Nachweisführung im Holzbau nach MBO vom 27.09.2019 und MVV TB 2021/1 zu beachten.

„Der Nachweis der erforderlichen Feuerwiderstandsfähigkeit von Bauteilen kann soweit möglich über eine Technische Regel, die als Technische Baubestimmung bekannt gemacht worden ist, oder über eine Bauartgenehmigung gemäß § 16a MBO geführt werden (Abschnitt 3.2 der MHolzBauRL).

Die Nachweisführung für tragende, aussteifende und/oder raumabschließende Bauteile in Holzrahmen- oder Holztafelbauweise bei Gebäuden der Gebäudeklasse 4 kann nach DIN 4102-4:2016-05 – Brandverhalten von Baustoffen und Bauteilen oder nach DIN EN 1995-1-2 zusammen mit DIN EN 1995-1-2/NA erfolgen. Zusätzlich ist eine brandschutztechnisch wirksame Bekleidung $K_2 60$ vorzusehen.

Für tragende, aussteifende und/oder raumabschließende Bauteile, die hochfeuerhemmend sein müssen und die abweichend von §26 Abs. 2 Satz 3 MBO aus brennbaren Baustoffen bestehen dürfen, in Standardgebäuden der GK 4 mit Nutzungseinheiten bis 200 m² in Massivholzbauweise oder Hybrid-Bauweise MHolzBauRL Abschnitt 5 kann die Nachweisführung ebenfalls nach DIN 4102-4:2016-05 – Brandverhalten von Baustoffen und Bauteilen oder nach DIN EN 1995-1-2 zusammen mit DIN EN 1995-1-2/NA erfolgen.

Für tragende, aussteifende und/oder raumabschließende Bauteile, die feuerbeständig sein müssen und die abweichend von §26 Abs. 2 Satz 3 MBO aus brennbaren Baustoffen bestehen dürfen, in Standardgebäuden der GK 5 bis 22 m Höhe mit Nutzungseinheiten bis 200 m² in Massivholzbauweise oder Hybrid-Bauweise MHolzBauRL Abschnitt 5 kann die Nachweisführung ebenfalls nach DIN 4102-4:2016-05 – Brandverhalten von Baustoffen und Bauteilen oder nach DIN EN 1995-1-2 zusammen mit DIN EN 1995-1-2/NA erfolgen.

Die Möglichkeit der Anwendung von Naturbrandmodellen, auf deren Grundlage die Bemessung des Feuerwiderstandes, aber nicht des Raumabschlusses tragender und aussteifender Bauteile erfolgen kann, wird im Kapitel MVV TB 2021/1 A 1.2.1.2 Anlage A 1.2.1/3 dargestellt.

Bauprodukte für den Holzbau nach Europäischer Technischer Bewertung (ETA) bleiben unberücksichtigt. Vor deren Anwendung ist durch den Verwender zu prüfen, ob Anwendungsregeln für diese Bauprodukte vorliegen und die ETA die Beurteilung des Feuerwiderstandes und des Brandverhaltens beinhaltet.

Sollen von dieser Richtlinie wesentlich abweichende Bauarten in Holz zur Anwendung kommen, so bedarf dies einer allgemeinen bauaufsichtlichen Bauartgenehmigung (aBG) bzw. vorhabensbezogenen Bauartgenehmigung (vBG) nach § 16a Abs. 2 MBO. Sofern von den bauordnungsrechtlichen Anforderungen ab-

gewichen werden soll, ist darüber hinaus eine Abweichungsentscheidung nach § 67 MBO erforderlich.

Bewertungsinhalte sind die Standsicherheit, der Feuerwiderstand und das Brandverhalten. Die Bewertungsgrundlage ist dabei das Anforderungsniveau der MHolzBauRL." [9]

2.2.4 Anwendbarkeitsnachweise und Übereinstimmungserklärung für Bauarten

Die MBO unterscheidet zwischen geregelten und ungeregelten Bauarten. Geregelte Bauarten werden in den bauaufsichtlich eingeführten Technischen Baubestimmungen aufgeführt oder weichen nicht wesentlich von diesen ab.

Ist eine Bauart vollständig über eine technische Baubestimmung oder eine allgemein anerkannte Regel der Technik nachgewiesen (geregelte Bauart), ist kein weiterer Anwendbarkeitsnachweis erforderlich.

Nicht geregelte Bauarten dürfen nur angewendet werden, wenn einer der folgenden Nachweise erteilt wurde:

allgemeine Bauartgenehmigung (aBG)

Die allgemeine Bauartgenehmigung existiert erst seit Einführung der MVV TB und ersetzt seit Juli 2017 die allgemeine bauaufsichtliche Zulassung (abZ) für Bauarten. In dieser neuen Bescheidart werden die Planung, Bemessung und Ausführung von Bauarten geregelt, für die es keine allgemein anerkannte Regel der Technik gibt. Sie wird für alle Bundesländer zentral durch das Deutsche Institut für Bautechnik (DIBt) erteilt.

Die aktuell gültigen allgemeinen Bauartgenehmigungen sind beim DIBt aufgelistet.[10]

Vorhabenbezogene Bauartgenehmigung (vBG)

Die vorhabenbezogene Bauartgenehmigung kann statt einer allgemeinen Bauartgenehmigung beantragt werden, wenn die Bauart nur im Rahmen eines konkreten Bauvorhabens angewendet werden soll. Sie wird durch die zuständige oberste Bauaufsichtsbehörde des Landes erteilt.

9. Quelle: https://www.dibt.de/de/aktuelles/meldungen/nachricht-detail/meldung/bauaufsichtliche-nachweise-im-holzbau

10. Quelle: www.dibt.de/de/service/zulassungsdownload/zulassungs-und-genehmigungsverzeichnisse

Abb. 02-03: Umgang mit Abweichungen, Bildquelle: Brandschutzkonzepte für mehrgeschossige Gebäude und Aufstockungen, INFORMATIONSDIENST HOLZ, 2019

Übereinstimmungserklärung für Bauarten

Die Vorschriften zur Ü-Kennzeichnung und Produktionskontrolle gelten nicht für Bauarten – d.h. Bauarten tragen kein Ü-Zeichen. Der Übereinstimmungsnachweis erfolgt durch eine formlose schriftliche Übereinstimmungsbestätigung des Anwenders/Errichters der Bauart. Dieser bescheinigt damit, dass die von ihm erstellte Bauart unter Beachtung der relevanten technischen Baubestimmungen oder Anwendbarkeitsnachweise (abG, abP, vBG) erstellt worden ist, also eine Bestätigung, dass das Bauteil dem geplanten und bauordnungsrechtlichen notwendigen Bauteil entspricht. (→ **Abb. 02-03**)

2.2.5 Ausblick

Die hier dargelegte und beschriebene Systematik der normativen und bauordnungsrechtlichen Regelwerke unterliegt einer Momentaufnahme.

Bereits jetzt ist absehbar, dass es 2023 abgesehen von einer normativen Weiterentwicklung und Fortschreibung landesspezifische Neuerungen bei den Verwaltungsvorschriften technische Baubestimmungen und sehr wahrscheinlich auch eine überarbeitete Version der Muster-Richtlinie über brandschutztechnische Anforderungen an Bauteile und Außenwandbekleidungen in Holzbauweise MHolzBauRL 2.0 geben wird.

2.3 BWR 3 – Hygiene, Gesundheit und Umweltschutz

Der Gesundheitsschutz ist eine wesentliche Anforderung an das Gebäude. In Deutschland regeln die Landesbauordnungen neben der Planung, Bemessung und Ausführung auch die Verwendung von Bauprodukten. Gemäß MBO § 3 und § 13 darf von Bauprodukten, mit denen Gebäude errichtet bzw. die in solche eingebaut werden, keine Gefahr durch chemische, physikalische oder biologische Einflüsse oder unzumutbare Belästigungen entstehen. Somit ist die Gesundheit der Gebäudenutzer u.a. durch die Verwendung geeigneter Bauprodukte zu schützen.

Menschen verbringen den größten Teil des Tages in Innenräumen. Seit Gebäude immer besser gedämmt sind und weniger Luftwechsel stattfinden, richtet sich der Fokus vermehrt auf die Qualität der Innenraumluft. Neben Luftwechsel, Temperatur und Luftfeuchtigkeit können Emissionen aus Bauprodukten, aber auch einer Vielzahl anderer Fremdstoffe die Qualität der Raumluft beeinflussen. (→ **Abb. 02-04**)

Europäische Studien[11] zeigen, dass die meisten Erkrankungen im Kontext der Innenraumluftqualität auf Verbrennungspartikel, Gebäudefeuchtigkeit, Bio-Aerosole aus der Außenluft, Radon und Kohlenmonoxid zurückzuführen sind. Obwohl nur 1,3 % der Erkrankungen VOC[12]s zugeordnet werden können, unterliegen gerade diese zunehmend strengeren Regelungen.

Alle Baustoffe haben durch flüchtige organische Verbindungen (VOCs) Einfluss auf die Raumluftqualität. Diese VOCs sind natürlichen, mehrheitlich allerdings petrochemischen Ursprungs. Letztere können durchaus gesundheitsschädlich sein und bedürfen gesetzlicher Regelungen. Holz als organisches Naturprodukt gibt insbesondere im Neubau mit abnehmender Intensität natürliche nVOC[13]s (u. a. Terpene und Aldehyde) ab. Diese sind teilweise auch geruchlich wahrnehmbar – zumeist als angenehm empfundener charakteristischer Eigengeruch

11. vgl. Jantunen M., THL, Oliveira Fernandes E., FEUP, Carrer P. (2011)
12. VOC – Volatile Organic Compounds – flüchtige organische Verbindungen
13. nVOC – natural volatile Organic Compounds – natürliche flüchtige organische Verbindungen

des Holzes. Durch richtiges Lüften werden diese Ausdünstungen i.d.R. in den ersten Wochen der Nutzung aus den Räumen transportiert. Die Luftwechselrate sollte dabei zwischen 0,3 h^{-1} und 0,5 h^{-1} betragen. Zahlreiche wissenschaftliche Studien[14] zeigen, dass von diesen nVOCs keine Gesundheitsgefährdung ausgeht.

Die vom Umweltbundesamt (UBA) herausgegebenen Richt- und Leitwerte für VOC werden nach Baufertigstellung immer öfter überwacht. Auch die Prüfzeichen für Bauprodukte fordern die Einhaltung von VOC-Emissionswerten.

Die Verwendung emissionsarmer Bauprodukte ist eine wesentliche Voraussetzung für eine gute Innenraumluftqualität. Der bereits in viele Landesbauordnungen übernommene Anhang 8 der MVV TB „Anforderungen an bauliche Anlagen bezüglich des Gesundheitsschutzes (ABG)" sieht für VOC-Emissionen zahlreicher Bauprodukte eine Nachweispflicht vor, wenn diese in Aufenthaltsräumen Verwendung finden. Dies gilt im Bereich der Holzprodukte für OSB und Spanplatten; Vollholzprodukte sind bisher nicht betroffen. Grundlage ist das AgBB[15]-Bewertungsschema. Bei den Produktprüfungen im Labor werden hierbei toxikologisch begründete, gesundheitsbezogene Stoffbewertungen anhand der NIK[16]-Werte vorgenommen. Es wird davon ausgegangen, dass unterhalb des NIK-Wertes auch bei Langzeitexposition keine nachteiligen Gesundheitsauswirkungen zu befürchten sind.

14. vgl. FNR (2021)

15. AggB – Ausschuss zur gesundheitlichen Bewertung von Bauprodukten. Im AgBB sind neben den Ländergesundheitsbehörden das Umweltbundesamt, das Deutsche Institut für Bautechnik (DIBt), die ARGEBAU, die Bundesanstalt für Materialforschung und -prüfung (BAM) und das Bundesinstitut für Risikobewertung (BfR) vertreten.

16. NIK – Niedrigste Interessierende Konzentration. NIK-Werte stellen Rechengrößen zur toxikologischen Wichtung eines Bauproduktes dar, sind aber nicht als Richtwerte zu verstehen

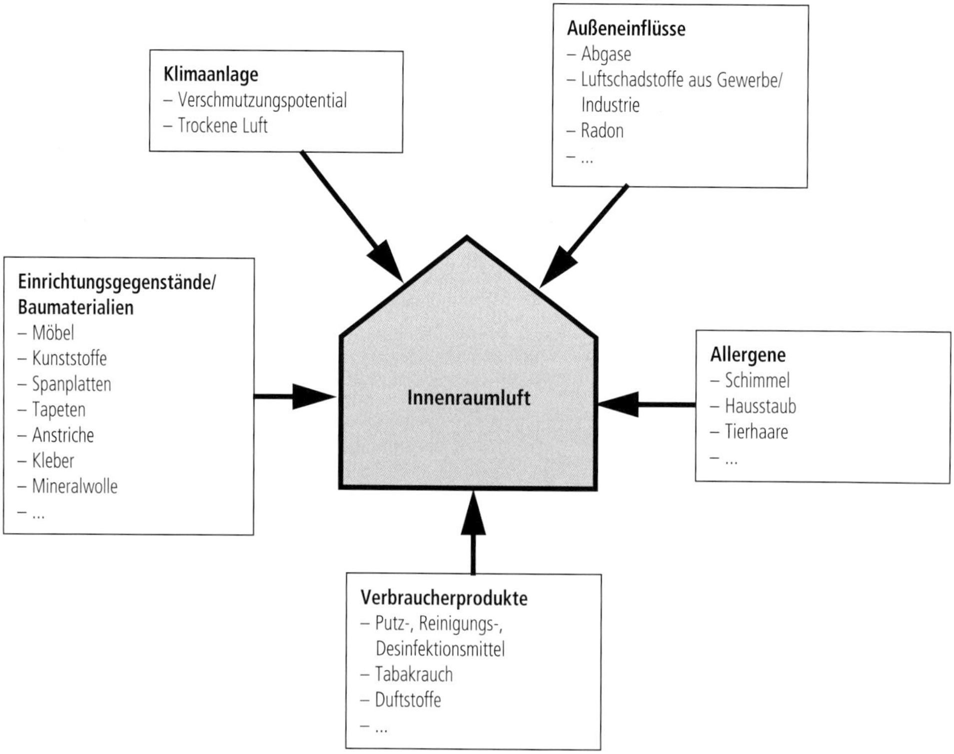

Abb. 02-04: Einflüsse auf die Qualität der Innenraumluft

Hinweis:
Da trotz umfassender wissenschaftlicher Untersuchungen bislang keine gesundheitsschädliche Wirkung von VOCs aus OSB und Spanplatten nachgewiesen werden konnte, wurde die Nachweispflicht für diese beiden Produkte in einigen Bundesländern (u.a. BW, NRW, Saarland) außer Kraft gesetzt; in weiteren Bundesländern steht dies ebenfalls zur Diskussion.[17]

Es muss grundsätzlich zwischen den o.g. VOC-Prüfungen einzelner Bauprodukte im Labor und den tatsächlich nach Baufertigstellung im Innenraum gemessenen VOC-Werten unterschieden werden. Für die Raumluftmessungen legt die Normenreihe DIN EN ISO 16000 „Innenraumluftverunreinigungen" die verpflichtenden Prüfbedingungen (Temperatur, Luftwechsel, Feuchte) und Messmethodik fest. Für die meisten in der Innenraumluft auftretenden Substanzen gibt es keine gesetzlichen Regelungen. Es existieren aber Richt- und Leitwerte, die vom Umweltbundesamt (UBA) publiziert werden und eine Orientierung zur Beurteilung der Innenraumluftqualität geben. Eine Richtwertüberschreitung ist noch nicht gesundheitlich bedenklich, sondern wird vom UBA als „hygienische Auffälligkeit" definiert. Diese sollten durch technische und bauliche Maßnahmen und/oder ein geändertes Nutzerverhalten behoben werden – beispielsweise verstärktes Lüften, Reduzierung emissionsträchtiger Reiniger oder verdächtiger Raumausstattungen.

Diese UBA-Werte haben ausschließlich Empfehlungscharakter und sind rechtlich nicht verbindlich. Werden diese allerdings im Bauvertrag als Raumzielwert verankert, werden sie zu zwingend einzuhaltenden Grenzwerten.

Eine Differenzierung zwischen VOC-Emissionen aus natürlichen und sonstigen Quellen bzgl. der gesundheitlichen Relevanz wird aktuell nicht vorgenommen. Regulatorische Bewertungen und Einschränkungen von Holzprodukten sind nach aktuellem Stand der Wissenschaft daher nicht begründbar. Hier besteht noch Regulierungsbedarf.

Das Thema der Innenraumhygiene ist komplex, da es viele Rahmenbedingungen, Regelungen und Zusammenhänge zu beachten gilt.

Das Informationsportal
→ www.holz-und-raumluft.de
klärt Planer*innen, Bauherr*innen und Bauunternehmen neutral und sachlich im Umgang mit Bauprodukten zur Erreichung einer guten Raumluft auf.

2.4 BWR 4 – Sicherheit und Barrierefreiheit

Die Anforderungen an die Nutzungssicherheit und Barrierefreiheit nach § 16 und § 50 der MBO werden umgesetzt, wenn die Gebäude nach der Normenreihe DIN 18040 entworfen und ausgeführt werden.

- DIN 18040-1: Barrierefreies Bauen – Planungsgrundlagen – Teil 1: Öffentlich zugängliche Gebäude
- DIN 18040-2: Barrierefreies Bauen – Planungsgrundlagen – Teil 2: Wohnungen

Dazu gehört der ebene Zugang zu Gebäuden genauso wie die barrierefreie Grundrissplanung und Berücksichtigung der uneingeschränkten Nutzbarkeit von Einbauten und Installationen für jede Person im Gebäude.

Insbesondere die Umsetzung der barrierefreien Übergänge an Hauseingangstüren, Terrassen und Balkonen erfordert im Holzhausbau eine sorgfältige Planung. Grundsätzlich sollten Holzkonstruktionen 30cm Abstand von der Geländeoberkante haben, um Spritzwasser aus Niederschlägen vom Holz fernzuhalten. Bei Anordnung einer definierten Kiesschüttung darf dieser Abstand auf 15cm reduziert werden. Bei ebenerdigen Türaustritten befindet sich die Holzschwelle der Erdgeschosswände allerdings unterhalb des Außenterrains.
DIN 68800-2 bietet hierfür eine Sonderkonstruktion an, in der durch bauliche Maßnahmen (Gitterrost, abgesenktes Kiesbett mit rückstaufreier Entwässerung, Abdichtungen) eine Befeuchtung der Holzschwelle durch Niederschlagswasser ausgeschlossen werden kann. Diese Rinnenlösung ist auf die Türbereiche begrenzt und kann nicht rund um das gesamte Gebäude angewendet werden. Zur Umsetzung sind daher ggf. in den Eingangsbereichen Rampen anzuordnen. (→ **Abb. 02-05**)

17. VGH Baden-Württemberg Urteil vom 7.10.2020, 8 S 2959/18

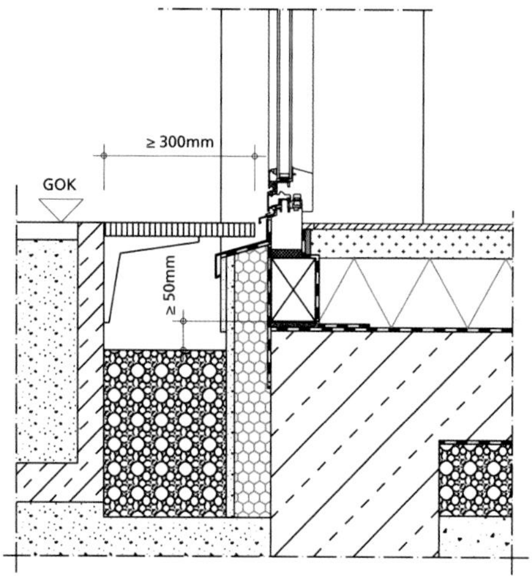

Abb. 02-05: Beispiel ebenerdiger Terrassenaustritt

2.5 BWR 5 – Schallschutz

2.5.1 Allgemeines

Der Schallschutz ist ein wesentlicher Faktor für die Lebensqualität der Bewohner und Nutzer von Gebäuden. Daher werden nach MBO § 3 und § 15 Absatz 2 bei der Errichtung, Änderung und Instandhaltung baulicher Anlagen Schallschutzanforderungen formuliert. Dabei geht es beim baulichen Schallschutz um die Luftschalldämmung gegenüber Innen- und Außengeräuschen sowie die Körper- bzw. Trittschalldämmung innerhalb des Gebäudes. Geregelt wird der Schallschutz im Hochbau in der Normenreihe DIN 4109. Von besonderem Interesse für den Holzbau sind hierbei:

- DIN 4109-1 Schallschutz im Hochbau – Teil 1: Mindestanforderungen
- DIN 4109-2 Schallschutz im Hochbau – Teil 2: Rechnerische Nachweise der Erfüllung der Anforderungen
- DIN 4109-5 Schallschutz im Hochbau – Teil 5: Erhöhte Anforderungen
- DIN 4109-33 Schallschutz im Hochbau – Teil 33: Daten für die rechnerischen Nachweise des Schallschutzes (Bauteilkatalog) – Holz-, Leicht- und Trockenbau
- DIN 4109-35 Schallschutz im Hochbau – Teil 35: Daten für die rechnerischen Nachweise des Schallschutzes (Bauteilkatalog) – Elemente, Fenster, Türen, Vorhangfassaden

Die Normenreihe ist anzuwenden für Mehrfamilienhäuser, Bürogebäude, gemischt genutzte Gebäude, Reihen- und Doppelhäuser, Hotels und Beherbergungsstätten, Krankenhäuser und Sanatorien sowie Schulen und ähnliche Einrichtungen.

Außerdem ist bei allen Gebäuden, die von Menschen zu Aufenthaltszwecken genutzt werden – so auch bei Einfamilienhäusern –, der Außenlärmschutz zu betrachten.

Abhängig vom Bundesland sind unterschiedliche Normengenerationen parallel im Einsatz. Es ist jeweils die datierte Version zu verwenden, die nach der gültigen Verwaltungsvorschrift Technische Baubestimmungen zum Zeitpunkt der Baugenehmigung im jeweiligen Bundesland eingeführt ist.

2.5.2 Mindestschallschutz – Anforderungen nach DIN 4109-1

DIN 4109-1 definiert für die jeweiligen Gebäudetypen Mindestanforderungen, die die Lärmbelästigung innerhalb des Gebäudes für einen normalempfindlichen Menschen auf ein zumutbares und für die Gesundheit unbedenkliches Maß reduzieren und zudem ein Mindestmaß an Vertraulichkeit erreicht wird. Anforderungen an die Schalldämmung werden nur für schutzbedürftige Räume[18] zwischen fremden Wohn- und Nutzungseinheiten gestellt und sind nach öffentlichem Recht – auch ohne explizite vertragliche Vereinbarung – zwingend einzuhalten. Bauakustische Ansprüche innerhalb des eigenen Wohn- und Arbeitsbereiches, mit Ausnahme von durch den Nutzer nicht beeinflussbaren raumlufttechnischen Anlagen, sind baurechtlich nicht geregelt und müssen gegebenenfalls gesondert im Bauvertrag vereinbart werden.

18. schutzbedürftig sind Räume für dauerhaften Aufenthalt z.B. Wohn-, Ess-, Schlaf- und Arbeitszimmer

2.5.3 Erhöhter Schallschutz – Vereinbarungsgrundlagen

Heutige Bauweisen können in der Regel deutlich bessere Schalldämmleistungen als die Mindestwerte erbringen und durch das bloße Einhalten des Mindestschallschutzes werden Qualitätsansprüche oft nicht erfüllt. In Abhängigkeit vom Gebäudetyp, der Nutzungsart sowie der Lage und Ausstattung können zwischen Bauherr*in und Bauausführenden privatrechtlich höhere Anforderungen vereinbart werden. Hierbei kann auf die Empfehlungen bestehender Normen oder Richtlinien zurückgegriffen werden, z.B. DIN 4109-5, DEGA-Empfehlung 103[19], VDI-Richtlinie 4100[20].

Problematisch ist, dass sich die normativen Regelungen und Richtlinien nur auf ein Frequenzspektrum zwischen 100 und 3150 Hz beziehen. Vor allem Gehgeräusche liegen aber größtenteils in den tiefen Frequenzen unter 100 Hz und werden von den Nutzern oftmals als dröhnend und sehr störend empfunden. (→ **Abb. 02-06**)

Im tieffrequenten Bereich kommt nachteilig noch hinzu, dass bei üblichen Bauteilen aller Bauweisen, nicht nur im Holzbau, die Schalldämmleistung in diesem Frequenzspektrum erfahrungsgemäß geringer ist. Es gibt jedoch die Möglichkeit, die Frequenzen zwischen 50 und 100 Hz durch sogenannte Spektrumanpassungswerte bei der Planung zu berücksichtigen. Normativ wird das zwar nicht vorgeschrieben, ist aber gerade beim Trittschall für die tiefen Frequenzen dringend zu empfehlen.

Für den Holzbau wurde daher ein eigenes dreistufiges Schallschutzklassensystem entwickelt und im Schallschutz-Handbuch[21] veröffentlicht. Neben dem Mindestschallschutz nach DIN 4109-1 (Niveau BASIS) werden auch Zielwerte für einen erhöhten Schallschutz (Niveau BASIS+ und KOMFORT) definiert, die zusätzlich die tiefen Frequenzen (< 100 Hz) berücksichtigen und ebenfalls als vertragliche Vereinbarungsgrundlage dienen können. In **Tabelle 02-03** und **Tabelle 02-04** werden die normativen Anforderungen und die Zielwert-Empfehlungen nach dem Schallschutz-Handbuch gegenübergestellt.

2.5.4 Anforderungen an Außenbauteile

Die Anforderung an die Luftschalldämmung von Fassaden ist abhängig von der Nutzungsart sowie dem maßgeblichen Außenlärmpegel. Der maßgebliche Außenlärmpegel nach DIN 4109-1 wird in der Regel anhand der vorliegenden äußeren Lärmbelastung gemäß DIN 4109-2 berechnet (→ **Abb. 02-07**). Eine Bestimmung mithilfe von Messungen nach DIN 4109-4 ist aber ebenfalls zulässig.

19. DEGA-Empfehlung 103: Schallschutz im Wohnungsbau – Schallschutzausweis
20. VDI 4100 Schallschutz im Hochbau – Wohnungen - Beurteilung und Vorschläge für erhöhten Schallschutz
21. Schallschutz im Holzbau – Grundlagen und Vorbemessung, INFORMATIONSDIENST HOLZ, 2019

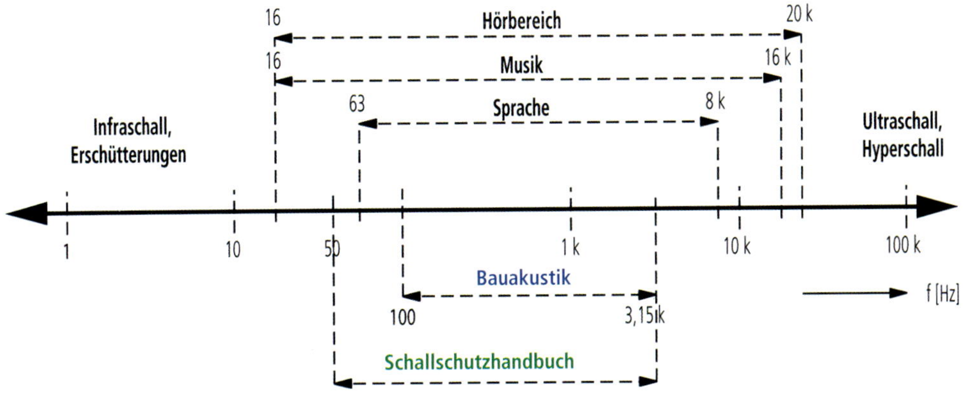

Abb. 02-06: Darstellung Frequenzbereiche

	verbale Beschreibung	BASIS = DIN 4109-1:2018	BASIS +	DIN 4109-5:2020	KOMFORT
1	**Laute Sprache**	verstehbar	im Allgemeinen verstehbar	im Allgemeinen nicht verstehbar	im Allgemeinen nicht verstehbar
2	**Sprache in angehobener Sprechweise**	im Allgemeinen verstehbar	im Allgemeinen nicht verstehbar	nicht verstehbar, kaum hörbar	nicht verstehbar
3	**Sprache in normaler Sprechweise**	im Allgemeinen nicht verstehbar, noch hörbar	nicht verstehbar	nicht verstehbar, nicht hörbar	nicht hörbar
4	**Gehgeräusche**	im Allgemeinen störend	nicht mehr störend 1)	noch hörbar	nicht störend bzw. kaum wahrnehmbar 1)

1) dies wird durch die Berücksichtigung des Spektrumanpassungswert $C_{I,50\text{-}2500}$ erreicht

Tabelle 02-03: verbale Beschreibung des Schallschutzniveaus

		Mindestschallschutz1)	erhöhter Schallschutz		
	Bauteil / Schallschutzniveau	BASIS = DIN 4109-1:2018	BASIS +	DIN 4109-5:2020	KOMFORT
1	**Wohnungstrennwand**	$R'_w \geq 53$ dB	$R'_w \geq 56$ dB	$R'_w \geq 56$ dB	$R'_w \geq 59$ dB
2	**Reihenhaustrennwand**	$R'_w \geq 62$ dB	$R'_w \geq 62$ dB $R_w + C_{50\text{-}5000} \geq 62$ dB 2) 6)	$R'_w \geq 67$ dB 7) 9) $R'_w \geq 62$ dB 8)	$R'_w \geq 67$ dB $R_w + C_{50\text{-}5000} \geq 65$ dB 2) 6)
3	**Wohnungstrenndecke**	$R'_w \geq 54$ dB	$R'_w \geq 57$ dB	$R'_w \geq 57$ dB	$R'_w \geq 60$ dB
4	**Wohnungstrenndecke Trittschall**	$L'_{n,w} \leq 53/50$ dB 4)	$L'_{n,w} \leq 50$ dB $L_{n,w} + C_{I,50\text{-}2500} \leq 50$ dB 3)	$L'_{n,w} \leq 45$ dB	$L'_{n,w} \leq 46$ dB $L_{n,w} + C_{I,50\text{-}2500} \leq 47$ dB 3)
5	**Dachterrassen und Loggien mit darunterliegenden Wohnräumen**	$L'_{n,w} \leq 50$ dB	$L'_{n,w} \leq 50$ dB	$L'_{n,w} \leq 45$ dB	$L'_{n,w} \leq 46$ dB
6	**Decken unter Laubengängen (in alle Schallausbreitungsrichtungen)**	$L'_{n,w} \leq 53$ dB	$L'_{n,w} \leq 50$ dB	$L'_{n,w} \leq 45$ dB	$L'_{n,w} \leq 46$ dB
7	**Treppenlauf und Podeste**	$L'_{n,w} \leq 53$ dB	$L'_{n,w} \leq 50$ dB	$L'_{n,w} \leq 47$ dB	$L'_{n,w} \leq 46$ dB
8	**Außenlärm**	Außenlärm nach Lärmpegelbereich und Anforderungen der DIN 4109	Außenlärm nach Lärmpegelbereich und Anforderungen der DIN 4109	Außenlärm nach Lärmpegelbereich und Anforderungen der DIN 4109	Anforderungen nach DIN 4109 inkl. Berücksichtigung $C_{tr,50\text{-}5000}$ für das opake Bauteil 5)
9	**weitere Bauteile, die normativ mit Anforderungen belegt sind**	nach DIN 4109-1:2018	nach DIN 4109-1:2018	nach DIN 4109-5:2020	nach DIN 4109-5:2020

1) darf nicht unterschritten werden und ist auch ohne Vereinbarung immer geschuldet
2) ergänzender Luftschallanforderungswert nur ans Bauteil ohne Flanken
3) ergänzender Trittschallanforderungswert nur ans Bauteil ohne Flanken
4) Sonderregelung für Deckenkonstruktionen, die der DIN 4109-33:2016 zuzuordnen sind, ansonsten $L'_{n,w} \leq 50$ dB
5) für Fensterflächenanteile über 30% gesonderte Betrachtung, reine Bauteilanforderung
6) Anforderung an die Doppelschalenwand, beide Wände
7) gilt für Haustrennwände oberhalb des untersten Geschosses des Gebäudes
8) gilt für Haustrennwände im untersten Geschoss des Gebäudes
9) wird eine Unterkellerung als Weiße Wanne mit durchlaufenden flankierenden Außengewänden ausgeführt. Gilt $R'_w \geq 64$ dB

Tabelle 02-04: Gegenüberstellung verschiedener Schallschutzniveaus

Liegt der ermittelte maßgebliche Außenlärmpegel unter den festgelegten Mindestwerten nach MVV TB und werden im zugehörigen Bebauungsplan keine Maßnahmen zum Außenlärmschutz am Gebäude gefordert, darf auf die Bemessung der Luftschalldämmung der Außenbauteile verzichtet werden. Bei sehr hohen Außenlärmpegeln wiederum reicht der rechnerische Nachweis mittels eines Prognoseverfahrens nicht mehr aus und die Einhaltung der Anforderungen muss durch eine Messung nach DIN 4109-4 belegt werden.

2.5.5 Rechnerischer Schallschutznachweis (Prognoseverfahren)

Die Berechnungsverfahren zur Prognose der Schallübertragung in Gebäuden für Luftschall, Trittschall und Außenlärm sind in DIN 4109-2 geregelt. Die hier ermittelte, zu erwartende Luftschall- und Trittschalldämmung gilt als Eignungsnachweis für die nach DIN 4109-1 gestellten Anforderungen. Für den Luftschall-Nachweis von Holzmassivbauteilen sowie für haustechnische Anlagen allgemein gibt es derzeit noch kein normativ geregeltes Prognoseverfahren.

Die rechnerische Bestimmung des vorhandenen Schalldämm-Maßes eines Bauteils ist im Holzbau anders als bei mineralischen Bauweisen nicht möglich. Der ergänzende Bauteilkatalog DIN 4109-33 enthält deshalb für den Holz-, Trocken- und Leichtbau schalltechnische Kennwerte von zahlreichen Wand-, Decken- und Dachaufbauten, die ohne bauakustische Prüfung als Eingangswerte für die Bemessung verwendet werden dürfen. Um die rasanten Entwicklungsschritte der letzten Jahrzehnte im Holzbau abbilden zu können, gibt es zusätzlich diverse Bauteilkataloge, in denen Schalldämm-Maße von Holzkonstruktionen aufgeführt sind (zum Beispiel im Schallschutz-Handbuch[22] oder bei Dataholz[23]). Außerdem stellen auch diverse Hersteller schalltechnische Kennwerte für ihre Produkte zur Verfügung. Für den Außenlärmnachweis werden zusätzlich die Angaben zur Schalldämmung von Fenstern einschließlich Fugen, Türen und weiteren Einbauteilen (z.B. Lüftungselementen) in der Außenwand nach DIN 4109-35 benötigt (→ **Abb. 02-07**).

Schall breitet sich jedoch nicht nur über die Luft, sondern auch in benachbarte Bauteile aus. Die Nachweise beziehen sich daher nicht nur auf die direkte Schalldämmung des trennenden Bauteils, die Schallübertragung der Nebenwege über flankierende Bauteile muss zusätzlich berücksichtigt werden. Lediglich beim Außenlärmnachweis darf u.a. bei Fassadenbauteilen in Holz-, Leicht- oder Trockenbauweise die Flankenübertragung vernachlässigt werden.[24]

Grundsätzlich können die für den jeweiligen Nachweis erforderlichen Bauteilkennwerte auch immer durch bauakustische Prüfungen ermittelt werden. Hierbei sind die Vorgaben der DIN 4109-4 zu berücksichtigen. Es sind sowohl Labor- als auch Baumessungen möglich. Letztere erfolgt erst nach Fertigstellung des Gebäudes und trägt das Risiko, dass bei Nichteinhaltung des vereinbarten Niveaus Nachbesserungsmaßnahmen auszuführen sind. (→ **Abb. 02-07**)

22. Schallschutz im Holzbau – Grundlagen und Vorbemessung, INFORMATIONSDIENST HOLZ, 2019
23. www.dataholz.eu – bauphysikalisch und ökologisch geprüfte und/oder zugelassene Holz- und Holzwerkstoffe, Baustoffe, Bauteile und Bauteilfügungen für den Holzbau
24. nach DIN 4109-2:2018-01 Abschnitt 4.4.3

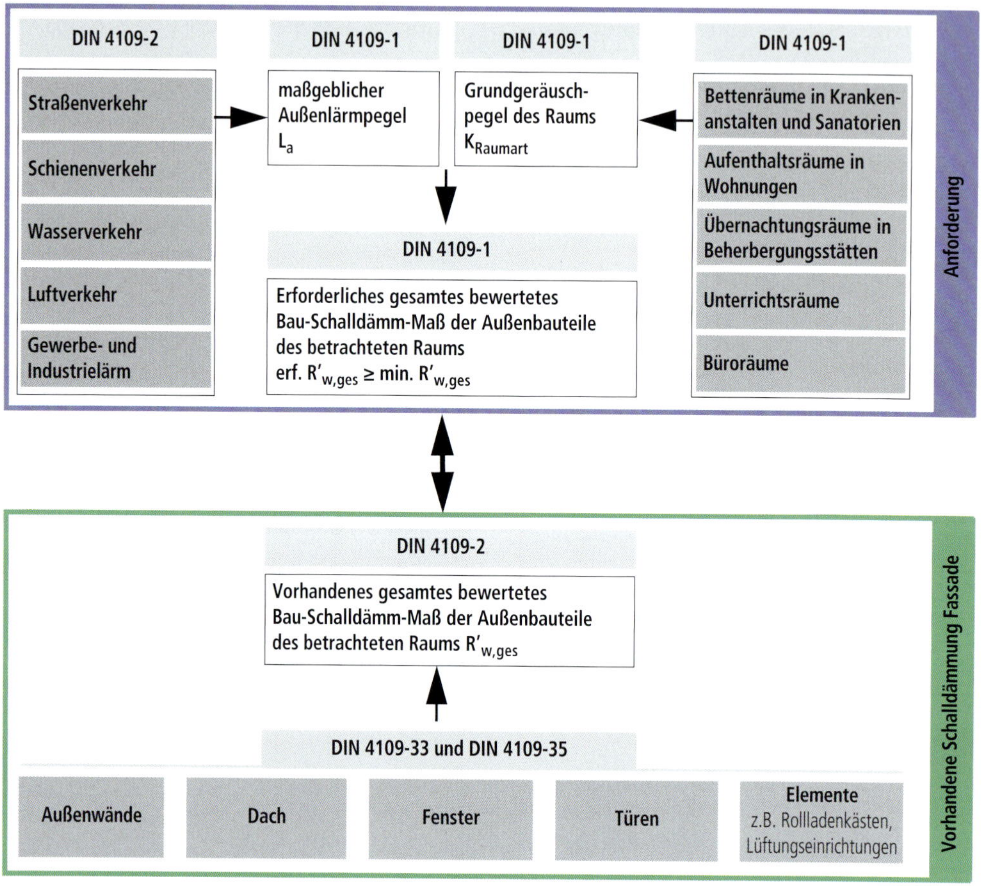

Abb. 02-07: Berechnungsschema Außenlärm (Nachweis ist für jedes Gebäude, das von Menschen zu Aufenthaltszwecken genutzt wird, zu erbringen)

2.5.6 Konstruktive Einflüsse auf die Schalldämmung

Die Schalldämmung eines Gebäudes lässt sich durch konstruktive Maßnahmen stark beeinflussen. Entscheidende Voraussetzungen für einen guten Schallschutz sind Luftdichtigkeit – nach außen sowie zwischen fremden Nutzungseinheiten – und das Vermeiden von Schallbrücken.

Mit Verständnis für die bauakustischen Grundsätze in leichten, mehrschaligen Konstruktionen können im Holzbau hohe Schalldämmqualitäten erreicht werden. Im Allgemeinen wirken sich folgende Maßnahmen positiv auf die Schalldämmung der genannten Bauteile aus.

Holzständer- und Massivholzwände:
- schwere, direkte und am besten mehrlagige Beplankungen
- Vorsatzschalen (starr, elastisch befestigt oder freistehend) mit schwerer und am besten mehrlagiger Beplankung
- getrennte Wandschalen

Holzbalkendecken:
- schwimmender Estrich auf Trittschalldämmung mit möglichst kleiner dynamischen Steifigkeit s' und schwerem Estrich
- Plattenbeschwerungen oder Schüttungen (ungebunden oder elastisch gebunden)
- Unterdecken (starr oder elastisch befestigt) mit schweren, mehrlagigen Beplankungen

Massivholzdecken:
- schwimmender Estrich auf Trittschalldämmung mit möglichst kleiner dynamischen Steifigkeit s' und schwerem Estrich
- Plattenbeschwerungen oder Schüttungen (ungebunden oder elastisch gebunden)
- unterseitige direkte, schwere und am besten mehrlagige Beplankungen

Die jeweilige Wirkungsweise der Verbesserungsmaßnahmen sowie detaillierte Ausführungshinweise werden im Schallschutz-Handbuch[25] dargestellt.

2.6 BWR 6 – Wärmeschutz

2.6.1 Allgemeines

Aus den allgemeinen Anforderungen des § 3 MBO heraus besteht die in § 15 Absatz 1 formulierte Erfordernis an einen der Nutzung und den klimatischen Verhältnissen angepassten Wärmeschutz für Gebäude. Dieses Schutzziel konkretisiert die MVV TB in Abschnitt A 6.2.1 unter Angabe der relevanten Technischen Baubestimmungen, die der Normenreihe DIN 4108 „Wärmeschutz und Energie-Einsparung in Gebäuden" entstammen. Im Kern sind dies die
- DIN 4108-2:2013-02 Mindestanforderungen an den Wärmeschutz und
- DIN 41083:2018-10 Klimabedingter Feuchteschutz.

Durch deren Regelungen wird ein hygienisches Raumklima sowie ein dauerhafter Schutz der Baukonstruktion gegen klimabedingte Feuchteeinwirkungen sichergestellt.

2.6.2 Mindestwärmeschutz

Die DIN 4108-2 regelt durch einen Mindestwärmeschutz die Tauwasser- und Schimmelpilzfreiheit an Innenoberflächen von Außenbauteilen im Ganzen sowie in Kanten und Ecken (Wärmebrücken). Für flächige Bauteile erfolgt dies durch die Angabe von Mindestwerten für die Wärmedurchlasswiderstände einzelner Bauteile. Für die im Holzbau typischen inhomogenen nichttransparenten Bauteile[26] werden diese Werte spezifiziert[27]. Wärmebrücken können entsprechend der Planungs- und Ausführungsbeispiele nach DIN 4108 Beiblatt 2 konstruiert oder mithilfe der gegebenen Nutzungsrandbedingungen nachgewiesen werden. Weitere Anforderungen betreffen die Luftdichtheit und den sommerlichen Wärmeschutz. Für letzteren wird in der MVV TB auf das Gebäudeenergiegesetz (GEG) verwiesen.

2.6.3 Energieeinsparung

Die EU-Bauproduktenverordnung legt mit der Grundanforderung Nr. 6 in Anhang I fest, dass über den Wärmeschutz hinaus ein Bauwerk und seine Anlagen und Einrichtungen für Heizung, (Warmwasser), Kühlung, Beleuchtung und Lüftung einen geringen Energieverbrauch aufzuweisen haben. Dies wird ebenso auf den Auf- und Rückbau des Bauwerks bezogen.

Für den Gebäudebetrieb deckt das GEG diese Grundanforderung ab. Es dient auf nationaler Ebene der Umsetzung der EU-Richtlinien zur Gesamtenergieeffizienz von Gebäuden, zur Energieeffizienz und zur Förderung der Nutzung von Energie aus erneuerbaren Quellen. Im Jahr 2020 führte es das Energieeinspargesetz (EnEG), die Energieeinsparverordnung (EnEV) und das Erneuerbare-Energien-Wärmegesetz (EEWärmeG) zusammen. Das GEG legt für Wohngebäude und Nichtwohngebäude Anforderungen an den Jahres-Primärenergiebedarf und den baulichen Wärmeschutz fest und nennt Berechnungsgrundlagen und -verfahren.

2.6.4 Feuchteschutz

Die Regelungen der DIN 4108-3 sollen die Einwirkungen durch Tauwasser auf Baukonstruktionen begrenzen, speziell auf einen möglichen Tauwasserausfall im Bauteilinneren.
U.a. werden mit Verweis auf die Holzschutznorm DIN 68800-2 Bedingungen genannt, durch die eine unzulässige Feuchteanreicherung in Holzbauteilen verhindert wird. Bestimmte Konstruktionen gelten damit als nachweisfrei[28]. Für nicht nachweisfreie Konstruktionen können die Diffusionsvorgänge sofern zulässig vereinfacht (z.B. mit dem Periodenbilanzverfahren) oder instationär durch hygrothermische Simulation berechnet werden.

25. Schallschutz im Holzbau – Grundlagen und Vorbemessung, INFORMATIONSDIENST HOLZ, 2019
26. Skelett-, Rahmen- oder Holzständerbauweisen
27. Gefach $R_G \geq 1{,}75\ m^2 \cdot K/W$; Gesamtbauteil $R_M = 1{,}00\ m^2 \cdot K/W$
28. vgl. DIN 4108-3 Abschnitt 5.3 und DIN 68800-2 Anhang A

2.7 BWR 7 – Nachhaltige Nutzung der natürlichen Ressourcen

2.7.1 Allgemeines

Nachhaltig bauen, also die Planungs-, Bau-, Betriebs- und Rückbauprozesse nach den Maßstäben der drei Dimensionen der Nachhaltigkeit zu gestalten, bestimmt zunehmend den Alltag der am Bau Beteiligten. Trotz einer definierten Gleichberechtigung der ökologischen, sozialen und ökonomischen Qualität wird in Entscheidungsprozessen vermehrt die ökologische Qualität eines Gebäudes vorangestellt. Dies ist eine Folge globaler Entwicklungen, die ein Handeln in den Bereichen Klimaschutz und Ressourcenschonung erfordern. Bestehende Nachhaltigkeitsbewertungssysteme führen zusätzliche Querschnittsqualitäten ein, die die Nachhaltigkeitsqualität eines Gebäudes direkt oder indirekt beeinflussen. Diese Kriterien können den Bereichen Technische Ausführung, Planung, Bauausführung und ergänzend dem Standort zugeordnet werden (→ **Tabelle 02-05**).

2.7.2 Gesetzliche Anforderungen an die Nachhaltigkeit

Für Nachhaltigkeitsanforderungen an Gebäude existiert keine eineindeutige Rechtsgrundlage in den baurechtlichen Regelwerken. Formulierungen in den einschlägigen Gesetzen nennen jedoch explizit Schutzziele und Schutzgüter die der Nachhaltigkeit zuzuordnen sind.

Das Raumordnungsgesetz (ROG § 1 (2)) gibt als Leitvorstellung *„[...] eine nachhaltige Raumentwicklung, die die sozialen und wirtschaftlichen Ansprüche an den Raum mit seinen ökologischen Funktionen in Einklang bringt [...]“* aus.

Nach § 1 (5) des Baugesetzbuches (BauGB) sollen die Bauleitpläne *„[...] eine nachhaltige städtebauliche Entwicklung, die die sozialen, wirtschaftlichen und umweltschützenden Anforderungen auch in Verantwortung gegenüber künftigen Generationen miteinander in Einklang bringt, [...] gewährleisten [und] dazu beitragen, eine menschenwürdige Umwelt zu sichern, die natürlichen Lebensgrundlagen zu schützen und zu entwickeln sowie den Klimaschutz und die Klimaanpassung [...] zu fördern [...]“*.

Qualität (Hauptkriteriengruppe/Themenfeld)
Schutzziel (Kriteriengruppe)
Kriterium

Ökologische Qualität
Wirkungen auf die globale und lokale Umwelt
Treibhauspotential (GWP)
...
Ressourceninanspruchnahme
Primärenergiebedarf
...
Soziale und Funktionale Qualität
Gesundheit, Behaglichkeit und Nutzerzufriedenheit
Innenraumlufthygiene
...
Funktionalität
Barrierefreiheit
...
Sicherung der Gestaltungsqualität
Gestalterische und städtebauliche Qualität
...
Ökonomische Qualität
Lebenszykluskosten
Gebäudebezogene Kosten im Lebenszyklus
Wirtschaftlichkeit und Wertstabilität
Anpassungsfähigkeit
...
Technische Qualität
Technische Ausführung
Schallschutz
Rückbau, Trennung und Verwertung
...
Prozessqualität
Planung
Integrale Planung
Bauausführung
Qualitätssicherung der Bauausführung
...
Standortqualität
Standortmerkmale
Verkehrsanbindung
...

Tabelle 02-05: an Bewertungssysteme angelehnter Kriterienkatalog (Auszug)

In der Musterbauordnung (MBO) dienen die Allgemeinen Anforderungen in § 3 Satz 1 der Gefahrenabwehr. So sind (bauliche) „*Anlagen so anzuordnen, zu errichten, zu ändern und instand zu halten, dass die öffentliche Sicherheit und Ordnung, insbesondere Leben, Gesundheit und die natürlichen Lebensgrundlagen, nicht gefährdet werden; [...]*".

Ein Bezug auf die Prinzipien einer nachhaltigen Entwicklung ist im Gegensatz zum ROG und BauGB hieraus nicht ersichtlich. Dieser lässt sich aus der im Jahr 2016 zur MBO § 3 Satz 1 hinzugefügten Ergänzung erschließen: „*[...] dabei sind die Grundanforderungen an Bauwerke gemäß Anhang I der Verordnung (EU) Nr. 305/2011 [EU-Bauproduktenverordnung (EU-BauPVO)] zu berücksichtigen.*" Diese im Anhang I, Nr. 1 bis 7 aufgeführten sieben Grundanforderungen an Bauwerke behandeln unter Nr. 7 die „Nachhaltige Nutzung der natürlichen Ressourcen", welche in drei Teilanforderungen gegliedert ist:

a) Das Bauwerk, seine Baustoffe und Teile müssen nach dem Abriss wiederverwendet oder recycelt werden können;
b) das Bauwerk muss dauerhaft sein;
c) für das Bauwerk müssen umweltverträgliche Rohstoffe und Sekundärbaustoffe verwendet werden.

Die EU-BauPVO stellt ihre Forderungen nach Ressourcen-, Umwelt-, Gesundheitsschutz und Dauerhaftigkeit über den gesamten Lebenszyklus an das Bauwerk als Ganzes und seine Teile. Für Bauprodukte bestimmt die Verordnung, dass wesentliche Leistungsmerkmale festgelegt werden, für die ein Hersteller ggf. auch eine Deklarationspflicht hat, sofern er das Produkt in den Verkehr bringen möchte. Aus der Beziehung Bauprodukt, Bauteil, Bauwerk heraus ist ersichtlich, dass zur Erfüllung der oben genannten Grundanforderung Nr. 7 zwingend umwelt- und gesundheitsrelevante Angaben, Teil dieser erklärten Produktmerkmale sein müssen, um eine wertende Aussage über das Gebäude abgeben zu können.

Die MBO selbst verweist zur Konkretisierung der Grundanforderungen auf die Technischen Baubestimmungen (§ 85a). Diese werden vom DIBt als Musterverwaltungsvorschrift herausgegeben (MVV TB) und sind in Teil A kapitelweise nach den Grundanforderungen gegliedert. Ein Kapitel für die „Nachhaltige Nutzung der natürlichen Ressourcen" ist aufgrund fehlender Umsetzung noch nicht vorhanden. Folglich existiert kein rechtlich verbindlicher Rahmen der für diese Nachhaltigkeitsziele konkrete Leistungen fordert.

Jedoch gibt es Aspekte der anderen sechs Grundanforderungen, die einen nachhaltigen Charakter haben und mit den Kriterien der Nachhaltigkeitsbewertungssysteme in Relation gebracht werden können. Diese sind im Rahmen der jeweiligen Landesbauordnung und der Anforderungen der jeweiligen Verwaltungsvorschriften rechtlich verbindlich. (→ **Tabelle 02-06**)

Qualität (Hauptkriteriengruppe/Themenfeld)	Grundanforderung nach EU-BauPVO	
Schutzziel (Kriteriengruppe)	Nr.	Titel
Kriterium		
Soziale und Funktionale Qualität		
Gesundheit, Behaglichkeit und Nutzerzufriedenheit		
Innenraumlufthygiene	*3.*	*Hygiene, Gesundheit und Umweltschutz*
Funktionalität		
Barrierefreiheit	*4.*	*Sicherheit und Barrierefreiheit*
Technische Qualität		
Technische Ausführung		
Schallschutz	*5.*	*Schallschutz*
Wärme- und Tauwasserschutz	*6.*	*Wärmeschutz*

Tabelle 02-06: mit Grundanforderungen assoziierende Kriterien

Die Nachhaltigkeitsbewertungssysteme, z. B. der „Leitfaden Nachhaltiges Bauen" des Bundes haben keinen rechtsverbindlichen Charakter. Zur Anwendung kommen solche Zertifizierungen daher nur bei Gebäuden, die öffentlich sind, für die Fördermaßnahmen nach BEG[29] mit dem QNG[30] Siegel beantragt wurden oder bei denen die Bauherr*in für sich und die Nutzer einen gesteigerten Wert auf nachhaltige Qualitäten legt.

2.7.3 Normative Grundlagen

Auf europäischer Ebene stellt die Normung ein System zur Bewertung der Nachhaltigkeit von Gebäuden und Ingenieurbauwerken durch Anwendung eines Lebenszyklusansatzes zur Verfügung. Die Auswirkungen und Aspekte der umweltbezogenen, sozialen und ökonomischen Qualität werden quantifiziert unter Verwendung unterschiedlicher quantitativer Indikatoren. Tatsächliche Richtwerte werden von den Normen nicht angegeben.

29. BEG - Richtlinie für die Bundesförderung für effiziente Gebäude
30. QNG - Qualitätssiegel Nachhaltiges Gebäude

Die Vergleichbarkeit ist über die Festlegung von Szenarien und eines funktionalen Äquivalents[31] gegeben. D.h. die in die Quantifizierung eingehenden Lebenszyklusphasen müssen deckungsgleich sein und die technische und funktionale Gleichwertigkeit der betrachteten Gebäude oder Bauteile gegeben. Die Beurteilung der technischen und funktionalen Qualitäten liegt nicht im Anwendungsbereich der Normen, durch den Bezug auf das funktionale Äquivalent werden diese jedoch berücksichtigt.

Das Gerüst dieser Reihe europäischer Normen, die vom CEN/TC 350 erarbeitet wurden, ist in **Tabelle 02-07** dargestellt. Auf Grundlage des Rahmendokuments DIN EN 15643 werden die Berechnungsmethoden auf Gebäudeebene z.Zt. in der Normenreihe DIN EN 15978 neu gefasst.

31. funktionales Äquivalent - quantifizierte funktionale Anforderungen und/oder technische Anforderungen an ein Gebäude, ein Ingenieurbauwerk oder ein Bauwerksteil, die als Grundlage für Vergleiche dienen

<table>
<tr><td rowspan="3">Konzeptionelle Ebene</td><td colspan="5">Integrale Qualität des Gebäudes</td></tr>
<tr><td colspan="3">Qualitäten der Nachhaltigkeit</td><td rowspan="10">Technische Qualität</td><td rowspan="10">Funktionale Qualität</td></tr>
<tr><td>Ökologische Qualitäten</td><td>Soziale Qualitäten</td><td>Ökonomische Qualitäten</td></tr>
<tr><td>Ebene des Rahmendokumentes</td><td colspan="3">DIN EN 15643:2021-12
Nachhaltigkeit von Bauwerken
Allgemeine Rahmenbedingungen zur Bewertung von Gebäuden und Ingenieurbauwerken</td></tr>
<tr><td rowspan="5">Gebäudeebene</td><td colspan="3">Berechnungsmethoden:</td></tr>
<tr><td>DIN EN 15978:2012-10
Bewertung der umweltbezogenen Qualität von Gebäuden</td><td>DIN EN 16309:2014-12
Bewertung der sozialen Qualität von Gebäuden</td><td>DIN EN 16627:2015-09
Bewertung der ökonomischen Qualität von Gebäuden</td></tr>
<tr><td colspan="3">Reihe DIN EN 15978 Nachhaltigkeit von Bauwerken -
Methodik zur Bewertung der Qualität von Gebäuden</td></tr>
<tr><td>DIN EN 15978-1:
Umweltqualität (Entwurf 2021-09)</td><td>DIN EN 15978-2:
Soziale Qualität (offen)</td><td>DIN EN 15978-3:
Ökonomische Qualität (offen)</td></tr>
<tr><td colspan="3">DIN EN 17680:2022-07 (Entwurf)
Nachhaltigkeit von Bauwerken – Bewertung des Potentials zur nachhaltigen Sanierung von Gebäuden
DIN EN 17472:2022-09
Nachhaltigkeit von Bauwerken – Nachhaltigkeitsbewertung von Ingenieurbauwerken - Rechenverfahren</td></tr>
<tr><td>Produktebene (EPD)</td><td colspan="3">DIN EN 15804:2022-03*
Nachhaltigkeit von Bauwerken – Umweltproduktdeklarationen – Grundregeln für die Produktkategorie Bauprodukte
DIN EN 16485:2014-07
Rund- und Schnittholz – Umweltproduktdeklarationen – Produktkategorie-Regeln für Holz und Holzwerkstoffe im Bauwesen</td></tr>
</table>

* Gegenwärtig sind technische Angaben, die sich auf Aspekte der sozialen und ökonomischen Qualität beziehen, in den Festlegungen enthalten und bilden einen Teil der Umwelt-Produktdeklaration

Tabelle 02-07: Europäische Normung zur Bewertung der Nachhaltigkeit (Stand 09/2022)

2.7.4 Umwelt-Produktdeklaration (EPD – „Environmental Product Declaration")

Bei einer EPD handelt es sich um ein Typ III-Umweltkennzeichen für Produkte. Die Ausstellung ist entgegen der CE-Kennzeichnung, gesetzlich nicht vorgeschrieben. Eine Typ III-Umweltkennzeichnung stellt Anforderungen an die Qualität und das Format der bereitgestellten Daten und nicht an die Produktqualität selbst.

Die DIN EN ISO 14025[32] regelt die Grundsätze und Verfahren bei der Erstellung eines Typ III-Umweltkennzeichens. Die Grundlagen für eine EPD ergeben sich aus den Anforderungen einer Ökobilanz (LCA – Life Cycle Assessment) nach DIN EN ISO 14040[33] und DIN EN ISO 14044[34]. Die Grundregeln der Produktkategorie „Bauprodukte" basieren auf europäischen Normen und werden in der DIN EN 15804 spezifiziert. Hierzu liefert die DIN EN 16485 ergänzende Bestimmungen für Rund- und Schnittholz.

Eine EPD dokumentiert die umweltrelevanten Merkmale von Bauprodukten und dient als Basis für die Bewertung der ökologischen Qualität von Gebäuden. Die ganzheitliche Grundlage bildet die Beschreibung der funktionalen und technischen Eigenschaften und die Angabe der Ökobilanzdaten für die einzelnen Lebenszyklusphasen unter Bezugnahme einer funktionellen Einheit[35]. Dadurch ist ein ökobilanzieller Vergleich funktionell gleichwertiger Produkte oder Bauteile möglich.

Hersteller oder Verbände können EPDs durch eine anerkannte Programmbetreiber*in erstellen und verifizieren lassen (→ **Abb. 02-08**). Die Verifizierung erfolgt unter den Gesichtspunkten der Vollständigkeit, Plausibilität und Normenkonformität. Die EPD-Programmbetreiber*in überstellt abschließend die Daten in die ÖKOBAUDAT[36]. Dies ist die vom BBSR betriebene öffentlich zugänglichen Online-Baustoffdatenbank für EPDs. Sie bildet die Datenbasis für eine Ökobilanzierung. Neben den EPDs für Bauprodukte, sind dort auch die Ökobilanzdaten von Bau-, Transport-, Energie und Entsorgungsprozessen hinterlegt. Alle Datensätze sind das Ergebnis von produktabhängigen Prozessanalysen, beispielsweise zu den Prozessschritten der Rohstoffgewinnung, dem Transport und der Fertigung.

32. DIN EN ISO 14025: Umweltkennzeichnungen und -deklarationen - Typ III Umweltdeklarationen - Grundsätze und Verfahren
33. DIN EN ISO 14040: Umweltmanagement – Ökobilanz – Grundsätze und Rahmenbedingungen
34. DIN EN ISO 14044: Umweltmanagement – Ökobilanz – Anforderungen und Anleitungen
35. funktionelle Einheit - quantifizierter Nutzen eines Produktsystems für die Verwendung als Vergleichseinheit (z. B. 1 kg, 1 m³)
36. https://www.oekobaudat.de/

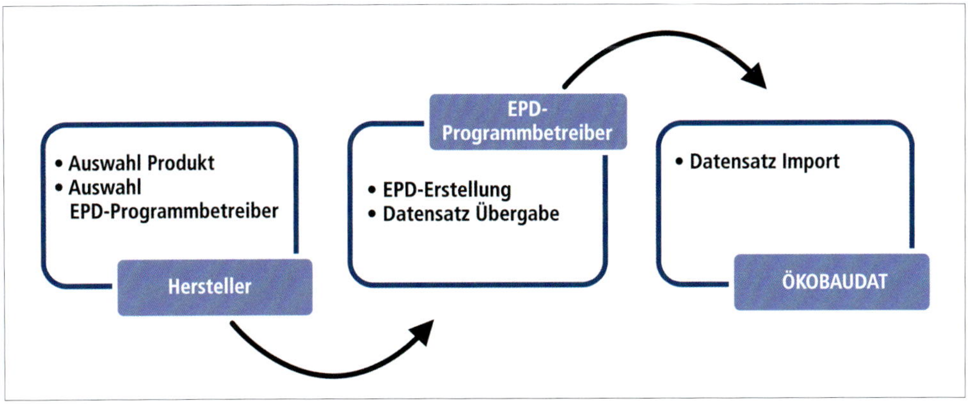

Abb. 02-08: EPD-Erstellung und Datenlieferung, Bildquelle: ÖKOBAUDAT; https://www.oekobaudat.de/anleitungen/datenlieferanten.html; abgerufen am 24.10.2022

2.7.5 Bewertungs- und Zertifizierungssysteme für Nachhaltiges Bauen[37]

Zertifizierungssysteme für das Nachhaltige Bauen basieren auf dem Prinzip der nachhaltigen Entwicklung, die zum integralen Bestandteil aller Planung- und Entscheidungsprozesse über den gesamten Lebenszyklus eines Gebäudes wird. Definierte Rahmenbedingungen bilden dabei das Gerüst zur Bewertung der Nachhaltigkeit. Auf Grundlage der nach Norm quantifizierbaren Indikatoren bzw. in Anlehnung an die Schutzziele der Nachhaltigkeit[38] werden Kriterien festgelegt, die in Hauptkriteriengruppen bzw. Themenfeldern einer der Qualitäten der Nachhaltigkeit zugeordnet sind (→ **Tabelle 02-05**).

Um die Qualität der Nachhaltigkeit eines Gebäudes mess- und darstellbar zu machen, wurden für jedes Kriterium Ziele formuliert, deren Erfüllung überprüft und bewertet werden kann. Durch eine Gewichtung kann deren Relevanz für die Schutzziele innerhalb einer Hauptkriteriengruppe bzw. eines Themenfeldes abgebildet werden. Je nach vorliegender Gebäudenutzung, vorliegendem Gebäudestandort und Art der Baumaßnahme (Neubau oder Bauen im Bestand) kann eine Vergleichbarkeit durch eine angepasste Auswahl und Gewichtung der Kriterien innerhalb der Bewertungsschemata hergestellt werden.

37. vgl. BNB (2019)
38. ökologische, soziale und ökonomische Qualität, technische Qualität, Prozess- und Standortqualität

Zertifizierungssysteme bieten somit die Möglichkeit die Qualität der Nachhaltigkeit eines Gebäudes transparent, nachvollziehbar und vergleichbar nach außen darzustellen.

Die Lebenszyklusbetrachtung ist aufgrund der üblicherweise langen Gebäudenutzungsdauern ein wichtiges Prinzip bei der ganzheitlichen Bewertung und gibt Aufschluss über die tatsächliche Qualität eines Gebäudes. Der Lebenszyklus (→ **Abb. 02-09**) setzt sich aus den Phasen Planung, Errichtung, Nutzung einschließlich Instandhaltung, Modernisierung sowie Rückbau, Verwertung und Entsorgung zusammen. Alle Lebensphasen müssen hinsichtlich der unterschiedlichen Aspekte der Nachhaltigkeit optimiert werden, mit dem Ziel eine hohe Gebäude- und Nutzungsqualität zu erreichen und gleichzeitig die Umweltwirkungen und Lebenszykluskosten zu minimieren.

Für eine ganzheitliche Bewertung von Nachhaltigkeitsaspekten für Gebäude stehen folgende Zertifizierungssysteme zur Verfügung:

- BNB – Bewertungssystem Nachhaltiges Bauen
- BNK – Bewertungssystem Nachhaltiger Kleinwohnhausbau
- DGNB – Deutsche Gesellschaft für Nachhaltiges Bauen
- NaWoh – Qualitätssiegel Nachhaltiger Wohnungsbau

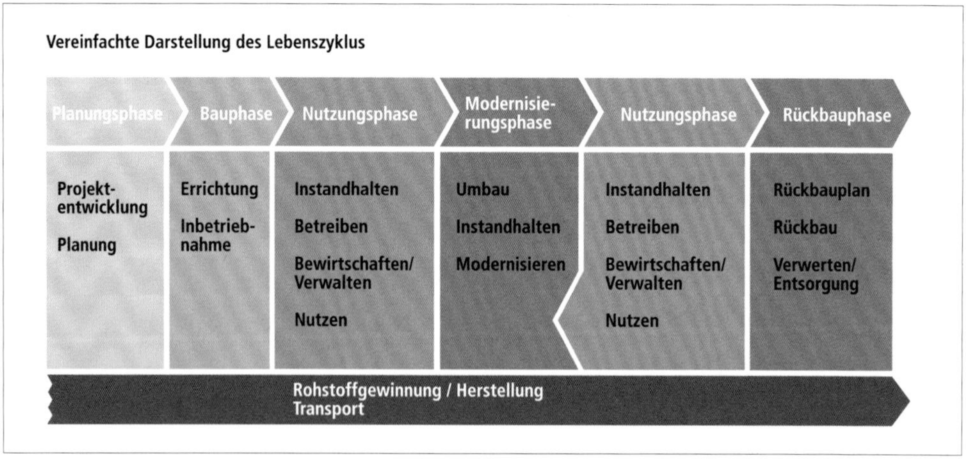

Abb. 02-09: vereinfachte Darstellung Gebäudelebenszyklus. Bildquelle: Leitfaden Nachhaltiges Bauen; Bundesministerium des Innern, für Bau und Heimat, BBSR; 3. aktualisierte Auflage; 2019; in Anlehnung an Lützkendorf, T. 2007

Die Umweltwirkungen von Gebäuden lassen sich mit dem Ökobilanzierungstool eLCA[39] berechnen. Es wird vom BBSR kostenlos zur Verfügung gestellt und ist im Rahmen des Bewertungssystems Nachhaltiges Bauen (BNB) verbindlich anzuwenden. Die Bilanzierung erfolgt auf Basis der ÖKOBAUDAT-Datensätze. Für eine Auswertung sind im Tool Benchmarksysteme vom BNB und NaWoh hinterlegt. Die Kernkomponente bildet ein Bauteileditor, mit dem die Nutzer*in Bauteile modellieren und veranschaulichen kann. Darüber hinaus bietet eLCA die Möglichkeit projektweise Daten aus den gängigen Softwarelösungen zur energetischen Bewertung von Gebäuden zu importieren[40].

2.7.6 Nachhaltige Nutzung des nachwachsenden Rohstoffs Holz – Praktischer Bezug

Eine umweltorientierte Planung, die den gesamten Lebenszyklus eines Gebäudes abbildet, soll der Bauherr*in und Planer*in als Entscheidungshilfe dienen. Auf Grundlage einer umfassenden Datenbasis können mögliche Lösungen und relevante Umweltindikatoren identifiziert werden. Das betrifft in erster Linie das Treibhauspotenzial (GWP) und den Bedarf an nicht erneuerbarer Primärenergie (PEne). Diese sind speziell für den Baustoff Holz von Bedeutung.

Im Treibhauspotenzial spiegelt sich die Eigenschaft des Holzes als Teil des natürlichen Kohlenstoffkreislaufs wider. Der nachwachsende Rohstoff speichert während des Wachstums Kohlenstoff aus der Atmosphäre. Die Bindung von biogenem Kohlenstoff wird durch die stoffliche Nutzung von Holz verlängert. Eingelagerter Kohlenstoff wird erst am Ende der Nutzungsphase bei einer energetischen Verwertung wieder freigesetzt. Somit ist die Aufnahme und Abgabe von CO_2 unter der Voraussetzung einer nachhaltigen Waldbewirtschaftung über den gesamten Lebenszyklus ausgeglichen. Die Wieder- bzw. Weiterverwendung von Holz in Produkten erhöht die im Kreislauf gespeicherte Kohlenstoffmenge.[41] Damit spielt die Nutzung des Rohstoffes Holz eine entscheidende Rolle bei der Reduzierung der in der Atmosphäre befindlichen Treibhausgase.[42]

Das Substitutionspotenzial von Holz wird nach DIN EN 15804 in Modul D bewertet. Dabei wird zwischen der stofflichen und energetischen Verwertung unterschieden. Bei der stofflichen Nutzung von Altholz gibt das Modul D die potentiellen Gutschriften infolge der Substitution primärer Rohstoffe aus Holz an. Wird Altholz am Ende seines Lebenszyklus nicht recycelt, erfolgt in der Regel eine energetische Verwertung in einem Biomasse(heiz)kraftwerk. Die potentiellen Gutschriften in Modul D beziehen sich dabei auf die Substitution fossiler nicht erneuerbarer Energieträger. Der Bedarf an nicht erneuerbarer Primärenergie wird durch den nachwachsenden Rohstoff Holz gesenkt.[43]

Der Einsatz des Baustoffes Holz kann den Ausstoß klimaschädlicher Emissionen und den Energieverbrauch reduzieren und damit zum Klimaschutz und zur Schonung fossiler Ressourcen beitragen.

Die Online-Plattform dataholz.eu[44] bietet Architekt*innen, Planer*innen, Baubehörden und Ausführenden eine Zusammenstellung von geprüften bauphysikalischen und ökologischen Daten sowie Nachweisen für Holz und Holzwerkstoffe, Baustoffe, Bauteile und Bauteilfügungen für den Holzbau. Die Anzeige passender Bauteile erfolgt nach Angabe der geforderten bauphysikalischen Parameter, des Gültigkeitsbereiches (Deutschland) und weiterer Randbedingungen. Die gesuchten Informationen können nach Auswahl eines Bauteils und einer Bauteilvariation abgerufen werden. Bauphysikalische Prüfgutachten für Behörden sowie herstellerspezifische Nachweise zu Bauteilen finden sich an gleicher Stelle nach Anmeldung im kostenfreien aber passwortgeschützten Bereich.

39. vgl. Bauteileditor (2022)
40. vgl. Bauteileditor (2022)
41. vgl. FNR (2021)
42. vgl. Rüter, S. (2016) S. 217
43. vgl. Rüter, S.; Diederichs, S. (2012), S. 60, 64 und 65
44. https://www.dataholz.eu/

Eine Berechnung der Umweltwirkungen steht dort ebenfalls zur Verfügung. Die ökobilanzielle Bewertung eines Bauteils bezieht sich dabei auf die Module A und C und ausgewählte Umweltindikatoren. Herausgestellt ist die Angabe der verbauten Menge an nachwachsenden Rohstoffen und des in der Konstruktion gebundenen Kohlenstoffs sowie der Einsatz an Primärenergie inklusive seines erneuerbaren Anteils. Das Modul D wird bei der Bilanzierung nicht berücksichtigt. Die ÖKOBAUDAT des BMUB[45] bildet die Datengrundlage, zur Zeit in der Version 2017-I (27.11.2017). Eine Konformität mit der aktuellen DIN EN 15804 ist somit nicht gegeben. Für Vergleichszwecke lassen sich die Daten grundsätzlich verwenden.

45. Bundesministerium für Umwelt, Naturschutz, nukleare Sicherheit (BMUB)

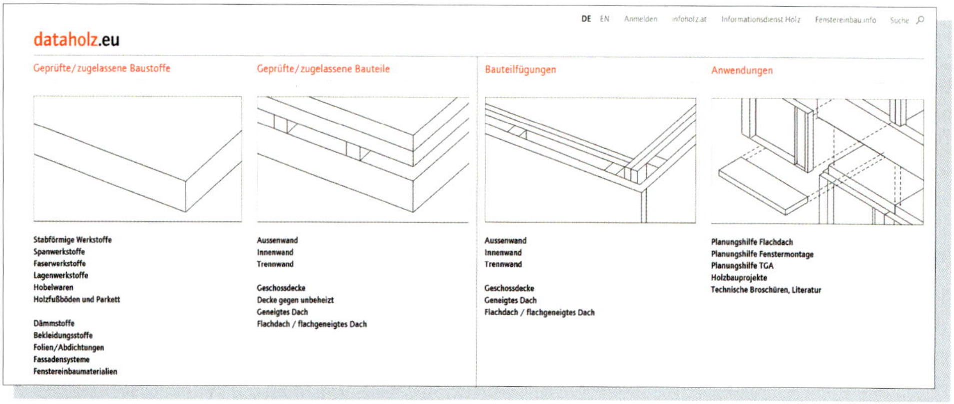

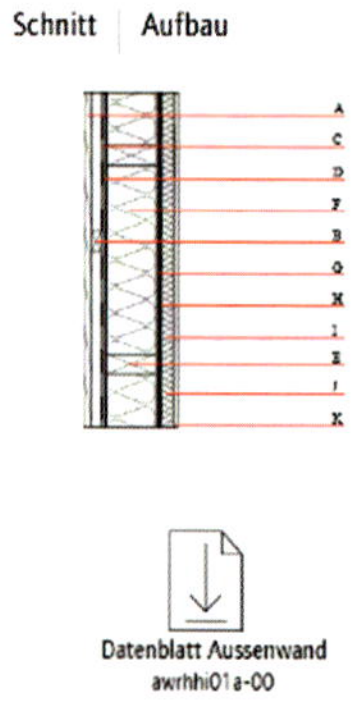

Baustoffangaben zur Konstruktion, Schichtaufbau (außen nach innen)

	Dicke [mm]	Baustoff	Wärmeschutz				Brandverhaltensklasse EN
			λ	μ min – max	ρ	c	
A	24,0	Holz Lärche Aussenwandverkleidung	0,155	150	600	1,600	D
B	30,0	Holz Fichte Lattung versetzt (30/50; 30/80)-Hinterlüftung	0,120	50	450	1,600	D
C		Windbremse sd ≤ 0,3m			1000		
D	12,5	Gipsfaserplatte	0,320	21	1000	1,100	A2
E	160,0	**Konstruktionsholz** (60/ ; e=")	0,120	50	450	1,600	D
F	160,0	Mineralwolle [040; ≥16; <1000°C]	0,040	1	16	1,030	A1
G	10,0	Gipsfaserplatte	0,320	21	1000	1,100	A2
H		Dampfbremse sd ≥ 2m			1000		
I	40,0	Holz Fichte Querlattung (a=400) bzw. Lattung versetzt	0,120	50	450	1,600	D
J	40,0	Mineralwolle [040; ≥16; <1000°C]	0,040	1	16	1,030	A1
K	12,5	Gipsfaserplatte oder	0,320	21	1000	1,100	A2
K	12,5	Gipsplatte Typ DF (GKF)	0,250	10	800	1,050	A2

Ökologische Bewertung (pro m² Konstruktionsfläche)

Datenbasis Datenbank ecoinvent

ΔOI3 23,6

Berechnung durch HFA

Ökologische Bewertung im Detail...

						Ressourceneinsatz					
Lebenszyklus Phase	GWP [kg CO_2 Äqv]	AP [kg SO_2 Äqv]	EP [kg PO_4 Äqv]	ODP [kg R11 Äqv]	POCP [kg Ethen Äqv]	PERE [MJ]	PERM [MJ]	PERT [MJ]	PENRE [MJ]	PENRM [MJ]	PENRT [MJ]
A1 - A3	-21,386	0,106	0,048	2,23e-6	0,006	71,863	420,041	491,904	376,834	12,604	389,439

letzte Änderung 09.07.2020/hfa.plb

Abb. 02-10: dataholz.eu. Bildquelle: https://www.dataholz.eu/ (Ausschnitt); abgerufen am 24.10.2022

3 Technische Regelwerke und Literatur

Allgemein

- **Richtlinien**

Musterbauordnung (MBO)

Muster-Verwaltungsvorschrift Technische Baubestimmungen (MVV TB)

Hinweis:
Die MBO sowie die MVV TB dienen als Vorlage für die entsprechenden Landesvorschriften. Sie sind nicht direkt anwendbar. Grundsätzlich gelten die Bestimmungen des Bundeslandes, in dem das jeweilige Bauprodukt verwendet bzw. die Bauart angewendet wird.
→ aktuelle Fassung: www.is-argebau.de

Mechanische Festigkeit und Standsicherheit

- **Normen**

DIN EN 1995-1-1
Eurocode 5: Bemessung und Konstruktion von Holzbauten – Teil 1-1: Allgemeines - Allgemeine Regeln und Regeln für den Hochbau

DIN EN 1995-1-1/NA
Nationaler Anhang – National festgelegte Parameter – Eurocode 5: Bemessung und Konstruktion von Holzbauten – Teil 1-1: Allgemeines - Allgemeine Regeln und Regeln für den Hochbau

DIN EN 1995-1-2
Eurocode 5: Bemessung und Konstruktion von Holzbauten - Teil 1-2: Allgemeine Regeln - Tragwerksbemessung für den Brandfall

DIN EN 1995-1-2/NA
Nationaler Anhang - National festgelegte Parameter - Eurocode 5: Bemessung und Konstruktion von Holzbauten - Teil 1-2: Allgemeine Regeln - Tragwerksbemessung für den Brandfall

DIN EN 1995-2
Eurocode 5: Bemessung und Konstruktion von Holzbauten – Teil 2 Brücken

DIN EN 1995-2/NA
Nationaler Anhang – National festgelegte Parameter – Eurocode 5: Bemessung und Konstruktion von Holzbauten – Teil 2: Brücken

DIN 1052-10
Herstellung und Ausführung von Holzbauwerken – Teil 10: Ergänzende Bestimmungen

DIN 4149
Bauten in deutschen Erdbebengebieten - Lastannahmen, Bemessung und Ausführung üblicher Hochbauten

DIN 68800-1
Holzschutz – Teil 1: Allgemeines

DIN 68800-2
Holzschutz – Teil 2: Vorbeugende bauliche Maßnahmen im Hochbau

- **Leitfäden und Berichte**

Fachregel 01 des Zimmererhandwerks
Außenwandbekleidungen aus Holz; Holzbau Deutschland – Bund Deutscher Zimmermeister

Fachregel 02 des Zimmererhandwerks
Balkone und Terrassen; Holzbau Deutschland – Bund Deutscher Zimmermeister

Brandschutz

- **Normen**

DIN EN 1995-1-2
Eurocode 5: Bemessung und Konstruktion von Holzbauten - Teil 1-2: Allgemeine Regeln - Tragwerksbemessung für den Brandfall

DIN EN 1995-1-2/NA
Nationaler Anhang - National festgelegte Parameter - Eurocode 5: Bemessung und Konstruktion von Holzbauten - Teil 1-2: Allgemeine Regeln - Tragwerksbemessung für den Brandfall

DIN EN 13501-1
Klassifizierung von Bauprodukten und Bauarten zu ihrem Brandverhalten – Teil 1: Klassifizierung mit den Ergebnissen aus den Prüfungen zum Brandverhalten von Bauprodukten

DIN EN 13501-2
Klassifizierung von Bauprodukten und Bauarten zu ihrem Brandverhalten – Teil 2: Klassifizierung mit den Ergebnissen aus den Feuerwiderstandsprüfungen, mit Ausnahme von Lüftungsanlagen

DIN EN 13501-3
Klassifizierung von Bauprodukten und Bauarten zu ihrem Brandverhalten – Teil 3: Klassifizierung mit den Ergebnissen aus den Feuerwiderstandsprüfungen an Bauteilen von haustechnischen Anlagen: Feuerwiderstandsfähige Leitungen und Brandschutzklappen

DIN EN 13501-4
Klassifizierung von Bauprodukten und Bauarten zu ihrem Brandverhalten – Teil 4: Klassifizierung von Bauprodukten und Bauarten zu ihrem Brandverhalten - Klassifizierung mit den Ergebnissen aus den Feuerwiderstandsprüfungen von Anlagen zur Rauchfreihaltung

DIN EN 13501-5
Klassifizierung von Bauprodukten und Bauarten zu ihrem Brandverhalten – Teil 5: Klassifizierung mit den Ergebnissen aus Prüfungen von Bedachungen bei Beanspruchung durch Feuer von außen

DIN 4102-2
Brandverhalten von Baustoffen und Bauteilen; Bauteile, Begriffe, Anforderungen und Prüfungen

DIN 4102-4
Brandverhalten von Baustoffen und Bauteilen - Teil 4: Zusammenstellung und Anwendung klassifizierter Baustoffe, Bauteile und Sonderbauteile

- **Richtlinien**

Richtlinie über brandschutztechnische Anforderungen an Bauteile und Außenwandbekleidungen in Holzbauweise – MHolzBauRL (Fassung Oktober 2020)

Richtlinie über brandschutztechnische Anforderungen an hochfeuerhemmende Bauteile in Holzbauweise - M-HFHHolzR (Fassung Juli 2004)

Hygiene, Gesundheit, Umweltschutz

- **Normen**

DIN EN 15251
Eingangsparameter für das Raumklima zur Auslegung und Bewertung der Energieeffizienz von Gebäuden – Raumluftqualität, Temperatur, Licht und Akustik.

DIN EN 13779
Lüftung von Nichtwohngebäuden – Allgemeine Grundlagen und Anforderungen für Lüftungs- und Klimaanlagen und Raumkühlsysteme.

DIN EN 16798 Teil 1 - 17
Energieeffizienz von Gebäuden – Vorgaben für Raumluftqualität, Temperatur, Licht, Akustik. Berechungsverfahren für Energiebedarf von Lüftungs- und Klimanalagen sowie Kühlsysteme.

DIN 1946 Teil 1 - 7
Raumlufttechnik – Raumluftechnische Anlagen und Vorgaben zur Lüftung.

DIN EN ISO 16000 – Teil 1 - 36
Innenraumluftverunreinigungen – Probenahmestrategien und Prüfvorgaben.

- **Leitfäden und Berichte**

AgBB: Gesundheitliche Bewertung der Emissionen von flüchtigen organischen Verbindungen (VOC und SVOC) aus Bauprodukten, Umweltbundesamt → aktuelles AgBB-Bewertungsschema: www.umweltbundesamt.de

FNR (2021): WOHNEN UND LEBEN MIT HOLZ – Einfluss von Holzemissionen auf die Wohngesundheit

Jantunen M., THL, Oliveira Fernandes E., FEUP, Carrer P. (2011): Universita degli studi di Milano, Kephalopoulos; Promoting actions for healthy indoor air (IAIAQ)

Barrierefreiheit

- **Normen**

DIN 18040-1
Barrierefreies Bauen – Planungsgrundlagen – Teil 1: Öffentlich zugängliche Gebäude

DIN 18040-2
Barrierefreies Bauen – Planungsgrundlagen – Teil 2: Wohnungen

Schallschutz

- **Normen**

DIN 4109-1
Schallschutz im Hochbau – Teil 1: Mindestanforderungen

DIN 4109-2
Schallschutz im Hochbau – Teil 2: Rechnerische Nachweise der Erfüllung der Anforderungen

DIN 4109-4
DIN 4109-4:2016-07 Schallschutz im Hochbau – Teil 4: Bauakustische Prüfungen

DIN 4109-5
Schallschutz im Hochbau – Teil 5: Erhöhte Anforderungen

DIN 4109-33
Schallschutz im Hochbau – Teil 33: Daten für die rechnerischen Nachweise des Schallschutzes (Bauteilkatalog) – Holz-, Leicht- und Trockenbau

DIN 4109-35
Schallschutz im Hochbau – Teil 35: Daten für die rechnerischen Nachweise des Schallschutzes (Bauteilkatalog) – Elemente, Fenster, Türen, Vorhangfassaden

- **Richtlinien**

DEGA-Empfehlung 103: Schallschutz im Wohnungsbau – Schallschutzausweis

VDI 4100 Schallschutz im Hochbau – Wohnungen - Beurteilung und Vorschläge für erhöhten Schallschutz

- **Leitfäden und Berichte**

Schallschutz-Handbuch
Schallschutz im Holzbau – Grundlagen und Vorbemessung vom INFORMATIONSDIENST HOLZ, 2019

Differenzierte Flankenbewertung
Schallschutz im Holzbau – Differenzierte Flankenbewertung bei der Trittschallübertragung vom INFORMATIONSDIENST HOLZ, 2020

Wärmeschutz

- **Normen**

DIN 4108-2
Wärmeschutz und Energie-Einsparung in Gebäuden - Teil 2: Mindestanforderungen an den Wärmeschutz

DIN 4108-3
Wärmeschutz und Energie-Einsparung in Gebäuden - Teil 3: Klimabedingter Feuchteschutz - Anforderungen, Berechnungsverfahren und Hinweise für Planung und Ausführung

DIN 4108 Beiblatt 2
Wärmeschutz und Energie-Einsparung in Gebäuden; Beiblatt 2: Wärmebrücken - Planungs- und Ausführungsbeispiele

- **Gesetze**

Gebäudeenergiegesetz – GEG
Gesetz zur Einsparung von Energie und zur Nutzung erneuerbarer Energien zur Wärme- und Kälteerzeugung in Gebäuden (Gebäudeenergiegesetz - GEG)

Nachhaltigkeit

- **Normen**

DIN EN 15643:2021-12
Nachhaltigkeit von Bauwerken - Allgemeine Rahmenbedingungen zur Bewertung von Gebäuden und Ingenieurbauwerken -

DIN EN 15978:2012-10
Nachhaltigkeit von Bauwerken - Allgemeine Rahmenbedingungen zur Bewertung von Gebäuden und Ingenieurbauwerken – Berechnungsmethode

DIN EN 16309:2014-12
Nachhaltigkeit von Bauwerken - Bewertung der sozialen Qualität von Gebäuden - Berechnungsmethoden

DIN EN 17680:2022-07
Nachhaltigkeit von Bauwerken - Bewertung des Potentials zur nachhaltigen Sanierung von Gebäuden

DIN EN 17472:2022-09-2
Nachhaltigkeit von Bauwerken - Nachhaltigkeitsbewertung von Ingenieurbauwerken – Rechenverfahren

DIN EN 15804:2022-03
Nachhaltigkeit von Bauwerken - Nachhaltigkeitsbewertung von Ingenieurbauwerken – Rechenverfahren

DIN EN 16485:2014-07
Rund- und Schnittholz - Umweltproduktdeklarationen – Produktkategorie-Regeln für Holz und Holzwerkstoffe im Bauwesen

DIN EN ISO 14025:2022-04
Umweltkennzeichnungen und -deklarationen – Typ III Umweltdeklarationen – Grundsätze und Verfahren

DIN EN ISO 14044:2014-04
Umweltmanagement – Ökobilanz – Anforderungen und Anleitungen

- **Internetquellen**

ÖKOBAUDAT (2022): Datenlieferanten, unter: https://www.oekobaudat.de/anleitungen/datenlieferanten.html, letzter Abruf: 06.09.2022

Bauteileditor (2022): Informationen, unter: https://www.bauteileditor.de/information/, letzter Abruf: 07.09.2022

Dataholz.eu (2022): Startseite; unter: https://www.dataholz.eu/, letzter Abruf 20.09.2022

FNR (2021): Klimafreundlicher Kreislauf, unter: https://www.fnr.de/presse/pressemitteilungen/aktuelle-mitteilungen/aktuelle-nachricht/klimafreundlicher-kreislauf-heizen-mit-holz, letzter Abruf: 05.09.2022

- **Leitfäden und Berichte**

BNB (2019): Leitfaden Nachhaltiges Bauen, Berlin: Bundesministerium des Innern, für Bau und Heimat

Rüter, S. (2016): Der Beitrag der stofflichen Nutzung von Holz zum Klimaschutz,

Rüter, S.; Diederichs, S. (2012): Ökobilanz – Basisdaten für Bauprodukte aus Holz; Hamburg: Institut für Holztechnologie und Holzbiologie

Gliederung in Leistungsbereiche nach STLB-Bau

Als Beispiel für eine ausführungsorientierte Ergänzung der Kostengliederung werden im Folgenden die Leistungsbereiche des Standardleistungsbuchs für das Bauwesen in einer Übersicht dargestellt.

000 Sicherheitseinrichtungen, Baustelleneinrichtung
001 Gerüstarbeiten
002 Erdarbeiten
003 Landschaftsbauarbeiten
004 Landschaftsbauarbeiten, Pflanzen
005 Brunnenbauarbeiten und Aufschlussbohrungen
006 Spezialtiefbauarbeiten
007 Untertagebauarbeiten
008 Wasserhaltungsarbeiten
009 Entwässerungskanalarbeiten
010 Drän- und Versickerungsarbeiten
011 Abscheider- und Kleinkläranlagen
012 Mauerarbeiten
013 Betonarbeiten
014 Natur-, Betonwerksteinarbeiten
016 Zimmer- und Holzbauarbeiten
017 Stahlbauarbeiten
018 Abdichtungsarbeiten
019 Kampfmittelräumarbeiten
020 Dachdeckungsarbeiten
021 Dachabdichtungsarbeiten
022 Klempnerarbeiten
023 Putz- und Stuckarbeiten, Wärmedämmsysteme
024 Fliesen- und Plattenarbeiten
025 Estricharbeiten
026 Fenster, Außentüren
027 Tischlerarbeiten
028 Parkettarbeiten, Holzpflasterarbeiten
029 Beschlagarbeiten
030 Rollladenarbeiten
031 Metallbauarbeiten
032 Verglasungsarbeiten
033 Baureinigungsarbeiten
034 Maler- und Lackierarbeiten, Beschichtungen
035 Korrosionsschutzarbeiten an Stahlbauten
036 Bodenbelagsarbeiten
037 Tapezierarbeiten
038 Vorgehängte hinterlüftete Fassaden
039 Trockenbauarbeiten
040 Wärmeversorgungsanlagen - Betriebseinrichtungen
041 Wärmeversorgungsanlagen - Leitungen, Armaturen, Heizflächen
042 Gas- und Wasseranlagen - Leitungen und Armaturen
043 Druckrohrleitungen für Gas, Wasser und Abwasser
044 Abwasseranlagen - Leitung, Abläufe, Armaturen
045 Gas-, Wasser- und Entwässerungsanlagen - Ausstattung, Elemente, Fertigbäder
046 Gas-, Wasser- und Entwässerungsanlagen - Betriebseinrichtungen
047 Dämm- und Brandschutzarbeiten an technischen Anlagen
049 Feuerlöschanlagen, Feuerlöschgeräte
050 Blitzschutz- und Erdungsanlagen, Überspannungsschutz
051 Kabelleitungstiefbauarbeiten
052 Mittelspannungsanlagen
053 Niederspannungsanlagen - Kabel/Leitungen, Verlegesysteme, Installationsgeräte
054 Niederspannungsanlagen - Verteilersysteme und Einbaugeräte
055 Sicherheits- und Ersatzstromversorgungsanlagen
057 Gebäudesystemtechnik
058 Leuchten und Lampen
059 Sicherheitsbeleuchtungsanlagen
060 Sprech-, Ruf-, Antennenempfangs-, Uhren- und elektroakustische Anlagen
061 Kommunikations- und Übertragungsnetze
062 Kommunikationsanlagen
063 Gefahrenmeldeanlagen
064 Zutrittskontroll-, Zeiterfassungssysteme
069 Aufzüge
070 Gebäudeautomation
075 Raumlufttechnische Anlagen
078 Kälteanlagen für raumlufttechnische Anlagen
080 Straßen, Wege, Plätze
081 Betonerhaltungsarbeiten
082 Bekämpfender Holzschutz
084 Abbruch-, Rückbau- und Schadstoffsanierungsarbeiten
085 Rohrvortriebsarbeiten
087 Abfallentsorgung, Verwertung und Beseitigung
090 Baulogistik
091 Stundenlohnarbeiten
096 Bauarbeiten an Bahnübergängen
097 Bauarbeiten an Gleisen und Weichen
098 Witterungsschutzmaßnahmen

Abkürzungsverzeichnis

Abkürzung	Bezeichnung
AF	Außenanlagenfläche
AP	Arbeitsplätze
APP	Appartement
AWF	Außenwandfläche
BGF	Brutto-Grundfläche (Summe der Regelfall (R)- und Sonderfall (S)-Flächen nach DIN 277)
BGI	Baugrubeninhalt
bis	oberer Grenzwert des Streubereichs um einen Mittelwert
BRI	Brutto-Rauminhalt (Summe der Regelfall (R)- und Sonderfall (S)-Rauminhalte nach DIN 277)
BRI/BGF (m)	Verhältnis von Brutto-Rauminhalt zur Brutto-Grundfläche angegeben in Meter
BRI/NUF (m)	Verhältnis von Brutto-Rauminhalt zur Nutzungsfläche angegeben in Meter
DAF	Dachfläche
DEF	Deckenfläche
DHH	Doppelhaushälfte
DIN 276	Kosten im Bauwesen (DIN 276:2018-12)
DIN 277	Grundflächen und Rauminhalte im Hochbau (DIN 277:2021-08)
ELW	Einliegerwohnung
ETW	Etagenwohnung
€/Einheit	Spaltenbezeichnung für Mittelwerte zu den Kosten bezogen auf eine Einheit der Bezugsgröße
€/m² BGF	Spaltenbezeichnung für Mittelwerte zu den Kosten bezogen auf Brutto-Grundfläche
GF	Grundstücksfläche
Fläche/BGF (%)	Anteil der angegebenen Fläche zur Brutto-Grundfläche in Prozent
Fläche/NUF (%)	Anteil der angegebenen Fläche zur Nutzungsfläche in Prozent
GRF	Gründungsfläche
inkl.	einschließlich
IWF	Innenwandfläche
KFZ	Kraftfahrzeug
KITA	Kindertagesstätte
KG	Kostengruppe
KGF	Konstruktions-Grundfläche (Summe der Regelfall (R)- und Sonderfall (S)-Flächen nach DIN 277)
LB	Leistungsbereich
Menge/BGF	Menge der genannten Kostengruppen-Bezugsgröße bezogen auf die Menge der Brutto-Grundfläche
Menge/NUF	Menge der genannten Kostengruppen-Bezugsgröße bezogen auf die Menge der Nutzungsfläche
NE	Nutzeinheit
NUF	Nutzungsfläche (Summe der Regelfall (R)- und Sonderfall (S)-Flächen nach DIN 277)
NRF	Netto-Raumfläche (Summe der Regelfall (R)- und Sonderfall (S)-Flächen nach DIN 277)
Obj.-Nr.	Nummer des Objekts in den BKI-Baukostendatenbanken
RH	Reihenhaus
StLB	Standardleistungsbuch
STP	Stellplatz
TF	Technikfläche (Summe der Regelfall (R)- und Sonderfall (S)-Flächen nach DIN 277)
TG	Tiefgarage
VF	Verkehrsfläche (Summe der Regelfall (R)- und Sonderfall (S)-Flächen nach DIN 277)
von	unterer Grenzwert des Streubereichs um einen Mittelwert
WE	Wohneinheit
WFL	Wohnfläche
Ø	Mittelwert
300+400	Zusammenfassung der Kostengruppen Bauwerk-Baukonstruktionen und Bauwerk-Technische Anlagen
% an 300+400	Kostenanteil der jeweiligen Kostengruppe an den Kosten des Bauwerks
% an 300	Kostenanteil der jeweiligen Kostengruppe an der Kostengruppe Bauwerk-Baukonstruktionen
% an 400	Kostenanteil der jeweiligen Kostengruppe an der Kostengruppe Bauwerk-Technische Anlagen

Büro- und Verwaltungsgebäude

1

Kostenkennwerte für die Kosten des Bauwerks (Kostengruppen 300+400 nach DIN 276)

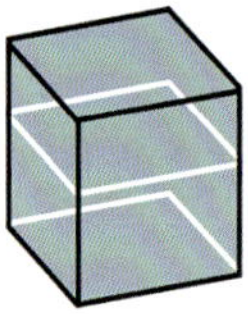

BRI 630€/m³
von 495€/m³
bis 850€/m³

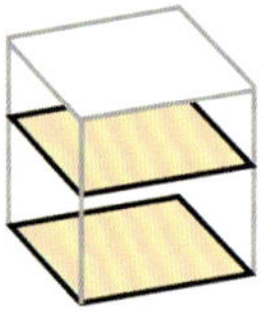

BGF 2.275€/m²
von 1.795€/m²
bis 2.640€/m²

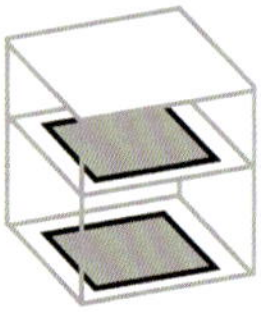

NUF 3.565€/m²
von 2.715€/m²
bis 4.875€/m²

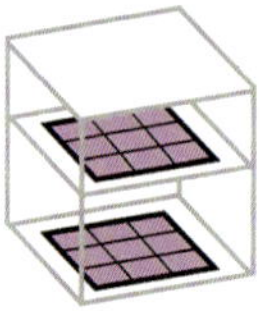

NE 74.935€/NE
von 55.650€/NE
bis 101.800€/NE
NE: Arbeitsplätze

Objektbeispiele

Kosten:
Stand 3.Quartal 2022
Bundesdurchschnitt
inkl. 19% MwSt.

1300-0292

1300-0249

1300-0235

Kosten der 5 Vergleichsobjekte

Seiten 148 bis 183

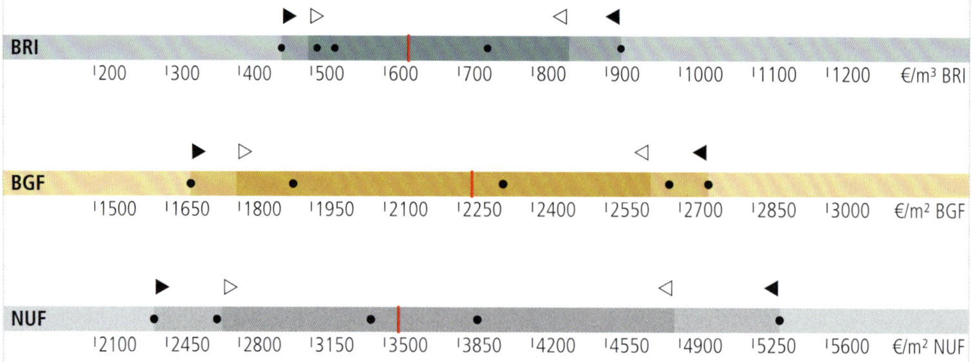

- ● KKW
- ▶ min
- ▷ von
- | Mittelwert
- ◁ bis
- ◀ max

Kostenkennwerte für die Kostengruppen der 1. und 2. Ebene DIN 276

KG	Kostengruppen der 1. Ebene	Einheit	▷	€/Einheit	◁	▷	% an 300+400	◁
100	Grundstück	m²GF	–	**–**	–	–	**–**	–
200	Vorbereitende Maßnahmen	m²GF	< 1	**< 1**	< 1	0,2	**0,7**	1,7
300	Bauwerk – Baukonstruktionen	m²BGF	1.324	**1.739**	2.058	71,3	**76,2**	82,3
400	Bauwerk – Technische Anlagen	m²BGF	455	**538**	861	17,7	**23,8**	28,7
	Bauwerk 300+400	m²BGF	1.794	**2.277**	2.640	100,0	**100,0**	100,0
500	Außenanlagen und Freiflächen	m²AF	–	**21**	–	1,1	**1,1**	1,1
600	Ausstattung und Kunstwerke	m²BGF	–	**18**	–	0,6	**0,6**	0,6
700	Baunebenkosten*	m²BGF	457	**510**	562	20,5	**22,8**	25,1 ◁
800	Finanzierung	m²BGF	–	**–**	–	–	**–**	–

* Auf Grundlage der HOAI 2021 berechnete Werte nach §§ 35, 52, 56. Weitere Informationen siehe Seite 56

KG	Kostengruppen der 2. Ebene	Einheit	▷	€/Einheit	◁	▷	% an 1. Ebene	◁
310	Baugrube / Erdbau	m³BGI	64	**264**	658	0,4	**0,8**	1,7
320	Gründung, Unterbau	m²GRF	387	**467**	626	6,8	**14,2**	18,7
330	Außenwände / vertikal außen	m²AWF	466	**637**	880	27,7	**32,3**	41,1
340	Innenwände / vertikal innen	m²IWF	189	**326**	421	5,8	**12,7**	16,4
350	Decken / horizontal	m²DEF	325	**481**	636	0,0	**12,2**	20,5
360	Dächer	m²DAF	458	**598**	878	12,5	**20,4**	34,0
370	Infrastrukturanlagen		–	**–**	–	–	**–**	–
380	Baukonstruktive Einbauten	m²BGF	41	**51**	60	0,0	**2,2**	3,3
390	Sonst. Maßnahmen für Baukonst.	m²BGF	59	**89**	146	4,0	**5,2**	7,7
300	**Bauwerk – Baukonstruktionen**	**m²BGF**					**100,0**	
410	Abwasser-, Wasser-, Gasanlagen	m²BGF	39	**60**	70	8,2	**10,4**	14,7
420	Wärmeversorgungsanlagen	m²BGF	94	**108**	122	3,5	**12,2**	25,7
430	Raumlufttechnische Anlagen	m²BGF	82	**147**	191	19,4	**24,4**	31,7
440	Elektrische Anlagen	m²BGF	203	**225**	269	31,2	**39,0**	42,9
450	Kommunikationstechnische Anlagen	m²BGF	18	**46**	101	3,5	**6,5**	11,7
460	Förderanlagen	m²BGF	–	**17**	–	0,0	**0,7**	2,0
470	Nutzungsspez. / verfahrenstech. Anl.	m²BGF	–	**< 1**	–	0,0	**< 0,1**	< 0,1
480	Gebäude- und Anlagenautomation	m²BGF	39	**67**	96	0,0	**6,4**	10,0
490	Sonst. Maßnahmen f. techn. Anl.	m²BGF	3	**4**	4	0,0	**0,4**	0,6
400	**Bauwerk – Technische Anlagen**	**m²BGF**					**100,0**	

Prozentanteile der Kosten 2. Ebene an den Kosten des Bauwerks nach DIN 276 (Von/Mittel/Bis)

KG	Kostengruppe	%
310	Baugrube / Erdbau	0,6
320	Gründung, Unterbau	10,7
330	Außenwände / vertikal außen	23,7
340	Innenwände / vertikal innen	9,3
350	Decken / horizontal	8,5
360	Dächer	15,5
370	Infrastrukturanlagen	
380	Baukonstruktive Einbauten	1,5
390	Sonst. Maßnahmen für Baukonst.	3,8
410	Abwasser-, Wasser-, Gasanlagen	2,8
420	Wärmeversorgungsanlagen	2,9
430	Raumlufttechnische Anlagen	6,7
440	Elektrische Anlagen	10,1
450	Kommunikationstechnische Anlagen	1,8
460	Förderanlagen	0,2
470	Nutzungsspez. / verfahrenstech. Anl.	< 0,1
480	Gebäude- und Anlagenautomation	1,9
490	Sonst. Maßnahmen f. techn. Anl.	< 0,1

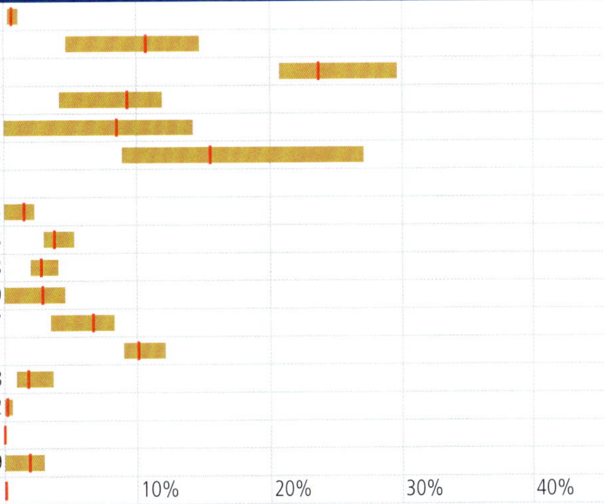

Kosten:
Stand 3. Quartal 2022
Bundesdurchschnitt
inkl. 19% MwSt.

● KKW
▶ min
▷ von
| Mittelwert
◁ bis
◀ max

Prozentanteile der Kosten für Leistungsbereiche nach STLB (Kosten Bauwerk nach DIN 276)

LB	Leistungsbereiche	▷	% an 300+400	◁
000	Sicherheits-, Baustelleneinrichtungen inkl. 001	2,4	**3,3**	4,1
002	Erdarbeiten	1,0	**1,4**	1,9
006	Spezialtiefbauarbeiten inkl. 005	0,2	**1,5**	2,6
009	Entwässerungskanalarbeiten inkl. 011	0,2	**0,4**	0,6
010	Drän- und Versickerarbeiten	–	**–**	–
012	Mauerarbeiten	0,0	**< 0,1**	< 0,1
013	Betonarbeiten	6,6	**9,6**	11,5
014	Natur-, Betonwerksteinarbeiten	0,0	**0,3**	0,5
016	Zimmer- und Holzbauarbeiten	12,6	**15,0**	17,8
017	Stahlbauarbeiten	0,4	**0,6**	0,8
018	Abdichtungsarbeiten	< 0,1	**0,4**	0,8
020	Dachdeckungsarbeiten	–	**–**	–
021	Dachabdichtungsarbeiten	3,4	**5,6**	6,9
022	Klempnerarbeiten	0,6	**1,0**	1,3
	Rohbau	37,0	**39,1**	41,0
023	Putz- und Stuckarbeiten, Wärmedämmsysteme	0,3	**2,2**	3,5
024	Fliesen- und Plattenarbeiten	0,2	**0,4**	0,6
025	Estricharbeiten	0,4	**1,9**	3,0
026	Fenster, Außentüren inkl. 029, 032	3,5	**6,0**	8,3
027	Tischlerarbeiten	3,0	**5,0**	7,5
028	Parkettarbeiten, Holzpflasterarbeiten	0,1	**1,3**	2,3
030	Rollladenarbeiten	0,6	**1,2**	2,1
031	Metallbauarbeiten inkl. 035	3,3	**6,8**	9,2
034	Maler- und Lackiererarbeiten inkl. 037	0,5	**0,9**	1,3
036	Bodenbelagarbeiten	0,2	**1,9**	3,2
038	Vorgehängte hinterlüftete Fassaden	1,3	**2,7**	4,2
039	Trockenbauarbeiten	4,2	**4,5**	5,0
	Ausbau	33,1	**34,8**	36,6
040	Wärmeversorgungsanl. - Betriebseinr. inkl. 041	1,4	**2,7**	4,8
042	Gas- und Wasserinstallation, Leitungen inkl. 043	0,4	**0,4**	0,5
044	Abwasseranlagen - Leitungen	0,4	**0,5**	0,8
045	GWE-Einrichtungsgegenstände inkl. 046	0,9	**1,4**	1,9
047	Dämmarbeiten an betriebstechnischen Anlagen	0,1	**0,7**	1,2
049	Feuerlöschanlagen, Feuerlöschgeräte	0,0	**< 0,1**	< 0,1
050	Blitzschutz- und Erdungsanlagen	0,2	**0,2**	0,2
052	Mittelspannungsanlagen	0,0	**0,3**	0,6
053	Niederspannungsanlagen inkl. 054	6,1	**7,8**	10,3
055	Sicherheits- u. Ersatzstromversorgungsanl.	0,0	**0,3**	0,7
057	Gebäudesystemtechnik	–	**–**	–
058	Leuchten und Lampen inkl. 059	0,2	**1,4**	2,1
060	Sprechanlagen, elektroakust. Anlagen inkl. 064	0,0	**0,6**	1,2
061	Kommunikationsnetze inkl. 062	0,8	**0,9**	1,1
063	Gefahrenmeldeanlagen	0,0	**0,3**	0,6
069	Aufzüge	0,0	**0,2**	0,4
070	Gebäudeautomation	1,0	**1,9**	3,3
075	Raumlufttechnische Anlagen inkl. 078	4,7	**6,1**	8,4
	Gebäudetechnik	23,0	**25,8**	29,7
	Sonstige Leistungsbereiche inkl. 008, 033, 051	0,1	**0,3**	0,4

Planungskennwerte für Flächen und Rauminhalte nach DIN 277

Grundflächen	▷	Fläche/NUF (%)	◁	▷	Fläche/BGF (%)	◁
NUF Nutzungsfläche	100,0	**100,0**	100,0	64,4	**66,6**	74,9
TF Technikfläche	4,9	**5,0**	5,6	3,1	**3,2**	3,5
VF Verkehrsfläche	19,2	**23,9**	27,8	10,4	**13,5**	14,5
NRF Netto-Raumfläche	123,4	**127,9**	132,5	81,1	**82,6**	86,9
KGF Konstruktions-Grundfläche	27,6	**27,6**	30,0	13,1	**17,4**	18,9
BGF Brutto-Grundfläche	141,6	**155,5**	163,1	100,0	**100,0**	100,0

Brutto-Rauminhalte	▷	BRI/NUF (m)	◁	▷	BRI/BGF (m)	◁
BRI Brutto-Rauminhalt	5,51	**5,71**	6,29	3,42	**3,74**	3,74

Flächen von Nutzeinheiten	▷	NUF/Einheit (m²)	◁	▷	BGF/Einheit (m²)	◁
Nutzeinheit: Arbeitsplätze	19,31	**21,65**	24,62	30,34	**33,72**	43,76

Lufttechnisch behandelte Flächen	▷	Fläche/NUF (%)	◁	▷	Fläche/BGF (%)	◁
Entlüftete Fläche	–	**–**	–	–	**–**	–
Be- und entlüftete Fläche	–	**–**	–	–	**–**	–
Teilklimatisierte Fläche	–	**–**	–	–	**–**	–
Klimatisierte Fläche	–	**–**	–	–	**–**	–

KG	Kostengruppen (2. Ebene)	Einheit	▷	Menge/NUF	◁	▷	Menge/BGF	◁
310	Baugrube / Erdbau	m³ BGI	0,12	**0,12**	0,12	0,08	**0,08**	0,10
320	Gründung, Unterbau	m² GRF	0,61	**0,74**	0,74	0,42	**0,56**	0,56
330	Außenwände / vertikal außen	m² AWF	1,13	**1,31**	1,31	0,83	**0,89**	0,89
340	Innenwände / vertikal innen	m² IWF	0,97	**0,97**	1,17	0,65	**0,65**	0,71
350	Decken / horizontal	m² DEF	1,03	**1,03**	1,03	0,59	**0,59**	0,59
360	Dächer	m² DAF	0,74	**0,88**	0,88	0,54	**0,68**	0,68
370	Infrastrukturanlagen		–	**–**	–	–	**–**	–
380	Baukonstruktive Einbauten	m² BGF	1,42	**1,55**	1,63	1,00	**1,00**	1,00
390	Sonst. Maßnahmen für Baukonst.	m² BGF	1,42	**1,55**	1,63	1,00	**1,00**	1,00
300	**Bauwerk – Baukonstruktionen**	**m² BGF**	1,42	**1,55**	1,63	1,00	**1,00**	1,00

Planungskennwerte für Bauzeiten — 5 Vergleichsobjekte

Bauzeit in Wochen

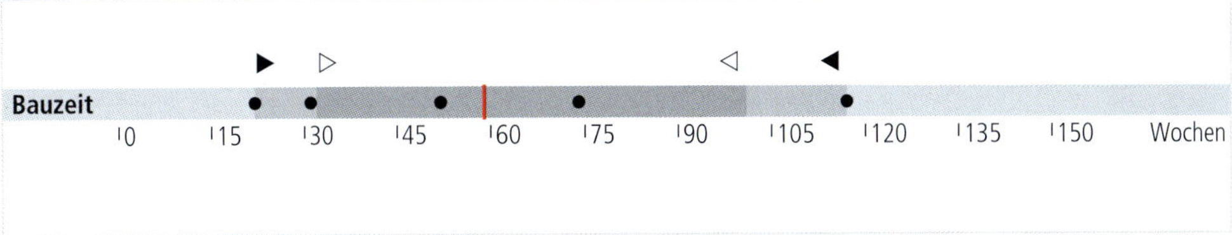

1300-0235
Bürogebäude
(12 AP)
Effizienzhaus ~60%

Objektübersicht

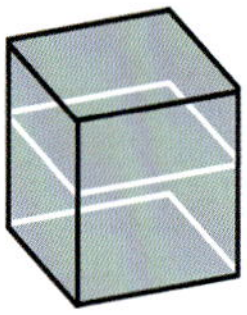

BRI 920 €/m³

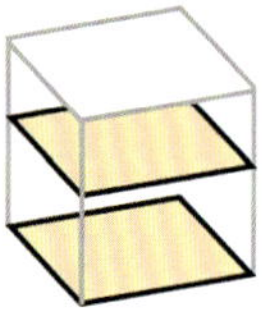

BGF 2.677 €/m²

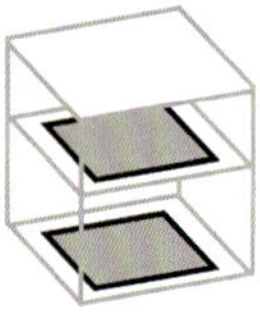

NUF 3.940 €/m²

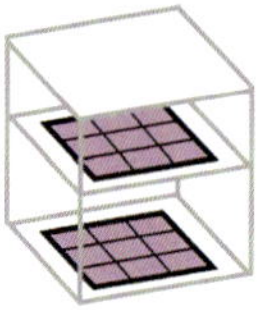

NE 56.896 €/NE

NE: Arbeitsplätze

Objekt:
Kennwerte: 1. Ebene DIN 276
BRI: 742 m³
BGF: 255 m²
NUF: 173 m²
Bauzeit: 31 Wochen
Bauende: 2016
Standard: Durchschnitt
Bundesland: Hessen
Kreis: Groß-Gerau

Architekt*in:
MIND Architects Collective
Schulstraße 21a
65474 Bischofsheim

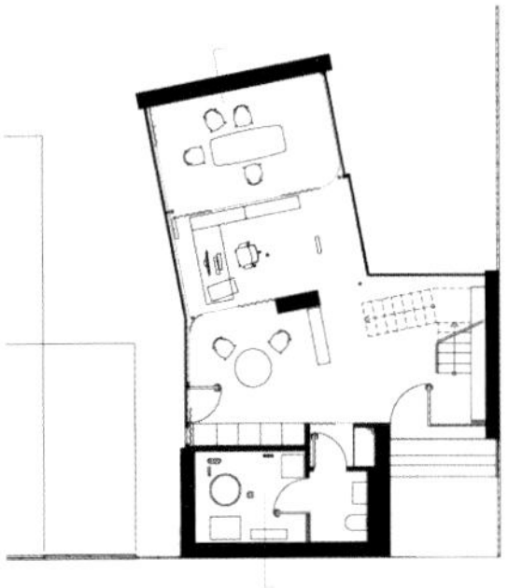

Erdgeschoss

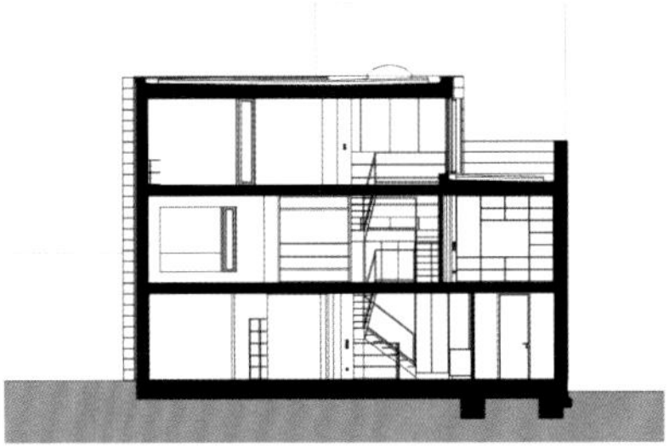

Schnitt

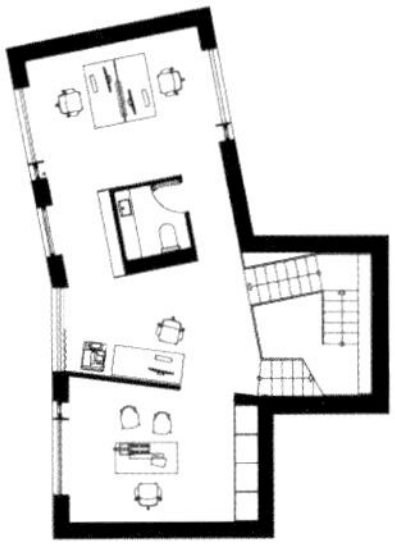

Obergeschoss

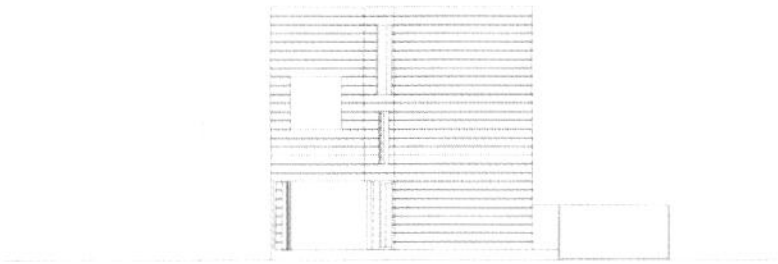

Ansicht Süd-West

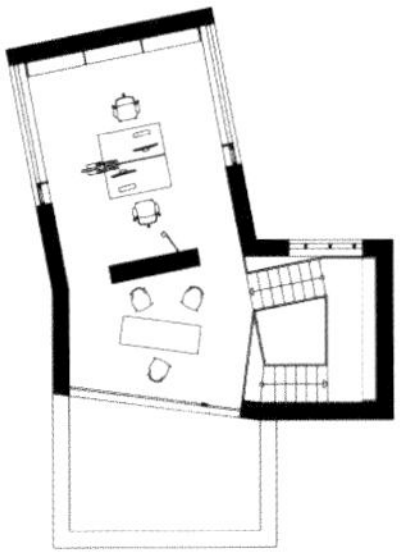

Dachgeschoss

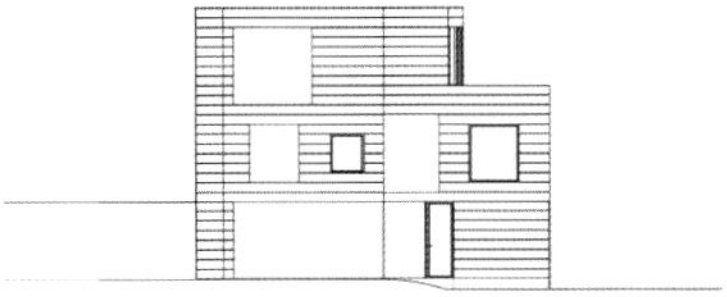

Ansicht Süd-Ost

1300-0235
Bürogebäude
(12 AP)
Effizienzhaus ~60%

Objektbeschreibung

Allgemeine Objektinformationen

Auf einem kleinen Grundstück zweier alter Garagen entstand im eng verdichteten Ortskern ein ökologischer Neubau in Holzmassivbauweise. Das Bürogebäude stellt ein Gewand einer unauffälligen, aber sehr durchdachten modernen Schlichtheit und Reduzierung der Materialien dar, die eine immer wandelbare und flexible Erscheinung zulässt.

Nutzung

1 Erdgeschoss
Gemeinschaftsbereich, Besprechung, Teeküche, Haustechnik, Sanitärraum

1 Obergeschoss
Büros (3St), Sanitärraum

1 Dachgeschoss
Büros (2St), Dachterrasse

Nutzeinheiten

Arbeitsplätze: 12

Grundstück

Bauraum: Beengter Bauraum
Neigung: Ebenes Gelände
Bodenklasse: BK 3

Markt

Hauptvergabezeit: 2. Quartal 2015
Baubeginn: 3. Quartal 2015
Bauende: 1. Quartal 2016
Konjunkturelle Gesamtlage: über Durchschnitt
Regionaler Baumarkt: Durchschnitt

Besonderer Kosteneinfluss Markt:
Nicht öffentliche, funktionale Ausschreibung

Baukonstruktion

Die Bodenplatte aus Beton gründet auf umlaufenden Streifenfundamenten. Die tragenden Wände und Decken wurden aus Brettsperrholz mit Holzweichfaserdämmung ausgeführt und von innen mit MPX-Platten bekleidet. Die hinterlüftete Fassade wurde mit einer Holzschalung aus Douglasie bekleidet. Alle Fenster wurden als Holz-Alufenster eingebaut. Als Sonnenschutz und zur Raumtrennung dienen die in Deckenschienen angebrachten Vorhänge. Die Brandwand wurde mit Cortenstahl beplankt. Die nichttragenden Innenwände wurden als Trockenbauwände mit GK-Bekleidung, Malervlies und Beschichtung ausgeführt. Die Böden wurden im Erdgeschoss als Sichtestrich ausgeführt und in den oberen Etagen wurden OSB-Platten verlegt. Die Innentreppe wurde als Stahltreppe ausgeführt. Das Dach vom 1.Obergeschoss wird als Dachterrasse genutzt und das Hauptdach wurde als Gründach ausgeführt.

Technische Anlagen

Zum Heizen, Kühlen und für die Brauchwassererwärmung wird eine Sole-Wasser-Wärmepumpe mit Spiralkollektoren eingesetzt.

Sonstiges

Das Bürogebäude wurde mit dem Architekturpreis "Vorbildliche Bauten im Land Hessen 2017" ausgezeichnet.

Planungskennwerte für Flächen und Rauminhalte nach DIN 277

Flächen des Grundstücks		Menge Einheit	% an GF
BF	Bebaute Fläche	85,00 m²	33,7
UF	Unbebaute Fläche	167,00 m²	66,3
GF	Grundstücksfläche	252,00 m²	100,0

Grundflächen des Bauwerks		Menge Einheit	% an NUF	% an BGF
NUF	Nutzungsfläche	173,30 m²	100,0	68,0
TF	Technikfläche	7,30 m²	4,2	2,9
VF	Verkehrsfläche	20,80 m²	12,0	8,2
NRF	Netto-Raumfläche	201,40 m²	116,2	79,0
KGF	Konstruktions-Grundfläche	53,60 m²	30,9	21,0
BGF	Brutto-Grundfläche	255,00 m²	147,1	100,0

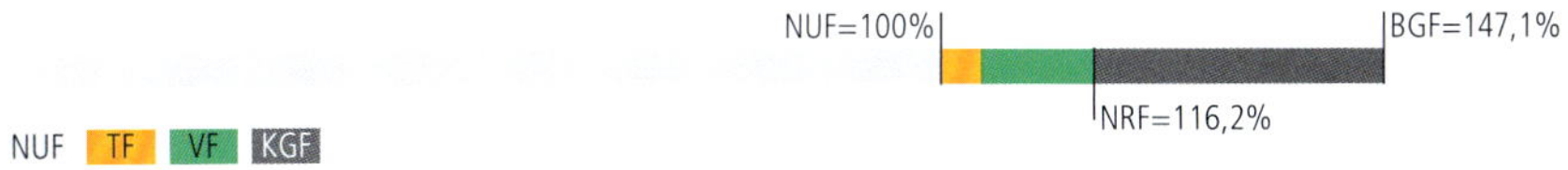

Brutto-Rauminhalt des Bauwerks		Menge Einheit	BRI/NUF (m)	BRI/BGF (m)
BRI	Brutto-Rauminhalt	742,27 m³	4,28	2,91

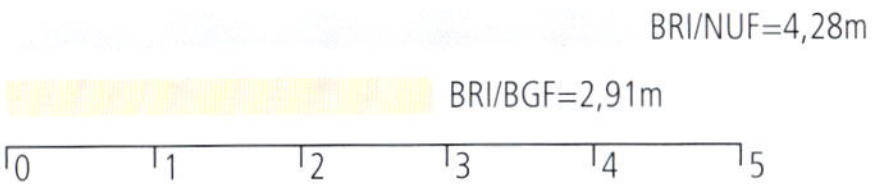

Kostenkennwerte für die Kostengruppen der 1. Ebene DIN 276

KG	Kostengruppen (1. Ebene)	Einheit	Kosten €	€/Einheit	€/m² BGF	€/m³ BRI	% 300+400
100	Grundstück	m² GF	–	–	–	–	–
200	Vorbereitende Maßnahmen	m² GF	–	–	–	–	–
300	Bauwerk – Baukonstruktionen	m² BGF	574.292	2.252,13	2.252,13	773,70	84,1
400	Bauwerk – Technische Anlagen	m² BGF	108.463	425,35	425,35	146,12	15,9
	Bauwerk 300+400	**m² BGF**	**682.755**	**2.677,47**	**2.677,47**	**919,82**	**100,0**
500	Außenanlagen und Freiflächen	m² AF	–	–	–	–	–
600	Ausstattung und Kunstwerke	m² BGF	–	–	–	–	–
700	Baunebenkosten	m² BGF	–	–	–	–	–
800	Finanzierung	m² BGF	–	–	–	–	–

KG	Kostengruppe	Menge Einheit	Kosten €	€/Einheit	%
3+4	**Bauwerk**				**100,0**
300	**Bauwerk – Baukonstruktionen**	255,00 m² BGF	574.292	**2.252,13**	84,1

Stb-Streifenfundamente, Stb-Bodenplatte, Sichtestrich, Abdichtung, Perimeterdämmung; Brettsperrholzwände, Holzweichfaserdämmung, Holz-Alufenster, hinterlüftete Holzschalung, Douglasie, MPX-Bekleidung, Brandwand mit Cortenstahl-Bekleidung, textiler Sonnenschutz, innenliegend; Brettsperrholzwände, GK-Wände, Stahlstützen, Malervlies, Beschichtung, Raumtrennung mit Vorhängen, Deckenschienen, flächenbündig; Brettsperrholzdecken, Stahltreppen, Heizestrich, OSB-Bodenbelag, MPX-Bekleidung, Stahlgeländer; Brettsperrholzdach, Oberlicht, Dämmung, Abdichtung, begehbare Kiesschüttung (Dachterrasse), extensive Dachbegrünung, innenliegende Entwässerung, MPX-Bekleidung; Teeküche

KG	Kostengruppe	Menge Einheit	Kosten €	€/Einheit	%
400	**Bauwerk – Technische Anlagen**	255,00 m² BGF	108.463	**425,35**	15,9

Gebäudeentwässerung, Kalt- und Warmwasserleitungen, Sanitärobjekte; Sole-Wasser-Wärmepumpe mit Spiralkollektoren und Kühlung, Fußbodenheizung; Einzelraumlüfter; Elektroinstallation, Bodensteckdosen, LED-Beleuchtung; Telekommunikationsanlage, Datenübertragung

1300-0249
Verwaltungsgebäude
(42 AP)

Objektübersicht

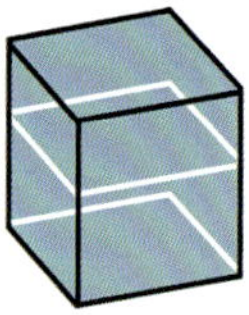

BRI **533 €/m³**

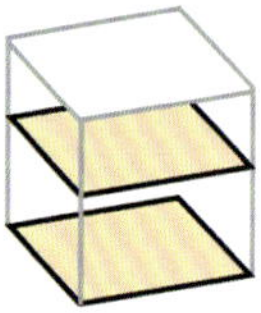

BGF **1.912 €/m²**

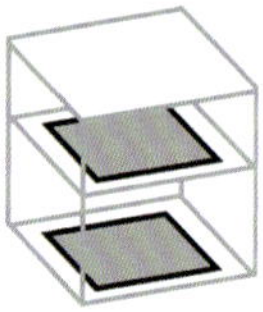

NUF **3.435 €/m²**

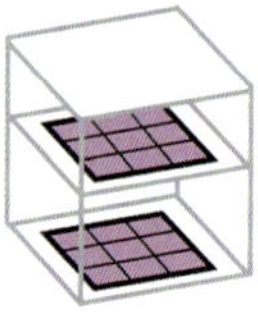

NE **105.746 €/NE**

NE: Arbeitsplätze

Objekt:
Kennwerte: 1. Ebene DIN 276
BRI: 8.340 m³
BGF: 2.323 m²
NUF: 1.293 m²
Bauzeit: 74 Wochen
Bauende: 2016
Standard: Durchschnitt
Bundesland: Bayern
Kreis: Oberallgäu

Architekt*in:
F64 Architekten
Architekten und Stadtplaner
PartGmbB
Füssener Straße 64
87437 Kempten / Allgäu

Bauherr*in:
Sozial-Wirtschafts-Werk
des Landkreises OA
Grüntenstraße 43a
87527 Sonthofen

© Rainer Retzlaff

© Rainer Retzlaff

© Rainer Retzlaff

© Rainer Retzlaff

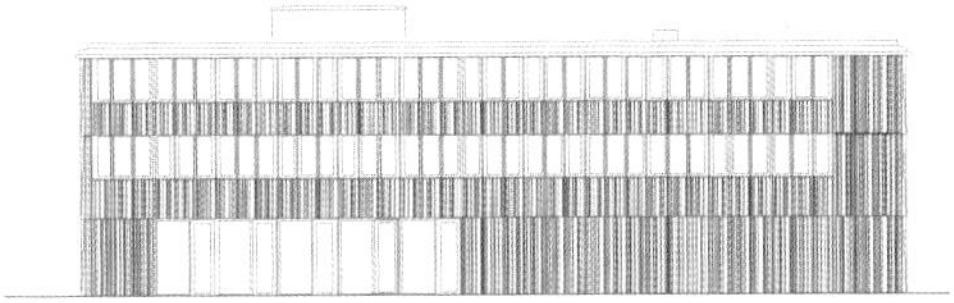

Ansicht Nord-West

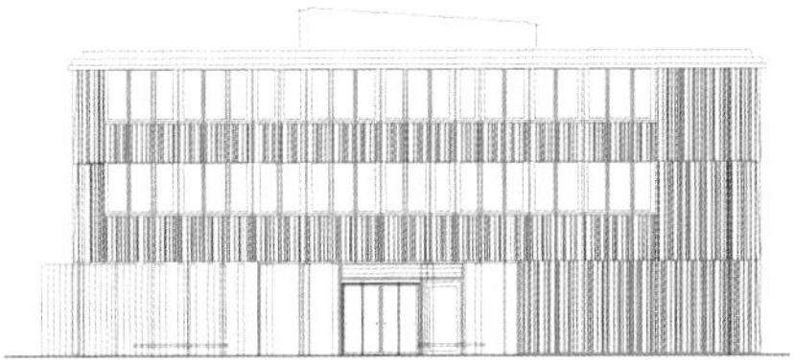

Ansicht Nord-Ost

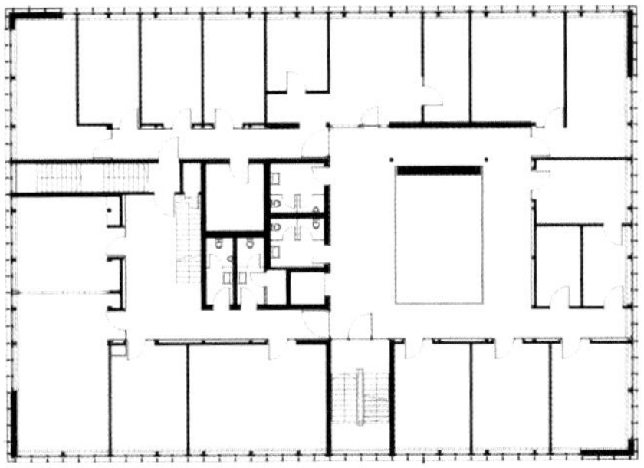

1.-2. Obergeschoss

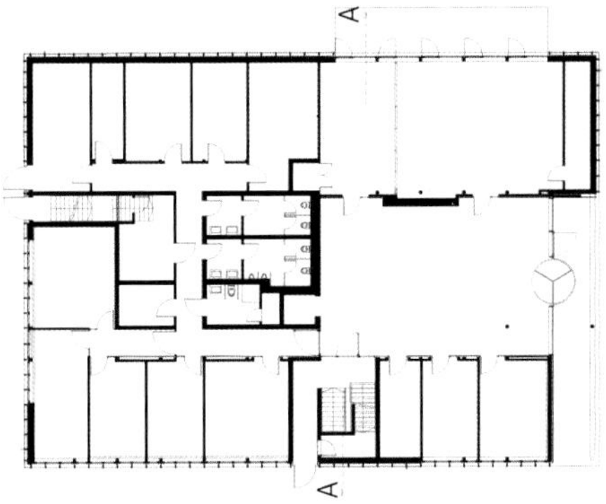

Erdgeschoss

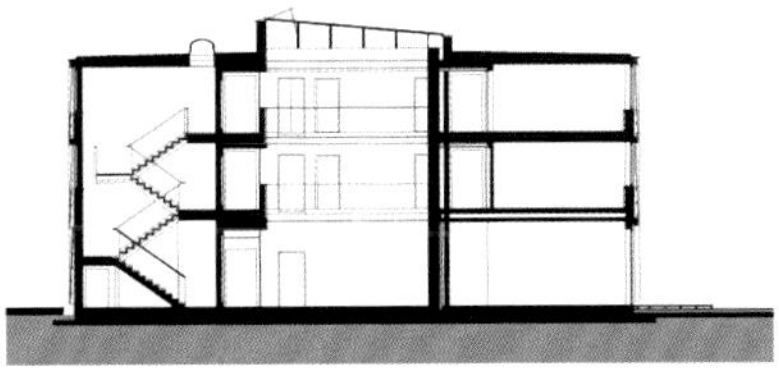

Schnitt A-A

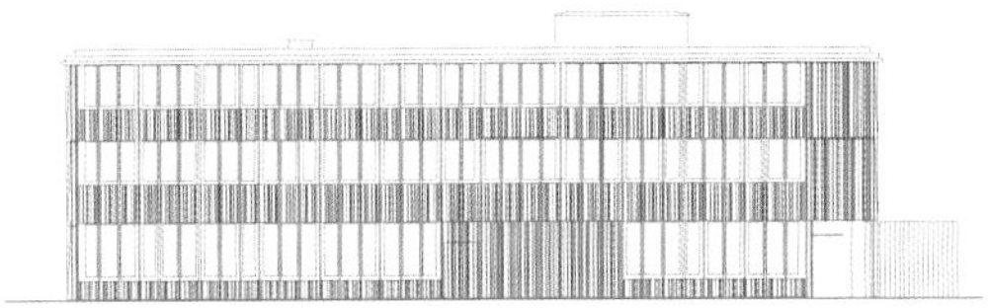

Ansicht Süd-Ost

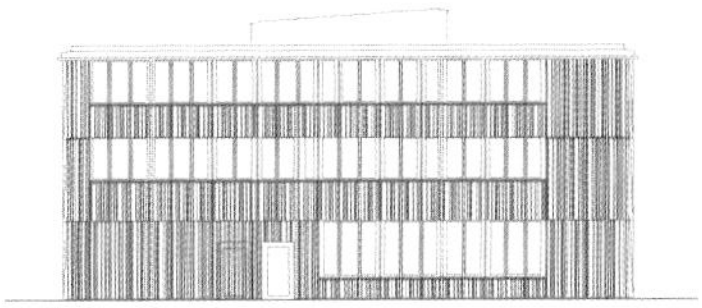

Ansicht Süd-West

Objektbeschreibung

Allgemeine Objektinformationen

Das Forstamt sowie private und öffentliche Akteure des Clusters Holzarbeiten arbeiten in diesem Gebäude zusammen. Von Innen und von Außen soll Holz mit all seinen positiven emotionalen und sinnlichen Aspekten als nachhaltiger, sympathischer, moderner und gleichzeitig wirtschaftlicher Baustoff exemplarisch eingesetzt und präsentiert werden. Ein dreigeschossiges Atrium bildet eine gemeinsame "Adresse" für das Gebäude als Ganzes und fördert die interne Kommunikation, Synergien und Zusammenarbeit zwischen den Nutzern.

Nutzung

1 Erdgeschoss
Büroräume, Schulungsräume, Sozialraum, Foyer, Sanitärräume, Technikraum, Registraturräume

1 Obergeschoss
Büroräume, Besprechungsräume, Materiallager, Sanitärräume

1 Dachgeschoss
Büroräume, Materiallager, EDV-Raum, Druckerraum, Sanitärräume

Nutzeinheiten

Arbeitsplätze: 42
Bürofläche: 790 m²

Grundstück

Bauraum: Freier Bauraum
Neigung: Ebenes Gelände
Bodenklasse: BK 4

Markt

Hauptvergabezeit: 3. Quartal 2014
Baubeginn: 4. Quartal 2014
Bauende: 1. Quartal 2016
Konjunkturelle Gesamtlage: Durchschnitt
Regionaler Baumarkt: unter Durchschnitt

Baukonstruktion

Die Primärkonstruktion des Gebäudes ist als Hybridkonstruktion aus Brettstapel und Holzskelettbauweise ausgeführt. Die Fundamentplatte und zwei aussteifenden Kerne sind aus Stahlbeton. Zusätzlich aussteifende Außenwände bestehen aus Brettsperrholz, Decken und Dach aus sichtbaren Brettstapelelementen.

Technische Anlagen

Die Gebäudehülle des Grünen Zentrums entspricht in fast allen Merkmalen einem Passivhaus. In dem Low-Tech Gebäude wird die Luftqualität überwacht und der Nutzer durch optische und akustische Signale zum Lüften über die Fenster aufgefordert. Zum Heizen und zum Kühlen wird die Energie des Grundwassers genutzt. Über Wärmetauscher können alle Flächen über die Fußböden beheizt und im Sommer auch gekühlt werden. Zusätzliche Wärme wird als Fernwärme aus Holz-Hackschnitzeln zugekauft. Die Flure und öffentlichen Flächen werden über das Atrium mit freier Nachtluftspülung gelüftet, die 40cm starke massive Lehmwand bringt hier ausgleichende Speichermasse und wirkt regulierend auf die Luftfeuchtigkeit im Gebäude ein. Die Warmwasserbereitung erfolgt in den drei Küchen dezentral mit Durchlauferhitzern, die Sanitärbereiche verfügen nur über Kaltwasser.

Sonstiges

Es wurde schon in der Planung darauf geachtet, dass die Verwendung von regionalem Holz sichergestellt ist. Bieter für Holzbau und Fassade mussten aus der Region sein, Ihre Quellen nachweisen bzw. bei einem Mitglied der Allgäuer Sägerunde ihr Holz einkaufen. Zusammen mit den späteren Nutzern des Gebäudes wurden Möglichkeiten begangen, die sicherstellten, dass die gesamte Kette vom Holzeinschlag bis zum fertigen Gebäude mit regionalen Firmen und Produkten abgearbeitet wurde.

Planungskennwerte für Flächen und Rauminhalte nach DIN 277

Flächen des Grundstücks		Menge Einheit	% an GF
BF	Bebaute Fläche	774,00 m²	32,1
UF	Unbebaute Fläche	1.636,00 m²	67,9
GF	Grundstücksfläche	2.410,00 m²	100,0

Grundflächen des Bauwerks		Menge Einheit	% an NUF	% an BGF
NUF	Nutzungsfläche	1.293,12 m²	100,0	55,7
TF	Technikfläche	64,37 m²	5,0	2,8
VF	Verkehrsfläche	575,45 m²	44,5	24,8
NRF	Netto-Raumfläche	1.932,94 m²	149,5	83,2
KGF	Konstruktions-Grundfläche	389,92 m²	30,2	16,8
BGF	Brutto-Grundfläche	2.322,86 m²	179,6	100,0

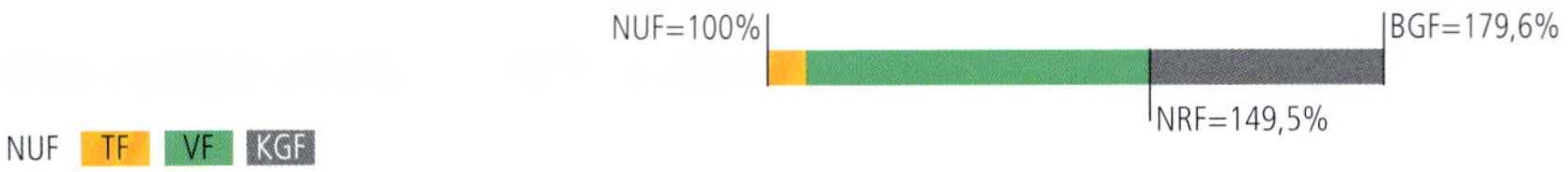

Brutto-Rauminhalt des Bauwerks		Menge Einheit	BRI/NUF (m)	BRI/BGF (m)
BRI	Brutto-Rauminhalt	8.339,51 m³	6,45	3,59

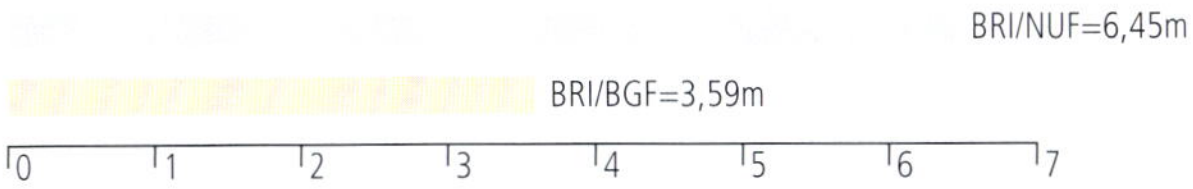

Kostenkennwerte für die Kostengruppen der 1. Ebene DIN 276

KG	Kostengruppen (1. Ebene)	Einheit	Kosten €	€/Einheit	€/m² BGF	€/m³ BRI	% 300+400
100	Grundstück	m² GF	–	–	–	–	–
200	Vorbereitende Maßnahmen	m² GF	–	–	–	–	–
300	Bauwerk – Baukonstruktionen	m² BGF	3.382.926	1.456,36	1.456,36	405,65	76,2
400	Bauwerk – Technische Anlagen	m² BGF	1.058.393	455,64	455,64	126,91	23,8
	Bauwerk 300+400	**m² BGF**	**4.441.320**	**1.912,00**	**1.912,00**	**532,56**	**100,0**
500	Außenanlagen und Freiflächen	m² AF	–	–	–	–	–
600	Ausstattung und Kunstwerke	m² BGF	–	–	–	–	–
700	Baunebenkosten	m² BGF	–	–	–	–	–
800	Finanzierung	m² BGF	–	–	–	–	–

KG	Kostengruppe	Menge Einheit	Kosten €	€/Einheit	%
3+4	**Bauwerk**				**100,0**
300	**Bauwerk – Baukonstruktionen**	2.322,86 m² BGF	3.382.926	**1.456,36**	76,2

Fundamentplatte, Dämmung, Heizestrich, geschliffener Zementestrich mit Weißzement, Teppich, Perimeterdämmung; Stb-Wände (Aussteifung), Brettsperrholzwände, Holzrahmenwände, BSH-Stützen, Holz-Alufenster, Pfosten-Riegel-Konstruktion (EG), Holzfaserplatten, Zellulosedämmung, hinterlüftete Fassade (Fichte), innen UV-Schutz lasiert, außenliegender Sonnenschutz; Holzrahmenwände, BSH-Innenstützen, Holztüren, Alutüren, teilw. mit Glasausschnitt, Dämmung, Weißtannenschalung (Flure), GK-Beplankung, Beschichtung; Brettstapeldecken, Dämmung, Heizestrich, Teppich, Glastreppengeländer, Akustikdecken; Brettstapeldach, Dämmung, Abdichtung, Dachentwässerung

KG	Kostengruppe	Menge Einheit	Kosten €	€/Einheit	%
400	**Bauwerk – Technische Anlagen**	2.322,86 m² BGF	1.058.393	**455,64**	23,8

Gebäudeentwässerung, Kalt- und Warmwasserleitungen, Durchlauferhitzer, Sanitärobjekte; Erdwärmetauscher, Wärmetauscheranlage für Fernwärmeanschluss, Fußbodenheizung, zentrale Warmwasserbereitung; kontrollierte Be- und Entlüftung mit Wärmerückgewinnung (teilw.); Elektroinstallation, Beleuchtung, Blitzschutz, Erdungsanlage; RWA-Anlage, Medientechnik, Datenverkabelung; Personenaufzug; Gebäudeautomation

1300-0254
Bürogebäude
(8 AP)
Effizienzhaus ~73%

Objektübersicht

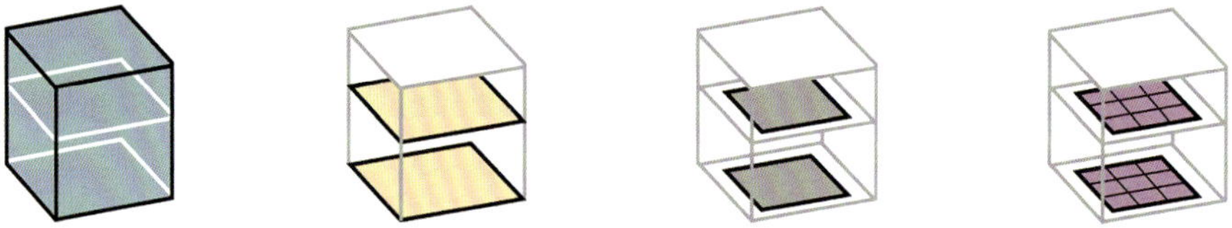

BRI 508 €/m³ | BGF 1.699 €/m² | NUF 2.390 €/m² | NE 47.996 €/NE

NE: Arbeitsplätze

Objekt:
Kennwerte: 3. Ebene DIN 276
BRI: 755 m³
BGF: 226 m²
NUF: 161 m²
Bauzeit: 22 Wochen
Bauende: 2018
Standard: unter Durchschnitt
Bundesland: Hessen
Kreis: Fulda

Architekt*in:
AW+ Planungsgesellschaft mbH
Reckröder Straße 3
36132 Eiterfeld

© AW+ Planungsgesellschaft mbH

© AW+ Planungsgesellschaft mbH

© AW+ Planungsgesellschaft mbH

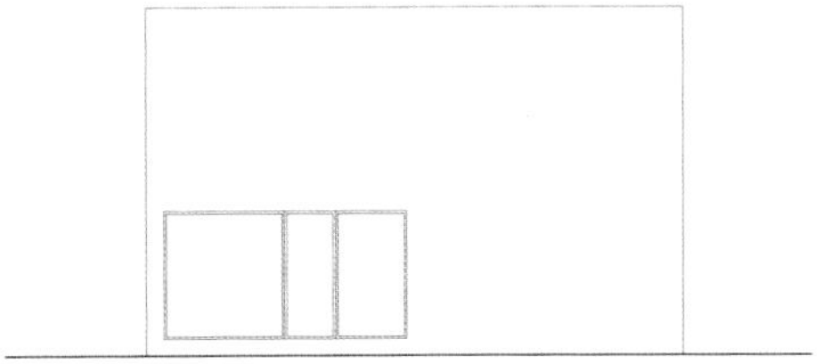

Ansicht Ost

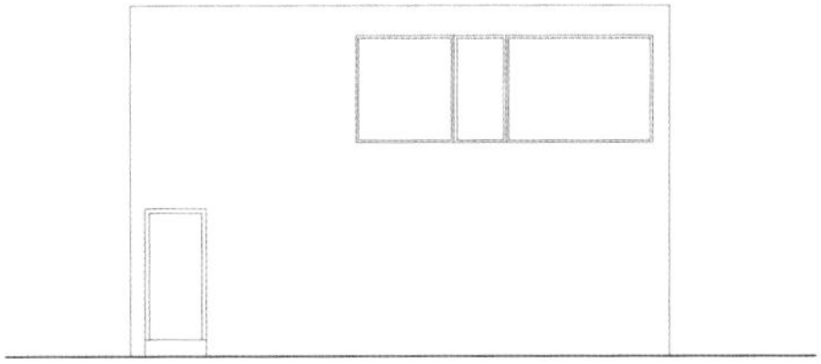

Ansicht Nord

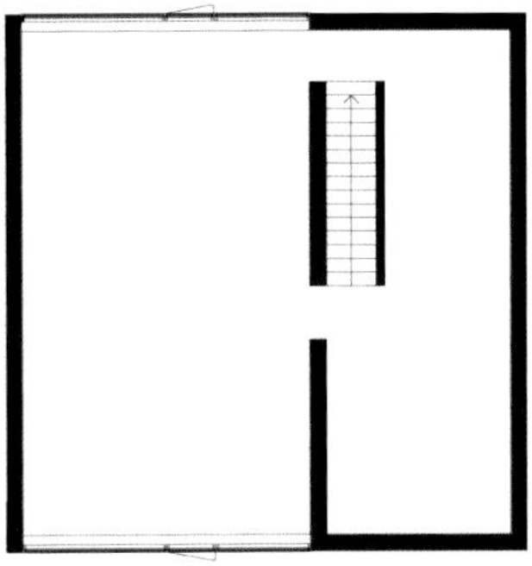

Obergeschoss

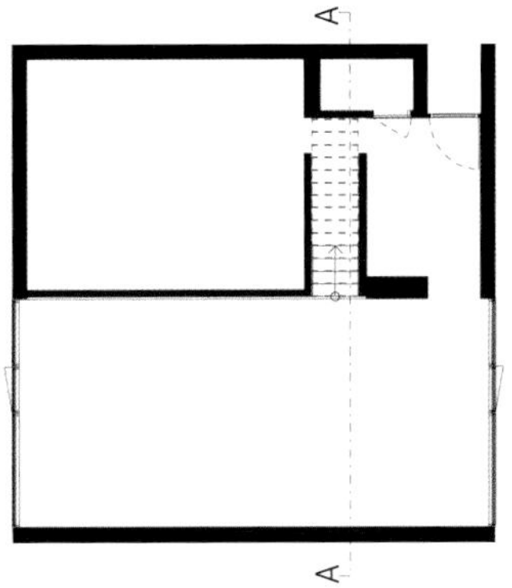

Erdgeschoss

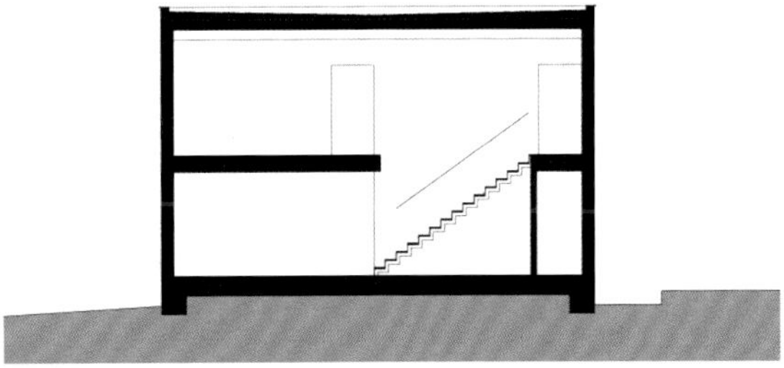

Schnitt A-A

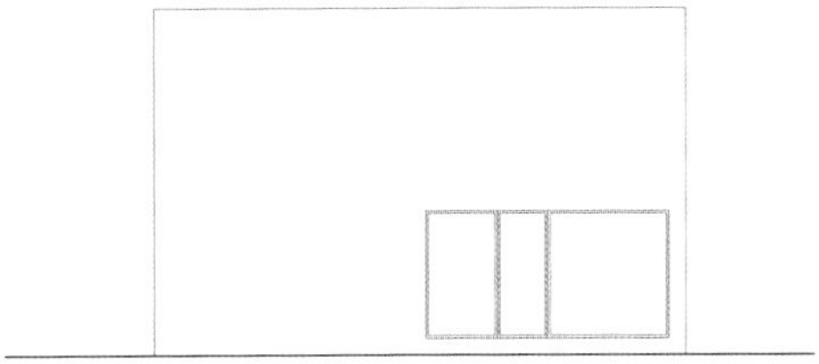

Ansicht West

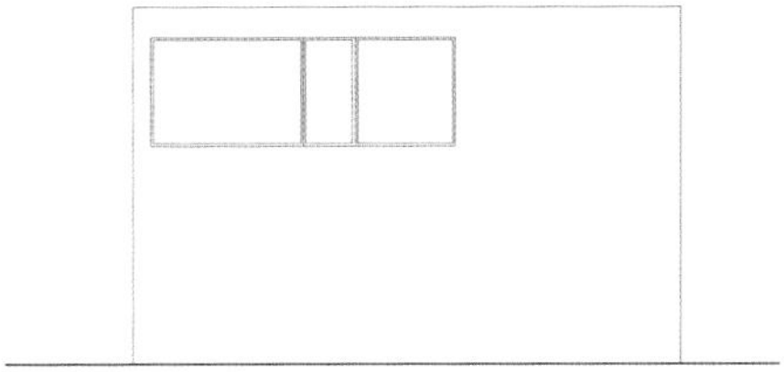

Ansicht Süd

Objektbeschreibung

Allgemeine Objektinformationen

Das Bürogebäude wurde über die östliche Zufahrt von der Hauptstraße erschlossen. Der Eingang erfolgt barrierefrei über die Nordfassade des Gebäudes. Das Haus ist zweigeschossig. Im Erdgeschoss befinden sich der offene Besprechungs- und Pausenraum sowie das Archiv mit Haustechnik und ein WC. Im Obergeschoss, das über eine einläufige Treppe erreichbar ist, sind Büros, Backoffice und Bibliothek zu finden.

Nutzung

1 Erdgeschoss
Besprechung/Pausenraum, Archiv, WC

1 Obergeschoss
Büro, Bibliothek, Backoffice

Nutzeinheiten

Arbeitsplätze: 8

Grundstück

Bauraum: Freier Bauraum
Neigung: Geneigtes Gelände
Bodenklasse: BK 1 bis BK 3

Markt

Hauptvergabezeit: 1. Quartal 2018
Baubeginn: 1. Quartal 2018
Bauende: 3. Quartal 2018
Konjunkturelle Gesamtlage: über Durchschnitt
Regionaler Baumarkt: unter Durchschnitt

Baukonstruktion

Das Flachdachgebäude wurde in Holzrahmenbauweise auf einer Stahlbetonbodenplatte mit Streifenfundamenten errichtet. Innenwände sind in Holzständer- sowie Trockenbauweise erstellt und die Dachkonstruktion als Flachdach mit Folienabdichtung ausgeführt. Die Fassade erhielt einen hellen Anstrich.

Technische Anlagen

Das Gebäude wird mit einer Luft-Luft-Wärmepumpe und über die Lüftung beheizt. Auf dem Flachdach ist eine Photovoltaikanlage installiert. Der im Bebauungsplan geforderte Retentionsspeicher für Niederschlagswasser wurde gemäß versiegelten Flächen dimensioniert und eingebaut.

Planungskennwerte für Flächen und Rauminhalte nach DIN 277

Flächen des Grundstücks		Menge Einheit	% an GF
BF	Bebaute Fläche	113,00 m²	9,2
UF	Unbebaute Fläche	1.115,00 m²	90,8
GF	Grundstücksfläche	1.228,00 m²	100,0

Grundflächen des Bauwerks		Menge Einheit	% an NUF	% an BGF
NUF	Nutzungsfläche	160,67 m²	100,0	71,1
TF	Technikfläche	–	–	–
VF	Verkehrsfläche	15,17 m²	9,4	6,7
NRF	Netto-Raumfläche	175,84 m²	109,4	77,8
KGF	Konstruktions-Grundfläche	50,16 m²	31,2	22,2
BGF	Brutto-Grundfläche	226,00 m²	140,7	100,0

Brutto-Rauminhalt des Bauwerks		Menge Einheit	BRI/NUF (m)	BRI/BGF (m)
BRI	Brutto-Rauminhalt	755,41 m³	4,70	3,34

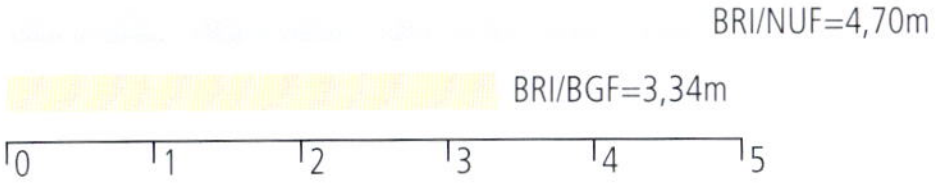

Lufttechnisch behandelte Flächen	Menge Einheit	% an NUF	% an BGF
Entlüftete Fläche	–	–	–
Be- und entlüftete Fläche	–	–	–
Teilklimatisierte Fläche	–	–	–
Klimatisierte Fläche	–	–	–

KG	Kostengruppen (2. Ebene)	Menge Einheit	Menge/NUF	Menge/BGF
310	Baugrube / Erdbau	26,99 m³ BGI	0,17	0,12
320	Gründung, Unterbau	107,95 m² GRF	0,67	0,48
330	Außenwände/Vertikale Baukonstruktionen, außen	287,69 m² AWF	1,79	1,27
340	Innenwände/Vertikale Baukonstruktionen, innen	84,25 m² IWF	0,52	0,37
350	Decken/Horizontale Baukonstruktionen	106,33 m² DEF	0,66	0,47
360	Dächer	109,00 m² DAF	0,68	0,48

1300-0254
Bürogebäude
(8 AP)
Effizienzhaus ~73%

Kostenkennwerte für die Kostengruppen der 1. Ebene DIN 276

KG	Kostengruppen (1. Ebene)	Einheit	Kosten €	€/Einheit	€/m² BGF	€/m³ BRI	% 300+400
100	Grundstück	m² GF	–	–	–	–	–
200	Vorbereitende Maßnahmen	m² GF	1.026	0,84	4,54	1,36	0,3
300	Bauwerk – Baukonstruktionen	m² BGF	276.623	1.224,00	1.224,00	366,19	72,0
400	Bauwerk – Technische Anlagen	m² BGF	107.345	474,98	474,98	142,10	28,0
	Bauwerk 300+400	**m² BGF**	**383.968**	**1.698,98**	**1.698,98**	**508,29**	**100,0**
500	Außenanlagen und Freiflächen	m² AF	4.290	20,53	18,98	5,68	1,1
600	Ausstattung und Kunstwerke	m² BGF	–	–	–	–	–
700	Baunebenkosten	m² BGF	–	–	–	–	–
800	Finanzierung	m² BGF	–	–	–	–	–

KG	Kostengruppe	Menge Einheit	Kosten €	€/Einheit	%
200	**Vorbereitende Maßnahmen**	1.228,00 m² GF	1.026	**0,84**	0,3
	Oberboden abtragen, entsorgen				
3+4	**Bauwerk**				**100,0**
300	**Bauwerk – Baukonstruktionen**	226,00 m² BGF	276.623	**1.224,00**	72,0
	Kalkschotter, Fundamente, Zementestrich, Nadelfilz, Linoleum; Holzrahmenwände, Holz-Alufenster, Glattputz, Silikatbeschichtung, Multiplex-Wandbekleidung, Gitterrostbelag; Stahlstütze, Holztür, GK-Vorsatzschalen; Holzbalkendecke, Zweiholmtreppe, Multiplex-Deckenbekleidung, GK-Decken; Holzbalkendach, Dachfenster, Abdichtung, Alu-Dachrandabschluss; Büroküche				
400	**Bauwerk – Technische Anlagen**	226,00 m² BGF	107.345	**474,98**	28,0
	Gebäudeentwässerung, Kalt- und Warmwasserleitungen, Sanitärobjekte; Luft-Luft-Wärmepumpe mit Lüftungsgerät; Photovoltaikanlage, Elektroinstallation, Beleuchtung; Koaxialkabel, Antennendose, EDV-Verkabelung, Anschlussdosen; Gebäudeautomation				
500	**Außenanlagen und Freiflächen**	209,00 m² AF	4.290	**20,53**	1,1
	Rohrgrabenaushub; KG-Rohre, Kontrollschacht				

Kostenkennwerte für die Kostengruppen 300 der 2. und 3. Ebene DIN 276 (Übersicht)

KG	Kostengruppe	Menge Einheit	€/Einheit	Kosten €	% an 3+4
300	**Bauwerk – Baukonstruktionen**	**226,00 m² BGF**	**1.224,00**	**276.623,41**	**72,0**
310	**Baugrube / Erdbau**	**26,99 m³ BGI**	**31,21**	**842,45**	**0,2**
311	Herstellung	26,99 m³ BGI	31,21	842,45	0,2
312	Umschließung	–	–	–	–
313	Wasserhaltung	–	–	–	–
314	Vortrieb	–	–	–	–
319	Sonstiges zur KG 310	–	–	–	–
320	**Gründung, Unterbau**	**107,95 m² GRF**	**389,06**	**41.998,80**	**10,9**
321	Baugrundverbesserung	320,00 m²	21,27	6.806,22	1,8
322	Flachgründungen und Bodenplatten	107,95 m²	148,07	15.984,33	4,2
323	Tiefgründungen	–	–	–	–
324	Gründungsbeläge	97,82 m²	119,73	11.712,05	3,1
325	Abdichtungen und Bekleidungen	112,57 m²	66,59	7.496,20	2,0
326	Dränagen	–	–	–	–
329	Sonstiges zur KG 320	–	–	–	–
330	**Außenwände/Vert. Baukonstrukt., außen**	**287,69 m² AWF**	**394,93**	**113.618,37**	**29,6**
331	Tragende Außenwände	236,00 m²	163,83	38.663,12	10,1
332	Nichttragende Außenwände	–	–	–	–
333	Außenstützen	–	–	–	–
334	Außenwandöffnungen	51,69 m²	887,04	45.850,96	11,9
335	Außenwandbekleidungen, außen	244,60 m²	81,63	19.967,77	5,2
336	Außenwandbekleidungen, innen	178,54 m²	43,02	7.681,21	2,0
337	Element. Außenwandkonstruktionen	–	–	–	–
338	Lichtschutz zur KG 330	–	–	–	–
339	Sonstiges zur KG 330	287,69 m² AWF	5,06	1.455,31	0,4
340	**Innenwände/Vert. Baukonstrukt., innen**	**84,25 m² IWF**	**189,37**	**15.954,51**	**4,2**
341	Tragende Innenwände	80,00 m²	76,51	6.120,64	1,6
342	Nichttragende Innenwände	–	–	–	–
343	Innenstützen	3,00 m	66,53	199,58	< 0,1
344	Innenwandöffnungen	4,25 m²	631,63	2.684,43	0,7
345	Innenwandbekleidungen	120,11 m²	53,15	6.384,35	1,7
346	Elementierte Innenwandkonstruktionen	–	–	–	–
347	Lichtschutz zur KG 340	–	–	–	–
349	Sonstiges zur KG 340	84,25 m² IWF	6,71	565,50	0,1
350	**Decken/Horizontale Baukonstruktionen**	**106,33 m² DEF**	**325,12**	**34.569,69**	**9,0**
351	Deckenkonstruktionen	106,33 m²	187,46	19.932,81	5,2
352	Deckenöffnungen	–	–	–	–
353	Deckenbeläge	95,97 m²	89,54	8.593,63	2,2
354	Deckenbekleidungen	95,50 m²	63,28	6.043,27	1,6
355	Elementierte Deckenkonstruktionen	–	–	–	–
359	Sonstiges zur KG 350	–	–	–	–
360	**Dächer**	**109,00 m² DAF**	**446,87**	**48.709,36**	**12,7**
361	Dachkonstruktionen	107,50 m²	154,12	16.567,47	4,3
362	Dachöffnungen	1,00 m²	2.577,99	2.577,99	0,7
363	Dachbeläge	109,00 m²	186,10	20.285,40	5,3
364	Dachbekleidungen	96,00 m²	96,65	9.278,49	2,4
365	Elementierte Dachkonstruktionen	–	–	–	–
366	Lichtschutz zur KG 360	–	–	–	–
369	Sonstiges zur KG 360	–	–	–	–
370	**Infrastrukturanlagen**	**–**	**–**	**–**	**–**
380	**Baukonstruktive Einbauten**	**226,00 m² BGF**	**41,22**	**9.315,71**	**2,4**
390	**Sonst. Maßnahmen für Baukonstrukt.**	**226,00 m² BGF**	**51,39**	**11.614,53**	**3,0**

Kostenkennwerte für die Kostengruppen 400 der 2. und 3. Ebene DIN 276 (Übersicht)

KG	Kostengruppe	Menge Einheit	€/Einheit	Kosten €	% an 3+4
400	**Bauwerk – Technische Anlagen**	**226,00 m²BGF**	**474,98**	**107.344,95**	**28,0**
410	**Abwasser-, Wasser-, Gasanlagen**	**226,00 m²BGF**	**70,02**	**15.823,49**	**4,1**
411	Abwasseranlagen	226,00 m²BGF	46,19	10.438,15	2,7
412	Wasseranlagen	226,00 m²BGF	22,50	5.084,39	1,3
413	Gasanlagen	–	–	–	–
419	Sonstiges zur KG 410	226,00 m²BGF	1,33	300,95	< 0,1
420	**Wärmeversorgungsanlagen**	**–**	**–**	**–**	**–**
421	Wärmeerzeugungsanlagen	–	–	–	–
422	Wärmeverteilnetze	–	–	–	–
423	Raumheizflächen	–	–	–	–
424	Verkehrsheizflächen	–	–	–	–
429	Sonstiges zur KG 420	–	–	–	–
430	**Raumlufttechnische Anlagen**	**226,00 m²BGF**	**150,39**	**33.989,03**	**8,9**
431	Lüftungsanlagen	226,00 m²BGF	150,39	33.989,03	8,9
432	Teilklimaanlagen	–	–	–	–
433	Klimaanlagen	–	–	–	–
434	Kälteanlagen	–	–	–	–
439	Sonstiges zur KG 430	–	–	–	–
440	**Elektrische Anlagen**	**226,00 m²BGF**	**205,03**	**46.337,60**	**12,1**
441	Hoch- und Mittelspannungsanlagen	–	–	–	–
442	Eigenstromversorgungsanlagen	226,00 m²BGF	143,59	32.452,21	8,5
443	Niederspannungsschaltanlagen	–	–	–	–
444	Niederspannungsinstallationsanlagen	226,00 m²BGF	38,90	8.790,81	2,3
445	Beleuchtungsanlagen	226,00 m²BGF	19,59	4.426,75	1,2
446	Blitzschutz- und Erdungsanlagen	226,00 m²BGF	2,95	667,82	0,2
447	Fahrleitungssysteme	–	–	–	–
449	Sonstiges zur KG 440	–	–	–	–
450	**Kommunikationstechnische Anlagen**	**226,00 m²BGF**	**10,88**	**2.458,96**	**0,6**
451	Telekommunikationsanlagen	–	–	–	–
452	Such- und Signalanlagen	–	–	–	–
453	Zeitdienstanlagen	–	–	–	–
454	Elektroakustische Anlagen	–	–	–	–
455	Audiovisuelle Medien- u. Antennenanl.	226,00 m²BGF	1,65	374,02	< 0,1
456	Gefahrenmelde- und Alarmanlagen	–	–	–	–
457	Datenübertragungsnetze	226,00 m²BGF	9,23	2.084,94	0,5
458	Verkehrsbeeinflussungsanlagen	–	–	–	–
459	Sonstiges zur KG 450	–	–	–	–
460	**Förderanlagen**	**–**	**–**	**–**	**–**
461	Aufzugsanlagen	–	–	–	–
462	Fahrtreppen, Fahrsteige	–	–	–	–
463	Befahranlagen	–	–	–	–
464	Transportanlagen	–	–	–	–
465	Krananlagen	–	–	–	–
466	Hydraulikanlagen	–	–	–	–
469	Sonstiges zur KG 460	–	–	–	–
470	**Nutzungsspez. u. verfahrenstechn. Anl.**	**–**	**–**	**–**	**–**
480	**Gebäude- und Anlagenautomation**	**226,00 m²BGF**	**38,65**	**8.735,87**	**2,3**
490	**Sonst. Maßnahmen für techn. Anlagen**	**–**	**–**	**–**	**–**

Kostenkennwerte für Leistungsbereiche nach STLB (Kosten des Bauwerks nach DIN 276)

LB	Leistungsbereiche	Kosten €	€/m² BGF	€/m³ BRI	% an 3+4
000	Sicherheits-, Baustelleneinrichtungen inkl. 001	9.106	40,30	12,10	2,4
002	Erdarbeiten	7.643	33,80	10,10	2,0
006	Spezialtiefbauarbeiten inkl. 005	–	–	–	–
009	Entwässerungskanalarbeiten inkl. 011	3.028	13,40	4,00	0,8
010	Drän- und Versickerarbeiten	–	–	–	–
012	Mauerarbeiten	–	–	–	–
013	Betonarbeiten	23.486	103,90	31,10	6,1
014	Natur-, Betonwerksteinarbeiten	–	–	–	–
016	Zimmer- und Holzbauarbeiten	69.648	308,20	92,20	18,1
017	Stahlbauarbeiten	798	3,50	1,10	0,2
018	Abdichtungsarbeiten	4.332	19,20	5,70	1,1
019	Kampfmittelräumarbeiten	–	–	–	–
020	Dachdeckungsarbeiten	–	–	–	–
021	Dachabdichtungsarbeiten	21.533	95,30	28,50	5,6
022	Klempnerarbeiten	2.026	9,00	2,70	0,5
	Rohbau	**141.600**	**626,50**	**187,40**	**36,9**
023	Putz- und Stuckarbeiten, Wärmedämmsysteme	18.435	81,60	24,40	4,8
024	Fliesen- und Plattenarbeiten	–	–	–	–
025	Estricharbeiten	6.056	26,80	8,00	1,6
026	Fenster, Außentüren inkl. 029, 032	40.810	180,60	54,00	10,6
027	Tischlerarbeiten	29.835	132,00	39,50	7,8
028	Parkettarbeiten, Holzpflasterarbeiten	–	–	–	–
030	Rollladenarbeiten	–	–	–	–
031	Metallbauarbeiten inkl. 035	10.304	45,60	13,60	2,7
034	Maler- und Lackiererarbeiten inkl. 037	417	1,80	0,55	0,1
036	Bodenbelagarbeiten	17.300	76,60	22,90	4,5
038	Vorgehängte hinterlüftete Fassaden	–	–	–	–
039	Trockenbauarbeiten	14.894	65,90	19,70	3,9
	Ausbau	**138.051**	**610,80**	**182,70**	**36,0**
040	Wärmeversorgungsanl. - Betriebseinr. inkl. 041	–	–	–	–
042	Gas- und Wasserinstallation, Leitungen inkl. 043	1.297	5,70	1,70	0,3
044	Abwasseranlagen - Leitungen	2.088	9,20	2,80	0,5
045	GWE-Einrichtungsgegenstände inkl. 046	9.186	40,60	12,20	2,4
047	Dämmarbeiten an betriebstechnischen Anlagen	225	0,99	0,30	< 0,1
049	Feuerlöschanlagen, Feuerlöschgeräte	–	–	–	–
050	Blitzschutz- und Erdungsanlagen	668	3,00	0,88	0,2
053	Niederspannungsanlagen inkl. 052, 054	41.243	182,50	54,60	10,7
055	Sicherheits- u. Ersatzstromversorgungsanl.	–	–	–	–
057	Gebäudesystemtechnik	–	–	–	–
058	Leuchten und Lampen inkl. 059	4.427	19,60	5,90	1,2
060	Sprechanlagen, elektroakust. Anlagen inkl. 064	–	–	–	–
061	Kommunikationsnetze inkl. 063	2.459	10,90	3,30	0,6
069	Aufzüge	–	–	–	–
070	Gebäudeautomation	8.736	38,70	11,60	2,3
075	Raumlufttechnische Anlagen inkl. 078	33.665	149,00	44,60	8,8
	Gebäudetechnik	**103.993**	**460,10**	**137,70**	**27,1**
084	Abbruch, Rückbau, Schadstoffsanierung	–	–	–	–
	Abbrucharbeiten	**–**	**–**	**–**	**–**
	Sonstige Leistungsbereiche	**324**	**1,40**	**0,43**	**< 0,1**

1300-0259
Bürogebäude
(30 AP)
Effizienzhaus ~53%

Objektübersicht

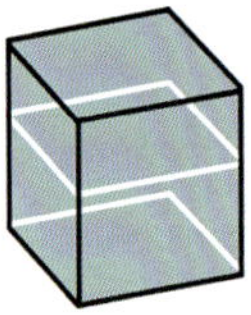
BRI 459 €/m³

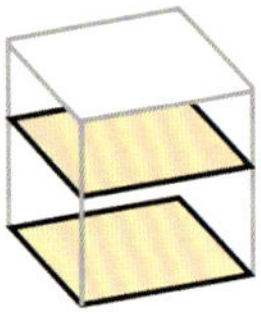
BGF 2.340 €/m²

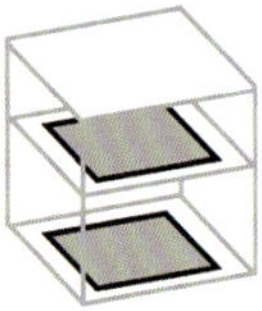
NUF 2.691 €/m²

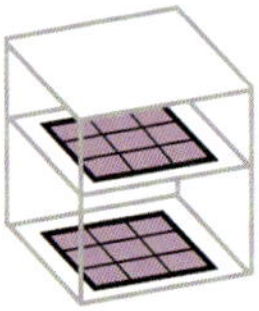
NE 66.883 €/NE
NE: Arbeitsplätze

Objekt:
Kennwerte: 3. Ebene DIN 276
BRI: 4.373 m³
BGF: 858 m²
NUF: 746 m²
Bauzeit: 52 Wochen
Bauende: 2019
Standard: über Durchschnitt
Bundesland: Baden-Württemberg
Kreis: Zollernalbkreis

Architekt*in:
RAINER GRAF
architekten GmbH
Paulinenstraße 22
72131 Ofterdingen

Bauherr*in:
Atelier Türke
Verwaltungs GmbH
Rote Länder 9
72336 Balingen

© Rainer Graf

© Rainer Graf

© Rainer Graf

© Rainer Graf

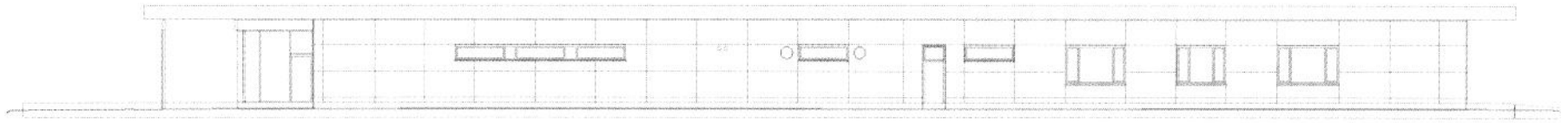

Ansicht Nord

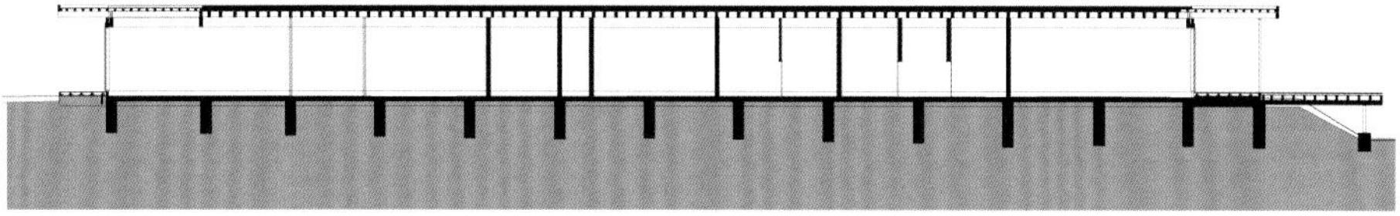

Schnitt A-A

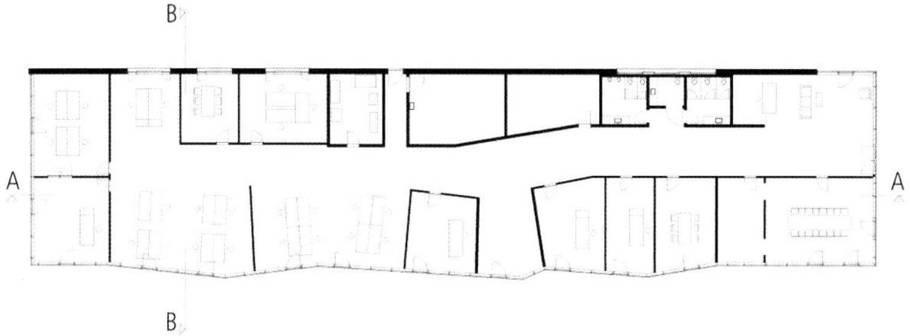

Erdgeschoss

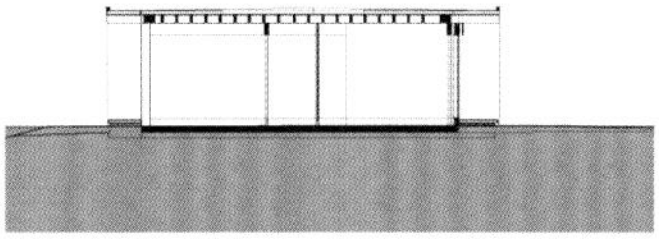

Schnitt B-B

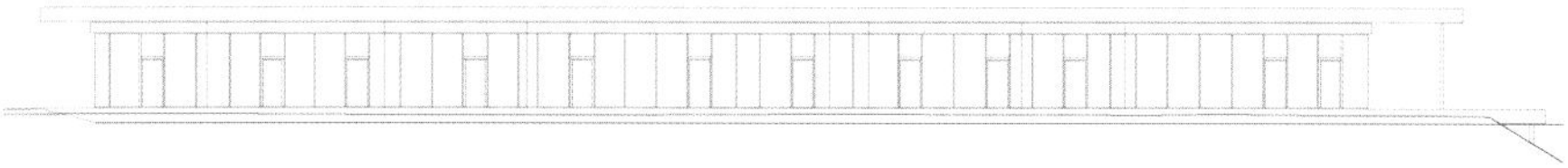

Ansicht Süd

1300-0259
Bürogebäude
(30 AP)
Effizienzhaus ~53%

Objektbeschreibung

Allgemeine Objektinformationen

Das eingeschossige Bürogebäude ist geprägt durch die gefaltete Glasfassade, die sich zum Höhenzug der Schwäbischen Alb öffnet. Das Flachdach schiebt sich großzügig über den Baukörper und bildet geschützte Außenbereiche. Nach Norden ist die Fassade weitgehend geschlossen.

Nutzung

1 Erdgeschoss
Büros, Besprechungsräume, Küche, Empfangsbereich, Archiv, WCs, Technik

Nutzeinheiten

Arbeitsplätze: 30

Grundstück

Bauraum: Freier Bauraum
Neigung: Geneigtes Gelände
Bodenklasse: BK 1 bis BK 7

Besonderer Kosteneinfluss Grundstück
Besondere geologische Verhältnisse
Baugrubensohle in Auffüllung
Tiefergründung bis auf Felsschicht

Markt

Hauptvergabezeit: 2. Quartal 2018
Baubeginn: 3. Quartal 2018
Bauende: 3. Quartal 2019
Konjunkturelle Gesamtlage: über Durchschnitt
Regionaler Baumarkt: Durchschnitt

Baukonstruktion

Die Außenwände des Gebäudes wurden in Holzständerbauweise mit Zellulosedämmung errichtet und stehen auf einer gedämmten Bodenplatte. Es wurde eine Brunnengründung ausgeführt. Die Tragstruktur innen besteht aus Stahlbetonwänden in Sichtbetonqualität und Stahlstützen. Die Holzkonstruktion des Flachdachs ist mit einer Aufdachdämmung versehen. Die Fassaden sind mit Faserzement beplankt. Die Pfosten-Riegel-Fassade wurde mit Dreifachverglasung und Aluschale ausgestattet.

Technische Anlagen

Der Wärmebedarf für Warmwasser und Heizung wird über eine Luft-Wasser-Wärmepumpe gedeckt, mit der man nicht nur heizen, sondern auch kühlen kann. Die Wärmeverteilung erfolgt über eine Fußbodenheizung. Das Gebäude ist mit einer Lüftungsanlage mit Wärmerückgewinnung ausgestattet. Das energetische Konzept wird durch die Photovoltaikanlage abgerundet.

Sonstiges

Die Luftdichtheit des Gebäudes wurde mit einem Blower-Door-Test überprüft.

Planungskennwerte für Flächen und Rauminhalte nach DIN 277

Flächen des Grundstücks		Menge Einheit	% an GF
BF	Bebaute Fläche	–	–
UF	Unbebaute Fläche	–	–
GF	Grundstücksfläche	16.697,00 m²	100,0

Grundflächen des Bauwerks		Menge Einheit	% an NUF	% an BGF
NUF	Nutzungsfläche	745,67 m²	100,0	87,0
TF	Technikfläche	32,60 m²	4,4	3,8
VF	Verkehrsfläche	7,91 m²	1,1	0,9
NRF	Netto-Raumfläche	786,18 m²	105,4	91,7
KGF	Konstruktions-Grundfläche	71,33 m²	9,6	8,3
BGF	Brutto-Grundfläche	857,51 m²	115,0	100,0

Brutto-Rauminhalt des Bauwerks		Menge Einheit	BRI/NUF (m)	BRI/BGF (m)
BRI	Brutto-Rauminhalt	4.373,30 m³	5,87	5,10

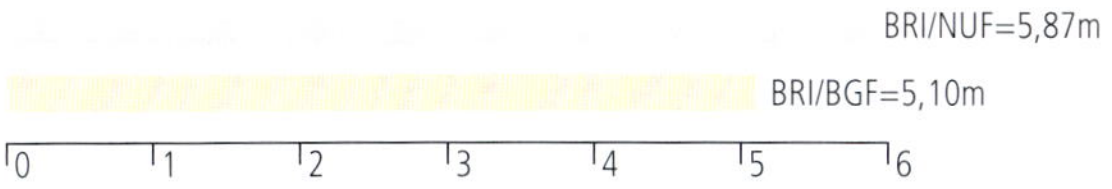

Lufttechnisch behandelte Flächen	Menge Einheit	% an NUF	% an BGF
Entlüftete Fläche	–	–	–
Be- und entlüftete Fläche	–	–	–
Teilklimatisierte Fläche	–	–	–
Klimatisierte Fläche	–	–	–

KG	Kostengruppen (2. Ebene)	Menge Einheit	Menge/NUF	Menge/BGF
310	Baugrube / Erdbau	72,85 m³ BGI	0,10	0,09
320	Gründung, Unterbau	852,00 m² GRF	1,14	0,99
330	Außenwände/Vertikale Baukonstruktionen, außen	662,88 m² AWF	0,89	0,77
340	Innenwände/Vertikale Baukonstruktionen, innen	729,25 m² IWF	0,98	0,85
350	Decken / horizontal	–	–	–
360	Dächer	1.158,38 m² DAF	1,55	1,35

Kostenkennwerte für die Kostengruppen der 1. Ebene DIN 276

KG	Kostengruppen (1. Ebene)	Einheit	Kosten €	€/Einheit	€/m² BGF	€/m³ BRI	% 300+400
100	Grundstück	m² GF	–	–	–	–	–
200	Vorbereitende Maßnahmen	m² GF	1.138	0,07	1,33	0,26	< 0,1
300	Bauwerk – Baukonstruktionen	m² BGF	1.599.877	1.865,72	1.865,72	365,83	79,7
400	Bauwerk – Technische Anlagen	m² BGF	406.610	474,18	474,18	92,98	20,3
	Bauwerk 300+400	**m² BGF**	**2.006.487**	**2.339,90**	**2.339,90**	**458,80**	**100,0**
500	Außenanlagen und Freiflächen	m² AF	–	–	–	–	–
600	Ausstattung und Kunstwerke	m² BGF	–	–	–	–	–
700	Baunebenkosten	m² BGF	–	–	–	–	–
800	Finanzierung	m² BGF	–	–	–	–	–

KG	Kostengruppe	Menge Einheit	Kosten €	€/Einheit	%
200	**Vorbereitende Maßnahmen**	16.697,00 m² GF	1.138	**0,07**	< 0,1
	Oberboden abtragen				
3+4	**Bauwerk**				**100,0**
300	**Bauwerk – Baukonstruktionen**	857,51 m² BGF	1.599.877	**1.865,72**	79,7
	Stb-Bodenplatte, Gründungsbrunnen, Dämmung, Heizestrich, Industrieparkett, Bodenfliesen; Holzrahmenwände, Stahlstützen, Holz-Alufenster, Faserzementfassade, GK-Trockenputz, Silikatbeschichtung, Wandfliesen, Pfosten-Riegelfassade, Raffstores; Sichtbetonwände, Holztüren, Brandschutztüren, Alu-Glastrennwände; Holz-Flachdach, Abdichtung, Dämmung, Dachbegrünung, Kies, Dachentwässerung, Akustikdecken, GK-Decke				
400	**Bauwerk – Technische Anlagen**	857,51 m² BGF	406.610	**474,18**	20,3
	Gebäudeentwässerung, Kalt- und Warmwasserleitungen, Wasserenthärtungsanlage, Sanitärobjekte; Luft-Wasser-Wärmepumpe für Heizen und Kühlen, Fußbodenheizung; Lüftungsanlage mit WRG; Photovoltaikanlage, Elektroinstallation, Blitzschutzanlage; EDV-Verkabelung, Fernmeldekabel				

Kostenkennwerte für die Kostengruppen 300 der 2. und 3. Ebene DIN 276 (Übersicht)

KG	Kostengruppe	Menge Einheit	€/Einheit	Kosten €	% an 3+4
300	**Bauwerk – Baukonstruktionen**	**857,51 m² BGF**	**1.865,72**	**1.599.877,13**	**79,7**
310	**Baugrube / Erdbau**	**72,85 m³ BGI**	**103,03**	**7.505,50**	**0,4**
311	Herstellung	72,85 m³ BGI	103,03	7.505,50	0,4
312	Umschließung	–	–	–	–
313	Wasserhaltung	–	–	–	–
314	Vortrieb	–	–	–	–
319	Sonstiges zur KG 310	–	–	–	–
320	**Gründung, Unterbau**	**852,00 m² GRF**	**384,41**	**327.517,96**	**16,3**
321	Baugrundverbesserung	–	–	–	–
322	Flachgründungen und Bodenplatten	852,00 m²	95,29	81.188,57	4,0
323	Tiefgründungen	852,00 m²	87,36	74.427,76	3,7
324	Gründungsbeläge	769,29 m²	201,06	154.672,06	7,7
325	Abdichtungen und Bekleidungen	831,98 m²	20,71	17.229,57	0,9
326	Dränagen	–	–	–	–
329	Sonstiges zur KG 320	–	–	–	–
330	**Außenwände/Vert. Baukonstrukt., außen**	**662,88 m² AWF**	**635,81**	**421.471,12**	**21,0**
331	Tragende Außenwände	235,51 m²	199,04	46.875,83	2,3
332	Nichttragende Außenwände	72,78 m²	110,35	8.031,39	0,4
333	Außenstützen	18,80 m	141,27	2.655,85	0,1
334	Außenwandöffnungen	31,19 m²	887,32	27.675,52	1,4
335	Außenwandbekleidungen, außen	270,79 m²	212,56	57.560,51	2,9
336	Außenwandbekleidungen, innen	232,07 m²	55,76	12.940,57	0,6
337	Element. Außenwandkonstruktionen	323,40 m²	684,57	221.389,36	11,0
338	Lichtschutz zur KG 330	339,93 m²	130,44	44.342,09	2,2
339	Sonstiges zur KG 330	–	–	–	–
340	**Innenwände/Vert. Baukonstrukt., innen**	**729,25 m² IWF**	**326,79**	**238.310,10**	**11,9**
341	Tragende Innenwände	370,96 m²	237,45	88.085,61	4,4
342	Nichttragende Innenwände	185,72 m²	142,39	26.445,28	1,3
343	Innenstützen	107,50 m	102,20	10.986,95	0,5
344	Innenwandöffnungen	20,94 m²	675,96	14.151,24	0,7
345	Innenwandbekleidungen	930,39 m²	28,37	26.390,57	1,3
346	Elementierte Innenwandkonstruktionen	151,64 m²	476,46	72.250,47	3,6
347	Lichtschutz zur KG 340	–	–	–	–
349	Sonstiges zur KG 340	–	–	–	–
350	**Decken/Horizontale Baukonstruktionen**	**–**	**–**	**–**	**–**
351	Deckenkonstruktionen	–	–	–	–
352	Deckenöffnungen	–	–	–	–
353	Deckenbeläge	–	–	–	–
354	Deckenbekleidungen	–	–	–	–
355	Elementierte Deckenkonstruktionen	–	–	–	–
359	Sonstiges zur KG 350	–	–	–	–
360	**Dächer**	**1.158,38 m² DAF**	**470,17**	**544.640,33**	**27,1**
361	Dachkonstruktionen	1.158,38 m²	154,71	179.208,89	8,9
362	Dachöffnungen	–	–	–	–
363	Dachbeläge	1.158,38 m²	214,15	248.068,13	12,4
364	Dachbekleidungen	951,34 m²	123,37	117.363,31	5,8
365	Elementierte Dachkonstruktionen	–	–	–	–
366	Lichtschutz zur KG 360	–	–	–	–
369	Sonstiges zur KG 360	–	–	–	–
370	**Infrastrukturanlagen**	**–**	**–**	**–**	**–**
380	**Baukonstruktive Einbauten**	**–**	**–**	**–**	**–**
390	**Sonst. Maßnahmen für Baukonstrukt.**	**857,51 m² BGF**	**70,47**	**60.432,10**	**3,0**

Kostenkennwerte für die Kostengruppen 400 der 2. und 3. Ebene DIN 276 (Übersicht)

KG	Kostengruppe	Menge Einheit	€/Einheit	Kosten €	% an 3+4
400	**Bauwerk – Technische Anlagen**	**857,51 m²BGF**	**474,18**	**406.610,23**	**20,3**
410	**Abwasser-, Wasser-, Gasanlagen**	**857,51 m²BGF**	**38,82**	**33.291,44**	**1,7**
411	Abwasseranlagen	857,51 m²BGF	8,10	6.944,39	0,3
412	Wasseranlagen	857,51 m²BGF	28,03	24.033,29	1,2
413	Gasanlagen	–	–	–	–
419	Sonstiges zur KG 410	857,51 m²BGF	2,70	2.313,74	0,1
420	**Wärmeversorgungsanlagen**	**857,51 m²BGF**	**121,93**	**104.552,71**	**5,2**
421	Wärmeerzeugungsanlagen	857,51 m²BGF	53,86	46.186,41	2,3
422	Wärmeverteilnetze	857,51 m²BGF	22,41	19.221,07	1,0
423	Raumheizflächen	857,51 m²BGF	45,65	39.145,24	2,0
424	Verkehrsheizflächen	–	–	–	–
429	Sonstiges zur KG 420	–	–	–	–
430	**Raumlufttechnische Anlagen**	**857,51 m²BGF**	**82,15**	**70.447,68**	**3,5**
431	Lüftungsanlagen	857,51 m²BGF	82,15	70.447,68	3,5
432	Teilklimaanlagen	–	–	–	–
433	Klimaanlagen	–	–	–	–
434	Kälteanlagen	–	–	–	–
439	Sonstiges zur KG 430	–	–	–	–
440	**Elektrische Anlagen**	**857,51 m²BGF**	**201,86**	**173.093,61**	**8,6**
441	Hoch- und Mittelspannungsanlagen	–	–	–	–
442	Eigenstromversorgungsanlagen	857,51 m²BGF	49,72	42.633,61	2,1
443	Niederspannungsschaltanlagen	–	–	–	–
444	Niederspannungsinstallationsanlagen	857,51 m²BGF	146,27	125.427,07	6,3
445	Beleuchtungsanlagen	–	–	–	–
446	Blitzschutz- und Erdungsanlagen	857,51 m²BGF	5,87	5.032,94	0,3
447	Fahrleitungssysteme	–	–	–	–
449	Sonstiges zur KG 440	–	–	–	–
450	**Kommunikationstechnische Anlagen**	**857,51 m²BGF**	**26,52**	**22.737,57**	**1,1**
451	Telekommunikationsanlagen	–	–	–	–
452	Such- und Signalanlagen	–	–	–	–
453	Zeitdienstanlagen	–	–	–	–
454	Elektroakustische Anlagen	–	–	–	–
455	Audiovisuelle Medien- u. Antennenanl.	–	–	–	–
456	Gefahrenmelde- und Alarmanlagen	–	–	–	–
457	Datenübertragungsnetze	857,51 m²BGF	26,52	22.737,57	1,1
458	Verkehrsbeeinflussungsanlagen	–	–	–	–
459	Sonstiges zur KG 450	–	–	–	–
460	**Förderanlagen**	**–**	**–**	**–**	**–**
461	Aufzugsanlagen	–	–	–	–
462	Fahrtreppen, Fahrsteige	–	–	–	–
463	Befahranlagen	–	–	–	–
464	Transportanlagen	–	–	–	–
465	Krananlagen	–	–	–	–
466	Hydraulikanlagen	–	–	–	–
469	Sonstiges zur KG 460	–	–	–	–
470	**Nutzungsspez. u. verfahrenstechn. Anl.**	**–**	**–**	**–**	**–**
480	**Gebäude- und Anlagenautomation**	**–**	**–**	**–**	**–**
490	**Sonst. Maßnahmen für techn. Anlagen**	**857,51 m²BGF**	**2,90**	**2.487,20**	**0,1**

Kostenkennwerte für Leistungsbereiche nach STLB (Kosten des Bauwerks nach DIN 276)

LB	Leistungsbereiche	Kosten €	€/m² BGF	€/m³ BRI	% an 3+4
000	Sicherheits-, Baustelleneinrichtungen inkl. 001	50.517	58,90	11,60	2,5
002	Erdarbeiten	13.065	15,20	3,00	0,7
006	Spezialtiefbauarbeiten inkl. 005	73.846	86,10	16,90	3,7
009	Entwässerungskanalarbeiten inkl. 011	3.554	4,10	0,81	0,2
010	Drän- und Versickerarbeiten	–	–	–	–
012	Mauerarbeiten	–	–	–	–
013	Betonarbeiten	185.771	216,60	42,50	9,3
014	Natur-, Betonwerksteinarbeiten	–	–	–	–
016	Zimmer- und Holzbauarbeiten	336.840	392,80	77,00	16,8
017	Stahlbauarbeiten	13.643	15,90	3,10	0,7
018	Abdichtungsarbeiten	474	0,55	0,11	< 0,1
019	Kampfmittelräumarbeiten	–	–	–	–
020	Dachdeckungsarbeiten	–	–	–	–
021	Dachabdichtungsarbeiten	165.379	192,90	37,80	8,2
022	Klempnerarbeiten	17.805	20,80	4,10	0,9
	Rohbau	**860.893**	**1.003,90**	**196,90**	**42,9**
023	Putz- und Stuckarbeiten, Wärmedämmsysteme	–	–	–	–
024	Fliesen- und Plattenarbeiten	10.892	12,70	2,50	0,5
025	Estricharbeiten	80.708	94,10	18,50	4,0
026	Fenster, Außentüren inkl. 029, 032	80.755	94,20	18,50	4,0
027	Tischlerarbeiten	19.504	22,70	4,50	1,0
028	Parkettarbeiten, Holzpflasterarbeiten	64.925	75,70	14,80	3,2
030	Rollladenarbeiten	45.310	52,80	10,40	2,3
031	Metallbauarbeiten inkl. 035	235.208	274,30	53,80	11,7
034	Maler- und Lackiererarbeiten inkl. 037	24.942	29,10	5,70	1,2
036	Bodenbelagarbeiten	–	–	–	–
038	Vorgehängte hinterlüftete Fassaden	73.589	85,80	16,80	3,7
039	Trockenbauarbeiten	102.928	120,00	23,50	5,1
	Ausbau	**738.759**	**861,50**	**168,90**	**36,8**
040	Wärmeversorgungsanl. - Betriebseinr. inkl. 041	104.553	121,90	23,90	5,2
042	Gas- und Wasserinstallation, Leitungen inkl. 043	8.078	9,40	1,80	0,4
044	Abwasseranlagen - Leitungen	3.895	4,50	0,89	0,2
045	GWE-Einrichtungsgegenstände inkl. 046	16.901	19,70	3,90	0,8
047	Dämmarbeiten an betriebstechnischen Anlagen	7.570	8,80	1,70	0,4
049	Feuerlöschanlagen, Feuerlöschgeräte	–	–	–	–
050	Blitzschutz- und Erdungsanlagen	5.033	5,90	1,20	0,3
053	Niederspannungsanlagen inkl. 052, 054	167.295	195,10	38,30	8,3
055	Sicherheits- u. Ersatzstromversorgungsanl.	–	–	–	–
057	Gebäudesystemtechnik	–	–	–	–
058	Leuchten und Lampen inkl. 059	–	–	–	–
060	Sprechanlagen, elektroakust. Anlagen inkl. 064	–	–	–	–
061	Kommunikationsnetze inkl. 063	22.738	26,50	5,20	1,1
069	Aufzüge	–	–	–	–
070	Gebäudeautomation	–	–	–	–
075	Raumlufttechnische Anlagen inkl. 078	66.995	78,10	15,30	3,3
	Gebäudetechnik	**403.056**	**470,00**	**92,20**	**20,1**
084	Abbruch, Rückbau, Schadstoffsanierung	–	–	–	–
	Abbrucharbeiten	**–**	**–**	**–**	**–**
	Sonstige Leistungsbereiche	**3.778**	**4,40**	**0,86**	**0,2**

1300-0292
Landratsamt
(136 AP)
TG (19 STP)
Effizienzhaus ~44%

Objektübersicht

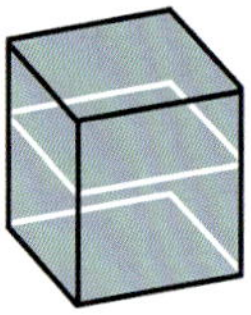

BRI 739 €/m³

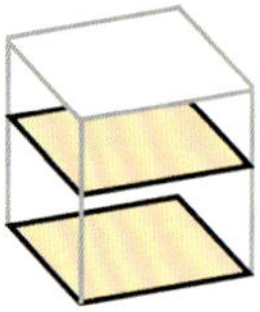

BGF 2.758 €/m²

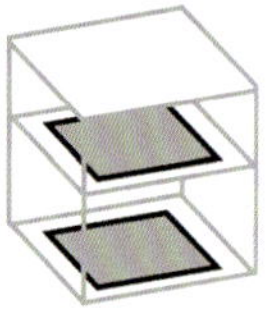

NUF 5.376 €/m²

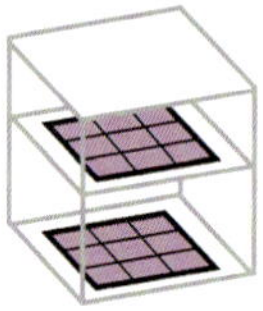

NE 97.162 €/NE

NE: Arbeitsplätze

Objekt:
Kennwerte: 3. Ebene DIN 276
BRI: 17.882 m³
BGF: 4.790 m²
NUF: 2.458 m²
Bauzeit: 117 Wochen
Bauende: 2020
Standard: über Durchschnitt
Bundesland: Baden-Württemberg
Kreis: Biberach

Architekt*in:
ArGe
Gurland+Seher+Rapp
Architekten
Bleicherstraße 1
88400 Biberach a.d. Riss
Magirus-Deutz-Straße 14
89077 Ulm

Bauherr*in:
Landratsamt Biberach
Amt für Liegenschaften und Gebäude
Rollinstraße 9
88400 Biberach

© Conné van d'Grachten

© Conné van d'Grachten

© Conné van d'Grachten

© Conné van d'Grachten

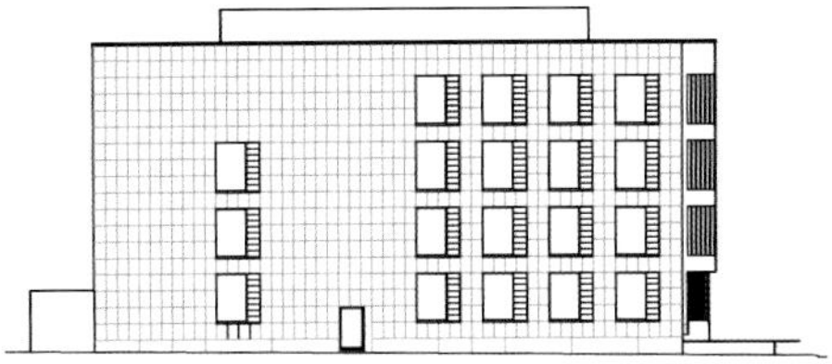

Ansicht Süd

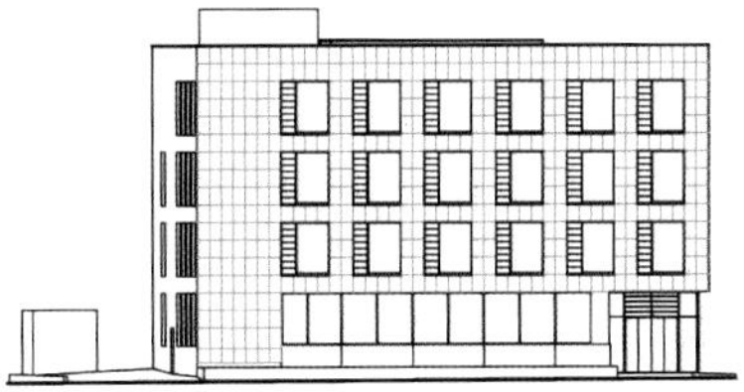

Ansicht Ost

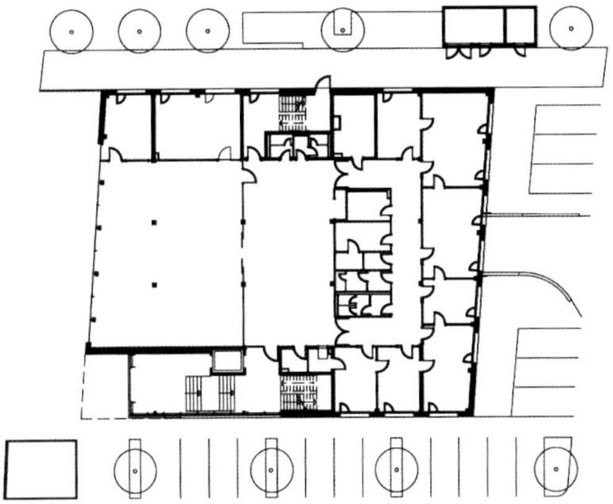

Erdgeschoss

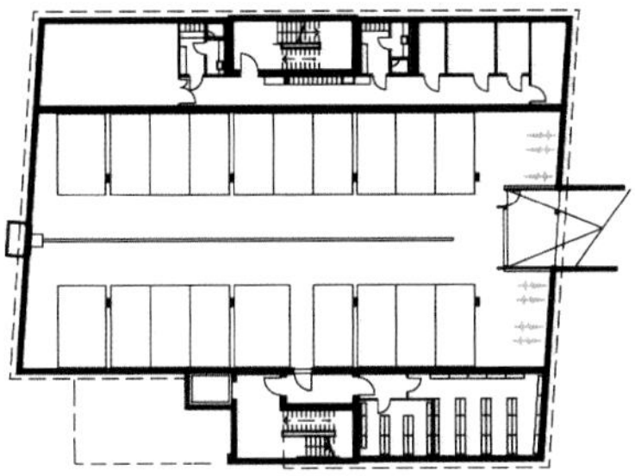

Untergeschoss

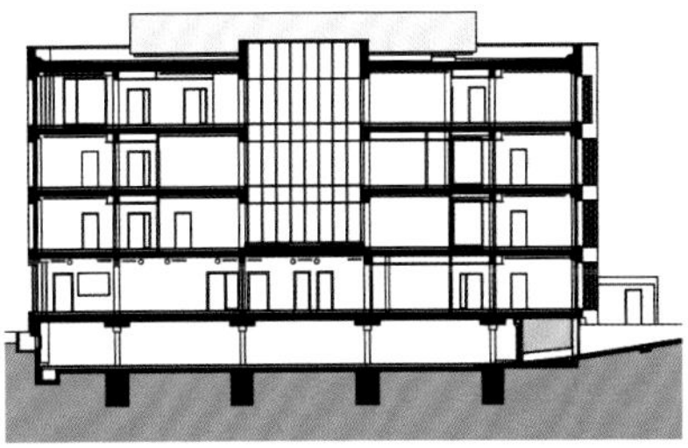

Schnitt A-A

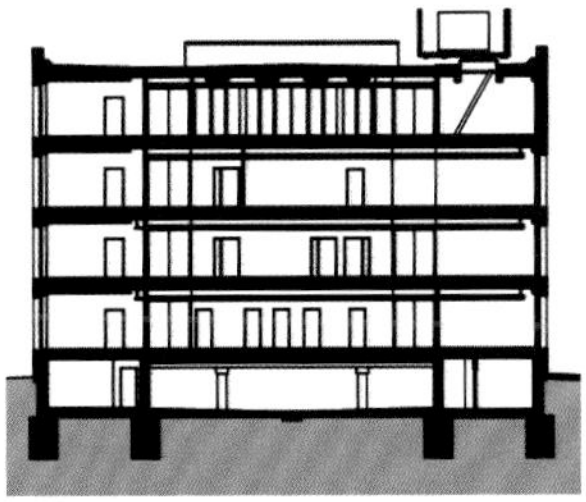

Schnitt B-B

Ansicht Nord

Ansicht West

1300-0292
Landratsamt
(136 AP)
TG (19 STP)
Effizienzhaus ~44%

Objektbeschreibung

Allgemeine Objektinformationen

Der viergeschossige Neubau in Holz-Beton-Hybridbauweise ergänzt die vorhandenen Gebäude des Landratsamts. Das Gebäude beinhaltet im Erdgeschoss die Kfz-Zulassungsstelle, in den Obergeschossen das Verkehrsamt, das Gesundheitsamt und die IT-Abteilung des Landratsamts. Hauptzugang und öffentliche Schalterhalle sind durch großflächige Verglasungen deutlich erkennbar und ermöglichen Kundennähe und Transparenz. Das Erdgeschoss mit der hohen Publikumsfrequenz der Kfz-Zulassungsstelle wird zum Charakteristikum des Gebäudes. Alle Obergeschosse sind ringartig um einen Innenhof orientiert und werden über diesen Hof zusätzlich belichtet.

Nutzung

1 Untergeschoss
Tiefgarage, Technikzentrale, Archiv, Umkleiden, Hausmeisterraum

1 Erdgeschoss
Schalterhalle, Anmeldung, Wartehalle, Foyer, Büros, Kasse, Schilderladen, Lager, Schutzraum, Kopierraum, Teeküche, Sanitärräume, Putzraum, Technikraum

3 Obergeschosse
Büros, Arztzimmer, Untersuchungszimmer, Besprechungszimmer, Teeküche, Sanitärräume, Putzräume, Technikraum, Serverraum

Nutzeinheiten

Arbeitsplätze: 136
Bürofläche: 1.545 m²
Stellplätze: 19

Grundstück

Bauraum: Baulücke
Neigung: Ebenes Gelände
Bodenklasse: BK 1 bis BK 5

Markt

Hauptvergabezeit: 3. Quartal 2018
Baubeginn: 3. Quartal 2018
Bauende: 4. Quartal 2020
Konjunkturelle Gesamtlage: über Durchschnitt
Regionaler Baumarkt: Durchschnitt

Baukonstruktion

Der Skelettbau aus Brettschichtholzstützen und -unterzügen wird von einer Massivholz-Betonverbunddecke überspannt, in welche deckengleiche Stahlbetonunterzüge an den Außenwandachsen integriert sind. Zwei gegenüberliegende, sich aus dem massiven Untergeschoss entwickelnde Stahlbetonkerne stabilisieren das Skelett. Die Gründung erfolgt über Brunnenfundamente. Dünne nichttragende Brettsperrholz-Fassadenelemente umschließen das Bauwerk und nehmen die vorgehängte gedämmte Fassade aus Ton-Keramik-Platten auf. Alle Einzelfenster sind Holz-Alufenster. Die Innenhoffassaden sowie die Westfassade im EG sind als Holz-Alu-Pfosten-Riegel-Fassade und die Eingangsfassade als Alu-Pfosten-Riegel-Fassade ausgebildet. Die Holzoberflächen innen sind in Sichtqualität ausgeführt.

Technische Anlagen

Die Heizung und Kühlung erfolgt mit einer Wasser-Wasser-Wärmepumpe, die an einen Saug- und Schluckbrunnen angeschlossen ist. Eine Rückgewinnung der Serverabwärme unterstützt die Wärmepumpe. Deckensegel dienen der Wärme-/Klimakälteverteilung und leisten einen Beitrag zur Verbesserung der Raumakustik. Auf dem Dach befindet sich eine zentrale Lüftungsanlage mit hocheffizienter Wärmerückgewinnung sowie eine Photovoltaikanlage mit Energiespeicher. Das Gebäude ist mit Zeiterfassungsterminals, Einbruch- und Brandmeldeanlagen, einer Zugangskontrollanlage sowie einem Datenübertragungsnetz ausgestattet und verfügt über eine umfassende Gebäudeautomation. Ein Aufzug verbindet alle Ebenen barrierefrei.

Sonstiges

Das Projekt wurde vom Land Baden-Württemberg und dem Europäischen Fonds für regionale Entwicklung – EFRE 2014-2020 – als zukunftsweisendes Vorhaben im Holzbau gefördert. Beim Deutschen Holzbaupreis 2021 wurde es unter der Rubrik „Engere Wahl" ausgewählt.

Planungskennwerte für Flächen und Rauminhalte nach DIN 277

	Flächen des Grundstücks	Menge Einheit	% an GF
BF	Bebaute Fläche	–	–
UF	Unbebaute Fläche	–	–
GF	Grundstücksfläche	–	–

	Grundflächen des Bauwerks	Menge Einheit	% an NUF	% an BGF
NUF	Nutzungsfläche	2.458,00 m²	100,0	51,3
TF	Technikfläche	155,00 m²	6,3	3,2
VF	Verkehrsfläche	1.288,00 m²	52,4	26,9
NRF	Netto-Raumfläche	3.901,00 m²	158,7	81,4
KGF	Konstruktions-Grundfläche	889,33 m²	36,2	18,6
BGF	Brutto-Grundfläche	4.790,33 m²	194,9	100,0

	Brutto-Rauminhalt des Bauwerks	Menge Einheit	BRI/NUF (m)	BRI/BGF (m)
BRI	Brutto-Rauminhalt	17.882,38 m³	7,28	3,73

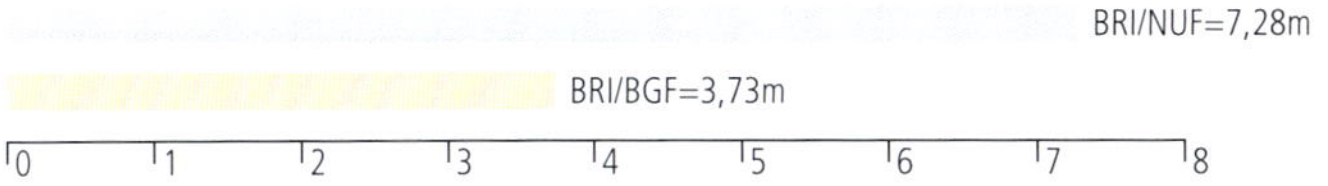

Lufttechnisch behandelte Flächen	Menge Einheit	% an NUF	% an BGF
Entlüftete Fläche	–	–	–
Be- und entlüftete Fläche	–	–	–
Teilklimatisierte Fläche	–	–	–
Klimatisierte Fläche	–	–	–

KG	Kostengruppen (2. Ebene)	Menge Einheit	Menge/NUF	Menge/BGF
310	Baugrube / Erdbau	230,93 m³ BGI	0,09	0,05
320	Gründung, Unterbau	991,79 m² GRF	0,40	0,21
330	Außenwände/Vertikale Baukonstruktionen, außen	3.058,87 m² AWF	1,24	0,64
340	Innenwände/Vertikale Baukonstruktionen, innen	3.429,99 m² IWF	1,40	0,72
350	Decken/Horizontale Baukonstruktionen	3.430,11 m² DEF	1,40	0,72
360	Dächer	997,64 m² DAF	0,41	0,21

Kostenkennwerte für die Kostengruppen der 1. Ebene DIN 276

KG	Kostengruppen (1. Ebene)	Einheit	Kosten €	€/Einheit	€/m² BGF	€/m³ BRI	% 300+400
100	Grundstück	m² GF	–	–	–	–	–
200	Vorbereitende Maßnahmen	m² GF	230.308	–	48,08	12,88	1,7
300	Bauwerk – Baukonstruktionen	m² BGF	9.090.770	1.897,73	1.897,73	508,36	68,8
400	Bauwerk – Technische Anlagen	m² BGF	4.123.199	860,73	860,73	230,57	31,2
	Bauwerk 300+400	**m² BGF**	**13.213.969**	**2.758,47**	**2.758,47**	**738,94**	**100,0**
500	Außenanlagen und Freiflächen	m² AF	142.120	–	29,67	7,95	1,1
600	Ausstattung und Kunstwerke	m² BGF	84.938	17,73	17,73	4,75	0,6
700	Baunebenkosten	m² BGF	–	–	–	–	–
800	Finanzierung	m² BGF	–	–	–	–	–

KG	Kostengruppe	Menge Einheit	Kosten €	€/Einheit	%
200	**Vorbereitende Maßnahmen**	–	230.308	–	1,7
	Suchgräben; Abbruch von Hauptgebäude, massiv, unterkellert, Nebengebäuden, Garagenzeile, Carports, Asphaltbelägen, Pflaster, Schächten, Hofabläufen, Leichtstoffabscheider, Gartentoren, Pollern, Schildern; Bäume fällen, Sträucher roden; Entsorgung, Deponiegebühren				
3+4	**Bauwerk**				**100,0**
300	**Bauwerk – Baukonstruktionen**	4.790,33 m² BGF	9.090.770	**1.897,73**	68,8
	Baugrundverbesserung, Stb-Bodenplatten, Brunnengründung, Epoxidharzbeschichtung, Estrich; Stb-Wände, Brettsperrholzwände, Stützen, Holz-Alufenster, hinterlüftete Keramikbekleidung, Stb-FT-Fassaden, Alu-Lamellenelemente, Holz-Alu-Pfosten-Riegel-Fassaden, Sonnenschutz; KS-Sichtmauerwerk, GK-Wände, Glastrennwände, Innentüren, Putz, Beschichtung, Wandfliesen, Holzlasur, Betonlasur, WC-Trennwände, mobile Trennwand; Holz-Beton-Verbunddecken, Stb-Decken, Hohlböden, Kautschuk, Teppich, Parkett, Bodenfliesen, Doppelböden, abgehängte Decken, Akustikdecken; Brettschichtholzdach, Stb-Dächer, Holz-Beton-Verbunddach, Dachverglasungen, extensive Begrünung, Kiesschüttung, Dachentwässerung; Einbaumöbel, Beschilderung				
400	**Bauwerk – Technische Anlagen**	4.790,33 m² BGF	4.123.199	**860,73**	31,2
	Gebäudeentwässerung, Kalt- und Warmwasserleitungen, Sanitärobjekte; Wasser-Wasser-Wärmepumpe, Pufferspeicher, Plattenwärmeübertrager, Gas-Brennwertkessel, Heizungsrohre, Heizkörper, Rampenheizung, Abgasanlage; Zu-/Abluftgerät, Teilklimaanlage, Kälteanlage, Kühldeckensegel, GK-Kühldecken; Trafo, Mittelspannungsanlage, Energiespeicher, Photovoltaikanlage, USV-Anlage, Zentralbatteriesystem, Niederspannungsschaltanlage, Elektroinstallation, Beleuchtung, Blitzschutz; Sprechanlage, Notrufset, Zeiterfassung, ELA-Anlage, Einbruch-/Überfallmeldeanlage, Brandmeldeanlage, Zugangskontrolle, Datenübertragungsnetze; Personenaufzug; Feuerlöscher; Gebäudeautomation				
500	**Außenanlagen und Freiflächen**	–	142.120	–	1,1
	Bodenarbeiten; Gebäudeentwässerung, Schluck- und Saugbrunnen, Außenbeleuchtung				
600	**Ausstattung und Kunstwerke**	4.790,33 m² BGF	84.938	**17,73**	0,6
	Büromöblierung, Duschtrennwände, Sanitärausstattung; LCE-Fernseher, Signage-Displays				

Kostenkennwerte für die Kostengruppen 300 der 2. und 3.Ebene DIN 276 (Übersicht)

KG	Kostengruppe	Menge Einheit	€/Einheit	Kosten €	% an 3+4
300	**Bauwerk – Baukonstruktionen**	**4.790,33 m² BGF**	**1.897,73**	**9.090.769,61**	**68,8**
310	**Baugrube / Erdbau**	**230,93 m³ BGI**	**657,53**	**151.843,24**	**1,1**
311	Herstellung	230,93 m³ BGI	618,49	142.828,32	1,1
312	Umschließung	–	–	–	–
313	Wasserhaltung	230,93 m³	39,04	9.014,91	< 0,1
314	Vortrieb	–	–	–	–
319	Sonstiges zur KG 310	–	–	–	–
320	**Gründung, Unterbau**	**991,79 m² GRF**	**626,20**	**621.061,20**	**4,7**
321	Baugrundverbesserung	–	–	10.273,52	< 0,1
322	Flachgründungen und Bodenplatten	991,79 m²	251,30	249.232,19	1,9
323	Tiefgründungen	962,11 m²	164,65	158.415,85	1,2
324	Gründungsbeläge	846,99 m²	143,47	121.519,53	0,9
325	Abdichtungen und Bekleidungen	1.013,29 m²	73,17	74.140,46	0,6
326	Dränagen	–	–	–	–
329	Sonstiges zur KG 320	991,79 m² GRF	7,54	7.479,65	< 0,1
330	**Außenwände/Vert. Baukonstrukt., außen**	**3.058,87 m² AWF**	**880,09**	**2.692.065,80**	**20,4**
331	Tragende Außenwände	982,90 m²	309,85	304.548,44	2,3
332	Nichttragende Außenwände	912,13 m²	211,88	193.260,56	1,5
333	Außenstützen	295,07 m	319,60	94.303,17	0,7
334	Außenwandöffnungen	599,94 m²	579,36	347.583,60	2,6
335	Außenwandbekleidungen, außen	1.871,59 m²	485,90	909.407,79	6,9
336	Außenwandbekleidungen, innen	1.155,16 m²	61,03	70.497,16	0,5
337	Element. Außenwandkonstruktionen	563,90 m²	1.004,67	566.535,54	4,3
338	Lichtschutz zur KG 330	917,99 m²	202,82	186.185,58	1,4
339	Sonstiges zur KG 330	3.058,87 m² AWF	6,45	19.743,94	0,1
340	**Innenwände/Vert. Baukonstrukt., innen**	**3.429,99 m² IWF**	**460,82**	**1.580.611,96**	**12,0**
341	Tragende Innenwände	1.053,80 m²	362,30	381.786,47	2,9
342	Nichttragende Innenwände	1.752,11 m²	116,61	204.319,75	1,5
343	Innenstützen	120,56 m	281,87	33.981,98	0,3
344	Innenwandöffnungen	517,72 m²	1.252,64	648.517,77	4,9
345	Innenwandbekleidungen	4.512,67 m²	57,36	258.842,70	2,0
346	Elementierte Innenwandkonstruktionen	106,36 m²	429,48	45.679,01	0,3
347	Lichtschutz zur KG 340	–	–	–	–
349	Sonstiges zur KG 340	3.429,99 m² IWF	2,18	7.484,30	< 0,1
350	**Decken/Horizontale Baukonstruktionen**	**3.430,11 m² DEF**	**635,98**	**2.181.496,41**	**16,5**
351	Deckenkonstruktionen	3.430,11 m²	376,47	1.291.319,68	9,8
352	Deckenöffnungen	–	–	–	–
353	Deckenbeläge	3.164,02 m²	183,58	580.855,37	4,4
354	Deckenbekleidungen	2.817,27 m²	82,18	231.521,92	1,8
355	Elementierte Deckenkonstruktionen	–	–	–	–
359	Sonstiges zur KG 350	3.430,11 m² DEF	22,68	77.799,42	0,6
360	**Dächer**	**997,64 m² DAF**	**877,92**	**875.849,32**	**6,6**
361	Dachkonstruktionen	924,38 m²	389,25	359.816,07	2,7
362	Dachöffnungen	20,22 m²	6.915,70	139.835,52	1,1
363	Dachbeläge	977,42 m²	297,62	290.899,85	2,2
364	Dachbekleidungen	693,04 m²	79,93	55.397,33	0,4
365	Elementierte Dachkonstruktionen	–	–	–	–
366	Lichtschutz zur KG 360	–	–	–	–
369	Sonstiges zur KG 360	997,64 m² DAF	29,97	29.900,57	0,2
370	**Infrastrukturanlagen**	**–**	**–**	**–**	**–**
380	**Baukonstruktive Einbauten**	**4.790,33 m² BGF**	**60,08**	**287.826,39**	**2,2**
390	**Sonst. Maßnahmen für Baukonstrukt.**	**4.790,33 m² BGF**	**146,13**	**700.015,32**	**5,3**

1300-0292
Landratsamt
(136 AP)
TG (19 STP)
Effizienzhaus ~44%

Kostenkennwerte für die Kostengruppen 400 der 2. und 3. Ebene DIN 276 (Übersicht)

KG	Kostengruppe	Menge Einheit	€/Einheit	Kosten €	% an 3+4
400	**Bauwerk – Technische Anlagen**	**4.790,33 m² BGF**	**860,73**	**4.123.199,07**	**31,2**
410	**Abwasser-, Wasser-, Gasanlagen**	**4.790,33 m² BGF**	**69,95**	**335.078,56**	**2,5**
411	Abwasseranlagen	4.790,33 m² BGF	33,80	161.906,95	1,2
412	Wasseranlagen	4.790,33 m² BGF	33,69	161.402,34	1,2
413	Gasanlagen	–	–	–	–
419	Sonstiges zur KG 410	4.790,33 m² BGF	2,46	11.769,25	< 0,1
420	**Wärmeversorgungsanlagen**	**4.790,33 m² BGF**	**94,01**	**450.350,94**	**3,4**
421	Wärmeerzeugungsanlagen	4.790,33 m² BGF	34,99	167.630,58	1,3
422	Wärmeverteilnetze	4.790,33 m² BGF	53,77	257.597,78	1,9
423	Raumheizflächen	4.790,33 m² BGF	4,86	23.297,14	0,2
424	Verkehrsheizflächen	–	–	–	–
429	Sonstiges zur KG 420	4.790,33 m² BGF	0,38	1.825,42	< 0,1
430	**Raumlufttechnische Anlagen**	**4.790,33 m² BGF**	**209,57**	**1.003.902,27**	**7,6**
431	Lüftungsanlagen	4.790,33 m² BGF	1,47	7.045,30	< 0,1
432	Teilklimaanlagen	4.790,33 m² BGF	114,97	550.729,62	4,2
433	Klimaanlagen	–	–	–	–
434	Kälteanlagen	4.790,33 m² BGF	31,16	149.285,44	1,1
439	Sonstiges zur KG 430	4.790,33 m² BGF	61,97	296.841,90	2,2
440	**Elektrische Anlagen**	**4.790,33 m² BGF**	**268,93**	**1.288.279,19**	**9,7**
441	Hoch- und Mittelspannungsanlagen	4.790,33 m² BGF	19,70	94.391,41	0,7
442	Eigenstromversorgungsanlagen	4.790,33 m² BGF	48,88	234.130,78	1,8
443	Niederspannungsschaltanlagen	4.790,33 m² BGF	4,52	21.633,40	0,2
444	Niederspannungsinstallationsanlagen	4.790,33 m² BGF	112,30	537.954,32	4,1
445	Beleuchtungsanlagen	4.790,33 m² BGF	77,40	370.780,56	2,8
446	Blitzschutz- und Erdungsanlagen	4.790,33 m² BGF	6,14	29.388,72	0,2
447	Fahrleitungssysteme	–	–	–	–
449	Sonstiges zur KG 440	–	–	–	–
450	**Kommunikationstechnische Anlagen**	**4.790,33 m² BGF**	**100,69**	**482.320,62**	**3,7**
451	Telekommunikationsanlagen	–	–	–	–
452	Such- und Signalanlagen	4.790,33 m² BGF	0,82	3.915,21	< 0,1
453	Zeitdienstanlagen	4.790,33 m² BGF	2,63	12.583,05	< 0,1
454	Elektroakustische Anlagen	4.790,33 m² BGF	1,87	8.962,80	< 0,1
455	Audiovisuelle Medien- u. Antennenanl.	–	–	–	–
456	Gefahrenmelde- und Alarmanlagen	4.790,33 m² BGF	69,76	334.183,27	2,5
457	Datenübertragungsnetze	4.790,33 m² BGF	25,61	122.676,28	0,9
458	Verkehrsbeeinflussungsanlagen	–	–	–	–
459	Sonstiges zur KG 450	–	–	–	–
460	**Förderanlagen**	**4.790,33 m² BGF**	**16,95**	**81.173,15**	**0,6**
461	Aufzugsanlagen	4.790,33 m² BGF	16,95	81.173,15	0,6
462	Fahrtreppen, Fahrsteige	–	–	–	–
463	Befahranlagen	–	–	–	–
464	Transportanlagen	–	–	–	–
465	Krananlagen	–	–	–	–
466	Hydraulikanlagen	–	–	–	–
469	Sonstiges zur KG 460	–	–	–	–
470	**Nutzungsspez. u. verfahrenstechn. Anl.**	**4.790,33 m² BGF**	**0,52**	**2.513,76**	**< 0,1**
480	**Gebäude- und Anlagenautomation**	**4.790,33 m² BGF**	**95,71**	**458.464,00**	**3,5**
490	**Sonst. Maßnahmen für techn. Anlagen**	**4.790,33 m² BGF**	**4,41**	**21.116,58**	**0,2**

Kostenkennwerte für Leistungsbereiche nach STLB (Kosten des Bauwerks nach DIN 276)

1300-0292
Landratsamt
(136 AP)
TG (19 STP)
Effizienzhaus ~44%

LB	Leistungsbereiche	Kosten €	€/m² BGF	€/m³ BRI	% an 3+4
000	Sicherheits-, Baustelleneinrichtungen inkl. 001	648.772	135,40	36,30	4,9
002	Erdarbeiten	219.726	45,90	12,30	1,7
006	Spezialtiefbauarbeiten inkl. 005	108.872	22,70	6,10	0,8
009	Entwässerungskanalarbeiten inkl. 011	21.741	4,50	1,20	0,2
010	Drän- und Versickerarbeiten	–	–	–	–
012	Mauerarbeiten	4.200	0,88	0,23	< 0,1
013	Betonarbeiten	1.772.565	370,00	99,10	13,4
014	Natur-, Betonwerksteinarbeiten	104.126	21,70	5,80	0,8
016	Zimmer- und Holzbauarbeiten	1.342.649	280,30	75,10	10,2
017	Stahlbauarbeiten	105.693	22,10	5,90	0,8
018	Abdichtungsarbeiten	19.777	4,10	1,10	0,1
019	Kampfmittelräumarbeiten	–	–	–	–
020	Dachdeckungsarbeiten	–	–	–	–
021	Dachabdichtungsarbeiten	399.590	83,40	22,30	3,0
022	Klempnerarbeiten	219.097	45,70	12,30	1,7
	Rohbau	**4.966.807**	**1.036,80**	**277,70**	**37,6**
023	Putz- und Stuckarbeiten, Wärmedämmsysteme	221.615	46,30	12,40	1,7
024	Fliesen- und Plattenarbeiten	85.185	17,80	4,80	0,6
025	Estricharbeiten	23.148	4,80	1,30	0,2
026	Fenster, Außentüren inkl. 029, 032	436.089	91,00	24,40	3,3
027	Tischlerarbeiten	833.997	174,10	46,60	6,3
028	Parkettarbeiten, Holzpflasterarbeiten	87.121	18,20	4,90	0,7
030	Rollladenarbeiten	186.186	38,90	10,40	1,4
031	Metallbauarbeiten inkl. 035	780.717	163,00	43,70	5,9
034	Maler- und Lackiererarbeiten inkl. 037	170.573	35,60	9,50	1,3
036	Bodenbelagarbeiten	159.863	33,40	8,90	1,2
038	Vorgehängte hinterlüftete Fassaden	579.430	121,00	32,40	4,4
039	Trockenbauarbeiten	602.382	125,70	33,70	4,6
	Ausbau	**4.166.308**	**869,70**	**233,00**	**31,5**
040	Wärmeversorgungsanl. - Betriebseinr. inkl. 041	383.604	80,10	21,50	2,9
042	Gas- und Wasserinstallation, Leitungen inkl. 043	73.381	15,30	4,10	0,6
044	Abwasseranlagen - Leitungen	115.306	24,10	6,40	0,9
045	GWE-Einrichtungsgegenstände inkl. 046	129.258	27,00	7,20	1,0
047	Dämmarbeiten an betriebstechnischen Anlagen	215.735	45,00	12,10	1,6
049	Feuerlöschanlagen, Feuerlöschgeräte	2.514	0,52	0,14	< 0,1
050	Blitzschutz- und Erdungsanlagen	21.792	4,50	1,20	0,2
053	Niederspannungsanlagen inkl. 052, 054	709.463	148,10	39,70	5,4
055	Sicherheits- u. Ersatzstromversorgungsanl.	136.487	28,50	7,60	1,0
057	Gebäudesystemtechnik	–	–	–	–
058	Leuchten und Lampen inkl. 059	386.333	80,60	21,60	2,9
060	Sprechanlagen, elektroakust. Anlagen inkl. 064	236.290	49,30	13,20	1,8
061	Kommunikationsnetze inkl. 063	246.031	51,40	13,80	1,9
069	Aufzüge	80.635	16,80	4,50	0,6
070	Gebäudeautomation	458.464	95,70	25,60	3,5
075	Raumlufttechnische Anlagen inkl. 078	813.721	169,90	45,50	6,2
	Gebäudetechnik	**4.009.012**	**836,90**	**224,20**	**30,3**
084	Abbruch, Rückbau, Schadstoffsanierung	–	–	–	–
	Abbrucharbeiten	**–**	**–**	**–**	**–**
	Sonstige Leistungsbereiche	**71.949**	**15,00**	**4,00**	**0,5**

Schulen

2

Kostenkennwerte für die Kosten des Bauwerks (Kostengruppen 300+400 nach DIN 276)

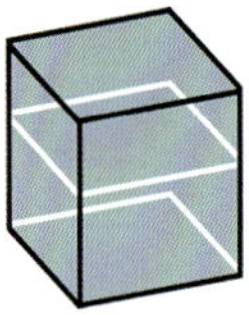

BRI 615 €/m³
von 525 €/m³
bis 800 €/m³

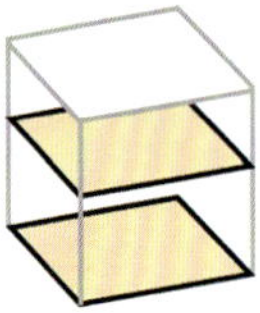

BGF 2.545 €/m²
von 2.060 €/m²
bis 3.125 €/m²

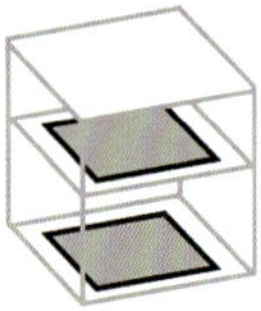

NUF 3.785 €/m²
von 2.950 €/m²
bis 5.090 €/m²

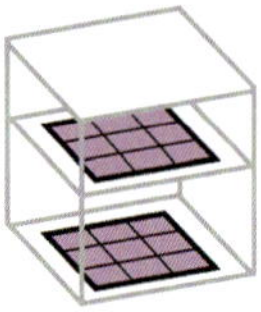

NE 24.015 €/NE
von 11.670 €/NE
bis 43.840 €/NE
NE: Schüler

Kosten:
Stand 3. Quartal 2022
Bundesdurchschnitt
inkl. 19% MwSt.

Objektbeispiele

4200-0035

4100-0198

4100-0175

Kosten der 13 Vergleichsobjekte

Seiten 190 bis 281

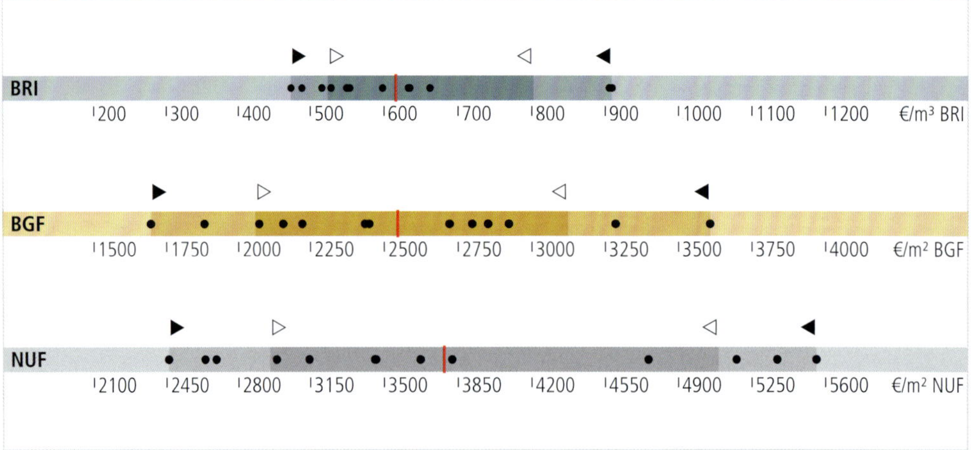

- ● KKW
- ▶ min
- ▷ von
- | Mittelwert
- ◁ bis
- ◀ max

Kostenkennwerte für die Kostengruppen der 1. und 2. Ebene DIN 276

KG	Kostengruppen der 1. Ebene	Einheit	▷	€/Einheit	◁	▷	% an 300+400	◁
100	Grundstück	m²GF	–	**–**	–	–	**–**	–
200	Vorbereitende Maßnahmen	m²GF	2	**8**	21	0,4	**1,6**	3,5
300	Bauwerk – Baukonstruktionen	m²BGF	1.676	**1.980**	2.635	70,4	**78,0**	83,6
400	Bauwerk – Technische Anlagen	m²BGF	367	**566**	780	16,4	**22,0**	29,6
	Bauwerk 300+400	m²BGF	2.058	**2.546**	3.123	100,0	**100,0**	100,0
500	Außenanlagen und Freiflächen	m²AF	39	**184**	953	1,4	**4,8**	9,7
600	Ausstattung und Kunstwerke	m²BGF	5	**59**	177	0,2	**2,4**	7,1
700	Baunebenkosten*	m²BGF	502	**558**	615	19,9	**22,1**	24,3
800	Finanzierung	m²BGF	–	**–**	–	–	**–**	–

* Auf Grundlage der HOAI 2021 berechnete Werte nach §§ 35, 52, 56. Weitere Informationen siehe Seite 56

KG	Kostengruppen der 2. Ebene	Einheit	▷	€/Einheit	◁	▷	% an 1. Ebene	◁
310	Baugrube / Erdbau	m³BGI	30	**78**	148	0,9	**2,1**	4,3
320	Gründung, Unterbau	m²GRF	395	**455**	554	12,4	**16,1**	20,7
330	Außenwände / vertikal außen	m²AWF	573	**781**	930	29,4	**33,3**	35,4
340	Innenwände / vertikal innen	m²IWF	326	**378**	534	11,6	**14,4**	16,5
350	Decken / horizontal	m²DEF	329	**488**	693	0,2	**8,5**	15,2
360	Dächer	m²DAF	427	**568**	765	15,0	**20,7**	28,2
370	Infrastrukturanlagen		–	**–**	–	–	**–**	–
380	Baukonstruktive Einbauten	m²BGF	1	**6**	19	< 0,1	**0,3**	1,1
390	Sonst. Maßnahmen für Baukonst.	m²BGF	50	**86**	129	3,1	**4,6**	8,0
300	**Bauwerk – Baukonstruktionen**	**m²BGF**					**100,0**	
410	Abwasser-, Wasser-, Gasanlagen	m²BGF	60	**89**	150	9,3	**17,2**	27,1
420	Wärmeversorgungsanlagen	m²BGF	59	**76**	100	10,6	**14,8**	26,7
430	Raumlufttechnische Anlagen	m²BGF	10	**69**	136	1,7	**8,8**	19,0
440	Elektrische Anlagen	m²BGF	121	**200**	271	26,4	**35,5**	45,6
450	Kommunikationstechnische Anlagen	m²BGF	24	**51**	74	5,7	**8,9**	12,6
460	Förderanlagen	m²BGF	32	**50**	100	0,5	**3,8**	8,8
470	Nutzungsspez. / verfahrenstech. Anl.	m²BGF	19	**82**	255	0,3	**6,0**	25,6
480	Gebäude- und Anlagenautomation	m²BGF	53	**75**	87	0,0	**4,7**	12,0
490	Sonst. Maßnahmen f. techn. Anl.	m²BGF	1	**3**	5	< 0,1	**0,3**	1,7
400	**Bauwerk – Technische Anlagen**	**m²BGF**					**100,0**	

Prozentanteile der Kosten 2. Ebene an den Kosten des Bauwerks nach DIN 276 (Von/Mittel/Bis)

KG	Kostengruppe	%
310	Baugrube / Erdbau	1,6
320	Gründung, Unterbau	12,5
330	Außenwände / vertikal außen	25,6
340	Innenwände / vertikal innen	10,9
350	Decken / horizontal	6,2
360	Dächer	16,0
370	Infrastrukturanlagen	
380	Baukonstruktive Einbauten	0,2
390	Sonst. Maßnahmen für Baukonst.	3,5
410	Abwasser-, Wasser-, Gasanlagen	3,5
420	Wärmeversorgungsanlagen	3,2
430	Raumlufttechnische Anlagen	2,4
440	Elektrische Anlagen	8,0
450	Kommunikationstechnische Anlagen	2,2
460	Förderanlagen	1,1
470	Nutzungsspez. / verfahrenstech. Anl.	1,6
480	Gebäude- und Anlagenautomation	1,3
490	Sonst. Maßnahmen f. techn. Anl.	< 0,1

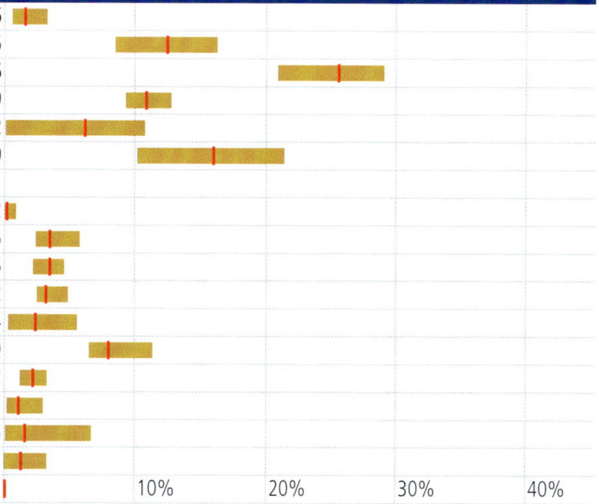

 Erläuterungen zu den Tabellen siehe Seite 54 und 56 Kostenstand: 3. Quartal 2022, Bundesdurchschnitt, **inkl. 19% MwSt.**

Prozentanteile der Kosten für Leistungsbereiche nach STLB (Kosten Bauwerk nach DIN 276)

Kosten:
Stand 3. Quartal 2022
Bundesdurchschnitt
inkl. 19% MwSt.

LB	Leistungsbereiche	▷	% an 300+400	◁
000	Sicherheits-, Baustelleneinrichtungen inkl. 001	1,8	**2,9**	5,2
002	Erdarbeiten	1,1	**1,9**	3,5
006	Spezialtiefbauarbeiten inkl. 005	–	**–**	–
009	Entwässerungskanalarbeiten inkl. 011	0,0	**0,4**	0,6
010	Drän- und Versickerarbeiten	< 0,1	**< 0,1**	0,4
012	Mauerarbeiten	0,2	**1,5**	3,6
013	Betonarbeiten	7,2	**10,9**	14,6
014	Natur-, Betonwerksteinarbeiten	< 0,1	**0,1**	0,5
016	Zimmer- und Holzbauarbeiten	7,8	**17,2**	27,4
017	Stahlbauarbeiten	–	**–**	–
018	Abdichtungsarbeiten	0,5	**1,2**	2,2
020	Dachdeckungsarbeiten	0,0	**2,1**	5,3
021	Dachabdichtungsarbeiten	0,1	**2,2**	4,3
022	Klempnerarbeiten	0,8	**2,3**	4,6
	Rohbau	38,2	**42,8**	49,5
023	Putz- und Stuckarbeiten, Wärmedämmsysteme	0,9	**3,4**	10,0
024	Fliesen- und Plattenarbeiten	0,6	**1,1**	2,1
025	Estricharbeiten	0,7	**1,7**	3,0
026	Fenster, Außentüren inkl. 029, 032	5,2	**8,6**	11,2
027	Tischlerarbeiten	2,9	**4,4**	12,7
028	Parkettarbeiten, Holzpflasterarbeiten	< 0,1	**1,7**	4,0
030	Rollladenarbeiten	0,3	**1,0**	1,9
031	Metallbauarbeiten inkl. 035	0,4	**2,1**	4,5
034	Maler- und Lackiererarbeiten inkl. 037	0,7	**1,6**	2,9
036	Bodenbelagarbeiten	0,2	**1,3**	2,6
038	Vorgehängte hinterlüftete Fassaden	0,0	**3,1**	5,8
039	Trockenbauarbeiten	1,7	**4,2**	7,2
	Ausbau	31,4	**34,3**	38,8
040	Wärmeversorgungsanl. - Betriebseinr. inkl. 041	2,4	**3,0**	4,8
042	Gas- und Wasserinstallation, Leitungen inkl. 043	0,4	**0,8**	2,1
044	Abwasseranlagen - Leitungen	0,3	**0,5**	1,0
045	GWE-Einrichtungsgegenstände inkl. 046	1,3	**1,9**	3,0
047	Dämmarbeiten an betriebstechnischen Anlagen	< 0,1	**0,5**	0,9
049	Feuerlöschanlagen, Feuerlöschgeräte	< 0,1	**< 0,1**	0,2
050	Blitzschutz- und Erdungsanlagen	0,4	**0,7**	1,0
052	Mittelspannungsanlagen	–	**–**	–
053	Niederspannungsanlagen inkl. 054	3,4	**4,9**	6,6
055	Sicherheits- u. Ersatzstromversorgungsanl.	–	**–**	–
057	Gebäudesystemtechnik	< 0,1	**0,4**	2,6
058	Leuchten und Lampen inkl. 059	1,7	**2,7**	4,3
060	Sprechanlagen, elektroakust. Anlagen inkl. 064	< 0,1	**0,3**	0,8
061	Kommunikationsnetze inkl. 062	0,2	**0,5**	0,9
063	Gefahrenmeldeanlagen	0,4	**1,0**	1,8
069	Aufzüge	0,0	**0,8**	1,5
070	Gebäudeautomation	0,0	**0,8**	3,0
075	Raumlufttechnische Anlagen inkl. 078	0,3	**2,3**	5,4
	Gebäudetechnik	16,8	**21,3**	27,4
	Sonstige Leistungsbereiche inkl. 008, 033, 051	0,2	**1,6**	6,0

- ● KKW
- ▶ min
- ▷ von
- | Mittelwert
- ◁ bis
- ◀ max

Planungskennwerte für Flächen und Rauminhalte nach DIN 277

Grundflächen		▷	Fläche/NUF (%)	◁	▷	Fläche/BGF (%)	◁
NUF	Nutzungsfläche	100,0	**100,0**	100,0	59,8	**69,7**	76,2
TF	Technikfläche	5,2	**7,0**	14,7	3,0	**4,1**	7,7
VF	Verkehrsfläche	13,5	**19,2**	25,3	8,3	**12,0**	14,7
NRF	Netto-Raumfläche	117,7	**125,6**	138,4	75,4	**85,5**	88,0
KGF	Konstruktions-Grundfläche	19,4	**24,5**	59,5	12,0	**14,5**	24,6
BGF	Brutto-Grundfläche	138,9	**150,1**	188,6	100,0	**100,0**	100,0

Brutto-Rauminhalte		▷	BRI/NUF (m)	◁	▷	BRI/BGF (m)	◁
BRI	Brutto-Rauminhalt	5,83	**6,18**	7,34	4,00	**4,19**	4,66

Flächen von Nutzeinheiten	▷	NUF/Einheit (m²)	◁	▷	BGF/Einheit (m²)	◁
Nutzeinheit: Schüler	5,08	**6,44**	9,58	7,49	**9,43**	12,18

Lufttechnisch behandelte Flächen	▷	Fläche/NUF (%)	◁	▷	Fläche/BGF (%)	◁
Entlüftete Fläche	–	**–**	–	–	**–**	–
Be- und entlüftete Fläche	136,7	**136,7**	136,7	53,0	**53,0**	53,0
Teilklimatisierte Fläche	–	**–**	–	–	**–**	–
Klimatisierte Fläche	–	**–**	–	–	**–**	–

KG	Kostengruppen (2. Ebene)	Einheit	▷	Menge/NUF	◁	▷	Menge/BGF	◁
310	Baugrube / Erdbau	m³ BGI	0,66	**0,87**	1,15	0,44	**0,61**	0,91
320	Gründung, Unterbau	m² GRF	0,86	**0,97**	1,09	0,62	**0,69**	0,71
330	Außenwände / vertikal außen	m² AWF	1,06	**1,22**	1,37	0,78	**0,84**	0,94
340	Innenwände / vertikal innen	m² IWF	0,88	**1,12**	1,40	0,60	**0,74**	0,87
350	Decken / horizontal	m² DEF	0,43	**0,65**	0,65	0,22	**0,38**	0,45
360	Dächer	m² DAF	0,87	**1,01**	1,11	0,61	**0,72**	0,74
370	Infrastrukturanlagen		–	**–**	–	–	**–**	–
380	Baukonstruktive Einbauten	m² BGF	1,39	**1,50**	1,89	1,00	**1,00**	1,00
390	Sonst. Maßnahmen für Baukonst.	m² BGF	1,39	**1,50**	1,89	1,00	**1,00**	1,00
300	**Bauwerk – Baukonstruktionen**	**m² BGF**	1,39	**1,50**	1,89	1,00	**1,00**	1,00

Planungskennwerte für Bauzeiten — 13 Vergleichsobjekte

Bauzeit in Wochen

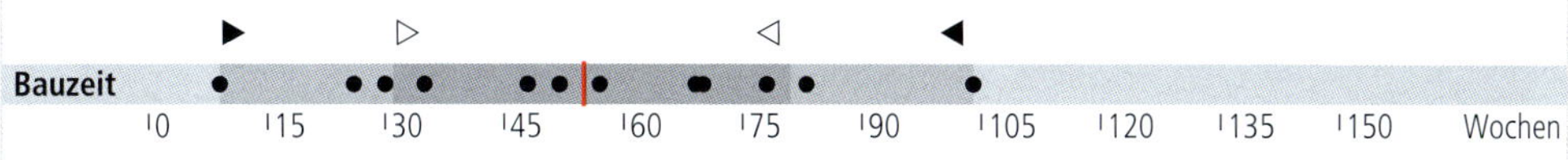

4100-0167
Oberschule
(2 Klassen)
(40 Schüler)

Objektübersicht

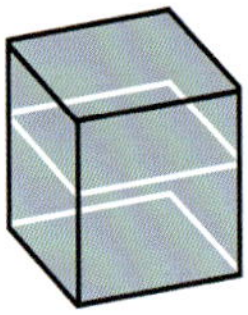

BRI 553 €/m³

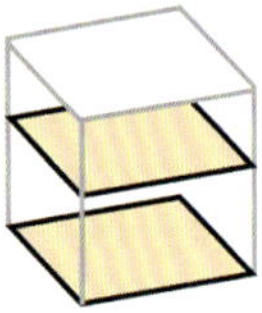

BGF 1.882 €/m²

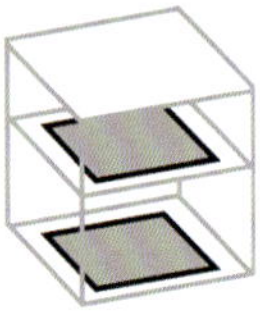

NUF 2.692 €/m²

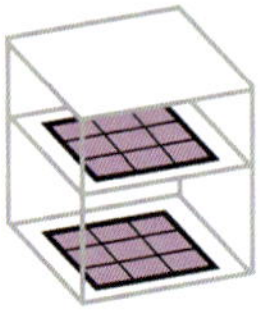

NE 8.388 €/NE

NE: Schüler

Objekt:
Kennwerte: 3. Ebene DIN 276
BRI: 606 m³
BGF: 178 m²
NUF: 125 m²
Bauzeit: 9 Wochen
Bauende: 2014
Standard: Durchschnitt
Bundesland: Niedersachsen
Kreis: Harburg

Architekt*in:
Bosse Westphal Schäffer
Architekten
Löhnfeld 26
21423 Winsen/Luhe

Bauherr*in:
Stadt Winsen/Luhe
Der Bürgermeister
21423 Winsen/Luhe

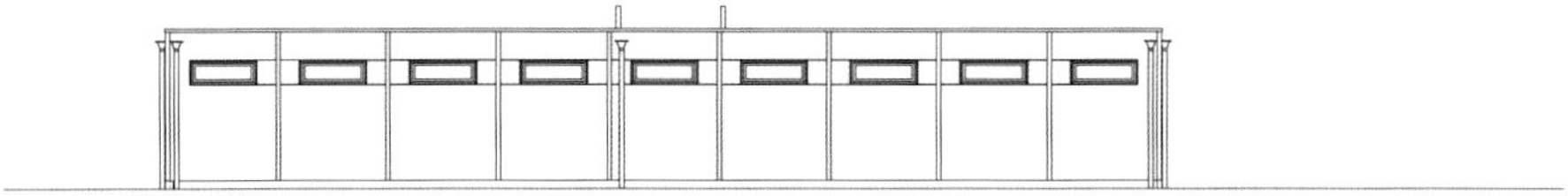

Ansicht West

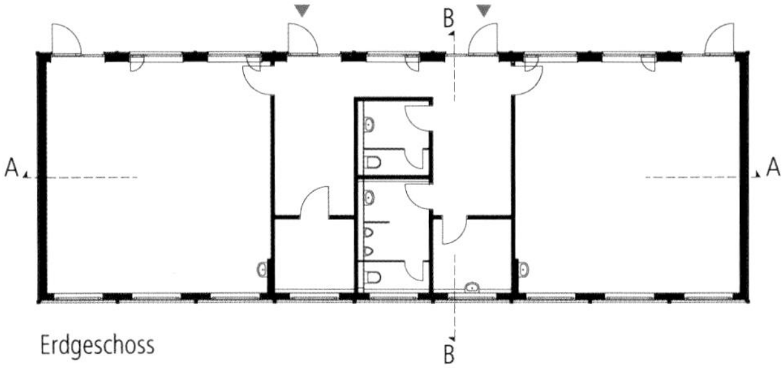

Erdgeschoss

Schnitt A-A

Ansicht Süd

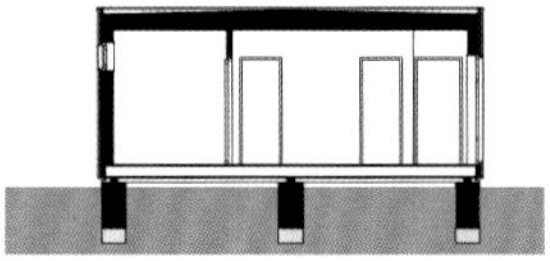

Schnitt B-B

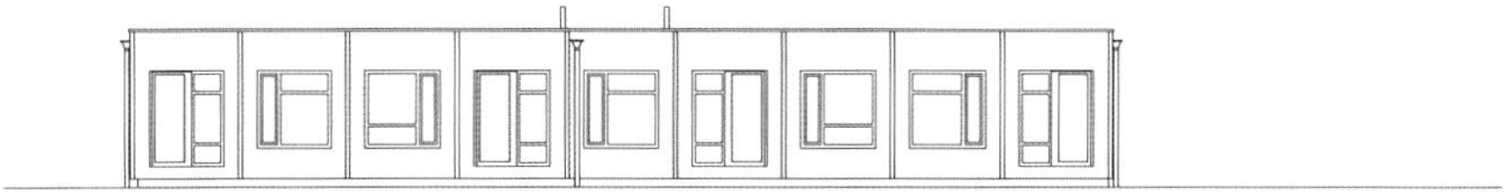

Ansicht Ost

Objektbeschreibung

Allgemeine Objektinformationen

Die bestehende Schule wurde durch ein separat stehendes, eingeschossiges Nebengebäude erweitert, welches modular aufgebaut ist. Die einzelnen Bauteile können zu einem späteren Zeitpunkt demontiert und an anderer Stelle wieder aufgestellt werden. Die beiden Unterrichtsräume werden zentral durch den Flur-/Garderobenbereich erschlossen. Mittig befinden sich die Sanitärräume mit angrenzendem Heizungsraum und Abstellraum.

Nutzung

1 Erdgeschoss
Eingang/Garderobe, Unterrichtsräume (2St), Sanitärräume, Abstellraum, Putzmittel- und Heizungsraum

Nutzeinheiten

Klassen: 2
Schüler: 40

Grundstück

Bauraum: Freier Bauraum
Neigung: Ebenes Gelände
Bodenklasse: BK 1 bis BK 4

Markt

Hauptvergabezeit: 3. Quartal 2014
Baubeginn: 3. Quartal 2014
Bauende: 4. Quartal 2014
Konjunkturelle Gesamtlage: Durchschnitt
Regionaler Baumarkt: unter Durchschnitt

Baukonstruktion

Alle Bauteile bestehen weitgehend aus ökologischen Baustoffen und wurden in Holzrahmenkonstruktion vorgefertigt. Die Bodenplatten wurden vor Ort auf einem Schwellenkranz auf Streifenfundamente aufgesetzt und gekoppelt. Daraufhin wurden die Wände aufgestellt und die Holzfenster mit Dreifachverglasung, die Stülpschalung sowie das Dach eingebaut. Die Attika wurde durch die Konterlattung der vorgehängten Stülpschalung ausgebildet und verdeckt das Satteldach.

Technische Anlagen

Die Beheizung erfolgt über eine eingebaute Gas-Brennwerttherme. Die Wärme wird über konventionelle Heizkörper an die Räume abgegeben. Im innenliegenden WC-Raum wurde ein Einzelraumlüfter eingebaut. Sämtliche Sanitäranlagen und Wasseranschlüsse befinden sich in zwei Modulen.

Sonstiges

Die Wege wurden mit Betonplatten verlegt.

Planungskennwerte für Flächen und Rauminhalte nach DIN 277

Flächen des Grundstücks		Menge Einheit	% an GF
BF	Bebaute Fläche	5.800,00 m²	28,7
UF	Unbebaute Fläche	14.400,00 m²	71,3
GF	Grundstücksfläche	20.200,00 m²	100,0

Grundflächen des Bauwerks		Menge Einheit	% an NUF	% an BGF
NUF	Nutzungsfläche	124,65 m²	100,0	69,9
TF	Technikfläche	5,69 m²	4,6	3,2
VF	Verkehrsfläche	27,78 m²	22,3	15,6
NRF	Netto-Raumfläche	158,12 m²	126,9	88,7
KGF	Konstruktions-Grundfläche	20,20 m²	16,2	11,3
BGF	Brutto-Grundfläche	178,32 m²	143,1	100,0

Brutto-Rauminhalt des Bauwerks		Menge Einheit	BRI/NUF (m)	BRI/BGF (m)
BRI	Brutto-Rauminhalt	606,29 m³	4,86	3,40

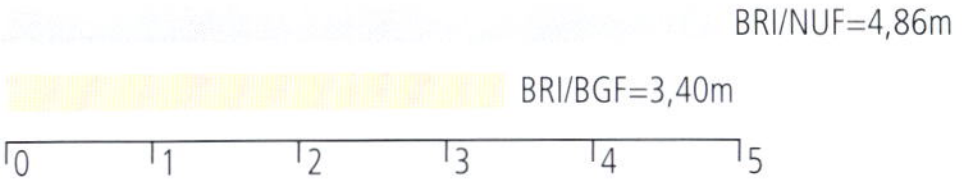

Lufttechnisch behandelte Flächen	Menge Einheit	% an NUF	% an BGF
Entlüftete Fläche	–	–	–
Be- und entlüftete Fläche	–	–	–
Teilklimatisierte Fläche	–	–	–
Klimatisierte Fläche	–	–	–

KG	Kostengruppen (2. Ebene)	Menge Einheit	Menge/NUF	Menge/BGF
310	Baugrube / Erdbau	26,00 m³ BGI	0,21	0,15
320	Gründung, Unterbau	178,33 m² GRF	1,43	1,00
330	Außenwände/Vertikale Baukonstruktionen, außen	220,44 m² AWF	1,77	1,24
340	Innenwände/Vertikale Baukonstruktionen, innen	129,08 m² IWF	1,04	0,72
350	Decken / horizontal	–	–	–
360	Dächer	178,33 m² DAF	1,43	1,00

Kostenkennwerte für die Kostengruppen der 1. Ebene DIN 276

KG	Kostengruppen (1. Ebene)	Einheit	Kosten €	€/Einheit	€/m² BGF	€/m³ BRI	% 300+400
100	Grundstück	m² GF	–	–	–	–	–
200	Vorbereitende Maßnahmen	m² GF	–	–	–	–	–
300	Bauwerk – Baukonstruktionen	m² BGF	277.213	1.554,58	1.554,58	457,23	82,6
400	Bauwerk – Technische Anlagen	m² BGF	58.310	327,00	327,00	96,17	17,4
	Bauwerk 300+400	**m² BGF**	**335.522**	**1.881,57**	**1.881,57**	**553,40**	**100,0**
500	Außenanlagen und Freiflächen	m² AF	11.452	24,74	64,22	18,89	3,4
600	Ausstattung und Kunstwerke	m² BGF	1.363	7,64	7,64	2,25	0,4
700	Baunebenkosten	m² BGF	–	–	–	–	–
800	Finanzierung	m² BGF	–	–	–	–	–

KG	Kostengruppe	Menge Einheit	Kosten €	€/Einheit	%
3+4	**Bauwerk**				**100,0**
300	**Bauwerk – Baukonstruktionen**	178,32 m² BGF	277.213	**1.554,58**	82,6

Fundamente, Schwellenkranz, Holzrahmenböden, Dämmung, Linoleum; Holzrahmenwände, Holzfenster, Eingangstüren, Stülpschalung; Holzrahmen-Innenwände, Schallschutztüren, Holztüren, Beschichtung, Wandfliesen, Trennwandanlagen; vorgefertigte Satteldachelemente, Abdichtung, Dachentwässerung

KG	Kostengruppe	Menge Einheit	Kosten €	€/Einheit	%
400	**Bauwerk – Technische Anlagen**	178,32 m² BGF	58.310	**327,00**	17,4

Gebäudeentwässerung, Kalt- und Warmwasserleitungen, Hygienespülungen, Sanitärobjekte; Gas-Brennwerttherme, Gasleitungen, Heizungsrohre, Heizkörper; Einzelraumentlüfter; Elektroinstallation, Beleuchtung, Blitzschutz; Klingelleitungen, Lautsprecher, Rauchwarn- und Thermomelder, Datenschrank, LAN-Kabel, Datendosen

KG	Kostengruppe	Menge Einheit	Kosten €	€/Einheit	%
500	**Außenanlagen und Freiflächen**	462,88 m² AF	11.452	**24,74**	3,4

Betonplatten, Gitterroste, Füllsand; Oberflächenentwässerung; Rasen

KG	Kostengruppe	Menge Einheit	Kosten €	€/Einheit	%
600	**Ausstattung und Kunstwerke**	178,32 m² BGF	1.363	**7,64**	0,4

Garderoben

Kostenkennwerte für die Kostengruppen 300 der 2. und 3. Ebene DIN 276 (Übersicht)

KG	Kostengruppe	Menge Einheit	€/Einheit	Kosten €	% an 3+4
300	**Bauwerk – Baukonstruktionen**	**178,32 m² BGF**	**1.554,58**	**277.212,52**	**82,6**
310	**Baugrube / Erdbau**	**26,00 m³ BGI**	**102,61**	**2.667,97**	**0,8**
311	Herstellung	26,00 m³ BGI	102,61	2.667,97	0,8
312	Umschließung	–	–	–	–
313	Wasserhaltung	–	–	–	–
314	Vortrieb	–	–	–	–
319	Sonstiges zur KG 310	–	–	–	–
320	**Gründung, Unterbau**	**178,33 m² GRF**	**359,54**	**64.114,82**	**19,1**
321	Baugrundverbesserung	–	–	–	–
322	Flachgründungen und Bodenplatten	178,33 m²	291,56	51.992,30	15,5
323	Tiefgründungen	–	–	–	–
324	Gründungsbeläge	159,78 m²	75,87	12.122,52	3,6
325	Abdichtungen und Bekleidungen	–	–	–	–
326	Dränagen	–	–	–	–
329	Sonstiges zur KG 320	–	–	–	–
330	**Außenwände/Vert. Baukonstrukt., außen**	**220,44 m² AWF**	**444,52**	**97.988,65**	**29,2**
331	Tragende Außenwände	179,76 m²	173,32	31.155,95	9,3
332	Nichttragende Außenwände	–	–	–	–
333	Außenstützen	–	–	–	–
334	Außenwandöffnungen	40,68 m²	907,96	36.935,92	11,0
335	Außenwandbekleidungen, außen	182,48 m²	138,35	25.246,14	7,5
336	Außenwandbekleidungen, innen	159,23 m²	29,21	4.650,61	1,4
337	Element. Außenwandkonstruktionen	–	–	–	–
338	Lichtschutz zur KG 330	–	–	–	–
339	Sonstiges zur KG 330	–	–	–	–
340	**Innenwände/Vert. Baukonstrukt., innen**	**129,08 m² IWF**	**362,33**	**46.769,27**	**13,9**
341	Tragende Innenwände	–	–	–	–
342	Nichttragende Innenwände	100,25 m²	155,22	15.560,09	4,6
343	Innenstützen	–	–	–	–
344	Innenwandöffnungen	11,95 m²	1.312,59	15.689,44	4,7
345	Innenwandbekleidungen	187,47 m²	40,55	7.602,74	2,3
346	Elementierte Innenwandkonstruktionen	16,88 m²	469,02	7.917,01	2,4
347	Lichtschutz zur KG 340	–	–	–	–
349	Sonstiges zur KG 340	–	–	–	–
350	**Decken/Horizontale Baukonstruktionen**	**–**	**–**	**–**	**–**
351	Deckenkonstruktionen	–	–	–	–
352	Deckenöffnungen	–	–	–	–
353	Deckenbeläge	–	–	–	–
354	Deckenbekleidungen	–	–	–	–
355	Elementierte Deckenkonstruktionen	–	–	–	–
359	Sonstiges zur KG 350	–	–	–	–
360	**Dächer**	**178,33 m² DAF**	**337,67**	**60.214,93**	**17,9**
361	Dachkonstruktionen	178,33 m²	206,93	36.899,98	11,0
362	Dachöffnungen	–	–	–	–
363	Dachbeläge	193,68 m²	89,77	17.385,97	5,2
364	Dachbekleidungen	159,78 m²	33,95	5.424,37	1,6
365	Elementierte Dachkonstruktionen	–	–	–	–
366	Lichtschutz zur KG 360	–	–	–	–
369	Sonstiges zur KG 360	178,33 m² DAF	2,83	504,62	0,2
370	**Infrastrukturanlagen**	**–**	**–**	**–**	**–**
380	**Baukonstruktive Einbauten**	**178,32 m² BGF**	**0,89**	**158,06**	**< 0,1**
390	**Sonst. Maßnahmen für Baukonstrukt.**	**178,32 m² BGF**	**29,72**	**5.298,85**	**1,6**

Kostenkennwerte für die Kostengruppen 400 der 2. und 3. Ebene DIN 276 (Übersicht)

KG	Kostengruppe	Menge Einheit	€/Einheit	Kosten €	% an 3+4
400	**Bauwerk – Technische Anlagen**	**178,32 m²BGF**	**327,00**	**58.309,82**	**17,4**
410	**Abwasser-, Wasser-, Gasanlagen**	**178,32 m²BGF**	**74,76**	**13.331,95**	**4,0**
411	Abwasseranlagen	178,32 m²BGF	14,92	2.660,56	0,8
412	Wasseranlagen	178,32 m²BGF	49,24	8.781,06	2,6
413	Gasanlagen	–	–	–	–
419	Sonstiges zur KG 410	178,32 m²BGF	10,60	1.890,34	0,6
420	**Wärmeversorgungsanlagen**	**178,32 m²BGF**	**103,26**	**18.412,77**	**5,5**
421	Wärmeerzeugungsanlagen	178,32 m²BGF	44,71	7.972,98	2,4
422	Wärmeverteilnetze	178,32 m²BGF	17,15	3.058,17	0,9
423	Raumheizflächen	178,32 m²BGF	41,40	7.381,62	2,2
424	Verkehrsheizflächen	–	–	–	–
429	Sonstiges zur KG 420	–	–	–	–
430	**Raumlufttechnische Anlagen**	**178,32 m²BGF**	**6,89**	**1.227,73**	**0,4**
431	Lüftungsanlagen	178,32 m²BGF	6,89	1.227,73	0,4
432	Teilklimaanlagen	–	–	–	–
433	Klimaanlagen	–	–	–	–
434	Kälteanlagen	–	–	–	–
439	Sonstiges zur KG 430	–	–	–	–
440	**Elektrische Anlagen**	**178,32 m²BGF**	**113,78**	**20.289,13**	**6,0**
441	Hoch- und Mittelspannungsanlagen	–	–	–	–
442	Eigenstromversorgungsanlagen	–	–	–	–
443	Niederspannungsschaltanlagen	–	–	–	–
444	Niederspannungsinstallationsanlagen	178,32 m²BGF	44,53	7.941,22	2,4
445	Beleuchtungsanlagen	178,32 m²BGF	49,60	8.844,62	2,6
446	Blitzschutz- und Erdungsanlagen	178,32 m²BGF	19,65	3.503,29	1,0
447	Fahrleitungssysteme	–	–	–	–
449	Sonstiges zur KG 440	–	–	–	–
450	**Kommunikationstechnische Anlagen**	**178,32 m²BGF**	**28,31**	**5.048,23**	**1,5**
451	Telekommunikationsanlagen	–	–	–	–
452	Such- und Signalanlagen	178,32 m²BGF	1,86	331,42	< 0,1
453	Zeitdienstanlagen	–	–	–	–
454	Elektroakustische Anlagen	178,32 m²BGF	1,48	264,18	< 0,1
455	Audiovisuelle Medien- u. Antennenanl.	–	–	–	–
456	Gefahrenmelde- und Alarmanlagen	178,32 m²BGF	8,06	1.437,73	0,4
457	Datenübertragungsnetze	178,32 m²BGF	16,91	3.014,90	0,9
458	Verkehrsbeeinflussungsanlagen	–	–	–	–
459	Sonstiges zur KG 450	–	–	–	–
460	**Förderanlagen**	**–**	**–**	**–**	**–**
461	Aufzugsanlagen	–	–	–	–
462	Fahrtreppen, Fahrsteige	–	–	–	–
463	Befahranlagen	–	–	–	–
464	Transportanlagen	–	–	–	–
465	Krananlagen	–	–	–	–
466	Hydraulikanlagen	–	–	–	–
469	Sonstiges zur KG 460	–	–	–	–
470	**Nutzungsspez. u. verfahrenstechn. Anl.**	**–**	**–**	**–**	**–**
480	**Gebäude- und Anlagenautomation**	**–**	**–**	**–**	**–**
490	**Sonst. Maßnahmen für techn. Anlagen**	**–**	**–**	**–**	**–**

Kostenkennwerte für Leistungsbereiche nach STLB (Kosten des Bauwerks nach DIN 276)

LB	Leistungsbereiche	Kosten €	€/m² BGF	€/m³ BRI	% an 3+4
000	Sicherheits-, Baustelleneinrichtungen inkl. 001	3.853	21,60	6,40	1,1
002	Erdarbeiten	5.537	31,10	9,10	1,7
006	Spezialtiefbauarbeiten inkl. 005	–	–	–	–
009	Entwässerungskanalarbeiten inkl. 011	–	–	–	–
010	Drän- und Versickerarbeiten	–	–	–	–
012	Mauerarbeiten	–	–	–	–
013	Betonarbeiten	17.011	95,40	28,10	5,1
014	Natur-, Betonwerksteinarbeiten	–	–	–	–
016	Zimmer- und Holzbauarbeiten	124.143	696,20	204,80	37,0
017	Stahlbauarbeiten	–	–	–	–
018	Abdichtungsarbeiten	–	–	–	–
019	Kampfmittelräumarbeiten	–	–	–	–
020	Dachdeckungsarbeiten	–	–	–	–
021	Dachabdichtungsarbeiten	10.309	57,80	17,00	3,1
022	Klempnerarbeiten	8.651	48,50	14,30	2,6
	Rohbau	**169.506**	**950,60**	**279,60**	**50,5**
023	Putz- und Stuckarbeiten, Wärmedämmsysteme	–	–	–	–
024	Fliesen- und Plattenarbeiten	2.876	16,10	4,70	0,9
025	Estricharbeiten	–	–	–	–
026	Fenster, Außentüren inkl. 029, 032	39.633	222,30	65,40	11,8
027	Tischlerarbeiten	12.559	70,40	20,70	3,7
028	Parkettarbeiten, Holzpflasterarbeiten	–	–	–	–
030	Rollladenarbeiten	–	–	–	–
031	Metallbauarbeiten inkl. 035	–	–	–	–
034	Maler- und Lackiererarbeiten inkl. 037	10.699	60,00	17,60	3,2
036	Bodenbelagarbeiten	10.903	61,10	18,00	3,2
038	Vorgehängte hinterlüftete Fassaden	20.394	114,40	33,60	6,1
039	Trockenbauarbeiten	9.039	50,70	14,90	2,7
	Ausbau	**106.103**	**595,00**	**175,00**	**31,6**
040	Wärmeversorgungsanl. - Betriebseinr. inkl. 041	18.413	103,30	30,40	5,5
042	Gas- und Wasserinstallation, Leitungen inkl. 043	2.502	14,00	4,10	0,7
044	Abwasseranlagen - Leitungen	2.661	14,90	4,40	0,8
045	GWE-Einrichtungsgegenstände inkl. 046	8.052	45,20	13,30	2,4
047	Dämmarbeiten an betriebstechnischen Anlagen	224	1,30	0,37	< 0,1
049	Feuerlöschanlagen, Feuerlöschgeräte	–	–	–	–
050	Blitzschutz- und Erdungsanlagen	3.503	19,60	5,80	1,0
053	Niederspannungsanlagen inkl. 052, 054	7.835	43,90	12,90	2,3
055	Sicherheits- u. Ersatzstromversorgungsanl.	–	–	–	–
057	Gebäudesystemtechnik	–	–	–	–
058	Leuchten und Lampen inkl. 059	8.845	49,60	14,60	2,6
060	Sprechanlagen, elektroakust. Anlagen inkl. 064	596	3,30	0,98	0,2
061	Kommunikationsnetze inkl. 063	4.453	25,00	7,30	1,3
069	Aufzüge	–	–	–	–
070	Gebäudeautomation	–	–	–	–
075	Raumlufttechnische Anlagen inkl. 078	1.228	6,90	2,00	0,4
	Gebäudetechnik	**58.310**	**327,00**	**96,20**	**17,4**
084	Abbruch, Rückbau, Schadstoffsanierung	–	–	–	–
	Abbrucharbeiten	**–**	**–**	**–**	**–**
	Sonstige Leistungsbereiche	**1.604**	**9,00**	**2,60**	**0,5**

4100-0174
Gesamtschule
(10 Klassen)
(188 Schüler)
Effizienzhaus ~66%

Objektübersicht

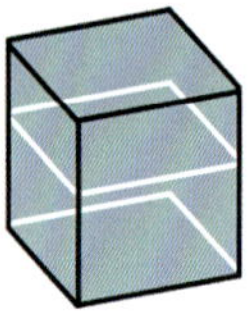

BRI 473 €/m³

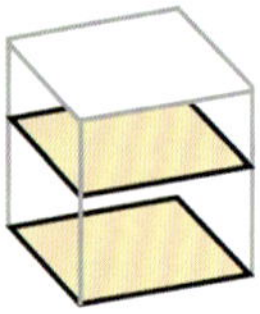

BGF 1.697 €/m²

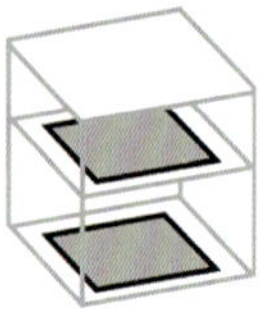

NUF 2.460 €/m²

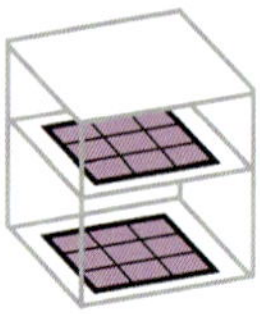

NE 5.487 €/NE

NE: Schüler

Objekt:
Kennwerte: 3. Ebene DIN 276
BRI: 2.180 m³
BGF: 608 m²
NUF: 419 m²
Bauzeit: 48 Wochen
Bauende: 2014
Standard: Durchschnitt
Bundesland: Thüringen
Kreis: Saalfeld-Rudolstadt

Architekt*in:
Tectum Hille Kobelt
Architekten BDA
Jabobstr. 2a
99423 Weimar

Bauherr*in:
AWO Rudolstadt
Weststraße 11
07407 Rudolstadt

© Alexander Burzik

© Tectum Hille Kobelt

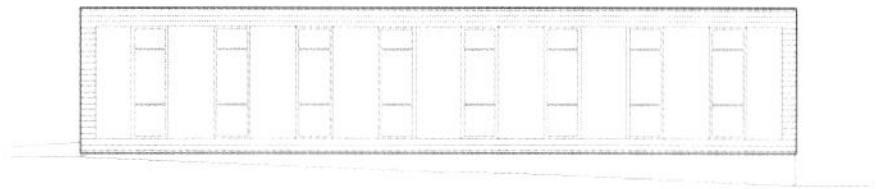
Ansicht West

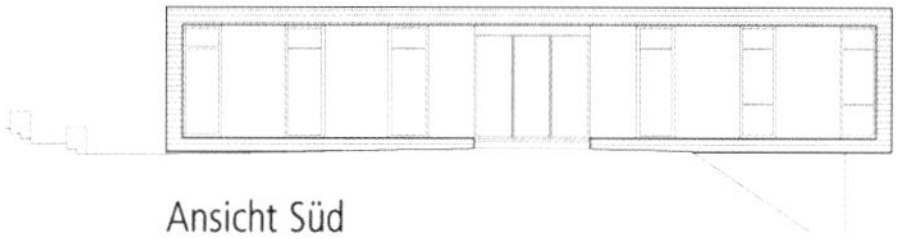
Ansicht Süd

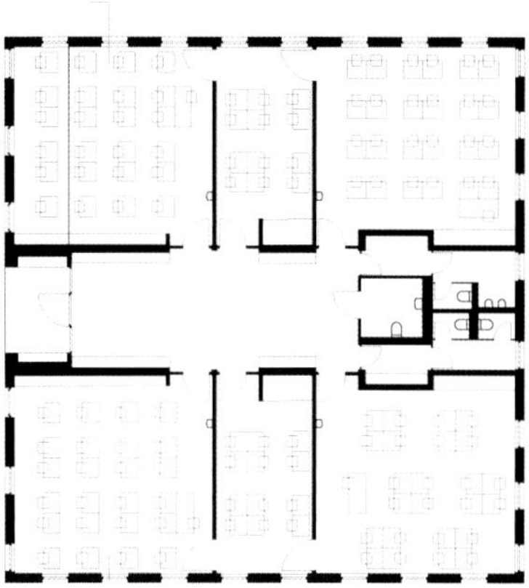
Erdgeschoss

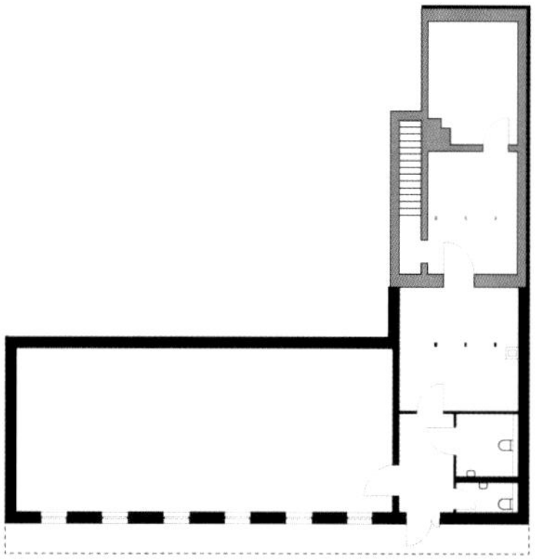
Hanggeschoss

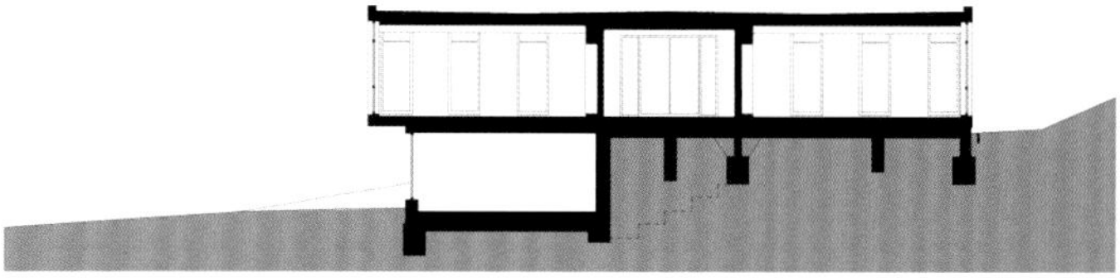
Schnitt

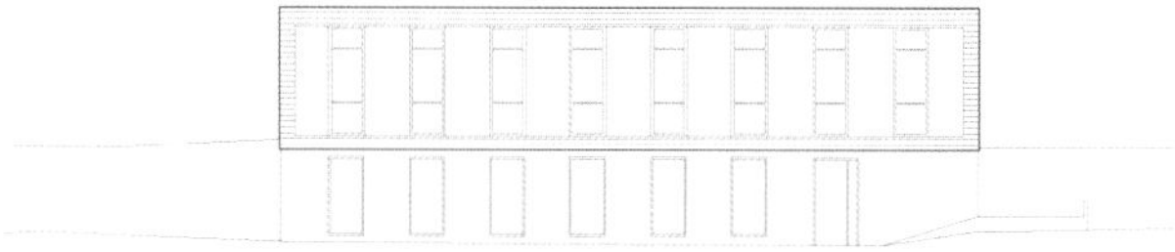
Ansicht Ost

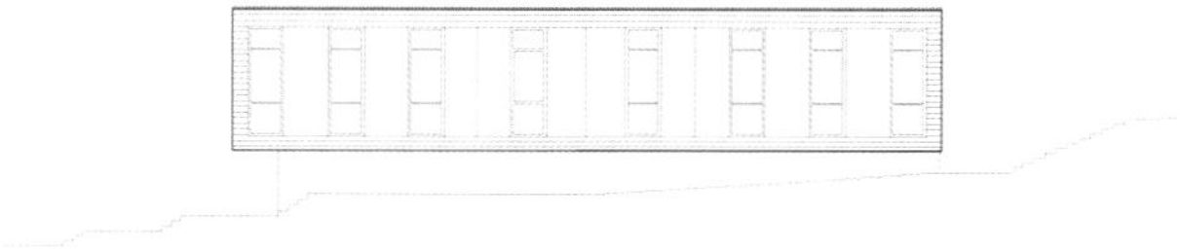
Ansicht Nord

4100-0174
Gesamtschule
(10 Klassen)
(188 Schüler)
Effizienzhaus ~66%

Objektbeschreibung

Allgemeine Objektinformationen

Der annähernd quadratische Grundriss des Schulpavillons beinhaltet vier Klassenräume. Diese werden durch zwei Differenzierungs- und Kursräume funktional verbunden, wodurch auch jahrgangsübergreifender Unterricht ermöglicht wird. Vor der Errichtung des Neubaus wurde ein Bestandsgebäude abgerissen. Teile des Kellers blieben jedoch erhalten und werden nun für die Unterbringung der Technik genutzt.

Nutzung

1 Untergeschoss
Projektraum, Sanitärräume, Technik

1 Erdgeschoss
Klassenräume, Sanitärräume

Nutzeinheiten

Klassen: 10
Schüler: 188

Grundstück

Bauraum: Freier Bauraum
Neigung: Hanglage
Bodenklasse: BK 1 bis BK 5

Markt

Hauptvergabezeit: 4. Quartal 2013
Baubeginn: 4. Quartal 2013
Bauende: 3. Quartal 2014
Konjunkturelle Gesamtlage: Durchschnitt
Regionaler Baumarkt: Durchschnitt

Baukonstruktion

Der Neubau wurde in Mischbauweise als eingeschossiges Gebäude mit Teilunterkellerung errichtet. Kellerbereich und Bodenplatte sind in Massivbauweise, die oberirdische Kubatur in Holzrahmenbauweise erstellt.

Technische Anlagen

Sämtliche Räume im Erdgeschoss wurden mit Fußbodenheizung ausgestattet, die Kellerräume besitzen statische Heizkörper. Die Wärmeverteilung erfolgt über ein Nahwärmenetz. Auf technische Anlagen zur Warmwasserbereitung wurde verzichtet. Alle innen liegenden Räume verfügen über eine Einzelraumlüftung. Sämtliche Räume sind mit energiesparenden LED-Leuchten ausgestattet. Die Sicherheitsbeleuchtung erfolgt über Einzelbatterieleuchten. Das Haus ist an die zentrale Hausalarmanlage angeschlossen.

Sonstiges

Die in dieser Dokumentation angegebene BGF setzt sich zusammen aus der BGF des Neubaus und der Fläche der Kellerräume des Bestands. In diesen Räumen ist die Technik untergebracht. Außerdem wurden auch hier Arbeiten ausgeführt und abgerechnet.

Planungskennwerte für Flächen und Rauminhalte nach DIN 277

	Flächen des Grundstücks	Menge Einheit	% an GF
BF	Bebaute Fläche	3.362,20 m²	13,8
UF	Unbebaute Fläche	20.921,01 m²	86,2
GF	Grundstücksfläche	24.283,21 m²	100,0

	Grundflächen des Bauwerks	Menge Einheit	% an NUF	% an BGF
NUF	Nutzungsfläche	419,30 m²	100,0	69,0
TF	Technikfläche	35,29 m²	8,4	5,8
VF	Verkehrsfläche	63,31 m²	15,1	10,4
NRF	Netto-Raumfläche	517,90 m²	123,5	85,2
KGF	Konstruktions-Grundfläche	90,08 m²	21,5	14,8
BGF	Brutto-Grundfläche	607,98 m²	145,0	100,0

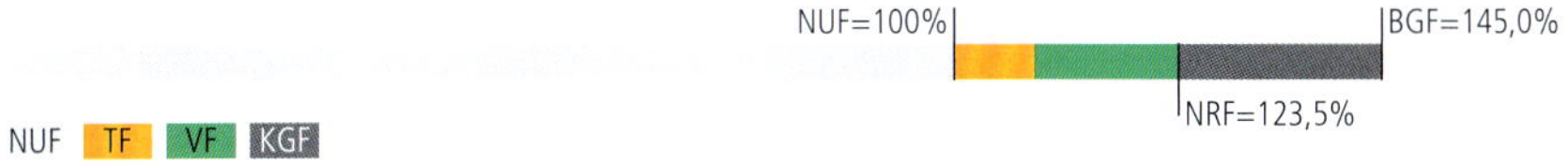

	Brutto-Rauminhalt des Bauwerks	Menge Einheit	BRI/NUF (m)	BRI/BGF (m)
BRI	Brutto-Rauminhalt	2.180,02 m³	5,20	3,59

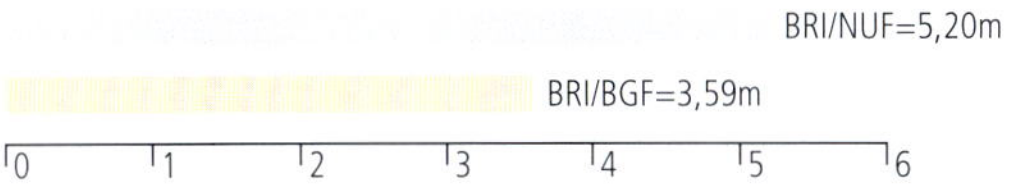

Lufttechnisch behandelte Flächen	Menge Einheit	% an NUF	% an BGF
Entlüftete Fläche	–	–	–
Be- und entlüftete Fläche	–	–	–
Teilklimatisierte Fläche	–	–	–
Klimatisierte Fläche	–	–	–

KG	Kostengruppen (2. Ebene)	Menge Einheit	Menge/NUF	Menge/BGF
310	Baugrube / Erdbau	414,03 m³ BGI	0,99	0,68
320	Gründung, Unterbau	320,72 m² GRF	0,77	0,53
330	Außenwände/Vertikale Baukonstruktionen, außen	440,98 m² AWF	1,05	0,73
340	Innenwände/Vertikale Baukonstruktionen, innen	337,00 m² IWF	0,80	0,55
350	Decken/Horizontale Baukonstruktionen	214,84 m² DEF	0,51	0,35
360	Dächer	398,38 m² DAF	0,95	0,66

4100-0174
Gesamtschule
(10 Klassen)
(188 Schüler)
Effizienzhaus ~66%

Kostenkennwerte für die Kostengruppen der 1. Ebene DIN 276

KG	Kostengruppen (1. Ebene)	Einheit	Kosten €	€/Einheit	€/m² BGF	€/m³ BRI	% 300+400
100	Grundstück	m² GF	–	–	–	–	–
200	Vorbereitende Maßnahmen	m² GF	1.249	0,05	2,05	0,57	0,1
300	Bauwerk – Baukonstruktionen	m² BGF	843.568	1.387,49	1.387,49	386,95	81,8
400	Bauwerk – Technische Anlagen	m² BGF	187.977	309,18	309,18	86,23	18,2
	Bauwerk 300+400	**m² BGF**	**1.031.545**	**1.696,68**	**1.696,68**	**473,18**	**100,0**
500	Außenanlagen und Freiflächen	m² AF	3.535	0,17	5,81	1,62	0,3
600	Ausstattung und Kunstwerke	m² BGF	5.530	9,10	9,10	2,54	0,5
700	Baunebenkosten	m² BGF	–	–	–	–	–
800	Finanzierung	m² BGF	–	–	–	–	–

KG	Kostengruppe	Menge Einheit	Kosten €	€/Einheit	%
200	**Vorbereitende Maßnahmen**	24.283,21 m² GF	1.249	**0,05**	0,1
	Abbruch von Fundamenten, Oberboden abtragen				
3+4	**Bauwerk**				**100,0**
300	**Bauwerk – Baukonstruktionen**	607,98 m² BGF	843.568	**1.387,49**	81,8
	Fundamente, Stb-Bodenplatte, Abdichtung, Estrich, Parkett, Bodenfliesen; Holzrahmenwände, KS-Mauerwerk, Holzstützen, Holzfenster, WDVS, hinterlüftete Holzfassade, Putz, GK-Bekleidung, Wandfliesen, Beschichtung; Stb-Decke, Vollholzdecke, Heizestrich, Akustikdecken; Flachdach, Furnierschichtholzbalken, Schalung, Dachabdichtung, Dämmung, Kiesauflage, Alu-Attikaabdeckung, Dachentwässerung				
400	**Bauwerk – Technische Anlagen**	607,98 m² BGF	187.977	**309,18**	18,2
	Gebäudeentwässerung, Kalt- und Warmwasserleitungen, Sanitärobjekte; Fernwärmeanschluss, Fußbodenheizung, Heizkörper; Einzelraumlüfter; Elektroinstallation, Beleuchtung, Blitzschutzanlage, Ruf-Kompaktset, Hausalarmanlage, Brandschutzanlage, EDV-Verkabelung				
500	**Außenanlagen und Freiflächen**	20.921,01 m² AF	3.535	**0,17**	0,3
	Versorgungsleitungen von Nachbargebäude				
600	**Ausstattung und Kunstwerke**	607,98 m² BGF	5.530	**9,10**	0,5
	Sanitärausstattungen				

Kostenkennwerte für die Kostengruppen 300 der 2. und 3. Ebene DIN 276 (Übersicht)

KG	Kostengruppe	Menge Einheit	€/Einheit	Kosten €	% an 3+4
300	**Bauwerk – Baukonstruktionen**	**607,98 m² BGF**	**1.387,49**	**843.568,16**	**81,8**
310	**Baugrube / Erdbau**	**414,03 m³ BGI**	**19,18**	**7.940,76**	**0,8**
311	Herstellung	414,03 m³ BGI	19,18	7.940,76	0,8
312	Umschließung	–	–	–	–
313	Wasserhaltung	–	–	–	–
314	Vortrieb	–	–	–	–
319	Sonstiges zur KG 310	–	–	–	–
320	**Gründung, Unterbau**	**320,72 m² GRF**	**409,93**	**131.473,50**	**12,7**
321	Baugrundverbesserung	320,72 m²	4,60	1.475,88	0,1
322	Flachgründungen und Bodenplatten	320,72 m²	190,16	60.988,37	5,9
323	Tiefgründungen	–	–	–	–
324	Gründungsbeläge	285,83 m²	182,55	52.178,75	5,1
325	Abdichtungen und Bekleidungen	367,02 m²	33,94	12.456,38	1,2
326	Dränagen	320,72 m² GRF	13,64	4.374,11	0,4
329	Sonstiges zur KG 320	–	–	–	–
330	**Außenwände/Vert. Baukonstrukt., außen**	**440,98 m² AWF**	**689,53**	**304.066,56**	**29,5**
331	Tragende Außenwände	277,37 m²	215,33	59.723,75	5,8
332	Nichttragende Außenwände	38,23 m²	230,78	8.822,61	0,9
333	Außenstützen	5,96 m	52,22	311,23	< 0,1
334	Außenwandöffnungen	125,38 m²	886,29	111.125,96	10,8
335	Außenwandbekleidungen, außen	410,03 m²	267,17	109.545,82	10,6
336	Außenwandbekleidungen, innen	246,28 m²	51,03	12.567,23	1,2
337	Element. Außenwandkonstruktionen	–	–	–	–
338	Lichtschutz zur KG 330	75,00 m²	26,27	1.969,96	0,2
339	Sonstiges zur KG 330	–	–	–	–
340	**Innenwände/Vert. Baukonstrukt., innen**	**337,00 m² IWF**	**315,68**	**106.384,86**	**10,3**
341	Tragende Innenwände	75,19 m²	189,41	14.242,09	1,4
342	Nichttragende Innenwände	213,94 m²	121,76	26.049,37	2,5
343	Innenstützen	17,66 m	52,22	922,19	< 0,1
344	Innenwandöffnungen	38,87 m²	741,95	28.838,25	2,8
345	Innenwandbekleidungen	506,95 m²	63,80	32.343,79	3,1
346	Elementierte Innenwandkonstruktionen	9,00 m²	443,24	3.989,17	0,4
347	Lichtschutz zur KG 340	–	–	–	–
349	Sonstiges zur KG 340	–	–	–	–
350	**Decken/Horizontale Baukonstruktionen**	**214,84 m² DEF**	**450,07**	**96.691,63**	**9,4**
351	Deckenkonstruktionen	214,84 m²	265,57	57.053,79	5,5
352	Deckenöffnungen	–	–	–	–
353	Deckenbeläge	199,96 m²	159,18	31.829,40	3,1
354	Deckenbekleidungen	78,29 m²	99,74	7.808,46	0,8
355	Elementierte Deckenkonstruktionen	–	–	–	–
359	Sonstiges zur KG 350	–	–	–	–
360	**Dächer**	**398,38 m² DAF**	**419,75**	**167.221,05**	**16,2**
361	Dachkonstruktionen	396,38 m²	116,60	46.217,69	4,5
362	Dachöffnungen	2,00 m²	1.845,65	3.691,30	0,4
363	Dachbeläge	428,80 m²	173,99	74.604,30	7,2
364	Dachbekleidungen	356,15 m²	119,92	42.707,78	4,1
365	Elementierte Dachkonstruktionen	–	–	–	–
366	Lichtschutz zur KG 360	–	–	–	–
369	Sonstiges zur KG 360	–	–	–	–
370	**Infrastrukturanlagen**	**–**	**–**	**–**	**–**
380	**Baukonstruktive Einbauten**	**607,98 m² BGF**	**0,27**	**161,88**	**< 0,1**
390	**Sonst. Maßnahmen für Baukonstrukt.**	**607,98 m² BGF**	**48,73**	**29.627,93**	**2,9**

4100-0174
Gesamtschule
(10 Klassen)
(188 Schüler)
Effizienzhaus ~66%

Kostenkennwerte für die Kostengruppen 400 der 2. und 3. Ebene DIN 276 (Übersicht)

KG	Kostengruppe	Menge Einheit	€/Einheit	Kosten €	% an 3+4
400	**Bauwerk – Technische Anlagen**	**607,98 m² BGF**	**309,18**	**187.976,82**	**18,2**
410	**Abwasser-, Wasser-, Gasanlagen**	**607,98 m² BGF**	**80,28**	**48.810,43**	**4,7**
411	Abwasseranlagen	607,98 m² BGF	33,76	20.527,15	2,0
412	Wasseranlagen	607,98 m² BGF	35,37	21.502,90	2,1
413	Gasanlagen	–	–	–	–
419	Sonstiges zur KG 410	607,98 m² BGF	11,15	6.780,38	0,7
420	**Wärmeversorgungsanlagen**	**607,98 m² BGF**	**52,03**	**31.634,46**	**3,1**
421	Wärmeerzeugungsanlagen	607,98 m² BGF	1,73	1.053,33	0,1
422	Wärmeverteilnetze	607,98 m² BGF	17,25	10.484,94	1,0
423	Raumheizflächen	607,98 m² BGF	33,05	20.096,22	1,9
424	Verkehrsheizflächen	–	–	–	–
429	Sonstiges zur KG 420	–	–	–	–
430	**Raumlufttechnische Anlagen**	**607,98 m² BGF**	**6,36**	**3.866,17**	**0,4**
431	Lüftungsanlagen	607,98 m² BGF	6,36	3.866,17	0,4
432	Teilklimaanlagen	–	–	–	–
433	Klimaanlagen	–	–	–	–
434	Kälteanlagen	–	–	–	–
439	Sonstiges zur KG 430	–	–	–	–
440	**Elektrische Anlagen**	**607,98 m² BGF**	**133,58**	**81.212,43**	**7,9**
441	Hoch- und Mittelspannungsanlagen	–	–	–	–
442	Eigenstromversorgungsanlagen	–	–	–	–
443	Niederspannungsschaltanlagen	–	–	–	–
444	Niederspannungsinstallationsanlagen	607,98 m² BGF	66,43	40.388,94	3,9
445	Beleuchtungsanlagen	607,98 m² BGF	54,24	32.977,34	3,2
446	Blitzschutz- und Erdungsanlagen	607,98 m² BGF	12,91	7.846,15	0,8
447	Fahrleitungssysteme	–	–	–	–
449	Sonstiges zur KG 440	–	–	–	–
450	**Kommunikationstechnische Anlagen**	**607,98 m² BGF**	**31,70**	**19.271,21**	**1,9**
451	Telekommunikationsanlagen	–	–	–	–
452	Such- und Signalanlagen	607,98 m² BGF	2,98	1.810,83	0,2
453	Zeitdienstanlagen	–	–	–	–
454	Elektroakustische Anlagen	–	–	–	–
455	Audiovisuelle Medien- u. Antennenanl.	–	–	–	–
456	Gefahrenmelde- und Alarmanlagen	607,98 m² BGF	18,00	10.944,23	1,1
457	Datenübertragungsnetze	607,98 m² BGF	10,72	6.516,13	0,6
458	Verkehrsbeeinflussungsanlagen	–	–	–	–
459	Sonstiges zur KG 450	–	–	–	–
460	**Förderanlagen**	**–**	**–**	**–**	**–**
461	Aufzugsanlagen	–	–	–	–
462	Fahrtreppen, Fahrsteige	–	–	–	–
463	Befahranlagen	–	–	–	–
464	Transportanlagen	–	–	–	–
465	Krananlagen	–	–	–	–
466	Hydraulikanlagen	–	–	–	–
469	Sonstiges zur KG 460	–	–	–	–
470	**Nutzungsspez. u. verfahrenstechn. Anl.**	**–**	**–**	**–**	**–**
480	**Gebäude- und Anlagenautomation**	**–**	**–**	**–**	**–**
490	**Sonst. Maßnahmen für techn. Anlagen**	**607,98 m² BGF**	**5,23**	**3.182,15**	**0,3**

Kostenkennwerte für Leistungsbereiche nach STLB (Kosten des Bauwerks nach DIN 276)

LB	Leistungsbereiche	Kosten €	€/m² BGF	€/m³ BRI	% an 3+4
000	Sicherheits-, Baustelleneinrichtungen inkl. 001	21.876	36,00	10,00	2,1
002	Erdarbeiten	12.679	20,90	5,80	1,2
006	Spezialtiefbauarbeiten inkl. 005	–	–	–	–
009	Entwässerungskanalarbeiten inkl. 011	4.058	6,70	1,90	0,4
010	Drän- und Versickerarbeiten	4.374	7,20	2,00	0,4
012	Mauerarbeiten	24.876	40,90	11,40	2,4
013	Betonarbeiten	112.973	185,80	51,80	11,0
014	Natur-, Betonwerksteinarbeiten	–	–	–	–
016	Zimmer- und Holzbauarbeiten	121.994	200,70	56,00	11,8
017	Stahlbauarbeiten	–	–	–	–
018	Abdichtungsarbeiten	28.328	46,60	13,00	2,7
019	Kampfmittelräumarbeiten	–	–	–	–
020	Dachdeckungsarbeiten	73.307	120,60	33,60	7,1
021	Dachabdichtungsarbeiten	–	–	–	–
022	Klempnerarbeiten	17.691	29,10	8,10	1,7
	Rohbau	**422.156**	**694,40**	**193,60**	**40,9**
023	Putz- und Stuckarbeiten, Wärmedämmsysteme	29.103	47,90	13,30	2,8
024	Fliesen- und Plattenarbeiten	18.085	29,70	8,30	1,8
025	Estricharbeiten	31.876	52,40	14,60	3,1
026	Fenster, Außentüren inkl. 029, 032	109.972	180,90	50,40	10,7
027	Tischlerarbeiten	32.827	54,00	15,10	3,2
028	Parkettarbeiten, Holzpflasterarbeiten	37.988	62,50	17,40	3,7
030	Rollladenarbeiten	1.970	3,20	0,90	0,2
031	Metallbauarbeiten inkl. 035	–	–	–	–
034	Maler- und Lackiererarbeiten inkl. 037	34.008	55,90	15,60	3,3
036	Bodenbelagarbeiten	–	–	–	–
038	Vorgehängte hinterlüftete Fassaden	45.702	75,20	21,00	4,4
039	Trockenbauarbeiten	88.492	145,60	40,60	8,6
	Ausbau	**430.023**	**707,30**	**197,30**	**41,7**
040	Wärmeversorgungsanl. - Betriebseinr. inkl. 041	28.050	46,10	12,90	2,7
042	Gas- und Wasserinstallation, Leitungen inkl. 043	8.175	13,40	3,70	0,8
044	Abwasseranlagen - Leitungen	8.160	13,40	3,70	0,8
045	GWE-Einrichtungsgegenstände inkl. 046	22.900	37,70	10,50	2,2
047	Dämmarbeiten an betriebstechnischen Anlagen	6.541	10,80	3,00	0,6
049	Feuerlöschanlagen, Feuerlöschgeräte	–	–	–	–
050	Blitzschutz- und Erdungsanlagen	7.846	12,90	3,60	0,8
053	Niederspannungsanlagen inkl. 052, 054	41.628	68,50	19,10	4,0
055	Sicherheits- u. Ersatzstromversorgungsanl.	–	–	–	–
057	Gebäudesystemtechnik	–	–	–	–
058	Leuchten und Lampen inkl. 059	32.977	54,20	15,10	3,2
060	Sprechanlagen, elektroakust. Anlagen inkl. 064	1.811	3,00	0,83	0,2
061	Kommunikationsnetze inkl. 063	17.224	28,30	7,90	1,7
069	Aufzüge	–	–	–	–
070	Gebäudeautomation	–	–	–	–
075	Raumlufttechnische Anlagen inkl. 078	3.687	6,10	1,70	0,4
	Gebäudetechnik	**178.998**	**294,40**	**82,10**	**17,4**
084	Abbruch, Rückbau, Schadstoffsanierung	367	0,60	0,17	< 0,1
	Abbrucharbeiten	**367**	**0,60**	**0,17**	**< 0,1**
	Sonstige Leistungsbereiche	–	–	–	–

4100-0175
Grundschule
(4 Lernlandschaften)
(160 Schüler)
Effizienzhaus ~3%

Objektübersicht

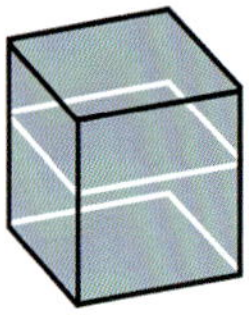

BRI 549€/m³

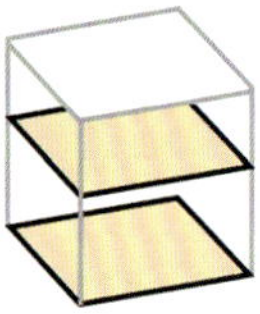

BGF 2.449€/m²

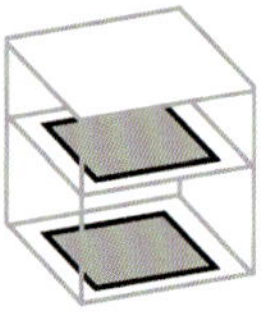

NUF 2.985€/m²

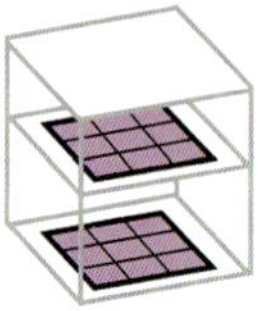

NE 33.209€/NE
NE: Schüler

Objekt:
Kennwerte: 3. Ebene DIN 276
BRI: 9.671 m³
BGF: 2.170 m²
NUF: 1.780 m²
Bauzeit: 70 Wochen
Bauende: 2016
Standard: Durchschnitt
Bundesland: Niedersachsen
Kreis: Lüchow-Dannenberg

Architekt*in:
ralf pohlmann
architekten
Kiefen 26
29496 Waddeweitz

Bauherr*in:
Samtgemeinde Lüchow
29439 Lüchow (Wendland)

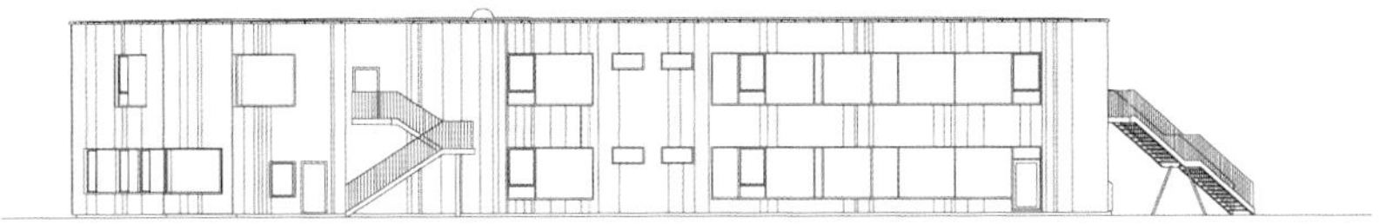

Ansicht Nord

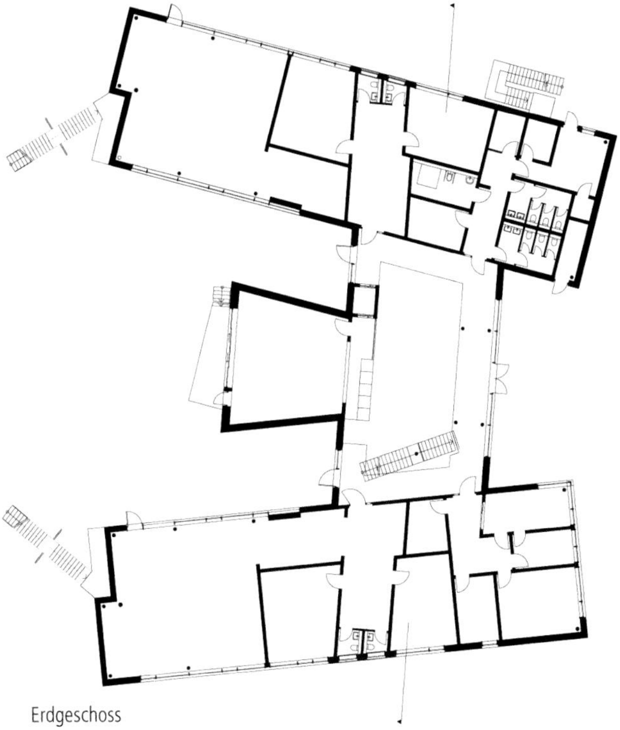

Erdgeschoss

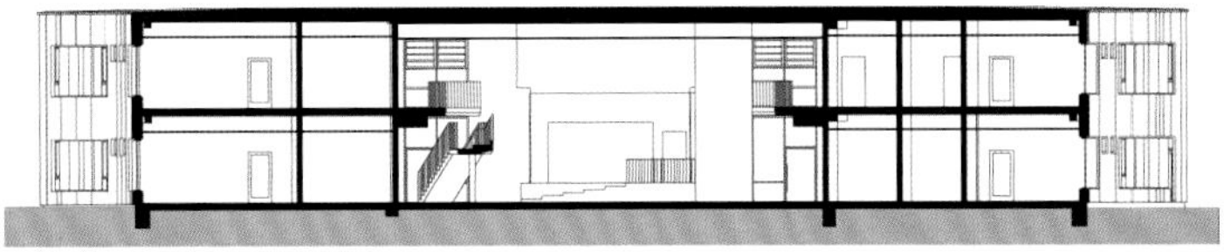

Schnitt

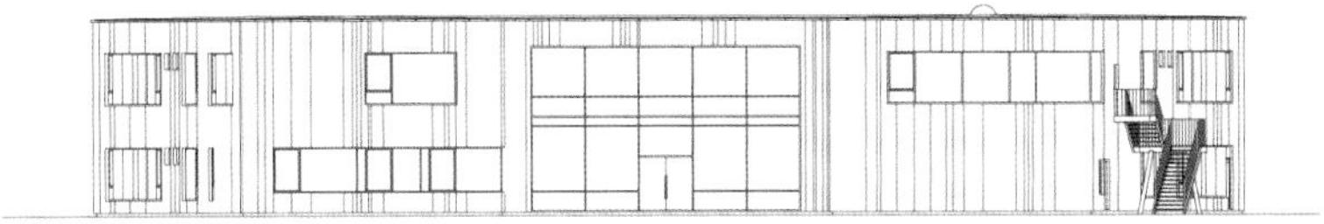

Ansicht Ost

4100-0175
Grundschule
(4 Lernlandschaften)
(160 Schüler)
Effizienzhaus ~3%

Objektbeschreibung

Allgemeine Objektinformationen

Der Schulneubau wurde als Ersatzbau für das alte Schulgebäude errichtet. Das Nutzungskonzept des Gebäudes und des dazugehörigen Freibereichs entstand aus einem einmaligen pädagogischen Konzept, das die Schule in vier Lernlandschaften organisiert. Jeder Lernlandschaft, in der bis zu 40 Kinder ihren festen Arbeitsplatz haben, sind zwei Lernräume und ein Garderobenraum samt Toiletten zugeordnet. Die Klassenräume im herkömmlichen Sinn findet man in dieser Schule nicht mehr. Die farbige Holzfassade der Außenwände korrespondiert mit den vier Farben im Inneren an den abgehängten Leuchtringen.

Nutzung

1 Erdgeschoss
Zwei Lernlandschaften, Wir-Raum, Musikraum, Verwaltung, Sanitärbereich, Technik, Lager

1 Obergeschoss
Zwei Lernlandschaften, Werkraum, Lehrerlounge, Sanitärräume, Technik, Lager

Nutzeinheiten

Klassen: 4
Schüler: 160

Grundstück

Bauraum: Beengter Bauraum
Neigung: Geneigtes Gelände
Bodenklasse: BK 1 bis BK 4

Markt

Hauptvergabezeit: 3. Quartal 2014
Baubeginn: 4. Quartal 2014
Bauende: 1. Quartal 2016
Konjunkturelle Gesamtlage: Durchschnitt
Regionaler Baumarkt: unter Durchschnitt

Baukonstruktion

Das Gebäude wurde in Mischbauweise errichtet. Die Außenwände entstanden in Holzrahmenbauweise, das Tragwerk innen wurde in Stahlbeton und Mauerwerk ausgeführt. Die Gründung erfolgt über eine Stahlbetonbodenplatte auf Streifenfundamenten. Die Fensterelemente wurden als Pfosten-Riegel-Elemente eingebaut. Die Innenwände sind zum Teil aus Kalksandstein. Die Fußböden sind mit Gussasphaltestrich, Nadelvlies oder Linoleum belegt. Die Dachdecke aus Stahlbeton ist mit einer Gefälledämmung und Folienabdichtung ausgeführt.

Technische Anlagen

Der Neubau wird über ein Fernleitungsnetz mit Wärme versorgt. Eine zentrale Be- und Entlüftungsanlage mit Wärmerückgewinnung versorgt alle Räume mit Frischluft. Die Wärmerückgewinnung erfolgt über einen Rotationswärmetauscher mit einem Wärmerückgewinnungsgrad von mindestens 80%. Photovoltaikmodule auf dem Dach speisen Strom in das öffentliche Netz ein. Ein speziell erarbeitetes Beleuchtungskonzept stellt überall eine biologisch aktive Beleuchtungsstärke von 1.000Lux sicher. Die Steuerung erfolgt über Präsenzmelder. Der Primärenergieverbrauch beträgt 3,0kWh/m^{2}a.

Sonstiges

Die Möblierung wurde individuell entwickelt, um den Kindern optimale Lernbedingungen zu bieten. Das Gebäude samt Schulhof ist barrierefrei. Alle Außenbauteile wurden im Passivhausstandard ausgeführt.

Planungskennwerte für Flächen und Rauminhalte nach DIN 277

Flächen des Grundstücks		Menge Einheit	% an GF
BF	Bebaute Fläche	1.154,60 m²	11,0
UF	Unbebaute Fläche	9.347,40 m²	89,0
GF	Grundstücksfläche	10.502,00 m²	100,0

Grundflächen des Bauwerks		Menge Einheit	% an NUF	% an BGF
NUF	Nutzungsfläche	1.780,12 m²	100,0	82,0
TF	Technikfläche	47,76 m²	2,7	2,2
VF	Verkehrsfläche	52,30 m²	2,9	2,4
NRF	Netto-Raumfläche	1.880,18 m²	105,6	86,7
KGF	Konstruktions-Grundfläche	289,49 m²	16,3	13,3
BGF	Brutto-Grundfläche	2.169,67 m²	121,9	100,0

Brutto-Rauminhalt des Bauwerks		Menge Einheit	BRI/NUF (m)	BRI/BGF (m)
BRI	Brutto-Rauminhalt	9.671,27 m³	5,43	4,46

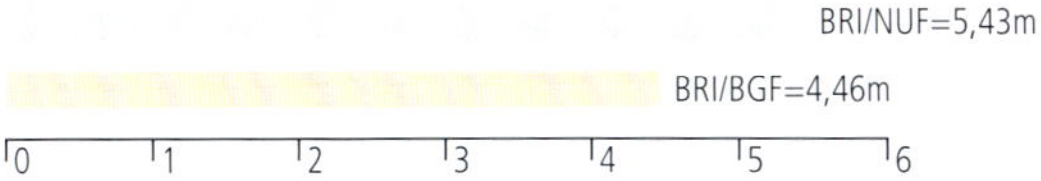

Lufttechnisch behandelte Flächen	Menge Einheit	% an NUF	% an BGF
Entlüftete Fläche	–	–	–
Be- und entlüftete Fläche	–	–	–
Teilklimatisierte Fläche	–	–	–
Klimatisierte Fläche	–	–	–

KG	Kostengruppen (2. Ebene)	Menge Einheit	Menge/NUF	Menge/BGF
310	Baugrube / Erdbau	1.579,24 m³ BGI	0,89	0,73
320	Gründung, Unterbau	1.163,82 m² GRF	0,65	0,54
330	Außenwände/Vertikale Baukonstruktionen, außen	1.464,03 m² AWF	0,82	0,68
340	Innenwände/Vertikale Baukonstruktionen, innen	1.816,44 m² IWF	1,02	0,84
350	Decken/Horizontale Baukonstruktionen	920,40 m² DEF	0,52	0,42
360	Dächer	1.071,54 m² DAF	0,60	0,49

Kostenkennwerte für die Kostengruppen der 1. Ebene DIN 276

KG	Kostengruppen (1. Ebene)	Einheit	Kosten €	€/Einheit	€/m² BGF	€/m³ BRI	% 300+400
100	Grundstück	m² GF	–	–	–	–	–
200	Vorbereitende Maßnahmen	m² GF	289.369	27,55	133,37	29,92	5,4
300	Bauwerk – Baukonstruktionen	m² BGF	3.664.150	1.688,81	1.688,81	378,87	69,0
400	Bauwerk – Technische Anlagen	m² BGF	1.649.228	760,13	760,13	170,53	31,0
	Bauwerk 300+400	**m² BGF**	**5.313.378**	**2.448,93**	**2.448,93**	**549,40**	**100,0**
500	Außenanlagen und Freiflächen	m² AF	732.531	122,00	337,62	75,74	13,8
600	Ausstattung und Kunstwerke	m² BGF	537.815	247,88	247,88	55,61	10,1
700	Baunebenkosten	m² BGF	–	–	–	–	–
800	Finanzierung	m² BGF	–	–	–	–	–

KG	Kostengruppe	Menge Einheit	Kosten €	€/Einheit	%
200	**Vorbereitende Maßnahmen**	10.502,00 m² GF	289.369	**27,55**	5,4

Abbruch von zehn Gebäuden, Betonpflaster, Stützmauern, Tennenbeläge, Gehwege; Abräumen von Bewuchs, Oberbodenarbeiten, Auffüllungen, Mietcontainer als Interimsschulräume

KG	Kostengruppe	Menge Einheit	Kosten €	€/Einheit	%
3+4	**Bauwerk**				**100,0**
300	**Bauwerk – Baukonstruktionen**	2.169,67 m² BGF	3.664.150	**1.688,81**	69,0

Baugrubenaushub, Stb-Fundamentplatte, Dämmung, Zementestrich, Nadelvlies, Linoleum, Bodenfliesen; Holzrahmen-Außenwände, Stb-Rundstützen, Holz-Alufenster, gedämmte Holzfassade, GK-Bekleidung, Beschichtung, Raffstores; KS-Mauerwerk, Stb-Wände, Holztüren, Gipsputz, Wandfliesen, WC-Trennwände; Stb-Decken, Stb-Treppe, abgehängte Akustikdecken, Stb-Flachdach, Lichtkuppel, Wärmedämmung, Dachabdichtung, Dachentwässerung

KG	Kostengruppe	Menge Einheit	Kosten €	€/Einheit	%
400	**Bauwerk – Technische Anlagen**	2.169,67 m² BGF	1.649.228	**760,13**	31,0

Gebäudeentwässerung, Kalt- und Warmwasserleitungen, Sanitärobjekte; Fernwärmeanschluss, Heizungsrohre, Heizkörper; zentrale Lüftungsanlagen mit Wärmerückgewinnung; Photovoltaikanlage, Elektroinstallation, LED-Beleuchtung, Blitzschutz; Telefonanlage, Notrufanlage, Alarmanlage, Brandmeldeanlage, Netzwerkverkabelung; Personenaufzug; Küchengeräte, Feuerlöscher; Gebäudeautomation

KG	Kostengruppe	Menge Einheit	Kosten €	€/Einheit	%
500	**Außenanlagen und Freiflächen**	6.004,20 m² AF	732.531	**122,00**	13,8

Bodenarbeiten, Bodenaustausch; Pflasterbeläge, Asphaltbeläge; Nebengebäude als Stahlkonstruktion, Trapezblechdeckung; Entwässerung, Beleuchtung Schulhof, Verkabelung Nebengebäude; Außenmöblierung; Bepflanzung, Rasenflächen, Fertigstellungspflege

KG	Kostengruppe	Menge Einheit	Kosten €	€/Einheit	%
600	**Ausstattung und Kunstwerke**	2.169,67 m² BGF	537.815	**247,88**	10,1

Möblierung Unterrichtsräume, Ausstattung Werkraum, Lehrerarbeitsplätze, Küchenzeilen, Garderoben, Ausstattung WCs

Kostenkennwerte für die Kostengruppen 300 der 2. und 3. Ebene DIN 276 (Übersicht)

KG	Kostengruppe	Menge Einheit	€/Einheit	Kosten €	% an 3+4
300	**Bauwerk – Baukonstruktionen**	**2.169,67 m² BGF**	**1.688,81**	**3.664.149,68**	**69,0**
310	**Baugrube / Erdbau**	**1.579,24 m³ BGI**	**20,49**	**32.357,03**	**0,6**
311	Herstellung	1.579,24 m³ BGI	20,49	32.357,03	0,6
312	Umschließung	–	–	–	–
313	Wasserhaltung	–	–	–	–
314	Vortrieb	–	–	–	–
319	Sonstiges zur KG 310	–	–	–	–
320	**Gründung, Unterbau**	**1.163,82 m² GRF**	**418,90**	**487.526,67**	**9,2**
321	Baugrundverbesserung	1.031,10 m²	15,56	16.046,63	0,3
322	Flachgründungen und Bodenplatten	1.163,82 m²	210,61	245.107,38	4,6
323	Tiefgründungen	–	–	–	–
324	Gründungsbeläge	984,07 m²	168,42	165.735,79	3,1
325	Abdichtungen und Bekleidungen	1.163,82 m²	52,10	60.636,88	1,1
326	Dränagen	–	–	–	–
329	Sonstiges zur KG 320	–	–	–	–
330	**Außenwände/Vert. Baukonstrukt., außen**	**1.464,03 m² AWF**	**831,77**	**1.217.730,14**	**22,9**
331	Tragende Außenwände	–	–	–	–
332	Nichttragende Außenwände	1.012,45 m²	256,26	259.447,75	4,9
333	Außenstützen	138,48 m	320,24	44.346,89	0,8
334	Außenwandöffnungen	74,58 m²	2.683,32	200.122,14	3,8
335	Außenwandbekleidungen, außen	1.285,85 m²	239,64	308.138,72	5,8
336	Außenwandbekleidungen, innen	945,28 m²	90,80	85.833,18	1,6
337	Element. Außenwandkonstruktionen	377,00 m²	739,00	278.601,32	5,2
338	Lichtschutz zur KG 330	221,18 m²	175,01	38.708,58	0,7
339	Sonstiges zur KG 330	1.464,03 m² AWF	1,73	2.531,56	< 0,1
340	**Innenwände/Vert. Baukonstrukt., innen**	**1.816,44 m² IWF**	**303,42**	**551.141,26**	**10,4**
341	Tragende Innenwände	1.527,51 m²	173,89	265.619,80	5,0
342	Nichttragende Innenwände	111,42 m²	96,59	10.762,27	0,2
343	Innenstützen	18,00 m	335,18	6.033,27	0,1
344	Innenwandöffnungen	166,11 m²	920,52	152.907,42	2,9
345	Innenwandbekleidungen	2.830,56 m²	35,78	101.263,31	1,9
346	Elementierte Innenwandkonstruktionen	11,40 m²	1.276,77	14.555,21	0,3
347	Lichtschutz zur KG 340	–	–	–	–
349	Sonstiges zur KG 340	–	–	–	–
350	**Decken/Horizontale Baukonstruktionen**	**920,40 m² DEF**	**682,78**	**628.427,92**	**11,8**
351	Deckenkonstruktionen	871,54 m²	286,77	249.931,84	4,7
352	Deckenöffnungen	–	–	–	–
353	Deckenbeläge	814,38 m²	150,27	122.373,62	2,3
354	Deckenbekleidungen	791,15 m²	143,58	113.591,63	2,1
355	Elementierte Deckenkonstruktionen	48,86 m²	1.929,74	94.286,97	1,8
359	Sonstiges zur KG 350	920,40 m² DEF	52,42	48.243,87	0,9
360	**Dächer**	**1.071,54 m² DAF**	**562,79**	**603.056,50**	**11,3**
361	Dachkonstruktionen	1.071,54 m²	234,25	251.009,88	4,7
362	Dachöffnungen	1,00 m²	6.850,27	6.850,27	0,1
363	Dachbeläge	1.136,10 m²	161,32	183.273,75	3,4
364	Dachbekleidungen	961,74 m²	146,64	141.032,17	2,7
365	Elementierte Dachkonstruktionen	–	–	–	–
366	Lichtschutz zur KG 360	1,00 m²	2.803,96	2.803,96	< 0,1
369	Sonstiges zur KG 360	1.071,54 m² DAF	16,88	18.086,47	0,3
370	**Infrastrukturanlagen**	**–**	**–**	**–**	**–**
380	**Baukonstruktive Einbauten**	**2.169,67 m² BGF**	**5,03**	**10.906,71**	**0,2**
390	**Sonst. Maßnahmen für Baukonstrukt.**	**2.169,67 m² BGF**	**61,30**	**133.003,43**	**2,5**

Kostenkennwerte für die Kostengruppen 400 der 2. und 3.Ebene DIN 276 (Übersicht)

KG	Kostengruppe	Menge Einheit	€/Einheit	Kosten €	% an 3+4
400	**Bauwerk – Technische Anlagen**	**2.169,67 m2 BGF**	**760,13**	**1.649.228,30**	**31,0**
410	**Abwasser-, Wasser-, Gasanlagen**	**2.169,67 m2 BGF**	**41,57**	**90.194,47**	**1,7**
411	Abwasseranlagen	2.169,67 m2 BGF	6,07	13.178,07	0,2
412	Wasseranlagen	2.169,67 m2 BGF	31,64	68.640,39	1,3
413	Gasanlagen	–	–	–	–
419	Sonstiges zur KG 410	2.169,67 m2 BGF	3,86	8.376,01	0,2
420	**Wärmeversorgungsanlagen**	**2.169,67 m2 BGF**	**59,84**	**129.838,70**	**2,4**
421	Wärmeerzeugungsanlagen	2.169,67 m2 BGF	9,14	19.834,52	0,4
422	Wärmeverteilnetze	2.169,67 m2 BGF	24,39	52.920,48	1,0
423	Raumheizflächen	2.169,67 m2 BGF	26,31	57.083,72	1,1
424	Verkehrsheizflächen	–	–	–	–
429	Sonstiges zur KG 420	–	–	–	–
430	**Raumlufttechnische Anlagen**	**2.169,67 m2 BGF**	**171,53**	**372.153,68**	**7,0**
431	Lüftungsanlagen	2.169,67 m2 BGF	171,53	372.153,68	7,0
432	Teilklimaanlagen	–	–	–	–
433	Klimaanlagen	–	–	–	–
434	Kälteanlagen	–	–	–	–
439	Sonstiges zur KG 430	–	–	–	–
440	**Elektrische Anlagen**	**2.169,67 m2 BGF**	**314,14**	**681.587,92**	**12,8**
441	Hoch- und Mittelspannungsanlagen	–	–	–	–
442	Eigenstromversorgungsanlagen	2.169,67 m2 BGF	31,78	68.948,14	1,3
443	Niederspannungsschaltanlagen	2.169,67 m2 BGF	6,61	14.344,56	0,3
444	Niederspannungsinstallationsanlagen	2.169,67 m2 BGF	94,63	205.318,80	3,9
445	Beleuchtungsanlagen	2.169,67 m2 BGF	169,65	368.079,51	6,9
446	Blitzschutz- und Erdungsanlagen	2.169,67 m2 BGF	11,47	24.896,89	0,5
447	Fahrleitungssysteme	–	–	–	–
449	Sonstiges zur KG 440	–	–	–	–
450	**Kommunikationstechnische Anlagen**	**2.169,67 m2 BGF**	**80,80**	**175.309,71**	**3,3**
451	Telekommunikationsanlagen	2.169,67 m2 BGF	4,98	10.813,93	0,2
452	Such- und Signalanlagen	–	–	–	–
453	Zeitdienstanlagen	–	–	–	–
454	Elektroakustische Anlagen	–	–	–	–
455	Audiovisuelle Medien- u. Antennenanl.	2.169,67 m2 BGF	1,82	3.954,33	< 0,1
456	Gefahrenmelde- und Alarmanlagen	2.169,67 m2 BGF	66,66	144.624,04	2,7
457	Datenübertragungsnetze	2.169,67 m2 BGF	7,34	15.917,38	0,3
458	Verkehrsbeeinflussungsanlagen	–	–	–	–
459	Sonstiges zur KG 450	–	–	–	–
460	**Förderanlagen**	**2.169,67 m2 BGF**	**26,27**	**57.003,58**	**1,1**
461	Aufzugsanlagen	2.169,67 m2 BGF	26,27	57.003,58	1,1
462	Fahrtreppen, Fahrsteige	–	–	–	–
463	Befahranlagen	–	–	–	–
464	Transportanlagen	–	–	–	–
465	Krananlagen	–	–	–	–
466	Hydraulikanlagen	–	–	–	–
469	Sonstiges zur KG 460	–	–	–	–
470	**Nutzungsspez. u. verfahrenstechn. Anl.**	**2.169,67 m2 BGF**	**11,68**	**25.346,24**	**0,5**
480	**Gebäude- und Anlagenautomation**	**2.169,67 m2 BGF**	**52,85**	**114.669,59**	**2,2**
490	**Sonst. Maßnahmen für techn. Anlagen**	**2.169,67 m2 BGF**	**1,44**	**3.124,41**	**< 0,1**

Kostenkennwerte für Leistungsbereiche nach STLB (Kosten des Bauwerks nach DIN 276)

LB	Leistungsbereiche	Kosten €	€/m² BGF	€/m³ BRI	% an 3+4
000	Sicherheits-, Baustelleneinrichtungen inkl. 001	111.591	51,40	11,50	2,1
002	Erdarbeiten	48.404	22,30	5,00	0,9
006	Spezialtiefbauarbeiten inkl. 005	–	–	–	–
009	Entwässerungskanalarbeiten inkl. 011	–	–	–	–
010	Drän- und Versickerarbeiten	–	–	–	–
012	Mauerarbeiten	147.052	67,80	15,20	2,8
013	Betonarbeiten	972.902	448,40	100,60	18,3
014	Natur-, Betonwerksteinarbeiten	–	–	–	–
016	Zimmer- und Holzbauarbeiten	345.809	159,40	35,80	6,5
017	Stahlbauarbeiten	–	–	–	–
018	Abdichtungsarbeiten	55.951	25,80	5,80	1,1
019	Kampfmittelräumarbeiten	–	–	–	–
020	Dachdeckungsarbeiten	–	–	–	–
021	Dachabdichtungsarbeiten	162.772	75,00	16,80	3,1
022	Klempnerarbeiten	38.588	17,80	4,00	0,7
	Rohbau	**1.883.068**	**867,90**	**194,70**	**35,4**
023	Putz- und Stuckarbeiten, Wärmedämmsysteme	65.377	30,10	6,80	1,2
024	Fliesen- und Plattenarbeiten	19.351	8,90	2,00	0,4
025	Estricharbeiten	185.532	85,50	19,20	3,5
026	Fenster, Außentüren inkl. 029, 032	639.903	294,90	66,20	12,0
027	Tischlerarbeiten	91.241	42,10	9,40	1,7
028	Parkettarbeiten, Holzpflasterarbeiten	–	–	–	–
030	Rollladenarbeiten	37.948	17,50	3,90	0,7
031	Metallbauarbeiten inkl. 035	168.192	77,50	17,40	3,2
034	Maler- und Lackiererarbeiten inkl. 037	63.215	29,10	6,50	1,2
036	Bodenbelagarbeiten	63.516	29,30	6,60	1,2
038	Vorgehängte hinterlüftete Fassaden	222.670	102,60	23,00	4,2
039	Trockenbauarbeiten	335.167	154,50	34,70	6,3
	Ausbau	**1.892.113**	**872,10**	**195,60**	**35,6**
040	Wärmeversorgungsanl. - Betriebseinr. inkl. 041	131.323	60,50	13,60	2,5
042	Gas- und Wasserinstallation, Leitungen inkl. 043	27.943	12,90	2,90	0,5
044	Abwasseranlagen - Leitungen	13.178	6,10	1,40	0,2
045	GWE-Einrichtungsgegenstände inkl. 046	49.073	22,60	5,10	0,9
047	Dämmarbeiten an betriebstechnischen Anlagen	–	–	–	–
049	Feuerlöschanlagen, Feuerlöschgeräte	2.486	1,10	0,26	< 0,1
050	Blitzschutz- und Erdungsanlagen	24.428	11,30	2,50	0,5
053	Niederspannungsanlagen inkl. 052, 054	361.983	166,80	37,40	6,8
055	Sicherheits- u. Ersatzstromversorgungsanl.	–	–	–	–
057	Gebäudesystemtechnik	–	–	–	–
058	Leuchten und Lampen inkl. 059	285.335	131,50	29,50	5,4
060	Sprechanlagen, elektroakust. Anlagen inkl. 064	56.821	26,20	5,90	1,1
061	Kommunikationsnetze inkl. 063	42.085	19,40	4,40	0,8
069	Aufzüge	57.004	26,30	5,90	1,1
070	Gebäudeautomation	87.448	40,30	9,00	1,6
075	Raumlufttechnische Anlagen inkl. 078	373.387	172,10	38,60	7,0
	Gebäudetechnik	**1.512.493**	**697,10**	**156,40**	**28,5**
084	Abbruch, Rückbau, Schadstoffsanierung	801	0,37	0,08	< 0,1
	Abbrucharbeiten	**801**	**0,37**	**0,08**	**< 0,1**
	Sonstige Leistungsbereiche	**24.903**	**11,50**	**2,60**	**0,5**

4100-0179
Gymnasium
(32 Klassen)
(960 Schüler)
Sporthalle
Plusenergiehaus

Objektübersicht

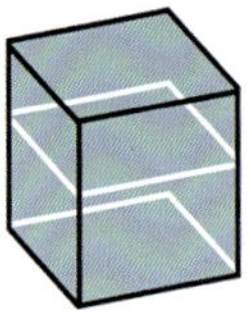
BRI 552 €/m³

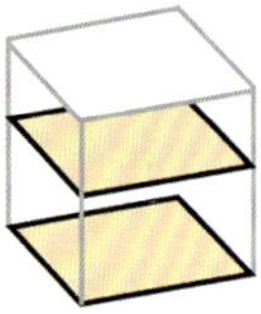
BGF 2.798 €/m²

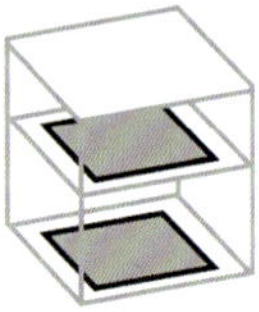
NUF 5.176 €/m²

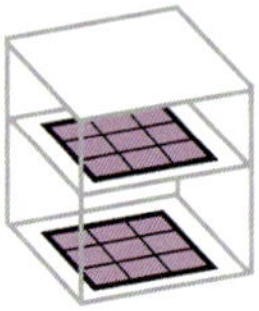
NE 46.761 €/NE
NE: Schüler

Objekt:
Kennwerte: 1. Ebene DIN 276
BRI: 81.390 m³
BGF: 16.046 m²
NUF: 8.672 m²
Bauzeit: 104 Wochen
Bauende: 2015
Standard: Durchschnitt
Bundesland: Bayern
Kreis: Augsburg

Architekt*in:
Hermann Kaufmann ZT GmbH & Florian Nagler Architekten GmbH
"ARGE Diedorf"
Theodor-Storm-Straße 16
81245 München

Bauherr*in:
Landkreis Augsburg
Prinzregentenplatz 4
86150 Augsburg

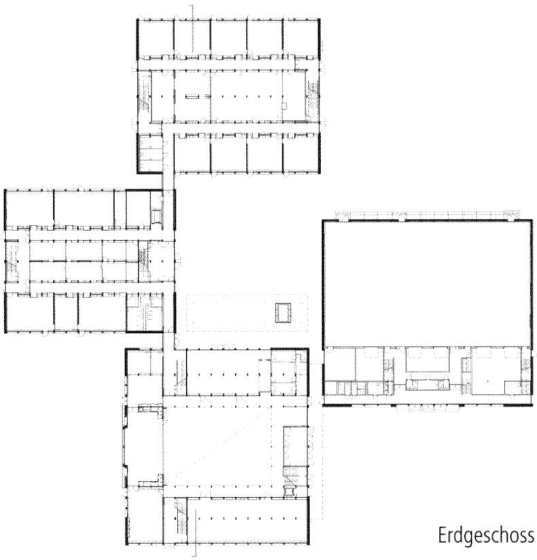

Erdgeschoss

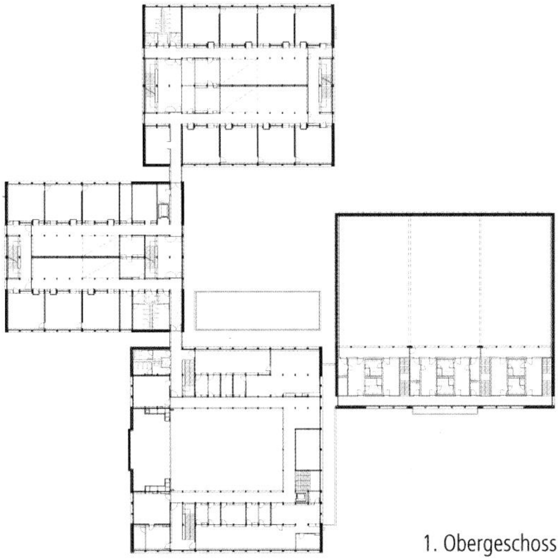

1. Obergeschoss

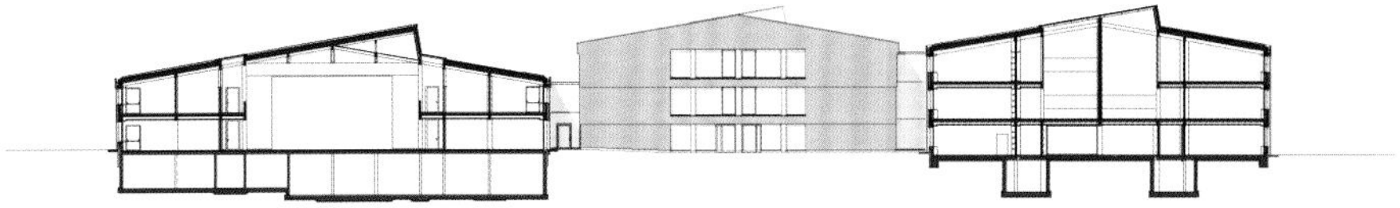

Schnitt

4100-0179
Gymnasium
(32 Klassen)
(960 Schüler)
Sporthalle
Plusenergiehaus

Objektbeschreibung

Allgemeine Objektinformationen

Das Gymnasium besteht aus vier Gebäuden in Holzbauweise mit leicht geneigten Dächern. Das Volumen von rund 80.000m³ beinhalten zwei dreigeschossige Klassenhäuser sowie eine Sporthalle und einen Trakt für zentrale Nutzungen mit je zwei Geschossen. Die Bauten entsprechen den Ansprüchen an Schallschutz, Raumakustik und Raumklima. Für die Konstruktion verwendetes Material wurde sichtbar belassen, somit bleibt die Konstruktion nachvollziehbar.

Nutzung

1 Untergeschoss
Technik, Sanitärräume, Lager

1 Erdgeschoss
Fachklassen (10St), Vorbereitung, Werkräume (4St), Musikräume (2St), Nebenräume, Mehrzweckraum, Bibliothek, Mensa, Mensaküche, Schülercafé, Pausenhalle, Hausmeister, Dreifeldhalle, Konditionsraum, Geräteräume, Sanitärräume

2 Obergeschosse
Lehrerzimmer, Arbeitsraum, Verwaltung, Eltersprechzimmer (4St), Klassenräume (30St), Stillarbeitsräume (7St), Lehrmittelräume (7St), Aufenthaltsräume (2St), Nebenräume, Sanitärräume, Umkleiden

Nutzeinheiten

Klassen: 32
Schüler: 960

Grundstück

Bauraum: Freier Bauraum
Neigung: Ebenes Gelände
Bodenklasse: BK 3 bis BK 4

Markt

Hauptvergabezeit: 3. Quartal 2013
Baubeginn: 3. Quartal 2013
Bauende: 3. Quartal 2015
Konjunkturelle Gesamtlage: über Durchschnitt
Regionaler Baumarkt: Durchschnitt

Baukonstruktion

Die konstruktive Struktur der Baukörper beruht auf einem Grundraster von 2,70m. Die Stahlbetonbodenplatten sind unterseitig gedämmt. Beim Tragwerk wurden Holzgabelstützen in unterschiedlichen Querschnitten verwendet. Vorgefertigte Holzdeckenelemente, die mit einer vor Ort eingebrachten Faserbetonplatte zu einer Holzbetonverbunddecke wurden, sind in diese Gabelstützen eingelegt und dienen der Aussteifung. Die kräftigen Zwillingsdeckenbalken bilden die Zugzone. Die Fassaden wurden mit sägerauer und vorvergrauter Fichtenschalung bekleidet. Es wurden Holzfenster mit Dreifachverglasung und als Sonnenschutz Aluraffstores eingebaut. Die Sparrendächer wurden im Bereich von Sporthalle und Aula aufgrund der großen Spannweiten durch Leimbinder unterstützt. Die Dächer wurden mit einer großen Photovoltaikanlage belegt. Die verbleibenden Flächen wurden begrünt.

Technische Anlagen

Das Gebäude erhielt eine hocheffiziente Gebäudehülle im Passivhausstandard. Die Wärmeversorgung erfolgt mittels zwei Pelletkesseln mit nachgeschalteten 7.500l-Pufferspeichern. Über eine Fußbodenheizung wird das Gebäude erwärmt und gekühlt. Für die kontrollierte Lüftungsanlage mit Wärmerückgewinnung, die Heizung, die Kühlung, die Hilfsenergien und das Kunstlicht wurden Zielwerte vorgegeben, die mit dem Pflichtenheft kontrolliert werden. Durch die Reduktion des Energieverbrauchs und die regenerative Erzeugung von Strom über den Eigenbedarf hinaus mit der 430-kWp-Photovoltaikanlage als durchdringungslose Aufdachmontage wurde das Plusenergiekonzept erfolgreich umgesetzt.

Planungskennwerte für Flächen und Rauminhalte nach DIN 277

Flächen des Grundstücks		Menge Einheit	% an GF
BF	Bebaute Fläche	6.845,00 m²	19,0
UF	Unbebaute Fläche	29.260,00 m²	81,0
GF	Grundstücksfläche	36.105,00 m²	100,0

Grundflächen des Bauwerks		Menge Einheit	% an NUF	% an BGF
NUF	Nutzungsfläche	8.672,00 m²	100,0	54,0
TF	Technikfläche	2.313,00 m²	26,7	14,4
VF	Verkehrsfläche	2.991,60 m²	34,5	18,6
NRF	Netto-Raumfläche	13.976,60 m²	161,2	87,1
KGF	Konstruktions-Grundfläche	2.069,40 m²	23,9	12,9
BGF	Brutto-Grundfläche	16.046,00 m²	185,0	100,0

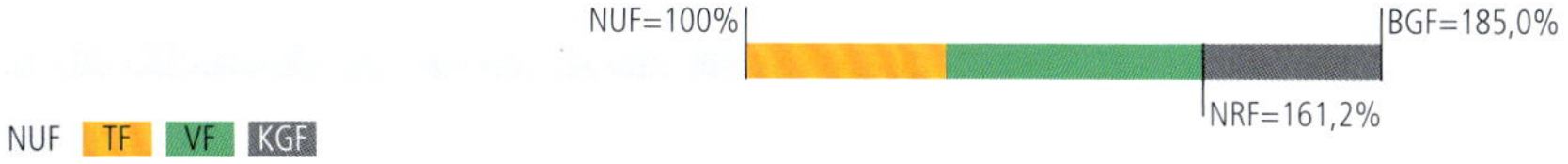

Brutto-Rauminhalt des Bauwerks		Menge Einheit	BRI/NUF (m)	BRI/BGF (m)
BRI	Brutto-Rauminhalt	81.390,00 m³	9,39	5,07

4100-0179
Gymnasium
(32 Klassen)
(960 Schüler)
Sporthalle
Plusenergiehaus

Kostenkennwerte für die Kostengruppen der 1. Ebene DIN 276

KG	Kostengruppen (1. Ebene)	Einheit	Kosten €	€/Einheit	€/m² BGF	€/m³ BRI	% 300+400
100	Grundstück	m² GF	–	–	–	–	–
200	Vorbereitende Maßnahmen	m² GF	–	–	–	–	–
300	Bauwerk – Baukonstruktionen	m² BGF	30.895.734	1.925,45	1.925,45	379,60	68,8
400	Bauwerk – Technische Anlagen	m² BGF	13.994.395	872,14	872,14	171,94	31,2
	Bauwerk 300+400	**m² BGF**	**44.890.129**	**2.797,59**	**2.797,59**	**551,54**	**100,0**
500	Außenanlagen und Freiflächen	m² AF	–	–	–	–	–
600	Ausstattung und Kunstwerke	m² BGF	–	–	–	–	–
700	Baunebenkosten	m² BGF	–	–	–	–	–
800	Finanzierung	m² BGF	–	–	–	–	–

KG	Kostengruppe	Menge Einheit	Kosten €	€/Einheit	%
3+4	**Bauwerk**				**100,0**
300	**Bauwerk – Baukonstruktionen**	16.046,00 m² BGF	30.895.734	**1.925,45**	68,8

Stb-Streifenfundamente, Stb-Bodenplatten, WU-Beton, Abdichtung, Wärmedämmung, Heizestrich, mineralischer Oberboden, Sportboden, Dämmung; Stb-Wände (UG), gedämmte Holzrahmenelemente, Holzfenster, Dreifachverglasung, hinterlüftete Fichtenschalung, Holzbekleidung, Prallwände, Aluraffstores; Holzrahmen-Innenwände, Türen, Festverglasungen, Tore (Geräteräume), Holz-, Gipsfaserplattenbekleidung; Holz-Beton-Verbunddecken, Dämmung, Heizestrich, mineralischer Oberboden, Akustikdecke; Holzdachkonstruktion, Mineralwolldämmung, EPDM-Folienabdichtung, Doppelstehfalzdeckung, Gründach; Sporthallentrennvorhänge, Sporteinbaugeräte

KG	Kostengruppe	Menge Einheit	Kosten €	€/Einheit	%
400	**Bauwerk – Technische Anlagen**	16.046,00 m² BGF	13.994.395	**872,14**	31,2

Gebäudeentwässerung, Kalt- und Warmwasserleitungen, Sanitärobjekte; Pelletkessel 100kW (2St), Pufferspeicher 7.500l (2St), Fußbodenheizung; Lüftungsanlage mit Wärmerückgewinnung, 22.500m³/h (2St), 5.000m³/h (1St), Quelllüftung; PV-Anlage 430kWp, Elektroinstallation, LED-Beleuchtung, Blitzschutzanlage; Gebäudeautomation

4100-0183
Mittelschule
(5 Klassen)
(125 Schüler)
Effizienzhaus ~72%

Objektübersicht

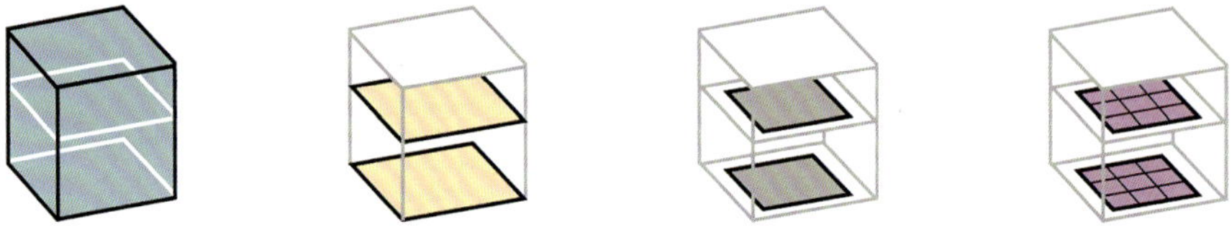

BRI 662 €/m³ | BGF 2.434 €/m² | NUF 3.822 €/m² | NE 36.676 €/NE

NE: Schüler

Objekt:
Kennwerte: 1. Ebene DIN 276
BRI: 6.921 m³
BGF: 1.883 m²
NUF: 1.200 m²
Bauzeit: 52 Wochen
Bauende: 2015
Standard: über Durchschnitt
Bundesland: Bayern
Kreis: Eichstätt

Architekt*in:
ABHD Architekten
Beck und Denzinger
Luitpoldstraße C 66
86633 Neuburg a.d. Donau

Bauherr*in:
Montessori Verein
Kösching e.V.
Bahnhofstraße 43
85092 Kösching

© Maximilian Gottwald

© Maximilian Gottwald

© Maximilian Gottwald

© Maximilian Gottwald

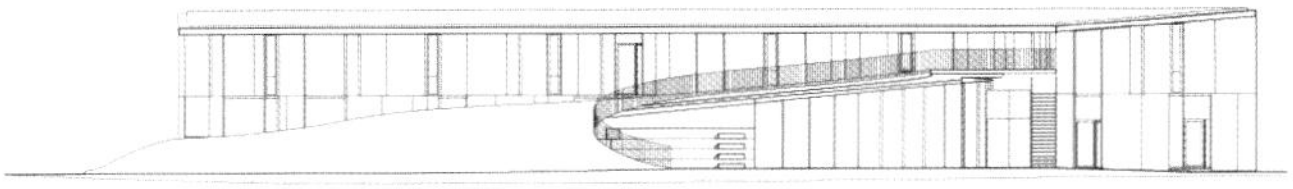

Ansicht Nord

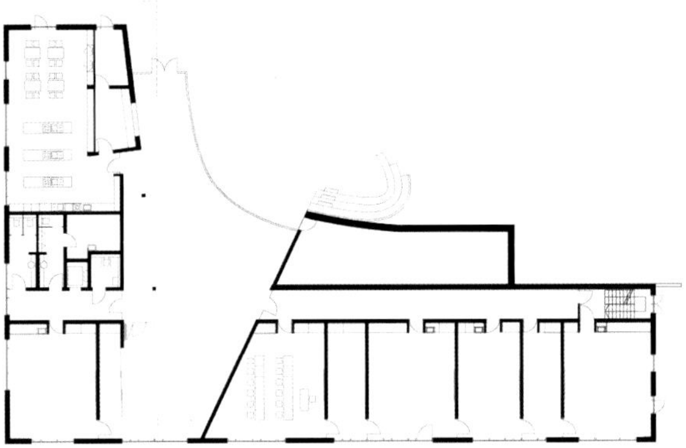

Erdgeschoss

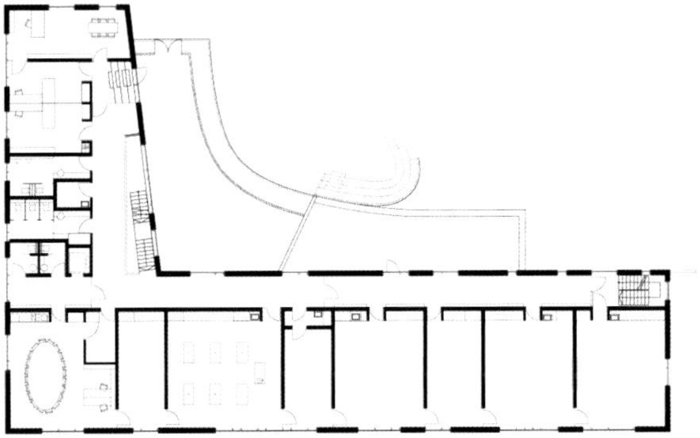

Obergeschoss

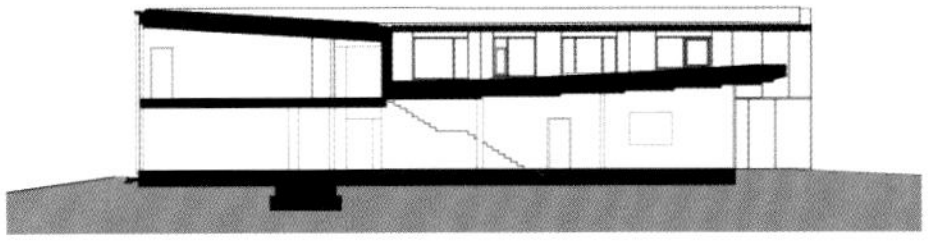

Schnitt

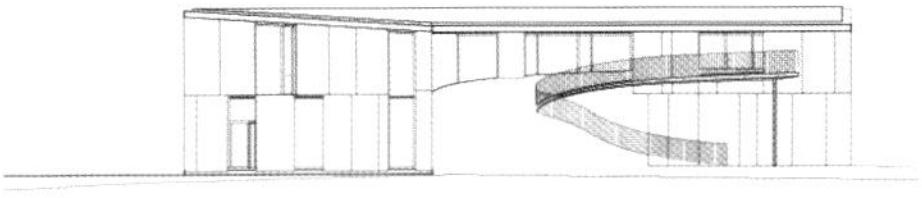

Ansicht Ost

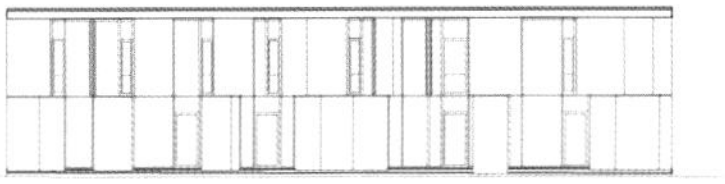

Ansicht West

Objektbeschreibung

Allgemeine Objektinformationen

Das neue Schulgebäude besteht aus zwei Baukörpern, die zusammen eine rechtwinklige L-Form bilden und Platz für fünf Klassen mit insgesamt 100-125 Schüler bieten. Während sich im südlichen Baukörper die Klassen- und Fachklassenräume befinden, besteht der westliche Teil aus Schulküche, Schulverwaltung und dem Sanitärblock. Am Schnittpunkt der beiden Baukörper befinden sich die Aula und der Haupteingang. Der Innenhof dient als Eingangsbereich, Pausenhof und Außenklassenzimmer. Das Auladach wurde geneigt ausgebildet und geht in einen begrünten Erdhügel über. Dieser kann als Schulhof genutzt werden. Die Fassadengestaltung findet sich auch im gesamten Innenbereich wieder.

Nutzung

1 Erdgeschoss
Klassenräume (3St), Aula, Haushalt/Ernährung mit Nebenräumen (Speisekammer, Essensausgabe), Musikraum mit Stuhllager, Klassennebenräume (Informationstechnologie, textiles Gestalten), Sanitärräume, Technikbereich

1 Obergeschoss
Klassenräume (2St), Klassennebenräume (C/B Vorbereitung, PCB-Lehrsaal, Säureraum, Physikvorbereitung, Zeichnen), Verwaltung mit Nebenräumen (Kopierer, Verwaltung, Silentium), Sanitärräume

Nutzeinheiten

Klassen: 5
Schüler: 125

Grundstück

Bauraum: Beengter Bauraum
Neigung: Ebenes Gelände
Bodenklasse: BK 3 bis BK 4

Markt

Hauptvergabezeit: 3. Quartal 2014
Baubeginn: 3. Quartal 2014
Bauende: 3. Quartal 2015
Konjunkturelle Gesamtlage: über Durchschnitt
Regionaler Baumarkt: Durchschnitt

Baukonstruktion

Die Schule wurde auf einer Stahlbetonplatte als nicht unterkellerter, zweigeschossiger Holzmassivbau erstellt. Die Außenwände wurden mit Konstruktionsvollholz aufgedoppelt und mit Holzfaserdämmplatten gedämmt. Die farblich beschichteten Fassadenplatten aus hochgepresster Mineralwolle bilden auf einer vorgehängten Konstruktion die Außenfassade. Die Holz-Alufenster wurden bodentief als Pfosten-Riegel-Konstruktion eingebaut. Im Innenbereich wurden die Decken als Brettsperrholzdecken ausgebildet, die unterseitig Holzweichfaserlamellen zur Schallabsorption enthalten. Um einen Klimapuffer für den sommerlichen Wärmeschutz zu erzeugen, wurden die beiden Pultdächer als hinterlüftete Holzkonstruktion mit extensiver Begrünung ausgebildet. Das geneigte Auladach sowie die Überdachung des Technikbereichs bilden einen begrünten begehbaren Pausenhügel.

Technische Anlagen

Die Beheizung des Gebäudes wird über ein bivalentes System umgesetzt. Die Grundlastdeckung erfolgt über eine Luft-Wasser-Wärmepumpe mit Bohrsonden. Die Spitzenlastdeckung wird über die Erweiterung der Gas-Brennwerttherme in der benachbarten Grundschule sichergestellt. Zur Wärmeübertragung werden Konvektionsheizkörper eingesetzt.
Es wurde eine Kombination aus natürlicher und maschineller Lüftung vorgesehen. Hierbei wird die Luftmenge der Lüftungsanlage durch Zuluft-Überströmungen und Abluft-Absaugungen reduziert. Durch den Einbau einer Photovoltaikanlage wird eigener Strom erzeugt und genutzt.

Planungskennwerte für Flächen und Rauminhalte nach DIN 277

Flächen des Grundstücks		Menge Einheit	% an GF
BF	Bebaute Fläche	1.151,30 m²	13,0
UF	Unbebaute Fläche	7.707,70 m²	87,0
GF	Grundstücksfläche	8.859,00 m²	100,0

Grundflächen des Bauwerks		Menge Einheit	% an NUF	% an BGF
NUF	Nutzungsfläche	1.199,66 m²	100,0	63,7
TF	Technikfläche	95,32 m²	7,9	5,1
VF	Verkehrsfläche	211,81 m²	17,7	11,2
NRF	Netto-Raumfläche	1.506,79 m²	125,6	80,0
KGF	Konstruktions-Grundfläche	376,40 m²	31,4	20,0
BGF	Brutto-Grundfläche	1.883,19 m²	157,0	100,0

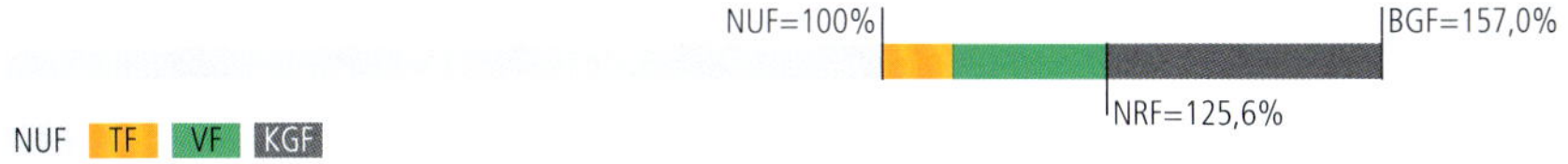

Brutto-Rauminhalt des Bauwerks		Menge Einheit	BRI/NUF (m)	BRI/BGF (m)
BRI	Brutto-Rauminhalt	6.921,49 m³	5,77	3,68

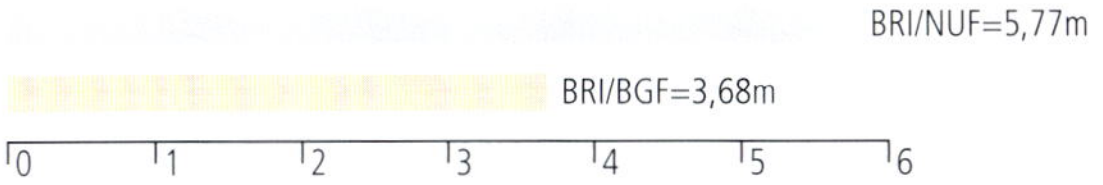

4100-0183
Mittelschule
(5 Klassen)
(125 Schüler)
Effizienzhaus ~72%

Kostenkennwerte für die Kostengruppen der 1.Ebene DIN 276

KG	Kostengruppen (1.Ebene)	Einheit	Kosten €	€/Einheit	€/m² BGF	€/m³ BRI	% 300+400
100	Grundstück	m² GF	–	–	–	–	–
200	Vorbereitende Maßnahmen	m² GF	–	–	–	–	–
300	Bauwerk – Baukonstruktionen	m² BGF	3.693.822	1.961,47	1.961,47	533,67	80,6
400	Bauwerk – Technische Anlagen	m² BGF	890.680	472,96	472,96	128,68	19,4
	Bauwerk 300+400	**m² BGF**	**4.584.502**	**2.434,43**	**2.434,43**	**662,36**	**100,0**
500	Außenanlagen und Freiflächen	m² AF	–	–	–	–	–
600	Ausstattung und Kunstwerke	m² BGF	–	–	–	–	–
700	Baunebenkosten	m² BGF	–	–	–	–	–
800	Finanzierung	m² BGF	–	–	–	–	–

KG	Kostengruppe	Menge Einheit	Kosten €	€/Einheit	%
3+4	**Bauwerk**				**100,0**
300	**Bauwerk – Baukonstruktionen**	1.883,19 m² BGF	3.693.822	**1.961,47**	80,6

Stb-Bodenplatte, Abdichtung, Dämmung, Estrich, teilw. flügelgeglättet, Linoleum, Bodenfliesen, Perimeterdämmung; Stb-Wände, WU-Beton, Perimeterdämmung, Brettstapelwände, Holz-Alufenster, Wärmedämmung, Holzweichfaserplatten, vorgehängte HPL-Platten (PU-beschichtet), Pfosten-Riegel-Fassade, außenliegender Sonnenschutz; Brettstapelwände, GK-Bekleidung, Holztüren, Holzzargen, feststehende Fensterelemente, Beschichtung, Wandfliesen, mobile Trennwände; Stb-Decke, Brettstapeldecke, teilw. Akustikfräsung, Stahltreppe, Dämmung, Estrich, Linoleum, Bodenfliesen, abgehängte GK-Decken; Stb-Dach (erdüberdeckten Bereich), Brettsperrholzdach (Bereich Aula), Oberlichter, Holzfaserdämmung, Abdichtung, extensive Dachbegrünung, innenliegende Dachentwässerung; Einbauküchen, Einbauschränke; Schließanlage

KG	Kostengruppe	Menge Einheit	Kosten €	€/Einheit	%
400	**Bauwerk – Technische Anlagen**	1.883,19 m² BGF	890.680	**472,96**	19,4

Gebäudeentwässerung, Kalt- und Warmwasserleitungen, Sanitärobjekte; Luft-Wasser-Wärmepumpe, Gas-Brennwerttherme, Konvektionsheizkörper; Lüftungsanlage mit Wärmerückgewinnung; Photovoltaikanlage, Elektroinstallation, LED-Innen- und Außenbeleuchtung, Sicherheitsbeleuchtung, Blitzschutz; Brandmeldeanlage, RWA-Anlage, Datenübertragungsnetzwerk; Aufzug

4100-0192
Ganztagsschule
(4 Klassen)
(96 Schüler)
Passivhaus

Objektübersicht

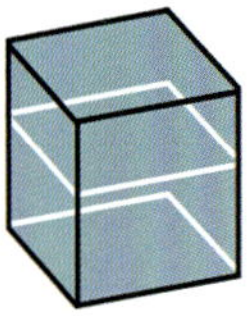

BRI 635 €/m³

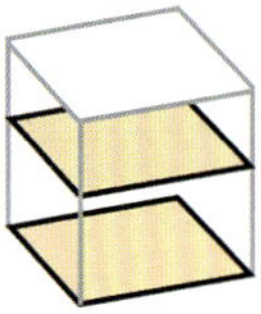

BGF 2.155 €/m²

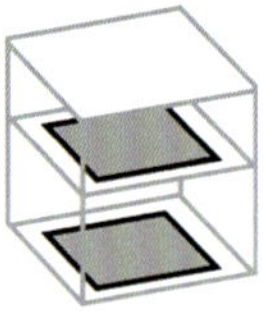

NUF 5.556 €/m²

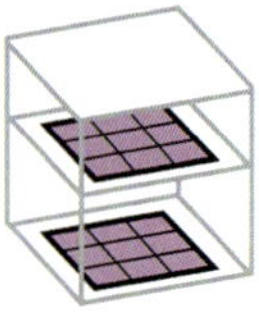

NE 26.152 €/NE
NE: Schüler

Objekt:
Kennwerte: 3. Ebene DIN 276
BRI: 3.952 m³
BGF: 1.165 m²
NUF: 452 m²
Bauzeit: 69 Wochen
Bauende: 2017
Standard: Durchschnitt
Bundesland: Bremen
Kreis: Bremen, Stadt

Architekt*in:
Architekten_FSB
Am Wall 162
28195 Bremen

Bauherr*in:
Sondervermögen Immobilien und Technik der Stadtgemeinde Bremen
vertreten durch:
Immobilien Bremen AöR
Theodor-Heuss-Allee 14
28215 Bremen

© Thilo Müller

© Thilo Müller

© Thilo Müller

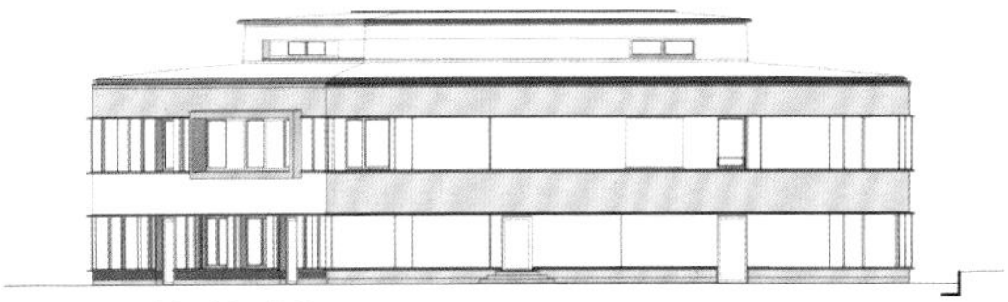

Ansicht Nord-Ost

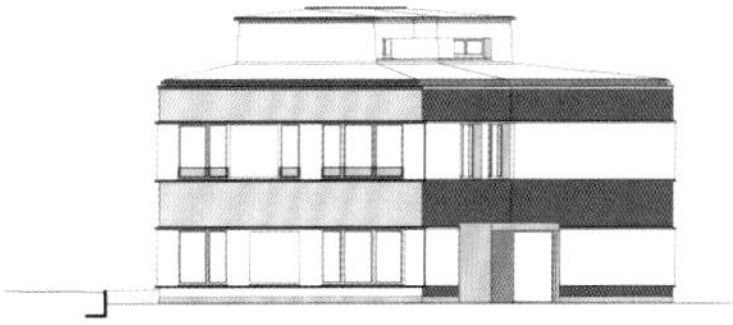

Ansicht West

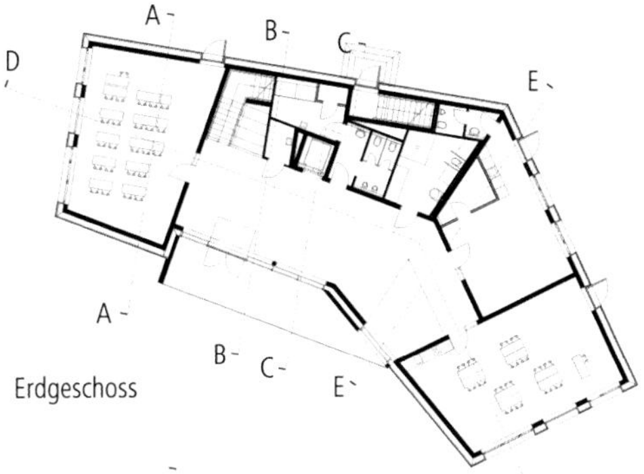

Erdgeschoss

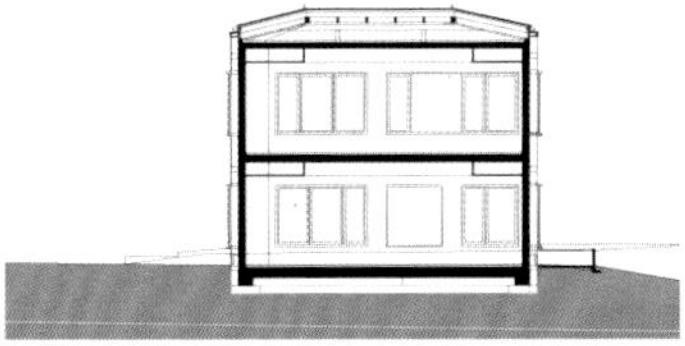

Schnitt A-A

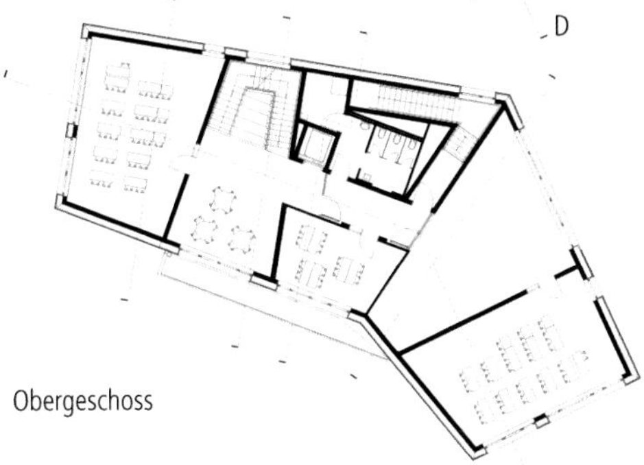

Obergeschoss

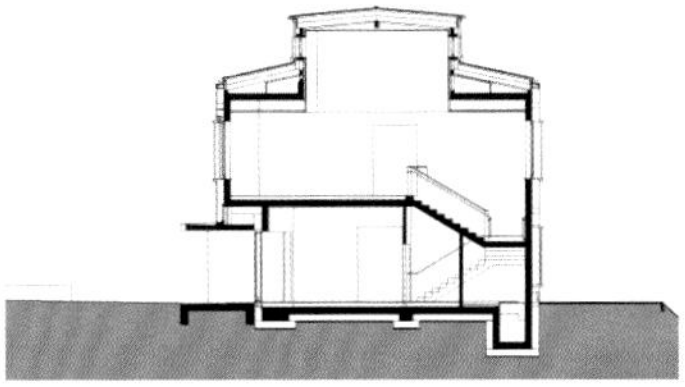

Schnitt B-B

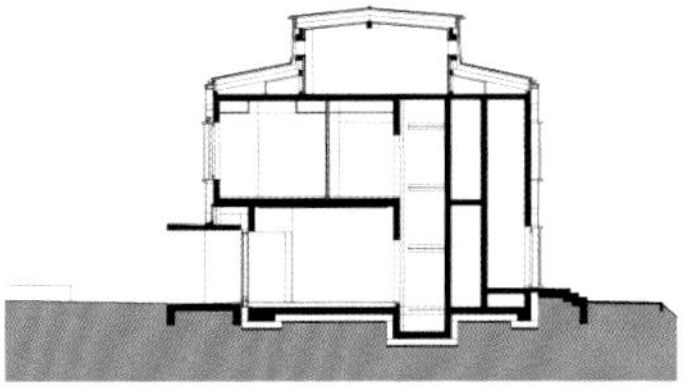

Schnitt C-C

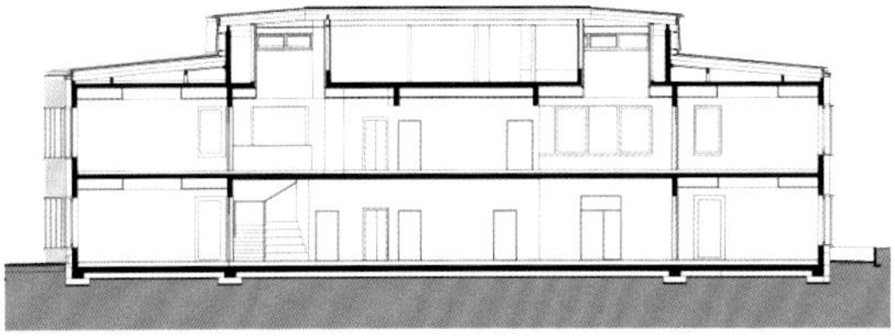

Schnitt D-D

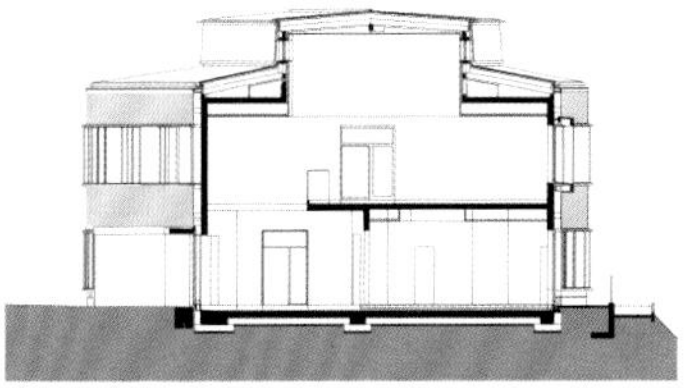

Schnitt E-E

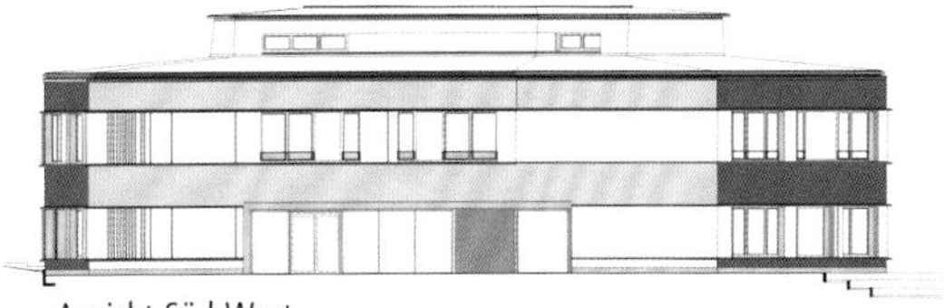

Ansicht Süd-West

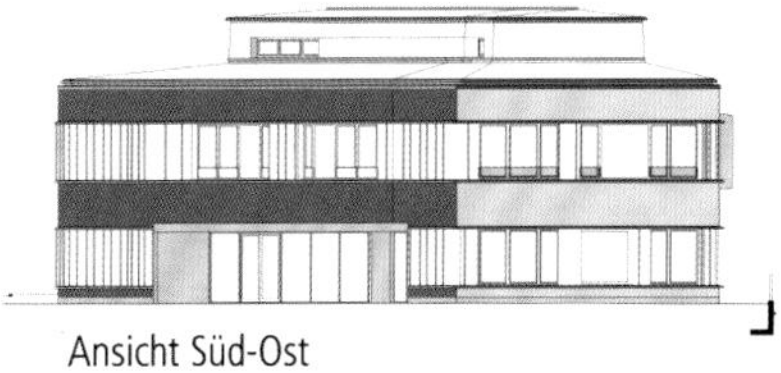

Ansicht Süd-Ost

Objektbeschreibung

Allgemeine Objektinformationen

Die neue Oberschule erweitert den Raumbedarf einer Ganztagsschule. Im Erdgeschoss und im Obergeschoss befinden sich jeweils zwei große Klassenräume. Ein Klassenraum ist für wahrnehmungs- und entwicklungsgestörte Kinder vorgesehen. Vom großzügigen Foyer aus führt eine Treppenanlage mit Sitzstufen ins Obergeschoss.

Nutzung

1 Erdgeschoss
Unterrichtsräume, Lehrerzimmer, Foyer

1 Obergeschoss
Unterrichtsräume, Differenzierungsraum

1 Dachgeschoss
Technik

Nutzeinheiten

Klassen: 4
Schüler: 96

Grundstück

Bauraum: Beengter Bauraum
Neigung: Geneigtes Gelände
Bodenklasse: BK 1

Markt

Hauptvergabezeit: 3. Quartal 2015
Baubeginn: 1. Quartal 2016
Bauende: 2. Quartal 2017
Konjunkturelle Gesamtlage: über Durchschnitt
Regionaler Baumarkt: über Durchschnitt

Baukonstruktion

Der Neubau gründet auf einer Stb-Bodenplatte. Das Gebäude wurde in Massivbauweise aus KS-Mauerwerk und Beton errichtet. Die Fassade wird durch horizontal umlaufende Putzbänder gegliedert, die sich mit vertikal strukturierten Metallstreifen in Fensterhöhe abwechseln. Das Dachgeschoss wurde als Staffelgeschoss ausgebildet. Es ist in Holzrahmenbauweise mit Walmdach und mit Aluminiumstehfalzdeckung ausgeführt. Innen sind die Wände mit weißem Putz beschichtet. Die Fußböden, Treppen- und Sitzstufen wurden mit PVC belegt. Teilweise sind abgehängte Decken mit Akustikelementen eingebaut.

Technische Anlagen

Die Ver- und Entsorgungsleitungen für Kaltwasser, Heizung und Elektro sowie die Abwasserleitungen wurden an das vorhandene Haustechniknetz der Schule angeschlossen. Die Wärmeversorgung erfolgt über Nahwärme-Heizleitungen sowie Heizkörper. Da es sich um ein Passivhaus handelt, musste für eine ausreichende Nachtauskühlung gesorgt werden. Hierfür wurde eine mechanische Lüftungsanlage mit Wärmerückgewinnung berücksichtigt, die auch für ausreichende Frischluftzufuhr sorgt. Zur Regelung und Überwachung der Lüftungsanlagen und der Wärmeversorgung kommt eine Automationsstation zum Einsatz.

Sonstiges

Über einen Aufzug sind beide Geschosse barrierefrei miteinander verbunden.

Planungskennwerte für Flächen und Rauminhalte nach DIN 277

Flächen des Grundstücks		Menge Einheit	% an GF
BF	Bebaute Fläche	439,00 m²	2,3
UF	Unbebaute Fläche	18.777,67 m²	97,7
GF	Grundstücksfläche	19.217,00 m²	100,0

Grundflächen des Bauwerks		Menge Einheit	% an NUF	% an BGF
NUF	Nutzungsfläche	451,84 m²	100,0	38,8
TF	Technikfläche	79,85 m²	17,7	6,9
VF	Verkehrsfläche	165,72 m²	36,7	14,2
NRF	Netto-Raumfläche	697,41 m²	154,3	59,9
KGF	Konstruktions-Grundfläche	467,71 m²	103,5	40,1
BGF	Brutto-Grundfläche	1.165,12 m²	257,9	100,0

Brutto-Rauminhalt des Bauwerks		Menge Einheit	BRI/NUF (m)	BRI/BGF (m)
BRI	Brutto-Rauminhalt	3.952,46 m³	8,75	3,39

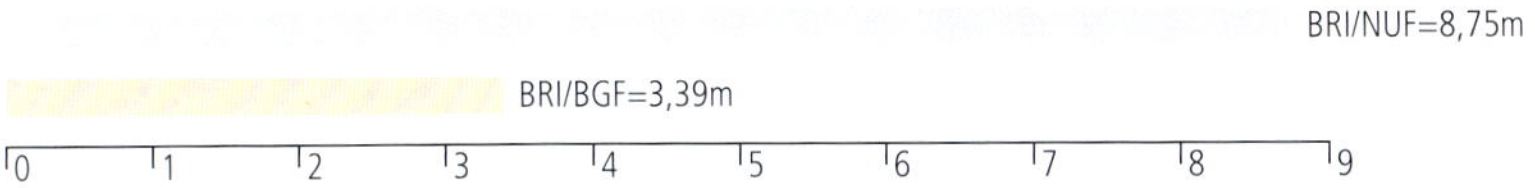

Lufttechnisch behandelte Flächen	Menge Einheit	% an NUF	% an BGF
Entlüftete Fläche	–	–	–
Be- und entlüftete Fläche	617,56 m²	136,7	53,0
Teilklimatisierte Fläche	–	–	–
Klimatisierte Fläche	–	–	–

KG	Kostengruppen (2. Ebene)	Menge Einheit	Menge/NUF	Menge/BGF
310	Baugrube / Erdbau	592,63 m³ BGI	1,31	0,51
320	Gründung, Unterbau	413,37 m² GRF	0,92	0,36
330	Außenwände/Vertikale Baukonstruktionen, außen	670,36 m² AWF	1,48	0,58
340	Innenwände/Vertikale Baukonstruktionen, innen	902,74 m² IWF	2,00	0,78
350	Decken/Horizontale Baukonstruktionen	697,82 m² DEF	1,54	0,60
360	Dächer	411,39 m² DAF	0,91	0,35

Kostenkennwerte für die Kostengruppen der 1. Ebene DIN 276

KG	Kostengruppen (1. Ebene)	Einheit	Kosten €	€/Einheit	€/m² BGF	€/m³ BRI	% 300+400
100	Grundstück	m² GF	–	–	–	–	–
200	Vorbereitende Maßnahmen	m² GF	33.501	1,74	28,75	8,48	1,3
300	Bauwerk – Baukonstruktionen	m² BGF	1.889.523	1.621,74	1.621,74	478,06	75,3
400	Bauwerk – Technische Anlagen	m² BGF	621.050	533,04	533,04	157,13	24,7
	Bauwerk 300+400	**m² BGF**	**2.510.573**	**2.154,78**	**2.154,78**	**635,19**	**100,0**
500	Außenanlagen und Freiflächen	m² AF	34.830	1,85	29,89	8,81	1,4
600	Ausstattung und Kunstwerke	m² BGF	5.244	4,50	4,50	1,33	0,2
700	Baunebenkosten	m² BGF	–	–	–	–	–
800	Finanzierung	m² BGF	–	–	–	–	–

KG	Kostengruppe	Menge Einheit	Kosten €	€/Einheit	%
200	**Vorbereitende Maßnahmen**	19.217,00 m² GF	33.501	**1,74**	1,3
	Baumschutz, Abräumen von Pflanzbewuchs, Bäume fällen, Oberboden abtragen, entsorgen				
3+4	**Bauwerk**				**100,0**
300	**Bauwerk – Baukonstruktionen**	1.165,12 m² BGF	1.889.523	**1.621,74**	75,3
	Stb-Fundamente, Stb-Bodenplatte, Estrich, Kautschuk, Betonwerkstein, Nadelvlies, Bodenfliesen; KS-Außenwände, Holzrahmenwände, Holz-Alufenster, WDVS, Alufassade, Sonnenschutz; Stb-/KS-Innenwände, Holzständerwände, GK-Wände, Alu-Glas/Holzinnentüren, Akustikwandplatten, Putz, Beschichtung, Wandfliesen, WC-Trennwände; Stb-Decken, Stb-Treppen, Akustikdecken, GK-Decken; Holz-Walmdach, Wärmedämmung, Dachabdichtung, Dachentwässerung, Doppelstehfalzdeckung; Einbaumöbel, Teeküchen				
400	**Bauwerk – Technische Anlagen**	1.165,12 m² BGF	621.050	**533,04**	24,7
	Gebäudeentwässerung, Kalt- und Warmwasserleitungen, Sanitärobjekte; Nahwärmeübergabestation, Heizungsrohre, Heizkörper; Lüftungsgeräte, Lüftungsleitungen; Elektroinstallation, Beleuchtung, Erdung; Einbruch/Brandmeldezentrale, EDV-Verkabelung, Medien-Verkabelung, Zentralbatterieanlage; Aufzugsanlage; Feuerlöscher; Gebäudeautomation				
500	**Außenanlagen und Freiflächen**	18.777,67 m² AF	34.830	**1,85**	1,4
	Rohrgrabenaushub; Betonpflaster aufnehmen, wieder einbauen; Gebäudeentwässerung, Versorgungsleitungen an Bestand				
600	**Ausstattung und Kunstwerke**	1.165,12 m² BGF	5.244	**4,50**	0,2
	Sanitärausstattung; Beschilderungen				

Kostenkennwerte für die Kostengruppen 300 der 2. und 3. Ebene DIN 276 (Übersicht)

KG	Kostengruppe	Menge Einheit	€/Einheit	Kosten €	% an 3+4
300	**Bauwerk – Baukonstruktionen**	**1.165,12 m² BGF**	**1.621,74**	**1.889.523,34**	**75,3**
310	**Baugrube / Erdbau**	**592,63 m³ BGI**	**186,04**	**110.252,44**	**4,4**
311	Herstellung	592,63 m³ BGI	186,04	110.252,44	4,4
312	Umschließung	–	–	–	–
313	Wasserhaltung	–	–	–	–
314	Vortrieb	–	–	–	–
319	Sonstiges zur KG 310	–	–	–	–
320	**Gründung, Unterbau**	**413,37 m² GRF**	**459,18**	**189.809,94**	**7,6**
321	Baugrundverbesserung	–	–	–	–
322	Flachgründungen und Bodenplatten	413,37 m²	172,30	71.223,15	2,8
323	Tiefgründungen	–	–	–	–
324	Gründungsbeläge	342,86 m²	213,57	73.224,96	2,9
325	Abdichtungen und Bekleidungen	502,78 m²	90,22	45.361,81	1,8
326	Dränagen	–	–	–	–
329	Sonstiges zur KG 320	–	–	–	–
330	**Außenwände/Vert. Baukonstrukt., außen**	**670,36 m² AWF**	**978,30**	**655.817,14**	**26,1**
331	Tragende Außenwände	467,29 m²	186,35	87.080,32	3,5
332	Nichttragende Außenwände	21,80 m²	229,14	4.995,30	0,2
333	Außenstützen	30,62 m	179,40	5.492,38	0,2
334	Außenwandöffnungen	139,93 m²	1.224,37	171.322,98	6,8
335	Außenwandbekleidungen, außen	453,03 m²	579,62	262.585,04	10,5
336	Außenwandbekleidungen, innen	425,89 m²	62,31	26.539,36	1,1
337	Element. Außenwandkonstruktionen	41,34 m²	867,96	35.883,23	1,4
338	Lichtschutz zur KG 330	86,44 m²	324,35	28.037,46	1,1
339	Sonstiges zur KG 330	670,36 m² AWF	50,54	33.881,07	1,3
340	**Innenwände/Vert. Baukonstrukt., innen**	**902,74 m² IWF**	**328,75**	**296.774,69**	**11,8**
341	Tragende Innenwände	513,45 m²	171,60	88.107,09	3,5
342	Nichttragende Innenwände	302,64 m²	101,78	30.802,09	1,2
343	Innenstützen	16,52 m	88,50	1.462,07	< 0,1
344	Innenwandöffnungen	64,99 m²	924,67	60.091,25	2,4
345	Innenwandbekleidungen	1.335,56 m²	68,07	90.910,32	3,6
346	Elementierte Innenwandkonstruktionen	21,66 m²	275,29	5.962,25	0,2
347	Lichtschutz zur KG 340	103,62 m²	63,80	6.610,72	0,3
349	Sonstiges zur KG 340	902,74 m² IWF	14,21	12.828,90	0,5
350	**Decken/Horizontale Baukonstruktionen**	**697,82 m² DEF**	**350,41**	**244.521,04**	**9,7**
351	Deckenkonstruktionen	697,82 m²	157,74	110.076,44	4,4
352	Deckenöffnungen	2,24 m²	3.368,49	7.552,15	0,3
353	Deckenbeläge	380,08 m²	144,87	55.061,50	2,2
354	Deckenbekleidungen	571,15 m²	114,86	65.602,91	2,6
355	Elementierte Deckenkonstruktionen	–	–	–	–
359	Sonstiges zur KG 350	697,82 m² DEF	8,93	6.228,07	0,2
360	**Dächer**	**411,39 m² DAF**	**503,08**	**206.962,56**	**8,2**
361	Dachkonstruktionen	411,39 m²	307,31	126.426,25	5,0
362	Dachöffnungen	–	–	–	–
363	Dachbeläge	428,43 m²	169,33	72.544,22	2,9
364	Dachbekleidungen	267,77 m²	25,50	6.829,17	0,3
365	Elementierte Dachkonstruktionen	–	–	–	–
366	Lichtschutz zur KG 360	–	–	–	–
369	Sonstiges zur KG 360	411,39 m² DAF	2,83	1.162,92	< 0,1
370	**Infrastrukturanlagen**	**–**	**–**	**–**	**–**
380	**Baukonstruktive Einbauten**	**1.165,12 m² BGF**	**24,09**	**28.072,80**	**1,1**
390	**Sonst. Maßnahmen für Baukonstrukt.**	**1.165,12 m² BGF**	**135,02**	**157.312,74**	**6,3**

Kostenkennwerte für die Kostengruppen 400 der 2. und 3. Ebene DIN 276 (Übersicht)

KG	Kostengruppe	Menge Einheit	€/Einheit	Kosten €	% an 3+4
400	**Bauwerk – Technische Anlagen**	**1.165,12 m² BGF**	**533,04**	**621.050,07**	**24,7**
410	**Abwasser-, Wasser-, Gasanlagen**	**1.165,12 m² BGF**	**50,36**	**58.680,65**	**2,3**
411	Abwasseranlagen	1.165,12 m² BGF	13,11	15.276,33	0,6
412	Wasseranlagen	1.165,12 m² BGF	33,83	39.419,62	1,6
413	Gasanlagen	–	–	–	–
419	Sonstiges zur KG 410	1.165,12 m² BGF	3,42	3.984,72	0,2
420	**Wärmeversorgungsanlagen**	**1.165,12 m² BGF**	**57,38**	**66.855,56**	**2,7**
421	Wärmeerzeugungsanlagen	1.165,12 m² BGF	21,36	24.887,73	1,0
422	Wärmeverteilnetze	1.165,12 m² BGF	21,92	25.542,58	1,0
423	Raumheizflächen	1.165,12 m² BGF	14,10	16.425,25	0,7
424	Verkehrsheizflächen	–	–	–	–
429	Sonstiges zur KG 420	–	–	–	–
430	**Raumlufttechnische Anlagen**	**1.165,12 m² BGF**	**102,16**	**119.033,45**	**4,7**
431	Lüftungsanlagen	1.165,12 m² BGF	102,16	119.033,45	4,7
432	Teilklimaanlagen	–	–	–	–
433	Klimaanlagen	–	–	–	–
434	Kälteanlagen	–	–	–	–
439	Sonstiges zur KG 430	–	–	–	–
440	**Elektrische Anlagen**	**1.165,12 m² BGF**	**117,97**	**137.445,74**	**5,5**
441	Hoch- und Mittelspannungsanlagen	–	–	–	–
442	Eigenstromversorgungsanlagen	–	–	–	–
443	Niederspannungsschaltanlagen	–	–	–	–
444	Niederspannungsinstallationsanlagen	1.165,12 m² BGF	74,97	87.349,53	3,5
445	Beleuchtungsanlagen	1.165,12 m² BGF	29,33	34.176,75	1,4
446	Blitzschutz- und Erdungsanlagen	1.165,12 m² BGF	13,66	15.919,47	0,6
447	Fahrleitungssysteme	–	–	–	–
449	Sonstiges zur KG 440	–	–	–	–
450	**Kommunikationstechnische Anlagen**	**1.165,12 m² BGF**	**79,10**	**92.164,10**	**3,7**
451	Telekommunikationsanlagen	1.165,12 m² BGF	9,67	11.268,30	0,4
452	Such- und Signalanlagen	1.165,12 m² BGF	0,91	1.054,54	< 0,1
453	Zeitdienstanlagen	1.165,12 m² BGF	0,54	633,60	< 0,1
454	Elektroakustische Anlagen	1.165,12 m² BGF	4,82	5.610,44	0,2
455	Audiovisuelle Medien- u. Antennenanl.	–	–	–	–
456	Gefahrenmelde- und Alarmanlagen	1.165,12 m² BGF	43,71	50.924,12	2,0
457	Datenübertragungsnetze	1.165,12 m² BGF	10,31	12.013,24	0,5
458	Verkehrsbeeinflussungsanlagen	–	–	–	–
459	Sonstiges zur KG 450	1.165,12 m² BGF	9,15	10.659,87	0,4
460	**Förderanlagen**	**1.165,12 m² BGF**	**40,88**	**47.633,78**	**1,9**
461	Aufzugsanlagen	1.165,12 m² BGF	40,88	47.633,78	1,9
462	Fahrtreppen, Fahrsteige	–	–	–	–
463	Befahranlagen	–	–	–	–
464	Transportanlagen	–	–	–	–
465	Krananlagen	–	–	–	–
466	Hydraulikanlagen	–	–	–	–
469	Sonstiges zur KG 460	–	–	–	–
470	**Nutzungsspez. u. verfahrenstechn. Anl.**	**1.165,12 m² BGF**	**1,17**	**1.365,32**	**< 0,1**
480	**Gebäude- und Anlagenautomation**	**1.165,12 m² BGF**	**84,00**	**97.871,47**	**3,9**
490	**Sonst. Maßnahmen für techn. Anlagen**	**–**	**–**	**–**	**–**

Kostenkennwerte für Leistungsbereiche nach STLB (Kosten des Bauwerks nach DIN 276)

LB	Leistungsbereiche	Kosten €	€/m² BGF	€/m³ BRI	% an 3+4
000	Sicherheits-, Baustelleneinrichtungen inkl. 001	139.028	119,30	35,20	5,5
002	Erdarbeiten	114.971	98,70	29,10	4,6
006	Spezialtiefbauarbeiten inkl. 005	–	–	–	–
009	Entwässerungskanalarbeiten inkl. 011	9.109	7,80	2,30	0,4
010	Drän- und Versickerarbeiten	–	–	–	–
012	Mauerarbeiten	118.439	101,70	30,00	4,7
013	Betonarbeiten	266.309	228,60	67,40	10,6
014	Natur-, Betonwerksteinarbeiten	16.219	13,90	4,10	0,6
016	Zimmer- und Holzbauarbeiten	152.514	130,90	38,60	6,1
017	Stahlbauarbeiten	–	–	–	–
018	Abdichtungsarbeiten	45.362	38,90	11,50	1,8
019	Kampfmittelräumarbeiten	–	–	–	–
020	Dachdeckungsarbeiten	87.593	75,20	22,20	3,5
021	Dachabdichtungsarbeiten	–	–	–	–
022	Klempnerarbeiten	17.229	14,80	4,40	0,7
	Rohbau	**966.773**	**829,80**	**244,60**	**38,5**
023	Putz- und Stuckarbeiten, Wärmedämmsysteme	147.541	126,60	37,30	5,9
024	Fliesen- und Plattenarbeiten	24.787	21,30	6,30	1,0
025	Estricharbeiten	22.262	19,10	5,60	0,9
026	Fenster, Außentüren inkl. 029, 032	193.141	165,80	48,90	7,7
027	Tischlerarbeiten	82.760	71,00	20,90	3,3
028	Parkettarbeiten, Holzpflasterarbeiten	6.038	5,20	1,50	0,2
030	Rollladenarbeiten	32.902	28,20	8,30	1,3
031	Metallbauarbeiten inkl. 035	15.741	13,50	4,00	0,6
034	Maler- und Lackiererarbeiten inkl. 037	41.997	36,00	10,60	1,7
036	Bodenbelagarbeiten	58.615	50,30	14,80	2,3
038	Vorgehängte hinterlüftete Fassaden	183.531	157,50	46,40	7,3
039	Trockenbauarbeiten	106.024	91,00	26,80	4,2
	Ausbau	**915.339**	**785,60**	**231,60**	**36,5**
040	Wärmeversorgungsanl. - Betriebseinr. inkl. 041	57.109	49,00	14,40	2,3
042	Gas- und Wasserinstallation, Leitungen inkl. 043	–	–	–	–
044	Abwasseranlagen - Leitungen	5.882	5,00	1,50	0,2
045	GWE-Einrichtungsgegenstände inkl. 046	38.326	32,90	9,70	1,5
047	Dämmarbeiten an betriebstechnischen Anlagen	23.998	20,60	6,10	1,0
049	Feuerlöschanlagen, Feuerlöschgeräte	1.397	1,20	0,35	< 0,1
050	Blitzschutz- und Erdungsanlagen	15.919	13,70	4,00	0,6
053	Niederspannungsanlagen inkl. 052, 054	98.742	84,70	25,00	3,9
055	Sicherheits- u. Ersatzstromversorgungsanl.	–	–	–	–
057	Gebäudesystemtechnik	2.398	2,10	0,61	< 0,1
058	Leuchten und Lampen inkl. 059	45.976	39,50	11,60	1,8
060	Sprechanlagen, elektroakust. Anlagen inkl. 064	10.137	8,70	2,60	0,4
061	Kommunikationsnetze inkl. 063	63.836	54,80	16,20	2,5
069	Aufzüge	47.634	40,90	12,10	1,9
070	Gebäudeautomation	93.711	80,40	23,70	3,7
075	Raumlufttechnische Anlagen inkl. 078	110.978	95,20	28,10	4,4
	Gebäudetechnik	**616.044**	**528,70**	**155,90**	**24,5**
084	Abbruch, Rückbau, Schadstoffsanierung	5.746	4,90	1,50	0,2
	Abbrucharbeiten	**5.746**	**4,90**	**1,50**	**0,2**
	Sonstige Leistungsbereiche	**6.672**	**5,70**	**1,70**	**0,3**

4100-0198
Gesamtschule
Tanz- und
Atelierräume
(3 Klassen)
(75 Schüler)

Objektübersicht

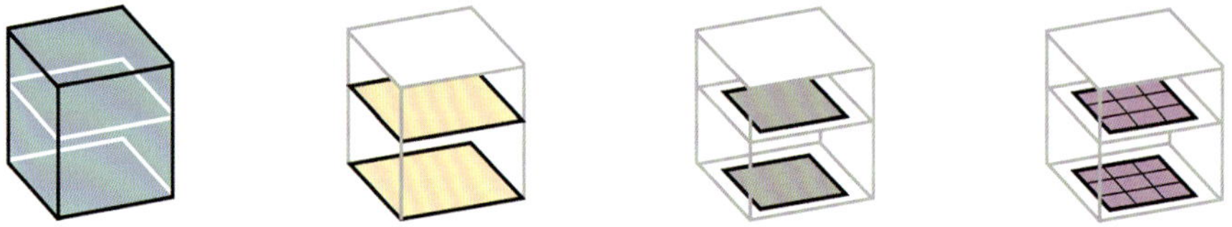

BRI 488 €/m³ | BGF 2.071 €/m² | NUF 2.638 €/m² | NE 15.883 €/NE

NE: Schüler

Objekt:
Kennwerte: 1. Ebene DIN 276
BRI: 2.439 m³
BGF: 575 m²
NUF: 452 m²
Bauzeit: 83 Wochen
Bauende: 2017
Standard: Durchschnitt
Bundesland: Sachsen-Anhalt
Kreis: Magdeburg, Stadt

Architekt*in:
qbatur
Planungsgenossenschaft eG
Hölle 11
06484 Quedlinburg

Bauherr*in:
Freie Waldorfschule
Magdeburg e.V.

© qbatur Planungsgenossenschaft eG

© qbatur Planungsgenossenschaft eG

© qbatur Planungsgenossenschaft eG

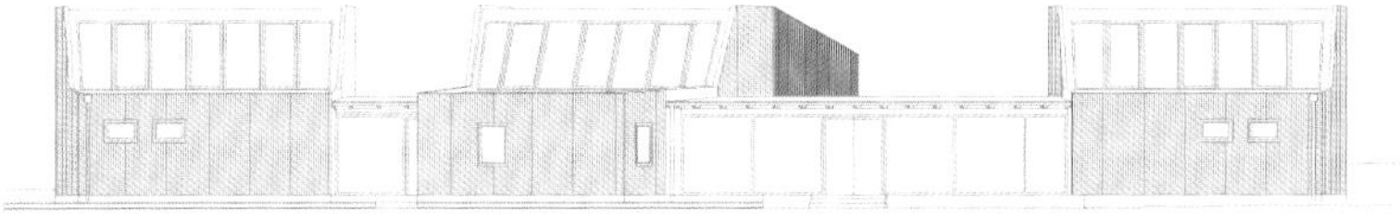

Ansicht Nord-Ost

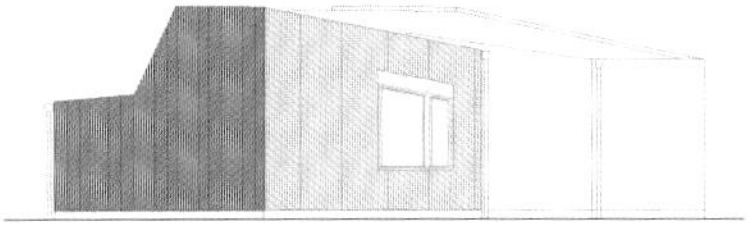

Ansicht Nord-West

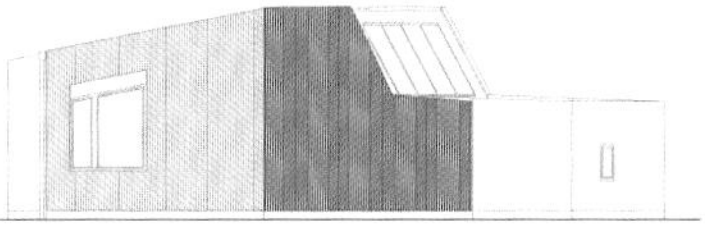

Ansicht Süd-Ost

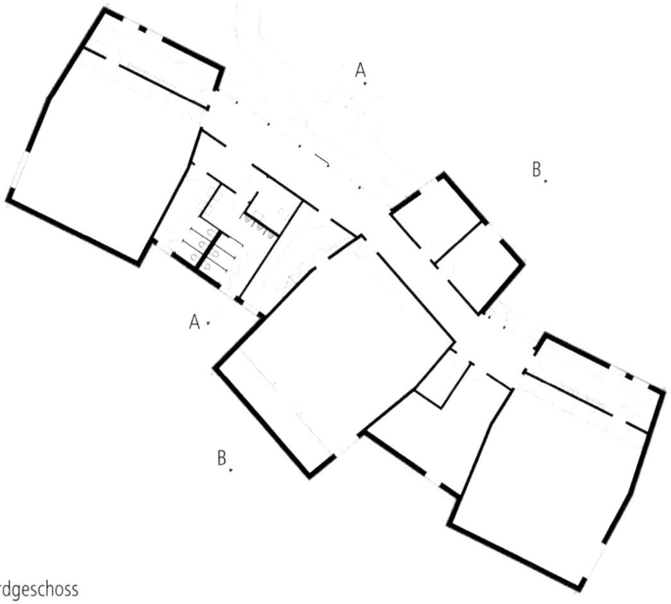

Erdgeschoss

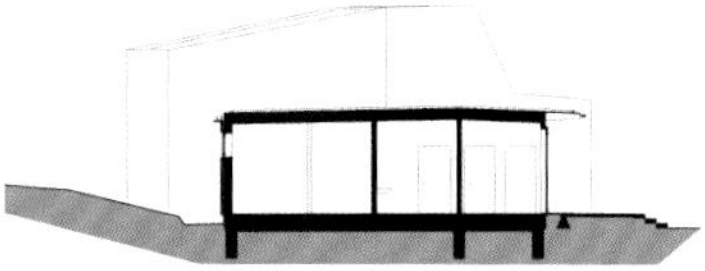

Schnitt A-A

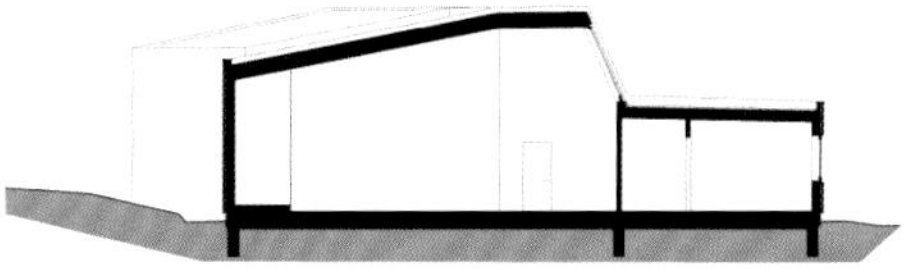

Schnitt B-B

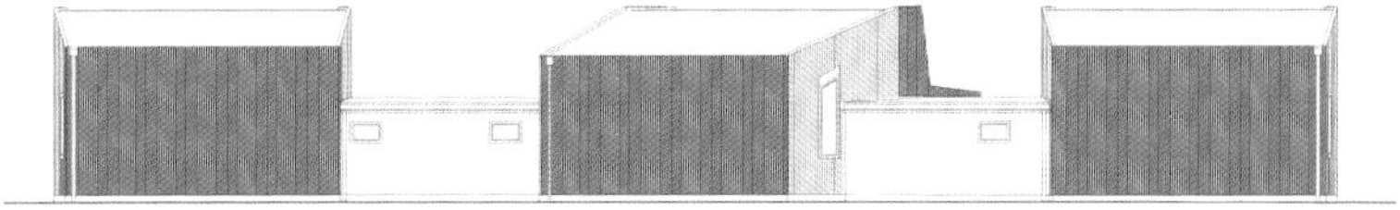

Ansicht Süd-West

4100-0198
Gesamtschule
Tanz- und
Atelierräume
(3 Klassen)
(75 Schüler)

Objektbeschreibung

Allgemeine Objektinformationen

Das neu erbaute Atelier- und Eurythmiegebäude im klassischen Baustil einer Waldorfschule ist Teil einer Schulerweiterung, die in mehreren Bauabschnitten realisiert wurde. Ausgehend von einem großzügigen Foyer sind drei Unterrichtsräume sowie Umkleiden und Sanitärräume in dem Neubau untergebracht.

Nutzung

1 Erdgeschoss
Foyer, Unterrichtsräume (3St), Umkleiden, Sanitärräume, Lager

Nutzeinheiten

Klassen: 3
Schüler: 75

Grundstück

Bauraum: Freier Bauraum
Neigung: Ebenes Gelände
Bodenklasse: BK 1

Markt

Hauptvergabezeit: 3. Quartal 2015
Baubeginn: 3. Quartal 2015
Bauende: 1. Quartal 2017
Konjunkturelle Gesamtlage: Durchschnitt
Regionaler Baumarkt: Durchschnitt

Baukonstruktion

Der eingeschossige Baukörper wurde in Holzrahmenbauweise auf einer lastabtragenden Bodenplatte erstellt. Die Unterrichtsräume sind bis zu 6 Metern hoch. Die hinterlüftete Fassade ist mit vertikal verlaufenden Lärchenhölzern bekleidet. Im unteren Bereich wird sie durch einzelne kleine Fenster und im oberen Bereich durch großzügige Fensterbänder gegliedert. In den Unterrichtsräumen wurde Schwingboden eingebaut und mit Massivholzparkett belegt. Die eingebauten Holz-Alufenster sind dreifach isolierverglast. Das Dach wurde als Sparrendach mit Zwischensparrendämmung und Bitumendachbahn ausgebildet.

Technische Anlagen

Die Wärmeversorgung erfolgt über die schuleigene Energiezentrale, die an ein Nahwärmenetz angeschlossen ist. Innerhalb des Gebäudes wird die Wärme über Fußboden- und Wandheizungen verteilt. Die Ausführung der sanitären Anlagen entspricht dem Standard einer Waldorfschule.

Planungskennwerte für Flächen und Rauminhalte nach DIN 277

Flächen des Grundstücks		Menge Einheit	% an GF
BF	Bebaute Fläche	575,20 m²	5,9
UF	Unbebaute Fläche	9.194,80 m²	94,1
GF	Grundstücksfläche	9.770,00 m²	100,0

Grundflächen des Bauwerks		Menge Einheit	% an NUF	% an BGF
NUF	Nutzungsfläche	451,60 m²	100,0	78,5
TF	Technikfläche	–	–	–
VF	Verkehrsfläche	60,83 m²	13,5	10,6
NRF	Netto-Raumfläche	512,43 m²	113,5	89,1
KGF	Konstruktions-Grundfläche	62,77 m²	13,9	10,9
BGF	Brutto-Grundfläche	575,20 m²	127,4	100,0

Brutto-Rauminhalt des Bauwerks		Menge Einheit	BRI/NUF (m)	BRI/BGF (m)
BRI	Brutto-Rauminhalt	2.438,85 m³	5,40	4,24

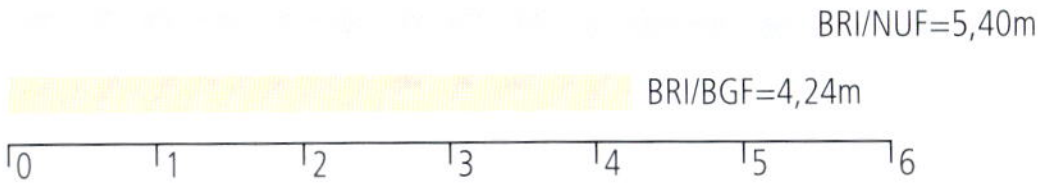

4100-0198
Gesamtschule
Tanz- und
Atelierräume
(3 Klassen)
(75 Schüler)

Kostenkennwerte für die Kostengruppen der 1. Ebene DIN 276

KG	Kostengruppen (1. Ebene)	Einheit	Kosten €	€/Einheit	€/m² BGF	€/m³ BRI	% 300+400
100	Grundstück	m² GF	–	–	–	–	–
200	Vorbereitende Maßnahmen	m² GF	22.272	2,28	38,72	9,13	1,9
300	Bauwerk – Baukonstruktionen	m² BGF	1.076.808	1.872,06	1.872,06	441,52	90,4
400	Bauwerk – Technische Anlagen	m² BGF	114.398	198,88	198,88	46,91	9,6
	Bauwerk 300+400	**m² BGF**	**1.191.206**	**2.070,94**	**2.070,94**	**488,43**	**100,0**
500	Außenanlagen und Freiflächen	m² AF	–	–	–	–	–
600	Ausstattung und Kunstwerke	m² BGF	–	–	–	–	–
700	Baunebenkosten	m² BGF	–	–	–	–	–
800	Finanzierung	m² BGF	–	–	–	–	–

KG	Kostengruppe	Menge Einheit	Kosten €	€/Einheit	%
200	**Vorbereitende Maßnahmen**	9.770,00 m² GF	22.272	**2,28**	1,9
	Netzanschluss Strom				
3+4	**Bauwerk**				**100,0**
300	**Bauwerk – Baukonstruktionen**	575,20 m² BGF	1.076.808	**1.872,06**	90,4
	Abtrag Oberboden, Schottertragschicht, Stb-Streifenfundamente, Stb-Bodenplatte, Wärmedämmung, Zementestrich, Schwingboden (Parkett), Auslegeware, Bodenfliesen; Holzständerwände, Dämmung, Holz-Alufenster, Dreifachverglasung, Oberlichtfenster, Bekleidung OSB-Platten, Boden-Deckel-Schalung, Lärche; Holzständerwände, Dämmung, Bekleidung OSB, Innentüren Mehrschichtplatte, Buche; Holzdachkonstruktion, Sparrendach, Zellulosedämmung, Schalung, bituminöse Abdichtung, Bekleidung Titanzink, abgehängte Gipsfaserplatten, Holzbekleidungen (Unterrichtsräume)				
400	**Bauwerk – Technische Anlagen**	575,20 m² BGF	114.398	**198,88**	9,6
	Gebäudeentwässerung, Kalt- und Warmwasserleitungen, Sanitärobjekte; Anschluss Nahwärmenetz, Fußbodenheizung, Wandheizung; Elektroinstallation				

4100-0200
Selbstlernzentrum
(60 Schüler)

Objektübersicht

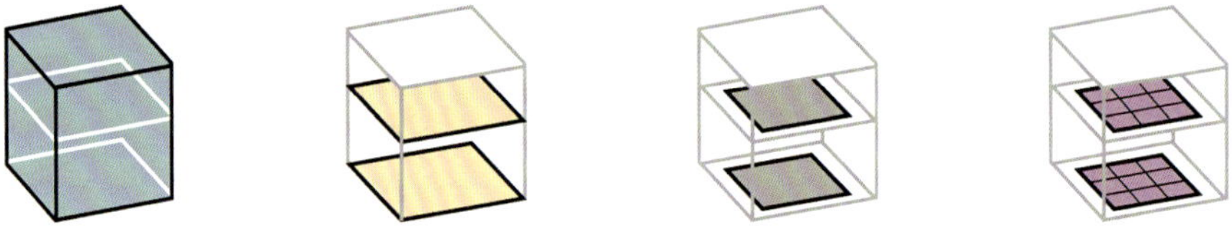

BRI 633 €/m³ | BGF 2.851 €/m² | NUF 3.144 €/m² | NE 12.347 €/NE

NE: Schüler

Objekt:
Kennwerte: 1. Ebene DIN 276
BRI: 1.170 m³
BGF: 260 m²
NUF: 236 m²
Bauzeit: 26 Wochen
Bauende: 2016
Standard: Durchschnitt
Bundesland: Hamburg
Kreis: Hamburg, Stadt

Architekt*in:
tun-architektur PartGmbB
Eimsbütteler Straße 60
22769 Hamburg

Bauherr*in:
Freie und Hansestadt
Hamburg
SBH | Schulbau Hamburg

© Meike Hansen, Archimage

© Meike Hansen, Archimage

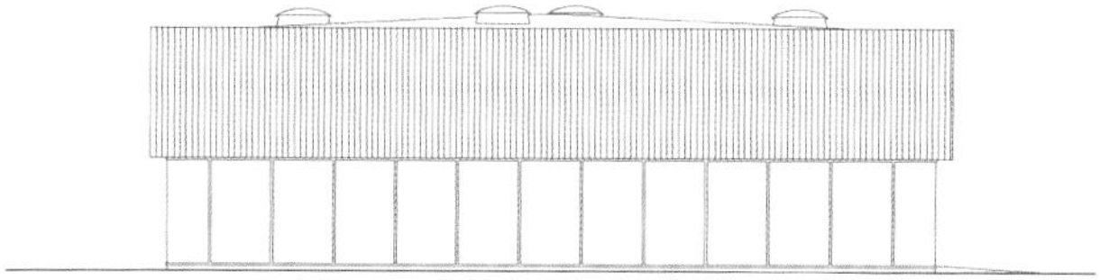

Ansicht Nord-West

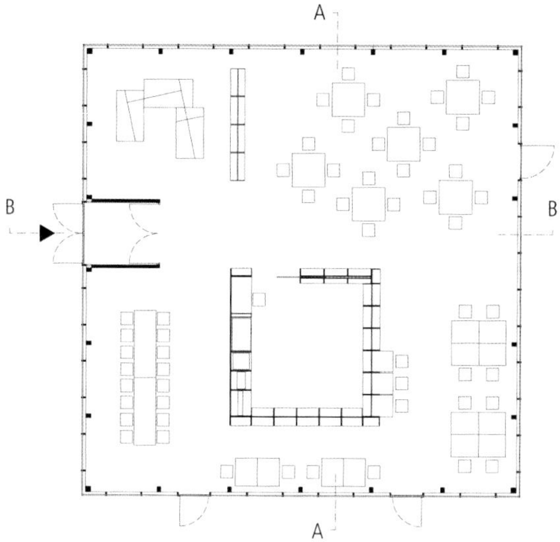

Erdgeschoss

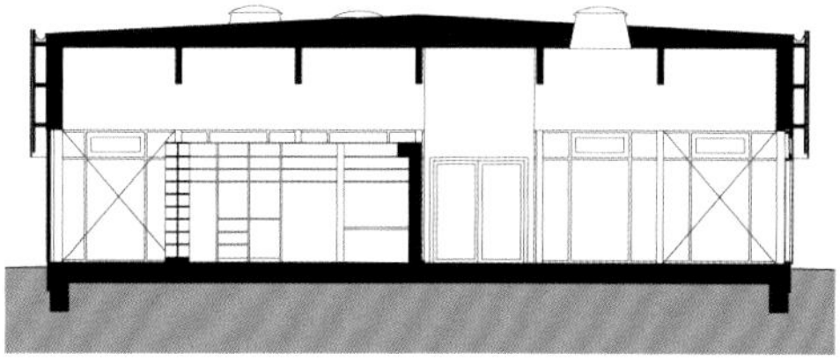

Schnitt A-A

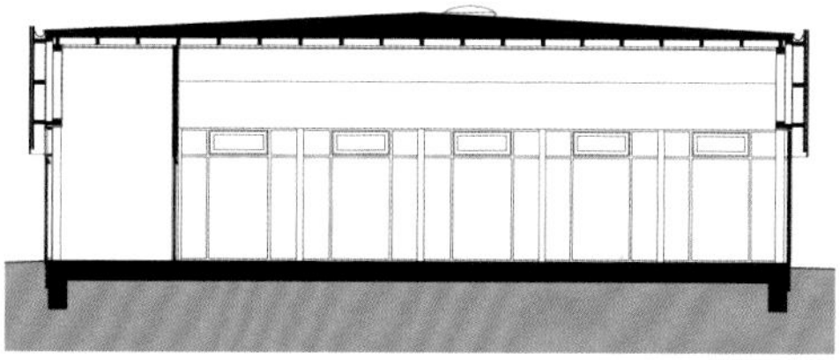

Schnitt B-B

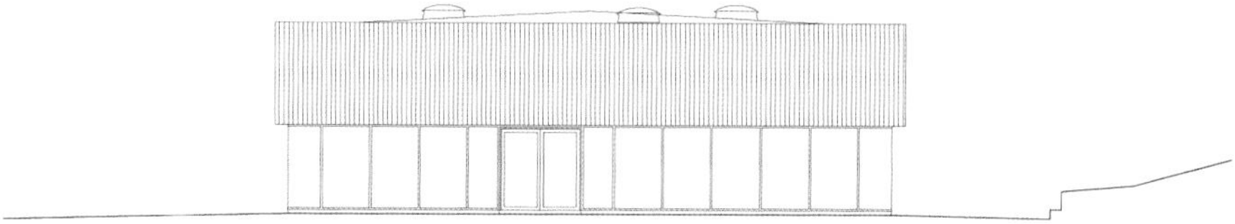

Ansicht Süd-West

Objektbeschreibung

Allgemeine Objektinformationen

Um den steigenden Bedarf an Schülerarbeitsplätzen zur selbstständigen Arbeit zu decken und um neue pädagogische Konzepte zu verwirklichen, wurde am bestehenden Schulstandort ein Selbstlernzentrum für die Oberstufe errichtet. Gestalterisch ist der Neubau als lichtdurchfluteter quadratischer Kubus ausgebildet.

Nutzung

1 Erdgeschoss
Selbstlernraum, Bibliothek, Windfang

Nutzeinheiten

Schüler: 60

Grundstück

Bauraum: Freier Bauraum
Neigung: Ebenes Gelände
Bodenklasse: BK 1 bis BK 4

Markt

Hauptvergabezeit: 1. Quartal 2016
Baubeginn: 2. Quartal 2016
Bauende: 4. Quartal 2016
Konjunkturelle Gesamtlage: über Durchschnitt
Regionaler Baumarkt: über Durchschnitt

Besonderer Kosteneinfluss Markt:
Öffentliche, funktionale GU-Ausschreibung

Baukonstruktion

Das eingeschossige Selbstlernzentrum ist als Holzkonstruktion mit tragenden Holzstützen und Holzbindern ausgeführt. Die Holzkonstruktion bleibt im Innenraum sichtbar. Die obere Außenwand, die gestalterisch wie ein Hut wirkt, wurde als Holzrahmenbauwand ausgebildet. Sie ist mit Alutrapezprofilen mit struktureller Lochung bekleidet und erhielt einen von Gold zu Silber changierenden Farbton. Im unteren Fassadenbereich kam eine Pfosten-Riegelkonstruktion zum Einbau, die als pulverbeschichtete Alufassade ausgeführt wurde. Sämtliche nichttragenden Innenwände, sowohl im Eingangsbereich als auch die der Bibliothek, sind in Trockenbauweise hergestellt und haben einen weißen Anstrich erhalten. Alle Bodenbeläge sind mit grauem Linoleum belegt.

Technische Anlagen

Der Solitär ist über einen Nahwärmeanschluss an die Heizungsanlage des Bestandsgebäudes angeschlossen. Es erfolgte lediglich eine Drosselung für die Fußbodenheizung. Die Elektroinstallationen wurde so ausgeführt, dass private sowie Schulmedien zum Lernen genutzt werden können. Aufgrund der räumlichen Nähe zum bestehenden Verwaltungsgebäude wurde auf die Erstellung von Toilettenanlagen für die Schüler und Lehrer im Lernzentrum verzichtet.

Sonstiges

Das Selbstlernzentrum ist barrierefrei erschlossen.

Planungskennwerte für Flächen und Rauminhalte nach DIN 277

Flächen des Grundstücks		Menge Einheit	% an GF
BF	Bebaute Fläche	–	–
UF	Unbebaute Fläche	–	–
GF	Grundstücksfläche	–	–

Grundflächen des Bauwerks		Menge Einheit	% an NUF	% an BGF
NUF	Nutzungsfläche	235,60 m²	100,0	90,7
TF	Technikfläche	0,38 m²	0,2	0,1
VF	Verkehrsfläche	11,75 m²	5,0	4,5
NRF	Netto-Raumfläche	247,73 m²	105,1	95,4
KGF	Konstruktions-Grundfläche	12,08 m²	5,1	4,6
BGF	Brutto-Grundfläche	259,81 m²	110,3	100,0

Brutto-Rauminhalt des Bauwerks		Menge Einheit	BRI/NUF (m)	BRI/BGF (m)
BRI	Brutto-Rauminhalt	1.170,00 m³	4,97	4,50

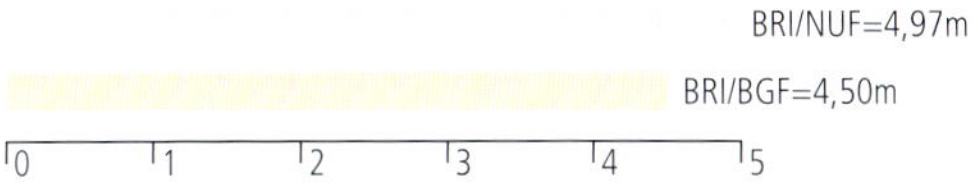

Kostenkennwerte für die Kostengruppen der 1. Ebene DIN 276

KG	Kostengruppen (1. Ebene)	Einheit	Kosten €	€/Einheit	€/m² BGF	€/m³ BRI	% 300+400
100	Grundstück	m² GF	–	–	–	–	–
200	Vorbereitende Maßnahmen	m² GF	–	–	–	–	–
300	Bauwerk – Baukonstruktionen	m² BGF	591.566	2.276,92	2.276,92	505,61	79,9
400	Bauwerk – Technische Anlagen	m² BGF	149.260	574,50	574,50	127,57	20,1
	Bauwerk 300+400	**m² BGF**	**740.826**	**2.851,41**	**2.851,41**	**633,18**	**100,0**
500	Außenanlagen und Freiflächen	m² AF	–	–	–	–	–
600	Ausstattung und Kunstwerke	m² BGF	–	–	–	–	–
700	Baunebenkosten	m² BGF	–	–	–	–	–
800	Finanzierung	m² BGF	–	–	–	–	–

KG	Kostengruppe	Menge Einheit	Kosten €	€/Einheit	%
3+4	**Bauwerk**				**100,0**
300	**Bauwerk – Baukonstruktionen**	259,81 m² BGF	591.566	**2.276,92**	79,9

Baugrubenaushub, Wasserhaltung; Frostschürze, Stb-Bodenplatte, Heizestrich, Linoleum, Abdichtung gegen nicht drückendes Wasser, Dämmung; Holzleimbinder, Holzrahmenwände, vorgehängte hinterlüftete Fassade mit Aluminium-Trapezprofilen mit struktureller Lochung, Aluminium-Pfosten-Riegel-Fassade, Stahl-Glas-Türen, teilw. Sonnenschutzverglasung, beidseitig VSG-Verglasung; GK-Wände, Schiebetür; Holzleimbinder, Einzelfeldpfetten, Oberlichter, Dämmung, Abdichtung, Attika, außenliegende Entwässerung, Schallschutzdecke, Einbaumöbel

KG	Kostengruppe	Menge Einheit	Kosten €	€/Einheit	%
400	**Bauwerk – Technische Anlagen**	259,81 m² BGF	149.260	**574,50**	20,1

Regenwasser-Gebäudeentwässerung, KEIN Wasser- und Schmutzwasseranschluss; Nahwärmeanschluss an die Heizungsanlage im Bestandsgebäude, Fußbodenheizung; Elektroinstallation, Beleuchtung; Datenübertragungsnetz

4100-0204
Unterrichtsgebäude
(2 Klassen)
(56 Schüler)

Objektübersicht

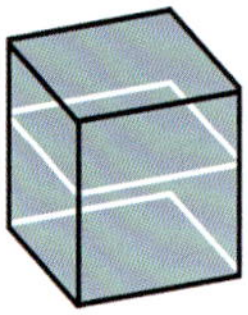

BRI 909€/m³

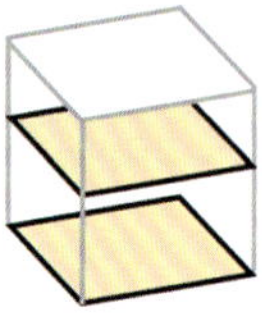

BGF 3.608€/m²

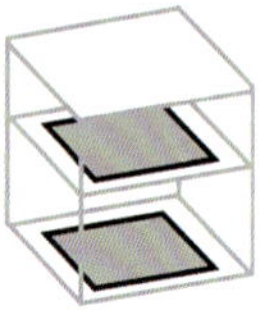

NUF 4.754€/m²

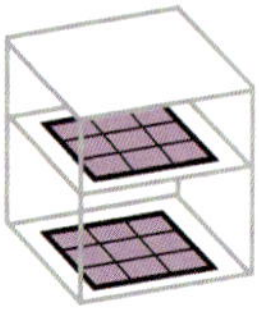

NE 14.159€/NE

NE: Schüler

Objekt:
Kennwerte: 3. Ebene DIN 276
BRI: 872m³
BGF: 220m²
NUF: 167m²
Bauzeit: 30 Wochen
Bauende: 2018
Standard: Durchschnitt
Bundesland: Sachsen
Kreis: Leipzig, Stadt

Architekt*in:
MURZIK architekten
Nonnenstraße 42a
04229 Leipzig

Bauherr*in:
Verein der Waldorfschul-
gemeinschaft Leipzig e.V.
04357 Leipzig

© Klaus Nauber

© Klaus Nauber

© Klaus Nauber

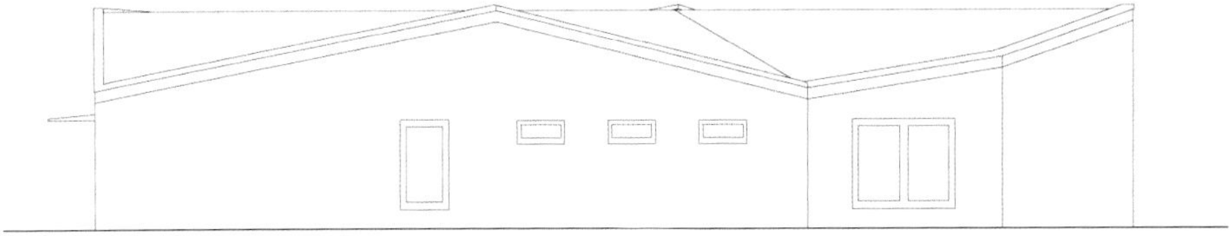

Ansicht Ost

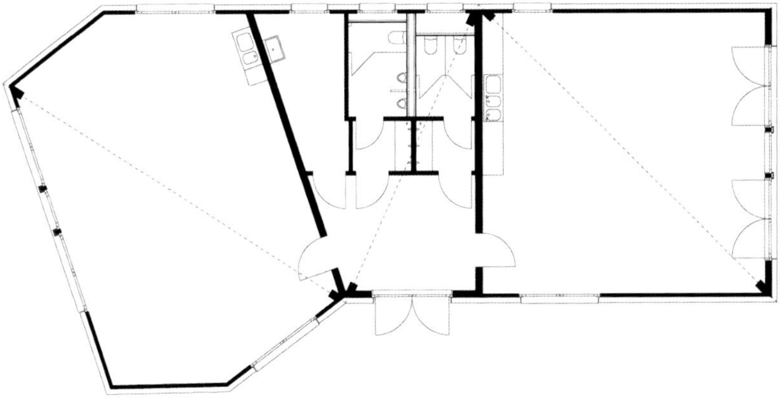

Erdgeschoss

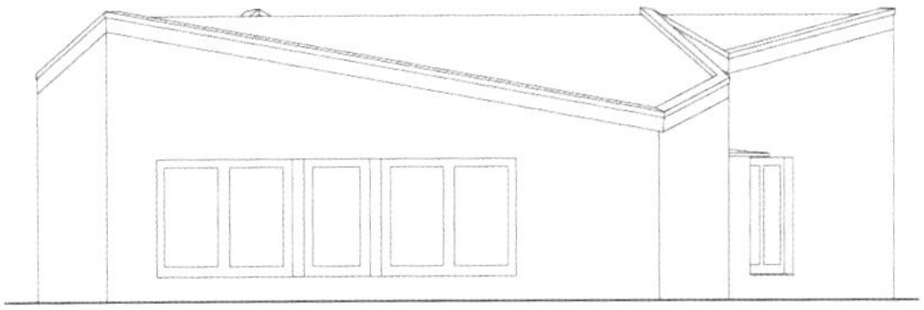

Ansicht Nord

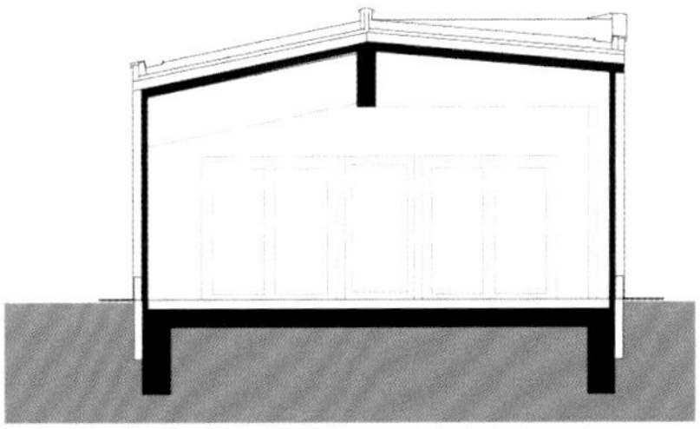

Schnitt

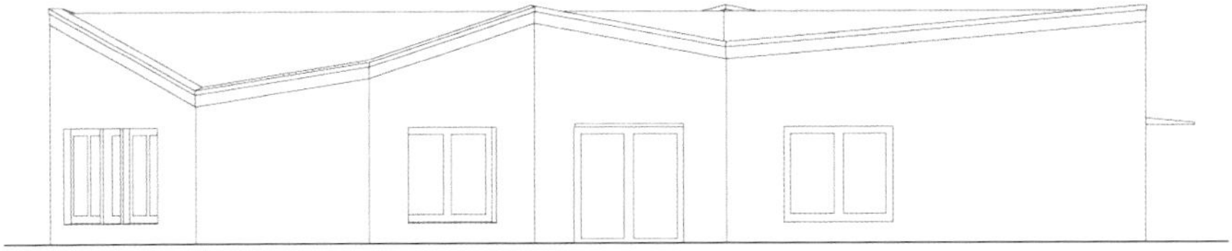

Ansicht West

4100-0204
Unterrichtsgebäude
(2 Klassen)
(56 Schüler)

Objektbeschreibung

Allgemeine Objektinformationen

Der Neubau ist als Erweiterungsgebäude für eine bestehende Schule entstanden. Er bildet mit einem schon bestehenden Atelier- und Schulgartenbau eine kleine separate Einheit auf dem Schulgelände. Um den Räumen und dem Baukörper eine individuelle Note zu verleihen, wurden die Dachfirste diagonal auf die drei Raumbereiche gesetzt. So läuft der First auf derselben Höhe im Zickzack über das Gebäude. Helle offene Räume schaffen eine direkte Verbindung zur Natur.

Nutzung

1 Erdgeschoss
Eingangsbereich, Unterrichtsräume (2St), WCs, Technikraum

Nutzeinheiten

Klassen: 2
Schüler: 56

Grundstück

Bauraum: Beengter Bauraum
Neigung: Ebenes Gelände
Bodenklasse: BK 1 bis BK 5

Markt

Hauptvergabezeit: 4. Quartal 2017
Baubeginn: 1. Quartal 2018
Bauende: 3. Quartal 2018
Konjunkturelle Gesamtlage: über Durchschnitt
Regionaler Baumarkt: über Durchschnitt

Baukonstruktion

Der Neubau wurde in Massivbauweise aus kreuzweise verleimten Brettsperrholz-Einschichtplatten auf einer vorbereiteten Bodenplatte mit umlaufender Frostschürze errichtet. Wände und Decken setzen sich aus passgenau gefertigten Teilelementen zusammen. Außen wurde eine Mineralwolldämmung mit Putz aufgeblendet. Zur Verschattung der Fenster dienen elektrisch betriebene außenliegende Raffstores. Im Inneren kann man den Holzbau ablesen. Alle Oberflächen wurden in Sichtqualität hergestellt. Das Dach ist als hinterlüftetes extensives Gründach ausgeführt.

Technische Anlagen

Das Gebäude wird über einen Nahwärmeanschluss an das Haupthaus angeschlossen. Eine Fußbodenheizung ist in allen Räumen vorhanden. Die Belüftung findet aktiv mittels Fensterlüftung statt. In den WC-Räumen wurden Einzelraumlüfter zusätzlich eingebaut. Im Technikraum ist eine Abwasserhebeanlage installiert. In allen Klassenräumen befinden sich EDV-Anschlüsse.

Sonstiges

Im Fokus der Realisierung standen die gewünschten Raum-, Material- und Oberflächenqualitäten, Nachhaltigkeit im Sinne von weitestgehender Recyclingfähigkeit und die Verwendung eines nachwachsenden Rohstoffes als wichtigstes Konstruktionsmaterial, die Erfüllung sämtlicher gesetzlicher Vorgaben für Schulbau und Brandschutz und ein knappes räumliches und zeitliches Montagefenster.

Planungskennwerte für Flächen und Rauminhalte nach DIN 277

Flächen des Grundstücks		Menge Einheit	% an GF
BF	Bebaute Fläche	–	–
UF	Unbebaute Fläche	–	–
GF	Grundstücksfläche	14.704,00 m²	100,0

Grundflächen des Bauwerks		Menge Einheit	% an NUF	% an BGF
NUF	Nutzungsfläche	166,78 m²	100,0	75,9
TF	Technikfläche	10,18 m²	6,1	4,6
VF	Verkehrsfläche	16,25 m²	9,7	7,4
NRF	Netto-Raumfläche	193,21 m²	115,8	87,9
KGF	Konstruktions-Grundfläche	26,59 m²	15,9	12,1
BGF	Brutto-Grundfläche	219,80 m²	131,8	100,0

Brutto-Rauminhalt des Bauwerks		Menge Einheit	BRI/NUF (m)	BRI/BGF (m)
BRI	Brutto-Rauminhalt	872,00 m³	5,23	3,97

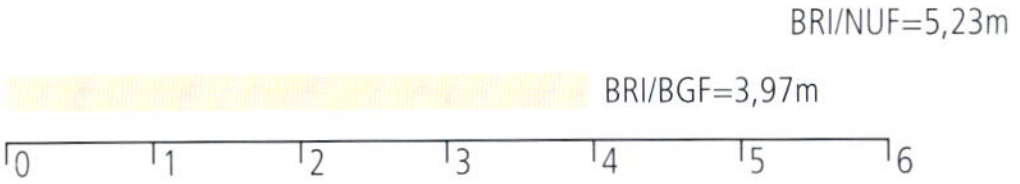

Lufttechnisch behandelte Flächen	Menge Einheit	% an NUF	% an BGF
Entlüftete Fläche	–	–	–
Be- und entlüftete Fläche	–	–	–
Teilklimatisierte Fläche	–	–	–
Klimatisierte Fläche	–	–	–

KG	Kostengruppen (2. Ebene)	Menge Einheit	Menge/NUF	Menge/BGF
310	Baugrube / Erdbau	120,92 m³ BGI	0,73	0,55
320	Gründung, Unterbau	208,19 m² GRF	1,25	0,95
330	Außenwände/Vertikale Baukonstruktionen, außen	239,78 m² AWF	1,44	1,09
340	Innenwände/Vertikale Baukonstruktionen, innen	240,93 m² IWF	1,45	1,10
350	Decken / horizontal	–	–	–
360	Dächer	210,63 m² DAF	1,26	0,96

Kostenkennwerte für die Kostengruppen der 1. Ebene DIN 276

KG	Kostengruppen (1. Ebene)	Einheit	Kosten €	€/Einheit	€/m² BGF	€/m³ BRI	% 300+400
100	Grundstück	m² GF	–	–	–	–	–
200	Vorbereitende Maßnahmen	m² GF	14.535	0,99	66,13	16,67	1,8
300	Bauwerk – Baukonstruktionen	m² BGF	676.103	3.075,99	3.075,99	775,35	85,3
400	Bauwerk – Technische Anlagen	m² BGF	116.827	531,51	531,51	133,98	14,7
	Bauwerk 300+400	**m² BGF**	**792.930**	**3.607,51**	**3.607,51**	**909,32**	**100,0**
500	Außenanlagen und Freiflächen	m² AF	69.292	–	315,25	79,46	8,7
600	Ausstattung und Kunstwerke	m² BGF	133	0,61	0,61	0,15	< 0,1
700	Baunebenkosten	m² BGF	–	–	–	–	–
800	Finanzierung	m² BGF	–	–	–	–	–

KG	Kostengruppe	Menge Einheit	Kosten €	€/Einheit	%
200	**Vorbereitende Maßnahmen**	14.704,00 m² GF	14.535	**0,99**	1,8

Abbruch von Betongehwegplatten, Betonpflasterbelag, Asphaltdeckschicht, Boden; Entsorgung, Deponiegebühren, Oberboden abtragen, entsorgen, Suchschachtungen, Einzelsteine lösen, entsorgen

KG	Kostengruppe	Menge Einheit	Kosten €	€/Einheit	%
3+4	**Bauwerk**				**100,0**
300	**Bauwerk – Baukonstruktionen**	219,80 m² BGF	676.103	**3.075,99**	85,3

Fundamente, Stb-Bodenplatte, Wärmedämmung, Zementestrich, Linoleum, Bodenfliesen, Beschichtung; Massivholz-Außenwände, Stützen, Holzfenster, Faserzementplatten, Dämmung, Feinputz, Beschichtung, Wandfliesen, Leichtmetall-Raffstores, Blechdach, Stahlrahmenkonstruktion; Massivholz-Innenwände, GK-Wände, Holztüren, GK-Bekleidung, Beschichtung, Wandfliesen, Trennwandanlagen; Massivholz-Dachelemente, Dämmung, Abdichtung, extensive Dachbegrünung, Dachentwässerung

KG	Kostengruppe	Menge Einheit	Kosten €	€/Einheit	%
400	**Bauwerk – Technische Anlagen**	219,80 m² BGF	116.827	**531,51**	14,7

Gebäudeentwässerung, Kalt- und Warmwasserleitungen, Sanitärobjekte; Fußbodenheizung; Einzelraumlüfter, Zuluftautomat; Elektroinstallation, LED-Beleuchtung, Blitzschutzanlage; Läutewerke, Datenübertragungsnetz

KG	Kostengruppe	Menge Einheit	Kosten €	€/Einheit	%
500	**Außenanlagen und Freiflächen**	–	69.292	–	8,7

Bodenarbeiten; Betonpflaster; Mauer; Abwasser-, Wasser-, Anschluss an Nahwärmeleitung, Heizungsleitungen, Muffen für Fernmeldeleitung, Fernmelde-Außenkabel; Oberbodenarbeiten, Rasenansaat

KG	Kostengruppe	Menge Einheit	Kosten €	€/Einheit	%
600	**Ausstattung und Kunstwerke**	219,80 m² BGF	133	**0,61**	< 0,1

Steinplastik ausbauen, lagern

Kostenkennwerte für die Kostengruppen 300 der 2. und 3. Ebene DIN 276 (Übersicht)

KG	Kostengruppe	Menge Einheit	€/Einheit	Kosten €	% an 3+4
300	**Bauwerk – Baukonstruktionen**	**219,80 m² BGF**	**3.075,99**	**676.103,38**	**85,3**
310	**Baugrube / Erdbau**	**120,92 m³ BGI**	**128,37**	**15.522,30**	**2,0**
311	Herstellung	120,92 m³ BGI	128,37	15.522,30	2,0
312	Umschließung	–	–	–	–
313	Wasserhaltung	–	–	–	–
314	Vortrieb	–	–	–	–
319	Sonstiges zur KG 310	–	–	–	–
320	**Gründung, Unterbau**	**208,19 m² GRF**	**619,09**	**128.888,75**	**16,3**
321	Baugrundverbesserung	–	–	–	–
322	Flachgründungen und Bodenplatten	208,19 m²	295,82	61.587,25	7,8
323	Tiefgründungen	–	–	–	–
324	Gründungsbeläge	196,72 m²	201,77	39.692,30	5,0
325	Abdichtungen und Bekleidungen	278,33 m²	99,20	27.609,19	3,5
326	Dränagen	–	–	–	–
329	Sonstiges zur KG 320	–	–	–	–
330	**Außenwände/Vert. Baukonstrukt., außen**	**239,78 m² AWF**	**992,30**	**237.933,07**	**30,0**
331	Tragende Außenwände	184,51 m²	282,04	52.039,92	6,6
332	Nichttragende Außenwände	–	–	–	–
333	Außenstützen	58,40 m	230,39	13.455,02	1,7
334	Außenwandöffnungen	55,27 m²	823,87	45.535,15	5,7
335	Außenwandbekleidungen, außen	216,14 m²	454,36	98.204,97	12,4
336	Außenwandbekleidungen, innen	156,00 m²	42,79	6.675,93	0,8
337	Element. Außenwandkonstruktionen	–	–	–	–
338	Lichtschutz zur KG 330	34,00 m²	459,10	15.609,53	2,0
339	Sonstiges zur KG 330	239,78 m² AWF	26,74	6.412,59	0,8
340	**Innenwände/Vert. Baukonstrukt., innen**	**240,93 m² IWF**	**342,97**	**82.632,02**	**10,4**
341	Tragende Innenwände	134,25 m²	277,62	37.270,12	4,7
342	Nichttragende Innenwände	82,19 m²	164,15	13.491,64	1,7
343	Innenstützen	–	–	–	–
344	Innenwandöffnungen	14,41 m²	847,30	12.209,62	1,5
345	Innenwandbekleidungen	369,00 m²	39,94	14.738,85	1,9
346	Elementierte Innenwandkonstruktionen	10,08 m²	488,27	4.921,78	0,6
347	Lichtschutz zur KG 340	–	–	–	–
349	Sonstiges zur KG 340	–	–	–	–
350	**Decken/Horizontale Baukonstruktionen**	**–**	**–**	**–**	**–**
351	Deckenkonstruktionen	–	–	–	–
352	Deckenöffnungen	–	–	–	–
353	Deckenbeläge	–	–	–	–
354	Deckenbekleidungen	–	–	–	–
355	Elementierte Deckenkonstruktionen	–	–	–	–
359	Sonstiges zur KG 350	–	–	–	–
360	**Dächer**	**210,63 m² DAF**	**893,50**	**188.198,33**	**23,7**
361	Dachkonstruktionen	210,63 m²	382,38	80.539,86	10,2
362	Dachöffnungen	–	–	–	–
363	Dachbeläge	226,91 m²	467,38	106.052,21	13,4
364	Dachbekleidungen	–	–	–	–
365	Elementierte Dachkonstruktionen	–	–	–	–
366	Lichtschutz zur KG 360	–	–	–	–
369	Sonstiges zur KG 360	210,63 m² DAF	7,63	1.606,27	0,2
370	**Infrastrukturanlagen**	**–**	**–**	**–**	**–**
380	**Baukonstruktive Einbauten**	**–**	**–**	**–**	**–**
390	**Sonst. Maßnahmen für Baukonstrukt.**	**219,80 m² BGF**	**104,32**	**22.928,92**	**2,9**

Kostenkennwerte für die Kostengruppen 400 der 2. und 3. Ebene DIN 276 (Übersicht)

KG	Kostengruppe	Menge Einheit	€/Einheit	Kosten €	% an 3+4
400	**Bauwerk – Technische Anlagen**	**219,80 m² BGF**	**531,51**	**116.826,75**	**14,7**
410	**Abwasser-, Wasser-, Gasanlagen**	**219,80 m² BGF**	**163,68**	**35.977,66**	**4,5**
411	Abwasseranlagen	219,80 m² BGF	52,87	11.619,90	1,5
412	Wasseranlagen	219,80 m² BGF	97,82	21.501,23	2,7
413	Gasanlagen	–	–	–	–
419	Sonstiges zur KG 410	219,80 m² BGF	13,00	2.856,54	0,4
420	**Wärmeversorgungsanlagen**	**219,80 m² BGF**	**70,80**	**15.562,74**	**2,0**
421	Wärmeerzeugungsanlagen	–	–	–	–
422	Wärmeverteilnetze	219,80 m² BGF	25,60	5.626,30	0,7
423	Raumheizflächen	219,80 m² BGF	45,21	9.936,44	1,3
424	Verkehrsheizflächen	–	–	–	–
429	Sonstiges zur KG 420	–	–	–	–
430	**Raumlufttechnische Anlagen**	**219,80 m² BGF**	**16,07**	**3.532,29**	**0,4**
431	Lüftungsanlagen	219,80 m² BGF	16,07	3.532,29	0,4
432	Teilklimaanlagen	–	–	–	–
433	Klimaanlagen	–	–	–	–
434	Kälteanlagen	–	–	–	–
439	Sonstiges zur KG 430	–	–	–	–
440	**Elektrische Anlagen**	**219,80 m² BGF**	**266,71**	**58.622,95**	**7,4**
441	Hoch- und Mittelspannungsanlagen	–	–	–	–
442	Eigenstromversorgungsanlagen	–	–	–	–
443	Niederspannungsschaltanlagen	–	–	–	–
444	Niederspannungsinstallationsanlagen	219,80 m² BGF	138,94	30.538,09	3,9
445	Beleuchtungsanlagen	219,80 m² BGF	101,63	22.338,56	2,8
446	Blitzschutz- und Erdungsanlagen	219,80 m² BGF	26,14	5.746,29	0,7
447	Fahrleitungssysteme	–	–	–	–
449	Sonstiges zur KG 440	–	–	–	–
450	**Kommunikationstechnische Anlagen**	**219,80 m² BGF**	**14,25**	**3.131,11**	**0,4**
451	Telekommunikationsanlagen	–	–	–	–
452	Such- und Signalanlagen	219,80 m² BGF	2,50	548,72	< 0,1
453	Zeitdienstanlagen	–	–	–	–
454	Elektroakustische Anlagen	–	–	–	–
455	Audiovisuelle Medien- u. Antennenanl.	–	–	–	–
456	Gefahrenmelde- und Alarmanlagen	–	–	–	–
457	Datenübertragungsnetze	219,80 m² BGF	11,75	2.582,39	0,3
458	Verkehrsbeeinflussungsanlagen	–	–	–	–
459	Sonstiges zur KG 450	–	–	–	–
460	**Förderanlagen**	**–**	**–**	**–**	**–**
461	Aufzugsanlagen	–	–	–	–
462	Fahrtreppen, Fahrsteige	–	–	–	–
463	Befahranlagen	–	–	–	–
464	Transportanlagen	–	–	–	–
465	Krananlagen	–	–	–	–
466	Hydraulikanlagen	–	–	–	–
469	Sonstiges zur KG 460	–	–	–	–
470	**Nutzungsspez. u. verfahrenstechn. Anl.**	**–**	**–**	**–**	**–**
480	**Gebäude- und Anlagenautomation**	**–**	**–**	**–**	**–**
490	**Sonst. Maßnahmen für techn. Anlagen**	**–**	**–**	**–**	**–**

Kostenkennwerte für Leistungsbereiche nach STLB (Kosten des Bauwerks nach DIN 276)

LB	Leistungsbereiche	Kosten €	€/m² BGF	€/m³ BRI	% an 3+4
000	Sicherheits-, Baustelleneinrichtungen inkl. 001	22.265	101,30	25,50	2,8
002	Erdarbeiten	15.522	70,60	17,80	2,0
006	Spezialtiefbauarbeiten inkl. 005	–	–	–	–
009	Entwässerungskanalarbeiten inkl. 011	4.681	21,30	5,40	0,6
010	Drän- und Versickerarbeiten	–	–	–	–
012	Mauerarbeiten	–	–	–	–
013	Betonarbeiten	66.476	302,40	76,20	8,4
014	Natur-, Betonwerksteinarbeiten	–	–	–	–
016	Zimmer- und Holzbauarbeiten	174.726	794,90	200,40	22,0
017	Stahlbauarbeiten	–	–	–	–
018	Abdichtungsarbeiten	14.787	67,30	17,00	1,9
019	Kampfmittelräumarbeiten	–	–	–	–
020	Dachdeckungsarbeiten	31.122	141,60	35,70	3,9
021	Dachabdichtungsarbeiten	48.291	219,70	55,40	6,1
022	Klempnerarbeiten	30.475	138,70	34,90	3,8
	Rohbau	**408.344**	**1.857,80**	**468,30**	**51,5**
023	Putz- und Stuckarbeiten, Wärmedämmsysteme	98.338	447,40	112,80	12,4
024	Fliesen- und Plattenarbeiten	18.236	83,00	20,90	2,3
025	Estricharbeiten	14.295	65,00	16,40	1,8
026	Fenster, Außentüren inkl. 029, 032	42.411	193,00	48,60	5,3
027	Tischlerarbeiten	23.571	107,20	27,00	3,0
028	Parkettarbeiten, Holzpflasterarbeiten	–	–	–	–
030	Rollladenarbeiten	13.314	60,60	15,30	1,7
031	Metallbauarbeiten inkl. 035	12.837	58,40	14,70	1,6
034	Maler- und Lackiererarbeiten inkl. 037	7.632	34,70	8,80	1,0
036	Bodenbelagarbeiten	15.724	71,50	18,00	2,0
038	Vorgehängte hinterlüftete Fassaden	–	–	–	–
039	Trockenbauarbeiten	15.852	72,10	18,20	2,0
	Ausbau	**262.211**	**1.193,00**	**300,70**	**33,1**
040	Wärmeversorgungsanl. - Betriebseinr. inkl. 041	17.377	79,10	19,90	2,2
042	Gas- und Wasserinstallation, Leitungen inkl. 043	4.832	22,00	5,50	0,6
044	Abwasseranlagen - Leitungen	2.606	11,90	3,00	0,3
045	GWE-Einrichtungsgegenstände inkl. 046	29.276	133,20	33,60	3,7
047	Dämmarbeiten an betriebstechnischen Anlagen	702	3,20	0,81	< 0,1
049	Feuerlöschanlagen, Feuerlöschgeräte	–	–	–	–
050	Blitzschutz- und Erdungsanlagen	5.746	26,10	6,60	0,7
053	Niederspannungsanlagen inkl. 052, 054	32.833	149,40	37,70	4,1
055	Sicherheits- u. Ersatzstromversorgungsanl.	–	–	–	–
057	Gebäudesystemtechnik	–	–	–	–
058	Leuchten und Lampen inkl. 059	22.339	101,60	25,60	2,8
060	Sprechanlagen, elektroakust. Anlagen inkl. 064	549	2,50	0,63	< 0,1
061	Kommunikationsnetze inkl. 063	2.582	11,70	3,00	0,3
069	Aufzüge	–	–	–	–
070	Gebäudeautomation	–	–	–	–
075	Raumlufttechnische Anlagen inkl. 078	3.532	16,10	4,10	0,4
	Gebäudetechnik	**122.375**	**556,80**	**140,30**	**15,4**
084	Abbruch, Rückbau, Schadstoffsanierung	–	–	–	–
	Abbrucharbeiten	**–**	**–**	**–**	**–**
	Sonstige Leistungsbereiche	**–**	**–**	**–**	**–**

4100-0219
Gymnasium
(12 Klassen)
(330 Schüler)
Erweiterung

Objektübersicht

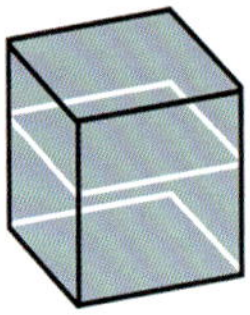

BRI 905 €/m³

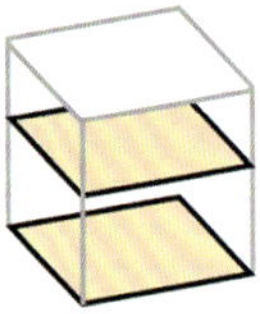

BGF 3.285 €/m²

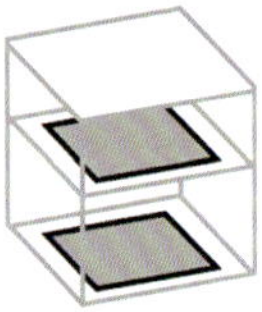

NUF 5.370 €/m²

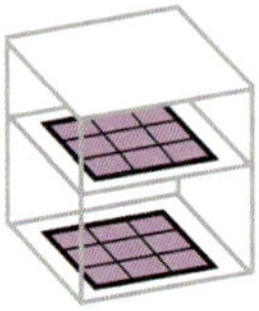

NE 11.644 €/NE

NE: Schüler

Objekt:
Kennwerte: 1. Ebene DIN 276
BRI: 4.244 m³
BGF: 1.170 m²
NUF: 716 m²
Bauzeit: 52 Wochen
Bauende: 2020
Standard: unter Durchschnitt
Bundesland: Niedersachsen
Kreis: Braunschweig, Stadt

Architekt*in:
werk.um architekten
Rheinstraße 99.4
64295 Darmstadt

Bauherr*in:
Stadt Braunschweig
Ägidienmarkt 6
38100 Braunschweig

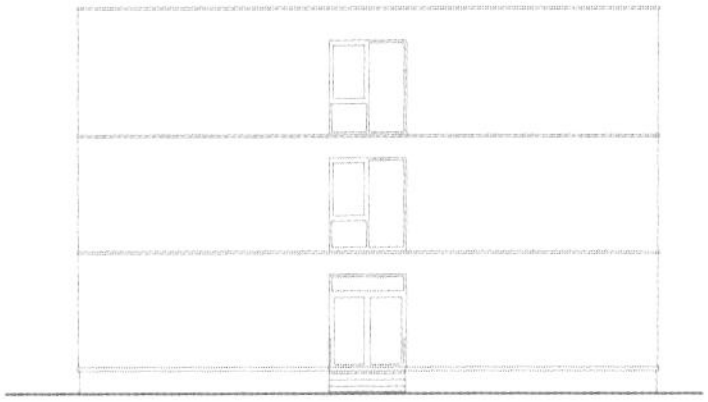

Ansicht Nord

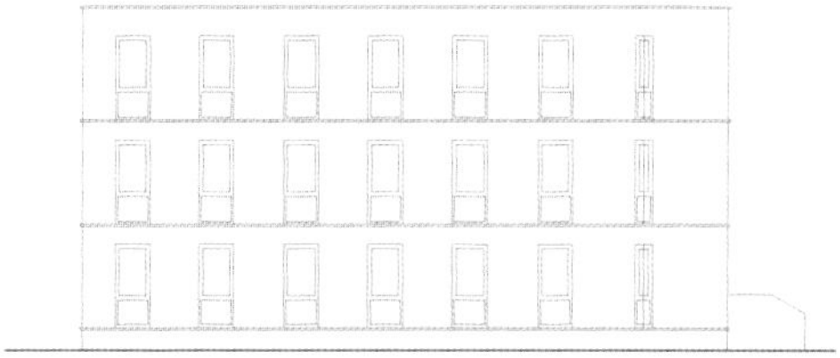

Ansicht Ost

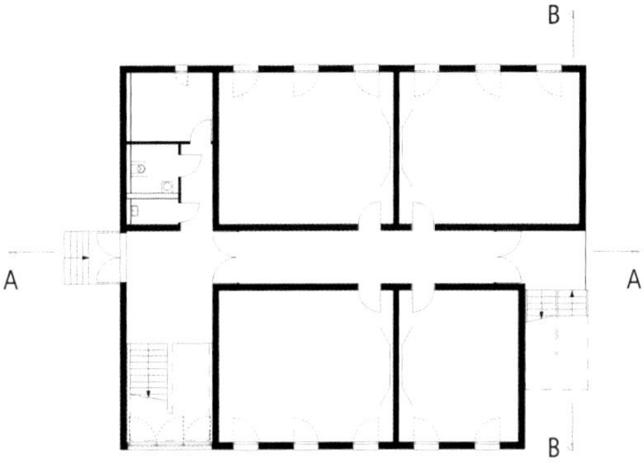

Erdgeschoss

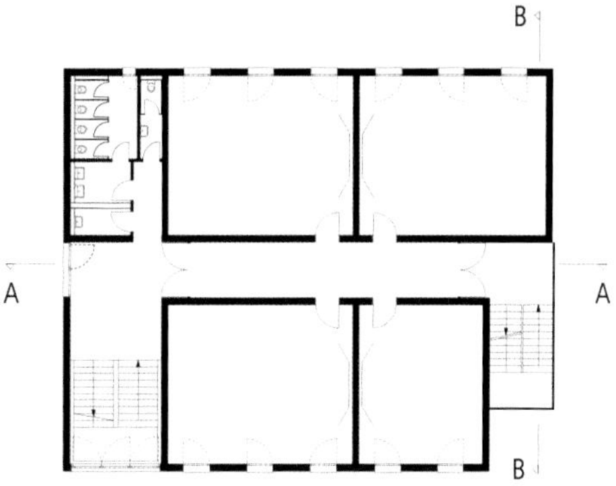

1. Obergeschoss

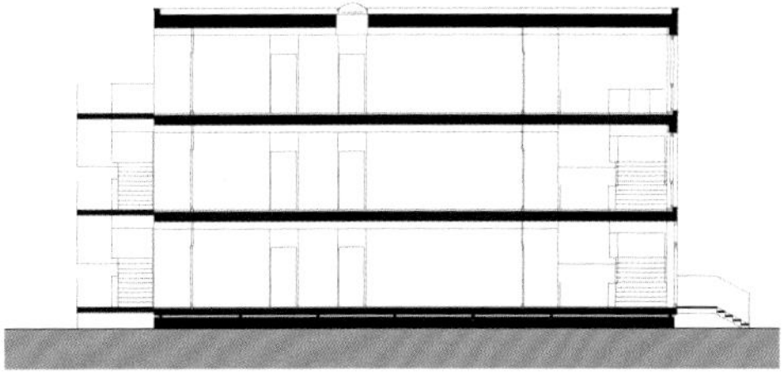

Schnitt A-A

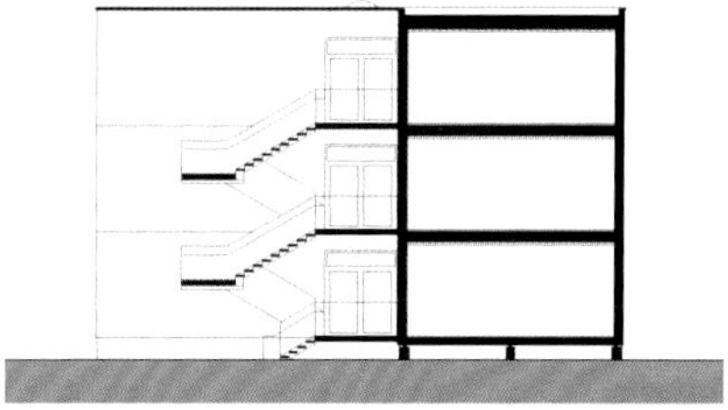

Schnitt B-B

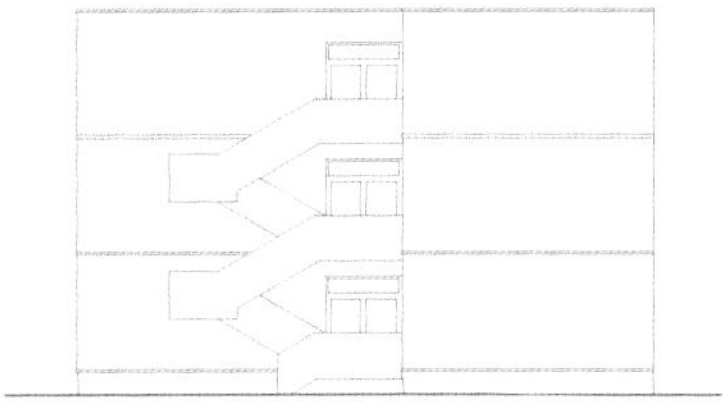

Ansicht Süd

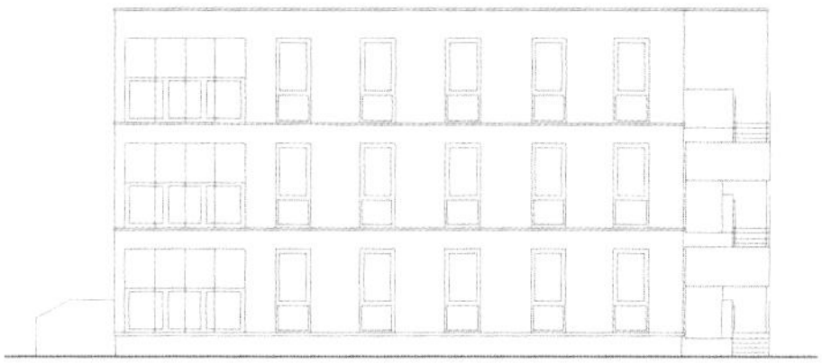

Ansicht West

Objektbeschreibung

Allgemeine Objektinformationen

Der neu errichtete Erweiterungsbau dient als dreigeschossiges temporäres Schulgebäude und bietet mit zwölf Klassenzimmern neuen Lehrraum für ca. 330 SchülerInnen und ca. 12 Lehrkräfte. Bauweise und Materialien des Holzmodulbaus werden den Ansprüchen eines temporären Erweiterungsbaus gerecht und bieten gleichzeitig eine unbefristete Nutzungszeit. Zukünftig besteht die Möglichkeit, das Gebäude innerhalb weniger Wochen an einen anderen Standort zu versetzen oder umzunutzen.

Nutzung

1 Erdgeschoss
Vier Klassenräume, Nebenräume, Sanitärräume, Flur, Treppenhaus, Putzmittelraum, Technikraum

2 Obergeschosse
Jeweils vier Klassenräume, Nebenräume, Sanitärräume, Flur, Treppenhaus, Putzmittelraum

Nutzeinheiten

Klassen: 12
Schüler: 330

Grundstück

Bauraum: Freier Bauraum
Neigung: Ebenes Gelände
Bodenklasse: BK 1 bis BK 3

Markt

Hauptvergabezeit: 1. Quartal 2019
Baubeginn: 2. Quartal 2019
Bauende: 2. Quartal 2020
Konjunkturelle Gesamtlage: Durchschnitt
Regionaler Baumarkt: Durchschnitt

Baukonstruktion

Das Gebäude wurde als werkseitig vorgefertigter Holztafelbau in Elementbauweise realisiert. Es ist auf Stb-Streifenfundamenten aufgeständert. Die Bodenplatte, sämtliche Wände, Decken und das Dach bestehen aus Holz. Es kamen Holzfenster und -türen zum Einbau. Raffstores dienen als Sonnenschutz. Innen verbindet eine Holztreppe die Geschosse, außen wurde eine Gerüsttreppe mit Stahlgeländer montiert.

Technische Anlagen

Der Neubau wird durch eine eigene Gas-Brennwerttherme mit Wärme versorgt. Über wandhängende Heizkörper wird die Wärme in den Räumen verteilt. Für die allgemeinen Klassenräume wurden Einzellüftungsanlagen mit Wärmerückgewinnung verwendet. Es wurden eine Brandmelde- und eine elektroakustische Anlage eingebaut.

Sonstiges

Ziel der Bauaufgabe war, einen hohen Grad an Vorfertigung in der Werkstatt zu ermöglichen, um einerseits eine effiziente Produktion und andererseits kurze Montagezeiten auf der Baustelle zu erreichen. So war der Schulbetrieb durch die Baustelle nur sehr kurz eingeschränkt.

Planungskennwerte für Flächen und Rauminhalte nach DIN 277

Flächen des Grundstücks		Menge Einheit	% an GF
BF	Bebaute Fläche	–	–
UF	Unbebaute Fläche	–	–
GF	Grundstücksfläche	–	–

Grundflächen des Bauwerks		Menge Einheit	% an NUF	% an BGF
NUF	Nutzungsfläche	715,57 m²	100,0	61,2
TF	Technikfläche	12,74 m²	1,8	1,1
VF	Verkehrsfläche	245,04 m²	34,2	20,9
NRF	Netto-Raumfläche	973,35 m²	136,0	83,2
KGF	Konstruktions-Grundfläche	196,55 m²	27,5	16,8
BGF	Brutto-Grundfläche	1.169,90 m²	163,5	100,0

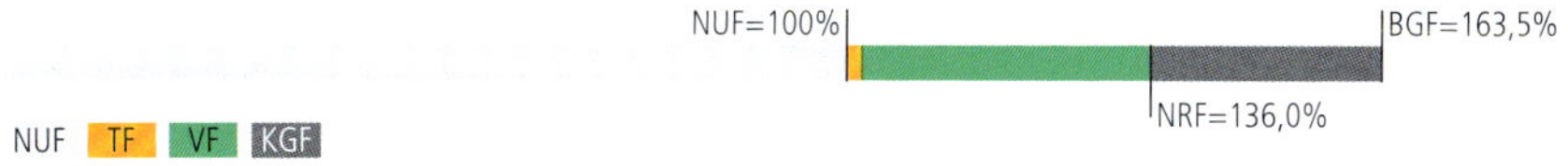

Brutto-Rauminhalt des Bauwerks		Menge Einheit	BRI/NUF (m)	BRI/BGF (m)
BRI	Brutto-Rauminhalt	4.243,83 m³	5,93	3,63

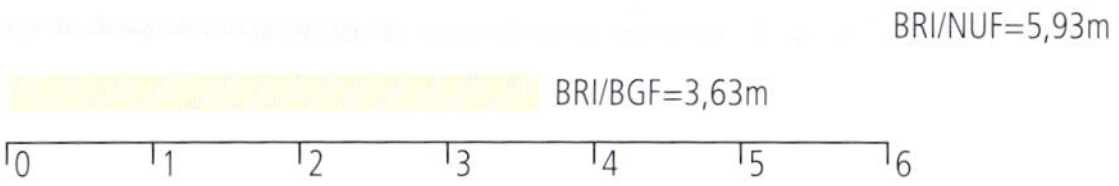

4100-0219
Gymnasium
(12 Klassen)
(330 Schüler)
Erweiterung

Kostenkennwerte für die Kostengruppen der 1. Ebene DIN 276

KG	Kostengruppen (1. Ebene)	Einheit	Kosten €	€/Einheit	€/m² BGF	€/m³ BRI	% 300+400
100	Grundstück	m² GF	–	–	–	–	–
200	Vorbereitende Maßnahmen	m² GF	–	–	–	–	–
300	Bauwerk – Baukonstruktionen	m² BGF	3.051.013	2.607,93	2.607,93	718,93	79,4
400	Bauwerk – Technische Anlagen	m² BGF	791.595	676,63	676,63	186,53	20,6
	Bauwerk 300+400	**m² BGF**	**3.842.608**	**3.284,56**	**3.284,56**	**905,46**	**100,0**
500	Außenanlagen und Freiflächen	m² AF	–	–	–	–	–
600	Ausstattung und Kunstwerke	m² BGF	–	–	–	–	–
700	Baunebenkosten	m² BGF	–	–	–	–	–
800	Finanzierung	m² BGF	–	–	–	–	–

KG	Kostengruppe	Menge Einheit	Kosten €	€/Einheit	%
3+4	**Bauwerk**				**100,0**
300	**Bauwerk – Baukonstruktionen**	1.169,90 m² BGF	3.051.013	**2.607,93**	79,4

Erdarbeiten; Stb-Streifenfundamente, aufgeständerte Bodenplatte in Holztafel-Elementbauweise, d=260mm, Kautschukbelag, Holzsockel; Holztafel-Elementbau-Außenwände mit fertigen Oberflächen und vorinstallierter Technik, Holzfenster und -türen, außen Lärchenholzfassade als vertikale Schalung, innen sichtbare OSB-Oberflächen, Alu-Raffstoreanlagen; Holztafel-Elementbau-Innenwände mit fertigen Oberflächen und vorinstallierter Technik, Holzinnentüren; Holztafel-Elementbaudecken, Holz-Innentreppe, Gerüst-Außentreppe, Splittschüttung, Trockenestrich, Kautschukbelag, Holzsockel, Akustik-Unterdecken als Vollholz-Leistenschalung, Unterdecken Holzwolle-Leichtbauplatten, GK-Decken; Holztafel-Elementbaudach, Lichtkuppel, Gefälledämmung, Dachabdichtung, Dachentwässerung

KG	Kostengruppe	Menge Einheit	Kosten €	€/Einheit	%
400	**Bauwerk – Technische Anlagen**	1.169,90 m² BGF	791.595	**676,63**	20,6

Gebäudeentwässerung, Kalt- und Warmwasserleitungen, Sanitärobjekte; wassergeführte Gasheizung mit Brennwerttechnik, Heizungsrohre, wandhängende Heizkörper; Lüftungsgeräte mit WRG; Elektroinstallation, Beleuchtung, Fluchtwegbeleuchtung, Blitzschutz; Brandmeldeanlage, ELA-Anlage; Serverschrank, Datennetzwerk

4200-0032
Berufsschule

Objektübersicht

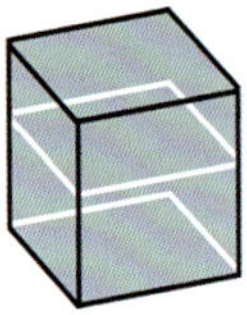

BRI 528 €/m³

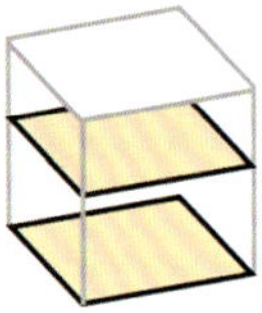

BGF 2.921 €/m²

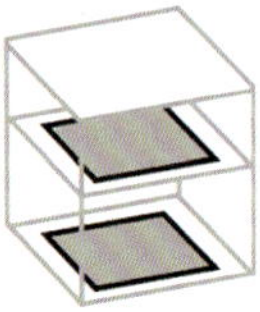

NUF 3.461 €/m²

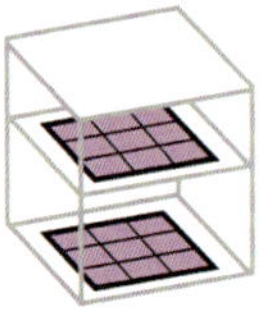

NE 58.627 €/NE

NE: Schüler

Objekt:
Kennwerte: 3. Ebene DIN 276
BRI: 3.107 m³
BGF: 562 m²
NUF: 474 m²
Bauzeit: 35 Wochen
Bauende: 2014
Standard: Durchschnitt
Bundesland: Bayern
Kreis: Cham

Architekt*in:
PH2
Architektur + Stadtplanung
Lemingerstraße 11
93458 Eschlkam

Bauherr*in:
Landkreis Cham
Rachelstraße 6
93413 Cham

© planwerkstatt.Architekten

© planwerkstatt.Architekten

© planwerkstatt.Architekten

© Jürgen Krall

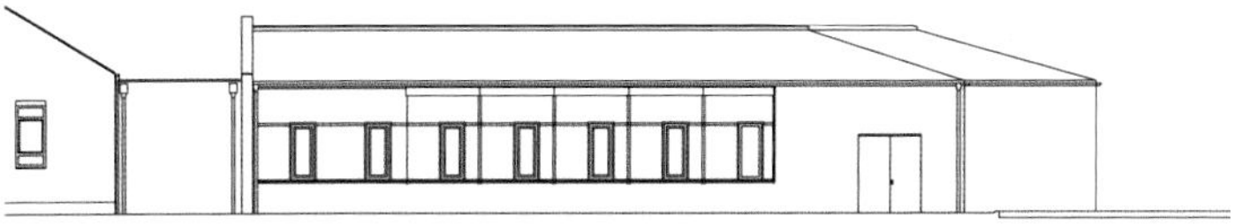

Ansicht West

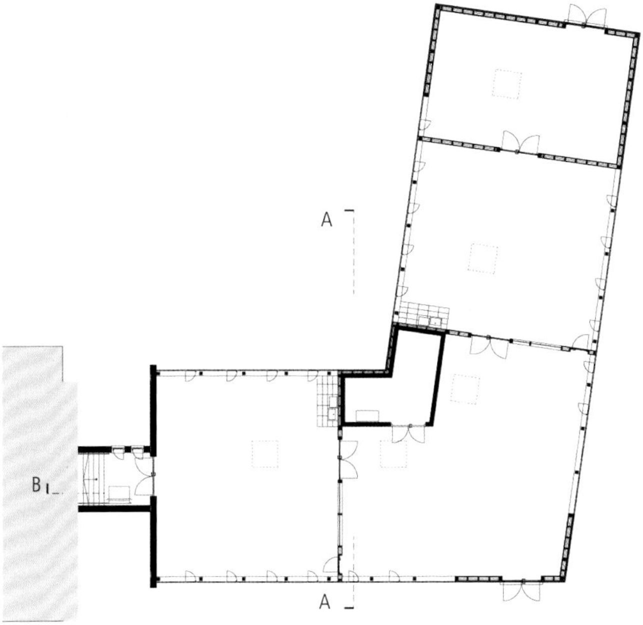

Erdgeschoss

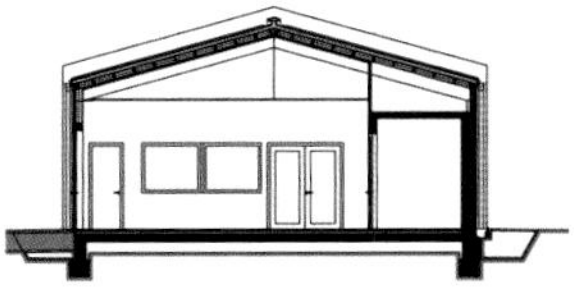

Schnitt A-A

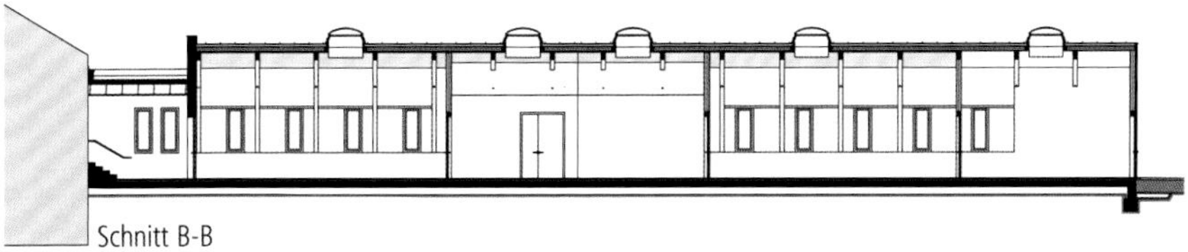

Schnitt B-B

Objektbeschreibung

Allgemeine Objektinformationen

Der eingeschossige, nicht unterkellerte Neubau dient der staatlichen Berufsschule als Erweiterung für den Fachbereich Schreiner. Den Lehrlingen stehen zwei Schulungsräume mit Werkbänken sowie ein Maschinen- und ein Zuschnittraum zur Verfügung. Ein Technikraum wurde integriert. Das Gebäude kann nach Osten durch die Addition weiterer Konstruktionsachsen erweitert werden.

Nutzung

1 Erdgeschoss
Schulungsräume (2St), Maschinenraum, Zuschnitt, Absaugung, Verbindungsflur

Nutzeinheiten

Schüler: 28

Grundstück

Bauraum: Freier Bauraum
Neigung: Ebenes Gelände
Bodenklasse: BK 1 bis BK 3

Markt

Hauptvergabezeit: 1. Quartal 2014
Baubeginn: 4. Quartal 2013
Bauende: 3. Quartal 2014
Konjunkturelle Gesamtlage: Durchschnitt
Regionaler Baumarkt: Durchschnitt

Baukonstruktion

Der Erweiterungsbau gründet auf Streifenfundamenten. Die Stahlbetonbodenplatte wurde unterseitig mit Schaumglasschotter gedämmt. Auf ihr ruht eine Holzskelettkonstruktion aus Brettschichtholzstützen und -bindern. Die Außenwände sind als nichttragende Holzständerwände mit hinterlüfteter Holzbekleidung sowie als transluzente Profilglasfassade errichtet. Die Brandwand besteht aus verputztem Mauerwerk. Die Außen- und Innentüren sind aus Holz. Außenraffstores aus Aluminiumlamellen verschatten die Alufenster. Die Innenwände in Holzständerkonstruktion sind mit Dreischichtplatten in Sichtqualität bekleidet. Holzfenster dienen der Sichtverbindung zwischen den Schulungsräumen. Die Bodenbeläge wurden als Industrieparkett oder Sichtestrich ausgeführt.

Technische Anlagen

Der Erweiterungsbau ist an die bestehende Heizungsanlage im Nebengebäude angebunden und wird über Heizkörper erwärmt. Die Brandmeldeanlage im Bestand wurde erweitert und neue Brandmelder wurden installiert. Zusätzlich erhielt das Gebäude eine Späneabsaug-, eine Brikettier- und eine Druckluftanlage.

Planungskennwerte für Flächen und Rauminhalte nach DIN 277

Flächen des Grundstücks		Menge Einheit	% an GF
BF	Bebaute Fläche	561,94 m²	34,7
UF	Unbebaute Fläche	1.058,38 m²	65,3
GF	Grundstücksfläche	1.620,32 m²	100,0

Grundflächen des Bauwerks		Menge Einheit	% an NUF	% an BGF
NUF	Nutzungsfläche	474,31 m²	100,0	84,4
TF	Technikfläche	19,34 m²	4,1	3,4
VF	Verkehrsfläche	12,72 m²	2,7	2,3
NRF	Netto-Raumfläche	506,37 m²	106,8	90,1
KGF	Konstruktions-Grundfläche	55,57 m²	11,7	9,9
BGF	Brutto-Grundfläche	561,94 m²	118,5	100,0

Brutto-Rauminhalt des Bauwerks		Menge Einheit	BRI/NUF (m)	BRI/BGF (m)
BRI	Brutto-Rauminhalt	3.107,00 m³	6,55	5,53

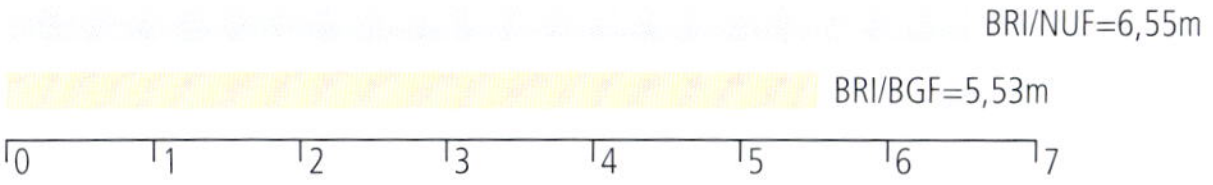

Lufttechnisch behandelte Flächen	Menge Einheit	% an NUF	% an BGF
Entlüftete Fläche	–	–	–
Be- und entlüftete Fläche	–	–	–
Teilklimatisierte Fläche	–	–	–
Klimatisierte Fläche	–	–	–

KG	Kostengruppen (2. Ebene)	Menge Einheit	Menge/NUF	Menge/BGF
310	Baugrube / Erdbau	751,79 m³ BGI	1,59	1,34
320	Gründung, Unterbau	550,00 m² GRF	1,16	0,98
330	Außenwände/Vertikale Baukonstruktionen, außen	562,87 m² AWF	1,19	1,00
340	Innenwände/Vertikale Baukonstruktionen, innen	214,11 m² IWF	0,45	0,38
350	Decken/Horizontale Baukonstruktionen	24,68 m² DEF	0,05	0,04
360	Dächer	574,26 m² DAF	1,21	1,02

Kostenkennwerte für die Kostengruppen der 1. Ebene DIN 276

KG	Kostengruppen (1. Ebene)	Einheit	Kosten €	€/Einheit	€/m² BGF	€/m³ BRI	% 300+400
100	Grundstück	m² GF	–	–	–	–	–
200	Vorbereitende Maßnahmen	m² GF	26.926	16,62	47,92	8,67	1,6
300	Bauwerk – Baukonstruktionen	m² BGF	1.216.383	2.164,61	2.164,61	391,50	74,1
400	Bauwerk – Technische Anlagen	m² BGF	425.171	756,61	756,61	136,84	25,9
	Bauwerk 300+400	**m² BGF**	**1.641.554**	**2.921,23**	**2.921,23**	**528,34**	**100,0**
500	Außenanlagen und Freiflächen	m² AF	65.211	175,44	116,05	20,99	4,0
600	Ausstattung und Kunstwerke	m² BGF	–	–	–	–	–
700	Baunebenkosten	m² BGF	–	–	–	–	–
800	Finanzierung	m² BGF	–	–	–	–	–

KG	Kostengruppe	Menge Einheit	Kosten €	€/Einheit	%
200	**Vorbereitende Maßnahmen**	1.620,32 m² GF	26.926	**16,62**	1,6

Aufnehmen und Lagern von Basketballkorbanlage, Sand, Abbruch von Hartplatzbelag, Betonrohren, Eingangspodesten, Betonbodenplatten, Zaun, Bordsteinen, Bäume fällen, Sträucher roden, Oberboden abtragen

KG	Kostengruppe	Menge Einheit	Kosten €	€/Einheit	%
3+4	**Bauwerk**				**100,0**
300	**Bauwerk – Baukonstruktionen**	561,94 m² BGF	1.216.383	**2.164,61**	74,1

Aushub; Stb-Bodenplatte, Stb-Fundamente, Abdichtung, Dämmung, Estrich, Parkett, Bodenfliesen; HLz-Mauerwerk, Holzständerwände, BSH-Stützen, Stb-Stützen, Profilglasfassade mit Alufenstern, Holztüren, Dämmung, hinterlüftete Holzfassade, Sockelbekleidung aus Betonfertigteilen, Putz, Beschichtung, Profilglasfassade; Holzständer-Innenwände, Brandschutztüren, Holztüren, Holz-Innenfenster, Dreischichtplatten-Bekleidung, Wandfliesen; Stb-Decke; Holzdachkonstruktion, Zwischensparrendämmung, Stb-Flachdach, RWA-Lichtkuppeln, Stehfalzdeckung, Flachdachabdichtung, Dachentwässerung, Akustikbekleidung, Notausgangsschilder

KG	Kostengruppe	Menge Einheit	Kosten €	€/Einheit	%
400	**Bauwerk – Technische Anlagen**	561,94 m² BGF	425.171	**756,61**	25,9

Gebäudeentwässerung, Kalt- und Warmwasserleitungen, Sanitärobjekte; Heizleitungen, Anschluss an Bestandsanlage im Nebengebäude, Heizkörper; Elektroinstallation, Beleuchtung, Blitzschutzanlage; RWA-Anlage, Erweiterung von bestehender Brandmeldeanlage; Plattformlift; Feuerlöscher, Späneabsauganlage, Druckluftanlage

KG	Kostengruppe	Menge Einheit	Kosten €	€/Einheit	%
500	**Außenanlagen und Freiflächen**	371,69 m² AF	65.211	**175,44**	4,0

Bodenarbeiten; Einzelfundamente; Betonpflaster, Muldenrinnen, Traufstreifen; Stahlrampe, Geländer; Oberflächenentwässerung; Oberbodenarbeiten

Kostenkennwerte für die Kostengruppen 300 der 2. und 3. Ebene DIN 276 (Übersicht)

KG	Kostengruppe	Menge Einheit	€/Einheit	Kosten €	% an 3+4
300	**Bauwerk – Baukonstruktionen**	**561,94 m² BGF**	**2.164,61**	**1.216.383,19**	**74,1**
310	**Baugrube / Erdbau**	**751,79 m³ BGI**	**47,37**	**35.609,64**	**2,2**
311	Herstellung	751,79 m³ BGI	47,37	35.609,64	2,2
312	Umschließung	–	–	–	–
313	Wasserhaltung	–	–	–	–
314	Vortrieb	–	–	–	–
319	Sonstiges zur KG 310	–	–	–	–
320	**Gründung, Unterbau**	**550,00 m² GRF**	**408,90**	**224.894,64**	**13,7**
321	Baugrundverbesserung	–	–	–	–
322	Flachgründungen und Bodenplatten	550,00 m²	160,42	88.228,26	5,4
323	Tiefgründungen	–	–	–	–
324	Gründungsbeläge	521,51 m²	190,00	99.085,14	6,0
325	Abdichtungen und Bekleidungen	660,29 m²	56,27	37.156,88	2,3
326	Dränagen	550,00 m² GRF	0,77	424,36	< 0,1
329	Sonstiges zur KG 320	–	–	–	–
330	**Außenwände/Vert. Baukonstrukt., außen**	**562,87 m² AWF**	**691,54**	**389.243,42**	**23,7**
331	Tragende Außenwände	122,28 m²	154,23	18.860,36	1,1
332	Nichttragende Außenwände	236,80 m²	167,91	39.760,78	2,4
333	Außenstützen	194,77 m	103,87	20.230,78	1,2
334	Außenwandöffnungen	203,78 m²	667,44	136.013,10	8,3
335	Außenwandbekleidungen, außen	393,43 m²	263,90	103.827,40	6,3
336	Außenwandbekleidungen, innen	319,88 m²	96,38	30.830,91	1,9
337	Element. Außenwandkonstruktionen	–	–	–	–
338	Lichtschutz zur KG 330	99,13 m²	400,71	39.720,11	2,4
339	Sonstiges zur KG 330	–	–	–	–
340	**Innenwände/Vert. Baukonstrukt., innen**	**214,11 m² IWF**	**597,38**	**127.904,39**	**7,8**
341	Tragende Innenwände	44,82 m²	354,44	15.884,59	1,0
342	Nichttragende Innenwände	126,61 m²	179,67	22.748,45	1,4
343	Innenstützen	38,00 m	72,80	2.766,44	0,2
344	Innenwandöffnungen	42,68 m²	1.197,00	51.092,70	3,1
345	Innenwandbekleidungen	283,38 m²	121,96	34.561,39	2,1
346	Elementierte Innenwandkonstruktionen	–	–	–	–
347	Lichtschutz zur KG 340	–	–	–	–
349	Sonstiges zur KG 340	214,11 m² IWF	3,97	850,83	< 0,1
350	**Decken/Horizontale Baukonstruktionen**	**24,68 m² DEF**	**253,36**	**6.251,76**	**0,4**
351	Deckenkonstruktionen	24,68 m²	253,36	6.251,76	0,4
352	Deckenöffnungen	–	–	–	–
353	Deckenbeläge	–	–	–	–
354	Deckenbekleidungen	–	–	–	–
355	Elementierte Deckenkonstruktionen	–	–	–	–
359	Sonstiges zur KG 350	–	–	–	–
360	**Dächer**	**574,26 m² DAF**	**668,33**	**383.791,38**	**23,4**
361	Dachkonstruktionen	563,01 m²	190,03	106.985,55	6,5
362	Dachöffnungen	11,25 m²	1.657,53	18.647,23	1,1
363	Dachbeläge	580,33 m²	226,40	131.388,62	8,0
364	Dachbekleidungen	459,40 m²	255,83	117.530,42	7,2
365	Elementierte Dachkonstruktionen	–	–	–	–
366	Lichtschutz zur KG 360	–	–	–	–
369	Sonstiges zur KG 360	574,26 m² DAF	16,09	9.239,55	0,6
370	**Infrastrukturanlagen**	**–**	**–**	**–**	**–**
380	**Baukonstruktive Einbauten**	**561,94 m² BGF**	**0,28**	**154,79**	**< 0,1**
390	**Sonst. Maßnahmen für Baukonstrukt.**	**561,94 m² BGF**	**86,37**	**48.533,20**	**3,0**

Kostenkennwerte für die Kostengruppen 400 der 2. und 3. Ebene DIN 276 (Übersicht)

KG	Kostengruppe	Menge Einheit	€/Einheit	Kosten €	% an 3+4
400	**Bauwerk – Technische Anlagen**	**561,94 m²BGF**	**756,61**	**425.171,28**	**25,9**
410	**Abwasser-, Wasser-, Gasanlagen**	**561,94 m²BGF**	**78,24**	**43.965,08**	**2,7**
411	Abwasseranlagen	561,94 m²BGF	36,59	20.558,83	1,3
412	Wasseranlagen	561,94 m²BGF	41,65	23.406,26	1,4
413	Gasanlagen	–	–	–	–
419	Sonstiges zur KG 410	–	–	–	–
420	**Wärmeversorgungsanlagen**	**561,94 m²BGF**	**82,14**	**46.157,66**	**2,8**
421	Wärmeerzeugungsanlagen	–	–	–	–
422	Wärmeverteilnetze	561,94 m²BGF	69,18	38.877,56	2,4
423	Raumheizflächen	561,94 m²BGF	12,96	7.280,10	0,4
424	Verkehrsheizflächen	–	–	–	–
429	Sonstiges zur KG 420	–	–	–	–
430	**Raumlufttechnische Anlagen**	**–**	**–**	**–**	**–**
431	Lüftungsanlagen	–	–	–	–
432	Teilklimaanlagen	–	–	–	–
433	Klimaanlagen	–	–	–	–
434	Kälteanlagen	–	–	–	–
439	Sonstiges zur KG 430	–	–	–	–
440	**Elektrische Anlagen**	**561,94 m²BGF**	**252,85**	**142.084,14**	**8,7**
441	Hoch- und Mittelspannungsanlagen	–	–	–	–
442	Eigenstromversorgungsanlagen	–	–	–	–
443	Niederspannungsschaltanlagen	–	–	–	–
444	Niederspannungsinstallationsanlagen	561,94 m²BGF	180,23	101.276,56	6,2
445	Beleuchtungsanlagen	561,94 m²BGF	39,62	22.262,88	1,4
446	Blitzschutz- und Erdungsanlagen	561,94 m²BGF	33,00	18.544,70	1,1
447	Fahrleitungssysteme	–	–	–	–
449	Sonstiges zur KG 440	–	–	–	–
450	**Kommunikationstechnische Anlagen**	**561,94 m²BGF**	**57,64**	**32.388,06**	**2,0**
451	Telekommunikationsanlagen	–	–	–	–
452	Such- und Signalanlagen	–	–	–	–
453	Zeitdienstanlagen	–	–	–	–
454	Elektroakustische Anlagen	–	–	–	–
455	Audiovisuelle Medien- u. Antennenanl.	–	–	–	–
456	Gefahrenmelde- und Alarmanlagen	561,94 m²BGF	57,64	32.388,06	2,0
457	Datenübertragungsnetze	–	–	–	–
458	Verkehrsbeeinflussungsanlagen	–	–	–	–
459	Sonstiges zur KG 450	–	–	–	–
460	**Förderanlagen**	**561,94 m²BGF**	**30,93**	**17.381,11**	**1,1**
461	Aufzugsanlagen	561,94 m²BGF	30,93	17.381,11	1,1
462	Fahrtreppen, Fahrsteige	–	–	–	–
463	Befahranlagen	–	–	–	–
464	Transportanlagen	–	–	–	–
465	Krananlagen	–	–	–	–
466	Hydraulikanlagen	–	–	–	–
469	Sonstiges zur KG 460	–	–	–	–
470	**Nutzungsspez. u. verfahrenstechn. Anl.**	**561,94 m²BGF**	**254,82**	**143.195,24**	**8,7**
480	**Gebäude- und Anlagenautomation**	**–**	**–**	**–**	**–**
490	**Sonst. Maßnahmen für techn. Anlagen**	**–**	**–**	**–**	**–**

Kostenkennwerte für Leistungsbereiche nach STLB (Kosten des Bauwerks nach DIN 276)

LB	Leistungsbereiche	Kosten €	€/m² BGF	€/m³ BRI	% an 3+4
000	Sicherheits-, Baustelleneinrichtungen inkl. 001	25.114	44,70	8,10	1,5
002	Erdarbeiten	37.818	67,30	12,20	2,3
006	Spezialtiefbauarbeiten inkl. 005	–	–	–	–
009	Entwässerungskanalarbeiten inkl. 011	12.713	22,60	4,10	0,8
010	Drän- und Versickerarbeiten	424	0,76	0,14	< 0,1
012	Mauerarbeiten	13.185	23,50	4,20	0,8
013	Betonarbeiten	192.767	343,00	62,00	11,7
014	Natur-, Betonwerksteinarbeiten	2.152	3,80	0,69	0,1
016	Zimmer- und Holzbauarbeiten	304.511	541,90	98,00	18,6
017	Stahlbauarbeiten	–	–	–	–
018	Abdichtungsarbeiten	9.789	17,40	3,20	0,6
019	Kampfmittelräumarbeiten	–	–	–	–
020	Dachdeckungsarbeiten	–	–	–	–
021	Dachabdichtungsarbeiten	7.792	13,90	2,50	0,5
022	Klempnerarbeiten	98.635	175,50	31,70	6,0
	Rohbau	**704.901**	**1.254,40**	**226,90**	**42,9**
023	Putz- und Stuckarbeiten, Wärmedämmsysteme	16.830	30,00	5,40	1,0
024	Fliesen- und Plattenarbeiten	7.217	12,80	2,30	0,4
025	Estricharbeiten	24.355	43,30	7,80	1,5
026	Fenster, Außentüren inkl. 029, 032	62.232	110,70	20,00	3,8
027	Tischlerarbeiten	208.706	371,40	67,20	12,7
028	Parkettarbeiten, Holzpflasterarbeiten	66.844	119,00	21,50	4,1
030	Rollladenarbeiten	39.720	70,70	12,80	2,4
031	Metallbauarbeiten inkl. 035	94.626	168,40	30,50	5,8
034	Maler- und Lackiererarbeiten inkl. 037	2.976	5,30	0,96	0,2
036	Bodenbelagarbeiten	–	–	–	–
038	Vorgehängte hinterlüftete Fassaden	–	–	–	–
039	Trockenbauarbeiten	1.044	1,90	0,34	< 0,1
	Ausbau	**524.552**	**933,50**	**168,80**	**32,0**
040	Wärmeversorgungsanl. - Betriebseinr. inkl. 041	38.350	68,20	12,30	2,3
042	Gas- und Wasserinstallation, Leitungen inkl. 043	13.163	23,40	4,20	0,8
044	Abwasseranlagen - Leitungen	3.915	7,00	1,30	0,2
045	GWE-Einrichtungsgegenstände inkl. 046	19.562	34,80	6,30	1,2
047	Dämmarbeiten an betriebstechnischen Anlagen	11.321	20,10	3,60	0,7
049	Feuerlöschanlagen, Feuerlöschgeräte	1.207	2,10	0,39	< 0,1
050	Blitzschutz- und Erdungsanlagen	18.545	33,00	6,00	1,1
053	Niederspannungsanlagen inkl. 052, 054	105.307	187,40	33,90	6,4
055	Sicherheits- u. Ersatzstromversorgungsanl.	–	–	–	–
057	Gebäudesystemtechnik	–	–	–	–
058	Leuchten und Lampen inkl. 059	22.263	39,60	7,20	1,4
060	Sprechanlagen, elektroakust. Anlagen inkl. 064	–	–	–	–
061	Kommunikationsnetze inkl. 063	32.388	57,60	10,40	2,0
069	Aufzüge	17.381	30,90	5,60	1,1
070	Gebäudeautomation	–	–	–	–
075	Raumlufttechnische Anlagen inkl. 078	–	–	–	–
	Gebäudetechnik	**283.403**	**504,30**	**91,20**	**17,3**
084	Abbruch, Rückbau, Schadstoffsanierung	–	–	–	–
	Abbrucharbeiten	**–**	**–**	**–**	**–**
	Sonstige Leistungsbereiche	**128.699**	**229,00**	**41,40**	**7,8**

4200-0035
Bildungszentrum
(400 Schüler)

Objektübersicht

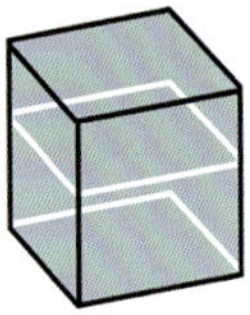
BRI 598 €/m³

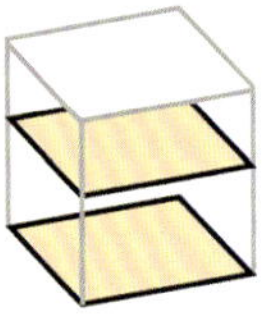
BGF 2.222 €/m²

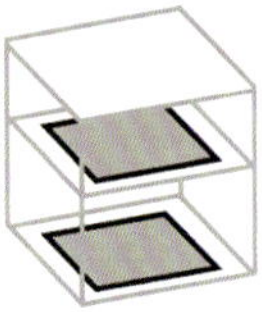
NUF 3.455 €/m²

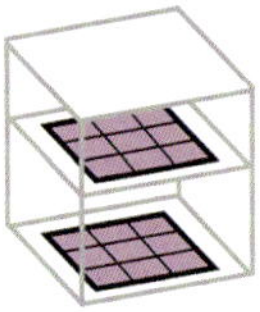
NE 18.860 €/NE
NE: Schüler

Objekt:
Kennwerte: 1. Ebene DIN 276
BRI: 12.617 m³
BGF: 3.396 m²
NUF: 2.184 m²
Bauzeit: 78 Wochen
Bauende: 2018
Standard: Durchschnitt
Bundesland: Berlin
Kreis: Berlin, Stadt

Architekt*in:
Kersten Kopp
Architekten GmbH
Rheinstraße 45
12161 Berlin

Bauherr*in:
Rudolf Steiner
Bildungszentrum gGmbH
Monumentenstraße 13b
10829 Berlin

© Werner Huthmacher

© Werner Huthmacher

© Werner Huthmacher

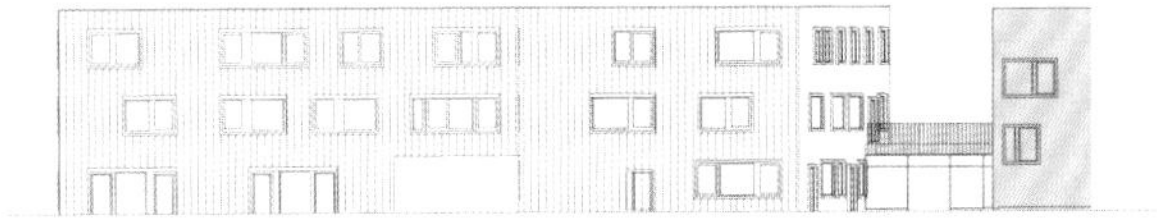

Ansicht West

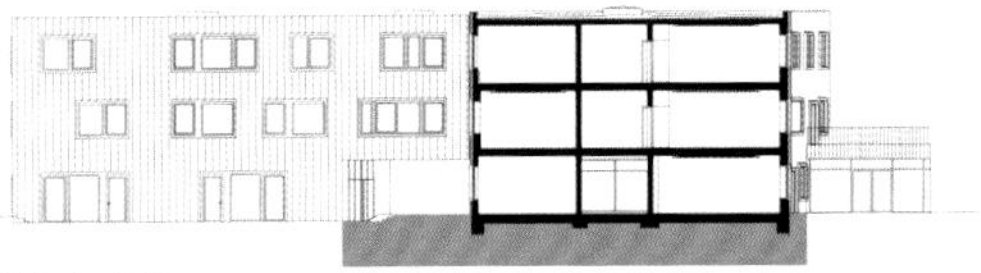

Schnitt B-B

Erdgeschoss

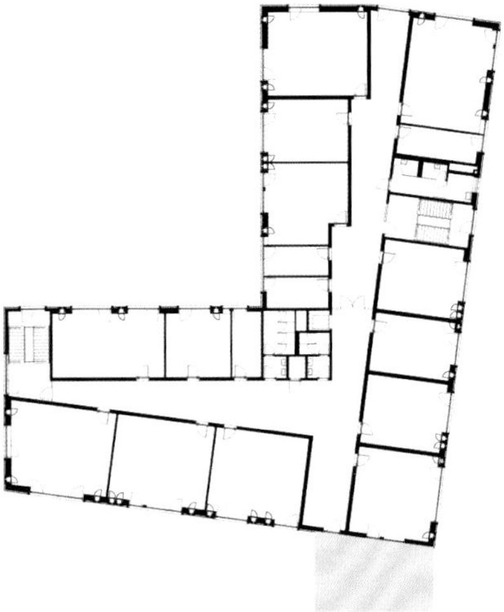

1. Obergeschoss

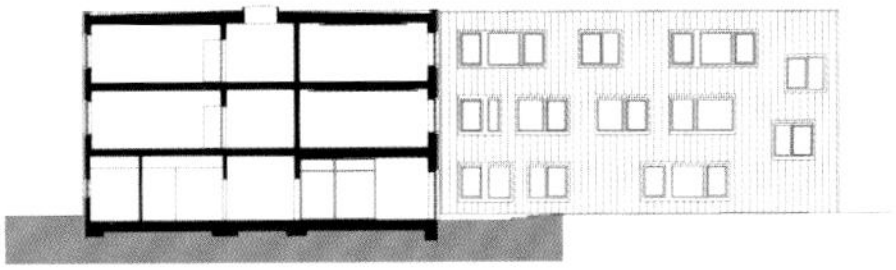

Schnitt A-A

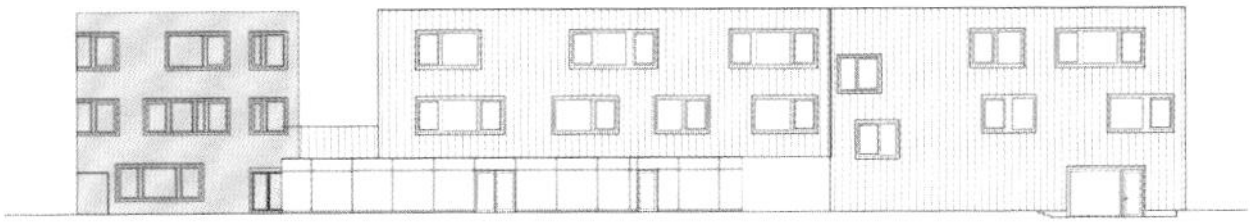

Ansicht Ost

Objektbeschreibung

Allgemeine Objektinformationen

Eingebettet in ein heterogenes Stadtgefüge zwischen umgebender Wohnbebauung und angrenzenden Sportflächen entstand mit dem anthroposophischen Campus ein neuer Lebens- und Lern-Ort. Er wird als Berufsschule für Sozialpädagogik genutzt. Die Campusgebäude gehören zu den ersten dreigeschossigen Schulgebäuden in konstruktiver Holzbauweise in Deutschland. Der dreigeschossige Neubau wird durch zwei flügelartige Zweibünde gebildet. Diese weiten sich jeweils auf, sodass eine dynamische Kubatur entsteht. Das Gebäude ist über den großen gemeinsamen Schulhof von Osten und zusätzlich über einen Fußweg entlang eines öffentlichen Spielplatzes im Westen des Gebäudes erschlossen. Das Erdgeschoss unterteilt sich in zwei Bereiche, welche durch den öffentlichen Weg getrennt, bzw. über den so entstehenden überbauten Platz über die beiden Eingänge miteinander verbunden wurden. Ein großzügiges Foyer orientiert sich zum großen Schulhof nach Osten. Hier treffen die Schüler der verschiedenen Schulen zusammen

Nutzung

1 Erdgeschoss
Foyer, Unterrichtsräume, Verwaltungsräume, Mehrzweckräume, Technikräume, Küche, Sanitärräume

2 Obergeschosse
Flur, Unterrichtsräume, Verwaltungsräume, Teeküche, Sanitärräume

Nutzeinheiten

Arbeitsplätze: 56
Schüler: 400

Grundstück

Bauraum: Freier Bauraum
Neigung: Ebenes Gelände
Bodenklasse: BK 4

Markt

Hauptvergabezeit: 1. Quartal 2017
Baubeginn: 1. Quartal 2017
Bauende: 3. Quartal 2018
Konjunkturelle Gesamtlage: über Durchschnitt
Regionaler Baumarkt: über Durchschnitt

Baukonstruktion

Der Campus wurde im Sinne eines nachhaltigen CO_2-neutralen Ansatzes in Holzbauweise gebaut. Der Neubau des Bildungszentrums ist auf Stahlbetonbodenplatten flach gegründet. Die Holzkonstruktion setzt auf den Bodenplatten des Erdgeschosses auf. Die Decken wurden durch mineralische Schüttungen schall- und brandschutztechnisch ertüchtigt. Die Massivholzdeckenplatten lagern auf Wandelementen ebenfalls in Holzmassivbauweise auf. In der Fassade kommen Brettschichtholzträger und -stützen zum Einsatz. Lediglich die Fluchttreppenhäuser und Sanitärräume wurden in Stahlbeton hergestellt und dienen neben ihrer brandschutztechnischen Funktion der Gebäudeaussteifung. Die Leitungen wurden im Flurwandbereich unter der Decke, bzw. im Bodenaufbau verlegt. Die Fensterelemente erhielten Isolierverglasungen. Die geschlossenen Bereiche der Fassaden wurden mit hochwärmedämmenden Holzrahmenbauelementen hergestellt. Die Böden sind mit Industrieparkett und Linoleumböden belegt. Die hölzernen Wandoberflächen werden weitestgehend sichtbar belassen. Alle Sanitärbereiche sowie die Küche wurden mit Trockenbauvorsatzschalen verkleidet.

Technische Anlagen

In jedem Aufenthaltsraum gibt es für die natürliche Lüftung Lüftungsfenster. In den Unterrichtsräumen gibt es zudem Lüftungsgeräte für die dezentrale mechanische Lüftung. Ein im Keller des Schulgebäudes errichtetes Blockheizkraftwerk versorgt den ganzen Campus ökologisch und wirtschaftlich mit Nahwärme.

Sonstiges

Der Campus bildet ein Ensemble aus einer Schule, einem Kindergarten/Hort, dem Berufsbildungszentrum, einer Sporthalle und einer Aula.

Planungskennwerte für Flächen und Rauminhalte nach DIN 277

Flächen des Grundstücks		Menge Einheit	% an GF
BF	Bebaute Fläche	1.216,78 m²	35,2
UF	Unbebaute Fläche	2.240,22 m²	64,8
GF	Grundstücksfläche	3.457,00 m²	100,0

Grundflächen des Bauwerks		Menge Einheit	% an NUF	% an BGF
NUF	Nutzungsfläche	2.183,60 m²	100,0	64,3
TF	Technikfläche	57,10 m²	2,6	1,7
VF	Verkehrsfläche	730,50 m²	33,5	21,5
NRF	Netto-Raumfläche	2.971,20 m²	136,1	87,5
KGF	Konstruktions-Grundfläche	424,60 m²	19,4	12,5
BGF	Brutto-Grundfläche	3.395,80 m²	155,5	100,0

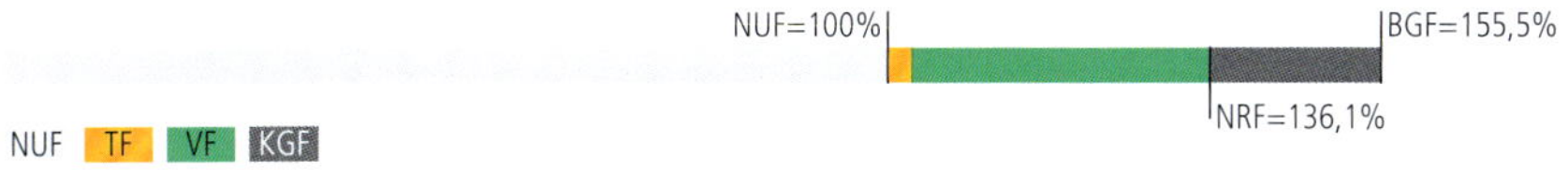

Brutto-Rauminhalt des Bauwerks		Menge Einheit	BRI/NUF (m)	BRI/BGF (m)
BRI	Brutto-Rauminhalt	12.617,30 m³	5,78	3,72

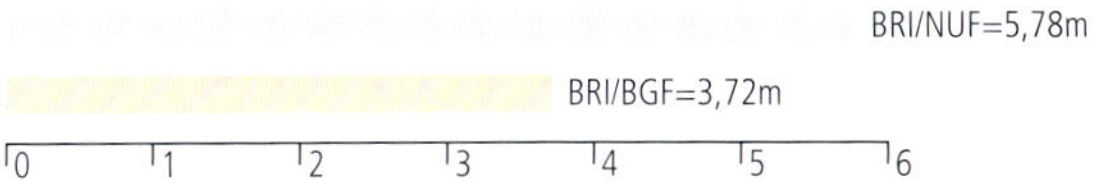

Kostenkennwerte für die Kostengruppen der 1. Ebene DIN 276

KG	Kostengruppen (1. Ebene)	Einheit	Kosten €	€/Einheit	€/m² BGF	€/m³ BRI	% 300+400
100	Grundstück	m² GF	–	–	–	–	–
200	Vorbereitende Maßnahmen	m² GF	–	–	–	–	–
300	Bauwerk – Baukonstruktionen	m² BGF	5.934.079	1.747,48	1.747,48	470,31	78,7
400	Bauwerk – Technische Anlagen	m² BGF	1.610.020	474,12	474,12	127,60	21,3
	Bauwerk 300+400	**m² BGF**	**7.544.099**	**2.221,60**	**2.221,60**	**597,92**	**100,0**
500	Außenanlagen und Freiflächen	m² AF	–	–	–	–	–
600	Ausstattung und Kunstwerke	m² BGF	–	–	–	–	–
700	Baunebenkosten	m² BGF	–	–	–	–	–
800	Finanzierung	m² BGF	–	–	–	–	–

KG	Kostengruppe	Menge Einheit	Kosten €	€/Einheit	%
3+4	**Bauwerk**				**100,0**
300	**Bauwerk – Baukonstruktionen**	3.395,80 m² BGF	5.934.079	**1.747,48**	78,7

Stb-Bodenplatte, Abdichtung, Dämmung, Estrich, tlw. als Sichtestrich, Industrieparkett, Linoleum, Bodenfliesen; sichtbare Holzrahmenwände, BSH-Stützen, Holzfenster, hinterlüftete Holzbekleidung; sichtbare Massivholzinnenwände, Stb-Innenwände, GK-Vorsatzschalen, Dämmung, Innentüren, WC-Trennwände; BSH-Träger, Massivholzdecken, unterseitig sichtbar, Schüttung, Stb-Treppen, Installationsschicht; Holz-Flachdachkonstruktion, Lichtkuppeln, Dämmung, Abdichtung, Dachentwässerung

KG	Kostengruppe	Menge Einheit	Kosten €	€/Einheit	%
400	**Bauwerk – Technische Anlagen**	3.395,80 m² BGF	1.610.020	**474,12**	21,3

Gebäudeentwässerung, Kaltwasserleitungen, Sanitärobjekte, Selbstschlussarmaturen, BHKW 15kW, Heizkessel 200kW, Heizkörper, dezentrale Lüftungsgeräte, elektrische Durchlauferhitzer; Elektroinstallation, Beleuchtung, Bewegungsmelder, Präsenzmelder, Sprachalarmierungsanlage, Netzwerkverkabelung; Aufzug

4200-0039
Bildungszentrum
Holzbauberufe
(4 Klassen)

Objektübersicht

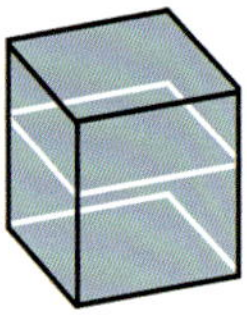

BRI 516€/m³

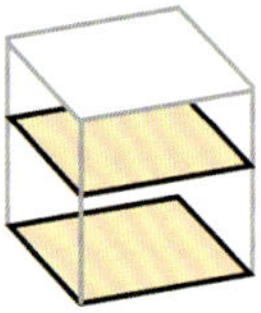

BGF 2.721€/m²

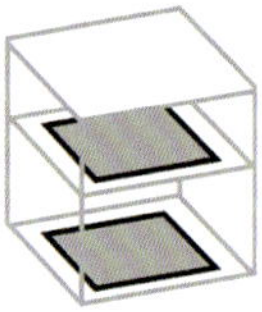

NUF 3.672€/m²

Objekt:
Kennwerte: 3. Ebene DIN 276
BRI: 18.752 m³
BGF: 3.556 m²
NUF: 2.635 m²
Bauzeit: 57 Wochen
Bauende: 2020
Standard: über Durchschnitt
Bundesland: Baden-Württemberg
Kreis: Biberach

Architekt*in:
Lieb Architekten BDA
Raiffeisenstraße 17
72250 Freudenstadt

Bauherr*in:
Gemeinnütziges Berufsförderungswerk des Baden-Württembergischen Zimmerer- und Holzbaugewerbes GmbH

© Daniel Vieser

© Daniel Vieser

© Daniel Vieser

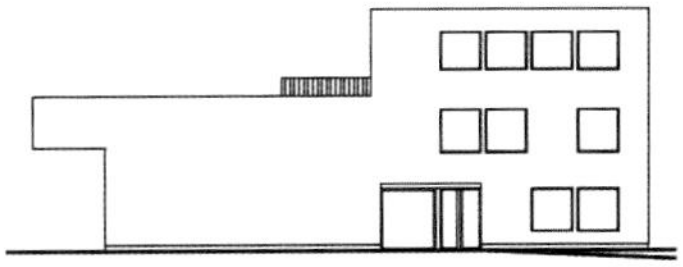

Ansicht Ost

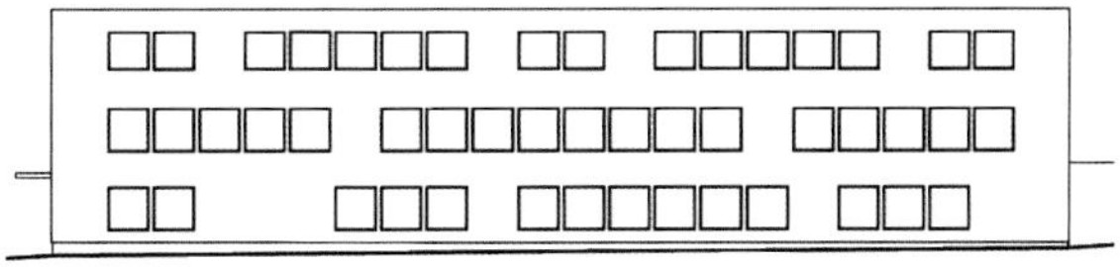

Ansicht Nord

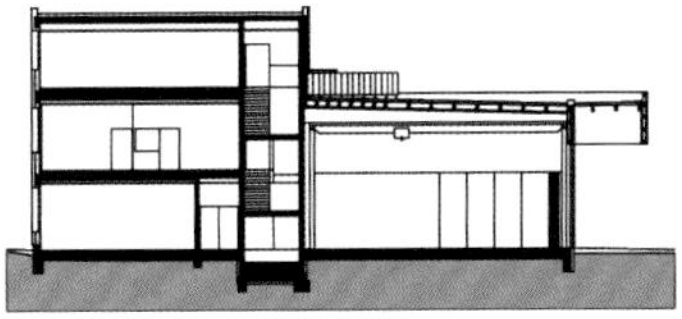

Schnitt A-A

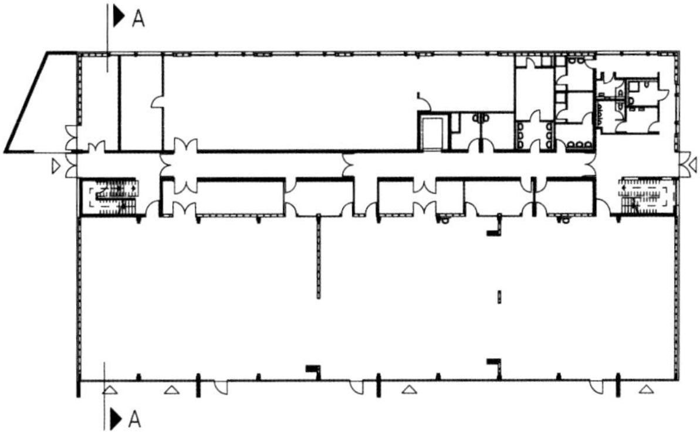

Erdgeschoss

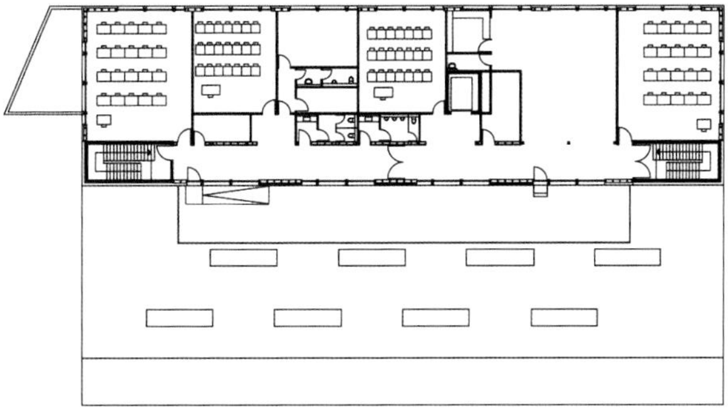

2. Obergeschoss

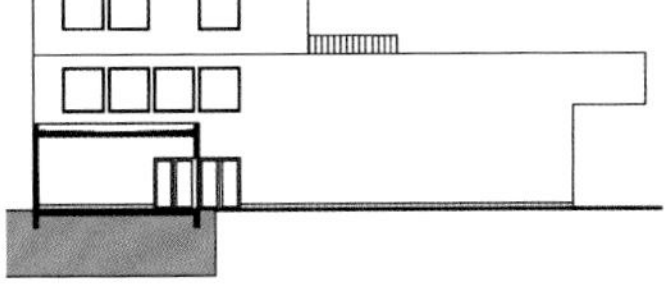

Ansicht West

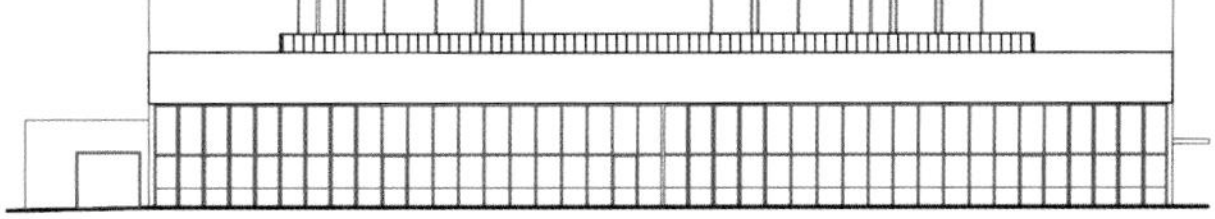

Ansicht Süd

4200-0039
Bildungszentrum
Holzbauberufe
(4 Klassen)

Objektbeschreibung

Allgemeine Objektinformationen

Der dreigeschossige, nicht unterkellerte Neubau dient als Außenstelle eines Zimmererausbildungszentrums. Das Gebäude besteht aus einer Werkstatthalle mit Kranbahn und einem angrenzenden dreigeschossigen Riegel mit Lager-, Theorie- und Nebenräumen sowie einer Dachterrasse.

Nutzung

1 Erdgeschoss
Werkstatthalle, Werkraum, Lehrmittellager, Umkleiden, WC-Räume

2 Obergeschosse
Lehrwerkstatt, Theorieräume, Küche, Pausenraum, WC-Räume, Dachterrasse mit Außenbereich

Nutzeinheiten

Klassen: 4

Grundstück

Bauraum: Baulücke
Neigung: Ebenes Gelände
Bodenklasse: BK 3 bis BK 7

Markt

Hauptvergabezeit: 2. Quartal 2019
Baubeginn: 3. Quartal 2019
Bauende: 3. Quartal 2020
Konjunkturelle Gesamtlage: unter Durchschnitt
Regionaler Baumarkt: Durchschnitt

Baukonstruktion

Aufgrund der schwierigen geologischen Verhältnisse erfolgte eine Tiefergründung mit duktilen Gusspfählen, auf die die Last des Gebäudes mittels Streifenfundamenten bzw. punktförmig abgetragen wurde. Die Bodenplatte besteht aus WU-Beton. Das Gebäude wurde in Holzrahmenbauweise mit Holz-Beton-Verbunddecken erbaut. Die Treppen- und Aufzugsschächte sind aus Stahlbeton.

Technische Anlagen

Die Beheizung des Gebäudes erfolgt über Gasbrennwertkessel. Die Wärmeübertragung erfolgt über eine Fußbodenheizung, im Werkstattbereich über Deckenstrahlplatten bzw. in den Nebenräumen und Treppenhäusern über statischen Heizflächen. Auf dem Dach wurde eine Photovoltaikanlage installiert. Ein Aufzug verbindet alle Ebenen barrierefrei.

Planungskennwerte für Flächen und Rauminhalte nach DIN 277

Flächen des Grundstücks		Menge Einheit	% an GF
BF	Bebaute Fläche	1.700,89 m²	48,6
UF	Unbebaute Fläche	1.799,11 m²	51,4
GF	Grundstücksfläche	3.500,00 m²	100,0

Grundflächen des Bauwerks		Menge Einheit	% an NUF	% an BGF
NUF	Nutzungsfläche	2.634,94 m²	100,0	74,1
TF	Technikfläche	38,84 m²	1,5	1,1
VF	Verkehrsfläche	564,29 m²	21,4	15,9
NRF	Netto-Raumfläche	3.238,07 m²	122,9	91,1
KGF	Konstruktions-Grundfläche	318,09 m²	12,1	8,9
BGF	Brutto-Grundfläche	3.556,16 m²	135,0	100,0

Brutto-Rauminhalt des Bauwerks		Menge Einheit	BRI/NUF (m)	BRI/BGF (m)
BRI	Brutto-Rauminhalt	18.752,13 m³	7,12	5,27

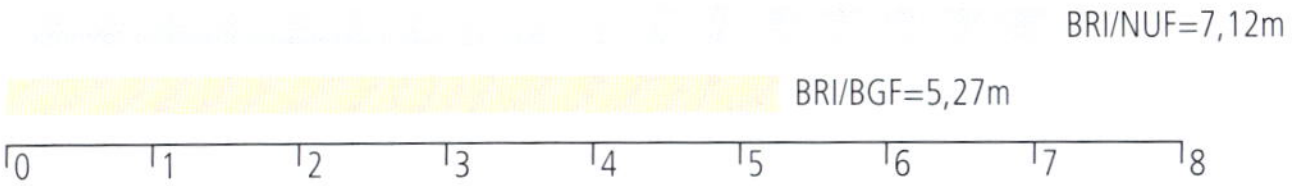

Lufttechnisch behandelte Flächen	Menge Einheit	% an NUF	% an BGF
Entlüftete Fläche	–	–	–
Be- und entlüftete Fläche	–	–	–
Teilklimatisierte Fläche	–	–	–
Klimatisierte Fläche	–	–	–

KG	Kostengruppen (2. Ebene)	Menge Einheit	Menge/NUF	Menge/BGF
310	Baugrube / Erdbau	1.069,85 m³ BGI	0,41	0,30
320	Gründung, Unterbau	1.692,48 m² GRF	0,64	0,48
330	Außenwände/Vertikale Baukonstruktionen, außen	2.091,05 m² AWF	0,79	0,59
340	Innenwände/Vertikale Baukonstruktionen, innen	2.906,37 m² IWF	1,10	0,82
350	Decken/Horizontale Baukonstruktionen	1.620,81 m² DEF	0,62	0,46
360	Dächer	1.876,31 m² DAF	0,71	0,53

Kostenkennwerte für die Kostengruppen der 1. Ebene DIN 276

KG	Kostengruppen (1. Ebene)	Einheit	Kosten €	€/Einheit	€/m² BGF	€/m³ BRI	% 300+400
100	Grundstück	m² GF	–	–	–	–	–
200	Vorbereitende Maßnahmen	m² GF	10.390	2,97	2,92	0,55	0,1
300	Bauwerk – Baukonstruktionen	m² BGF	6.575.651	1.849,09	1.849,09	350,66	68,0
400	Bauwerk – Technische Anlagen	m² BGF	3.100.587	871,89	871,89	165,35	32,0
	Bauwerk 300+400	**m² BGF**	**9.676.238**	**2.720,98**	**2.720,98**	**516,01**	**100,0**
500	Außenanlagen und Freiflächen	m² AF	5.330	11,76	1,50	0,28	< 0,1
600	Ausstattung und Kunstwerke	m² BGF	9.722	2,73	2,73	0,52	0,1
700	Baunebenkosten	m² BGF	–	–	–	–	–
800	Finanzierung	m² BGF	–	–	–	–	–

KG	Kostengruppe	Menge Einheit	Kosten €	€/Einheit	%
200	**Vorbereitende Maßnahmen**	3.500,00 m² GF	10.390	**2,97**	0,1

Erschließung Gas, Wasser

KG	Kostengruppe	Menge Einheit	Kosten €	€/Einheit	%
3+4	**Bauwerk**				**100,0**
300	**Bauwerk – Baukonstruktionen**	3.556,16 m² BGF	6.575.651	**1.849,09**	68,0

Stb-Bodenplatte, Stb-Tiefgründung, Zementestrich, Holzpflaster, Bodenfliesen; Holzrahmenwände, Stb-Elementwände, Holz-/Stb-Stützen, Holz-Alufenster, Alu-Sektionaltor, Holzschalung, Dispersionsbeschichtung, Pfosten-Riegel-Fassade, Holz-Alutüren, Stahl/Glas-Faltschiebetore, Markisen; Brettsperrholzwände, Stb-Wände, GK-Wände, Stahl-Faltschiebetore, Holztüren, Wandfliesen; Holz-Beton-Verbunddecken, Stb-Decken, Stb-Treppen, Heizestrich, Parkett, Metallkassettendecken, Akustikdecken, GK-Decken, Geländer; Holzflachdachkonstruktion, Oberlichter, Dachbegrünung, Brettstapel-/Holzrippendächer, Dachaufstieg, Dachentwässerung; Einbauküche, Teeküche, Streifenvorhänge, PVC-Lamellen

KG	Kostengruppe	Menge Einheit	Kosten €	€/Einheit	%
400	**Bauwerk – Technische Anlagen**	3.556,16 m² BGF	3.100.587	**871,89**	32,0

Gebäudeentwässerung, Kalt- und Warmwasserleitungen, Enthärtungsanlage, Sanitärobjekte; Gas-Brennwertkessel, Heizungsrohre, Fußbodenheizung, Deckenstrahlplatten, Flachheizkörper; Lüftungsgeräte mit WRG, Kühlanlage; Solarmodule, Elektroinstallation, Beleuchtung, Erdung; Telefonanlage, Rufsignalanlage, Videoanlage, Brandmeldezentrale, Datenübertragungsnetze; Aufzug, Kranbahn; Druckluftversorgung, Entstauber; Gebäudeautomation

KG	Kostengruppe	Menge Einheit	Kosten €	€/Einheit	%
500	**Außenanlagen und Freiflächen**	453,10 m² AF	5.330	**11,76**	< 0,1

Außenbeleuchtung

KG	Kostengruppe	Menge Einheit	Kosten €	€/Einheit	%
600	**Ausstattung und Kunstwerke**	3.556,16 m² BGF	9.722	**2,73**	0,1

Sanitärausstattungen

Kostenkennwerte für die Kostengruppen 300 der 2. und 3.Ebene DIN 276 (Übersicht)

KG	Kostengruppe	Menge Einheit	€/Einheit	Kosten €	% an 3+4
300	**Bauwerk – Baukonstruktionen**	**3.556,16 m² BGF**	**1.849,09**	**6.575.651,07**	**68,0**
310	**Baugrube / Erdbau**	**1.069,85 m³ BGI**	**41,54**	**44.440,58**	**0,5**
311	Herstellung	1.069,85 m³ BGI	37,80	40.444,28	0,4
312	Umschließung	–	–	–	–
313	Wasserhaltung	–	–	3.996,30	< 0,1
314	Vortrieb	–	–	–	–
319	Sonstiges zur KG 310	–	–	–	–
320	**Gründung, Unterbau**	**1.692,48 m² GRF**	**506,02**	**856.436,02**	**8,9**
321	Baugrundverbesserung	–	–	–	–
322	Flachgründungen und Bodenplatten	1.692,48 m²	123,41	208.867,94	2,2
323	Tiefgründungen	1.692,48 m²	118,65	200.807,38	2,1
324	Gründungsbeläge	1.692,48 m²	183,56	310.679,36	3,2
325	Abdichtungen und Bekleidungen	1.899,01 m²	66,96	127.158,00	1,3
326	Dränagen	–	–	–	–
329	Sonstiges zur KG 320	1.692,48 m² GRF	5,27	8.923,34	< 0,1
330	**Außenwände/Vert. Baukonstrukt., außen**	**2.091,05 m² AWF**	**837,44**	**1.751.126,92**	**18,1**
331	Tragende Außenwände	763,24 m²	348,82	266.236,81	2,8
332	Nichttragende Außenwände	591,82 m²	410,51	242.950,53	2,5
333	Außenstützen	393,67 m	97,07	38.215,26	0,4
334	Außenwandöffnungen	438,79 m²	1.193,24	523.583,37	5,4
335	Außenwandbekleidungen, außen	1.659,62 m²	160,45	266.278,75	2,8
336	Außenwandbekleidungen, innen	1.646,56 m²	24,12	39.709,62	0,4
337	Element. Außenwandkonstruktionen	297,20 m²	979,77	291.187,08	3,0
338	Lichtschutz zur KG 330	352,62 m²	215,62	76.033,62	0,8
339	Sonstiges zur KG 330	2.091,05 m² AWF	3,32	6.931,87	< 0,1
340	**Innenwände/Vert. Baukonstrukt., innen**	**2.906,37 m² IWF**	**397,52**	**1.155.334,12**	**11,9**
341	Tragende Innenwände	1.503,75 m²	284,97	428.526,02	4,4
342	Nichttragende Innenwände	1.110,35 m²	151,07	167.740,65	1,7
343	Innenstützen	196,80 m	188,30	37.056,54	0,4
344	Innenwandöffnungen	267,97 m²	1.404,28	376.304,00	3,9
345	Innenwandbekleidungen	2.363,96 m²	53,11	125.555,05	1,3
346	Elementierte Innenwandkonstruktionen	24,30 m²	121,05	2.941,46	< 0,1
347	Lichtschutz zur KG 340	–	–	–	–
349	Sonstiges zur KG 340	2.906,37 m² IWF	5,92	17.210,41	0,2
350	**Decken/Horizontale Baukonstruktionen**	**1.620,81 m² DEF**	**702,48**	**1.138.586,74**	**11,8**
351	Deckenkonstruktionen	1.620,81 m²	462,21	749.157,78	7,7
352	Deckenöffnungen	–	–	–	–
353	Deckenbeläge	1.410,08 m²	144,60	203.894,35	2,1
354	Deckenbekleidungen	844,26 m²	153,59	129.667,96	1,3
355	Elementierte Deckenkonstruktionen	–	–	–	–
359	Sonstiges zur KG 350	1.620,81 m² DEF	34,47	55.866,66	0,6
360	**Dächer**	**1.876,31 m² DAF**	**589,57**	**1.106.208,72**	**11,4**
361	Dachkonstruktionen	1.812,83 m²	223,92	405.921,53	4,2
362	Dachöffnungen	63,48 m²	897,53	56.975,02	0,6
363	Dachbeläge	1.880,00 m²	190,66	358.439,05	3,7
364	Dachbekleidungen	1.876,36 m²	134,72	252.783,80	2,6
365	Elementierte Dachkonstruktionen	–	–	–	–
366	Lichtschutz zur KG 360	–	–	–	–
369	Sonstiges zur KG 360	1.876,31 m² DAF	17,10	32.089,33	0,3
370	**Infrastrukturanlagen**	**–**	**–**	**–**	**–**
380	**Baukonstruktive Einbauten**	**3.556,16 m² BGF**	**7,75**	**27.559,98**	**0,3**
390	**Sonst. Maßnahmen für Baukonstrukt.**	**3.556,16 m² BGF**	**139,46**	**495.958,03**	**5,1**

Kostenkennwerte für die Kostengruppen 400 der 2. und 3.Ebene DIN 276 (Übersicht)

KG	Kostengruppe	Menge Einheit	€/Einheit	Kosten €	% an 3+4
400	**Bauwerk – Technische Anlagen**	**3.556,16 m² BGF**	**871,89**	**3.100.587,19**	**32,0**
410	**Abwasser-, Wasser-, Gasanlagen**	**3.556,16 m² BGF**	**132,96**	**472.842,61**	**4,9**
411	Abwasseranlagen	3.556,16 m² BGF	36,24	128.867,16	1,3
412	Wasseranlagen	3.556,16 m² BGF	71,85	255.492,97	2,6
413	Gasanlagen	3.556,16 m² BGF	4,69	16.682,67	0,2
419	Sonstiges zur KG 410	3.556,16 m² BGF	20,19	71.799,81	0,7
420	**Wärmeversorgungsanlagen**	**3.556,16 m² BGF**	**106,38**	**378.291,24**	**3,9**
421	Wärmeerzeugungsanlagen	3.556,16 m² BGF	11,55	41.075,38	0,4
422	Wärmeverteilnetze	3.556,16 m² BGF	45,80	162.863,58	1,7
423	Raumheizflächen	3.556,16 m² BGF	49,03	174.352,29	1,8
424	Verkehrsheizflächen	–	–	–	–
429	Sonstiges zur KG 420	–	–	–	–
430	**Raumlufttechnische Anlagen**	**3.556,16 m² BGF**	**113,10**	**402.193,58**	**4,2**
431	Lüftungsanlagen	3.556,16 m² BGF	111,60	396.882,39	4,1
432	Teilklimaanlagen	–	–	–	–
433	Klimaanlagen	–	–	–	–
434	Kälteanlagen	3.556,16 m² BGF	1,49	5.311,19	< 0,1
439	Sonstiges zur KG 430	–	–	–	–
440	**Elektrische Anlagen**	**3.556,16 m² BGF**	**202,87**	**721.429,15**	**7,5**
441	Hoch- und Mittelspannungsanlagen	–	–	–	–
442	Eigenstromversorgungsanlagen	3.556,16 m² BGF	13,52	48.068,74	0,5
443	Niederspannungsschaltanlagen	3.556,16 m² BGF	31,28	111.251,48	1,1
444	Niederspannungsinstallationsanlagen	3.556,16 m² BGF	109,09	387.956,04	4,0
445	Beleuchtungsanlagen	3.556,16 m² BGF	43,79	155.708,79	1,6
446	Blitzschutz- und Erdungsanlagen	3.556,16 m² BGF	5,19	18.444,10	0,2
447	Fahrleitungssysteme	–	–	–	–
449	Sonstiges zur KG 440	–	–	–	–
450	**Kommunikationstechnische Anlagen**	**3.556,16 m² BGF**	**68,36**	**243.087,32**	**2,5**
451	Telekommunikationsanlagen	3.556,16 m² BGF	8,57	30.475,85	0,3
452	Such- und Signalanlagen	3.556,16 m² BGF	8,99	31.957,53	0,3
453	Zeitdienstanlagen	–	–	–	–
454	Elektroakustische Anlagen	–	–	–	–
455	Audiovisuelle Medien- u. Antennenanl.	–	–	–	–
456	Gefahrenmelde- und Alarmanlagen	3.556,16 m² BGF	28,67	101.971,07	1,1
457	Datenübertragungsnetze	3.556,16 m² BGF	22,13	78.682,85	0,8
458	Verkehrsbeeinflussungsanlagen	–	–	–	–
459	Sonstiges zur KG 450	–	–	–	–
460	**Förderanlagen**	**3.556,16 m² BGF**	**100,00**	**355.618,44**	**3,7**
461	Aufzugsanlagen	3.556,16 m² BGF	42,92	152.627,40	1,6
462	Fahrtreppen, Fahrsteige	–	–	–	–
463	Befahranlagen	–	–	–	–
464	Transportanlagen	–	–	–	–
465	Krananlagen	3.556,16 m² BGF	57,08	202.991,06	2,1
466	Hydraulikanlagen	–	–	–	–
469	Sonstiges zur KG 460	–	–	–	–
470	**Nutzungsspez. u. verfahrenstechn. Anl.**	**3.556,16 m² BGF**	**58,78**	**209.025,00**	**2,2**
480	**Gebäude- und Anlagenautomation**	**3.556,16 m² BGF**	**89,45**	**318.099,85**	**3,3**
490	**Sonst. Maßnahmen für techn. Anlagen**	**–**	**–**	**–**	**–**

Kostenkennwerte für Leistungsbereiche nach STLB (Kosten des Bauwerks nach DIN 276)

LB	Leistungsbereiche	Kosten €	€/m² BGF	€/m³ BRI	% an 3+4
000	Sicherheits-, Baustelleneinrichtungen inkl. 001	462.932	130,20	24,70	4,8
002	Erdarbeiten	97.422	27,40	5,20	1,0
006	Spezialtiefbauarbeiten inkl. 005	–	–	–	–
009	Entwässerungskanalarbeiten inkl. 011	34.450	9,70	1,80	0,4
010	Drän- und Versickerarbeiten	–	–	–	–
012	Mauerarbeiten	–	–	–	–
013	Betonarbeiten	1.099.122	309,10	58,60	11,4
014	Natur-, Betonwerksteinarbeiten	624	0,18	0,03	< 0,1
016	Zimmer- und Holzbauarbeiten	1.793.375	504,30	95,60	18,5
017	Stahlbauarbeiten	–	–	–	–
018	Abdichtungsarbeiten	62.987	17,70	3,40	0,7
019	Kampfmittelräumarbeiten	–	–	–	–
020	Dachdeckungsarbeiten	–	–	–	–
021	Dachabdichtungsarbeiten	278.892	78,40	14,90	2,9
022	Klempnerarbeiten	35.972	10,10	1,90	0,4
	Rohbau	**3.865.776**	**1.087,10**	**206,20**	**40,0**
023	Putz- und Stuckarbeiten, Wärmedämmsysteme	26.445	7,40	1,40	0,3
024	Fliesen- und Plattenarbeiten	87.977	24,70	4,70	0,9
025	Estricharbeiten	86.938	24,40	4,60	0,9
026	Fenster, Außentüren inkl. 029, 032	884.482	248,70	47,20	9,1
027	Tischlerarbeiten	312.302	87,80	16,70	3,2
028	Parkettarbeiten, Holzpflasterarbeiten	396.095	111,40	21,10	4,1
030	Rollladenarbeiten	75.019	21,10	4,00	0,8
031	Metallbauarbeiten inkl. 035	365.017	102,60	19,50	3,8
034	Maler- und Lackiererarbeiten inkl. 037	92.135	25,90	4,90	1,0
036	Bodenbelagarbeiten	–	–	–	–
038	Vorgehängte hinterlüftete Fassaden	–	–	–	–
039	Trockenbauarbeiten	562.506	158,20	30,00	5,8
	Ausbau	**2.888.915**	**812,40**	**154,10**	**29,9**
040	Wärmeversorgungsanl. - Betriebseinr. inkl. 041	325.048	91,40	17,30	3,4
042	Gas- und Wasserinstallation, Leitungen inkl. 043	207.481	58,30	11,10	2,1
044	Abwasseranlagen - Leitungen	113.577	31,90	6,10	1,2
045	GWE-Einrichtungsgegenstände inkl. 046	156.919	44,10	8,40	1,6
047	Dämmarbeiten an betriebstechnischen Anlagen	100.817	28,30	5,40	1,0
049	Feuerlöschanlagen, Feuerlöschgeräte	22.332	6,30	1,20	0,2
050	Blitzschutz- und Erdungsanlagen	18.208	5,10	0,97	0,2
053	Niederspannungsanlagen inkl. 052, 054	646.951	181,90	34,50	6,7
055	Sicherheits- u. Ersatzstromversorgungsanl.	–	–	–	–
057	Gebäudesystemtechnik	247.211	69,50	13,20	2,6
058	Leuchten und Lampen inkl. 059	158.061	44,40	8,40	1,6
060	Sprechanlagen, elektroakust. Anlagen inkl. 064	33.870	9,50	1,80	0,4
061	Kommunikationsnetze inkl. 063	85.677	24,10	4,60	0,9
069	Aufzüge	149.578	42,10	8,00	1,5
070	Gebäudeautomation	–	–	–	–
075	Raumlufttechnische Anlagen inkl. 078	357.493	100,50	19,10	3,7
	Gebäudetechnik	**2.623.224**	**737,70**	**139,90**	**27,1**
084	Abbruch, Rückbau, Schadstoffsanierung	–	–	–	–
	Abbrucharbeiten	**–**	**–**	**–**	**–**
	Sonstige Leistungsbereiche	**298.323**	**83,90**	**15,90**	**3,1**

3

Kindergärten, nicht unterkellert

Kindergärten, nicht unterkellert

Kostenkennwerte für die Kosten des Bauwerks (Kostengruppen 300+400 nach DIN 276)

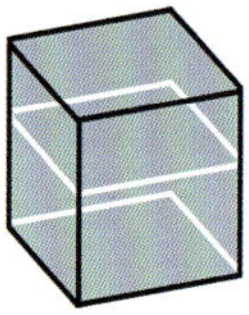

BRI 675 €/m³
von 545 €/m³
bis 845 €/m³

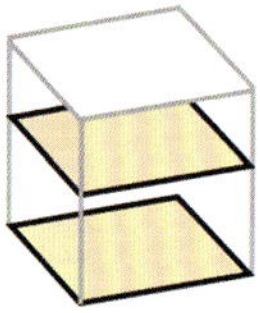

BGF 2.645 €/m²
von 2.120 €/m²
bis 3.355 €/m²

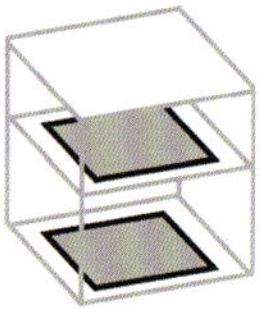

NUF 3.970 €/m²
von 3.120 €/m²
bis 5.155 €/m²

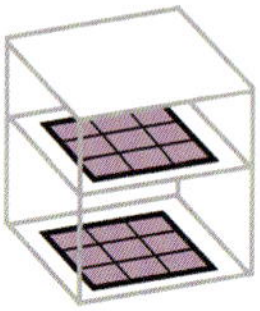

NE 34.735 €/NE
von 23.080 €/NE
bis 50.790 €/NE
NE: Kinder

Objektbeispiele

Kosten:
Stand 3. Quartal 2022
Bundesdurchschnitt
inkl. 19% MwSt.

4400-0356

4400-0354

4400-0351

Kosten der 43 Vergleichsobjekte

Seiten 288 bis 459

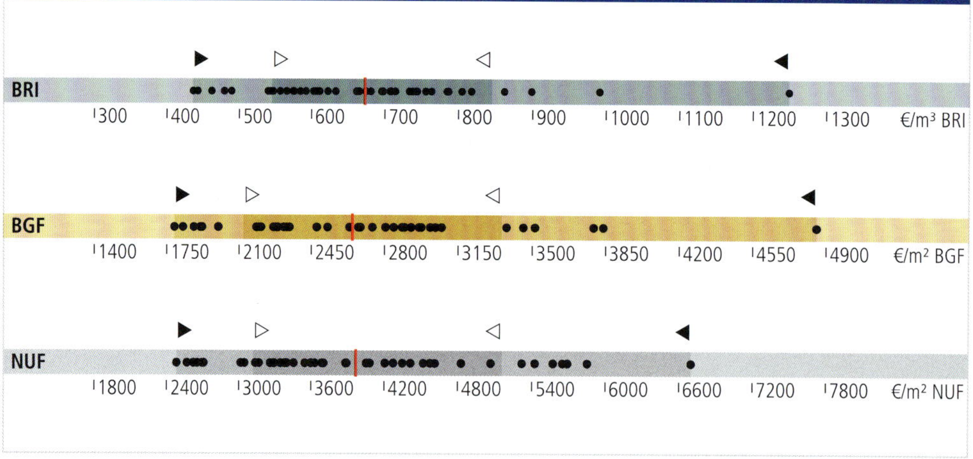

● KKW
▶ min
▷ von
| Mittelwert
◁ bis
◀ max

Kostenkennwerte für die Kostengruppen der 1. und 2. Ebene DIN 276

KG	Kostengruppen der 1. Ebene	Einheit	▷	€/Einheit	◁	▷	% an 300+400	◁
100	Grundstück	m² GF	–	**–**	–	–	**–**	–
200	Vorbereitende Maßnahmen	m² GF	7	**26**	57	1,2	**3,9**	7,5
300	Bauwerk – Baukonstruktionen	m² BGF	1.663	**2.064**	2.573	73,3	**78,3**	82,9
400	Bauwerk – Technische Anlagen	m² BGF	410	**582**	856	17,1	**21,7**	26,7
	Bauwerk 300+400	m² BGF	2.121	**2.647**	3.355	100,0	**100,0**	100,0
500	Außenanlagen und Freiflächen	m² AF	105	**389**	2.810	5,6	**11,2**	19,7
600	Ausstattung und Kunstwerke	m² BGF	25	**93**	218	1,0	**3,6**	8,7
700	Baunebenkosten*	m² BGF	526	**586**	646	20,0	**22,3**	24,6 ◁
800	Finanzierung	m² BGF	–	**–**	–	–	**–**	–

* Auf Grundlage der HOAI 2021 berechnete Werte nach §§ 35, 52, 56. Weitere Informationen siehe Seite 56

KG	Kostengruppen der 2. Ebene	Einheit	▷	€/Einheit	◁	▷	% an 1. Ebene	◁
310	Baugrube / Erdbau	m³ BGI	29	**48**	91	0,9	**1,7**	2,8
320	Gründung, Unterbau	m² GRF	299	**375**	514	9,9	**15,3**	19,7
330	Außenwände / vertikal außen	m² AWF	592	**725**	923	24,9	**30,0**	39,5
340	Innenwände / vertikal innen	m² IWF	283	**352**	423	12,8	**16,6**	20,3
350	Decken / horizontal	m² DEF	547	**837**	1.257	0,3	**6,7**	17,9
360	Dächer	m² DAF	383	**503**	727	17,3	**22,1**	27,3
370	Infrastrukturanlagen		–	**–**	–	–	**–**	–
380	Baukonstruktive Einbauten	m² BGF	65	**103**	175	1,3	**3,9**	6,9
390	Sonst. Maßnahmen für Baukonst.	m² BGF	34	**72**	115	1,8	**3,7**	5,4
300	**Bauwerk – Baukonstruktionen**	**m² BGF**					**100,0**	
410	Abwasser-, Wasser-, Gasanlagen	m² BGF	83	**107**	131	17,2	**23,9**	31,3
420	Wärmeversorgungsanlagen	m² BGF	65	**98**	143	13,9	**21,5**	30,5
430	Raumlufttechnische Anlagen	m² BGF	24	**65**	152	2,8	**9,3**	18,8
440	Elektrische Anlagen	m² BGF	119	**168**	249	31,3	**34,5**	38,6
450	Kommunikationstechnische Anlagen	m² BGF	20	**36**	66	2,5	**6,6**	10,7
460	Förderanlagen	m² BGF	28	**44**	53	0,0	**1,7**	7,6
470	Nutzungsspez. / verfahrenstech. Anl.	m² BGF	2	**11**	49	< 0,1	**0,5**	5,8
480	Gebäude- und Anlagenautomation	m² BGF	16	**33**	92	< 0,1	**1,8**	7,0
490	Sonst. Maßnahmen f. techn. Anl.	m² BGF	2	**3**	6	< 0,1	**0,2**	0,9
400	**Bauwerk – Technische Anlagen**	**m² BGF**					**100,0**	

Prozentanteile der Kosten 2. Ebene an den Kosten des Bauwerks nach DIN 276 (Von/Mittel/Bis)

KG	Kostengruppe	%
310	Baugrube / Erdbau	1,4
320	Gründung, Unterbau	12,3
330	Außenwände / vertikal außen	23,9
340	Innenwände / vertikal innen	13,3
350	Decken / horizontal	5,3
360	Dächer	17,7
370	Infrastrukturanlagen	
380	Baukonstruktive Einbauten	3,1
390	Sonst. Maßnahmen für Baukonst.	2,9
410	Abwasser-, Wasser-, Gasanlagen	4,5
420	Wärmeversorgungsanlagen	4,2
430	Raumlufttechnische Anlagen	2,1
440	Elektrische Anlagen	6,9
450	Kommunikationstechnische Anlagen	1,3
460	Förderanlagen	0,4
470	Nutzungsspez. / verfahrenstech. Anl.	0,1
480	Gebäude- und Anlagenautomation	0,5
490	Sonst. Maßnahmen f. techn. Anl.	< 0,1

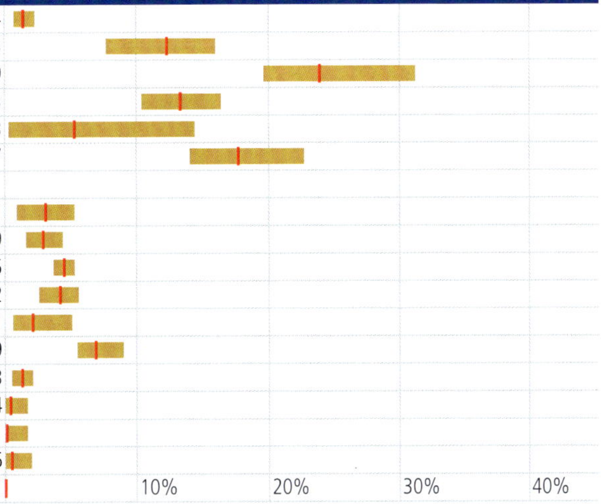

Kosten:
Stand 3. Quartal 2022
Bundesdurchschnitt
inkl. 19% MwSt.

Prozentanteile der Kosten für Leistungsbereiche nach STLB (Kosten Bauwerk nach DIN 276)

LB	Leistungsbereiche	▷	% an 300+400	◁
000	Sicherheits-, Baustelleneinrichtungen inkl. 001	1,4	**2,4**	3,8
002	Erdarbeiten	1,2	**2,5**	6,1
006	Spezialtiefbauarbeiten inkl. 005	< 0,1	**< 0,1**	1,0
009	Entwässerungskanalarbeiten inkl. 011	< 0,1	**0,4**	0,9
010	Drän- und Versickerarbeiten	0,0	**< 0,1**	0,5
012	Mauerarbeiten	< 0,1	**0,5**	2,0
013	Betonarbeiten	4,8	**6,1**	11,0
014	Natur-, Betonwerksteinarbeiten	–	**–**	–
016	Zimmer- und Holzbauarbeiten	18,8	**24,5**	33,3
017	Stahlbauarbeiten	< 0,1	**0,9**	2,6
018	Abdichtungsarbeiten	0,2	**0,7**	1,7
020	Dachdeckungsarbeiten	0,0	**0,4**	3,6
021	Dachabdichtungsarbeiten	2,7	**4,9**	8,8
022	Klempnerarbeiten	1,2	**2,0**	2,9
	Rohbau	39,5	**45,5**	49,6
023	Putz- und Stuckarbeiten, Wärmedämmsysteme	< 0,1	**0,5**	1,4
024	Fliesen- und Plattenarbeiten	0,7	**1,2**	1,9
025	Estricharbeiten	0,4	**1,3**	2,1
026	Fenster, Außentüren inkl. 029, 032	6,7	**9,3**	11,6
027	Tischlerarbeiten	3,6	**7,3**	10,5
028	Parkettarbeiten, Holzpflasterarbeiten	< 0,1	**1,0**	2,6
030	Rollladenarbeiten	0,4	**1,0**	2,0
031	Metallbauarbeiten inkl. 035	0,2	**1,2**	5,3
034	Maler- und Lackiererarbeiten inkl. 037	0,7	**1,5**	2,4
036	Bodenbelagarbeiten	0,7	**1,8**	2,7
038	Vorgehängte hinterlüftete Fassaden	0,2	**3,2**	7,4
039	Trockenbauarbeiten	3,0	**5,2**	8,8
	Ausbau	31,1	**34,6**	39,8
040	Wärmeversorgungsanl. - Betriebseinr. inkl. 041	2,6	**3,9**	5,5
042	Gas- und Wasserinstallation, Leitungen inkl. 043	0,7	**1,0**	1,4
044	Abwasseranlagen - Leitungen	0,4	**0,8**	1,6
045	GWE-Einrichtungsgegenstände inkl. 046	1,4	**2,1**	3,2
047	Dämmarbeiten an betriebstechnischen Anlagen	0,2	**0,6**	0,9
049	Feuerlöschanlagen, Feuerlöschgeräte	0,0	**< 0,1**	< 0,1
050	Blitzschutz- und Erdungsanlagen	0,3	**0,7**	1,6
052	Mittelspannungsanlagen	–	**–**	–
053	Niederspannungsanlagen inkl. 054	2,6	**3,6**	5,7
055	Sicherheits- u. Ersatzstromversorgungsanl.	0,0	**0,1**	1,8
057	Gebäudesystemtechnik	0,0	**0,2**	2,3
058	Leuchten und Lampen inkl. 059	1,4	**2,5**	4,4
060	Sprechanlagen, elektroakust. Anlagen inkl. 064	< 0,1	**0,1**	0,3
061	Kommunikationsnetze inkl. 062	0,2	**0,5**	1,0
063	Gefahrenmeldeanlagen	0,2	**0,6**	1,2
069	Aufzüge	0,0	**0,4**	1,7
070	Gebäudeautomation	< 0,1	**0,3**	0,9
075	Raumlufttechnische Anlagen inkl. 078	0,5	**1,8**	4,6
	Gebäudetechnik	15,2	**19,2**	25,0
	Sonstige Leistungsbereiche inkl. 008, 033, 051	0,2	**0,8**	2,8

● KKW
▶ min
▷ von
| Mittelwert
◁ bis
◀ max

Planungskennwerte für Flächen und Rauminhalte nach DIN 277

Grundflächen		▷	Fläche/NUF (%)	◁	▷	Fläche/BGF (%)	◁
NUF	Nutzungsfläche	100,0	**100,0**	100,0	63,0	**67,6**	72,9
TF	Technikfläche	2,4	**3,0**	4,8	1,5	**2,0**	3,0
VF	Verkehrsfläche	19,4	**26,4**	35,3	12,4	**16,8**	20,6
NRF	Netto-Raumfläche	122,4	**129,4**	138,8	84,6	**86,3**	88,1
KGF	Konstruktions-Grundfläche	17,5	**20,8**	24,4	11,9	**13,7**	15,4
BGF	Brutto-Grundfläche	140,6	**150,1**	160,4	100,0	**100,0**	100,0

Brutto-Rauminhalte		▷	BRI/NUF (m)	◁	▷	BRI/BGF (m)	◁
BRI	Brutto-Rauminhalt	5,39	**5,92**	6,52	3,74	**3,94**	4,23

Flächen von Nutzeinheiten	▷	NUF/Einheit (m²)	◁	▷	BGF/Einheit (m²)	◁
Nutzeinheit: Kinder	7,64	**8,85**	11,96	11,42	**13,12**	17,26

Lufttechnisch behandelte Flächen	▷	Fläche/NUF (%)	◁	▷	Fläche/BGF (%)	◁
Entlüftete Fläche	–	**–**	–	–	**–**	–
Be- und entlüftete Fläche	105,4	**105,4**	123,8	69,9	**69,9**	72,8
Teilklimatisierte Fläche	–	**–**	–	–	**–**	–
Klimatisierte Fläche	–	**–**	–	–	**–**	–

KG	Kostengruppen (2. Ebene)	Einheit	▷	Menge/NUF	◁	▷	Menge/BGF	◁
310	Baugrube / Erdbau	m³ BGI	1,11	**1,31**	1,73	0,62	**0,83**	1,11
320	Gründung, Unterbau	m² GRF	1,08	**1,21**	1,32	0,68	**0,78**	0,80
330	Außenwände / vertikal außen	m² AWF	1,11	**1,25**	1,43	0,73	**0,80**	0,95
340	Innenwände / vertikal innen	m² IWF	1,22	**1,41**	1,55	0,82	**0,89**	0,99
350	Decken / horizontal	m² DEF	0,46	**0,59**	0,63	0,25	**0,34**	0,38
360	Dächer	m² DAF	1,15	**1,38**	1,51	0,75	**0,89**	1,01
370	Infrastrukturanlagen		–	**–**	–	–	**–**	–
380	Baukonstruktive Einbauten	m² BGF	1,41	**1,50**	1,60	1,00	**1,00**	1,00
390	Sonst. Maßnahmen für Baukonst.	m² BGF	1,41	**1,50**	1,60	1,00	**1,00**	1,00
300	**Bauwerk – Baukonstruktionen**	**m² BGF**	1,41	**1,50**	1,60	1,00	**1,00**	1,00

Planungskennwerte für Bauzeiten — 43 Vergleichsobjekte

Bauzeit in Wochen

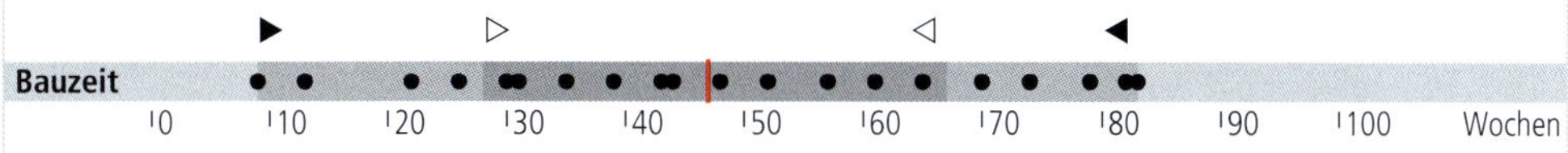

4400-0245
Kindertagesstätte
(9 Gruppen)
(150 Kinder)

Objektübersicht

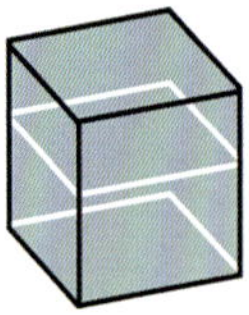

BRI 607 €/m³

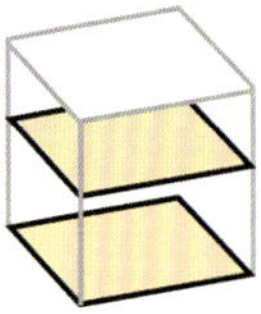

BGF 1.921 €/m²

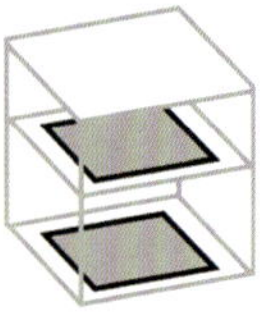

NUF 2.709 €/m²

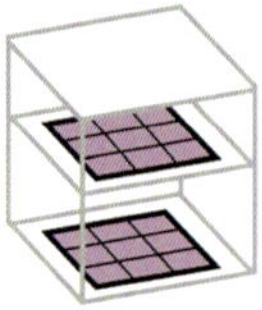

NE 23.895 €/NE
NE: Kinder

Objekt:
Kennwerte: 1. Ebene DIN 276
BRI: 5.900 m³
BGF: 1.866 m²
NUF: 1.323 m²
Bauzeit: 52 Wochen
Bauende: 2014
Standard: Durchschnitt
Bundesland: Schleswig-Holstein
Kreis: Segeberg

Architekt*in:
güldenzopf rohrberg architektur + design
Neuer Wall 10
20354 Hamburg

Bauherr*in:
Ev.-Luth. Thomas-Kirchengemeinde zu Glashütte
22851 Norderstedt

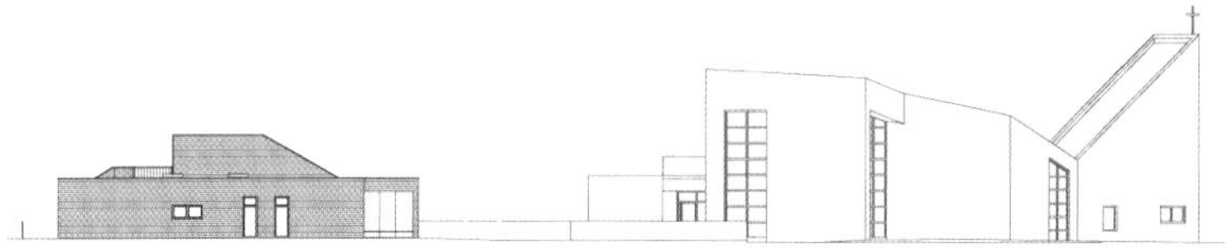

Ansicht Nord-Ost

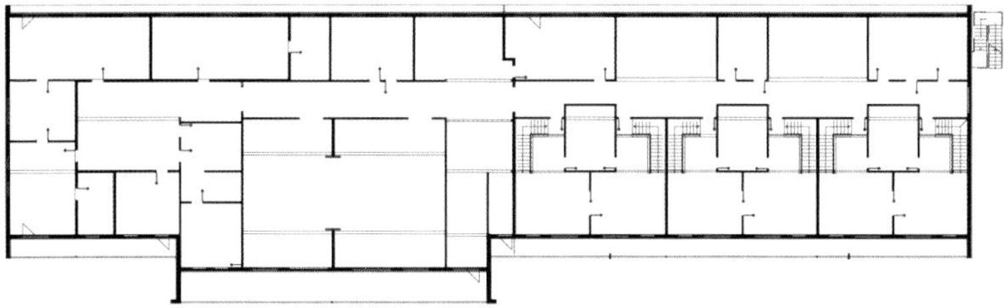

Erdgeschoss

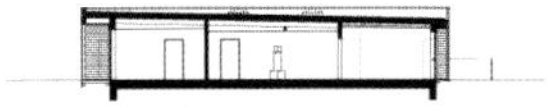

Querschnitt

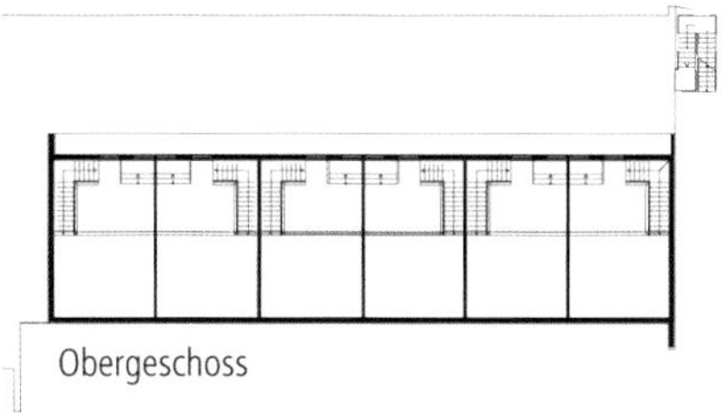

Obergeschoss

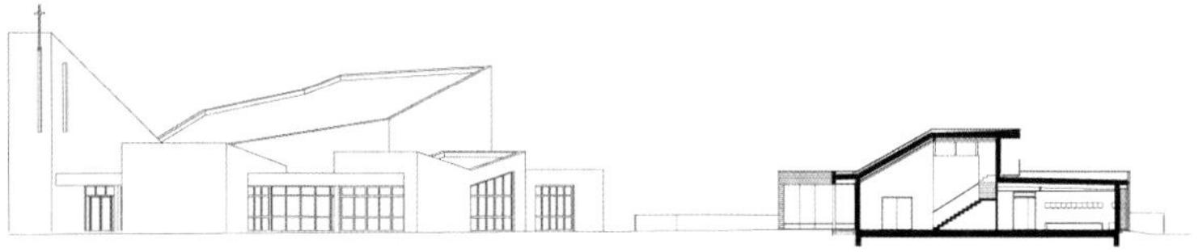

Schnitt Galeriebereich

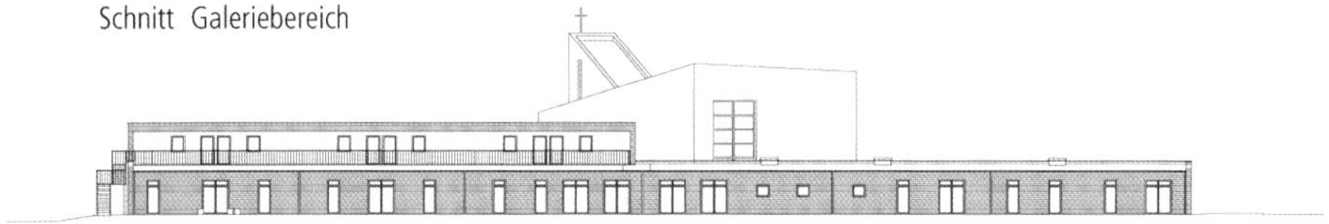

Ansicht Süd-Ost

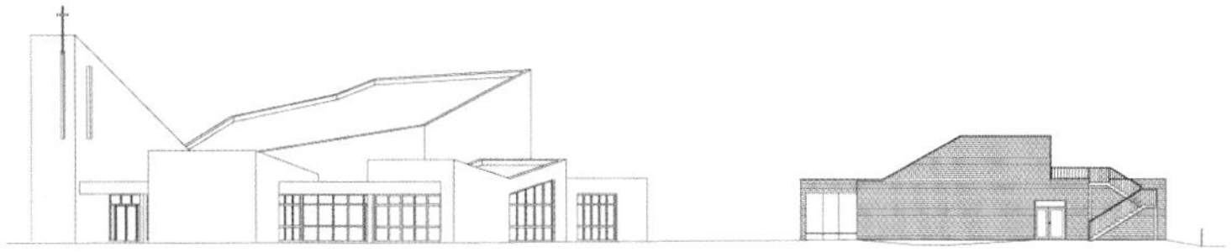

Ansicht Süd-West

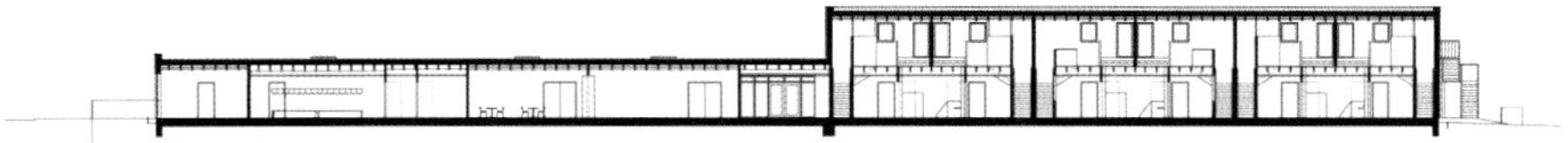

Längsschnitt

Objektbeschreibung

Allgemeine Objektinformationen

Für das mit der denkmalgeschützten Thomaskirche bebaute Grundstück wurde im Sommer 2012 ein Wettbewerb für den Neubau einer Kindertagesstätte durchgeführt. Der längliche eingeschossige Baukörper bildet den städtebaulichen Abschluss des neu entstehenden Kirchenvorplatzes. Durch seine Anordnung auf dem Grundstück und die geringe Höhe wird die denkmalgeschützte Thomaskirche in ihrer Präsenz gestärkt. Die Rot und Brauntöne der farbig lackierten Fassade und die horizontale Schalung harmonisieren mit der Klinkerfassade der Kirche, die geometrischen Bezüge des Staffelgeschosses mit der Dachform der Kirche.

Nutzung

1 Erdgeschoss
Gruppenräume (9St), Schlafräume (3St), Waschräume (5St), Garderobenbereiche (4St), Bewegungsraum, Elterncafé, Sprachförderungsraum, Matschschleusen (2St), Werkraum, Büro (2St), Mitarbeiterraum, Archiv (2St), Küche, Trockenlager, Kinderrestaurant mit Kinderküche, Hausmeisterraum, Technikräume

1 Dachgeschoss
Gruppenraumerweiterungen im Elementarbereich als Galerien (6St)

Nutzeinheiten

Gruppen: 9
Kinder: 150

Grundstück

Bauraum: Beengter Bauraum
Neigung: Ebenes Gelände
Bodenklasse: BK 1 bis BK 2

Markt

Hauptvergabezeit: 1. Quartal 2013
Baubeginn: 2. Quartal 2013
Bauende: 2. Quartal 2014
Konjunkturelle Gesamtlage: über Durchschnitt
Regionaler Baumarkt: Durchschnitt

Baukonstruktion

Der eingeschossige Baukörper mit kleinem Staffelgeschoss wurde in Holzrahmenbauweise auf einer Stahlbetonbodenplatte errichtet. Die Energiesparbodenplatte wurde oberflächenfertig inklusive Fußbodenheizung errichtet. Alle tragenden Bauteile, Wände, Decken, Dach und Treppen in Holzbauweise wurden in einem hohen Grad vorgefertigt. Aufgrund seiner Länge von ca. 80m wurde das Gebäude über eine Brandwandersatzwand in zwei Brandabschnitte unterteilt. Die hinterlüftete Holzfassade wurde in den nicht überdachten Bereichen als horizontale natürlich vergrauende Verschalung, in den überdachten Bereichen als farbig lackierte Multiplexplatten ausgeführt. Die Holz-Alufenster mit Dreifachverglasung sind in allen Aufenthaltsräumen bodentief ausgeführt, um einen direkten Zugang zum Außengelände zu ermöglichen.

Technische Anlagen

Das Gebäude wird über eine Gas-Brennwertkesselanlage mit Fußbodenerwärmung beheizt. Die Warmwasserbereitung erfolgt dezentral im Durchflussprinzip über Edelstahlplattenwärmetauscher. Eine Lüftungsanlage für Zu- und Abluft mit Wärmerückgewinnung regelt den hygienischen Mindestluftwechsel. Das Gebäude ist mit einer Brandmeldeanlage ausgestattet. Durch den hohen Dämmstandard der Außenbauteile unterschreitet das Gebäude die Mindestanforderungen nach EnEV 2009.

Sonstiges

Der zentrale Eingangsbereich mit Verwaltung, Kinderrestaurant und Bewegungsraum verbindet den Elementarbereich für die Drei- bis Sechsjährigen mit dem Krippenbereich. Große und helle Garderobenbereiche befinden sich jeweils in den Erschließungszonen. Die Gruppenräume öffnen sich zum Außengelände und können flexibel als offenes oder geschlossenes pädagogisches Konzept genutzt werden.

Planungskennwerte für Flächen und Rauminhalte nach DIN 277

Flächen des Grundstücks		Menge Einheit	% an GF
BF	Bebaute Fläche	1.469,83 m²	34,6
UF	Unbebaute Fläche	2.779,65 m²	65,4
GF	Grundstücksfläche	4.249,48 m²	100,0

Grundflächen des Bauwerks		Menge Einheit	% an NUF	% an BGF
NUF	Nutzungsfläche	1.323,02 m²	100,0	70,9
TF	Technikfläche	21,18 m²	1,6	1,1
VF	Verkehrsfläche	277,74 m²	21,0	14,9
NRF	Netto-Raumfläche	1.621,94 m²	122,6	86,9
KGF	Konstruktions-Grundfläche	243,56 m²	18,4	13,1
BGF	Brutto-Grundfläche	1.865,50 m²	141,0	100,0

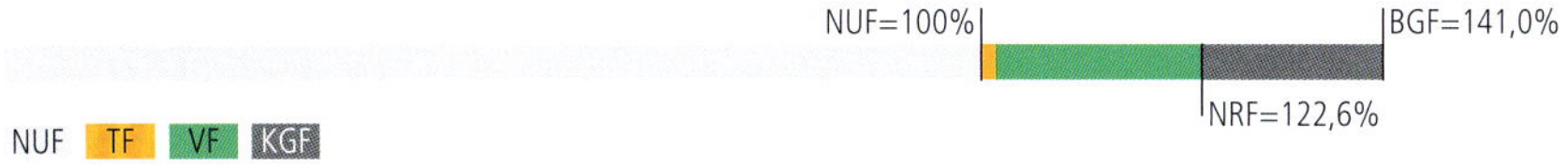

Brutto-Rauminhalt des Bauwerks		Menge Einheit	BRI/NUF (m)	BRI/BGF (m)
BRI	Brutto-Rauminhalt	5.900,47 m³	4,46	3,16

Kostenkennwerte für die Kostengruppen der 1. Ebene DIN 276

KG	Kostengruppen (1. Ebene)	Einheit	Kosten €	€/Einheit	€/m² BGF	€/m³ BRI	% 300+400
100	Grundstück	m² GF	–	–	–	–	–
200	Vorbereitende Maßnahmen	m² GF	–	–	–	–	–
300	Bauwerk – Baukonstruktionen	m² BGF	2.938.651	1.575,26	1.575,26	498,04	82,0
400	Bauwerk – Technische Anlagen	m² BGF	645.629	346,09	346,09	109,42	18,0
	Bauwerk 300+400	**m² BGF**	**3.584.280**	**1.921,35**	**1.921,35**	**607,46**	**100,0**
500	Außenanlagen und Freiflächen	m² AF	–	–	–	–	–
600	Ausstattung und Kunstwerke	m² BGF	–	–	–	–	–
700	Baunebenkosten	m² BGF	–	–	–	–	–
800	Finanzierung	m² BGF	–	–	–	–	–

KG	Kostengruppe	Menge Einheit	Kosten €	€/Einheit	%
3+4	**Bauwerk**				**100,0**
300	**Bauwerk – Baukonstruktionen**	1.865,50 m² BGF	2.938.651	**1.575,26**	82,0

Stb-Fundamente, Stb-Bodenplatte, Abdichtung, Heizestrich, Linoleum, Bodenfliesen, Kiesfilterschicht, Perimeterdämmung; Holzrahmenbauwände, Holz-Alufenster, Dreifachverglasung, Wärmedämmung, Multiplex-Fassade, Holzfassade, GK-Bekleidung; Holzrahmenbauwände, GK-Wände, Wandfliesen, WC-Trennwände; Holzbalkendecke, Holztreppen, Holzgeländer, Heizestrich, Linoleum, Bodenfliesen, GK-Decke, Stahlaußentreppe; Holzbalkendach, Oberlichter, Dämmung, Abdichtung, Kies, z.T. Zinkblechbekleidung, Entwässerung, GK-Decke, abgehängte Rasterdecken, Schallschutz-Einlegeplatten, Vordächer

KG	Kostengruppe	Menge Einheit	Kosten €	€/Einheit	%
400	**Bauwerk – Technische Anlagen**	1.865,50 m² BGF	645.629	**346,09**	18,0

Gebäudeentwässerung, Regenwasserversickerung, Kalt- und Warmwasserleitungen, Sanitärobjekte; Gas-Brennwertkessel, Plattenheizkörper in Bädern, Fußbodenheizung, dezentrale Warmwasserversorgung; Lüftungsanlage mit Wärmerückgewinnung; Elektroinstallation, Beleuchtung; Telekommunikationsanlage, Brandmeldeanlage; Fettabscheider

4400-0247
Kindertagesstätte
(2 Gruppen)
(20 Kinder)

Objektübersicht

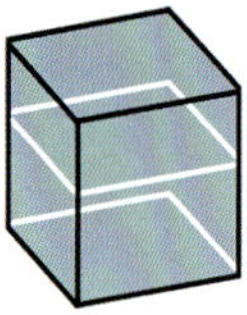

BRI 662 €/m³

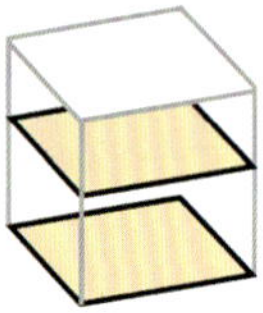

BGF 2.633 €/m²

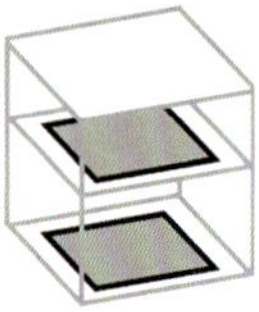

NUF 4.081 €/m²

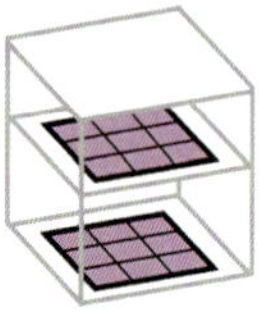

NE 77.399 €/NE

NE: Kinder

Objekt:
Kennwerte: 1. Ebene DIN 276
BRI: 2.340 m³
BGF: 588 m²
NUF: 379 m²
Bauzeit: 30 Wochen
Bauende: 2014
Standard: über Durchschnitt
Bundesland: Schleswig-Holstein
Kreis: Lübeck, Stadt

Architekt*in:
Meyer Steffens Architekten
und Stadtplaner BDA
Weberstraße 1F
23552 Lübeck

Bauherr*in:
Ev.-luth. Kitawerk
Lübeck gGmbH
23564 Lübeck

Garten- und Landschafts-architekt*in:
Brien Wessels Werning GmbH
Elisabeth-Haseloff-Str. 1
23564 Lübeck

Zeichnungen

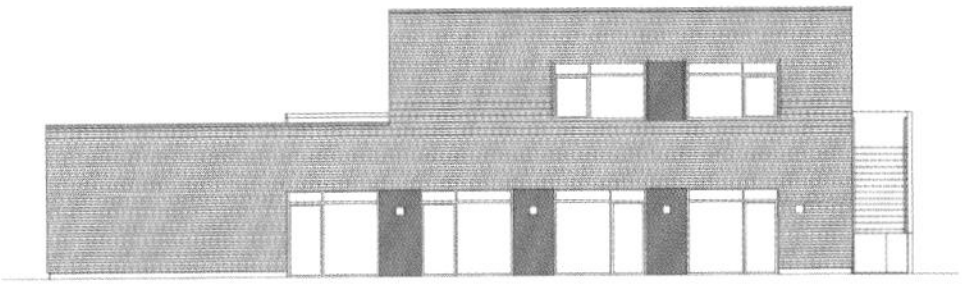

Ansicht Ost

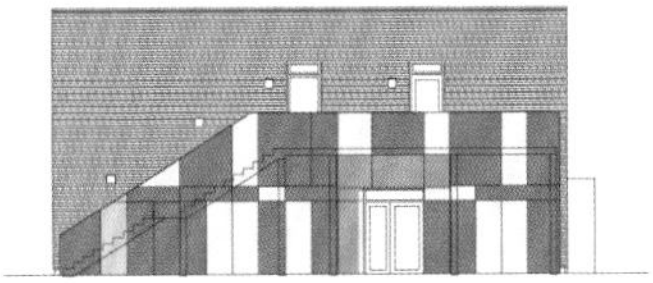

Ansicht Nord

Erdgeschoss

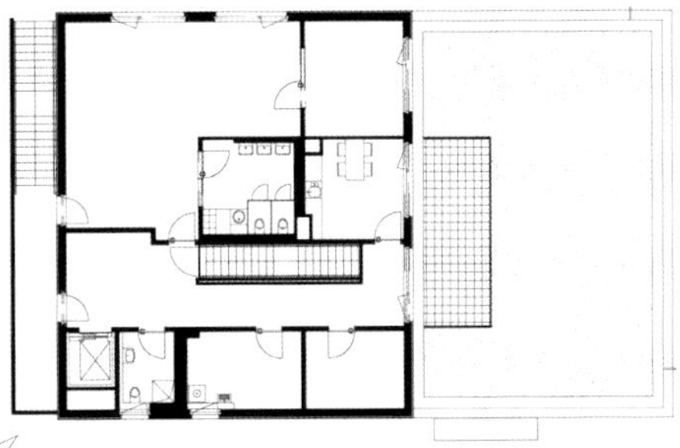

Obergeschoss

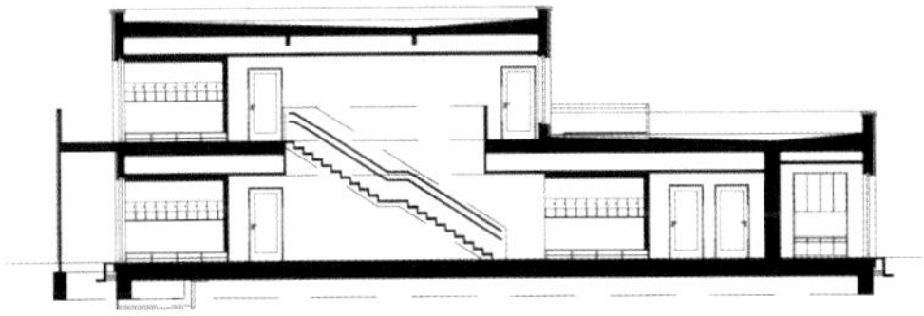

Längsschnitt

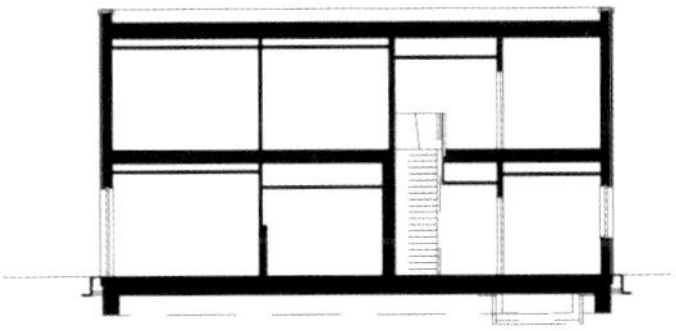

Querschnitt

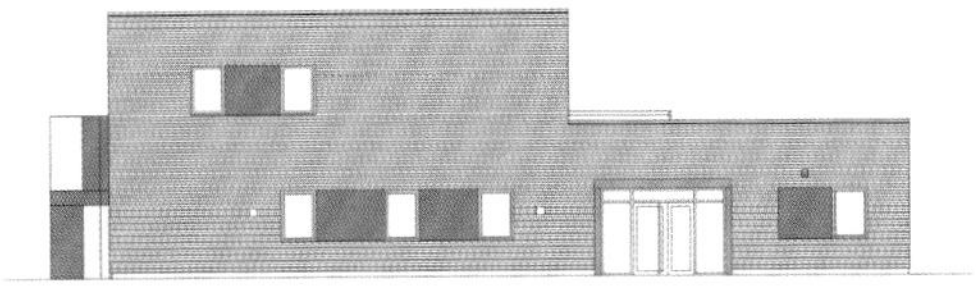

Ansicht West

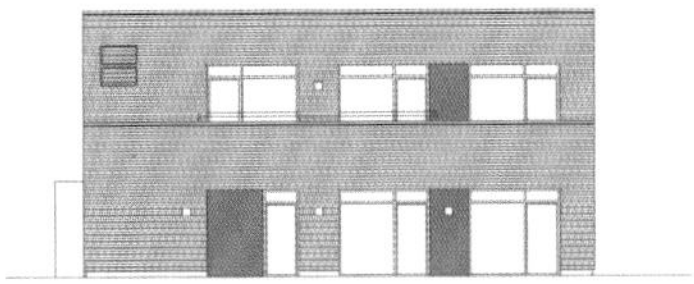

Ansicht Süd

Objektbeschreibung

Allgemeine Objektinformationen

Der eineinhalbgeschossige Neubau bietet Platz für zwei Krippengruppen mit insgesamt 20 Kindern. Da der Mehrzweckraum im Staffelgeschoss ebenfalls mit Schlafraum und Toiletten vorgerüstet ist, kann die Kindertagesstätte auf drei Gruppen erweitert werden.

Nutzung

1 Erdgeschoss
Gruppenräume (2St), Gruppennebenräume (2St), Büro, Kopierraum, Sanitärräume (2St), behindertengerechtes WC, Küche, Essraum, Geräteräume (3St), Technik

1 Obergeschoss
Mehrzweckraum, Gruppennebenraum, Sanitärraum, Personal-WC, Materiallagerraum, Abstellraum, Mitarbeiterraum, Dachterrasse

Nutzeinheiten

Gruppen: 2
Kinder: 20

Grundstück

Bauraum: Beengter Bauraum
Neigung: Ebenes Gelände
Bodenklasse: BK 3 bis BK 4

Markt

Hauptvergabezeit: 1. Quartal 2013
Baubeginn: 3. Quartal 2013
Bauende: 2. Quartal 2014
Konjunkturelle Gesamtlage: Durchschnitt
Regionaler Baumarkt: Durchschnitt

Baukonstruktion

Der Neubau ist in Holzrahmenbauweise erstellt. Durch die Vorfertigung der Holzrahmenbauwände und Brettstapeldecken konnte die Bauzeit reduziert werden. Die Fassade besteht aus einer horizontalen Lärchenholzschalung, die in einzelnen Bereichen durch grüne Platten aufgelockert wird. Das Dach über dem Erdgeschoss ist extensiv begrünt und besitzt eine für die Mitarbeiter zugängliche kleine Dachterrasse.

Technische Anlagen

Die Kindertagesstätte ist an das Fernwärmenetz angeschlossen und hat eine Lüftungsanlage mit Wärmerückgewinnung. Die Zuluft wird auf ihrem Weg vom Einströmen in den Boden bis zu den Bodenluftauslässen durch die beheizte oder gekühlte Fußbodenheizung temperiert. Der Boden dient als Nachkühler oder Nacherhitzer. Der Neubau besitzt einen Aufzug.

Sonstiges

Der gesamte Neubau ist barrierefrei erstellt.

Planungskennwerte für Flächen und Rauminhalte nach DIN 277

Flächen des Grundstücks		Menge Einheit	% an GF
BF	Bebaute Fläche	365,00 m²	28,9
UF	Unbebaute Fläche	898,00 m²	71,1
GF	Grundstücksfläche	1.263,00 m²	100,0

Grundflächen des Bauwerks		Menge Einheit	% an NUF	% an BGF
NUF	Nutzungsfläche	379,27 m²	100,0	64,5
TF	Technikfläche	5,64 m²	1,5	1,0
VF	Verkehrsfläche	115,24 m²	30,4	19,6
NRF	Netto-Raumfläche	500,15 m²	131,9	85,1
KGF	Konstruktions-Grundfläche	87,85 m²	23,2	14,9
BGF	Brutto-Grundfläche	588,00 m²	155,0	100,0

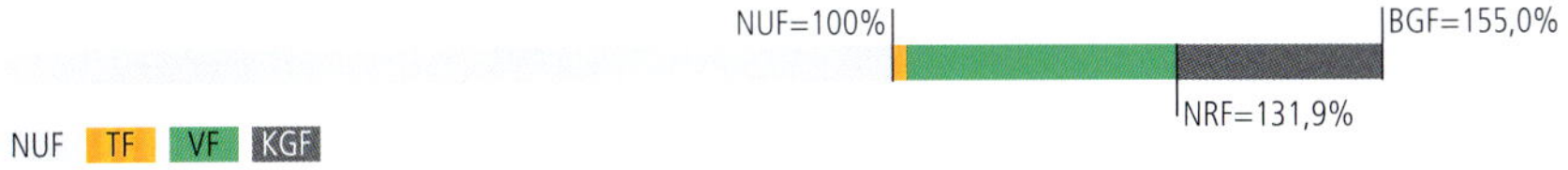

Brutto-Rauminhalt des Bauwerks		Menge Einheit	BRI/NUF (m)	BRI/BGF (m)
BRI	Brutto-Rauminhalt	2.340,00 m³	6,17	3,98

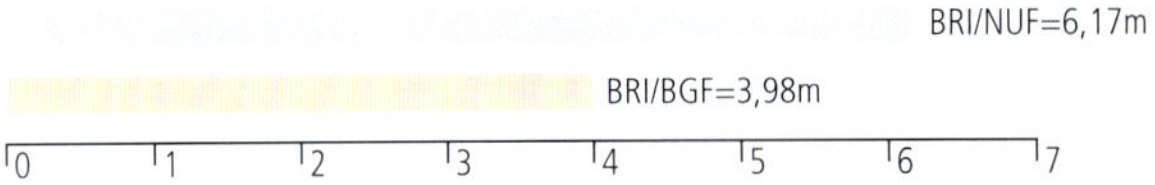

Kostenkennwerte für die Kostengruppen der 1.Ebene DIN 276

KG	Kostengruppen (1.Ebene)	Einheit	Kosten €	€/Einheit	€/m² BGF	€/m³ BRI	% 300+400
100	Grundstück	m² GF	–	–	–	–	–
200	Vorbereitende Maßnahmen	m² GF	–	–	–	–	–
300	Bauwerk – Baukonstruktionen	m² BGF	1.092.337	1.857,72	1.857,72	466,81	70,6
400	Bauwerk – Technische Anlagen	m² BGF	455.634	774,89	774,89	194,72	29,4
	Bauwerk 300+400	**m² BGF**	**1.547.970**	**2.632,60**	**2.632,60**	**661,53**	**100,0**
500	Außenanlagen und Freiflächen	m² AF	238.812	265,94	406,14	102,06	15,4
600	Ausstattung und Kunstwerke	m² BGF	–	–	–	–	–
700	Baunebenkosten	m² BGF	–	–	–	–	–
800	Finanzierung	m² BGF	–	–	–	–	–

KG	Kostengruppe	Menge Einheit	Kosten €	€/Einheit	%
3+4	**Bauwerk**				**100,0**
300	**Bauwerk – Baukonstruktionen**	588,00 m² BGF	1.092.337	**1.857,72**	70,6

Baugrubenaushub; Stb-Fundamente, Stb-Bodenplatte, Heizestrich, Linoleum, Bodenfliesen, Kiesfilterschicht, Perimeterdämmung; Holzrahmenbauwände, Holzfenster, Wärmedämmung, hinterlüftete Holzschalung, hinterlüftete HPL-Fassade, Holzfaserplatten, Gipsfaser-Bekleidung; Holzrahmenbauwände, GK-Wände, Glaswände, Wandfliesen, WC-Trennwände; Brettstapeldecke, Holztreppe, Stb-Außentreppe mit HPL-Bekleidung, Heizestrich, Linoleum, Bodenfliesen, abgehängte GK-Decke, Schallschutzdecken; Brettstapeldach, Dämmung, Abdichtung, teilw. extensive Dachbegrünung, teilw. Betonwerksteinplatten im Sandbett, innenliegende Entwässerung, abgehängte GK-Decke, Schallschutzdecke, Stb-Eingangsüberdachung

KG	Kostengruppe	Menge Einheit	Kosten €	€/Einheit	%
400	**Bauwerk – Technische Anlagen**	588,00 m² BGF	455.634	**774,89**	29,4

Gebäudeentwässerung, Kalt- und Warmwasserleitungen, Sanitärobjekte; Fernwärmeversorgung, Fußbodenheizung; kontrollierte Be- und Entlüftung mit Wärmerückgewinnung; Elektroinstallation, Beleuchtung; Telekommunikationsanlage; Personenaufzug

KG	Kostengruppe	Menge Einheit	Kosten €	€/Einheit	%
500	**Außenanlagen und Freiflächen**	898,00 m² AF	238.812	**265,94**	15,4

Tiefbauarbeiten, Entwässerung, Versickerung, gebäudeumlaufende Winkelstützwand mit Fassadenrosten, Bodenarbeiten, Betonpflaster, Lärchenholzdeck und -stege, Sichtschutzwand mit Spielhäusern, Spielboot, Holzwal, Rutsche, Sandspielfläche mit Einfassung, Schaukel, Zaunanlage mit Toren, Mastleuchten, Hecken, Obstbäume, Rasen

4400-0250
Kinderkrippe
(4 Gruppen)
(50 Kinder)

Objektübersicht

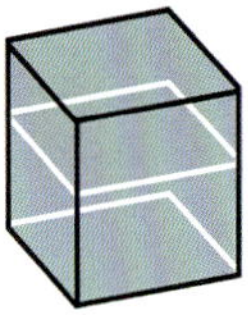

BRI 756 €/m³

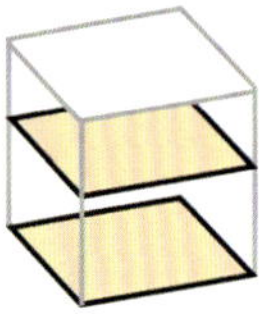

BGF 2.804 €/m²

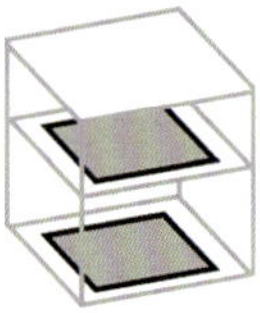

NUF 5.065 €/m²

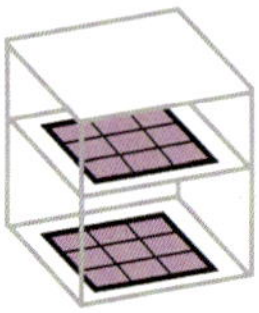

NE 56.110 €/NE

NE: Kinder

Objekt:
Kennwerte: 3. Ebene DIN 276
BRI: 3.712 m³
BGF: 1.000 m²
NUF: 554 m²
Bauzeit: 35 Wochen
Bauende: 2013
Standard: Durchschnitt
Bundesland: Bayern
Kreis: Traunstein

Architekt*in:
Leonhard Architekten
Landwehrstraße 35
80336 München

Bauherr*in:
Stadt Traunstein

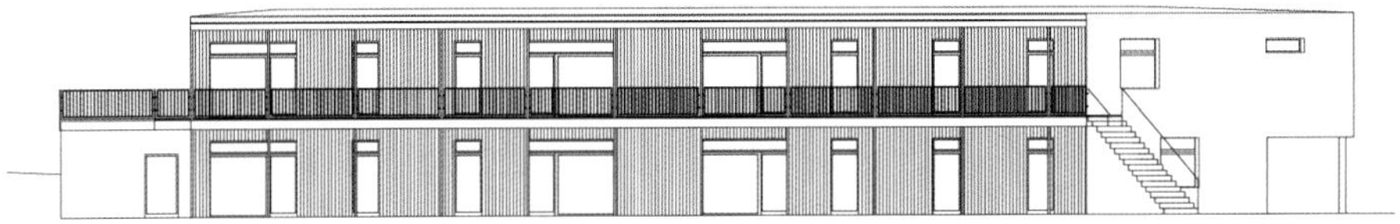

Ansicht Süd-Ost

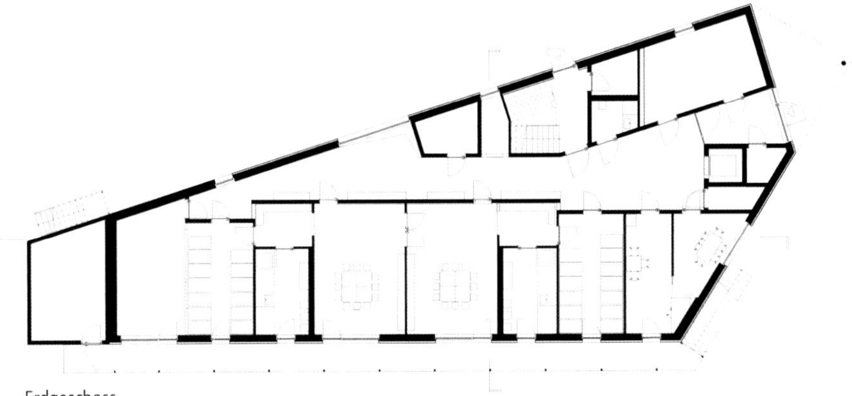

Erdgeschoss

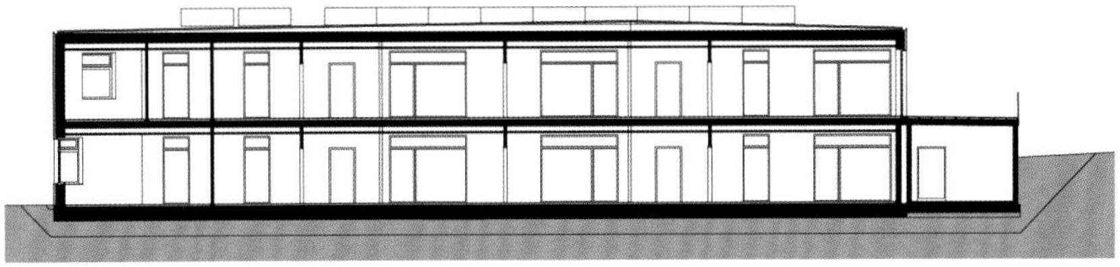

Längsschnitt

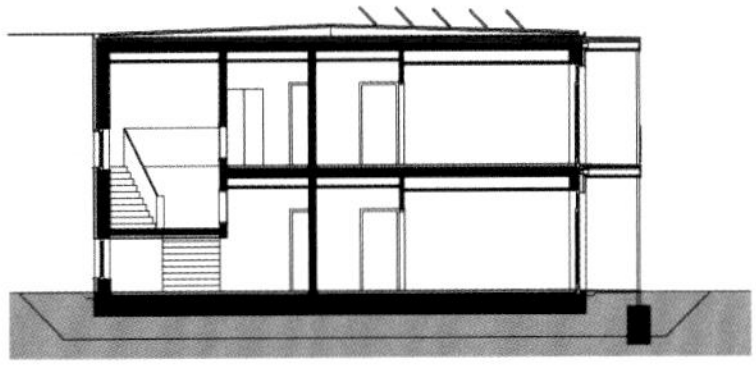

Querschnitt

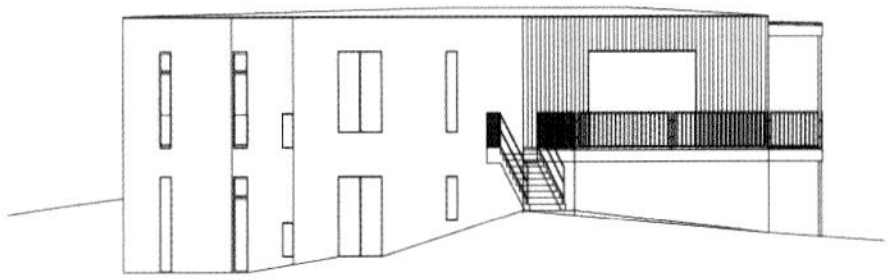

Ansicht Süd-West

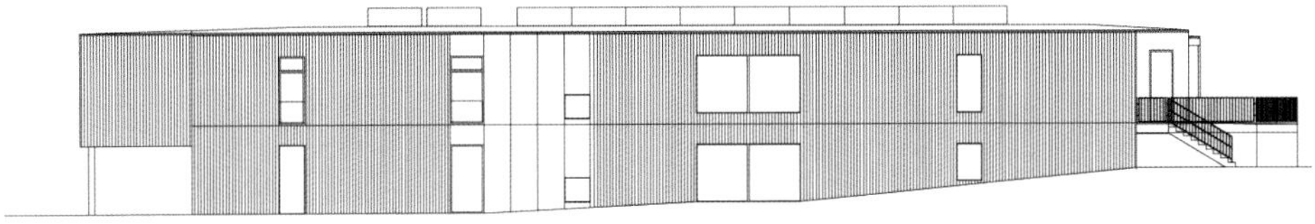

Ansicht Nord-West

4400-0250
Kinderkrippe
(4 Gruppen)
(50 Kinder)

Objektbeschreibung

Allgemeine Objektinformationen

Die neue zweigeschossige Kinderkrippe bietet Raum für die Betreuung von bis zu 50 Kindern im Alter zwischen einem und drei Jahren. Pro Geschoss sind jeweils zwei Gruppenräume mit Ruheraum, Bad und Garderobe sowie ein Bewegungsraum zum Garten hin angeordnet. Die Bewegungsräume können zum angrenzenden Ruheraum geöffnet werden. Die Flure und der Fluchtbalkon dienen als Spielbereiche.

Nutzung

1 Erdgeschoss
Gruppenräume mit Ruheraum und Bad, Büro-Leitung, Intensivraum, Spielflur, Bewegungsraum mit Ruheraum, Hausanschlussraum, Windfang, Kinderwagenabstellraum, Abstellraum, Putzkammer, Sanitärräume, Mitarbeitergarderobe

1 Obergeschoss
Gruppenräume mit Ruheraum und Bad, Küche, Personalraum, Spielflur, Bewegungsraum mit Ruheraum, Hauswirtschaftsraum, Technikräume, Abstellraum, Putzkammer, Sanitärräume

Nutzeinheiten

Gruppen: 4
Kinder: 50

Grundstück

Bauraum: Freier Bauraum
Neigung: Geneigtes Gelände
Bodenklasse: BK 1 bis BK 5

Markt

Hauptvergabezeit: 1. Quartal 2013
Baubeginn: 2. Quartal 2013
Bauende: 4. Quartal 2013
Konjunkturelle Gesamtlage: Durchschnitt
Regionaler Baumarkt: Durchschnitt

Baukonstruktion

Die Kinderkrippe wurde in ökologischer Holzbauweise errichtet. Sie gründet auf einer Stahlbeton-Fundamentplatte, die mit Estrich und Parkett, bzw. Fliesen belegt ist. Die Brettsperrholzdecken sind mit einer abgehängten Akustikdecke bekleidet. Die Zwischenräume der vorgefertigten Holzrahmenaußenwände sind mit Zellulose gedämmt, zusätzlich wurde eine Holzfaserdämmung aufgebracht. Die Innenwände wurden aus Massivholz gefertigt. Die Holzfenster sind dreifachverglast. Durch mobile Trennwände können in jedem Geschoss die Bewegungsräume mit dem Ruheraum zusammenschaltet werden. Ein aus Stahl konstruierter Balkon wurde dem Gebäude vorgestellt. Die Fluchttreppen wurden ebenfalls aus Stahl gefertigt.

Technische Anlagen

Das Gebäude wird über eine Lüftungsanlage mit Wärmerückgewinnung mit Frischluft versorgt. Die Warmwasserbereitung erfolgt durch Solarthermie. Spitzenlasten werden durch eine Gastherme gedeckt. Auf dem Flachdach ist eine Photovoltaikanlage montiert. Sonnenschutz und Licht werden über ein Bussystem gesteuert. Es wurde eine Aufzugsanlage eingebaut.

Planungskennwerte für Flächen und Rauminhalte nach DIN 277

Flächen des Grundstücks		Menge Einheit	% an GF
BF	Bebaute Fläche	457,00 m²	17,6
UF	Unbebaute Fläche	2.143,00 m²	82,4
GF	Grundstücksfläche	2.600,00 m²	100,0

Grundflächen des Bauwerks		Menge Einheit	% an NUF	% an BGF
NUF	Nutzungsfläche	553,90 m²	100,0	55,4
TF	Technikfläche	27,80 m²	5,0	2,8
VF	Verkehrsfläche	262,82 m²	47,4	26,3
NRF	Netto-Raumfläche	844,52 m²	152,5	84,4
KGF	Konstruktions-Grundfläche	155,88 m²	28,1	15,6
BGF	Brutto-Grundfläche	1.000,40 m²	180,6	100,0

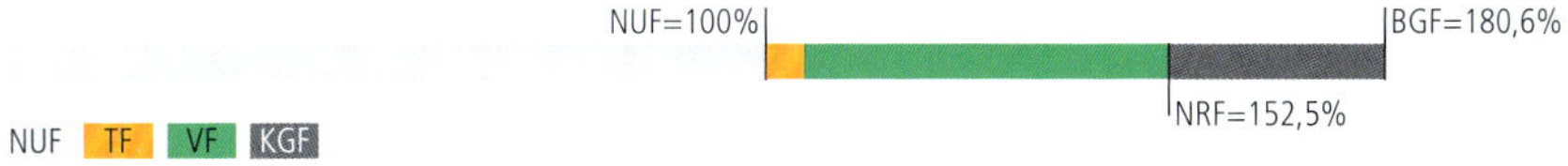

Brutto-Rauminhalt des Bauwerks		Menge Einheit	BRI/NUF (m)	BRI/BGF (m)
BRI	Brutto-Rauminhalt	3.711,66 m³	6,70	3,71

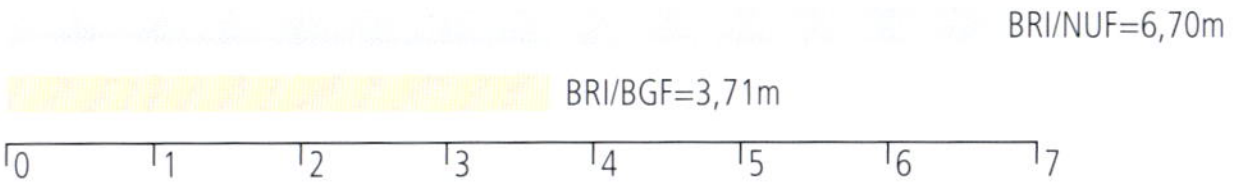

Lufttechnisch behandelte Flächen	Menge Einheit	% an NUF	% an BGF
Entlüftete Fläche	–	–	–
Be- und entlüftete Fläche	844,52 m²	152,5	84,4
Teilklimatisierte Fläche	–	–	–
Klimatisierte Fläche	–	–	–

KG	Kostengruppen (2. Ebene)	Menge Einheit	Menge/NUF	Menge/BGF
310	Baugrube / Erdbau	336,14 m³ BGI	0,61	0,34
320	Gründung, Unterbau	445,73 m² GRF	0,81	0,45
330	Außenwände/Vertikale Baukonstruktionen, außen	673,79 m² AWF	1,22	0,67
340	Innenwände/Vertikale Baukonstruktionen, innen	999,82 m² IWF	1,81	1,00
350	Decken/Horizontale Baukonstruktionen	517,34 m² DEF	0,93	0,52
360	Dächer	542,67 m² DAF	0,98	0,54

Kostenkennwerte für die Kostengruppen der 1. Ebene DIN 276

KG	Kostengruppen (1. Ebene)	Einheit	Kosten €	€/Einheit	€/m² BGF	€/m³ BRI	% 300+400
100	Grundstück	m² GF	–	–	–	–	–
200	Vorbereitende Maßnahmen	m² GF	–	–	–	–	–
300	Bauwerk – Baukonstruktionen	m² BGF	2.082.994	2.082,16	2.082,16	561,20	74,2
400	Bauwerk – Technische Anlagen	m² BGF	722.493	722,20	722,20	194,66	25,8
	Bauwerk 300+400	**m² BGF**	**2.805.487**	**2.804,37**	**2.804,37**	**755,86**	**100,0**
500	Außenanlagen und Freiflächen	m² AF	–	–	–	–	–
600	Ausstattung und Kunstwerke	m² BGF	8.758	8,75	8,75	2,36	0,3
700	Baunebenkosten	m² BGF	–	–	–	–	–
800	Finanzierung	m² BGF	–	–	–	–	–

KG	Kostengruppe	Menge Einheit	Kosten €	€/Einheit	%
3+4	**Bauwerk**				**100,0**
300	**Bauwerk – Baukonstruktionen**	1.000,40 m² BGF	2.082.994	**2.082,16**	74,2

Stb-Fundamentplatte, WU-Beton, Abdichtung, Dämmung, Heizestrich, Parkett, Bodenfliesen, Bodenbeschichtung; Holzrahmenwände, Stb-Wände, Holzfenster, Holzschalung, HPL-Fassade, GK-Beplankung, Beschichtung, Außenrollos; Brettsperrholzwände, GK-Wände mit Schiebetüren, Holztüren, Beschichtung, Wandfliesen, mobile Trennwände; Brettsperrholzdecken, Treppen, Terrassendielen, Akustikdecken, GK-Decken, Dreischichtplatten, Balkon, Stahlgeländer; Brettsperrholzdach, Stb-Flachdach, Balkondach, Lichtkuppeln, Dämmung, Abdichtung, Kies, Dachbegrünung, Dachentwässerung; Einbaumöbel, Fassadenbeschriftung

KG	Kostengruppe	Menge Einheit	Kosten €	€/Einheit	%
400	**Bauwerk – Technische Anlagen**	1.000,40 m² BGF	722.493	**722,20**	25,8

Gebäudeentwässerung, Kalt- und Warmwasserleitungen, Sanitärobjekte; Gas-Brennwerttherme, Frischwasserstationen, Solaranlage, Fußbodenheizung; Lüftungszentralgerät mit Wärmerückgewinnung; Photovoltaikanlage, Elektroinstallation, Beleuchtung, Blitzschutzanlage; Telekommunikationsanlage, Türsprechanlage, Antennenanlage, Brandmeldeanlage, Entrauchung Aufzug, EDV-Verkabelung; Personenaufzug; Gebäudeautomation

KG	Kostengruppe	Menge Einheit	Kosten €	€/Einheit	%
600	**Ausstattung und Kunstwerke**	1.000,40 m² BGF	8.758	**8,75**	0,3

Ausstattung mit Hygienegeräte

Kostenkennwerte für die Kostengruppen 300 der 2. und 3.Ebene DIN 276 (Übersicht)

KG	Kostengruppe	Menge Einheit	€/Einheit	Kosten €	% an 3+4
300	**Bauwerk – Baukonstruktionen**	**1.000,40 m² BGF**	**2.082,16**	**2.082.993,51**	**74,2**
310	**Baugrube / Erdbau**	**336,14 m³ BGI**	**138,19**	**46.450,30**	**1,7**
311	Herstellung	336,14 m³ BGI	138,19	46.450,30	1,7
312	Umschließung	–	–	–	–
313	Wasserhaltung	–	–	–	–
314	Vortrieb	–	–	–	–
319	Sonstiges zur KG 310	–	–	–	–
320	**Gründung, Unterbau**	**445,73 m² GRF**	**393,47**	**175.379,30**	**6,3**
321	Baugrundverbesserung	–	–	–	–
322	Flachgründungen und Bodenplatten	445,73 m²	148,97	66.401,96	2,4
323	Tiefgründungen	–	–	–	–
324	Gründungsbeläge	390,22 m²	180,91	70.593,37	2,5
325	Abdichtungen und Bekleidungen	500,22 m²	55,75	27.888,56	1,0
326	Dränagen	445,73 m² GRF	23,55	10.495,42	0,4
329	Sonstiges zur KG 320	–	–	–	–
330	**Außenwände/Vert. Baukonstrukt., außen**	**673,79 m² AWF**	**649,42**	**437.569,85**	**15,6**
331	Tragende Außenwände	531,20 m²	266,08	141.343,06	5,0
332	Nichttragende Außenwände	–	–	–	–
333	Außenstützen	3,10 m	735,57	2.280,26	< 0,1
334	Außenwandöffnungen	142,59 m²	719,90	102.650,14	3,7
335	Außenwandbekleidungen, außen	539,28 m²	263,09	141.879,15	5,1
336	Außenwandbekleidungen, innen	419,80 m²	53,29	22.370,77	0,8
337	Element. Außenwandkonstruktionen	–	–	–	–
338	Lichtschutz zur KG 330	109,31 m²	180,24	19.702,50	0,7
339	Sonstiges zur KG 330	673,79 m² AWF	10,90	7.343,97	0,3
340	**Innenwände/Vert. Baukonstrukt., innen**	**999,82 m² IWF**	**478,10**	**478.017,07**	**17,0**
341	Tragende Innenwände	474,57 m²	306,12	145.277,11	5,2
342	Nichttragende Innenwände	391,01 m²	287,54	112.431,02	4,0
343	Innenstützen	–	–	–	–
344	Innenwandöffnungen	102,97 m²	1.317,25	135.636,74	4,8
345	Innenwandbekleidungen	1.340,42 m²	38,24	51.253,56	1,8
346	Elementierte Innenwandkonstruktionen	31,27 m²	964,67	30.165,32	1,1
347	Lichtschutz zur KG 340	–	–	–	–
349	Sonstiges zur KG 340	999,82 m² IWF	3,25	3.253,30	0,1
350	**Decken/Horizontale Baukonstruktionen**	**517,34 m² DEF**	**716,13**	**370.487,86**	**13,2**
351	Deckenkonstruktionen	463,84 m²	332,83	154.382,27	5,5
352	Deckenöffnungen	–	–	–	–
353	Deckenbeläge	420,38 m²	194,81	81.895,04	2,9
354	Deckenbekleidungen	405,26 m²	146,84	59.507,45	2,1
355	Elementierte Deckenkonstruktionen	53,50 m²	759,14	40.613,75	1,4
359	Sonstiges zur KG 350	517,34 m² DEF	65,89	34.089,37	1,2
360	**Dächer**	**542,67 m² DAF**	**667,51**	**362.235,87**	**12,9**
361	Dachkonstruktionen	539,79 m²	314,22	169.611,46	6,0
362	Dachöffnungen	2,88 m²	1.526,34	4.395,85	0,2
363	Dachbeläge	533,36 m²	260,59	138.989,05	5,0
364	Dachbekleidungen	381,06 m²	119,20	45.423,29	1,6
365	Elementierte Dachkonstruktionen	–	–	–	–
366	Lichtschutz zur KG 360	–	–	–	–
369	Sonstiges zur KG 360	542,67 m² DAF	7,03	3.816,20	0,1
370	**Infrastrukturanlagen**	**–**	**–**	**–**	**–**
380	**Baukonstruktive Einbauten**	**1.000,40 m² BGF**	**113,64**	**113.682,66**	**4,1**
390	**Sonst. Maßnahmen für Baukonstrukt.**	**1.000,40 m² BGF**	**99,13**	**99.170,61**	**3,5**

Kostenkennwerte für die Kostengruppen 400 der 2. und 3. Ebene DIN 276 (Übersicht)

KG	Kostengruppe	Menge Einheit	€/Einheit	Kosten €	% an 3+4
400	**Bauwerk – Technische Anlagen**	**1.000,40 m²BGF**	**722,20**	**722.493,29**	**25,8**
410	**Abwasser-, Wasser-, Gasanlagen**	**1.000,40 m²BGF**	**139,98**	**140.037,25**	**5,0**
411	Abwasseranlagen	1.000,40 m²BGF	54,05	54.067,83	1,9
412	Wasseranlagen	1.000,40 m²BGF	79,65	79.682,20	2,8
413	Gasanlagen	–	–	–	–
419	Sonstiges zur KG 410	1.000,40 m²BGF	6,28	6.287,22	0,2
420	**Wärmeversorgungsanlagen**	**1.000,40 m²BGF**	**134,43**	**134.484,68**	**4,8**
421	Wärmeerzeugungsanlagen	1.000,40 m²BGF	86,78	86.818,26	3,1
422	Wärmeverteilnetze	1.000,40 m²BGF	22,45	22.456,59	0,8
423	Raumheizflächen	1.000,40 m²BGF	23,89	23.896,50	0,9
424	Verkehrsheizflächen	–	–	–	–
429	Sonstiges zur KG 420	1.000,40 m²BGF	1,31	1.313,33	< 0,1
430	**Raumlufttechnische Anlagen**	**1.000,40 m²BGF**	**81,50**	**81.529,42**	**2,9**
431	Lüftungsanlagen	1.000,40 m²BGF	81,50	81.529,42	2,9
432	Teilklimaanlagen	–	–	–	–
433	Klimaanlagen	–	–	–	–
434	Kälteanlagen	–	–	–	–
439	Sonstiges zur KG 430	–	–	–	–
440	**Elektrische Anlagen**	**1.000,40 m²BGF**	**234,94**	**235.030,03**	**8,4**
441	Hoch- und Mittelspannungsanlagen	–	–	–	–
442	Eigenstromversorgungsanlagen	1.000,40 m²BGF	50,49	50.508,03	1,8
443	Niederspannungsschaltanlagen	–	–	–	–
444	Niederspannungsinstallationsanlagen	1.000,40 m²BGF	88,80	88.832,42	3,2
445	Beleuchtungsanlagen	1.000,40 m²BGF	87,83	87.861,35	3,1
446	Blitzschutz- und Erdungsanlagen	1.000,40 m²BGF	7,83	7.828,23	0,3
447	Fahrleitungssysteme	–	–	–	–
449	Sonstiges zur KG 440	–	–	–	–
450	**Kommunikationstechnische Anlagen**	**1.000,40 m²BGF**	**52,31**	**52.327,38**	**1,9**
451	Telekommunikationsanlagen	1.000,40 m²BGF	7,17	7.175,90	0,3
452	Such- und Signalanlagen	1.000,40 m²BGF	2,62	2.622,16	< 0,1
453	Zeitdienstanlagen	–	–	–	–
454	Elektroakustische Anlagen	–	–	–	–
455	Audiovisuelle Medien- u. Antennenanl.	1.000,40 m²BGF	0,59	591,20	< 0,1
456	Gefahrenmelde- und Alarmanlagen	1.000,40 m²BGF	37,41	37.427,78	1,3
457	Datenübertragungsnetze	1.000,40 m²BGF	4,51	4.510,33	0,2
458	Verkehrsbeeinflussungsanlagen	–	–	–	–
459	Sonstiges zur KG 450	–	–	–	–
460	**Förderanlagen**	**1.000,40 m²BGF**	**49,58**	**49.599,20**	**1,8**
461	Aufzugsanlagen	1.000,40 m²BGF	49,58	49.599,20	1,8
462	Fahrtreppen, Fahrsteige	–	–	–	–
463	Befahranlagen	–	–	–	–
464	Transportanlagen	–	–	–	–
465	Krananlagen	–	–	–	–
466	Hydraulikanlagen	–	–	–	–
469	Sonstiges zur KG 460	–	–	–	–
470	**Nutzungsspez. u. verfahrenstechn. Anl.**	**–**	**–**	**–**	**–**
480	**Gebäude- und Anlagenautomation**	**1.000,40 m²BGF**	**28,61**	**28.625,83**	**1,0**
490	**Sonst. Maßnahmen für techn. Anlagen**	**1.000,40 m²BGF**	**0,86**	**859,50**	**< 0,1**

Kostenkennwerte für Leistungsbereiche nach STLB (Kosten des Bauwerks nach DIN 276)

LB	Leistungsbereiche	Kosten €	€/m² BGF	€/m³ BRI	% an 3+4
000	Sicherheits-, Baustelleneinrichtungen inkl. 001	75.224	75,20	20,30	2,7
002	Erdarbeiten	51.755	51,70	13,90	1,8
006	Spezialtiefbauarbeiten inkl. 005	–	–	–	–
009	Entwässerungskanalarbeiten inkl. 011	27.410	27,40	7,40	1,0
010	Drän- und Versickerarbeiten	17.707	17,70	4,80	0,6
012	Mauerarbeiten	759	0,76	0,20	< 0,1
013	Betonarbeiten	133.906	133,90	36,10	4,8
014	Natur-, Betonwerksteinarbeiten	–	–	–	–
016	Zimmer- und Holzbauarbeiten	694.043	693,80	187,00	24,7
017	Stahlbauarbeiten	79.846	79,80	21,50	2,8
018	Abdichtungsarbeiten	17.152	17,10	4,60	0,6
019	Kampfmittelräumarbeiten	–	–	–	–
020	Dachdeckungsarbeiten	–	–	–	–
021	Dachabdichtungsarbeiten	121.351	121,30	32,70	4,3
022	Klempnerarbeiten	21.422	21,40	5,80	0,8
	Rohbau	**1.240.574**	**1.240,10**	**334,20**	**44,2**
023	Putz- und Stuckarbeiten, Wärmedämmsysteme	–	–	–	–
024	Fliesen- und Plattenarbeiten	34.423	34,40	9,30	1,2
025	Estricharbeiten	33.429	33,40	9,00	1,2
026	Fenster, Außentüren inkl. 029, 032	108.781	108,70	29,30	3,9
027	Tischlerarbeiten	235.221	235,10	63,40	8,4
028	Parkettarbeiten, Holzpflasterarbeiten	57.369	57,30	15,50	2,0
030	Rollladenarbeiten	19.703	19,70	5,30	0,7
031	Metallbauarbeiten inkl. 035	80.363	80,30	21,70	2,9
034	Maler- und Lackiererarbeiten inkl. 037	41.578	41,60	11,20	1,5
036	Bodenbelagarbeiten	1.934	1,90	0,52	< 0,1
038	Vorgehängte hinterlüftete Fassaden	119.112	119,10	32,10	4,2
039	Trockenbauarbeiten	142.445	142,40	38,40	5,1
	Ausbau	**874.358**	**874,00**	**235,60**	**31,2**
040	Wärmeversorgungsanl. - Betriebseinr. inkl. 041	125.331	125,30	33,80	4,5
042	Gas- und Wasserinstallation, Leitungen inkl. 043	39.499	39,50	10,60	1,4
044	Abwasseranlagen - Leitungen	14.357	14,40	3,90	0,5
045	GWE-Einrichtungsgegenstände inkl. 046	42.658	42,60	11,50	1,5
047	Dämmarbeiten an betriebstechnischen Anlagen	28.520	28,50	7,70	1,0
049	Feuerlöschanlagen, Feuerlöschgeräte	–	–	–	–
050	Blitzschutz- und Erdungsanlagen	7.828	7,80	2,10	0,3
053	Niederspannungsanlagen inkl. 052, 054	88.627	88,60	23,90	3,2
055	Sicherheits- u. Ersatzstromversorgungsanl.	50.508	50,50	13,60	1,8
057	Gebäudesystemtechnik	–	–	–	–
058	Leuchten und Lampen inkl. 059	87.861	87,80	23,70	3,1
060	Sprechanlagen, elektroakust. Anlagen inkl. 064	2.777	2,80	0,75	< 0,1
061	Kommunikationsnetze inkl. 063	42.375	42,40	11,40	1,5
069	Aufzüge	49.834	49,80	13,40	1,8
070	Gebäudeautomation	25.767	25,80	6,90	0,9
075	Raumlufttechnische Anlagen inkl. 078	73.349	73,30	19,80	2,6
	Gebäudetechnik	**679.292**	**679,00**	**183,00**	**24,2**
084	Abbruch, Rückbau, Schadstoffsanierung	–	–	–	–
	Abbrucharbeiten	**–**	**–**	**–**	**–**
	Sonstige Leistungsbereiche	**11.264**	**11,30**	**3,00**	**0,4**

4400-0255
Kinderkrippe
(4 Gruppen)
(40 Kinder)

Objektübersicht

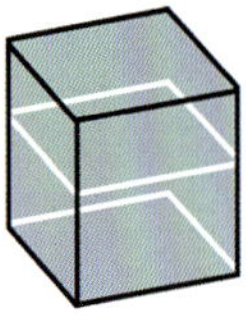

BRI 805 €/m³

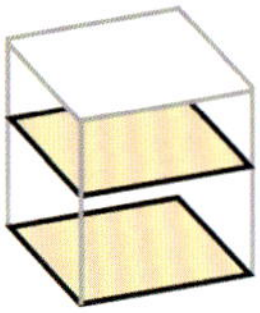

BGF 2.965 €/m²

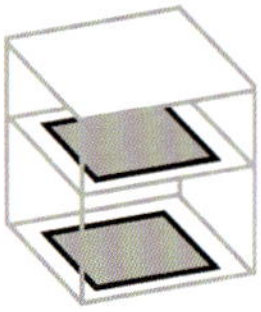

NUF 3.706 €/m²

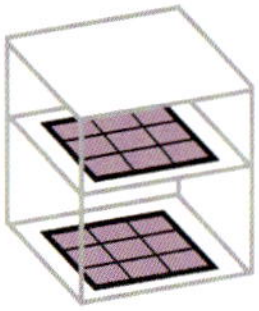

NE 45.301 €/NE

NE: Kinder

Objekt:
Kennwerte: 1. Ebene DIN 276
BRI: 2.252 m³
BGF: 611 m²
NUF: 489 m²
Bauzeit: 48 Wochen
Bauende: 2014
Standard: Durchschnitt
Bundesland: Schleswig-Holstein
Kreis: Flensburg, Stadt

Architekt*in:
heinobrodersen architekt
Helenenallee 2
24937 Flensburg

Bauherr*in:
Dansk Skoleforening
for Sydslesvig e.V.
24937 Flensburg

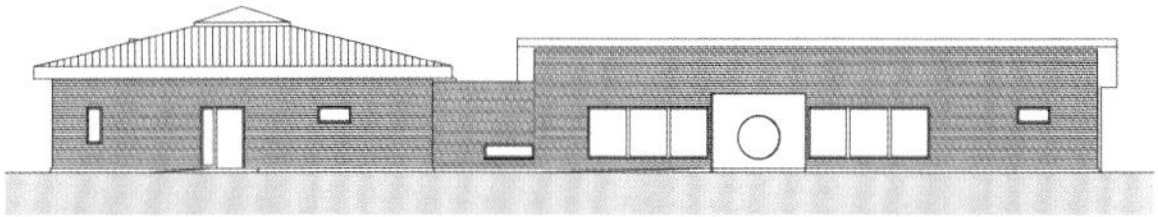

Ansicht Nord

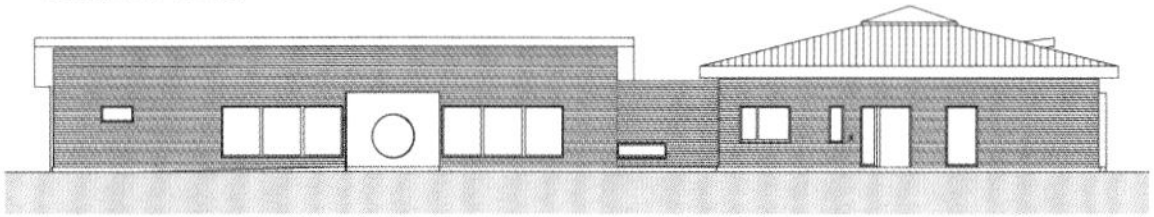

Ansicht Ost

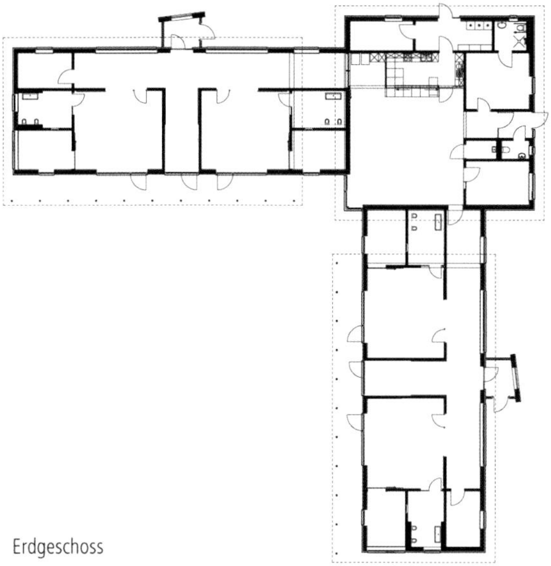

Erdgeschoss

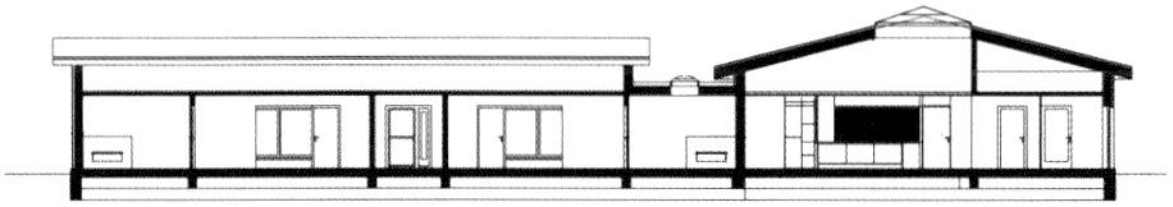

Längsschnitt

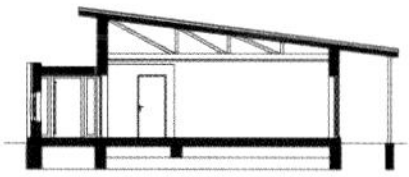

Querschnitt

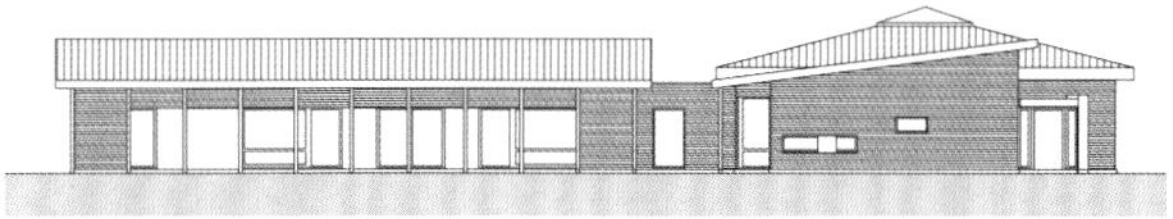

Ansicht Süd

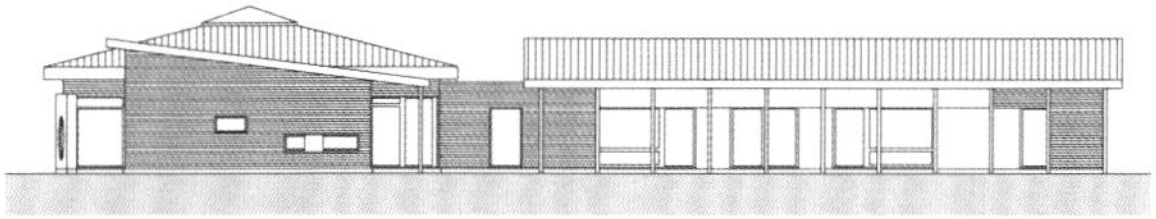

Ansicht West

Objektbeschreibung

Allgemeine Objektinformationen

Der Bauherr realisierte auf einem vormals bebauten und verwilderten Grundstück einen Neubau zur Betreuung von Kindern unter drei Jahren. Es handelt sich um einen nicht unterkellerten, eingeschossigen Winkelbau, der aus drei Baukörpern besteht. Die geplante Außenspielfläche wird von den Gebäudeflügeln flankiert und geschützt.

Nutzung

1 Erdgeschoss
Gruppenräume mir vorgelagerten Spielfluren (4St), Schlafräume (4St), Garderoben (2St), Büro, Sanitärräume (4St), Küche, Mensa, Lagerräume (3St), Personalraum, Technik

Nutzeinheiten

Gruppen: 4
Kinder: 40

Grundstück

Bauraum: Freier Bauraum
Neigung: Geneigtes Gelände
Bodenklasse: BK 3

Markt

Hauptvergabezeit: 3. Quartal 2013
Baubeginn: 3. Quartal 2013
Bauende: 3. Quartal 2014
Konjunkturelle Gesamtlage: über Durchschnitt
Regionaler Baumarkt: Durchschnitt

Baukonstruktion

Eine Stahlbetonsohle und Streifenfundamente bilden die Basis für den Neubau. Für Außen- und Innenwände wurde die Holzrahmenbauweise gewählt. Die Holzfassade ist mit farbigen Fassadenplatten ausgebildet. Die Böden sind mit Linoleum, Fliesen teilweise mit Hochkantlamellenparkett belegt. Das Dach besitzt eine Metalldacheindeckung. Die Kunststofffenster sind farbig ausgeführt. Der komplette Innenausbau erfolgte in Trockenbauweise.

Technische Anlagen

Der Neubau wurde an das Fernwärmenetz angeschlossen. Eine flächendeckende Wärmeversorgung erfolgt über eine Fußbodenheizung. Es kam eine dezentrale Zu- und Abluftanlage mit Wärmerückgewinnung in den Gruppenräumen und der Mensa zur Ausführung. Die Gebäudeentwässerung erfolgt mittels Rigolen auf dem Grundstück.

Sonstiges

Für eine eventuelle Erweiterung der Einrichtung wurden Ver- und Entsorgungssysteme vorgerichtet und in die Planung übernommen.

Planungskennwerte für Flächen und Rauminhalte nach DIN 277

Flächen des Grundstücks		Menge Einheit	% an GF
BF	Bebaute Fläche	611,00 m²	16,0
UF	Unbebaute Fläche	3.209,00 m²	84,0
GF	Grundstücksfläche	3.820,00 m²	100,0

Grundflächen des Bauwerks		Menge Einheit	% an NUF	% an BGF
NUF	Nutzungsfläche	488,94 m²	100,0	80,0
TF	Technikfläche	8,96 m²	1,8	1,5
VF	Verkehrsfläche	13,60 m²	2,8	2,2
NRF	Netto-Raumfläche	511,50 m²	104,6	83,7
KGF	Konstruktions-Grundfläche	99,71 m²	20,4	16,3
BGF	Brutto-Grundfläche	611,21 m²	125,0	100,0

Brutto-Rauminhalt des Bauwerks		Menge Einheit	BRI/NUF (m)	BRI/BGF (m)
BRI	Brutto-Rauminhalt	2.251,59 m³	4,61	3,68

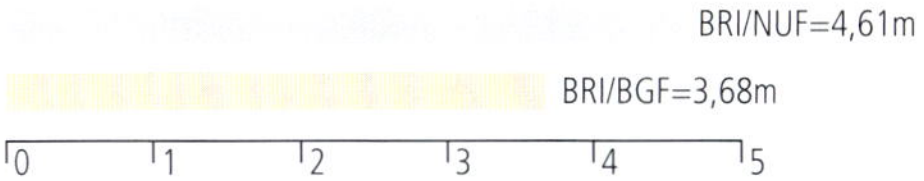

Kostenkennwerte für die Kostengruppen der 1. Ebene DIN 276

KG	Kostengruppen (1. Ebene)	Einheit	Kosten €	€/Einheit	€/m² BGF	€/m³ BRI	% 300+400
100	Grundstück	m² GF	–	–	–	–	–
200	Vorbereitende Maßnahmen	m² GF	191.389	50,10	313,13	85,00	10,6
300	Bauwerk – Baukonstruktionen	m² BGF	1.426.250	2.333,49	2.333,49	633,44	78,7
400	Bauwerk – Technische Anlagen	m² BGF	385.799	631,20	631,20	171,34	21,3
	Bauwerk 300+400	**m² BGF**	**1.812.049**	**2.964,69**	**2.964,69**	**804,79**	**100,0**
500	Außenanlagen und Freiflächen	m² AF	430.206	134,06	703,86	191,07	23,7
600	Ausstattung und Kunstwerke	m² BGF	–	–	–	–	–
700	Baunebenkosten	m² BGF	–	–	–	–	–
800	Finanzierung	m² BGF	–	–	–	–	–

KG	Kostengruppe	Menge Einheit	Kosten €	€/Einheit	%
200	**Vorbereitende Maßnahmen**	3.820,00 m² GF	191.389	**50,10**	10,6
	Stilllegung von Brunnenanlage; Abbruch von Bestandsgebäude, Altlastenentsorgung; Entsorgung, Deponiegebühren; Rodung von Waldflächen, großräumige Egalisierung des Geländes, Abfuhr von Erdreich				
3+4	**Bauwerk**				**100,0**
300	**Bauwerk – Baukonstruktionen**	611,21 m² BGF	1.426.250	**2.333,49**	78,7
	Baugrubenaushub, Bodenaustausch; Stb-Fundamente, Stb-Bodenplatte, Abdichtung, Dämmung, Heizestrich, Linoleum, Bodenfliesen, Parkett, Abdichtung, Perimeterdämmung; Holzrahmenbauwände, Stahlstützen, Kunststofffenster, Alu-Türen, Holzfassade, HPL-Fassadenplatten, GK-Bekleidung; Holzrahmenbau-Innenwände, GK-Innenwandbekleidung, Glaswände, Wandfliesen; Holzbalkendach, Oberlicht, Dämmung, Metalldeckung, Abdichtung, außenliegende Entwässerung, GK-Deckenbekleidung, größtenteils Akustikdecken				
400	**Bauwerk – Technische Anlagen**	611,21 m² BGF	385.799	**631,20**	21,3
	Gebäudeentwässerung, Kalt- und Warmwasserleitungen, Sanitärobjekte; Fernwärmeversorgung, Fußbodenheizung; dezentrale Be- und Entlüftung mit Wärmerückgewinnung (Gruppenräume, Mensa); Elektroinstallation, Beleuchtung; Fernmeldeanlagen, Telekommunikationsanlage, Rauchmelder; Küche				
500	**Außenanlagen und Freiflächen**	3.209,00 m² AF	430.206	**134,06**	23,7
	Grundstücksentwässerung, RW-Entwässerung mittels Rigolen auf dem Grundstück, Vorrichtung RW/SW-Entwässerung für evtl. Erweiterung, Garten- und Landschaftsbauarbeiten, Geländemodellierung, aufwendige Ausgleichsmaßnahmen, Stellplatzanlagen, Nebengebäude (2St) für Spielgeräte und 40 Kinderwagen				

4400-0259
Kinderkrippe
(4 Gruppen)
(40 Kinder)

Objektübersicht

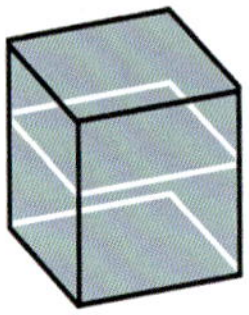

BRI 565€/m³

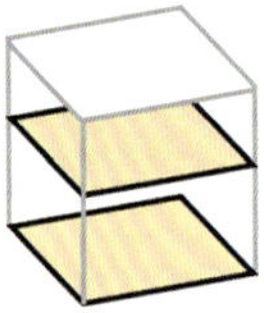

BGF 2.843€/m²

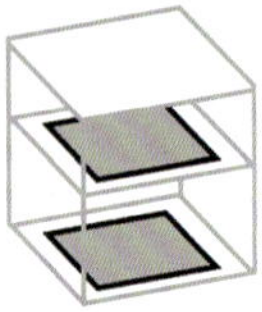

NUF 4.615€/m²

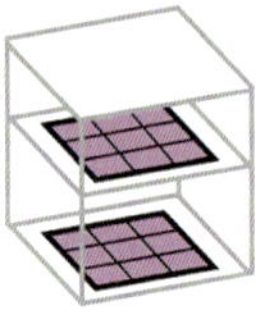

NE 59.012€/NE
NE: Kinder

Objekt:
Kennwerte: 1. Ebene DIN 276
BRI: 4.175 m³
BGF: 830 m²
NUF: 511 m²
Bauzeit: 43 Wochen
Bauende: 2014
Standard: Durchschnitt
Bundesland: Bremen
Kreis: Bremerhaven, Stadt

Architekt*in:
Architekturbüro
Werner Grannemann
Bgm.-Martin-Donandt-Platz 15
27568 Bremerhaven

Bauherr*in:
Seestadt Immobilien - Wirtschaftsbetrieb der Stadt Bremerhaven
27576 Bremerhaven

© Architekturbüro Werner Grannemann

© Arch.-büro Werner Grannemann

© Architekturbüro Werner Grannemann

© Arch.-büro Werner Grannemann

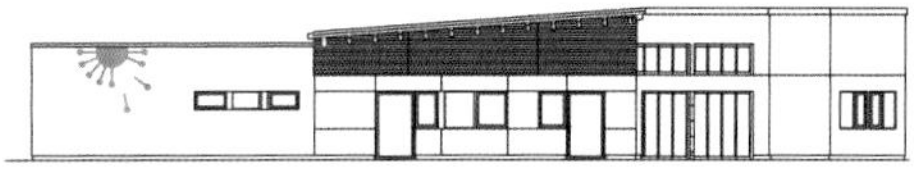

Ansicht Nord

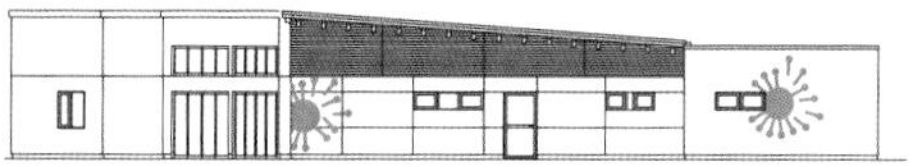

Ansicht Süd

Erdgeschoss

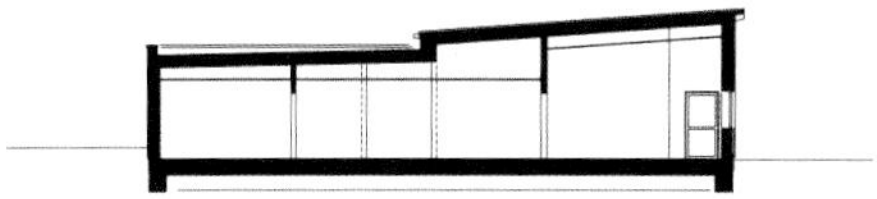

Querschnitt

Objektbeschreibung

Allgemeine Objektinformationen

Die neu errichtete Kinderkrippe bietet Platz für 40 Kinder bis drei Jahre. Sie erhielt einen ca. 43m² großen Bewegungsraum sowie eine integrierte Küche für die Versorgung. Das Gebäude ist eingeschossig erstellt. Die Erschließung erfolgt fußläufig bzw. barrierefrei von der Straße aus durch den Mittelteil des Gebäudes. Die vier Gruppenräume sind nach Westen ausgerichtet, die Schlafräume nach Osten.

Nutzung

1 Erdgeschoss
Gruppenräume (4St), Schlafräume (4St), Bewegungsraum, Personalraum, Büro, Besprechungsraum, Garderobenräume (2St), Wickelräume (2St), Wäscheraum, Technikraum, Küche, Spülraum, Umkleideraum

Nutzeinheiten

Gruppen: 4
Kinder: 40

Grundstück

Bauraum: Freier Bauraum
Neigung: Ebenes Gelände
Bodenklasse: BK 1 bis BK 4

Markt

Hauptvergabezeit: 3. Quartal 2013
Baubeginn: 3. Quartal 2013
Bauende: 3. Quartal 2014
Konjunkturelle Gesamtlage: Durchschnitt
Regionaler Baumarkt: Durchschnitt

Baukonstruktion

Die Außen- und Innenwände wurden in Holzrahmenbau mit Vollholz-Stielen und Mineralfaserdämmung ausgeführt. Die Außenwände besitzen eine hinterlüftete Putzfassade mit Putzträgerplatte an der Ost- und Teilen der Nord- und Südfassade und an der West- und Teilen der Nord- und Südfassade HPL-Platten bzw. im oberen Bereich Trapezbleche. Gartenseitig wurden Fasadenprofile und Sonnenschutzlamellen aus Douglasie eingebaut. Die Dachkonstruktion wird mit Holzbalken und zwischenliegender Mineralwolle, sowie einer Aufdachdämmung mit PVC-Dachabdichtung ausgeführt. Die nach Westen ausgerichteten Fensterfronten der Gruppenräume erhalten große bodentiefe Fenster- und Türelemente um die solaren Wärmegewinne zu optimieren. Die Verschattung für den sommerlichen Wärmeschutz wird konstruktiv über Dachauskragungen und außenliegende Sonnenschutzlamellen erfüllt.

Technische Anlagen

Das Warmwasser wird in den WCs und der Küche dezentral über Trinkwasserstationen erzeugt. In der Küche ist zusätzlich ein Warmwasserspeicher eingebaut. Die Wassertemperaturen an den Entnahmestellen, die den Kindern zugänglich sind, sind auf 43°C begrenzt. Das Gebäude wird über einen raumluftunabhängigen Gas-Brennwertkessel beheizt. Die Räume werden über Plattenheizkörper temperiert. Das Gebäude ist mit einer hocheffizienten Lüftungsanlage mit Wärmerückgewinnung ausgerüstet. Die CNS-Küche erhält eine eigene Abluftanlage.

Sonstiges

Im Außenbereich sorgen Terrassen, Spielflächen und vorhandene Bäume für eine Gliederung des Grundstücks. Die Zuwegung zum Eingangsbereich, die Zufahrt zum Hof und den Parkplätzen, sowie die Terrassenflächen wurden gepflastert.

Planungskennwerte für Flächen und Rauminhalte nach DIN 277

Flächen des Grundstücks		Menge Einheit	% an GF
BF	Bebaute Fläche	911,66 m²	33,4
UF	Unbebaute Fläche	1.820,34 m²	66,6
GF	Grundstücksfläche	2.732,00 m²	100,0

Grundflächen des Bauwerks		Menge Einheit	% an NUF	% an BGF
NUF	Nutzungsfläche	511,44 m²	100,0	61,6
TF	Technikfläche	31,97 m²	6,3	3,9
VF	Verkehrsfläche	177,00 m²	34,6	21,3
NRF	Netto-Raumfläche	720,41 m²	140,9	86,8
KGF	Konstruktions-Grundfläche	109,78 m²	21,5	13,2
BGF	Brutto-Grundfläche	830,19 m²	162,3	100,0

Brutto-Rauminhalt des Bauwerks		Menge Einheit	BRI/NUF (m)	BRI/BGF (m)
BRI	Brutto-Rauminhalt	4.175,00 m³	8,16	5,03

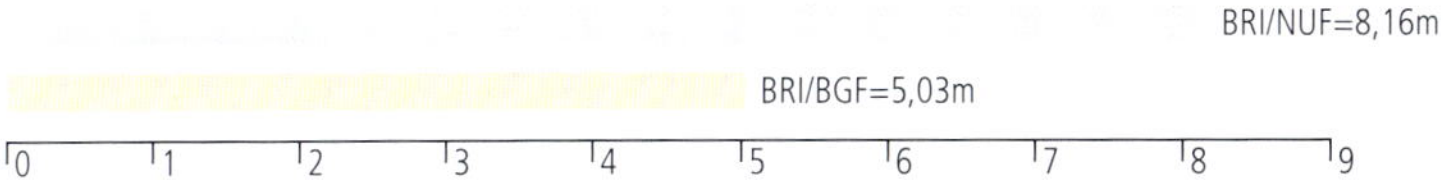

Kostenkennwerte für die Kostengruppen der 1. Ebene DIN 276

KG	Kostengruppen (1. Ebene)	Einheit	Kosten €	€/Einheit	€/m² BGF	€/m³ BRI	% 300+400
100	Grundstück	m² GF	–	–	–	–	–
200	Vorbereitende Maßnahmen	m² GF	–	–	–	–	–
300	Bauwerk – Baukonstruktionen	m² BGF	1.922.189	2.315,36	2.315,36	460,40	81,4
400	Bauwerk – Technische Anlagen	m² BGF	438.293	527,94	527,94	104,98	18,6
	Bauwerk 300+400	**m² BGF**	**2.360.481**	**2.843,30**	**2.843,30**	**565,38**	**100,0**
500	Außenanlagen und Freiflächen	m² AF	–	–	–	–	–
600	Ausstattung und Kunstwerke	m² BGF	–	–	–	–	–
700	Baunebenkosten	m² BGF	–	–	–	–	–
800	Finanzierung	m² BGF	–	–	–	–	–

KG	Kostengruppe	Menge Einheit	Kosten €	€/Einheit	%
3+4	**Bauwerk**				**100,0**
300	**Bauwerk – Baukonstruktionen**	830,19 m² BGF	1.922.189	**2.315,36**	81,4

Baugrubenaushub; Baugrundverbesserung, Stb-Fundamente, Stb-Bodenplatte, Estrich, Linoleum, Bodenfliesen, Abdichtung, Perimeterdämmung, Dränage; Holzrahmenbauwände, Kunststofffenster, Wärmedämmung, Putzfassade, HPL-Fassade, Holzfassade, GK-Bekleidung, teilw. Sonnenschutzlamellen; Holzrahmenbau-Innenwände, Wandfliesen, WC-Trennwände; Holzbalkendach, Dämmung, Abdichtung, Dachentwässerung, GK-Bekleidung, abgehängte Raster-Schallschutzdecke

KG	Kostengruppe	Menge Einheit	Kosten €	€/Einheit	%
400	**Bauwerk – Technische Anlagen**	830,19 m² BGF	438.293	**527,94**	18,6

Gebäudeentwässerung, Kalt- und Warmwasserleitungen, Sanitärobjekte; Gas-Brennwertkessel, Plattenheizkörper; kontrollierte Be- und Entlüftung mit Wärmerückgewinnung, Abluftanlage der Küche; Elektroinstallation, Beleuchtung; Telekommunikationsanlage, Fernseh- und Antennenanlagen, Brandmeldeanlage; Aufwärmküche

4400-0267
Kindergarten
(2 Gruppen)
(50 Kinder)

Objektübersicht

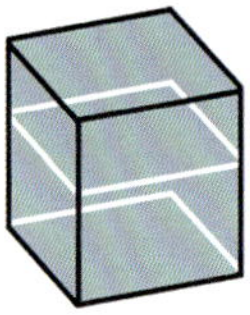

BRI 817 €/m³

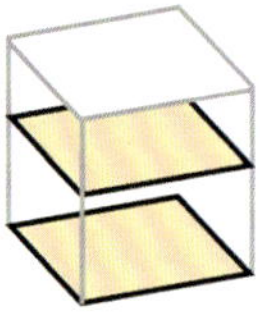

BGF 3.377 €/m²

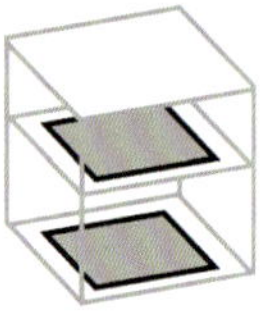

NUF 5.318 €/m²

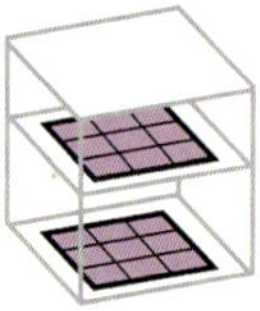

NE 36.305 €/NE

NE: Kinder

Objekt:
Kennwerte: 1. Ebene DIN 276
BRI: 2.221 m³
BGF: 538 m²
NUF: 341 m²
Bauzeit: 83 Wochen
Bauende: 2014
Standard: über Durchschnitt
Bundesland: Bayern
Kreis: München

Architekt*in:
Breitenbücher Hirschbeck
Architektengesellschaft mbH
Zielstattstraße 11
81379 München

© Boran Biriz

© Boran Biriz

© Sascha Philipp

© Sascha Philipp

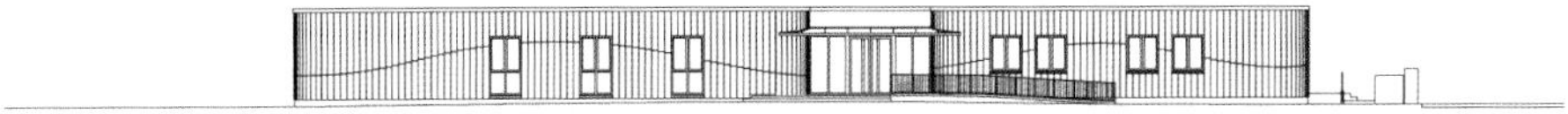

Ansicht Nord

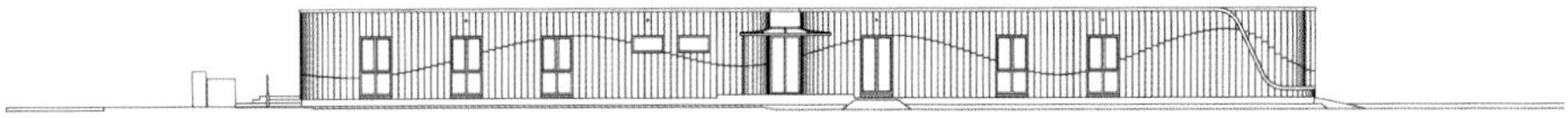

Ansicht Süd

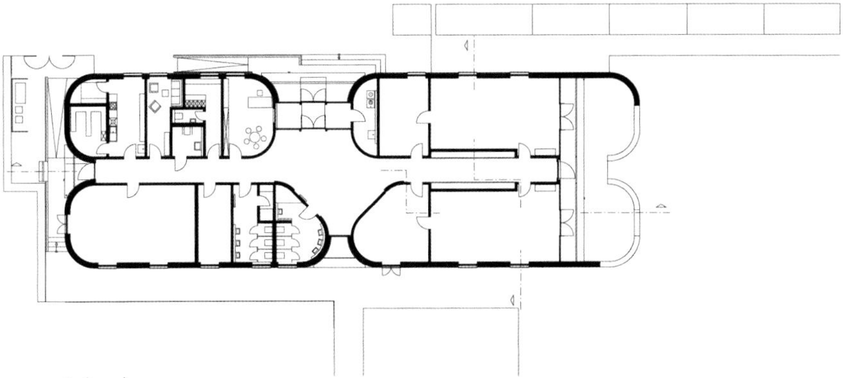

Erdgeschoss

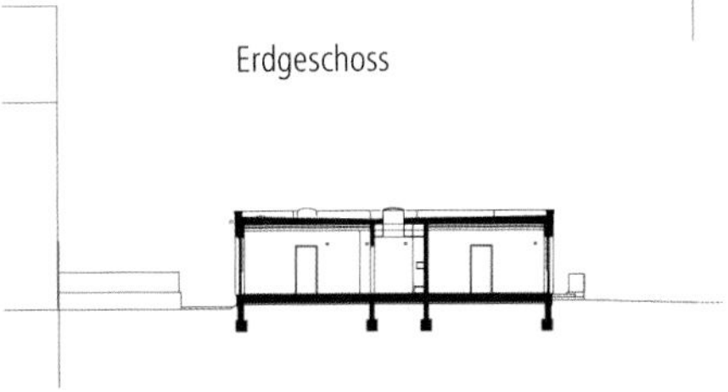

Querschnitt

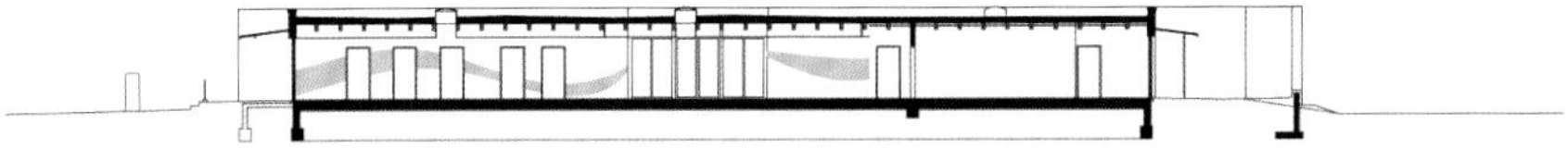

Längsschnitt

Objektbeschreibung

Allgemeine Objektinformationen

Für die Auslagerung des Kindergartens in ein Interims-Gebäude wurde der Neubau eines zweigruppigen Kindergartens inklusive Freifläche realisiert. Nach der Planungsphase wurde die Errichtung des Bauwerks an einen Generalunternehmer beauftragt.

Nutzung

1 Erdgeschoss
Gruppenräume (2St), Nebenräume (2St), Büroräume, Küche, Sanitärräume, Technikraum, Lager

Nutzeinheiten

Gruppen: 2
Kinder: 50

Grundstück

Bauraum: Freier Bauraum
Neigung: Ebenes Gelände
Bodenklasse: BK 1 bis BK 5

Markt

Hauptvergabezeit: 1. Quartal 2013
Baubeginn: 2. Quartal 2013
Bauende: 4. Quartal 2014
Konjunkturelle Gesamtlage: Durchschnitt
Regionaler Baumarkt: Durchschnitt

Baukonstruktion

Der Neubau ist als eingeschossiges Gebäude in Holz-Modulbauweise errichtet. Die Außenwände wurden als mehrschalige gedämmte Holzständerkonstruktion mit einer hinterlüfteten Fassade ausgeführt und mit farbiger Bekleidung versehen. Die Wandinnenflächen haben eine separate Installationsebene. Das Flachdach ist mit einer Aufsparrendämmung sowie einer Gefälledämmung mit Abdichtung ausgeführt.

Technische Anlagen

Der Kindergarten ist an ein Nahwärmenetz angeschlossen, die Energieerzeugung erfolgt nahezu vollständig durch regenerative Biomasse. Im Flurbereich ist eine elektrisch beheizte Zuluftanlage angeordnet, die übrigen Zonen, insbesondere die Gruppenräume, verfügen über freie Fensterlüftung.

Sonstiges

Die wesentlichen Planungskriterien waren Helligkeit, Freundlichkeit, Farbe und kindergerechte Räume. Ergebnis ist eine Grundrissgestaltung mit gerundeten Räumen. Der Baukörper ist in vier Bereiche mit klarer Farbgestaltung unterteilt, die sich von außen in das Gebäudeinnere fortsetzt.

Planungskennwerte für Flächen und Rauminhalte nach DIN 277

Flächen des Grundstücks		Menge Einheit	% an GF
BF	Bebaute Fläche	643,00 m²	32,7
UF	Unbebaute Fläche	1.324,00 m²	67,3
GF	Grundstücksfläche	1.967,00 m²	100,0

Grundflächen des Bauwerks		Menge Einheit	% an NUF	% an BGF
NUF	Nutzungsfläche	341,37 m²	100,0	63,5
TF	Technikfläche	13,53 m²	4,0	2,5
VF	Verkehrsfläche	103,30 m²	30,3	19,2
NRF	Netto-Raumfläche	458,20 m²	134,2	85,2
KGF	Konstruktions-Grundfläche	79,30 m²	23,2	14,8
BGF	Brutto-Grundfläche	537,50 m²	157,5	100,0

Brutto-Rauminhalt des Bauwerks		Menge Einheit	BRI/NUF (m)	BRI/BGF (m)
BRI	Brutto-Rauminhalt	2.220,50 m³	6,51	4,13

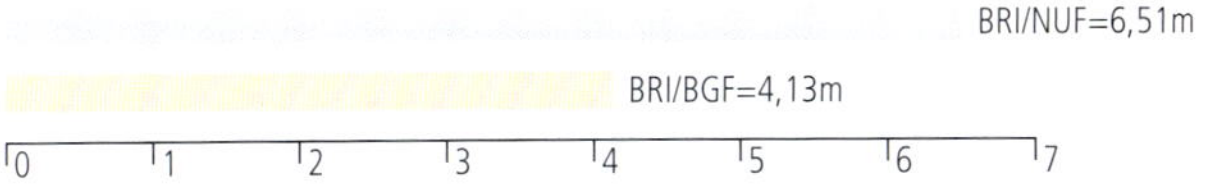

Kostenkennwerte für die Kostengruppen der 1. Ebene DIN 276

KG	Kostengruppen (1. Ebene)	Einheit	Kosten €	€/Einheit	€/m²BGF	€/m³BRI	% 300+400
100	Grundstück	m²GF	–	–	–	–	–
200	Vorbereitende Maßnahmen	m²GF	32.507	16,53	60,48	14,64	1,8
300	Bauwerk – Baukonstruktionen	m²BGF	1.483.588	2.760,16	2.760,16	668,13	81,7
400	Bauwerk – Technische Anlagen	m²BGF	331.659	617,04	617,04	149,36	18,3
	Bauwerk 300+400	**m²BGF**	**1.815.247**	**3.377,20**	**3.377,20**	**817,49**	**100,0**
500	Außenanlagen und Freiflächen	m²AF	426.108	5.196,44	792,76	191,90	23,5
600	Ausstattung und Kunstwerke	m²BGF	54.309	101,04	101,04	24,46	3,0
700	Baunebenkosten	m²BGF	–	–	–	–	–
800	Finanzierung	m²BGF	–	–	–	–	–

KG	Kostengruppe	Menge Einheit	Kosten €	€/Einheit	%
200	**Vorbereitende Maßnahmen**	1.967,00 m²GF	32.507	**16,53**	1,8
	Erschließungsbeitrag, Sicherungsmaßnahmen, Grundstück abräumen, Oberboden abtragen				
3+4	**Bauwerk**				**100,0**
300	**Bauwerk – Baukonstruktionen**	537,50 m²BGF	1.483.588	**2.760,16**	81,7
	Stb-Bodenplatte, Abdichtung, Trittschalldämmung, Zementestrich, Linoleum, Bodenfliesen, Perimeterdämmung; Holzrahmenwände, modular, Holzfenster, Gipskartonbeplankung, Installationsschicht, Dämmung, HPL-Fassadentafeln, Lamellenraffstores; Holzständer-Innenwände, Holztüren, Stahlzargen, GK-Beplankung, Anstrich, Wandfliesen; Holzdachkonstruktion, Gefälledämmung, extensive Begrünung, Holzwolle-Dämmplatten, abgehängte GK-Decken, Dachentwässerung				
400	**Bauwerk – Technische Anlagen**	537,50 m²BGF	331.659	**617,04**	18,3
	Gebäudeentwässerung, Regenwasserzisterne, Kalt- und Warmwasserleitungen, Sanitärobjekte; Fernwärmeanschluss, Heizkörper, dezentrale Warmwasserbereitung; Zuluftanlage, elektrisch beheizt; Elektroinstallation, Einbaudownlights (Spielflur), Lichtkanäle (Gruppenräume)				
500	**Außenanlagen und Freiflächen**	82,00 m²AF	426.108	**5.196,44**	23,5
	Freiflächenarbeiten, Verkehrswegebauarbeiten, Rampen, Terrasse, Mülleinhausung				
600	**Ausstattung und Kunstwerke**	537,50 m²BGF	54.309	**101,04**	3,0
	Küche inkl. Herd, Spüle (Industriespülmaschine), Kindergarderobe, Kinderküchen				

4400-0273
Kinderkrippe
(2 Gruppen)
(30 Kinder)

Objektübersicht

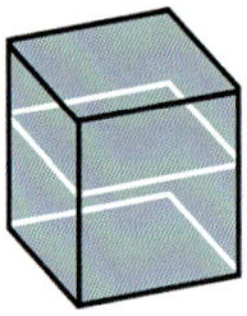

BRI 547 €/m³

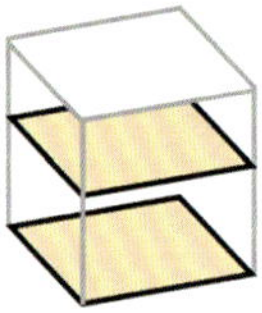

BGF 2.314 €/m²

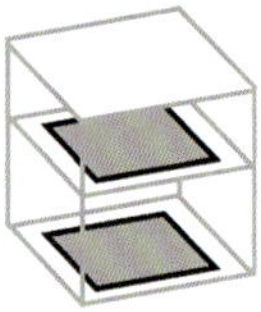

NUF 3.396 €/m²

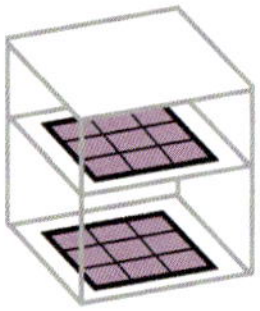

NE 33.021 €/NE

NE: Kinder

Objekt:
Kennwerte: 1. Ebene DIN 276
BRI: 1.812 m³
BGF: 428 m²
NUF: 292 m²
Bauzeit: 39 Wochen
Bauende: 2014
Standard: Durchschnitt
Bundesland: Niedersachsen
Kreis: Harburg

Architekt*in:
Bosse Westphal Schäffer Architekten
Löhnfeld 26
21423 Winsen/Luhe

in Kooperation mit
Dipl.-Ing. Architekt
Stefan Schmitt-Wenzel
Stadt Winsen/Luhe
(Hochbauabteilung)

Bauherr*in:
Stadt Winsen/Luhe,
Bürgermeister

© Bosse Westphal Schäffer Architekten

© Bosse Westphal Schäffer Architekten

© Bosse Westphal Schäffer Architekten

© Bosse Westphal Schäffer Architekten

© Bosse Westphal Schäffer Architekten

© Bosse Westphal Schäffer Architekten

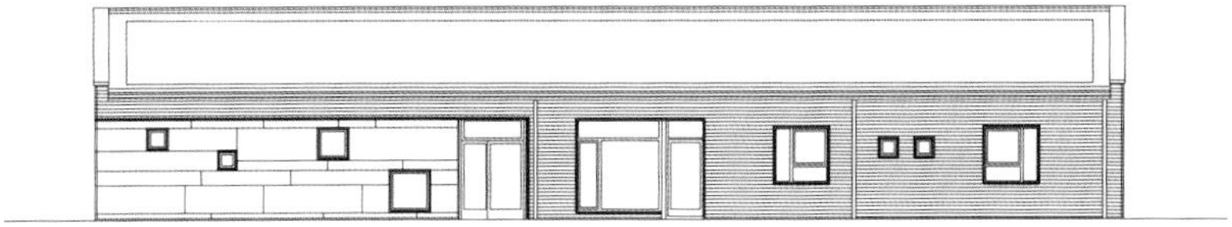

Ansicht Nord-Ost

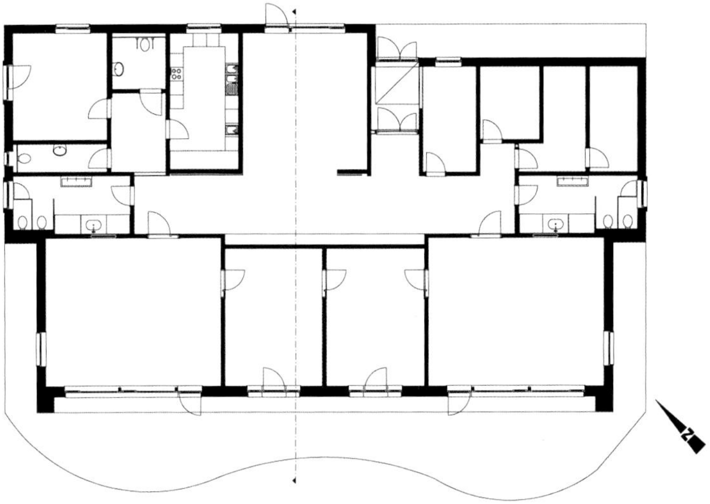

Erdgeschoss

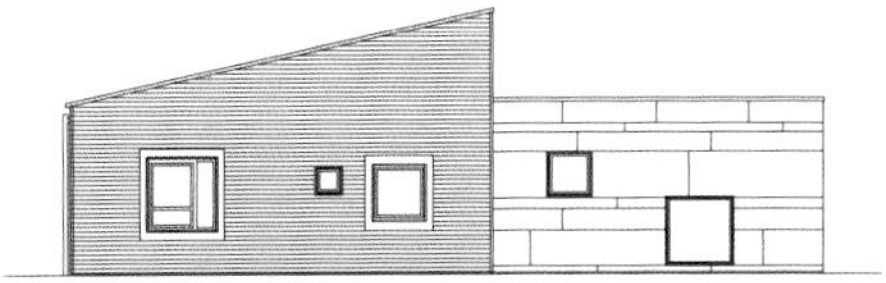

Ansicht Nord-West

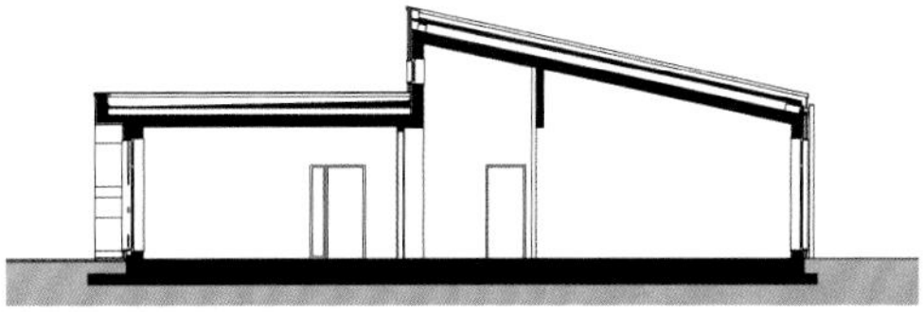

Schnitt

Ansicht Süd-West

Objektbeschreibung

Allgemeine Objektinformationen

Dieser Krippenneubau wurde in 10 Monaten Bauzeit in enger Zusammenarbeit mit der Stadt Winsen/Luhe realisiert. Es wurden hauptsächlich ökologische Baustoffe, wie z.B. Holz und Holzfasereinblasdämmung, verwendet.

Nutzung

1 Erdgeschoss
Gruppenräume (2St), Schlafräume (2St), Sanitärräume, behindertengerechtes WC, Küche, Mehrzweckraum, Putzmittelraum, Lagerraum, Personalraum, Technikraum, Windfang, Abstellräume

Nutzeinheiten

Gruppen: 2
Kinder: 30

Grundstück

Bauraum: Beengter Bauraum
Neigung: Ebenes Gelände
Bodenklasse: BK 1 bis BK 3

Markt

Hauptvergabezeit: 1. Quartal 2014
Baubeginn: 1. Quartal 2014
Bauende: 4. Quartal 2014
Konjunkturelle Gesamtlage: Durchschnitt
Regionaler Baumarkt: unter Durchschnitt

Besonderer Kosteneinfluss Markt:
Beschränkte Vergabe

Baukonstruktion

Der Neubau wurde in Holzrahmenbauweise errichtet. Die Gründung erfolgte über eine Stahlbetonbodenplatte, welche auf einer 25cm starken Schaumglasschotterschicht liegt. Das Dach ist zweigeteilt, ein Teil ist als Flachdach, ein Teil als Pultdach ausgeführt.

Technische Anlagen

Die Kindertagesstätte wird über einen Gas-Brennwertkessel mit Wärme versorgt. Die Verteilung erfolgt über eine Fußbodenheizung. Es wurde ein Zu- und Abluftgerät mit Wärmerückgewinnung eingebaut. Auf dem Dach befindet sich eine Photovoltaikanlage.

Planungskennwerte für Flächen und Rauminhalte nach DIN 277

Flächen des Grundstücks		Menge Einheit	% an GF
BF	Bebaute Fläche	428,02 m²	10,2
UF	Unbebaute Fläche	3.757,19 m²	89,8
GF	Grundstücksfläche	4.185,21 m²	100,0

Grundflächen des Bauwerks		Menge Einheit	% an NUF	% an BGF
NUF	Nutzungsfläche	291,72 m²	100,0	68,2
TF	Technikfläche	9,64 m²	3,3	2,3
VF	Verkehrsfläche	69,71 m²	23,9	16,3
NRF	Netto-Raumfläche	371,07 m²	127,2	86,7
KGF	Konstruktions-Grundfläche	56,95 m²	19,5	13,3
BGF	Brutto-Grundfläche	428,02 m²	146,7	100,0

Brutto-Rauminhalt des Bauwerks		Menge Einheit	BRI/NUF (m)	BRI/BGF (m)
BRI	Brutto-Rauminhalt	1.811,88 m³	6,21	4,23

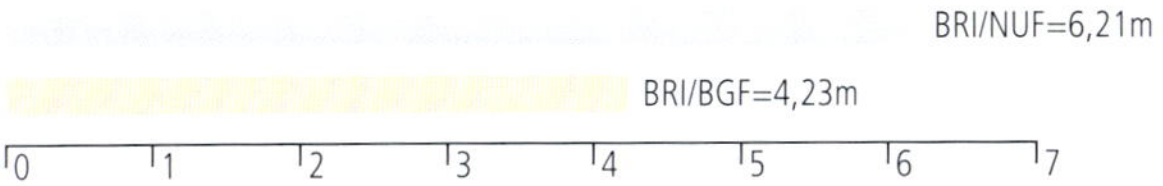

Kostenkennwerte für die Kostengruppen der 1. Ebene DIN 276

KG	Kostengruppen (1. Ebene)	Einheit	Kosten €	€/Einheit	€/m² BGF	€/m³ BRI	% 300+400
100	Grundstück	m² GF	–	–	–	–	–
200	Vorbereitende Maßnahmen	m² GF	38.827	9,28	90,71	21,43	3,9
300	Bauwerk – Baukonstruktionen	m² BGF	757.867	1.770,63	1.770,63	418,28	76,5
400	Bauwerk – Technische Anlagen	m² BGF	232.771	543,83	543,83	128,47	23,5
	Bauwerk 300+400	**m² BGF**	**990.638**	**2.314,47**	**2.314,47**	**546,75**	**100,0**
500	Außenanlagen und Freiflächen	m² AF	137.946	36,72	322,29	76,13	13,9
600	Ausstattung und Kunstwerke	m² BGF	59.888	139,92	139,92	33,05	6,0
700	Baunebenkosten	m² BGF	–	–	–	–	–
800	Finanzierung	m² BGF	–	–	–	–	–

KG	Kostengruppe	Menge Einheit	Kosten €	€/Einheit	%
200	**Vorbereitende Maßnahmen**	4.185,21 m² GF	38.827	**9,28**	3,9
	Erschließung Wasser, Abwasser, Gas, Strom, Telefon				
3+4	**Bauwerk**				**100,0**
300	**Bauwerk – Baukonstruktionen**	428,02 m² BGF	757.867	**1.770,63**	76,5
	Baugrubenaushub; Stb-Bodenplatte, Abdichtung, Dämmung, Heizestrich, Linoleum, Bodenfliesen, Schaumglasschotterschicht; Holzrahmenbauwände, KVH, Zellulosedämung, Holzfenster, Holzweichfaserplatte, Holz- und HPL-Fassade, hinterlüftet, Gipsfaser-Bekleidung, teilw. außenliegene Raffstores; Holzrahmenbauwände, Schiebetür, Gipsfaser-Bekleidung, Glaswand, Wandfliesen, WC-Trennwände; Holzbalkendach, Dämmung, Abdichtung, teilw. Schallschutzdecken, Dachentwässerung, Eingangsüberdachung				
400	**Bauwerk – Technische Anlagen**	428,02 m² BGF	232.771	**543,83**	23,5
	Gebäudeentwässerung, Kalt- und Warmwasserleitungen, Sanitärobjekte; Gas-Brennwertkessel, Fußbodenheizung; kontrollierte Be- und Entlüftung mit Wärmerückgewinnung; PV-Anlage (5,4kW); Elektroinstallation, Beleuchtung, Blitzschutzanlage; Telekommunikationsanlage, Rauchmelder				
500	**Außenanlagen und Freiflächen**	3.757,19 m² AF	137.946	**36,72**	13,9
	Geländebearbeitung; Wege, Terrassenbelag, Spielplatzflächen; Zaunanlage; Spielplatzgeräte, Abstellhäuschen; Oberbodenarbeiten, Pflanzen, Rollrasen				
600	**Ausstattung und Kunstwerke**	428,02 m² BGF	59.888	**139,92**	6,0
	Möblierung, Teppich, Kleininventar, Küche				

4400-0284
Kinderhort
(6 Gruppen)
(150 Kinder)
Effizienzhaus ~32%

Objektübersicht

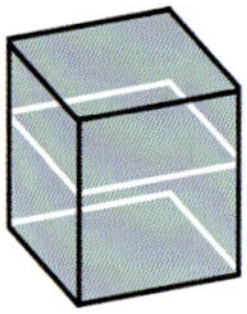

BRI 612 €/m³

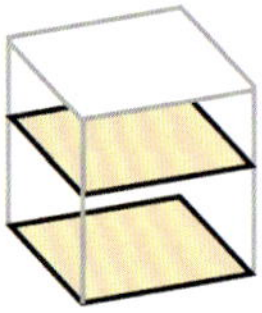

BGF 2.183 €/m²

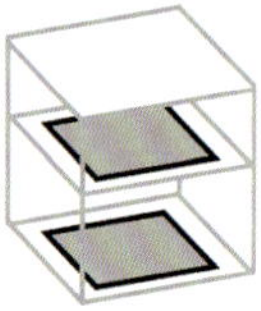

NUF 3.892 €/m²

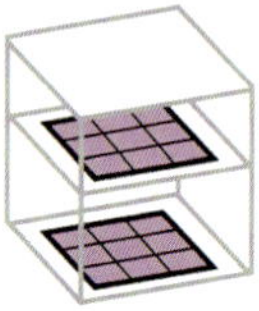

NE 25.325 €/NE
NE: Kinder

Objekt:
Kennwerte: 1. Ebene DIN 276
BRI: 6.211 m³
BGF: 1.740 m²
NUF: 976 m²
Bauzeit: 35 Wochen
Bauende: 2015
Standard: über Durchschnitt
Bundesland: Bayern
Kreis: Starnberg

Architekt*in:
Raum und Bau
Planungsgesellschaft mbH
Kirchenstraße 88
81675 München

Bauherr*in:
Gemeinde Gilching
Rathausplatz 1
82205 Gilching

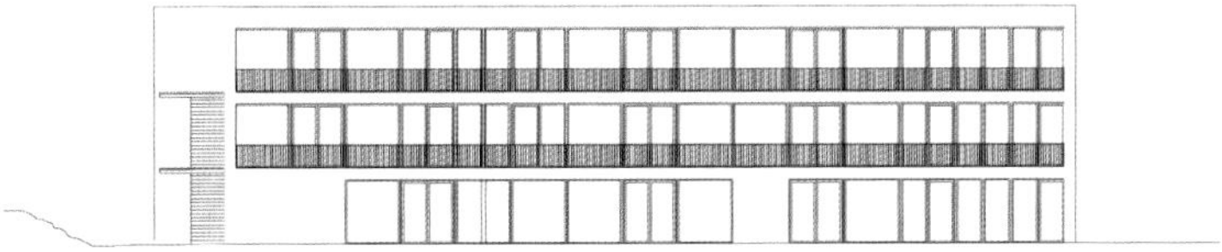

Ansicht Süd

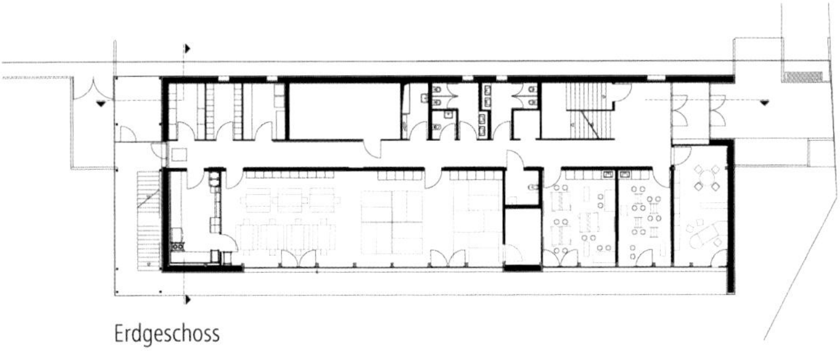

Erdgeschoss

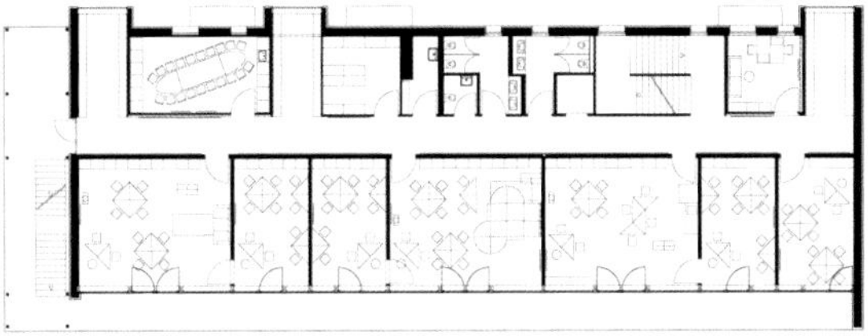

1. Obergeschoss

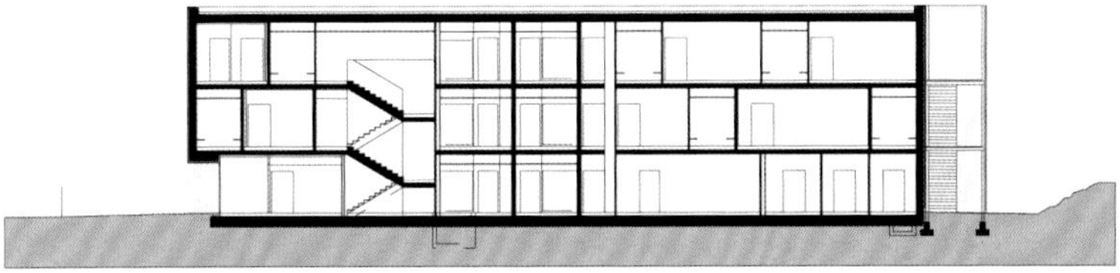

Längsschnitt

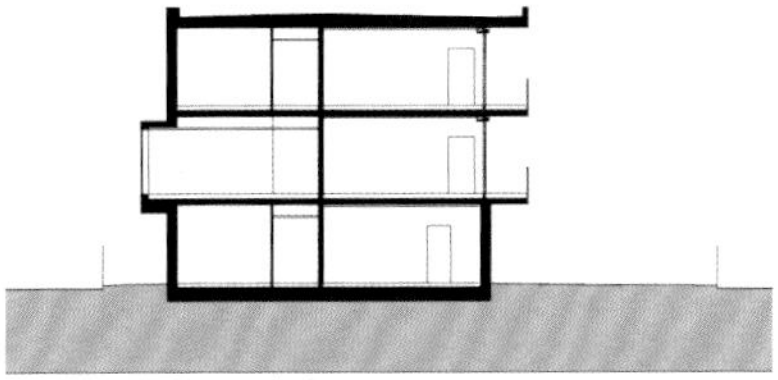

Querschnitt

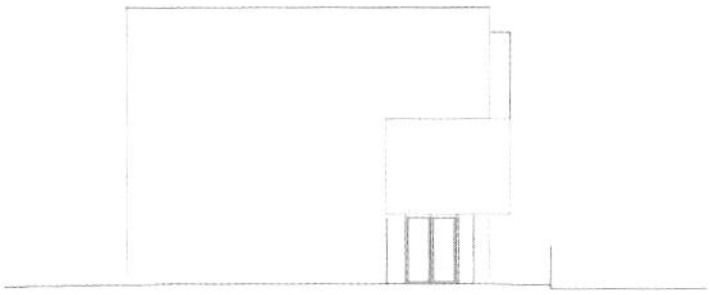

Ansicht Ost

4400-0284
Kinderhort
(6 Gruppen)
(150 Kinder)
Effizienzhaus ~32%

Objektbeschreibung

Allgemeine Objektinformationen

Der Kinderhort passt sich in das schmale Grundstück ein und bietet Platz für 150 Kinder. Sinnfällig reihen sich sämtliche Aufenthaltsräume auf der Südseite des dreigeschossigen Baukörpers aneinander. Der zurückgesetzte Eingangsbereich markiert nicht nur den Zugang, sondern bietet ausreichend Platz zum Ankommen. Das lichte Foyer mit dem offenen Treppenhaus ist Treffpunkt für Kinder, Erzieher und Eltern zugleich.

Nutzung

1 Erdgeschoss
Foyer, Werk- und Therapieraum, Mehrzweckraum, Speisesaal mit Küche, Leitungsbüro, Lagerräume, Technikraum

2 Obergeschosse
je 3 Gruppenräume mit Nebenraum und Garderobe (je 25 Kinder), je ein Hausaufgaben Intensivraum, Teamraum, Elternsprechzimmer, Verwaltungsraum, Lagerräume

Nutzeinheiten

Gruppen: 6
Kinder: 150

Grundstück

Bauraum: Freier Bauraum
Neigung: Ebenes Gelände
Bodenklasse: BK 3 bis BK 5

Markt

Hauptvergabezeit: 4. Quartal 2014
Baubeginn: 1. Quartal 2015
Bauende: 4. Quartal 2015
Konjunkturelle Gesamtlage: über Durchschnitt
Regionaler Baumarkt: unter Durchschnitt

Baukonstruktion

Der Kinderhort gründet auf einer unterseitig gedämmten Stahlbetonbodenplatte. Das Gebäude ist nicht unterkellert. Die Wand- und Deckenelemente des aufgehenden Baukörpers wurden aus massivem Brettsperrholz ausgeführt. Die verglasten Bauteile wurden mit dreifacher Isolierverglasung versehen. Für die Fassadenschalung wurden unbehandelte, sägeraue Lärchenbretter verwendet, in Teilbereichen, wie Erker und Untersicht der Balkondecken, wurden farbige Fassadenplatten aus Faserzement eingesetzt.

Technische Anlagen

Die Wärmeversorgung wird mit einer Wasser-Wasser-Wärmepumpe gewährleistet. Die Temperierung erfolgt mit Grundwasser über ein im gesamten Gebäude verlegtes Fußbodenheizsystem. Für einen hygienischen Grundluftwechsel, im gesamten Gebäude, sorgt eine Lüftungsanlage. Die Stromversorgung wird durch Photovoltaikelemente, welche auf dem Dach des dreigeschossigen Kinderhorts montiert sind, sichergestellt. Die Anforderung der EnEV 2014 wird um 69% unterschritten.

Planungskennwerte für Flächen und Rauminhalte nach DIN 277

Flächen des Grundstücks		Menge Einheit	% an GF
BF	Bebaute Fläche	610,79 m²	42,6
UF	Unbebaute Fläche	822,71 m²	57,4
GF	Grundstücksfläche	1.433,50 m²	100,0

Grundflächen des Bauwerks		Menge Einheit	% an NUF	% an BGF
NUF	Nutzungsfläche	975,97 m²	100,0	56,1
TF	Technikfläche	38,45 m²	3,9	2,2
VF	Verkehrsfläche	511,65 m²	52,4	29,4
NRF	Netto-Raumfläche	1.526,07 m²	156,4	87,7
KGF	Konstruktions-Grundfläche	214,25 m²	22,0	12,3
BGF	Brutto-Grundfläche	1.740,32 m²	178,3	100,0

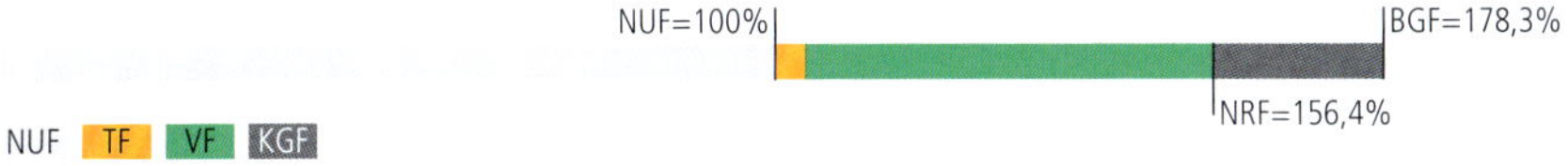

Brutto-Rauminhalt des Bauwerks		Menge Einheit	BRI/NUF (m)	BRI/BGF (m)
BRI	Brutto-Rauminhalt	6.211,25 m³	6,36	3,57

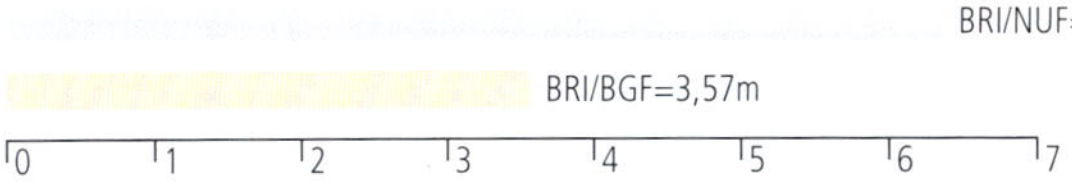

Kostenkennwerte für die Kostengruppen der 1. Ebene DIN 276

KG	Kostengruppen (1. Ebene)	Einheit	Kosten €	€/Einheit	€/m² BGF	€/m³ BRI	% 300+400
100	Grundstück	m² GF	–	–	–	–	–
200	Vorbereitende Maßnahmen	m² GF	–	–	–	–	–
300	Bauwerk – Baukonstruktionen	m² BGF	2.854.622	1.640,29	1.640,29	459,59	75,1
400	Bauwerk – Technische Anlagen	m² BGF	944.162	542,52	542,52	152,01	24,9
	Bauwerk 300+400	**m² BGF**	**3.798.784**	**2.182,81**	**2.182,81**	**611,60**	**100,0**
500	Außenanlagen und Freiflächen	m² AF	–	–	–	–	–
600	Ausstattung und Kunstwerke	m² BGF	–	–	–	–	–
700	Baunebenkosten	m² BGF	–	–	–	–	–
800	Finanzierung	m² BGF	–	–	–	–	–

KG	Kostengruppe	Menge Einheit	Kosten €	€/Einheit	%
3+4	**Bauwerk**				**100,0**
300	**Bauwerk – Baukonstruktionen**	1.740,32 m² BGF	2.854.622	**1.640,29**	75,1

Baugrubenaushub, Bodenaustausch (frostsicherer Kies), Stb-Bodenplatte, Abdichtung, gebundene Splittschüttung, Dämmung, Zement-Heizestrich, Linoleum, Industrieparkett, Bodenfliesen, Perimeterdämmung; massive Brettsperrholzwände, Holz-Alu-Fensterelemente, Holz-Alu-Türelemente (tlw. T30), Dreifachverglasung, Sonnenschutzverglasung (Fluchttüren), Stegträger, Zelluloseeinblasdämmung, hinterlüftete Lärche-Wechselfalz-Schalung, Faserzementplatten, textiler Sonnenschutz; massive Brettsperrholz-Innenwände, Holztüren, Mineralwoll-Schalldämmung, Fichte-Dreischichtplatten, GK-Bekleidung (Sanitärbereich); massive Brettsperrholzdecken, Stahl-Fluchttreppen, Dämmung, Zement-Heizestrich, Linoleum, Bodenfliesen, Gitterrost (Fluchttreppen), Holzbelag (Fluchtbalkone), Brettsperrholz-Akustikelemente, teilweise abgehängt (Flurbereich); massives Brettsperrholz-Flachdach, Gefälledämmung, Tonsplittschüttung, Photovoltaik-Unterkonstruktion mit integrierter Absturzsicherung

KG	Kostengruppe	Menge Einheit	Kosten €	€/Einheit	%
400	**Bauwerk – Technische Anlagen**	1.740,32 m² BGF	944.162	**542,52**	24,9

Gebäudeentwässerung, Kalt- und Warmwasserleitungen, Sanitärobjekte, elektrische Durchlauferhitzer; Grundwasser-Wärmepumpe, Fußbodenheizung; zentrales Lüftungsgerät mit Wärmerückgewinnung; Photovoltaikanlage, Elektroinstallation, LED-Beleuchtung (Aufenthaltsräume); Telefon- und Sprechanlage, Brandmeldeanlage, Netzwerkverkabelung mit passivem Datennetz und WLAN; Aufzugsanlage; Ausgabeküche, Waschmaschine, Wäschetrockner

4400-0288
Kinderkrippe
(1 Gruppe)
(12 Kinder)
Modulbau

Objektübersicht

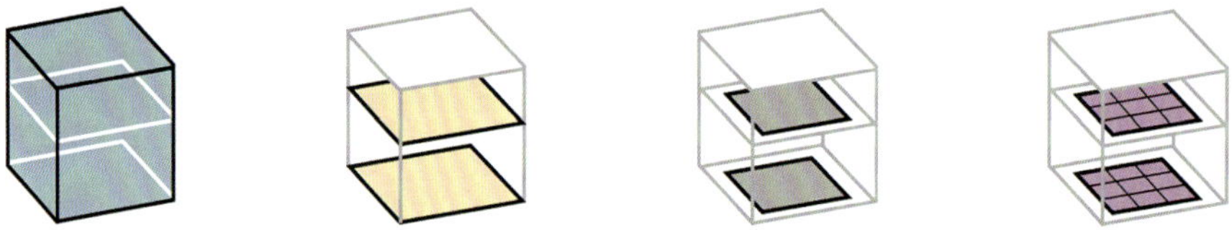

BRI 540€/m3 | BGF 1.920€/m2 | NUF 2.654€/m2 | NE 21.584€/NE

NE: Kinder

Objekt:
Kennwerte: 3. Ebene DIN 276
BRI: 480 m3
BGF: 135 m2
NUF: 98 m2
Bauzeit: 9 Wochen
Bauende: 2014
Standard: Durchschnitt
Bundesland: Niedersachsen
Kreis: Harburg

Architekt*in:
Bosse Westphal Schäffer
Architekten
Löhnfeld 26
21423 Winsen/Luhe

Bauherr*in:
Stadt Winsen/Luhe
Der Bürgermeister
21423 Winsen/Luhe

© Bosse Westphal Schäffer Architekten

© Bosse Westphal Schäffer Architekten

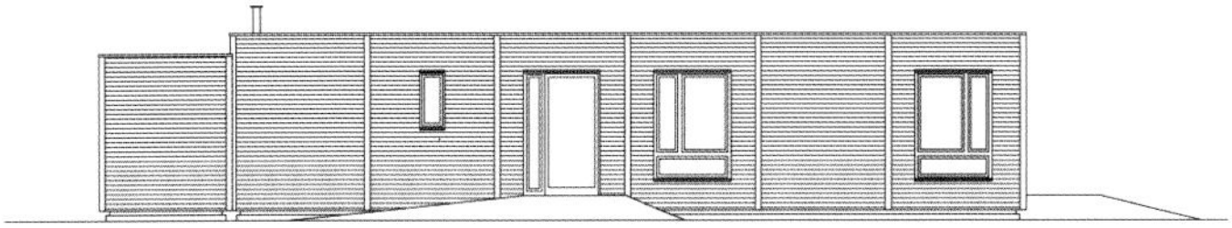

Ansicht Nord

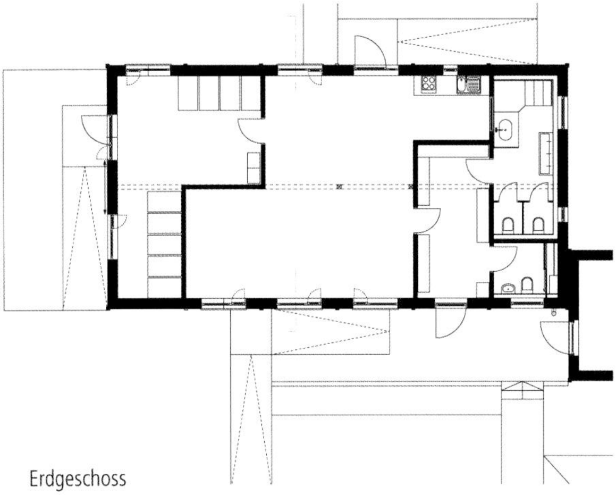

Erdgeschoss

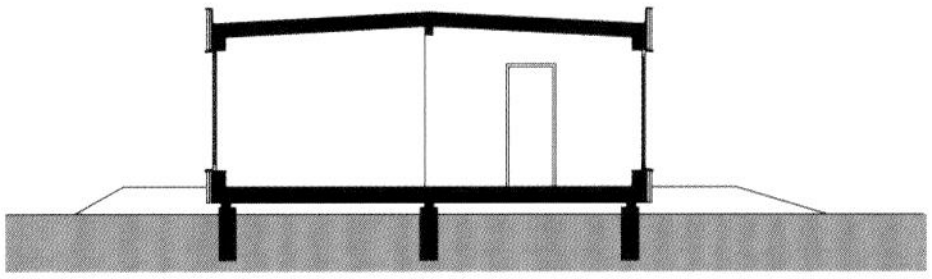

Schnitt

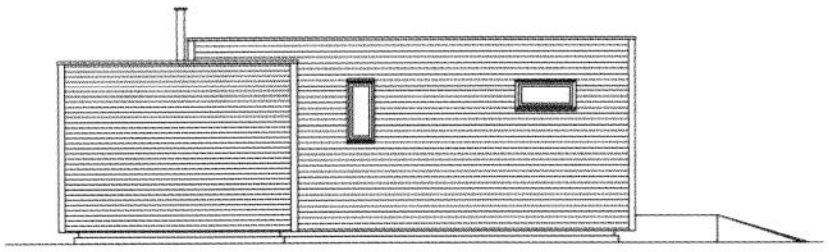

Ansicht Ost

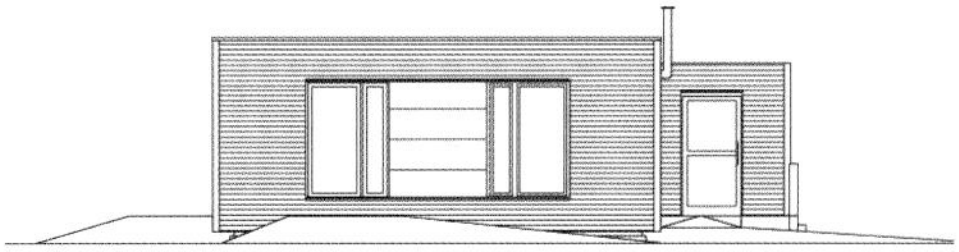

Ansicht West

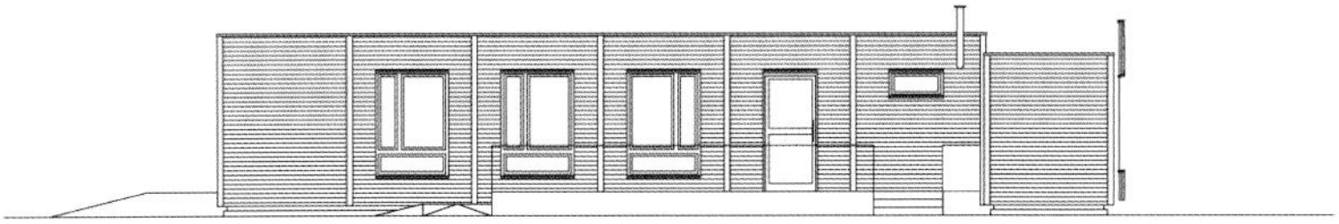

Ansicht Süd

4400-0288
Kinderkrippe
(1 Gruppe)
(12 Kinder)
Modulbau

Objektbeschreibung

Allgemeine Objektinformationen

Zum bestehenden Kindergarten wurde ein separat stehendes, eingeschossiges Nebengebäude aus sechs Modulen aufgestellt. Das siebte Modul wurde seitlich angestellt und dient als Abstellfläche für Kinderwägen oder als Lager. Die Module können zu einem späteren Zeitpunkt demontiert und an anderer Stelle wieder aufgestellt werden. In der neuen Kinderkrippe gibt es Platz für einen großen Gruppenraum mit integrierter Küche, einen Schlafraum, einen Eingangsbereich mit Garderobe, ein WC für Kinder mit Säuglingspflegebecken und ein WC für Personal mit integriertem Heizungs- und Putzmittelraum.

Nutzung

1 Erdgeschoss
Eingang/Garderobe, Gruppenraum, Schlafraum, WC-Kinder, WC- Personal, Heizungs- und Putzmittelraum, Kinderwagen/Lager

Nutzeinheiten

Gruppen: 1
Kinder: 12

Grundstück

Bauraum: Freier Bauraum
Neigung: Ebenes Gelände
Bodenklasse: BK 1 bis BK 3

Markt

Hauptvergabezeit: 1. Quartal 2014
Baubeginn: 1. Quartal 2014
Bauende: 2. Quartal 2014
Konjunkturelle Gesamtlage: Durchschnitt
Regionaler Baumarkt: unter Durchschnitt

Baukonstruktion

Die Module bestehen weitgehend aus ökologischen Baustoffen und wurden in Holzrahmenkonstruktion vorgefertigt. Sie wurden komplett geliefert und vor Ort auf einem Schwellenkranz auf Streifenfundamente aufgesetzt und gekoppelt. Die Holzfenster wurden mit Dreifachverglasung ausgeführt. Die Attika wurde durch die Konterlattung der vorgehängten Stülpschalung ausgebildet und verdeckt das Satteldach.

Technische Anlagen

Die Beheizung erfolgt über eine eingebaute Gas-Brennwerttherme. Die Wärme wird über Heizkörper an die Räume abgegeben.

Sonstiges

In den Außenanlagen wurden Wege mit Betonplatten verlegt und die Stellplatzflächen als wassergebundene Decke gestaltet.

Planungskennwerte für Flächen und Rauminhalte nach DIN 277

Flächen des Grundstücks		Menge Einheit	% an GF
BF	Bebaute Fläche	134,87 m²	9,5
UF	Unbebaute Fläche	1.280,13 m²	90,5
GF	Grundstücksfläche	1.415,00 m²	100,0

Grundflächen des Bauwerks		Menge Einheit	% an NUF	% an BGF
NUF	Nutzungsfläche	97,60 m²	100,0	72,4
TF	Technikfläche	0,70 m²	0,7	0,5
VF	Verkehrsfläche	12,53 m²	12,8	9,3
NRF	Netto-Raumfläche	110,83 m²	113,6	82,2
KGF	Konstruktions-Grundfläche	24,04 m²	24,6	17,8
BGF	Brutto-Grundfläche	134,87 m²	138,2	100,0

Brutto-Rauminhalt des Bauwerks		Menge Einheit	BRI/NUF (m)	BRI/BGF (m)
BRI	Brutto-Rauminhalt	479,87 m³	4,92	3,56

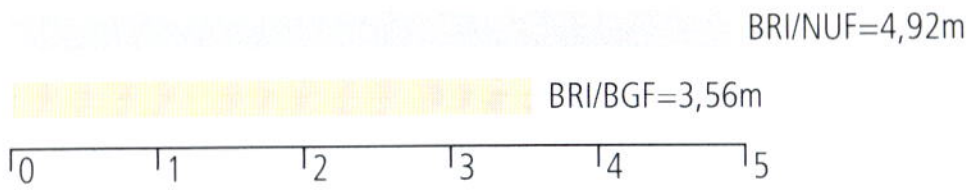

Lufttechnisch behandelte Flächen	Menge Einheit	% an NUF	% an BGF
Entlüftete Fläche	–	–	–
Be- und entlüftete Fläche	–	–	–
Teilklimatisierte Fläche	–	–	–
Klimatisierte Fläche	–	–	–

KG	Kostengruppen (2. Ebene)	Menge Einheit	Menge/NUF	Menge/BGF
310	Baugrube / Erdbau	25,52 m³ BGI	0,26	0,19
320	Gründung, Unterbau	129,62 m² GRF	1,33	0,96
330	Außenwände/Vertikale Baukonstruktionen, außen	167,31 m² AWF	1,71	1,24
340	Innenwände/Vertikale Baukonstruktionen, innen	93,63 m² IWF	0,96	0,69
350	Decken / horizontal	–	–	–
360	Dächer	131,20 m² DAF	1,34	0,97

Kostenkennwerte für die Kostengruppen der 1. Ebene DIN 276

KG	Kostengruppen (1. Ebene)	Einheit	Kosten €	€/Einheit	€/m²BGF	€/m³BRI	% 300+400
100	Grundstück	m²GF	–	–	–	–	–
200	Vorbereitende Maßnahmen	m²GF	–	–	–	–	–
300	Bauwerk – Baukonstruktionen	m²BGF	217.156	1.610,12	1.610,12	452,53	83,8
400	Bauwerk – Technische Anlagen	m²BGF	41.851	310,30	310,30	87,21	16,2
	Bauwerk 300+400	**m²BGF**	**259.007**	**1.920,42**	**1.920,42**	**539,74**	**100,0**
500	Außenanlagen und Freiflächen	m²AF	49.252	118,32	365,18	102,64	19,0
600	Ausstattung und Kunstwerke	m²BGF	24.706	183,18	183,18	51,48	9,5
700	Baunebenkosten	m²BGF	–	–	–	–	–
800	Finanzierung	m²BGF	–	–	–	–	–

KG	Kostengruppe	Menge Einheit	Kosten €	€/Einheit	%
3+4	**Bauwerk**				**100,0**
300	**Bauwerk – Baukonstruktionen**	134,87 m²BGF	217.156	**1.610,12**	83,8

Fundamente, Schwellenkranz, Modulboden, Holzrahmenkonstruktion, Dämmung, Parkett, Linoleum; Holzfenster, Eingangstüren, Stülpschalung, HPL-Bekleidung, Modulaußenwände, Holzrahmenkonstruktion; Stützen, Holztüren, Beschichtung, Wandfliesen, Modul-Holzrahmenwände, Trennwandanlagen; Dachabdichtung, Dachentwässerung, Modulsatteldach, Dachbalken; Einbauküche

KG	Kostengruppe	Menge Einheit	Kosten €	€/Einheit	%
400	**Bauwerk – Technische Anlagen**	134,87 m²BGF	41.851	**310,30**	16,2

Gebäudeentwässerung, Kalt- und Warmwasserleitungen, Hygienespülung, Sanitärobjekte; Gas-Brennwerttherme, Gasleitungen, Heizungsrohre, Heizkörper; Elektroinstallation, Beleuchtung, Blitzschutz; Rauchwarn- und Thermomelder, Telefon-Erdkabel

KG	Kostengruppe	Menge Einheit	Kosten €	€/Einheit	%
500	**Außenanlagen und Freiflächen**	416,26 m²AF	49.252	**118,32**	19,0

Bodenarbeiten; Betonplatten, wassergebundene Decke, Gitterroste; Zaun, Blockstufen; Oberflächenentwässerung; Blumenkasten, Spielplatzschild einbauen; Oberboden, Rasen

KG	Kostengruppe	Menge Einheit	Kosten €	€/Einheit	%
600	**Ausstattung und Kunstwerke**	134,87 m²BGF	24.706	**183,18**	9,5

Kindergarteneinrichtung und -ausstattung

Kostenkennwerte für die Kostengruppen 300 der 2. und 3. Ebene DIN 276 (Übersicht)

KG	Kostengruppe	Menge Einheit	€/Einheit	Kosten €	% an 3+4
300	**Bauwerk – Baukonstruktionen**	**134,87 m² BGF**	**1.610,12**	**217.156,37**	**83,8**
310	**Baugrube / Erdbau**	**25,52 m³ BGI**	**64,59**	**1.648,33**	**0,6**
311	Herstellung	25,52 m³ BGI	64,59	1.648,33	0,6
312	Umschließung	–	–	–	–
313	Wasserhaltung	–	–	–	–
314	Vortrieb	–	–	–	–
319	Sonstiges zur KG 310	–	–	–	–
320	**Gründung, Unterbau**	**129,62 m² GRF**	**354,18**	**45.908,94**	**17,7**
321	Baugrundverbesserung	–	–	–	–
322	Flachgründungen und Bodenplatten	129,62 m²	264,06	34.226,86	13,2
323	Tiefgründungen	–	–	–	–
324	Gründungsbeläge	111,92 m²	104,38	11.682,08	4,5
325	Abdichtungen und Bekleidungen	–	–	–	–
326	Dränagen	–	–	–	–
329	Sonstiges zur KG 320	–	–	–	–
330	**Außenwände/Vert. Baukonstrukt., außen**	**167,31 m² AWF**	**542,88**	**90.826,50**	**35,1**
331	Tragende Außenwände	–	–	–	–
332	Nichttragende Außenwände	–	–	–	–
333	Außenstützen	–	–	–	–
334	Außenwandöffnungen	28,51 m²	964,10	27.481,66	10,6
335	Außenwandbekleidungen, außen	184,56 m²	129,44	23.889,23	9,2
336	Außenwandbekleidungen, innen	133,59 m²	48,42	6.468,78	2,5
337	Element. Außenwandkonstruktionen	138,80 m²	237,66	32.986,83	12,7
338	Lichtschutz zur KG 330	–	–	–	–
339	Sonstiges zur KG 330	–	–	–	–
340	**Innenwände/Vert. Baukonstrukt., innen**	**93,63 m² IWF**	**257,29**	**24.089,39**	**9,3**
341	Tragende Innenwände	–	–	–	–
342	Nichttragende Innenwände	–	–	–	–
343	Innenstützen	5,30 m	34,29	181,72	< 0,1
344	Innenwandöffnungen	7,64 m²	617,03	4.716,59	1,8
345	Innenwandbekleidungen	141,55 m²	25,34	3.587,54	1,4
346	Elementierte Innenwandkonstruktionen	85,99 m²	181,47	15.603,55	6,0
347	Lichtschutz zur KG 340	–	–	–	–
349	Sonstiges zur KG 340	–	–	–	–
350	**Decken/Horizontale Baukonstruktionen**	**–**	**–**	**–**	**–**
351	Deckenkonstruktionen	–	–	–	–
352	Deckenöffnungen	–	–	–	–
353	Deckenbeläge	–	–	–	–
354	Deckenbekleidungen	–	–	–	–
355	Elementierte Deckenkonstruktionen	–	–	–	–
359	Sonstiges zur KG 350	–	–	–	–
360	**Dächer**	**131,20 m² DAF**	**312,69**	**41.025,37**	**15,8**
361	Dachkonstruktionen	–	–	–	–
362	Dachöffnungen	–	–	–	–
363	Dachbeläge	155,54 m²	91,55	14.239,91	5,5
364	Dachbekleidungen	111,92 m²	20,35	2.277,03	0,9
365	Elementierte Dachkonstruktionen	131,20 m²	184,94	24.263,66	9,4
366	Lichtschutz zur KG 360	–	–	–	–
369	Sonstiges zur KG 360	131,20 m² DAF	1,87	244,78	< 0,1
370	**Infrastrukturanlagen**	**–**	**–**	**–**	**–**
380	**Baukonstruktive Einbauten**	**134,87 m² BGF**	**59,22**	**7.987,49**	**3,1**
390	**Sonst. Maßnahmen für Baukonstrukt.**	**134,87 m² BGF**	**42,04**	**5.670,35**	**2,2**

Kostenkennwerte für die Kostengruppen 400 der 2. und 3. Ebene DIN 276 (Übersicht)

KG	Kostengruppe	Menge Einheit	€/Einheit	Kosten €	% an 3+4
400	**Bauwerk – Technische Anlagen**	**134,87 m²BGF**	**310,30**	**41.850,79**	**16,2**
410	**Abwasser-, Wasser-, Gasanlagen**	**134,87 m²BGF**	**113,16**	**15.261,23**	**5,9**
411	Abwasseranlagen	134,87 m²BGF	14,82	1.998,99	0,8
412	Wasseranlagen	134,87 m²BGF	87,47	11.796,96	4,6
413	Gasanlagen	–	–	–	–
419	Sonstiges zur KG 410	134,87 m²BGF	10,86	1.465,28	0,6
420	**Wärmeversorgungsanlagen**	**134,87 m²BGF**	**97,06**	**13.089,85**	**5,1**
421	Wärmeerzeugungsanlagen	134,87 m²BGF	49,35	6.656,42	2,6
422	Wärmeverteilnetze	134,87 m²BGF	18,25	2.462,02	1,0
423	Raumheizflächen	134,87 m²BGF	29,45	3.971,43	1,5
424	Verkehrsheizflächen	–	–	–	–
429	Sonstiges zur KG 420	–	–	–	–
430	**Raumlufttechnische Anlagen**	**–**	**–**	**–**	**–**
431	Lüftungsanlagen	–	–	–	–
432	Teilklimaanlagen	–	–	–	–
433	Klimaanlagen	–	–	–	–
434	Kälteanlagen	–	–	–	–
439	Sonstiges zur KG 430	–	–	–	–
440	**Elektrische Anlagen**	**134,87 m²BGF**	**96,47**	**13.011,03**	**5,0**
441	Hoch- und Mittelspannungsanlagen	–	–	–	–
442	Eigenstromversorgungsanlagen	–	–	–	–
443	Niederspannungsschaltanlagen	–	–	–	–
444	Niederspannungsinstallationsanlagen	134,87 m²BGF	65,00	8.767,10	3,4
445	Beleuchtungsanlagen	134,87 m²BGF	14,76	1.990,35	0,8
446	Blitzschutz- und Erdungsanlagen	134,87 m²BGF	16,71	2.253,59	0,9
447	Fahrleitungssysteme	–	–	–	–
449	Sonstiges zur KG 440	–	–	–	–
450	**Kommunikationstechnische Anlagen**	**134,87 m²BGF**	**3,62**	**488,69**	**0,2**
451	Telekommunikationsanlagen	–	–	–	–
452	Such- und Signalanlagen	–	–	–	–
453	Zeitdienstanlagen	–	–	–	–
454	Elektroakustische Anlagen	–	–	–	–
455	Audiovisuelle Medien- u. Antennenanl.	–	–	–	–
456	Gefahrenmelde- und Alarmanlagen	134,87 m²BGF	1,90	256,52	< 0,1
457	Datenübertragungsnetze	134,87 m²BGF	1,72	232,16	< 0,1
458	Verkehrsbeeinflussungsanlagen	–	–	–	–
459	Sonstiges zur KG 450	–	–	–	–
460	**Förderanlagen**	**–**	**–**	**–**	**–**
461	Aufzugsanlagen	–	–	–	–
462	Fahrtreppen, Fahrsteige	–	–	–	–
463	Befahranlagen	–	–	–	–
464	Transportanlagen	–	–	–	–
465	Krananlagen	–	–	–	–
466	Hydraulikanlagen	–	–	–	–
469	Sonstiges zur KG 460	–	–	–	–
470	**Nutzungsspez. u. verfahrenstechn. Anl.**	**–**	**–**	**–**	**–**
480	**Gebäude- und Anlagenautomation**	**–**	**–**	**–**	**–**
490	**Sonst. Maßnahmen für techn. Anlagen**	**–**	**–**	**–**	**–**

Kostenkennwerte für Leistungsbereiche nach STLB (Kosten des Bauwerks nach DIN 276)

LB	Leistungsbereiche	Kosten €	€/m² BGF	€/m³ BRI	% an 3+4
000	Sicherheits-, Baustelleneinrichtungen inkl. 001	5.133	38,10	10,70	2,0
002	Erdarbeiten	1.648	12,20	3,40	0,6
006	Spezialtiefbauarbeiten inkl. 005	–	–	–	–
009	Entwässerungskanalarbeiten inkl. 011	–	–	–	–
010	Drän- und Versickerarbeiten	–	–	–	–
012	Mauerarbeiten	–	–	–	–
013	Betonarbeiten	10.822	80,20	22,60	4,2
014	Natur-, Betonwerksteinarbeiten	–	–	–	–
016	Zimmer- und Holzbauarbeiten	97.047	719,60	202,20	37,5
017	Stahlbauarbeiten	–	–	–	–
018	Abdichtungsarbeiten	–	–	–	–
019	Kampfmittelräumarbeiten	–	–	–	–
020	Dachdeckungsarbeiten	–	–	–	–
021	Dachabdichtungsarbeiten	6.599	48,90	13,80	2,5
022	Klempnerarbeiten	6.780	50,30	14,10	2,6
	Rohbau	**128.030**	**949,30**	**266,80**	**49,4**
023	Putz- und Stuckarbeiten, Wärmedämmsysteme	–	–	–	–
024	Fliesen- und Plattenarbeiten	3.515	26,10	7,30	1,4
025	Estricharbeiten	–	–	–	–
026	Fenster, Außentüren inkl. 029, 032	27.482	203,80	57,30	10,6
027	Tischlerarbeiten	4.543	33,70	9,50	1,8
028	Parkettarbeiten, Holzpflasterarbeiten	8.888	65,90	18,50	3,4
030	Rollladenarbeiten	–	–	–	–
031	Metallbauarbeiten inkl. 035	–	–	–	–
034	Maler- und Lackiererarbeiten inkl. 037	6.897	51,10	14,40	2,7
036	Bodenbelagarbeiten	2.794	20,70	5,80	1,1
038	Vorgehängte hinterlüftete Fassaden	21.728	161,10	45,30	8,4
039	Trockenbauarbeiten	4.753	35,20	9,90	1,8
	Ausbau	**80.601**	**597,60**	**168,00**	**31,1**
040	Wärmeversorgungsanl. - Betriebseinr. inkl. 041	13.004	96,40	27,10	5,0
042	Gas- und Wasserinstallation, Leitungen inkl. 043	2.920	21,60	6,10	1,1
044	Abwasseranlagen - Leitungen	1.999	14,80	4,20	0,8
045	GWE-Einrichtungsgegenstände inkl. 046	10.250	76,00	21,40	4,0
047	Dämmarbeiten an betriebstechnischen Anlagen	178	1,30	0,37	< 0,1
049	Feuerlöschanlagen, Feuerlöschgeräte	–	–	–	–
050	Blitzschutz- und Erdungsanlagen	2.254	16,70	4,70	0,9
053	Niederspannungsanlagen inkl. 052, 054	8.767	65,00	18,30	3,4
055	Sicherheits- u. Ersatzstromversorgungsanl.	–	–	–	–
057	Gebäudesystemtechnik	–	–	–	–
058	Leuchten und Lampen inkl. 059	1.990	14,80	4,10	0,8
060	Sprechanlagen, elektroakust. Anlagen inkl. 064	–	–	–	–
061	Kommunikationsnetze inkl. 063	489	3,60	1,00	0,2
069	Aufzüge	–	–	–	–
070	Gebäudeautomation	–	–	–	–
075	Raumlufttechnische Anlagen inkl. 078	–	–	–	–
	Gebäudetechnik	**41.851**	**310,30**	**87,20**	**16,2**
084	Abbruch, Rückbau, Schadstoffsanierung	–	–	–	–
	Abbrucharbeiten	**–**	**–**	**–**	**–**
	Sonstige Leistungsbereiche	**8.525**	**63,20**	**17,80**	**3,3**

4400-0298
Kinderhort
(2 Gruppen)
(40 Kinder)
Effizienzhaus ~30%

Objektübersicht

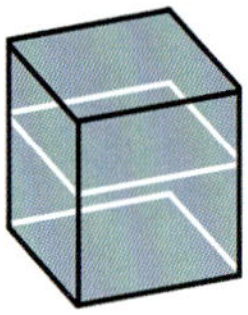

BRI 633 €/m³

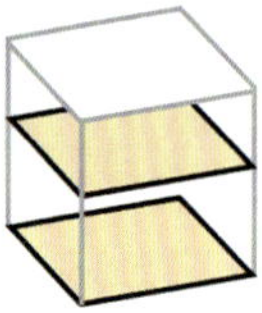

BGF 2.685 €/m²

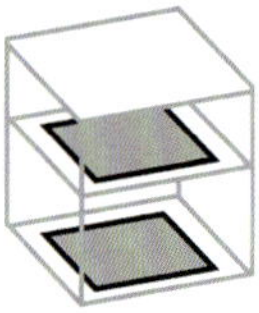

NUF 4.576 €/m²

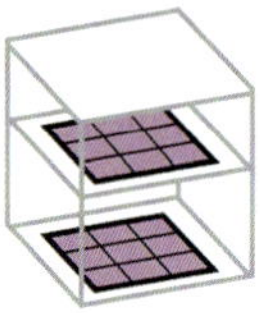

NE 21.270 €/NE

NE: Kinder

Objekt:
Kennwerte: 3. Ebene DIN 276
BRI: 1.343 m³
BGF: 317 m²
NUF: 186 m²
Bauzeit: 22 Wochen
Bauende: 2016
Standard: Durchschnitt
Bundesland: Niedersachsen
Kreis: Lüchow-Dannenberg

Architekt*in:
ralf pohlmann
architekten
Kiefen 26
29496 Waddeweitz

Bauherr*in:
Samtgemeinde Lüchow
29439 Lüchow (Wendland)

© Rainer Erhard

© Rainer Erhard

© Rainer Erhard

© Rainer Erhard

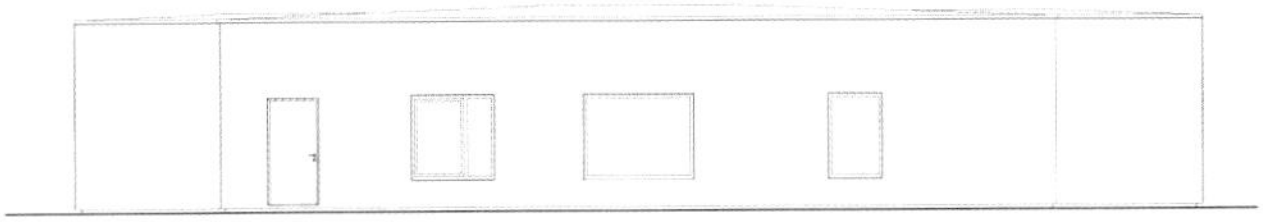

Ansicht Nord

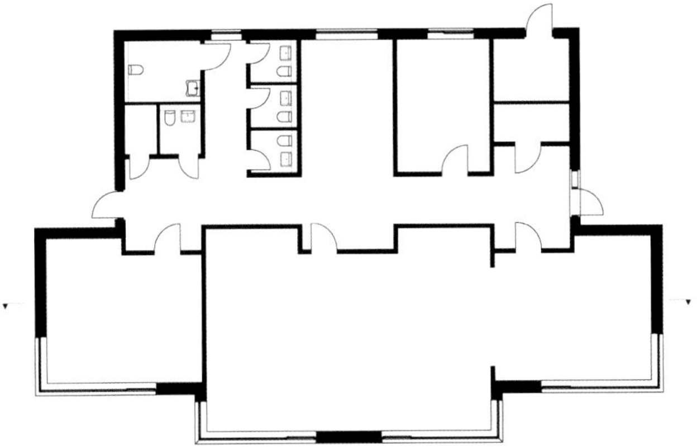

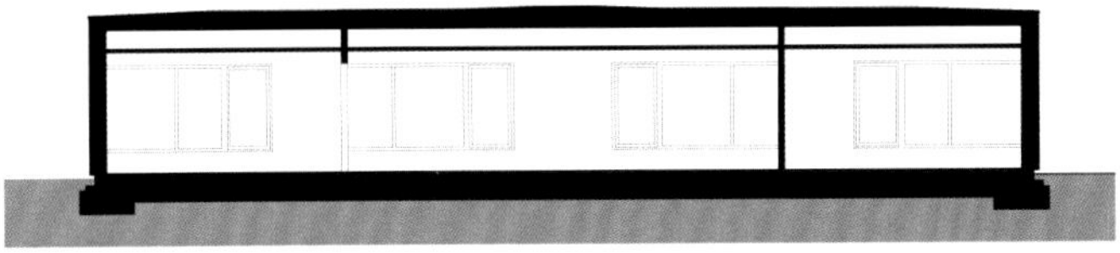

Schnitt

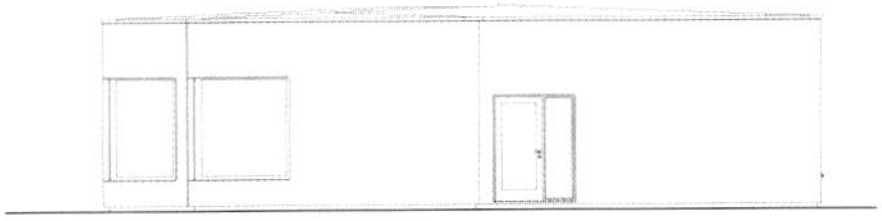

Ansicht West

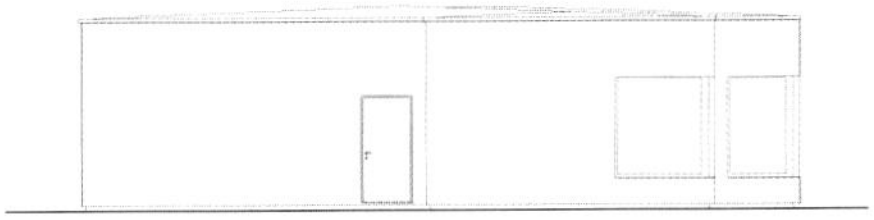

Ansicht Ost

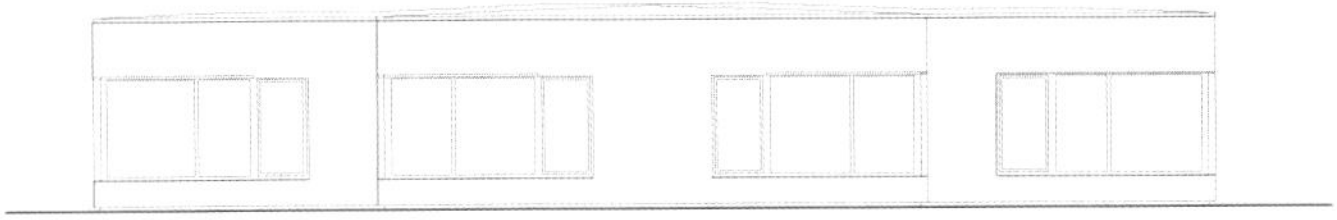

Ansicht Süd

4400-0298
Kinderhort
(2 Gruppen)
(40 Kinder)
Effizienzhaus ~30%

Objektbeschreibung

Allgemeine Objektinformationen

Das Hortgebäude wurde als Ergänzung der neuen Grundschule gebaut und beherbergt für eine Übergangszeit von etwa vier Jahren eine fünfte Lernlandschaft mit zwei Inputräumen. Danach wird das Gebäude als Hort genutzt, in dem zwei Gruppen mit insgesamt 40 Kindern Platz finden. Dazu sind bereits Vorbereitungen für das Einsetzen einer weiteren Tür und das Einziehen von zwei weiteren Wänden getroffen worden. Schule und Hort befinden sich auf einem Grundstück und werden durch einen gemeinsam genutzten Außenbereich miteinander verbunden. Städtebaulich orientiert sich das Hortgebäude im Gegensatz zur Schule zur Straße hin.

Nutzung

1 Erdgeschoss
Temporäre Nutzung als Ergänzung für Grundschule: Unterrichtsraum, zwei Inputräume, Büro, Sanitärbereich, Technik, Lager

Spätere Nutzung: Hort für zwei Gruppen mit insgesamt 40 Kindern

Nutzeinheiten

Kinder: 40
Klassen: 1
Schüler: 40

Grundstück

Bauraum: Freier Bauraum
Neigung: Ebenes Gelände
Bodenklasse: BK 1 bis BK 4

Markt

Hauptvergabezeit: 1. Quartal 2016
Baubeginn: 2. Quartal 2016
Bauende: 3. Quartal 2016
Konjunkturelle Gesamtlage: Durchschnitt
Regionaler Baumarkt: unter Durchschnitt

Baukonstruktion

Das Gebäude ist als eingeschossiger Holzrahmenbau konzipiert. Die Gründung erfolgt über eine Stahlbetonbodenplatte auf druckfester Perimeterdämmung. Die vertikale Holzfassade wurde mit Zellulose gedämmt und mit Alufenstern ausgestattet. Das Dach hat eine Gefälledämmung mit Folienabdichtung. Innen sind die Fußböden mit Nadelvlies, Linoleum oder Fliesen belegt. Alle Außenbauteile wurden im Passivhausstandard ausgeführt.

Technische Anlagen

Das Gebäude wird über ein Fernleitungsnetz mit Wärme versorgt. Eine maschinelle Be- und Entlüftungsanlage mit hocheffizienter Wärmerückgewinnung versorgt alle Räume mit Frischluft. Ein speziell erarbeitetes Beleuchtungskonzept stellt überall eine biologisch aktive Beleuchtungsstärke von 1.000lux sicher. Die Steuerung erfolgt über Präsenzmelder. Der Primärenergieverbrauch beträgt 34,0kWh/m²a.

Sonstiges

Die Möblierung wurde individuell zusammen mit dem Gebäude entwickelt, um den Kindern optimale Lernbedingungen zu bieten. Das Gebäude ist barrierefrei.

Planungskennwerte für Flächen und Rauminhalte nach DIN 277

Flächen des Grundstücks		Menge Einheit	% an GF
BF	Bebaute Fläche	1.471,43 m²	14,0
UF	Unbebaute Fläche	9.030,57 m²	86,0
GF	Grundstücksfläche	10.502,00 m²	100,0

Grundflächen des Bauwerks		Menge Einheit	% an NUF	% an BGF
NUF	Nutzungsfläche	185,92 m²	100,0	58,7
TF	Technikfläche	7,02 m²	3,8	2,2
VF	Verkehrsfläche	72,83 m²	39,2	23,0
NRF	Netto-Raumfläche	265,77 m²	142,9	83,9
KGF	Konstruktions-Grundfläche	51,06 m²	27,5	16,1
BGF	Brutto-Grundfläche	316,83 m²	170,4	100,0

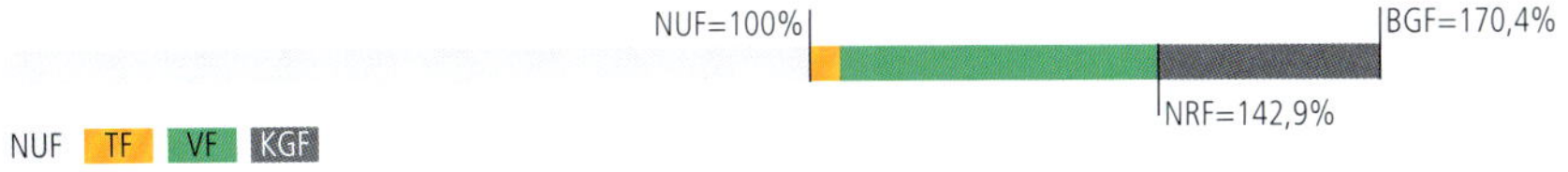

Brutto-Rauminhalt des Bauwerks		Menge Einheit	BRI/NUF (m)	BRI/BGF (m)
BRI	Brutto-Rauminhalt	1.343,34 m³	7,23	4,24

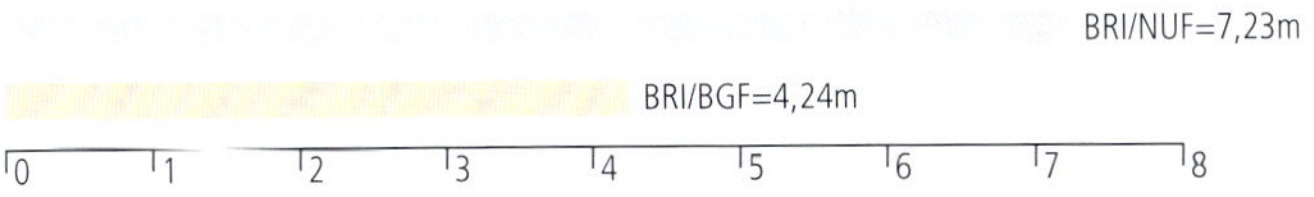

Lufttechnisch behandelte Flächen	Menge Einheit	% an NUF	% an BGF
Entlüftete Fläche	–	–	–
Be- und entlüftete Fläche	–	–	–
Teilklimatisierte Fläche	–	–	–
Klimatisierte Fläche	–	–	–

KG	Kostengruppen (2. Ebene)	Menge Einheit	Menge/NUF	Menge/BGF
310	Baugrube / Erdbau	360,00 m³ BGI	1,94	1,14
320	Gründung, Unterbau	298,85 m² GRF	1,61	0,94
330	Außenwände/Vertikale Baukonstruktionen, außen	330,16 m² AWF	1,78	1,04
340	Innenwände/Vertikale Baukonstruktionen, innen	314,71 m² IWF	1,69	0,99
350	Decken / horizontal	–	–	–
360	Dächer	320,00 m² DAF	1,72	1,01

Kostenkennwerte für die Kostengruppen der 1. Ebene DIN 276

KG	Kostengruppen (1. Ebene)	Einheit	Kosten €	€/Einheit	€/m² BGF	€/m³ BRI	% 300+400
100	Grundstück	m² GF	–	–	–	–	–
200	Vorbereitende Maßnahmen	m² GF	8.094	0,77	25,55	6,03	1,0
300	Bauwerk – Baukonstruktionen	m² BGF	604.044	1.906,52	1.906,52	449,66	71,0
400	Bauwerk – Technische Anlagen	m² BGF	246.770	778,87	778,87	183,70	29,0
	Bauwerk 300+400	**m² BGF**	**850.814**	**2.685,40**	**2.685,40**	**633,36**	**100,0**
500	Außenanlagen und Freiflächen	m² AF	–	–	–	–	–
600	Ausstattung und Kunstwerke	m² BGF	8.796	27,76	27,76	6,55	1,0
700	Baunebenkosten	m² BGF	–	–	–	–	–
800	Finanzierung	m² BGF	–	–	–	–	–

KG	Kostengruppe	Menge Einheit	Kosten €	€/Einheit	%
200	**Vorbereitende Maßnahmen**	10.502,00 m² GF	8.094	**0,77**	1,0
	Oberboden abtragen, Hausanschlüsse für Wasser, Abwasser, Elektro				
3+4	**Bauwerk**				**100,0**
300	**Bauwerk – Baukonstruktionen**	316,83 m² BGF	604.044	**1.906,52**	71,0
	Stb-Bodenplatte, Abdichtung, Trockenestrich, Nadelvlies, Linoleum, Fliesen, Perimeterdämmung; Holzrahmenwände, Stahlstützen, Alufenster, Alu-Glas-Türen, hinterlüftete Holzfassade, GKF-Bekleidungen, Beschichtungen; Holzständerwände, GK-Wände, Holztüren; Flachdach, Dämmung, Abdichtung, Dachentwässerung, abgehängte Akustikdecken				
400	**Bauwerk – Technische Anlagen**	316,83 m² BGF	246.770	**778,87**	29,0
	Gebäudeentwässerung, Kalt- und Warmwasserleitungen, Sanitärobjekte; Fernwärmeanschluss, Heizkörper; Lüftungsanlage mit WRG; Elektroinstallation, Beleuchtung, Blitzschutz; Ruf-Kompakt-Set, Rauchwarnmelder, EDV-Anlage; Feuerlöscher; Gebäudeautomation				
600	**Ausstattung und Kunstwerke**	316,83 m² BGF	8.796	**27,76**	1,0
	Elektro-Einbaugeräte für Teeküche, Sanitärausstattungen				

Kostenkennwerte für die Kostengruppen 300 der 2. und 3.Ebene DIN 276 (Übersicht)

KG	Kostengruppe	Menge Einheit	€/Einheit	Kosten €	% an 3+4
300	**Bauwerk – Baukonstruktionen**	**316,83 m² BGF**	**1.906,52**	**604.043,81**	**71,0**
310	**Baugrube / Erdbau**	**360,00 m³ BGI**	**34,86**	**12.550,93**	**1,5**
311	Herstellung	360,00 m³ BGI	34,86	12.550,93	1,5
312	Umschließung	–	–	–	–
313	Wasserhaltung	–	–	–	–
314	Vortrieb	–	–	–	–
319	Sonstiges zur KG 310	–	–	–	–
320	**Gründung, Unterbau**	**298,85 m² GRF**	**413,21**	**123.486,57**	**14,5**
321	Baugrundverbesserung	–	–	–	–
322	Flachgründungen und Bodenplatten	298,85 m²	126,87	37.916,54	4,5
323	Tiefgründungen	–	–	–	–
324	Gründungsbeläge	274,45 m²	236,77	64.981,89	7,6
325	Abdichtungen und Bekleidungen	314,49 m²	65,47	20.588,16	2,4
326	Dränagen	–	–	–	–
329	Sonstiges zur KG 320	–	–	–	–
330	**Außenwände/Vert. Baukonstrukt., außen**	**330,16 m² AWF**	**708,54**	**233.929,94**	**27,5**
331	Tragende Außenwände	256,01 m²	218,34	55.897,23	6,6
332	Nichttragende Außenwände	–	–	–	–
333	Außenstützen	26,40 m	133,63	3.527,79	0,4
334	Außenwandöffnungen	74,07 m²	860,75	63.755,80	7,5
335	Außenwandbekleidungen, außen	272,16 m²	295,38	80.389,77	9,4
336	Außenwandbekleidungen, innen	216,28 m²	94,46	20.430,63	2,4
337	Element. Außenwandkonstruktionen	–	–	–	–
338	Lichtschutz zur KG 330	54,98 m²	180,59	9.928,71	1,2
339	Sonstiges zur KG 330	–	–	–	–
340	**Innenwände/Vert. Baukonstrukt., innen**	**314,71 m² IWF**	**273,13**	**85.956,86**	**10,1**
341	Tragende Innenwände	251,32 m²	134,90	33.904,09	4,0
342	Nichttragende Innenwände	42,50 m²	99,91	4.245,79	0,5
343	Innenstützen	–	–	–	–
344	Innenwandöffnungen	20,89 m²	1.459,95	30.496,88	3,6
345	Innenwandbekleidungen	502,64 m²	34,44	17.310,12	2,0
346	Elementierte Innenwandkonstruktionen	–	–	–	–
347	Lichtschutz zur KG 340	–	–	–	–
349	Sonstiges zur KG 340	–	–	–	–
350	**Decken/Horizontale Baukonstruktionen**	**–**	**–**	**–**	**–**
351	Deckenkonstruktionen	–	–	–	–
352	Deckenöffnungen	–	–	–	–
353	Deckenbeläge	–	–	–	–
354	Deckenbekleidungen	–	–	–	–
355	Elementierte Deckenkonstruktionen	–	–	–	–
359	Sonstiges zur KG 350	–	–	–	–
360	**Dächer**	**320,00 m² DAF**	**451,76**	**144.563,00**	**17,0**
361	Dachkonstruktionen	320,00 m²	178,61	57.155,44	6,7
362	Dachöffnungen	–	–	–	–
363	Dachbeläge	320,00 m²	153,06	48.978,48	5,8
364	Dachbekleidungen	259,96 m²	147,83	38.429,06	4,5
365	Elementierte Dachkonstruktionen	–	–	–	–
366	Lichtschutz zur KG 360	–	–	–	–
369	Sonstiges zur KG 360	–	–	–	–
370	**Infrastrukturanlagen**	**–**	**–**	**–**	**–**
380	**Baukonstruktive Einbauten**	**–**	**–**	**–**	**–**
390	**Sonst. Maßnahmen für Baukonstrukt.**	**316,83 m² BGF**	**11,23**	**3.556,51**	**0,4**

Kostenkennwerte für die Kostengruppen 400 der 2. und 3. Ebene DIN 276 (Übersicht)

KG	Kostengruppe	Menge Einheit	€/Einheit	Kosten €	% an 3+4
400	**Bauwerk – Technische Anlagen**	**316,83 m²BGF**	**778,87**	**246.770,17**	**29,0**
410	**Abwasser-, Wasser-, Gasanlagen**	**316,83 m²BGF**	**83,82**	**26.556,73**	**3,1**
411	Abwasseranlagen	316,83 m²BGF	11,26	3.566,29	0,4
412	Wasseranlagen	316,83 m²BGF	61,17	19.380,24	2,3
413	Gasanlagen	–	–	–	–
419	Sonstiges zur KG 410	316,83 m²BGF	11,39	3.610,21	0,4
420	**Wärmeversorgungsanlagen**	**316,83 m²BGF**	**62,40**	**19.771,35**	**2,3**
421	Wärmeerzeugungsanlagen	316,83 m²BGF	19,01	6.021,86	0,7
422	Wärmeverteilnetze	316,83 m²BGF	14,30	4.529,64	0,5
423	Raumheizflächen	316,83 m²BGF	29,10	9.219,85	1,1
424	Verkehrsheizflächen	–	–	–	–
429	Sonstiges zur KG 420	–	–	–	–
430	**Raumlufttechnische Anlagen**	**316,83 m²BGF**	**219,93**	**69.679,02**	**8,2**
431	Lüftungsanlagen	316,83 m²BGF	219,93	69.679,02	8,2
432	Teilklimaanlagen	–	–	–	–
433	Klimaanlagen	–	–	–	–
434	Kälteanlagen	–	–	–	–
439	Sonstiges zur KG 430	–	–	–	–
440	**Elektrische Anlagen**	**316,83 m²BGF**	**295,79**	**93.716,33**	**11,0**
441	Hoch- und Mittelspannungsanlagen	–	–	–	–
442	Eigenstromversorgungsanlagen	–	–	–	–
443	Niederspannungsschaltanlagen	–	–	–	–
444	Niederspannungsinstallationsanlagen	316,83 m²BGF	68,10	21.576,90	2,5
445	Beleuchtungsanlagen	316,83 m²BGF	187,36	59.359,76	7,0
446	Blitzschutz- und Erdungsanlagen	316,83 m²BGF	40,34	12.779,67	1,5
447	Fahrleitungssysteme	–	–	–	–
449	Sonstiges zur KG 440	–	–	–	–
450	**Kommunikationstechnische Anlagen**	**316,83 m²BGF**	**19,96**	**6.324,88**	**0,7**
451	Telekommunikationsanlagen	–	–	–	–
452	Such- und Signalanlagen	316,83 m²BGF	2,27	718,73	< 0,1
453	Zeitdienstanlagen	–	–	–	–
454	Elektroakustische Anlagen	–	–	–	–
455	Audiovisuelle Medien- u. Antennenanl.	–	–	–	–
456	Gefahrenmelde- und Alarmanlagen	316,83 m²BGF	6,77	2.144,40	0,3
457	Datenübertragungsnetze	316,83 m²BGF	10,93	3.461,76	0,4
458	Verkehrsbeeinflussungsanlagen	–	–	–	–
459	Sonstiges zur KG 450	–	–	–	–
460	**Förderanlagen**	**–**	**–**	**–**	**–**
461	Aufzugsanlagen	–	–	–	–
462	Fahrtreppen, Fahrsteige	–	–	–	–
463	Befahranlagen	–	–	–	–
464	Transportanlagen	–	–	–	–
465	Krananlagen	–	–	–	–
466	Hydraulikanlagen	–	–	–	–
469	Sonstiges zur KG 460	–	–	–	–
470	**Nutzungsspez. u. verfahrenstechn. Anl.**	**316,83 m²BGF**	**3,53**	**1.118,12**	**0,1**
480	**Gebäude- und Anlagenautomation**	**316,83 m²BGF**	**91,51**	**28.993,83**	**3,4**
490	**Sonst. Maßnahmen für techn. Anlagen**	**316,83 m²BGF**	**1,93**	**609,91**	**< 0,1**

Kostenkennwerte für Leistungsbereiche nach STLB (Kosten des Bauwerks nach DIN 276)

4400-0298
Kinderhort
(2 Gruppen)
(40 Kinder)
Effizienzhaus ~30%

LB	Leistungsbereiche	Kosten €	€/m² BGF	€/m³ BRI	% an 3+4
000	Sicherheits-, Baustelleneinrichtungen inkl. 001	3.887	12,30	2,90	0,5
002	Erdarbeiten	12.383	39,10	9,20	1,5
006	Spezialtiefbauarbeiten inkl. 005	–	–	–	–
009	Entwässerungskanalarbeiten inkl. 011	–	–	–	–
010	Drän- und Versickerarbeiten	–	–	–	–
012	Mauerarbeiten	–	–	–	–
013	Betonarbeiten	59.175	186,80	44,10	7,0
014	Natur-, Betonwerksteinarbeiten	–	–	–	–
016	Zimmer- und Holzbauarbeiten	145.151	458,10	108,10	17,1
017	Stahlbauarbeiten	–	–	–	–
018	Abdichtungsarbeiten	6.337	20,00	4,70	0,7
019	Kampfmittelräumarbeiten	–	–	–	–
020	Dachdeckungsarbeiten	–	–	–	–
021	Dachabdichtungsarbeiten	38.320	120,90	28,50	4,5
022	Klempnerarbeiten	10.735	33,90	8,00	1,3
	Rohbau	**275.988**	**871,10**	**205,40**	**32,4**
023	Putz- und Stuckarbeiten, Wärmedämmsysteme	–	–	–	–
024	Fliesen- und Plattenarbeiten	5.193	16,40	3,90	0,6
025	Estricharbeiten	–	–	–	–
026	Fenster, Außentüren inkl. 029, 032	54.894	173,30	40,90	6,5
027	Tischlerarbeiten	38.046	120,10	28,30	4,5
028	Parkettarbeiten, Holzpflasterarbeiten	–	–	–	–
030	Rollladenarbeiten	9.929	31,30	7,40	1,2
031	Metallbauarbeiten inkl. 035	3.528	11,10	2,60	0,4
034	Maler- und Lackiererarbeiten inkl. 037	10.352	32,70	7,70	1,2
036	Bodenbelagarbeiten	24.642	77,80	18,30	2,9
038	Vorgehängte hinterlüftete Fassaden	69.725	220,10	51,90	8,2
039	Trockenbauarbeiten	112.132	353,90	83,50	13,2
	Ausbau	**328.439**	**1.036,60**	**244,50**	**38,6**
040	Wärmeversorgungsanl. - Betriebseinr. inkl. 041	18.713	59,10	13,90	2,2
042	Gas- und Wasserinstallation, Leitungen inkl. 043	5.467	17,30	4,10	0,6
044	Abwasseranlagen - Leitungen	3.409	10,80	2,50	0,4
045	GWE-Einrichtungsgegenstände inkl. 046	16.093	50,80	12,00	1,9
047	Dämmarbeiten an betriebstechnischen Anlagen	10.682	33,70	8,00	1,3
049	Feuerlöschanlagen, Feuerlöschgeräte	1.118	3,50	0,83	0,1
050	Blitzschutz- und Erdungsanlagen	12.948	40,90	9,60	1,5
053	Niederspannungsanlagen inkl. 052, 054	21.797	68,80	16,20	2,6
055	Sicherheits- u. Ersatzstromversorgungsanl.	–	–	–	–
057	Gebäudesystemtechnik	19.789	62,50	14,70	2,3
058	Leuchten und Lampen inkl. 059	59.360	187,40	44,20	7,0
060	Sprechanlagen, elektroakust. Anlagen inkl. 064	631	2,00	0,47	< 0,1
061	Kommunikationsnetze inkl. 063	5.694	18,00	4,20	0,7
069	Aufzüge	–	–	–	–
070	Gebäudeautomation	9.205	29,10	6,90	1,1
075	Raumlufttechnische Anlagen inkl. 078	61.482	194,10	45,80	7,2
	Gebäudetechnik	**246.387**	**777,70**	**183,40**	**29,0**
084	Abbruch, Rückbau, Schadstoffsanierung	–	–	–	–
	Abbrucharbeiten	**–**	**–**	**–**	**–**
	Sonstige Leistungsbereiche	**–**	**–**	**–**	**–**

4400-0301
Kindertagesstätte
(1 Gruppe)
(25 Kinder)

Objektübersicht

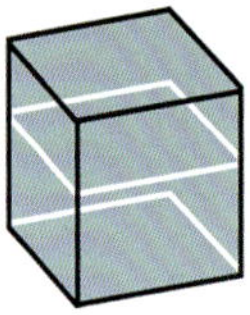

BRI 714€/m³

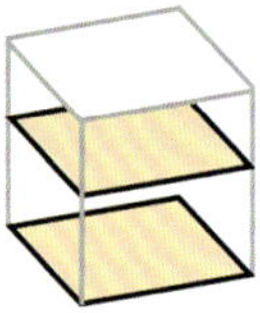

BGF 2.343€/m²

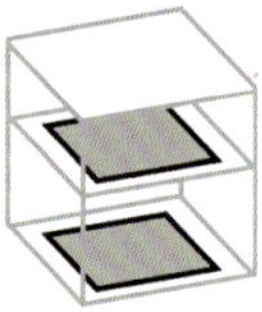

NUF 3.454€/m²

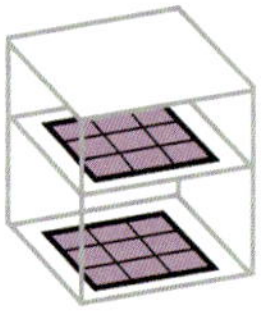

NE 17.253€/NE
NE: Kinder

Objekt:
Kennwerte: 1. Ebene DIN 276
BRI: 604 m³
BGF: 184 m²
NUF: 125 m²
Bauzeit: 22 Wochen
Bauende: 2016
Standard: Durchschnitt
Bundesland: Hamburg
Kreis: Hamburg, Stadt

Architekt*in:
Bosse Westphal Schäffer
Architekten
Löhnfeld 26
21423 Winsen/Luhe

Bauherr*in:
Kinder und Eltern für
Integration e.V.
Wentorfer Straße 26a
21029 Hamburg

© Bosse Westphal Schäffer Architekten

© Bosse Westphal Schäffer Architekten

sse Westphal Schäffer Architekten

© Bosse Westphal Schäffer Architekten

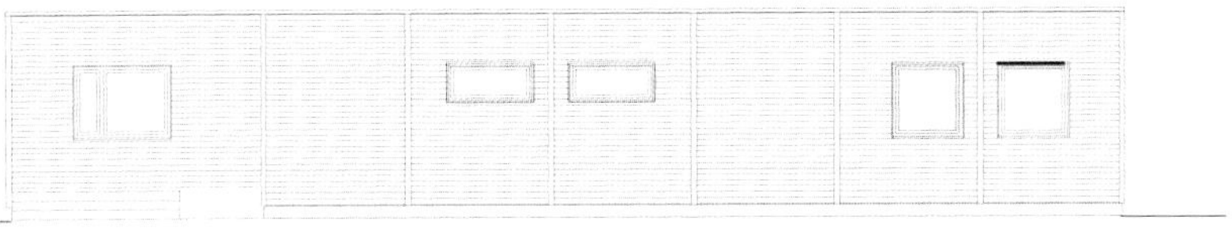

Ansicht Nord

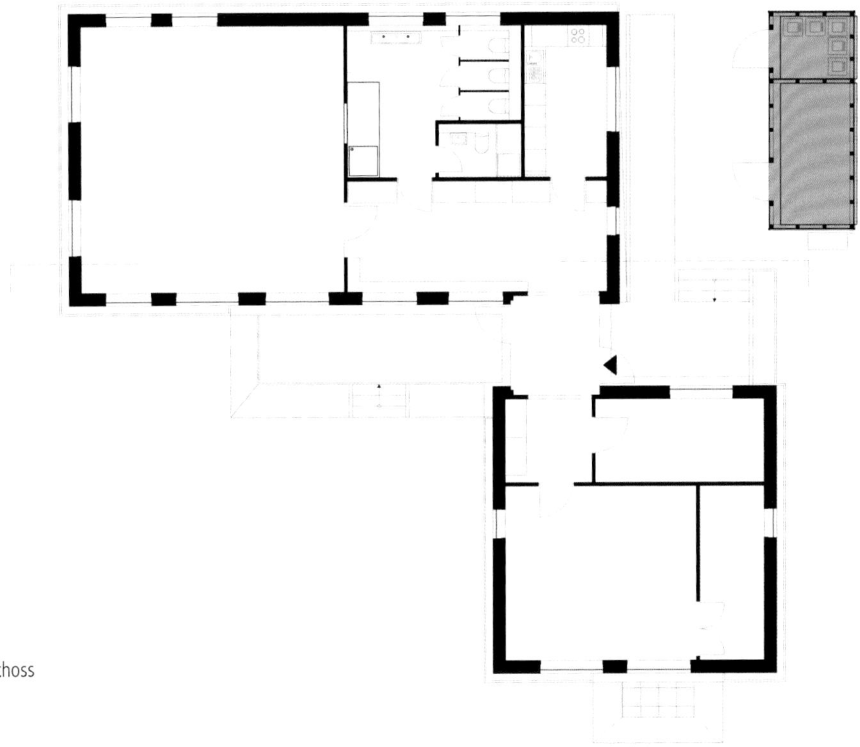

Erdgeschoss

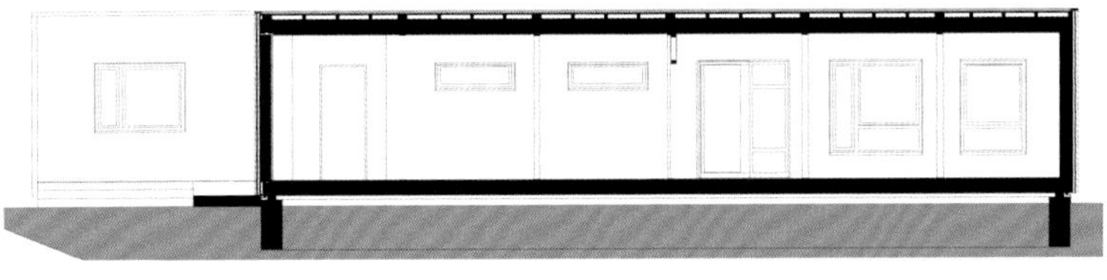

Schnitt

Ansicht Süd

Objektbeschreibung

Allgemeine Objektinformationen

Die Kindertagesstätte ist eine Ganztagseinrichtung für eine Gruppe von max. 25 Kindern. Dabei sind fünf Plätze für behinderte oder von Behinderung bedrohten Kinder vorbehalten. Das Gebäude teilt sich in zwei Baukörper, die durch den zentralen Eingangsbereich miteinander verbunden sind. Durch eine Rampe sowie auch Stufen erfolgt auf nördlicher Seite die Erschließung des Gebäudes.

Nutzung

1 Erdgeschoss
Gruppenraum, Therapieraum, Garderobe, Küche, WC, Büro

Nutzeinheiten

Gruppen: 1
Kinder: 25

Grundstück

Bauraum: Beengter Bauraum
Neigung: Ebenes Gelände
Bodenklasse: BK 1 bis BK 3

Markt

Hauptvergabezeit: 1. Quartal 2016
Baubeginn: 1. Quartal 2016
Bauende: 3. Quartal 2016
Konjunkturelle Gesamtlage: Durchschnitt
Regionaler Baumarkt: über Durchschnitt

Besonderer Kosteneinfluss Markt:
Beschränkte Vergabe

Baukonstruktion

Das eingeschossige Gebäude wurde auf Streifenfundamenten gegründet und in Holzmassivbauweise realisiert. Die Bodenplatte aus Massivholz erhielt eine Holzfaserdämmung in doppelter Lage, auf der OSB-Platten schwimmend verlegt wurden. Als Bodenbeläge wurden Linoleum und Parkett verwendet. Die Außenwände wurden aus Brettsperrholz hergestellt und mit Zellulosedämmung und Holzweichfaserplatten gedämmt. Die Fassade wurde mit Stülpschalung bekleidet. Die Innenwände wurden aus sichtbar belassenen Massivholzelementen aus Brettsperrholz ausgeführt. Die Holzfenster erhielten eine Dreifachverglasung.

Technische Anlagen

Die Heiz- und Wärmeversorgung erfolgt über eine Luftwärmepumpe.

Planungskennwerte für Flächen und Rauminhalte nach DIN 277

Flächen des Grundstücks		Menge Einheit	% an GF
BF	Bebaute Fläche	216,95 m²	17,3
UF	Unbebaute Fläche	1.034,51 m²	82,7
GF	Grundstücksfläche	1.251,46 m²	100,0

Grundflächen des Bauwerks		Menge Einheit	% an NUF	% an BGF
NUF	Nutzungsfläche	124,88 m²	100,0	67,8
TF	Technikfläche	1,03 m²	0,8	0,6
VF	Verkehrsfläche	32,82 m²	26,3	17,8
NRF	Netto-Raumfläche	158,73 m²	127,1	86,2
KGF	Konstruktions-Grundfläche	25,37 m²	20,3	13,8
BGF	Brutto-Grundfläche	184,10 m²	147,4	100,0

Brutto-Rauminhalt des Bauwerks		Menge Einheit	BRI/NUF (m)	BRI/BGF (m)
BRI	Brutto-Rauminhalt	603,85 m³	4,84	3,28

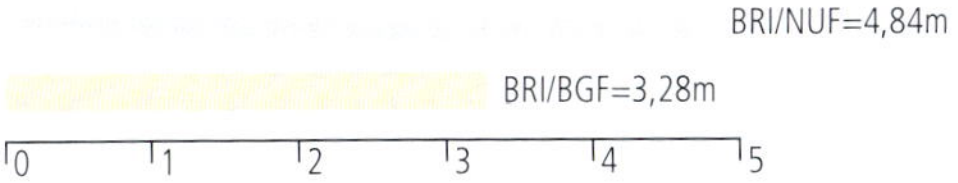

Kostenkennwerte für die Kostengruppen der 1. Ebene DIN 276

KG	Kostengruppen (1. Ebene)	Einheit	Kosten €	€/Einheit	€/m² BGF	€/m³ BRI	% 300+400
100	Grundstück	m² GF	–	–	–	–	–
200	Vorbereitende Maßnahmen	m² GF	45.115	36,05	245,06	74,71	10,5
300	Bauwerk – Baukonstruktionen	m² BGF	357.278	1.940,68	1.940,68	591,67	82,8
400	Bauwerk – Technische Anlagen	m² BGF	74.047	402,21	402,21	122,63	17,2
	Bauwerk 300+400	**m² BGF**	**431.326**	**2.342,89**	**2.342,89**	**714,29**	**100,0**
500	Außenanlagen und Freiflächen	m² AF	12.835	12,41	69,72	21,25	3,0
600	Ausstattung und Kunstwerke	m² BGF	66.654	362,06	362,06	110,38	15,5
700	Baunebenkosten	m² BGF	–	–	–	–	–
800	Finanzierung	m² BGF	–	–	–	–	–

KG	Kostengruppe	Menge Einheit	Kosten €	€/Einheit	%
200	**Vorbereitende Maßnahmen**	1.251,46 m² GF	45.115	**36,05**	10,5
	Hausanschlüsse Wasser, Abwasser, Gas, Strom, Telefon				
3+4	**Bauwerk**				**100,0**
300	**Bauwerk – Baukonstruktionen**	184,10 m² BGF	357.278	**1.940,68**	82,8
	Baugrubenaushub; Stb-Fundamente, Massivholz-Bodenplatte, d=12cm, Holzfaserdämmung, d=140mm, OSB-Platten, d=25mm, Linoleum, Parkett; Brettsperrholz-Außenwände, d=100mm, Holzfenster, Dreifachverglasung, Zellulosedämmung, d=150mm, Holzweichfaserplatten, hinterlüftete Holz-Stülpfassade; Brettsperrholz-Innenwände, d=60-80mm; Holzbalken-Flachdach, Dämmung, Abdichtung, Dachentwässerung, Holzbekleidung; Einbauküche				
400	**Bauwerk – Technische Anlagen**	184,10 m² BGF	74.047	**402,21**	17,2
	Gebäudeentwässerung, Kalt- und Warmwasserleitungen, Sanitärobjekte; Luftwärmepumpe, Plattenheizkörper; Einzelraumlüfter; Elektroinstallation, Beleuchtung, Blitzschutzanlage; Telekommunikationsanlage				
500	**Außenanlagen und Freiflächen**	1.034,51 m² AF	12.835	**12,41**	3,0
	Bodenarbeiten; Wege, Terrassenbelag; Zaunanlage, Stufen, Rampen; Spielgeräte; Oberbodenarbeiten, Rasen				
600	**Ausstattung und Kunstwerke**	184,10 m² BGF	66.654	**362,06**	15,5
	Möblierung, Feuerlöscher, Kleininventar, Sanitärausstattung				

4400-0307
Kindertagesstätte
(4 Gruppen)
(100 Kinder)
Effizienzhaus ~60%

Objektübersicht

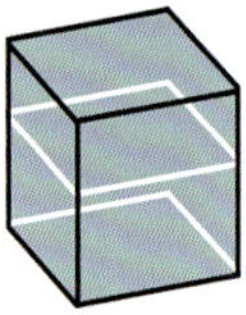

BRI 443 €/m³

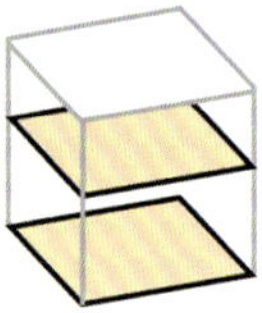

BGF 1.828 €/m²

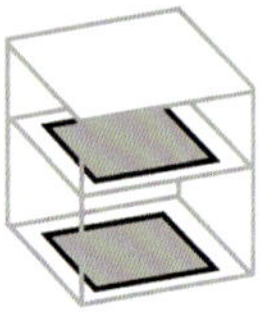

NUF 3.016 €/m²

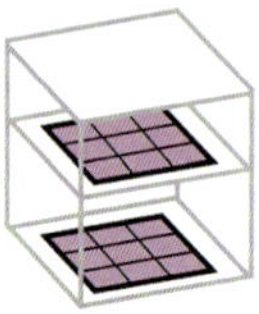

NE 19.212 €/NE

NE: Kinder

Objekt:
Kennwerte: 3. Ebene DIN 276
BRI: 4.338 m³
BGF: 1.051 m²
NUF: 637 m²
Bauzeit: 43 Wochen
Bauende: 2015
Standard: unter Durchschnitt
Bundesland: Hessen
Kreis: Groß-Gerau

Architekt*in:
wagner + ewald architekten
Ginsheimer Straße 1
65462 Ginsheim-Gustavsburg

Bauherr*in:
Stadt Mörfelden-Walldorf
Westendstraße 8
64546 Mörfelden-Walldorf

© wagner + ewald architekten

© wagner + ewald architekten

© wagner + ewald architekten

© wagner + ewald architekten

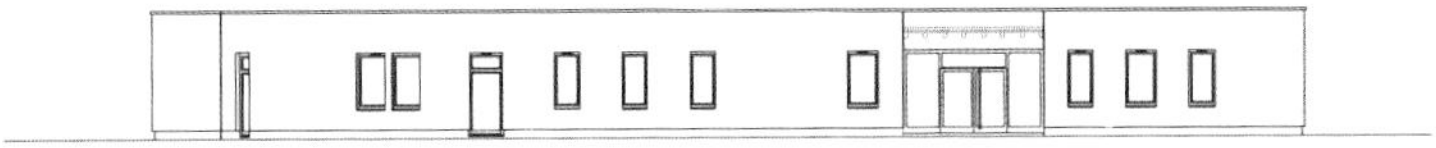

Ansicht Nord-Ost

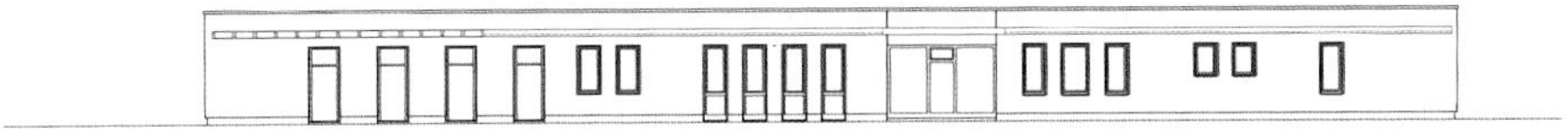

Ansicht Nord-West

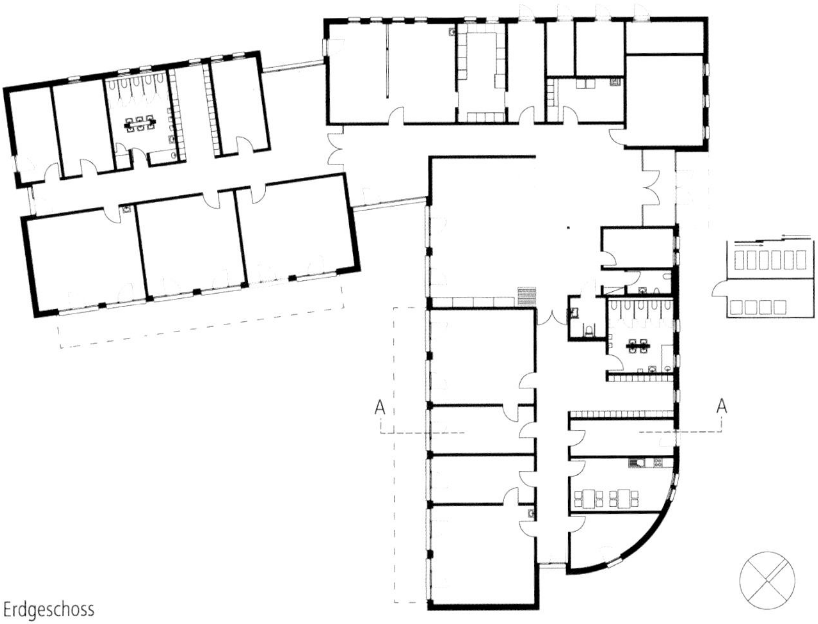

Erdgeschoss

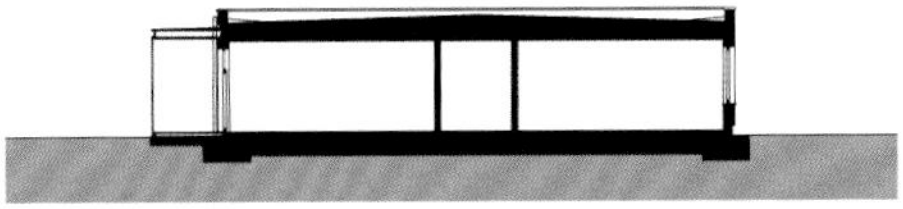

Schnitt A-A

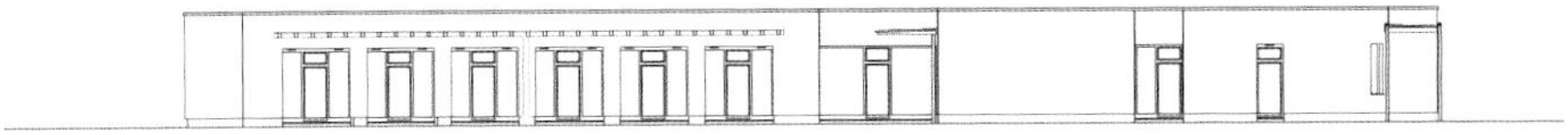

Ansicht Süd-Ost

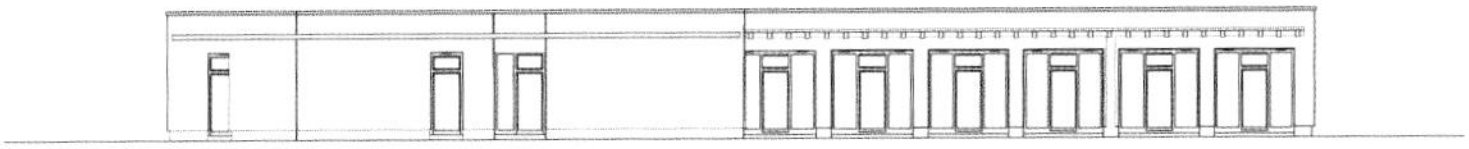

Ansicht Süd-West

Objektbeschreibung

Allgemeine Objektinformationen

Die neu erbaute Kindertagesstätte fügt sich dank ihrer niedrigen Bauhöhe und der lebendigen Holzfassade harmonisch in das parkähnliche Gelände ein. Der Außenraum wurde als wichtiger Bestandteil der Einrichtung naturnah gestaltet. Im Inneren überzeugt ein klares, leicht verständliches Erschließungskonzept. Großzügige Fensterflächen gewährleisten den Bezug zum Außenraum und erhöhen die Aufenthaltsqualität der Spielbereiche in den Fluren. Die klare Struktur und die lichtdurchfluteten Räume ermöglichen auch den jüngsten Nutzern eine gute Orientierung. Den Räumen wurden großzügige Überdachungen vorgelagert, die als konstruktiver Sonnenschutz fungieren und die Nutzung der Spielräume in den Außenbereich hinein ermöglicht. Neben den warmen Holztönen der Fassade wurde in einigen Bereichen, wie dem Fußboden, den Glasflächen der Fenster oder den Bädern auf intensive Farbtöne zurückgegriffen.

Nutzung

1 Erdgeschoss
Gruppenräume, Mehrzweckraum, Gruppennebenräume, Schlafräume, Küche, Kinderküche/Essraum, Personalräume, Büro, Besprechungsraum, Elternraum, Sanitärräume, barrierefreies WC, Matschraum, Lager, Haustechnikräume

Nutzeinheiten

Gruppen: 4
Kinder: 100

Grundstück

Bauraum: Freier Bauraum
Neigung: Ebenes Gelände
Bodenklasse: BK 3

Markt

Hauptvergabezeit: 1. Quartal 2015
Baubeginn: 1. Quartal 2015
Bauende: 4. Quartal 2015
Konjunkturelle Gesamtlage: Durchschnitt
Regionaler Baumarkt: Durchschnitt

Baukonstruktion

Die Kindertagesstätte gründet auf einer unterseitig gedämmten Stahlbetonfundamentplatte aus wasserundurchlässigem Beton. Um eine möglichst kurze Bauzeit zu erreichen, wurde das Gebäude komplett in Holzrahmenbauweise errichtet und überwiegend mit Zellulose gedämmt. Die hinterlüftete Fassade ist mit geschosshohen Thermohölzern bekleidet. Der Heizestrich ist mit ökologischem PU-Belag belegt, die Sanitärbereiche sind gefliest.

Technische Anlagen

Sonnenkollektoren auf dem Dach unterstützen die Wärmeversorgung. Die Verteilung der Wärme erfolgt über eine Fußbodenheizung. Zwei Dachventilatoren und ein Lüftungsgerät sorgen im Zusammenspiel mit Abluftelementen für frische Luft. Der Neubau unterschreitet den nach EnEV 2015 zulässigen Primärenergiebedarf um ca. 40%.

Sonstiges

Investition und Betrieb der Heizanlage der Kindertagesstätte wurden kostenseitig vom örtlichen Versorgungsunternehmer in Form eines Contracting-Vertrages übernommen. Die Kosten hierfür sind in dieser Dokumentation nicht erfasst.

Planungskennwerte für Flächen und Rauminhalte nach DIN 277

Flächen des Grundstücks		Menge Einheit	% an GF
BF	Bebaute Fläche	1.051,00 m²	26,5
UF	Unbebaute Fläche	2.922,00 m²	73,5
GF	Grundstücksfläche	3.973,00 m²	100,0

Grundflächen des Bauwerks		Menge Einheit	% an NUF	% an BGF
NUF	Nutzungsfläche	637,00 m²	100,0	60,6
TF	Technikfläche	24,00 m²	3,8	2,3
VF	Verkehrsfläche	258,00 m²	40,5	24,5
NRF	Netto-Raumfläche	919,00 m²	144,3	87,4
KGF	Konstruktions-Grundfläche	132,00 m²	20,7	12,6
BGF	Brutto-Grundfläche	1.051,00 m²	165,0	100,0

Brutto-Rauminhalt des Bauwerks		Menge Einheit	BRI/NUF (m)	BRI/BGF (m)
BRI	Brutto-Rauminhalt	4.338,00 m³	6,81	4,13

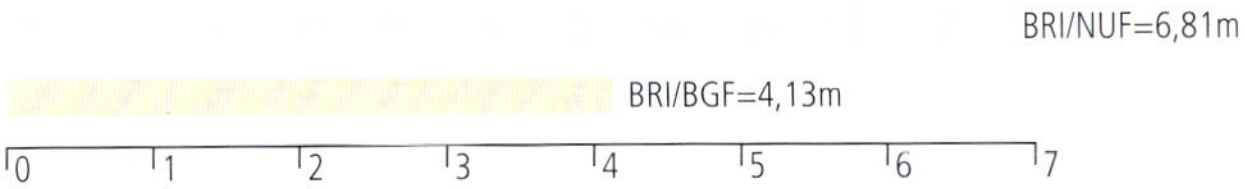

Lufttechnisch behandelte Flächen	Menge Einheit	% an NUF	% an BGF
Entlüftete Fläche	–	–	–
Be- und entlüftete Fläche	–	–	–
Teilklimatisierte Fläche	–	–	–
Klimatisierte Fläche	–	–	–

KG	Kostengruppen (2. Ebene)	Menge Einheit	Menge/NUF	Menge/BGF
310	Baugrube / Erdbau	899,80 m³ BGI	1,41	0,86
320	Gründung, Unterbau	1.012,61 m² GRF	1,59	0,96
330	Außenwände/Vertikale Baukonstruktionen, außen	767,77 m² AWF	1,21	0,73
340	Innenwände/Vertikale Baukonstruktionen, innen	889,27 m² IWF	1,40	0,85
350	Decken / horizontal	–	–	–
360	Dächer	1.110,00 m² DAF	1,74	1,06

Kostenkennwerte für die Kostengruppen der 1. Ebene DIN 276

KG	Kostengruppen (1. Ebene)	Einheit	Kosten €	€/Einheit	€/m² BGF	€/m³ BRI	% 300+400
100	Grundstück	m² GF	–	–	–	–	–
200	Vorbereitende Maßnahmen	m² GF	4.227	1,06	4,02	0,97	0,2
300	Bauwerk – Baukonstruktionen	m² BGF	1.516.077	1.442,51	1.442,51	349,49	78,9
400	Bauwerk – Technische Anlagen	m² BGF	405.099	385,44	385,44	93,38	21,1
	Bauwerk 300+400	**m² BGF**	**1.921.176**	**1.827,95**	**1.827,95**	**442,87**	**100,0**
500	Außenanlagen und Freiflächen	m² AF	22.131	7,57	21,06	5,10	1,2
600	Ausstattung und Kunstwerke	m² BGF	1.539	1,46	1,46	0,35	< 0,1
700	Baunebenkosten	m² BGF	–	–	–	–	–
800	Finanzierung	m² BGF	–	–	–	–	–

KG	Kostengruppe	Menge Einheit	Kosten €	€/Einheit	%
200	**Vorbereitende Maßnahmen**	3.973,00 m² GF	4.227	**1,06**	0,2
	Abbruch von Betonkantensteinen, Betonplatten, Kanalschächten, Betonbauteilen, Steinzeugrohren, Roden von Bäumen, Gehölzen; Entsorgung, Deponiegebühren				
3+4	**Bauwerk**				**100,0**
300	**Bauwerk – Baukonstruktionen**	1.051,00 m² BGF	1.516.077	**1.442,51**	78,9
	Baugrundverbesserung, Stb-Fundamentplatte, Heizestrich, PU-Bodenbelag, Bodenfliesen; Holzrahmenwände, Einblasdämmung, Holzfenster, Holztüren, Thermoholzschalung, Sockelputz, GK-Bekleidung, Beschichtung, Wandfliesen, Sonnenschutz; Holztüren, Rauchschutztüren, Windfangelement, mobile Trennwand; Holzbalken-Flachdach, Vordächer, Sichtschalung, Gefälledämmung, Dachabdichtung, Dachentwässerung, GK-Akustikdecken, Kassettendecken				
400	**Bauwerk – Technische Anlagen**	1.051,00 m² BGF	405.099	**385,44**	21,1
	Gebäudeentwässerung, Kalt- und Warmwasserleitungen, Sanitärobjekte; Sonnenkollektoren, (Heizungsanlage über Versorgungsunternehmer), Heizungsrohre, Fußbodenheizung; Lüftungsanlage; Elektroinstallation, LED-Beleuchtung, Blitzschutzanlage; Gegensprechanlage, Notrufset, Rauchmelder, Datenverkabelung				
500	**Außenanlagen und Freiflächen**	2.922,00 m² AF	22.131	**7,57**	1,2
	Rohrgrabenaushub; Entwässerungsleitungen, Kontrollschächte				
600	**Ausstattung und Kunstwerke**	1.051,00 m² BGF	1.539	**1,46**	< 0,1
	Duschtrennwand				

Kostenkennwerte für die Kostengruppen 300 der 2. und 3.Ebene DIN 276 (Übersicht)

KG	Kostengruppe	Menge Einheit	€/Einheit	Kosten €	% an 3+4
300	**Bauwerk – Baukonstruktionen**	**1.051,00 m² BGF**	**1.442,51**	**1.516.076,77**	**78,9**
310	**Baugrube / Erdbau**	**899,80 m³ BGI**	**42,02**	**37.806,63**	**2,0**
311	Herstellung	899,80 m³ BGI	42,02	37.806,63	2,0
312	Umschließung	–	–	–	–
313	Wasserhaltung	–	–	–	–
314	Vortrieb	–	–	–	–
319	Sonstiges zur KG 310	–	–	–	–
320	**Gründung, Unterbau**	**1.012,61 m² GRF**	**271,27**	**274.692,19**	**14,3**
321	Baugrundverbesserung	1.012,61 m²	17,74	17.963,16	0,9
322	Flachgründungen und Bodenplatten	1.012,61 m²	67,96	68.819,50	3,6
323	Tiefgründungen	–	–	–	–
324	Gründungsbeläge	918,57 m²	140,77	129.302,58	6,7
325	Abdichtungen und Bekleidungen	1.063,61 m²	55,10	58.606,95	3,1
326	Dränagen	–	–	–	–
329	Sonstiges zur KG 320	–	–	–	–
330	**Außenwände/Vert. Baukonstrukt., außen**	**767,77 m² AWF**	**566,50**	**434.942,84**	**22,6**
331	Tragende Außenwände	447,90 m²	181,17	81.148,21	4,2
332	Nichttragende Außenwände	84,70 m²	170,77	14.464,18	0,8
333	Außenstützen	–	–	–	–
334	Außenwandöffnungen	235,17 m²	630,17	148.196,02	7,7
335	Außenwandbekleidungen, außen	563,58 m²	249,27	140.484,75	7,3
336	Außenwandbekleidungen, innen	390,25 m²	84,96	33.153,71	1,7
337	Element. Außenwandkonstruktionen	–	–	–	–
338	Lichtschutz zur KG 330	47,16 m²	370,99	17.495,97	0,9
339	Sonstiges zur KG 330	–	–	–	–
340	**Innenwände/Vert. Baukonstrukt., innen**	**889,27 m² IWF**	**374,19**	**332.752,42**	**17,3**
341	Tragende Innenwände	742,56 m²	137,00	101.727,44	5,3
342	Nichttragende Innenwände	–	–	–	–
343	Innenstützen	6,30 m	7,78	49,02	< 0,1
344	Innenwandöffnungen	93,58 m²	964,76	90.282,07	4,7
345	Innenwandbekleidungen	1.293,97 m²	75,91	98.228,79	5,1
346	Elementierte Innenwandkonstruktionen	53,13 m²	512,82	27.246,86	1,4
347	Lichtschutz zur KG 340	–	–	–	–
349	Sonstiges zur KG 340	889,27 m² IWF	17,11	15.218,23	0,8
350	**Decken/Horizontale Baukonstruktionen**	**–**	**–**	**–**	**–**
351	Deckenkonstruktionen	–	–	–	–
352	Deckenöffnungen	–	–	–	–
353	Deckenbeläge	–	–	–	–
354	Deckenbekleidungen	–	–	–	–
355	Elementierte Deckenkonstruktionen	–	–	–	–
359	Sonstiges zur KG 350	–	–	–	–
360	**Dächer**	**1.110,00 m² DAF**	**363,90**	**403.929,83**	**21,0**
361	Dachkonstruktionen	1.110,00 m²	95,91	106.456,50	5,5
362	Dachöffnungen	–	–	–	–
363	Dachbeläge	1.091,14 m²	202,35	220.795,86	11,5
364	Dachbekleidungen	1.002,13 m²	71,26	71.414,36	3,7
365	Elementierte Dachkonstruktionen	–	–	–	–
366	Lichtschutz zur KG 360	–	–	–	–
369	Sonstiges zur KG 360	1.110,00 m² DAF	4,74	5.263,11	0,3
370	**Infrastrukturanlagen**	**–**	**–**	**–**	**–**
380	**Baukonstruktive Einbauten**	**–**	**–**	**–**	**–**
390	**Sonst. Maßnahmen für Baukonstrukt.**	**1.051,00 m² BGF**	**30,40**	**31.952,87**	**1,7**

4400-0307
Kindertagesstätte
(4 Gruppen)
(100 Kinder)
Effizienzhaus ~60%

Kostenkennwerte für die Kostengruppen 400 der 2. und 3. Ebene DIN 276 (Übersicht)

KG	Kostengruppe	Menge Einheit	€/Einheit	Kosten €	% an 3+4
400	**Bauwerk – Technische Anlagen**	**1.051,00 m²BGF**	**385,44**	**405.099,25**	**21,1**
410	**Abwasser-, Wasser-, Gasanlagen**	**1.051,00 m²BGF**	**84,65**	**88.969,79**	**4,6**
411	Abwasseranlagen	1.051,00 m²BGF	23,83	25.048,55	1,3
412	Wasseranlagen	1.051,00 m²BGF	52,81	55.506,79	2,9
413	Gasanlagen	–	–	–	–
419	Sonstiges zur KG 410	1.051,00 m²BGF	8,01	8.414,45	0,4
420	**Wärmeversorgungsanlagen**	**1.051,00 m²BGF**	**79,12**	**83.157,30**	**4,3**
421	Wärmeerzeugungsanlagen	1.051,00 m²BGF	23,31	24.496,38	1,3
422	Wärmeverteilnetze	1.051,00 m²BGF	24,07	25.297,55	1,3
423	Raumheizflächen	1.051,00 m²BGF	25,13	26.412,75	1,4
424	Verkehrsheizflächen	–	–	–	–
429	Sonstiges zur KG 420	1.051,00 m²BGF	6,61	6.950,62	0,4
430	**Raumlufttechnische Anlagen**	**1.051,00 m²BGF**	**51,98**	**54.629,23**	**2,8**
431	Lüftungsanlagen	1.051,00 m²BGF	51,98	54.629,23	2,8
432	Teilklimaanlagen	–	–	–	–
433	Klimaanlagen	–	–	–	–
434	Kälteanlagen	–	–	–	–
439	Sonstiges zur KG 430	–	–	–	–
440	**Elektrische Anlagen**	**1.051,00 m²BGF**	**138,59**	**145.661,73**	**7,6**
441	Hoch- und Mittelspannungsanlagen	–	–	–	–
442	Eigenstromversorgungsanlagen	–	–	–	–
443	Niederspannungsschaltanlagen	–	–	–	–
444	Niederspannungsinstallationsanlagen	1.051,00 m²BGF	60,13	63.193,98	3,3
445	Beleuchtungsanlagen	1.051,00 m²BGF	47,72	50.156,51	2,6
446	Blitzschutz- und Erdungsanlagen	1.051,00 m²BGF	30,74	32.311,26	1,7
447	Fahrleitungssysteme	–	–	–	–
449	Sonstiges zur KG 440	–	–	–	–
450	**Kommunikationstechnische Anlagen**	**1.051,00 m²BGF**	**31,10**	**32.681,23**	**1,7**
451	Telekommunikationsanlagen	–	–	–	–
452	Such- und Signalanlagen	1.051,00 m²BGF	7,21	7.577,04	0,4
453	Zeitdienstanlagen	–	–	–	–
454	Elektroakustische Anlagen	–	–	–	–
455	Audiovisuelle Medien- u. Antennenanl.	–	–	–	–
456	Gefahrenmelde- und Alarmanlagen	1.051,00 m²BGF	7,17	7.535,64	0,4
457	Datenübertragungsnetze	1.051,00 m²BGF	16,72	17.568,55	0,9
458	Verkehrsbeeinflussungsanlagen	–	–	–	–
459	Sonstiges zur KG 450	–	–	–	–
460	**Förderanlagen**	**–**	**–**	**–**	**–**
461	Aufzugsanlagen	–	–	–	–
462	Fahrtreppen, Fahrsteige	–	–	–	–
463	Befahranlagen	–	–	–	–
464	Transportanlagen	–	–	–	–
465	Krananlagen	–	–	–	–
466	Hydraulikanlagen	–	–	–	–
469	Sonstiges zur KG 460	–	–	–	–
470	**Nutzungsspez. u. verfahrenstechn. Anl.**	**–**	**–**	**–**	**–**
480	**Gebäude- und Anlagenautomation**	**–**	**–**	**–**	**–**
490	**Sonst. Maßnahmen für techn. Anlagen**	**–**	**–**	**–**	**–**

Kostenkennwerte für Leistungsbereiche nach STLB (Kosten des Bauwerks nach DIN 276)

LB	Leistungsbereiche	Kosten €	€/m² BGF	€/m³ BRI	% an 3+4
000	Sicherheits-, Baustelleneinrichtungen inkl. 001	31.564	30,00	7,30	1,6
002	Erdarbeiten	55.770	53,10	12,90	2,9
006	Spezialtiefbauarbeiten inkl. 005	–	–	–	–
009	Entwässerungskanalarbeiten inkl. 011	4.077	3,90	0,94	0,2
010	Drän- und Versickerarbeiten	–	–	–	–
012	Mauerarbeiten	3.746	3,60	0,86	0,2
013	Betonarbeiten	113.446	107,90	26,20	5,9
014	Natur-, Betonwerksteinarbeiten	–	–	–	–
016	Zimmer- und Holzbauarbeiten	417.193	396,90	96,20	21,7
017	Stahlbauarbeiten	–	–	–	–
018	Abdichtungsarbeiten	39.330	37,40	9,10	2,0
019	Kampfmittelräumarbeiten	–	–	–	–
020	Dachdeckungsarbeiten	–	–	–	–
021	Dachabdichtungsarbeiten	180.925	172,10	41,70	9,4
022	Klempnerarbeiten	41.644	39,60	9,60	2,2
	Rohbau	**887.695**	**844,60**	**204,60**	**46,2**
023	Putz- und Stuckarbeiten, Wärmedämmsysteme	17.211	16,40	4,00	0,9
024	Fliesen- und Plattenarbeiten	47.029	44,70	10,80	2,4
025	Estricharbeiten	24.025	22,90	5,50	1,3
026	Fenster, Außentüren inkl. 029, 032	171.265	163,00	39,50	8,9
027	Tischlerarbeiten	100.174	95,30	23,10	5,2
028	Parkettarbeiten, Holzpflasterarbeiten	–	–	–	–
030	Rollladenarbeiten	17.496	16,60	4,00	0,9
031	Metallbauarbeiten inkl. 035	–	–	–	–
034	Maler- und Lackiererarbeiten inkl. 037	47.906	45,60	11,00	2,5
036	Bodenbelagarbeiten	65.835	62,60	15,20	3,4
038	Vorgehängte hinterlüftete Fassaden	–	–	–	–
039	Trockenbauarbeiten	136.595	130,00	31,50	7,1
	Ausbau	**627.536**	**597,10**	**144,70**	**32,7**
040	Wärmeversorgungsanl. - Betriebseinr. inkl. 041	75.353	71,70	17,40	3,9
042	Gas- und Wasserinstallation, Leitungen inkl. 043	22.918	21,80	5,30	1,2
044	Abwasseranlagen - Leitungen	4.208	4,00	0,97	0,2
045	GWE-Einrichtungsgegenstände inkl. 046	59.860	57,00	13,80	3,1
047	Dämmarbeiten an betriebstechnischen Anlagen	11.029	10,50	2,50	0,6
049	Feuerlöschanlagen, Feuerlöschgeräte	–	–	–	–
050	Blitzschutz- und Erdungsanlagen	32.311	30,70	7,40	1,7
053	Niederspannungsanlagen inkl. 052, 054	66.427	63,20	15,30	3,5
055	Sicherheits- u. Ersatzstromversorgungsanl.	–	–	–	–
057	Gebäudesystemtechnik	–	–	–	–
058	Leuchten und Lampen inkl. 059	48.081	45,70	11,10	2,5
060	Sprechanlagen, elektroakust. Anlagen inkl. 064	6.724	6,40	1,60	0,4
061	Kommunikationsnetze inkl. 063	24.406	23,20	5,60	1,3
069	Aufzüge	–	–	–	–
070	Gebäudeautomation	–	–	–	–
075	Raumlufttechnische Anlagen inkl. 078	54.629	52,00	12,60	2,8
	Gebäudetechnik	**405.945**	**386,20**	**93,60**	**21,1**
084	Abbruch, Rückbau, Schadstoffsanierung	–	–	–	–
	Abbrucharbeiten	**–**	**–**	**–**	**–**
	Sonstige Leistungsbereiche	**–**	**–**	**–**	**–**

4400-0310
Kindergarten
(4 Gruppen)
(80 Kinder)
Effizienzhaus ~76%

Objektübersicht

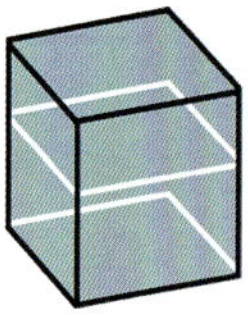

BRI 436 €/m³

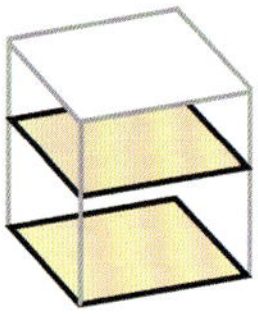

BGF 1.921 €/m²

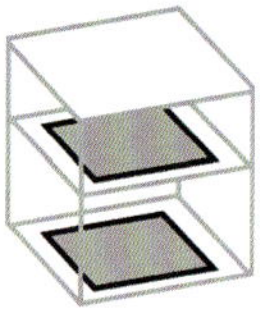

NUF 2.569 €/m²

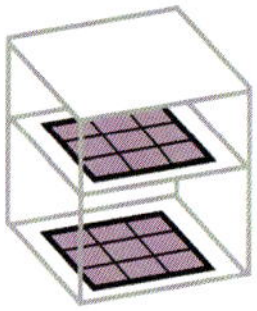

NE 20.495 €/NE
NE: Kinder

Objekt:
Kennwerte: 1. Ebene DIN 276
BRI: 3.757 m³
BGF: 853 m²
NUF: 638 m²
Bauzeit: 35 Wochen
Bauende: 2016
Standard: Durchschnitt
Bundesland: Nordrhein-Westfalen
Kreis: Bottrop, Stadt

Architekt*in:
Kemper Steiner & Partner
Architekten GmbH
Gerard-Mortier-Platz 2
44793 Bochum

© Kemper Steiner & Partner

© Kemper Steiner & Partner

© Kemper Steiner & Partner

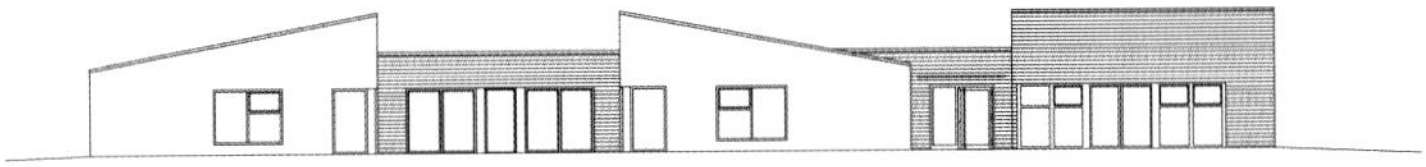

Ansicht Süd

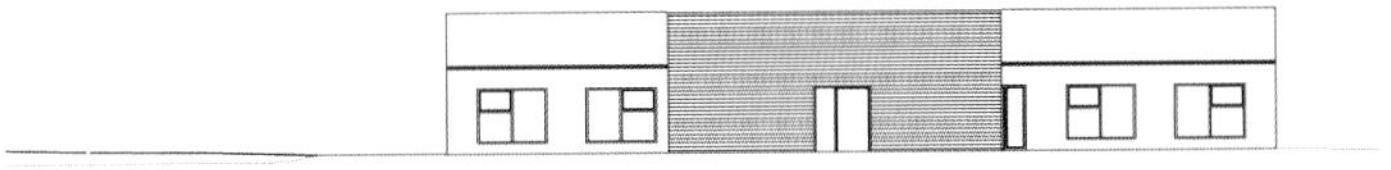

Ansicht Ost

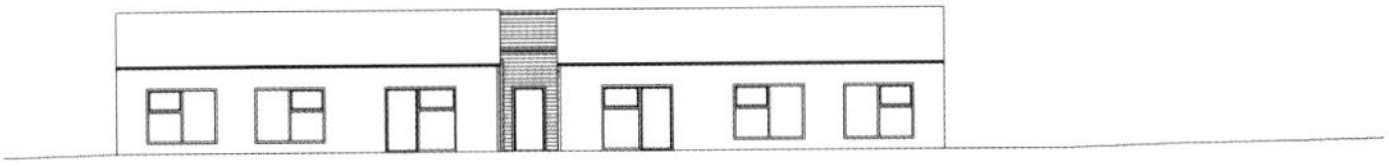

Ansicht West

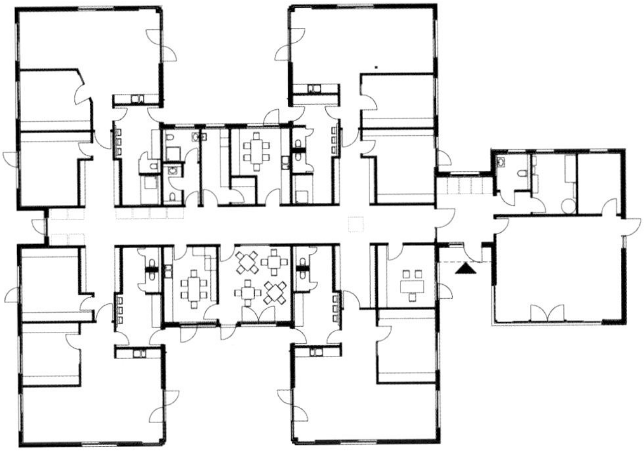

Erdgeschoss

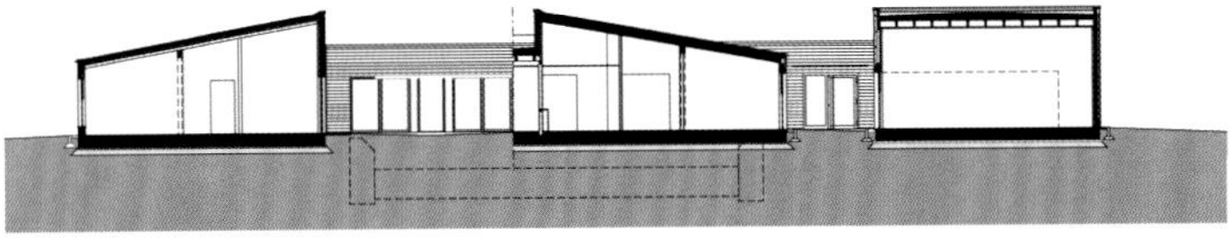

Schnitt

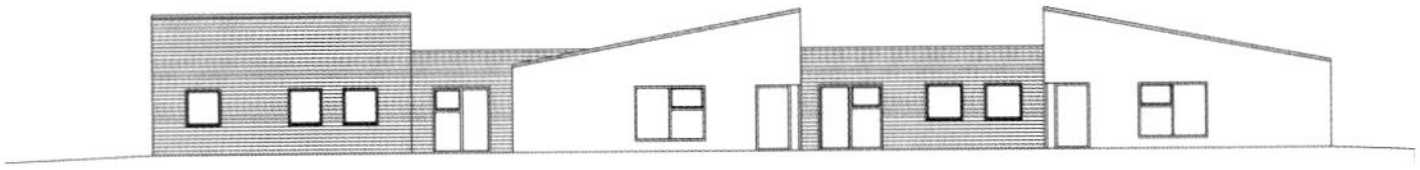

Ansicht Nord

4400-0310
Kindergarten
(4 Gruppen)
(80 Kinder)
Effizienzhaus ~76%

Objektbeschreibung

Allgemeine Objektinformationen

Der eingeschossige Kindergarten bietet Platz für 80 Kinder. Die vier Gruppenräume mit Nebenraum, Sanitärraum und Garderobe sind um einen zentralen Erschließungs- und Spielflur angeordnet. Der Mehrzweckraum ist über den Eingangsraum an den Kindergarten angebunden.

Nutzung

1 Erdgeschoss
Gruppenräume mit Nebenraum, Sanitärraum und Garderobe (4St), Spielflur, Küchen (2St), Mehrzweckraum, Verwaltung, Personal, Sanitärräume, Technik

Nutzeinheiten

Gruppen: 4
Kinder: 80

Grundstück

Bauraum: Beengter Bauraum
Neigung: Geneigtes Gelände
Bodenklasse: BK 1 bis BK 4

Markt

Hauptvergabezeit: 1. Quartal 2016
Baubeginn: 1. Quartal 2016
Bauende: 4. Quartal 2016
Konjunkturelle Gesamtlage: Durchschnitt
Regionaler Baumarkt: über Durchschnitt

Baukonstruktion

Das Gebäude gründet auf einer Fundamentplatte aus Stahlbeton. Die Wände wurden in Holzrahmenbauweise erstellt. Die Fassaden der vier Gruppen wurden mit farbigem Putz bekleidet, der Mehrzweckraum und die Nebenräume mit einer hinterlüfteten Rhombusschalung aus Lärche. Die Sparren mit OSB-Schalung der Pult- und Flachdächer sind innen sichtbar. Die Dächer erhielten eine Aufsparrendämmung mit Folienabdichtung.

Technische Anlagen

Der Neubau wurde an das Fernwärmenetz angeschlossen. Alle Bereiche werden über eine Fußbodenheizung erwärmt. An den Außentüren wurden als Zugangskontrolle Alarmgeber installiert.

Sonstiges

Der Kindergarten ist barrierefrei zugänglich. Im Außenbereich wurden Wege, Sandspielflächen und Bepflanzung ausgeführt. Eine separate Spielfläche mit Ausstattung für Kinder unter drei Jahren wurde angelegt.

Planungskennwerte für Flächen und Rauminhalte nach DIN 277

Flächen des Grundstücks		Menge Einheit	% an GF
BF	Bebaute Fläche	853,83 m²	37,7
UF	Unbebaute Fläche	1.411,17 m²	62,3
GF	Grundstücksfläche	2.265,00 m²	100,0

Grundflächen des Bauwerks		Menge Einheit	% an NUF	% an BGF
NUF	Nutzungsfläche	638,31 m²	100,0	74,8
TF	Technikfläche	12,30 m²	1,9	1,4
VF	Verkehrsfläche	98,22 m²	15,4	11,5
NRF	Netto-Raumfläche	748,83 m²	117,3	87,7
KGF	Konstruktions-Grundfläche	104,55 m²	16,4	12,3
BGF	Brutto-Grundfläche	853,38 m²	133,7	100,0

Brutto-Rauminhalt des Bauwerks		Menge Einheit	BRI/NUF (m)	BRI/BGF (m)
BRI	Brutto-Rauminhalt	3.757,28 m³	5,89	4,40

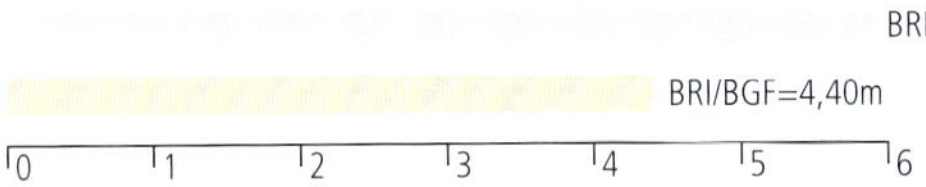

Kostenkennwerte für die Kostengruppen der 1. Ebene DIN 276

KG	Kostengruppen (1. Ebene)	Einheit	Kosten €	€/Einheit	€/m² BGF	€/m³ BRI	% 300+400
100	Grundstück	m² GF	–	–	–	–	–
200	Vorbereitende Maßnahmen	m² GF	123.521	54,53	144,74	32,87	7,5
300	Bauwerk – Baukonstruktionen	m² BGF	1.299.278	1.522,51	1.522,51	345,80	79,2
400	Bauwerk – Technische Anlagen	m² BGF	340.286	398,75	398,75	90,57	20,8
	Bauwerk 300+400	**m² BGF**	**1.639.563**	**1.921,26**	**1.921,26**	**436,37**	**100,0**
500	Außenanlagen und Freiflächen	m² AF	318.568	350,07	373,30	84,79	19,4
600	Ausstattung und Kunstwerke	m² BGF	–	–	–	–	–
700	Baunebenkosten	m² BGF	–	–	–	–	–
800	Finanzierung	m² BGF	–	–	–	–	–

KG	Kostengruppe	Menge Einheit	Kosten €	€/Einheit	%
200	**Vorbereitende Maßnahmen**	2.265,00 m² GF	123.521	**54,53**	7,5
	Abbruch von Bestandsgebäude, Bodenaustausch, Geländeplanum				
3+4	**Bauwerk**				**100,0**
300	**Bauwerk – Baukonstruktionen**	853,38 m² BGF	1.299.278	**1.522,51**	79,2
	Stb-Fundamentplatte, Abdichtung, Dämmung, Estrich, Linoleum, Teppich, Bodenfliesen; Holzrahmenwände, Kunststofffenster, Zweifachverglasung, Dämmung, hinterlüftete Lärche-Rhombusschalung, WDVS, GK-Bekleidung mit Installationsebene, Beschichtung; GK-Holzständerwände, Innentüren, Innenfenster, Beschichtung; Holzdachkonstruktion, Pult- und Flachdächer, OSB-Schalung, Dämmung, Folienabdichtung, Dachentwässerung				
400	**Bauwerk – Technische Anlagen**	853,38 m² BGF	340.286	**398,75**	20,8
	Gebäudeentwässerung, Kalt- und Warmwasserleitungen, Sanitärobjekte; Fernwärmeversorgung, Fußbodenheizung; Elektroinstallation, Beleuchtung; Zugangskontrolle				
500	**Außenanlagen und Freiflächen**	910,00 m² AF	318.568	**350,07**	19,4
	Geländemodellierung; Pflaster, Betonplatten, wassergebundene Decke, Sandspielflächen (2St); Palisaden; Rigolen; Spielgeräte; Bepflanzung				

4400-0316
Kindertagesstätte
(5 Gruppen)
(97 Kinder)
Effizienzhaus ~67%

Objektübersicht

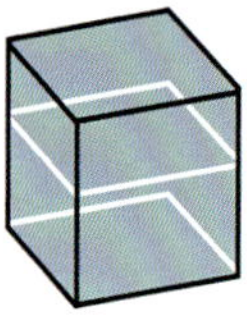

BRI 764€/m³

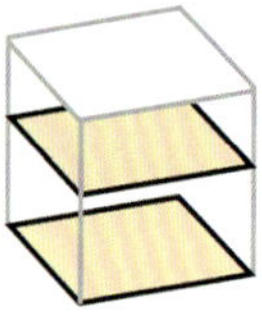

BGF 2.976€/m²

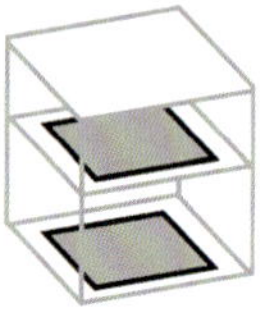

NUF 4.520€/m²

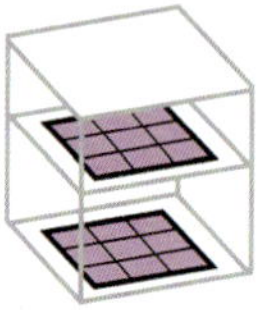

NE 33.284€/NE

NE: Kinder

Objekt:
Kennwerte: 3. Ebene DIN 276
BRI: 4.227m³
BGF: 1.085m²
NUF: 714m²
Bauzeit: 65 Wochen
Bauende: 2017
Standard: Durchschnitt
Bundesland: Saarland
Kreis: Saarpfalz-Kreis

Architekt*in:
Prof. Rollmann + Partner
Architekten PartGmbB
Cappelallee 4
64624 Homburg

Bauherr*in:
Kath. Kirchenstiftung
St. Michael
Ringstraße 50
66424 Homburg

© Zooey Braun

© Zooey Braun

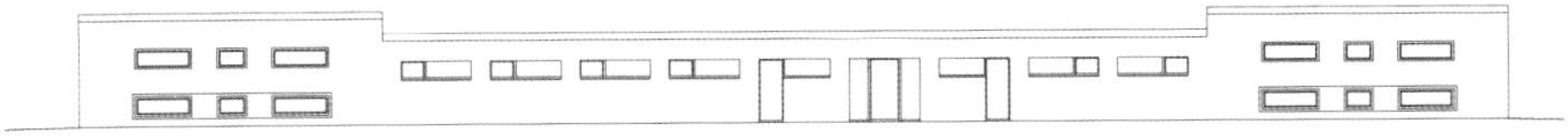

Ansicht Nord-West

Erdgeschoss

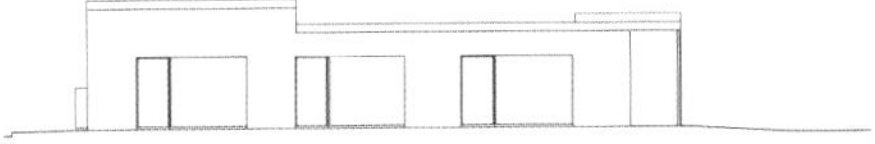

Ansicht Süd-West

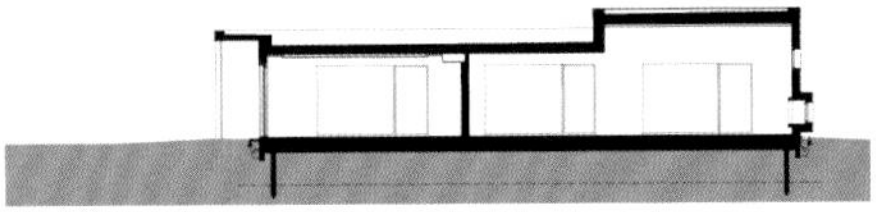

Schnitt A-A

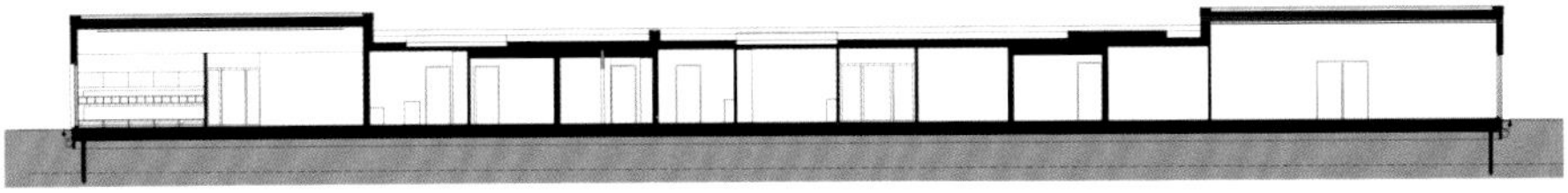

Schnitt B-B

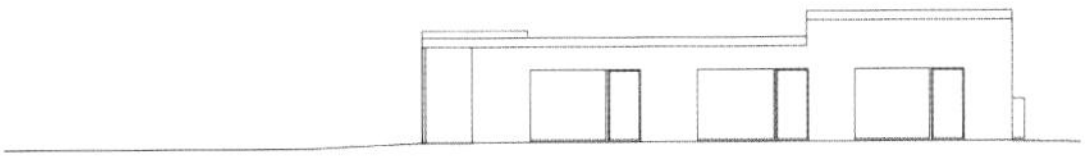

Ansicht Nord-Ost

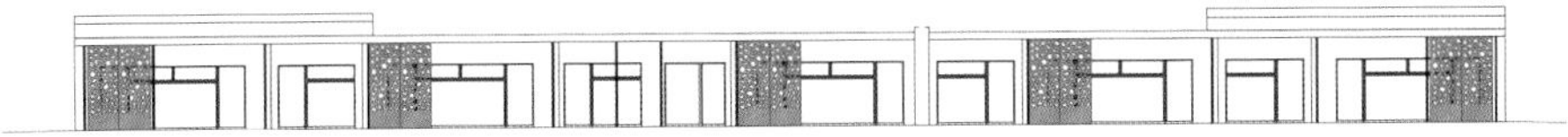

Ansicht Süd-Ost

4400-0316
Kindertagesstätte
(5 Gruppen)
(97 Kinder)
Effizienzhaus ~67%

Objektbeschreibung

Allgemeine Objektinformationen

Der Neubau des Kindergartens mit fünf Gruppen und fast 100 Plätzen ist als eingeschossiges Gebäude mit Flachdach ohne Unterkellerung konzipiert. Ein breiter Flur teilt den Grundriss der Länge nach. Die Anordnung und Gliederung der Gruppenräume nach Süden ist durch Vor-und Rücksprünge der Gartenfassade direkt ablesbar. Großflächige Glaselemente stellen den direkten Bezug zum Außenraum her, sind jedoch durch regenbogenfarbige frei stehende Sichtschutzelemente und ein auskragendes Dach geschützt.

Nutzung

1 Erdgeschoss
Gruppenräume, Schlafräume, Bewegungsraum, Speisesaal, Küche, Büros, Waschräume, WCs, Wickelräume, Garderobe, Abstellräume

Nutzeinheiten

Gruppen: 5
Kinder: 97

Grundstück

Bauraum: Freier Bauraum
Neigung: Ebenes Gelände
Bodenklasse: BK 1 bis BK 3

Markt

Hauptvergabezeit: 4. Quartal 2015
Baubeginn: 4. Quartal 2015
Bauende: 1. Quartal 2017
Konjunkturelle Gesamtlage: Durchschnitt
Regionaler Baumarkt: unter Durchschnitt

Baukonstruktion

Der Brettschichtholzbau gründet auf einer gedämmten Stahlbetonbodenplatte, die auf Bohrpfählen aufliegt. Die Brettschichtholzwände sind mit mineralischem Wärmedämmverbundsystem kombiniert. Durch die Luftdichtigkeit der Brettschichtholzelemente konnte auf eine Dampfbremse auf der Rauminnenseite verzichtet werden, lediglich die Elementstoßfugen wurden von außen diffusionsdicht abgeklebt. Selbst die geforderte Brandschutzwand wurde als Brettschichtholzwand ohne Bekleidungen ausgeführt. Die Holz-Alufenster sind dreifach verglast, sowie hochschallgedämmt, einige umrandet mit einem auskragenden farbig gestrichenen Rahmen. Je nach Bedarf wurden Lamellenraffstores oder innenliegender Sonnenschutz montiert. An den Brettschichtholzdecken wurden teilweise Gipskartondecken oder Holzwerkstoff-Akustikplatten abgehängt. Um den Schallschutz zu verbessern, kamen auch Akustiksegel zum Einsatz. Das Flachdach mit Gefälledämmung besitzt im Flurbereich Oberlichter.

Technische Anlagen

Das Gebäude erfüllt die Werte der EnEV 2014 und wird über ein Gas-Brennwertgerät mit Wärme versorgt. Die Wärmeübertragung erfolgt über Fußbodenheizung. Es kam eine Lüftungsanlage für einen hygienischen Grundluftwechsel in Toilette, Hauswirtschaftsraum und Nebenräumen zur Ausführung.

Planungskennwerte für Flächen und Rauminhalte nach DIN 277

Flächen des Grundstücks		Menge Einheit	% an GF
BF	Bebaute Fläche	1.107,60 m²	37,0
UF	Unbebaute Fläche	1.882,40 m²	63,0
GF	Grundstücksfläche	2.990,00 m²	100,0

Grundflächen des Bauwerks		Menge Einheit	% an NUF	% an BGF
NUF	Nutzungsfläche	714,20 m²	100,0	65,8
TF	Technikfläche	15,10 m²	2,1	1,4
VF	Verkehrsfläche	263,90 m²	37,0	24,3
NRF	Netto-Raumfläche	993,20 m²	139,1	91,5
KGF	Konstruktions-Grundfläche	91,80 m²	12,9	8,5
BGF	Brutto-Grundfläche	1.085,00 m²	151,9	100,0

Brutto-Rauminhalt des Bauwerks		Menge Einheit	BRI/NUF (m)	BRI/BGF (m)
BRI	Brutto-Rauminhalt	4.227,08 m³	5,92	3,90

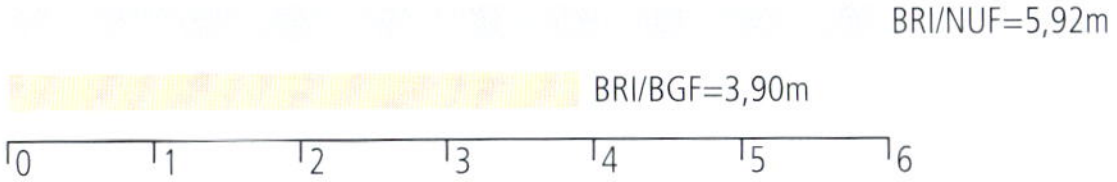

Lufttechnisch behandelte Flächen	Menge Einheit	% an NUF	% an BGF
Entlüftete Fläche	–	–	–
Be- und entlüftete Fläche	–	–	–
Teilklimatisierte Fläche	–	–	–
Klimatisierte Fläche	–	–	–

KG	Kostengruppen (2. Ebene)	Menge Einheit	Menge/NUF	Menge/BGF
310	Baugrube / Erdbau	1.864,88 m³ BGI	2,61	1,72
320	Gründung, Unterbau	1.054,17 m² GRF	1,48	0,97
330	Außenwände/Vertikale Baukonstruktionen, außen	586,61 m² AWF	0,82	0,54
340	Innenwände/Vertikale Baukonstruktionen, innen	1.297,68 m² IWF	1,82	1,20
350	Decken / horizontal	–	–	–
360	Dächer	1.277,74 m² DAF	1,79	1,18

Kostenkennwerte für die Kostengruppen der 1. Ebene DIN 276

KG	Kostengruppen (1. Ebene)	Einheit	Kosten €	€/Einheit	€/m² BGF	€/m³ BRI	% 300+400
100	Grundstück	m² GF	–	–	–	–	–
200	Vorbereitende Maßnahmen	m² GF	44.923	15,02	41,40	10,63	1,4
300	Bauwerk – Baukonstruktionen	m² BGF	2.725.483	2.511,97	2.511,97	644,77	84,4
400	Bauwerk – Technische Anlagen	m² BGF	503.042	463,63	463,63	119,00	15,6
	Bauwerk 300+400	**m² BGF**	**3.228.525**	**2.975,60**	**2.975,60**	**763,77**	**100,0**
500	Außenanlagen und Freiflächen	m² AF	600.584	138,68	553,53	142,08	18,6
600	Ausstattung und Kunstwerke	m² BGF	268.051	247,05	247,05	63,41	8,3
700	Baunebenkosten	m² BGF	–	–	–	–	–
800	Finanzierung	m² BGF	–	–	–	–	–

KG	Kostengruppe	Menge Einheit	Kosten €	€/Einheit	%
200	**Vorbereitende Maßnahmen**	2.990,00 m² GF	44.923	**15,02**	1,4

Gelände abräumen, Oberboden abtragen, Oberflächensondierung zur Kampfmittelbefreiung, Bohrungen herstellen; Hausanschlüsse Wasser, Erdgas, Strom, Telekommunikationsanlage

KG	Kostengruppe	Menge Einheit	Kosten €	€/Einheit	%
3+4	**Bauwerk**				**100,0**
300	**Bauwerk – Baukonstruktionen**	1.085,00 m² BGF	2.725.483	**2.511,97**	84,4

Stb-Fundamentplatte, Pfahlgründung, Heizestrich, Parkett, Kautschukböden, Bodenfliesen; Brettsperrholz- Elementwände, Holz-Alufenster, Alu-Haustüren, Wärmedämmverbundsystem, Raffstores; GK-Wände, Alu-Türelement, Holztüren, Wandfliesen, Beschichtungen, mobile Trennwand, WC-Trennwände; Massivholz-Flachdächer, Oberlichter, Dämmung, Folienabdichtung, Akustikdecken, Beschichtung; Einbauküchen, Garderobenelemente, Einbauschränke, Wickeltische, Empore, Kletterwände

KG	Kostengruppe	Menge Einheit	Kosten €	€/Einheit	%
400	**Bauwerk – Technische Anlagen**	1.085,00 m² BGF	503.042	**463,63**	15,6

Gebäudeentwässerung, Kalt- und Warmwasserleitungen, Sanitärobjekte; Gasbrennwerttherme, Speicher, Heizungsrohre, Fußbodenheizung; zentrales Lüftungsgerät mit Wärmerückgewinnung, Abluftanlagen; Elektroinstallation, LED-Beleuchtung; Telefonanlage, Videotürsprechstelle mit Kameramodul; Brandmeldeanlagen, Einbruchmeldezentrale, Notrufanlage behindertengerechtes WC; Netzwerkverkabelung

KG	Kostengruppe	Menge Einheit	Kosten €	€/Einheit	%
500	**Außenanlagen und Freiflächen**	4.330,58 m² AF	600.584	**138,68**	18,6

Bodenarbeiten, Gelände modellieren; Schottertragschicht, Geogitter, Stb-Bodenplatte; Betonpflasterflächen, Kunststoffbelag Sportflächen, Sandflächen Spielbereich; Stabgitterzaun, Gerätehaus aus Holzelementen, Stahlstützen, Sektionaltor, Sonnensegel; Entwässerungsrinnen, Kontrollschacht; Mülleinhausung, Spielschiff, Schaukelanlage, Wasserspielanlage, Federwipptiere; Oberbodenarbeiten, Bepflanzung, Rasen

KG	Kostengruppe	Menge Einheit	Kosten €	€/Einheit	%
600	**Ausstattung und Kunstwerke**	1.085,00 m² BGF	268.051	**247,05**	8,3

Sichtschutzelemente, Pinnwände, Möblierung, Teppiche, Sanitärausstattung

Kostenkennwerte für Leistungsbereiche nach STLB (Kosten des Bauwerks nach DIN 276)

LB	Leistungsbereiche	Kosten €	€/m² BGF	€/m³ BRI	% an 3+4
000	Sicherheits-, Baustelleneinrichtungen inkl. 001	153.361	141,30	36,30	4,8
002	Erdarbeiten	82.536	76,10	19,50	2,6
006	Spezialtiefbauarbeiten inkl. 005	32.084	29,60	7,60	1,0
009	Entwässerungskanalarbeiten inkl. 011	17.538	16,20	4,10	0,5
010	Drän- und Versickerarbeiten	–	–	–	–
012	Mauerarbeiten	–	–	–	–
013	Betonarbeiten	164.845	151,90	39,00	5,1
014	Natur-, Betonwerksteinarbeiten	–	–	–	–
016	Zimmer- und Holzbauarbeiten	568.209	523,70	134,40	17,6
017	Stahlbauarbeiten	7.929	7,30	1,90	0,2
018	Abdichtungsarbeiten	35.451	32,70	8,40	1,1
019	Kampfmittelräumarbeiten	–	–	–	–
020	Dachdeckungsarbeiten	152.363	140,40	36,00	4,7
021	Dachabdichtungsarbeiten	61.541	56,70	14,60	1,9
022	Klempnerarbeiten	56.949	52,50	13,50	1,8
	Rohbau	**1.332.805**	**1.228,40**	**315,30**	**41,3**
023	Putz- und Stuckarbeiten, Wärmedämmsysteme	84.035	77,50	19,90	2,6
024	Fliesen- und Plattenarbeiten	23.680	21,80	5,60	0,7
025	Estricharbeiten	71.952	66,30	17,00	2,2
026	Fenster, Außentüren inkl. 029, 032	365.176	336,60	86,40	11,3
027	Tischlerarbeiten	357.673	329,70	84,60	11,1
028	Parkettarbeiten, Holzpflasterarbeiten	81.507	75,10	19,30	2,5
030	Rollladenarbeiten	51.308	47,30	12,10	1,6
031	Metallbauarbeiten inkl. 035	–	–	–	–
034	Maler- und Lackiererarbeiten inkl. 037	62.191	57,30	14,70	1,9
036	Bodenbelagarbeiten	80.767	74,40	19,10	2,5
038	Vorgehängte hinterlüftete Fassaden	–	–	–	–
039	Trockenbauarbeiten	208.393	192,10	49,30	6,5
	Ausbau	**1.386.681**	**1.278,00**	**328,00**	**43,0**
040	Wärmeversorgungsanl. - Betriebseinr. inkl. 041	63.464	58,50	15,00	2,0
042	Gas- und Wasserinstallation, Leitungen inkl. 043	13.270	12,20	3,10	0,4
044	Abwasseranlagen - Leitungen	68.851	63,50	16,30	2,1
045	GWE-Einrichtungsgegenstände inkl. 046	46.954	43,30	11,10	1,5
047	Dämmarbeiten an betriebstechnischen Anlagen	–	–	–	–
049	Feuerlöschanlagen, Feuerlöschgeräte	–	–	–	–
050	Blitzschutz- und Erdungsanlagen	9.546	8,80	2,30	0,3
053	Niederspannungsanlagen inkl. 052, 054	142.659	131,50	33,70	4,4
055	Sicherheits- u. Ersatzstromversorgungsanl.	–	–	–	–
057	Gebäudesystemtechnik	–	–	–	–
058	Leuchten und Lampen inkl. 059	55.024	50,70	13,00	1,7
060	Sprechanlagen, elektroakust. Anlagen inkl. 064	–	–	–	–
061	Kommunikationsnetze inkl. 063	46.655	43,00	11,00	1,4
069	Aufzüge	–	–	–	–
070	Gebäudeautomation	–	–	–	–
075	Raumlufttechnische Anlagen inkl. 078	16.501	15,20	3,90	0,5
	Gebäudetechnik	**462.924**	**426,70**	**109,50**	**14,3**
084	Abbruch, Rückbau, Schadstoffsanierung	–	–	–	–
	Abbrucharbeiten	**–**	**–**	**–**	**–**
	Sonstige Leistungsbereiche	**46.115**	**42,50**	**10,90**	**1,4**

4400-0344
Kindertagesstätte
(4 Gruppen)
(60 Kinder)

Objektübersicht

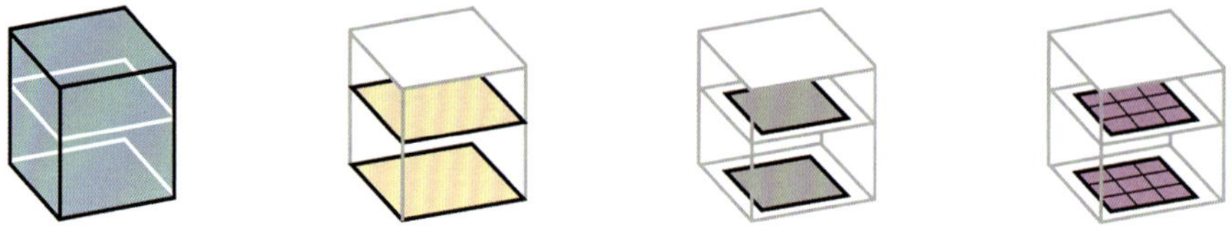

BRI 544 €/m³ | **BGF** 2.265 €/m² | **NUF** 3.166 €/m² | **NE** 31.698 €/NE

NE: Kinder

Objekt:
Kennwerte: 1. Ebene DIN 276
BRI: 3.496 m³
BGF: 840 m²
NUF: 601 m²
Bauzeit: 39 Wochen
Bauende: 2018
Standard: Durchschnitt
Bundesland: Schleswig-Holstein
Kreis: Dithmarschen

Architekt*in:
JEBENS SCHOOF ARCHITEKTEN BDA
Speichergasse 6
25746 Heide

Bauherr*in:
Gemeinde Weddingstedt
25795 Weddingstedt

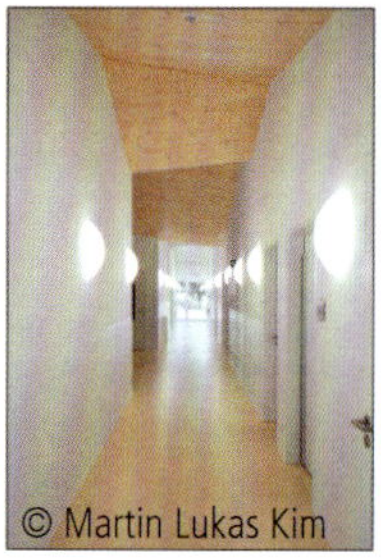

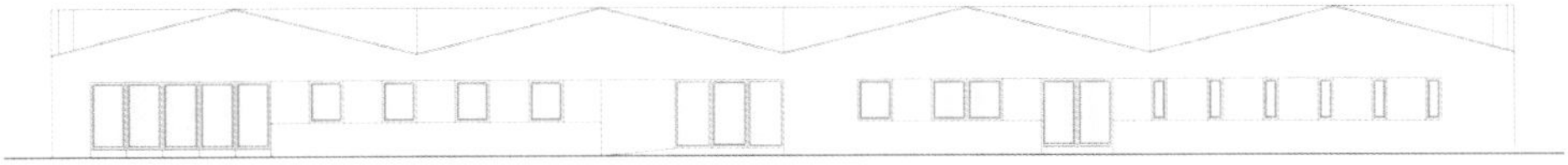

Ansicht Ost

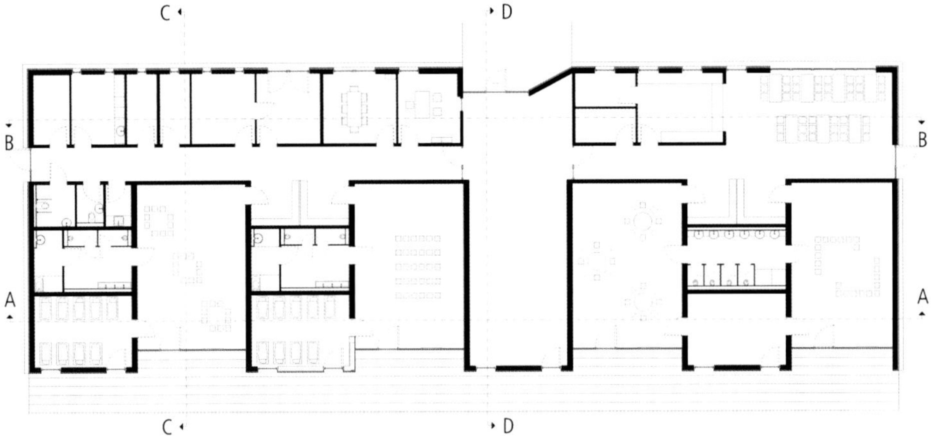

Erdgeschoss

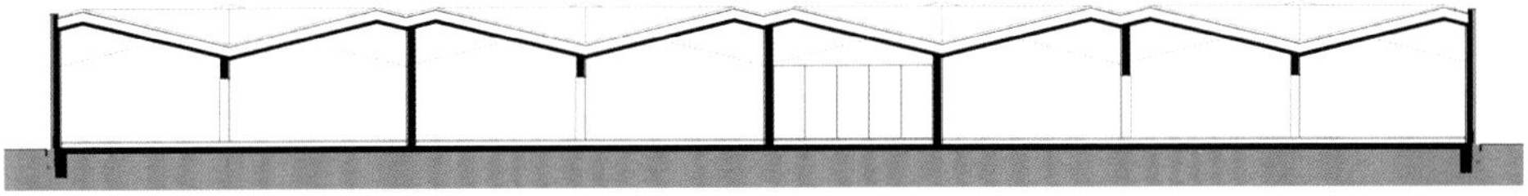

Schnitt A-A

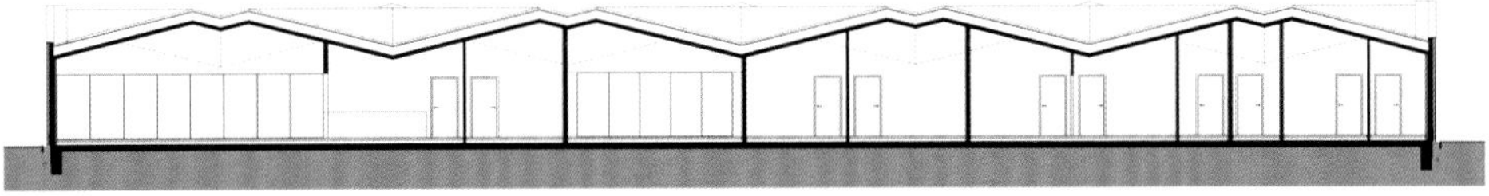

Schnitt B-B

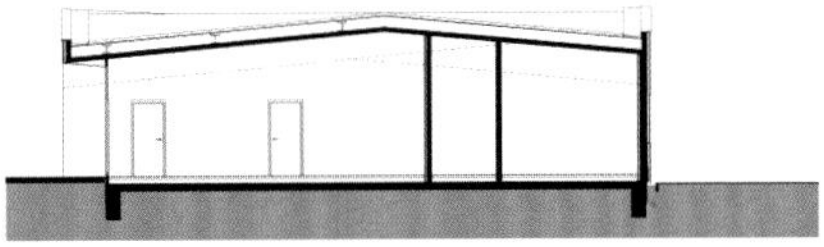

Schnitt C-C

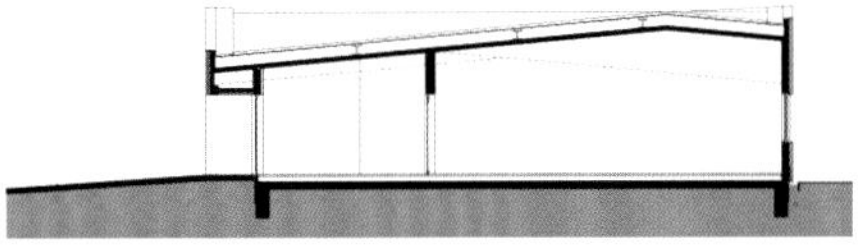

Schnitt D-D

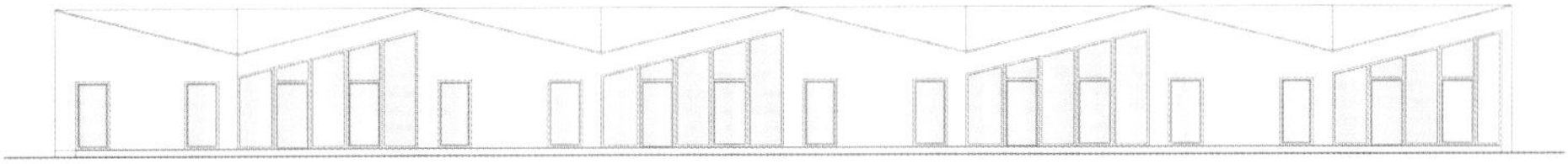

Ansicht West

4400-0344
Kindertagesstätte
(4 Gruppen)
(60 Kinder)

Objektbeschreibung

Allgemeine Objektinformationen

Der Neubau ist in seiner Kubatur mit den auf- und absteigenden Satteldächern und dem Einschnitt im Eingangsbereich funktional gegliedert. Lichtdurchflutete, fließende Räume durchbrechen die Grenze zwischen Innen und Außen. Die Fassaden sind vertikal gegliedert und lockern die liegende Kubatur des Neubaus auf. Während die Ostseite mit dem Eingang und den Servicebereichen zurückhaltend und den Funktionen entsprechend belichtet wird, öffnet sich die Westseite mit den Gruppenräumen großzügig zum Garten.

Nutzung

1 Erdgeschoss
Foyer, Gruppenräume, Spielstraße, Bewegungsraum, Schlafräume, Garderoben, Materialräume, Förderraum, Personalraum, Büro, Speiseraum, Küche, Vorratsraum, Sanitärräume, Wickelräume, Kinderwagenraum, Putzmittelraum, WCs, Hauswirtschaftsraum, Haustechnikraum

Nutzeinheiten

Gruppen: 4
Kinder: 60

Grundstück

Bauraum: Freier Bauraum
Neigung: Ebenes Gelände
Bodenklasse: BK 3

Markt

Hauptvergabezeit: 1. Quartal 2017
Baubeginn: 2. Quartal 2017
Bauende: 1. Quartal 2018
Konjunkturelle Gesamtlage: über Durchschnitt
Regionaler Baumarkt: unter Durchschnitt

Baukonstruktion

Die Kindertagesstätte gründet flach auf einer wasserundurchlässigen Stahlbetonsohle und wurde in Holztafelbauweise mit vorgefertigten Wandelementen und Brettsperrholzdecken errichtet. Das Dachtragwerk ist als Faltwerk höchst anspruchsvoll. Es wurde als Warmdach ausgebildet und extensiv begrünt. Die hinterlüftete Vorhangfassade ist mit Faserzement- und Hochdrucklaminatplatten gestaltet. Alle bodentiefen Fenster sind Alufensterelemente, die Rahmen der Lochfenster bestehen aus Kunststoff. Nichttragende Innenwände sind als Gipskarton-Metallständerwände hergestellt und haben eine vollflächige Spachtelung sowie einen Dispersionsanstrich erhalten. Als Bodenbelag kam Kautschuk auf schwimmendem Estrich zur Ausführung.

Technische Anlagen

Die Beheizung des Gebäudes erfolgt mittels einer Gastherme mit Luft-Wasser-Wärmepumpe. Über eine Fußbodenheizung wird die Wärme auf die einzelnen Räume verteilt. Alle Gruppen- und Schlafräume sowie der Speiseraum verfügen über dezentrale Lüftungsanlagen mit Wärmerückgewinnung. Die Kaltwasserinstallation wurde als Zirkulation ausgeführt, Warmwasser wird dezentral erzeugt. Sämtliche Räume sind mit energiesparenden LED-Leuchten ausgestattet.

Sonstiges

Der Beauftragung der Architekten ging ein Planungswettbewerb mit VOF-Verfahren voraus. Der Entwurf, die Gestaltung, die Konstruktion mit Vorfertigung und die daraus resultierende Kosteneinsparung und -sicherheit waren für den Sieg ausschlaggebend.

Planungskennwerte für Flächen und Rauminhalte nach DIN 277

Flächen des Grundstücks		Menge Einheit	% an GF
BF	Bebaute Fläche	823,70 m²	6,8
UF	Unbebaute Fläche	11.210,30 m²	93,2
GF	Grundstücksfläche	12.034,00 m²	100,0

Grundflächen des Bauwerks		Menge Einheit	% an NUF	% an BGF
NUF	Nutzungsfläche	600,74 m²	100,0	71,6
TF	Technikfläche	7,98 m²	1,3	1,0
VF	Verkehrsfläche	111,84 m²	18,6	13,3
NRF	Netto-Raumfläche	720,56 m²	119,9	85,8
KGF	Konstruktions-Grundfläche	119,00 m²	19,8	14,2
BGF	Brutto-Grundfläche	839,56 m²	139,8	100,0

Brutto-Rauminhalt des Bauwerks		Menge Einheit	BRI/NUF (m)	BRI/BGF (m)
BRI	Brutto-Rauminhalt	3.496,28 m³	5,82	4,16

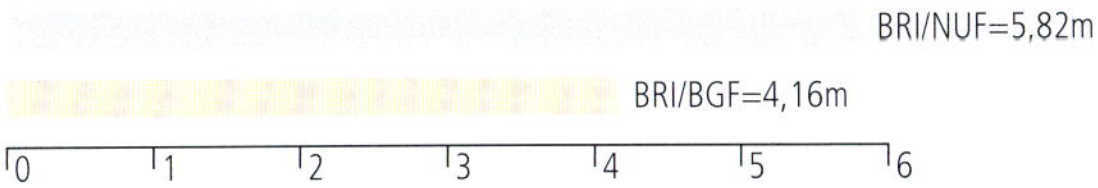

Kostenkennwerte für die Kostengruppen der 1. Ebene DIN 276

KG	Kostengruppen (1. Ebene)	Einheit	Kosten €	€/Einheit	€/m² BGF	€/m³ BRI	% 300+400
100	Grundstück	m² GF	–	–	–	–	–
200	Vorbereitende Maßnahmen	m² GF	–	–	–	–	–
300	Bauwerk – Baukonstruktionen	m² BGF	1.386.529	1.651,50	1.651,50	396,57	72,9
400	Bauwerk – Technische Anlagen	m² BGF	515.335	613,82	613,82	147,40	27,1
	Bauwerk 300+400	**m² BGF**	**1.901.865**	**2.265,31**	**2.265,31**	**543,97**	**100,0**
500	Außenanlagen und Freiflächen	m² AF	129.970	103,98	154,81	37,17	6,8
600	Ausstattung und Kunstwerke	m² BGF	72.876	86,80	86,80	20,84	3,8
700	Baunebenkosten	m² BGF	–	–	–	–	–
800	Finanzierung	m² BGF	–	–	–	–	–

KG	Kostengruppe	Menge Einheit	Kosten €	€/Einheit	%
3+4	**Bauwerk**				**100,0**
300	**Bauwerk – Baukonstruktionen**	839,56 m² BGF	1.386.529	**1.651,50**	72,9

Baugrubenaushub; Stb-Fundamente, Stb-Bodenplatte WU-Beton, Heizestrich, Kautschukbelag, Bodenfliesen, Abdichtung, Kiesfilterschicht, Dämmung, Dränage; Holztafelwände, Holzfenster, Pfosten-Riegelfassade, Alufensterelemente, Kunststofffenster, Sonnenschutzverglasung, Wärmedämmung, hinterlüftete Vorhangfassade aus Faserzement- und HPL-Platten, Gipsfaser-Bekleidung; Holztafelwände, GK-Wände, Innentüren, Wandfliesen, Beschichtung, WC-Trennwände, Akustikschaum-Wandfelder; Brettsperrholzdach als Faltwerk, Stahlträger, Dämmung, Abdichtung, Attika, extensive Dachbegrünung, Dachentwässerung

KG	Kostengruppe	Menge Einheit	Kosten €	€/Einheit	%
400	**Bauwerk – Technische Anlagen**	839,56 m² BGF	515.335	**613,82**	27,1

Gebäudeentwässerung, Kalt- und Warmwasserleitungen, Sanitärobjekte; Luft-Wasser-Wärmepumpe, Gas-Brennwerttherme, Fußbodenheizung, dezentrale Warmwasserbereitung mit Durchlauferhitzern; dezentrale Lüftungsanlagen mit Wärmerückgewinnung; Elektroinstallation, LED-Beleuchtung

KG	Kostengruppe	Menge Einheit	Kosten €	€/Einheit	%
500	**Außenanlagen und Freiflächen**	1.250,00 m² AF	129.970	**103,98**	6,8

Oberbodenarbeiten, Bodenarbeiten; Stellplätze auch für die benachbarte Schule, Spielplatzflächen; Oberbodenauftrag, Rasen

KG	Kostengruppe	Menge Einheit	Kosten €	€/Einheit	%
600	**Ausstattung und Kunstwerke**	839,56 m² BGF	72.876	**86,80**	3,8

Kletterwand und Gerüst, vier Spielhochebenen, Möbel für Gruppen- und Schlafräume, Speiseraum, Verwaltung, Personalraum

4400-0345
Kindertagesstätte
(2 Gruppen)
(45 Kinder)

Objektübersicht

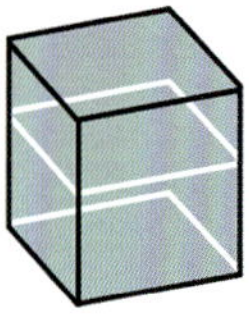

BRI 1.249€/m³

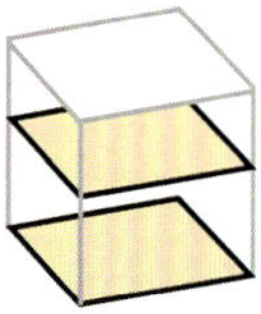

BGF 4.855€/m²

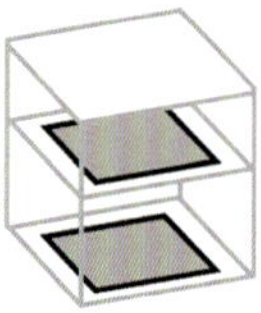

NUF 6.699€/m²

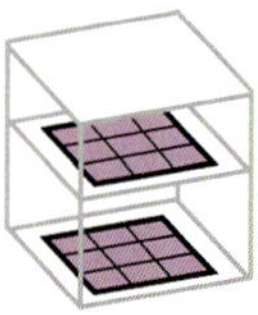

NE 42.928€/NE

NE: Kinder

Objekt:
Kennwerte: 1. Ebene DIN 276
BRI: 1.547 m³
BGF: 398 m²
NUF: 288 m²
Bauzeit: 65 Wochen
Bauende: 2019
Standard: über Durchschnitt
Bundesland: Niedersachsen
Kreis: Braunschweig, Stadt

Architekt*in:
maurer - ARCHITEKTUR
(LPH 1-5)
Kunterstraße 1
38159 Vechelde

Jensen Gronau
Architekten BDA
(LPH 6-9)
Gördelingerstraße 5
38100 Braunschweig

Bauherr*in:
Stadt Braunschweig
Platz der Deutschen Einheit 1
38100 Braunschweig

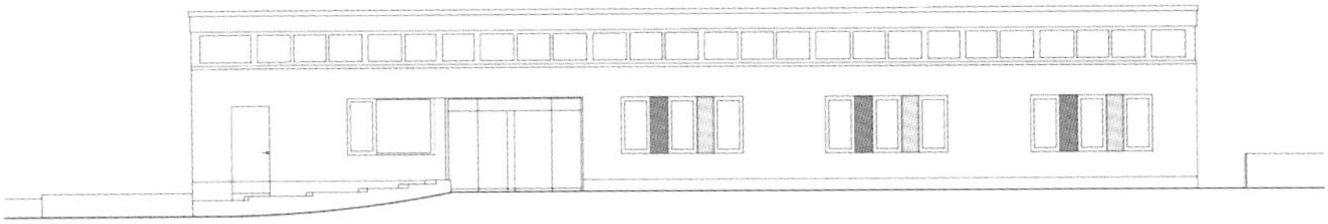

Ansicht Nord-Ost

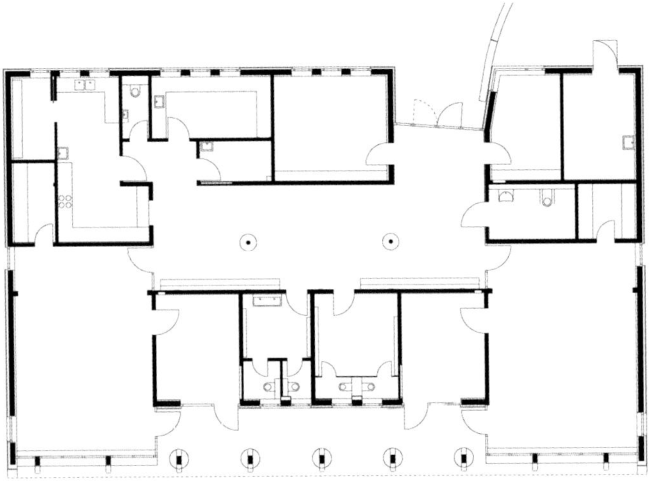

Erdgeschoss

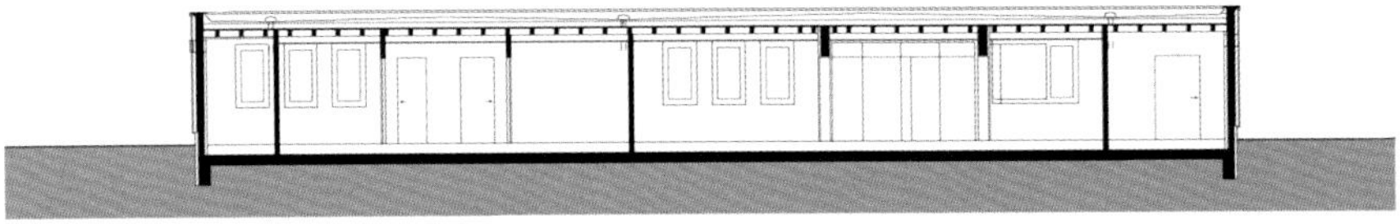

Längsschnitt

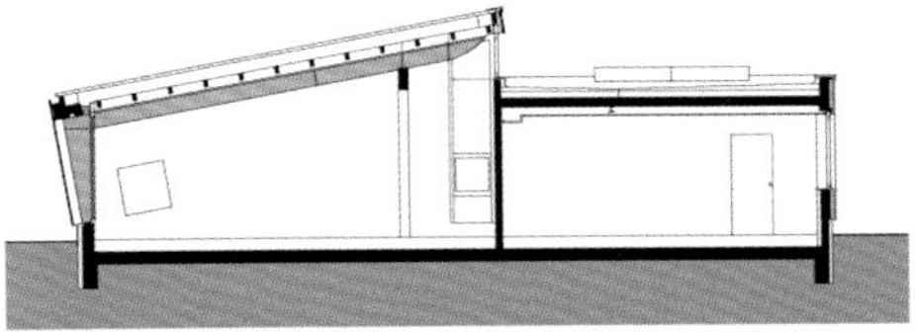

Querschnitt

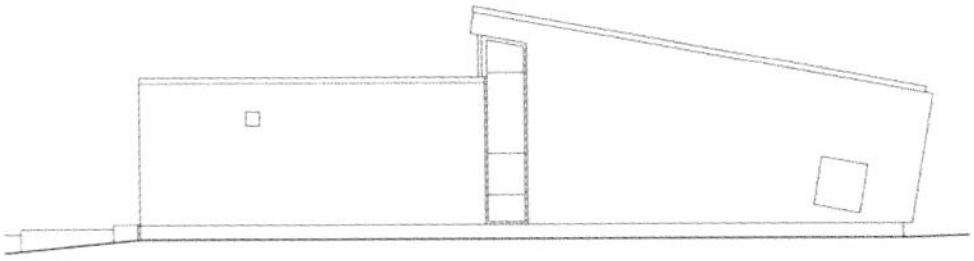

Ansicht Nord-West

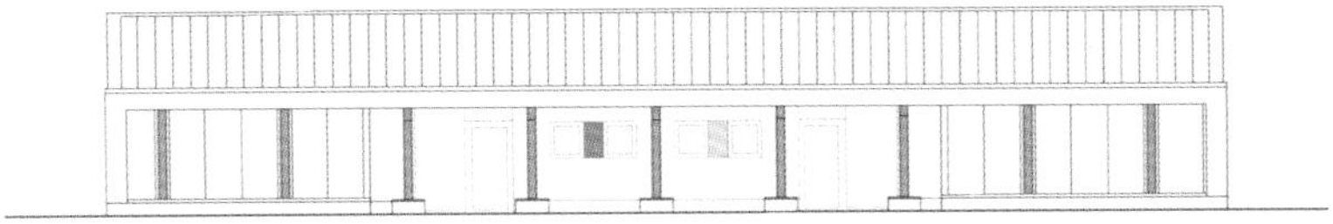

Ansicht Süd-West

4400-0345
Kindertagesstätte
(2 Gruppen)
(45 Kinder)

Objektbeschreibung

Allgemeine Objektinformationen

Der eingeschossige Neubau einer Kindertagesstätte mit einer Kita-Gruppe (25 Kinder von 3-6 Jahren) und einer Hort-Gruppe (20 Kinder) dient als Ersatzbau für das alte Gebäude, das wegen des schlechten baulichen Zustands nicht erhalten werden konnte. Die Gruppenräume sind zur Südwestseite ganzflächig verglast und öffnen sich zur angrenzenden Außenspielfläche. Der weite Dachüberstand im Bereich der Kleingruppen- und Sanitärräume bietet einen geschützten Terrassenraum und sorgt für einen wirksamen konstruktiven Sonnenschutz in den Sommermonaten.

Nutzung

1 Erdgeschoss
Eingangsbereiche, Foyer mit Garderobe, Gruppenräume Hort, Kleinkindgruppenräume, Sanitärräume, Küche, Hauswirtschaftsraum, Personalraum, Büro, Abstellräume, Technikraum

Nutzeinheiten

Gruppen: 2
Kinder: 45

Grundstück

Bauraum: Beengter Bauraum
Neigung: Ebenes Gelände
Bodenklasse: BK 3

Markt

Hauptvergabezeit: 1. Quartal 2018
Baubeginn: 1. Quartal 2018
Bauende: 2. Quartal 2019
Konjunkturelle Gesamtlage: über Durchschnitt
Regionaler Baumarkt: Durchschnitt

Baukonstruktion

Das nicht unterkellerte Gebäude gründet flach auf einer Stahlbetonbodenplatte und Streifenfundamenten. Für alle tragenden Wände wurden Holztafelwände mit innenseitiger Beplankung aus Mehrschicht- und Gipskartonplatten gewählt. Das Ständerwerk der Außenwände ist mit Mineralfaser gedämmt. Auf der Außenseite wurde eine zusätzliche Holzfaserdämmplatte montiert. Innenseitig kam zusätzlich Mineralfaserdämmung zur Ausführung. Die Innenwände sind in Leichtbauweise hergestellt. Als schallabsorbierende Maßnahme wurden in den Gruppenräumen und Flurbereichen Akustikdecken eingebaut. Über den Gruppenräumen befindet sich ein flachgeneigtes Pultdach mit sichtbaren Holzbindern, die Nebenräume werden von einem Flachdach mit Folienabdichtung überdeckt. Sämtliche Fenster haben Alurahmen und sind mit einem außenliegenden Sonnenschutz ausgestattet. Die Fußböden wurden mit Kautschuk belegt.

Technische Anlagen

Die Wärmeerzeugung erfolgt über einen bestehenden Gasbrennwertkessel im benachbarten Altbaubereich. Mittels Fußbodenheizung wird die Wärme in den Räumen verteilt. Drei dezentrale Zu- und Abluftanlagen mit Wärmerückgewinnung sorgen für ausreichenden Luftwechsel. Das Trinkwasser wird dezentral über Elektro-Durchlauferhitzer erwärmt.

Planungskennwerte für Flächen und Rauminhalte nach DIN 277

Flächen des Grundstücks		Menge Einheit	% an GF
BF	Bebaute Fläche	397,92 m^2	12,3
UF	Unbebaute Fläche	2.827,08 m^2	87,7
GF	Grundstücksfläche	3.225,00 m^2	100,0

Grundflächen des Bauwerks		Menge Einheit	% an NUF	% an BGF
NUF	Nutzungsfläche	288,37 m^2	100,0	72,5
TF	Technikfläche	12,87 m^2	4,5	3,2
VF	Verkehrsfläche	45,51 m^2	15,8	11,4
NRF	Netto-Raumfläche	346,75 m^2	120,2	87,1
KGF	Konstruktions-Grundfläche	51,17 m^2	17,7	12,9
BGF	Brutto-Grundfläche	397,92 m^2	138,0	100,0

Brutto-Rauminhalt des Bauwerks		Menge Einheit	BRI/NUF (m)	BRI/BGF (m)
BRI	Brutto-Rauminhalt	1.546,50 m^3	5,36	3,89

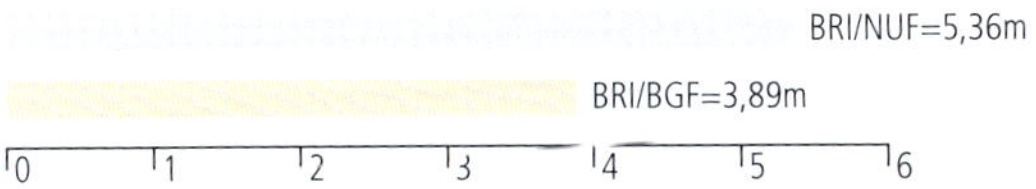

Kostenkennwerte für die Kostengruppen der 1. Ebene DIN 276

KG	Kostengruppen (1. Ebene)	Einheit	Kosten €	€/Einheit	€/m² BGF	€/m³ BRI	% 300+400
100	Grundstück	m² GF	–	–	–	–	–
200	Vorbereitende Maßnahmen	m² GF	97.146	30,12	244,14	62,82	5,0
300	Bauwerk – Baukonstruktionen	m² BGF	1.377.568	3.461,92	3.461,92	890,76	71,3
400	Bauwerk – Technische Anlagen	m² BGF	554.212	1.392,77	1.392,77	358,37	28,7
	Bauwerk 300+400	**m² BGF**	**1.931.780**	**4.854,69**	**4.854,69**	**1.249,13**	**100,0**
500	Außenanlagen und Freiflächen	m² AF	159.256	87,16	400,22	102,98	8,2
600	Ausstattung und Kunstwerke	m² BGF	–	–	–	–	–
700	Baunebenkosten	m² BGF	–	–	–	–	–
800	Finanzierung	m² BGF	–	–	–	–	–

KG	Kostengruppe	Menge Einheit	Kosten €	€/Einheit	%
200	**Vorbereitende Maßnahmen**	3.225,00 m² GF	97.146	**30,12**	5,0

Abbruch Bestandsgebäude in Holzbauweise; Baumfällungen; Anschlüsse Medienversorgung

KG	Kostengruppe	Menge Einheit	Kosten €	€/Einheit	%
3+4	**Bauwerk**				**100,0**
300	**Bauwerk – Baukonstruktionen**	397,92 m² BGF	1.377.568	**3.461,92**	71,3

Baugrubenaushub; Stb-Bodenplatte; Dämmung, Heizestrich, Kautschukbelag, Bodenfliesen, Abdichtung; Holztafelbau-Außenwände, Stb-Sockel, Alufenster, Alutüren, hinterlüftete Holzfassade, Dämmung, Holzschalung, Senkrechtmarkisen; Holzständerwände, GK-Innenwände, Holztüren, Beschichtung; Holzpultdachkonstruktion, Holz-Flachdach, BSH-Träger, Alu-Oberlichter; Dämmung, Abdichtung, abgehängte Akustikdecke, Dachentwässerung, Kücheneinrichtung

KG	Kostengruppe	Menge Einheit	Kosten €	€/Einheit	%
400	**Bauwerk – Technische Anlagen**	397,92 m² BGF	554.212	**1.392,77**	28,7

Gebäudeentwässerung, Kalt- und Warmwasserleitungen, Sanitärobjekte; Fußbodenheizung, Zu- und Abluftanlage mit Wärmerückgewinnung; Anschluss an bestehendes Gasbrennwertgerät; Elektroinstallation, Beleuchtung, Sicherheitsbeleuchtung, PV-Anlage; Blitzschutz

KG	Kostengruppe	Menge Einheit	Kosten €	€/Einheit	%
500	**Außenanlagen und Freiflächen**	1.827,08 m² AF	159.256	**87,16**	8,2

Geländebearbeitung; Pflasterung Wege, Eingangsbereiche, Terrassen; Oberbodenbereich, Bepflanzung im rückwärtigen Gruppenbereich

4400-0347
Kindertagesstätte
(7 Gruppen)
(110 Kinder)

Objektübersicht

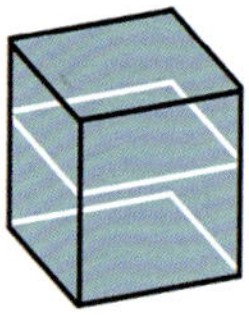

BRI 603 €/m³

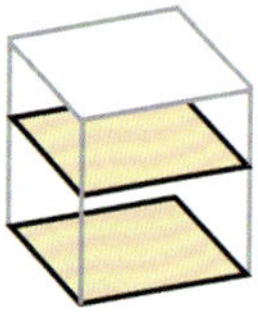

BGF 2.478 €/m²

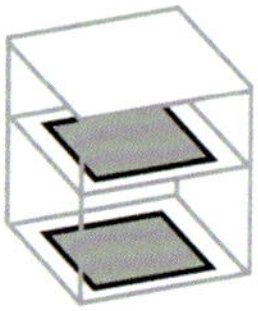

NUF 4.052 €/m²

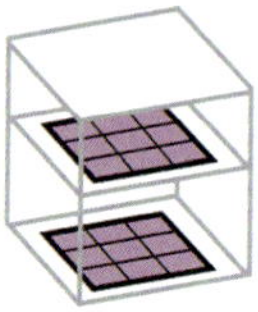

NE 26.687 €/NE

NE: Kinder

Objekt:
Kennwerte: 1. Ebene DIN 276
BRI: 4.868 m³
BGF: 1.185 m²
NUF: 724 m²
Bauzeit: 52 Wochen
Bauende: 2019
Standard: über Durchschnitt
Bundesland: Brandenburg
Kreis: Potsdam, Stadt

Architekt*in:
Werkgruppe Kleinmachnow
Architekten PartGmbB
Karl-Marx-Straße 102
14532 Kleinmachnow

Bauherr*in:
Die Kinderwelt gGmbH
Marlene-Dietrich-Allee 15
14467 Potsdam

© k. A.

© k. A.

© k. A.

© k. A.

Ansicht Nord-Ost

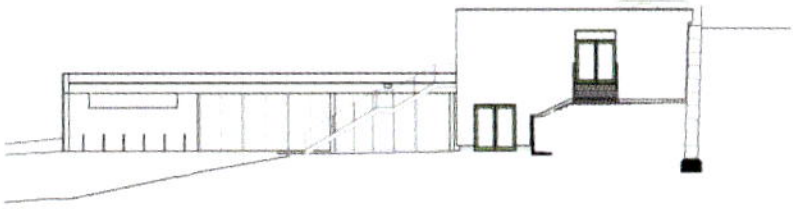

Ansicht Nord-West

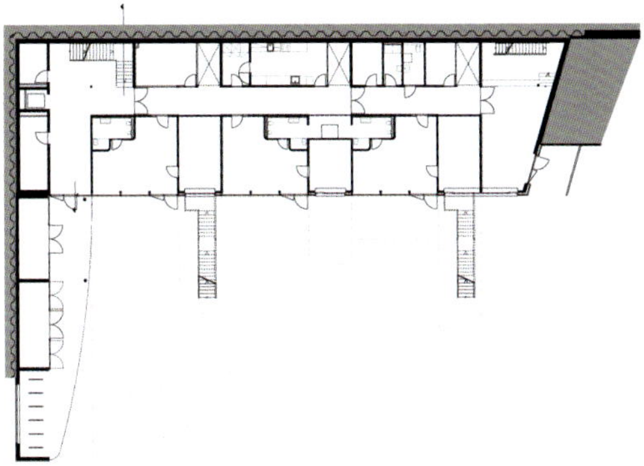

Erdgeschoss

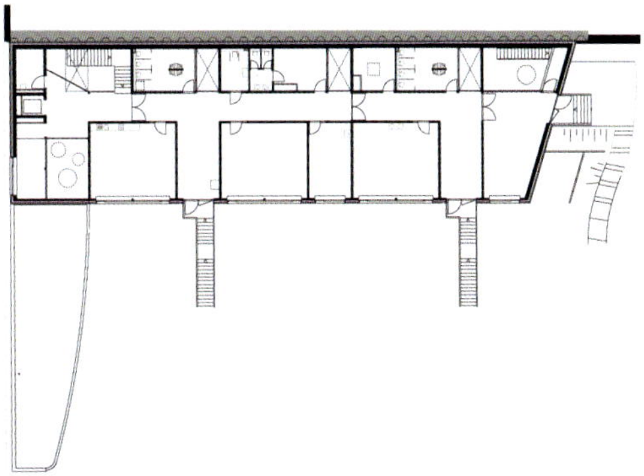

Obergeschoss

Ansicht Süd-Ost

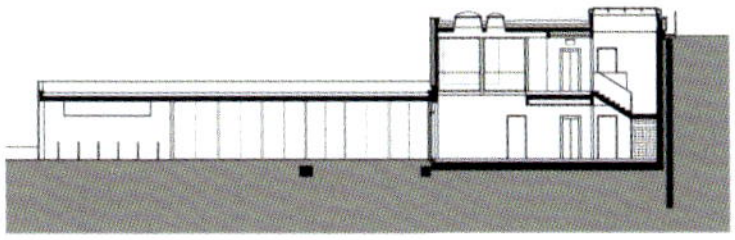

Schnitt

4400-0347
Kindertagesstätte
(7 Gruppen)
(110 Kinder)

Objektbeschreibung

Allgemeine Objektinformationen

Der Baukörper fügt sich in die Hanglage ein, sodass er dreiseitig vom Gelände umschlossen ist. Die Belichtung erfolgt einseitig über die Gartenseite und zusätzlich über vier Lichthöfe bzw. Dachoberlichter.

Nutzung

1 Erdgeschoss
Eingangshalle, Flure, Gruppenräume, Sanitärbereiche, Hausmeisterraum, Treppen, Aufzug, Personalräume, Umkleiden, Bewegungs- und Theaterraum, Technik, Wäscheraum, Offene Überdachung für Müll, Fahrräder, Kinderwägen

1 Obergeschoss
Galerie, Cafeteria, Garderobe, Sanitärbereiche, Bibliothek, Aufenthaltsraum Personal, Bauzimmer, Forscher-Atelier, Abstellraum, Putzmittel, Treppenhaus

Nutzeinheiten

Gruppen: 7
Kinder: 110

Grundstück

Bauraum: Freier Bauraum
Neigung: Hanglage
Bodenklasse: BK 3

Besonderer Kosteneinfluss Grundstück
Hohe Kosten für Erdabtrag des Hangs

Markt

Hauptvergabezeit: 3. Quartal 2018
Baubeginn: 4. Quartal 2018
Bauende: 4. Quartal 2019
Konjunkturelle Gesamtlage: über Durchschnitt
Regionaler Baumarkt: über Durchschnitt

Baukonstruktion

Das in Holz-Beton-Hybridbauweise errichtete Gebäude gründet auf einer Stahlbetonbodenplatte aus WU-Beton. Die Außenwände der Rückseite und der Stirnseiten wurden ebenfalls aus WU-Beton hergestellt. Die Fassade wurde mit einer vorgehängten, hinterlüfteten Holzschalung mit mineralischer Außendämmung bekleidet. Die tragenden Innenwände sowie die Geschoss- und Dachdecke bestehen aus Brettsperrholzelementen, während die nicht tragenden Wände in Gipskarton ausgeführt wurden. Von innen sind die Wände unverputzt und oberflächenfertig. Es kamen Holztüren und Holzfenster mit Dreifachverglasung zum Einbau. Als Bodenbelag wurde Linoleum oder Bodenfliesen gewählt. Im Treppenhaus führen Stahlbetontreppen mit Holzgeländer in das obere Stockwerk. Die beiden gedämmten Flachdächer haben eine Bitumenabdichtung erhalten und sind extensiv begrünt. Außerdem wurden Dachoberlichter eingebaut. Die Kita ist mit baukonstruktiven Einbauten, Sitzbänken, Wickeltischen und einer Spielküche ausgestattet.

Technische Anlagen

Die Kindertagesstätte wird über eine Luft-Wasser-Wärmepumpe in Kombination mit einem Gasbrennwertkessel beheizt. Die Räume werden mittels Fußbodenheizung mit Heizwärme versorgt. Für ein optimales Raumklima sorgt eine Abluftanlage mit Nachströmöffnungen in der Fassade. In die innenliegende Küche wurde eine Zu- und Abluftanlage mit Wärmerückgewinnung eingebaut. Es kamen eine Telekommunikations- und eine Türsprechanlage zur Ausführung. Einbruch- und Rauchmeldeanlagen dienen der Sicherheit. Das zweistöckige Gebäude ist mit einem Personenaufzug ausgestattet.

Planungskennwerte für Flächen und Rauminhalte nach DIN 277

Flächen des Grundstücks		Menge Einheit	% an GF
BF	Bebaute Fläche	660,00 m^2	34,6
UF	Unbebaute Fläche	1.250,00 m^2	65,4
GF	Grundstücksfläche	1.910,00 m^2	100,0

Grundflächen des Bauwerks		Menge Einheit	% an NUF	% an BGF
NUF	Nutzungsfläche	724,38 m^2	100,0	61,1
TF	Technikfläche	23,45 m^2	3,2	2,0
VF	Verkehrsfläche	271,09 m^2	37,4	22,9
NRF	Netto-Raumfläche	1.018,92 m^2	140,7	86,0
KGF	Konstruktions-Grundfläche	165,92 m^2	22,9	14,0
BGF	Brutto-Grundfläche	1.184,84 m^2	163,6	100,0

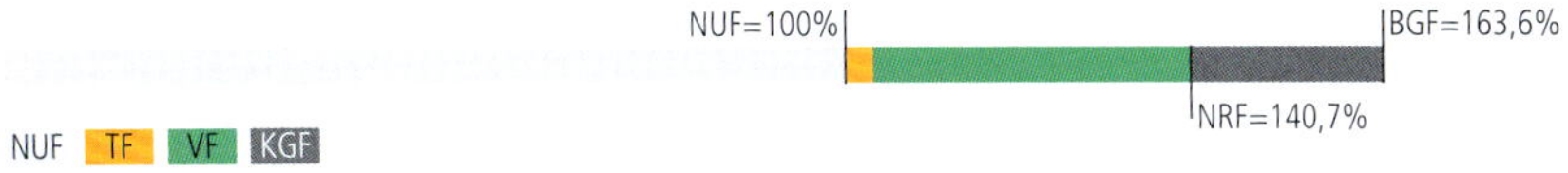

Brutto-Rauminhalt des Bauwerks		Menge Einheit	BRI/NUF (m)	BRI/BGF (m)
BRI	Brutto-Rauminhalt	4.868,24 m^3	6,72	4,11

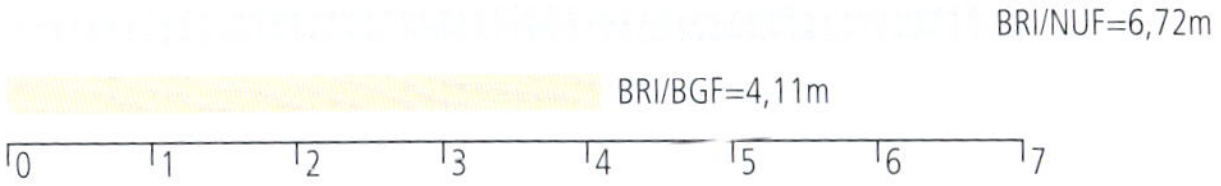

Kostenkennwerte für die Kostengruppen der 1.Ebene DIN 276

KG	Kostengruppen (1.Ebene)	Einheit	Kosten €	€/Einheit	€/m² BGF	€/m³ BRI	% 300+400
100	Grundstück	m² GF	–	–	–	–	–
200	Vorbereitende Maßnahmen	m² GF	–	–	–	–	–
300	Bauwerk – Baukonstruktionen	m² BGF	2.331.330	1.967,63	1.967,63	478,89	79,4
400	Bauwerk – Technische Anlagen	m² BGF	604.201	509,94	509,94	124,11	20,6
	Bauwerk 300+400	**m² BGF**	**2.935.531**	**2.477,58**	**2.477,58**	**603,00**	**100,0**
500	Außenanlagen und Freiflächen	m² AF	337.898	–	285,18	69,41	11,5
600	Ausstattung und Kunstwerke	m² BGF	–	–	–	–	–
700	Baunebenkosten	m² BGF	–	–	–	–	–
800	Finanzierung	m² BGF	–	–	–	–	–

KG	Kostengruppe	Menge Einheit	Kosten €	€/Einheit	%
3+4	**Bauwerk**				**100,0**
300	**Bauwerk – Baukonstruktionen**	1.184,84 m² BGF	2.331.330	**1.967,63**	79,4

Baugrubenaushub inkl. Hangsicherung; Stb-Fundmente, Stb-Bodenplatte, Dämmung, Heizestrich, Linoleumbeläge, Bodenfliesen, Dämmung Bodenplatte, Schaumglasschotter; Stb-Wände, Stb-Außenstützen, Holzfenster mit Dreifachverglasung, Außendämmung, hinterlüftete Holzschalung, Innenputz, Beschichtung; Brettsperrholz-Innenwände, GK-Wände, Holzstützen, Holztüren, Wände Sichtqualität, Beschichtungen; BSH-Decke, Stahltreppen, Heizestrich, Linoleumbeläge, Bodenfliesen, Stahltreppengeländer; BSH-Flachdach, Stb-Flachdach, Oberlichter, Dämmung, bituminöse Abdichtung, extensive Dachbegrünung, abgehängte Akustikdecken; Einbaumöbel, Sitzbänke, Wickeltische, Spielküche; Personenaufzug

KG	Kostengruppe	Menge Einheit	Kosten €	€/Einheit	%
400	**Bauwerk – Technische Anlagen**	1.184,84 m² BGF	604.201	**509,94**	20,6

Gebäudeentwässerung, Kalt- und Warmwasserleitungen, Sanitärobjekte; Luft-Wasser-Wärmepumpe, Gasbrennwertkessel, Fußbodenheizung; Abluftanlage, Zu- und Abluftanlage mit Wärmerückgewinnung; Elektroinstallation, Beleuchtung, Einbaustrahler; Telekommunikationsanlage, Türsprechanlage, Einbruchmeldeanlage, Rauchmeldeanlage, EDV-Verkabelung

KG	Kostengruppe	Menge Einheit	Kosten €	€/Einheit	%
500	**Außenanlagen und Freiflächen**	–	337.898	–	11,5

Oberbodenarbeiten; vier Sandspielflächen; Geländeentwässerung; Klettergerüst; Bepflanzung, Rasen

4400-0348
Kinderhort
(4 Gruppen)
(100 Kinder)

Objektübersicht

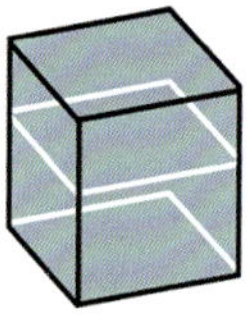

BRI 696 €/m³

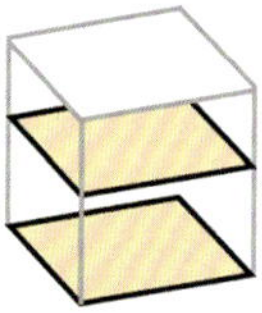

BGF 3.018 €/m²

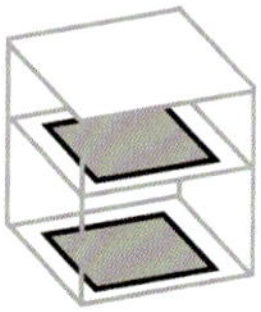

NUF 4.415 €/m²

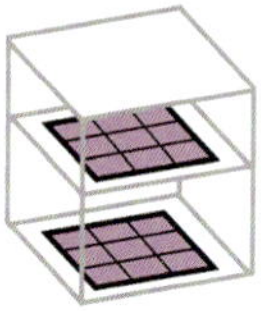

NE 30.962 €/NE

NE: Kinder

Objekt:
Kennwerte: 1. Ebene DIN 276
BRI: 4.451 m³
BGF: 1.026 m²
NUF: 701 m²
Bauzeit: 57 Wochen
Bauende: 2020
Standard: Durchschnitt
Bundesland: Bayern
Kreis: Landshut

Architekt*in:
goldbrunner + hrycyk
architekten
Sommerstraße 9
81543 München

Bauherr*in:
Gemeinde Bruckberg
Rathausplatz 1
84079 Bruckberg

© Petra Höglmeier-Wübert

© Petra Höglmeier-Wübert

© Petra Höglmeier-Wübert

© Petra Höglmeier-Wübert

Zeichnungen

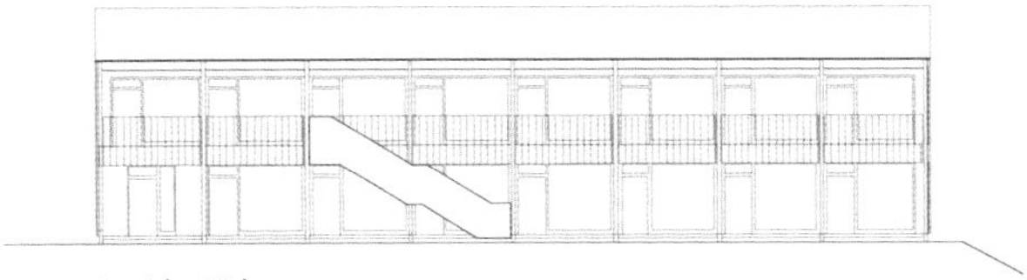

Ansicht Süd

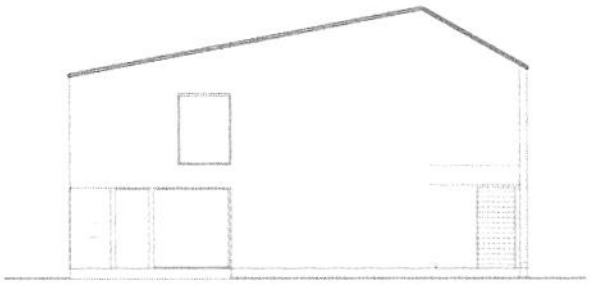

Ansicht West

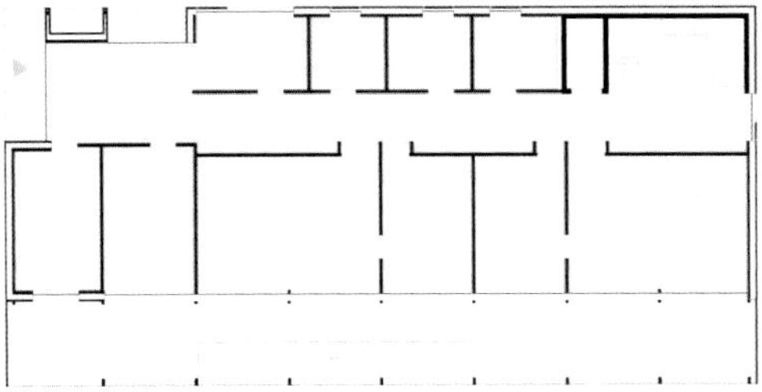

Erdgeschoss

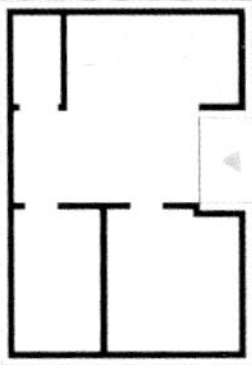

Untergeschoss

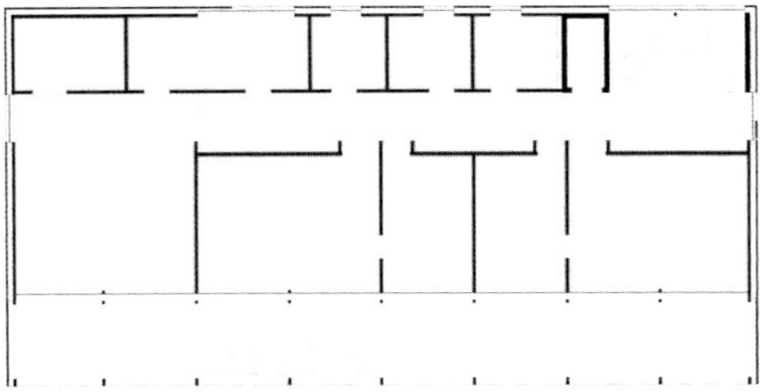

Obergeschoss

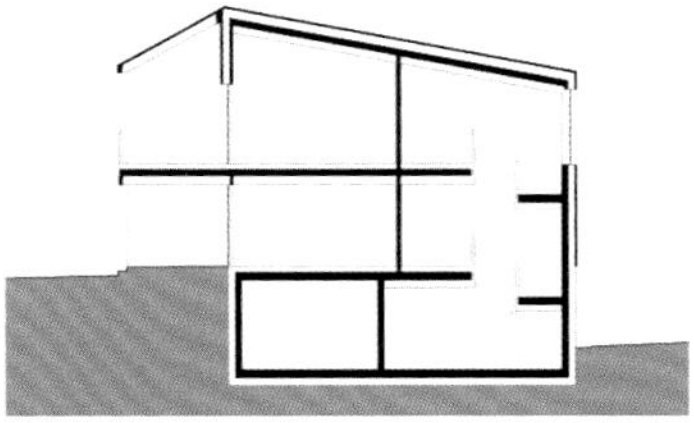

Schnitt

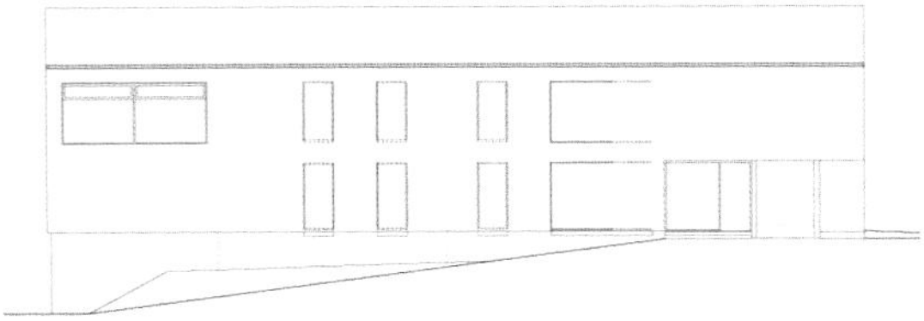

Ansicht Nord

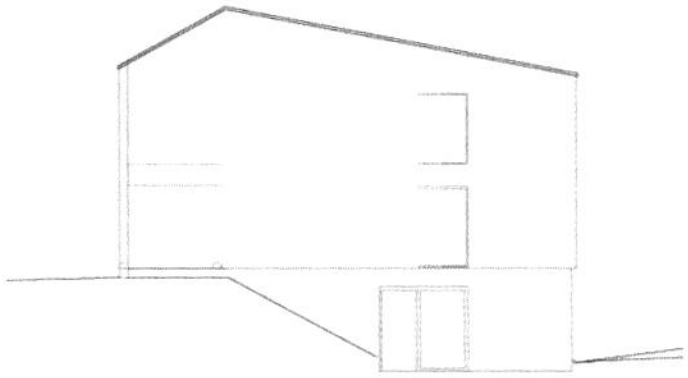

Ansicht Ost

Objektbeschreibung

Allgemeine Objektinformationen

Auf Grund seiner exponierten Stellung am Hang kann das freistehende Gebäude sowohl von der Schulseite aus im Untergeschoss als auch im Erdgeschoss betreten werden. Der zweigeschossige, rechteckige Neubau ist teilunterkellert. Auf der Südseite ist eine Balkon- bzw. Terrassenzone dem Gebäude vorgelagert. Dieser Bereich ist überdacht und mit in die Gesamtkubatur integriert. Die Eingangsbereiche sind in die Fassadenhülle eingeschnitten, um jeweils überdachte, geschützte Bereiche zu schaffen.

Nutzung

1 Untergeschoss
Technik, Lager

1 Erdgeschoss
Gruppenräume, Nebenräume, Leitungsbüro, Küche, Förderraum, Sanitärräume, Garderobe

1 Obergeschoss
Gruppenräume, Nebenräume, Personalraum, Sanitärräume, Dachterrasse

Nutzeinheiten

Gruppen: 4
Kinder: 100

Grundstück

Bauraum: Freier Bauraum
Neigung: Hanglage
Bodenklasse: BK 2 bis BK 3

Markt

Hauptvergabezeit: 1. Quartal 2019
Baubeginn: 3. Quartal 2019
Bauende: 3. Quartal 2020
Konjunkturelle Gesamtlage: über Durchschnitt
Regionaler Baumarkt: unter Durchschnitt

Baukonstruktion

Der Neubau gründet auf einer Stahlbetonbodenplatte aus WU-Beton. Der Treppenraum mit Aufzugsschacht wurde in Stahlbeton angefertigt. Alle sonstigen Außenwände wurden in Holzmassivbauweise mit Zellulose und Holzfaserdämmung hergestellt. Als hinterlüftete Fassade wurde eine vorvergraute, sägeraue Holzverschalung verwendet. Die tragenden Innenwände sind als Holzständerwände errichtet, während die nicht tragenden Innenwände aus Gipskarton bestehen. Als Fenster- und Glasfassaden kamen Holz-Alufenster zum Einbau. Auf den Holzmassivdecken mit Estrich liegen Linoleum oder Bodenfliesen. Stahltreppen mit Stahlgeländer verbinden die einzelnen Stockwerke miteinander. Das gedämmte Sparrendach ist hinterlüftet und erhielt eine Stehfalzdachdeckung aus Kupferblech. Der überdachte Balkon wurde komplett in Holzbauweise mit Stützen, Balkendecke und Sparrendach konstruiert. Im Obergeschoss wurde hier ein Holzbelag auf Stelzlagern angebracht, bei den unteren Terrassen wurde ein Beton-Plattenbelag eingebaut.

Technische Anlagen

Für die Beheizung des Gebäudes dient eine Luft-Wasser-Wärmepumpe. Die Verteilung der Wärme erfolgt über Fußbodenheizung. Der benötigte Luftwechsel wird geschossweise über jeweils eine zentrale Zu- und Abluftanlage mit Wärmerückgewinnung gewährleistet. Der Neubau ist mit einem Personenaufzug und Kücheneinbauten ausgestattet.

Sonstiges

Das Gebäude wurde im Passivhausstandard ohne Zertifizierung geplant und ausgeführt. Auf die Ausführung eines außenliegenden Sonnenschutzes konnte auf Grund des großen Dachüberstands und der Ausrichtung des Gebäudes verzichtet werden.

Planungskennwerte für Flächen und Rauminhalte nach DIN 277

Flächen des Grundstücks		Menge Einheit	% an GF
BF	Bebaute Fläche	380,00 m²	1,3
UF	Unbebaute Fläche	27.794,00 m²	98,7
GF	Grundstücksfläche	28.174,00 m²	100,0

Grundflächen des Bauwerks		Menge Einheit	% an NUF	% an BGF
NUF	Nutzungsfläche	701,25 m²	100,0	68,4
TF	Technikfläche	20,29 m²	2,9	2,0
VF	Verkehrsfläche	189,30 m²	27,0	18,5
NRF	Netto-Raumfläche	910,84 m²	129,9	88,8
KGF	Konstruktions-Grundfläche	114,94 m²	16,4	11,2
BGF	Brutto-Grundfläche	1.025,78 m²	146,3	100,0

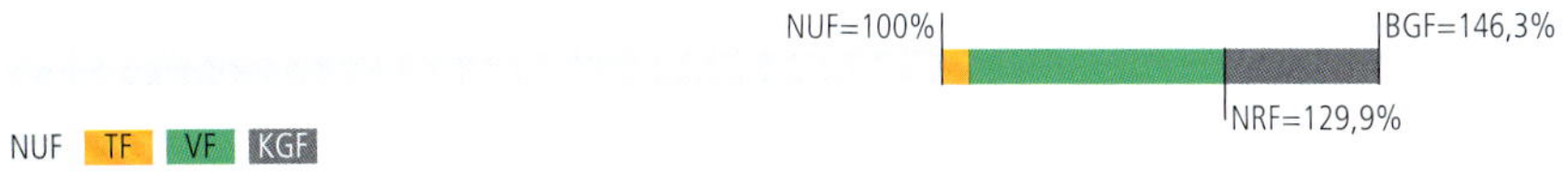

Brutto-Rauminhalt des Bauwerks		Menge Einheit	BRI/NUF (m)	BRI/BGF (m)
BRI	Brutto-Rauminhalt	4.451,00 m³	6,35	4,34

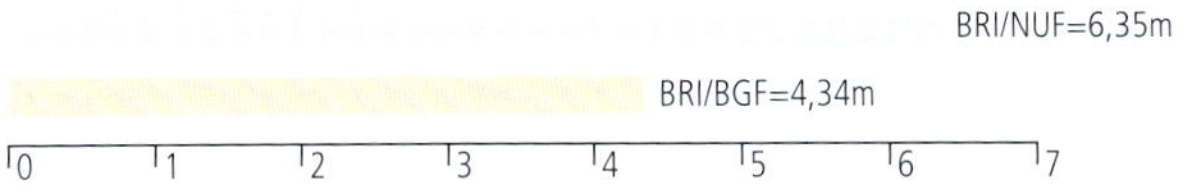

Kostenkennwerte für die Kostengruppen der 1. Ebene DIN 276

KG	Kostengruppen (1. Ebene)	Einheit	Kosten €	€/Einheit	€/m²BGF	€/m³BRI	%300+400
100	Grundstück	m²GF	–	–	–	–	–
200	Vorbereitende Maßnahmen	m²GF	–	–	–	–	–
300	Bauwerk – Baukonstruktionen	m²BGF	2.262.539	2.205,68	2.205,68	508,32	73,1
400	Bauwerk – Technische Anlagen	m²BGF	833.642	812,69	812,69	187,29	26,9
	Bauwerk 300+400	**m²BGF**	**3.096.182**	**3.018,37**	**3.018,37**	**695,61**	**100,0**
500	Außenanlagen und Freiflächen	m²AF	–	–	–	–	–
600	Ausstattung und Kunstwerke	m²BGF	–	–	–	–	–
700	Baunebenkosten	m²BGF	–	–	–	–	–
800	Finanzierung	m²BGF	–	–	–	–	–

KG	Kostengruppe	Menge Einheit	Kosten €	€/Einheit	%
3+4	**Bauwerk**				**100,0**
300	**Bauwerk – Baukonstruktionen**	1.025,78 m²BGF	2.262.539	**2.205,68**	73,1

Baugrubenaushub; Stb-Frostschürzen, Stb-Bodenplatte, WU-Beton, Dämmung, Heizestrich, Linoleum, Fliesen, Perimeterdämmung; Stb-Außenwände, Holzmassivwände, BSH-Stützen, Holz-Alufenster, Alutüren, Zellulosedämmung, Holzfaserdämmung, Holzverschalung, WDVS; Holzständerwände, GK-Wände, Holztüren mit Oberlicht, Wände oberflächenfertig, Beschichtung; Stb-Decke, Holzmassivdecken, Stahltreppen, Heizestrich, Linoleum, Fliesen, Terrassenholz-Beläge, Dämmung, Holzfaserplatten, Stahlgeländer, Stahltreppengeländer; Sparrendach, Zellulosedämmung, OSB-Platten, Kupfer-Stehfalz-Dachdeckung, Dachentwässerung, Holzfaserplatten oberflächenfertig, Schallschutzdecken; Einbaumöbel

KG	Kostengruppe	Menge Einheit	Kosten €	€/Einheit	%
400	**Bauwerk – Technische Anlagen**	1.025,78 m²BGF	833.642	**812,69**	26,9

Gebäudeentwässerung, Kalt- und Warmwasserleitungen, Sanitärobjekte; Luft-Wasser-Wärmepumpe, Heizleitungen, Fußbodenheizung; Zu- und Abluftanlage mit Wärmerückgewinnung; Elektroinstallation, Beleuchtung; Personenaufzug; Kücheneinbauten

4400-0349
Kinderhaus
(8 Gruppen)
(161 Kinder)

Objektübersicht

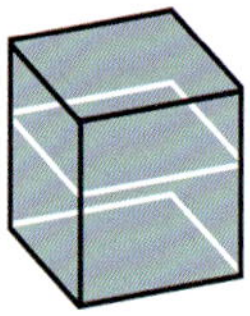
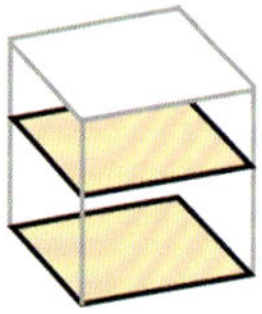
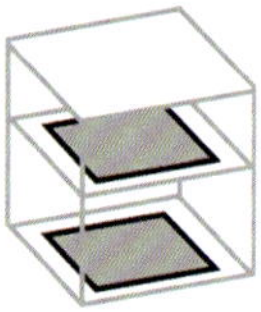
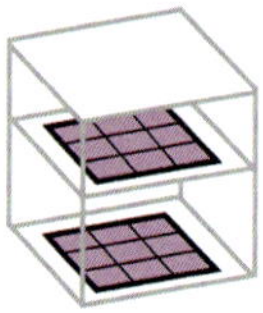

BRI 665 €/m³ | **BGF 2.280 €/m²** | **NUF 3.137 €/m²** | **NE 35.661 €/NE**

NE: Kinder

Objekt:
Kennwerte: 1. Ebene DIN 276
BRI: 8.630 m³
BGF: 2.518 m²
NUF: 1.830 m²
Bauzeit: 44 Wochen
Bauende: 2021
Standard: Durchschnitt
Bundesland: Bayern
Kreis: Weißenburg-Gunzenhausen

Architekt*in:
Hrycyk Architekten
Sommerstraße 9
81543 München

Bauherr*in:
Diakonisches Werk
Weißenburg-Gunzenhausen e.V.
Schulhausstraße 4
91781 Weißenburg

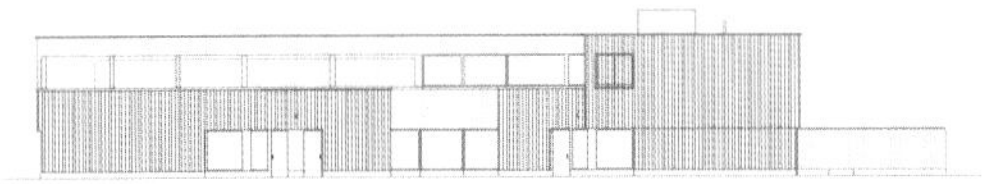

Ansicht Nord

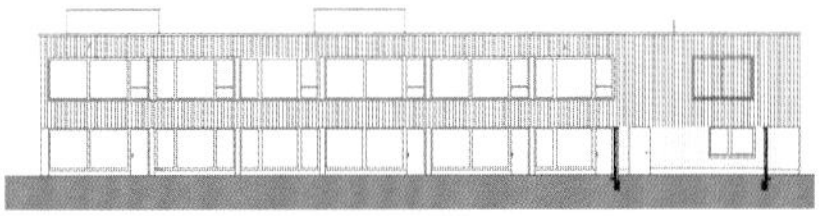

Ansicht West

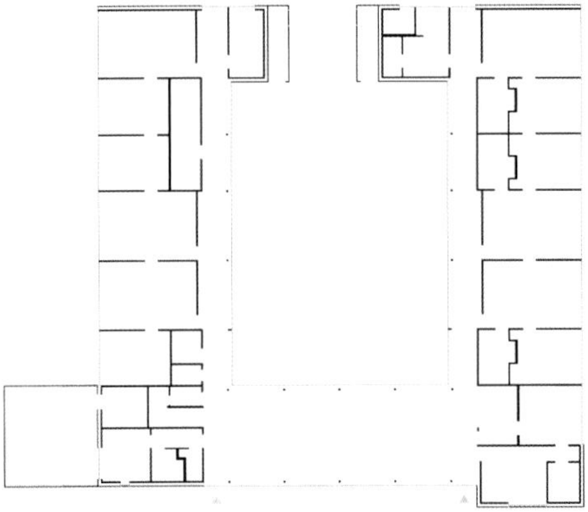

Erdgeschoss

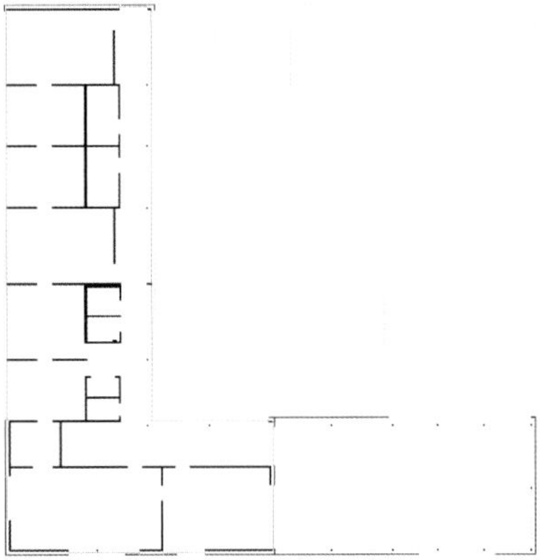

Obergeschoss

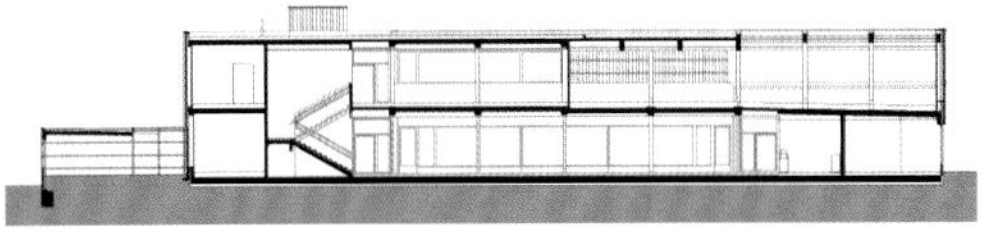

Schnitt

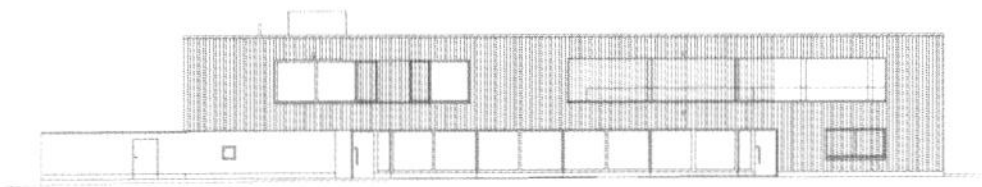

Ansicht Süd

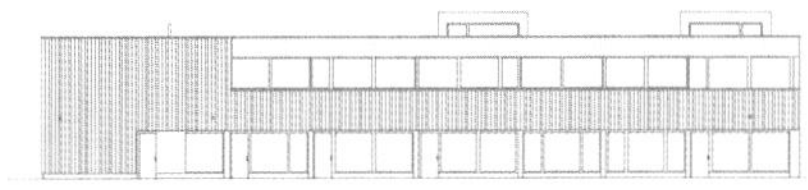

Ansicht Ost

Objektbeschreibung

Allgemeine Objektinformationen

Das Haus für Kinder bietet Räumlichkeiten für Kindergarten, Kinderkrippe & Kinderhort. Der quadratische Neubau orientiert sich zum zentralen Innenhof hin. Vom Vorplatz aus sind durch den gemeinsamen Speiseraum im Zentrum Durchblicke in den Hof möglich. Der gewählte Grundriss trägt zu einer leichten Orientierung bei. Der Dachgarten im Obergeschoss ist für die Hortnutzung ausgelegt und durch eine Treppe mit dem Gartenbereich im Erdgeschoss verbunden.

Nutzung

1 Erdgeschoss
Gruppenräume Kindertageseinrichtung, Ruheräume, Speiseraum, Verwaltung, Wartezone Eltern, Sanitärräume, Treppen, Technik, Abstellräume, Müll

1 Obergeschoss
Gruppenräume Horteinrichtung, Werkraum, Multifunktionsraum, Mehrzweckraum, Personalräume, Sanitärräume, Treppen

Nutzeinheiten

Gruppen: 8
Kinder: 161

Grundstück

Bauraum: Freier Bauraum
Neigung: Ebenes Gelände
Bodenklasse: BK 1 bis BK 4

Markt

Hauptvergabezeit: 1. Quartal 2020
Baubeginn: 1. Quartal 2020
Bauende: 1. Quartal 2021
Konjunkturelle Gesamtlage: über Durchschnitt
Regionaler Baumarkt: Durchschnitt

Baukonstruktion

Die tragende Konstruktion wurde im Wesentlichen in Holzmassivbauweise mit Brettsperrholzwänden, -decken und -dachflächen errichtet. Die Ausführung der Bodenplatte und der Fundamentierungen der Nebengebäude sowie der beiden Fluchttreppen im Außenbereich erfolgte in Stahlbeton. Die Innen- und Außenwände wurden als Holzständerwände mit Dämmung erstellt und im Erdgeschoss wurden Stahlverbundstützen aus feuerhemmendem Material verbaut. Die Fassaden wurden mit einer vorgegrauten, sägerauen Holzverschalung mit unterschiedlichen Lattenbreiten ausgeführt. Die Sockelzone im Bereich des Gebäudeeinschnitts an der Südseite sowie beim zweigeschossigen Gebäudetrakt an der Westseite ist mit einer schwarzen Holzverschalung abgesetzt. Es kamen Holz-Alu-Fenster und Türen mit Raffstoreanlagen zum Einbau. Als Bodenbelag wurden Kautschuk, Parkett oder Bodenfliesen gewählt. Die beiden Stockwerke sind durch Stahlbeton- und Holztreppen miteinander verbunden. Das Flachdach ist als Warmdach ausgeführt.

Technische Anlagen

Die Heizwärme und Warmwasserbereitung wird zentral über eine Hybridanlage mit Luft-Wärmepumpe und einer Gas-Brennwerttherme für die Leistungsspitzen zur Verfügung gestellt. In den Sommermonaten werden die Wärmepumpe und die Fußbodenheizungen zur Kühlung herangezogen. Die kontrollierte Be- und Entlüftung mit mehreren Decken-Kompaktgeräten ist für alle Innenräume ausgelegt. Das zweistöckige Gebäude ist mit einem Personenaufzug ausgestattet.

Planungskennwerte für Flächen und Rauminhalte nach DIN 277

Flächen des Grundstücks		Menge Einheit	% an GF
BF	Bebaute Fläche	1.291,00 m²	34,3
UF	Unbebaute Fläche	2.470,00 m²	65,7
GF	Grundstücksfläche	3.761,00 m²	100,0

Grundflächen des Bauwerks		Menge Einheit	% an NUF	% an BGF
NUF	Nutzungsfläche	1.830,42 m²	100,0	72,7
TF	Technikfläche	39,04 m²	2,1	1,6
VF	Verkehrsfläche	325,43 m²	17,8	12,9
NRF	Netto-Raumfläche	2.194,89 m²	119,9	87,2
KGF	Konstruktions-Grundfläche	322,89 m²	17,6	12,8
BGF	Brutto-Grundfläche	2.517,78 m²	137,6	100,0

Brutto-Rauminhalt des Bauwerks		Menge Einheit	BRI/NUF (m)	BRI/BGF (m)
BRI	Brutto-Rauminhalt	8.630,00 m³	4,72	3,43

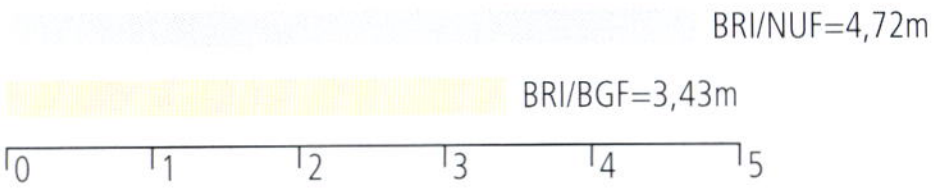

Kostenkennwerte für die Kostengruppen der 1. Ebene DIN 276

KG	Kostengruppen (1. Ebene)	Einheit	Kosten €	€/Einheit	€/m²BGF	€/m³BRI	%300+400
100	Grundstück	m²GF	–	–	–	–	–
200	Vorbereitende Maßnahmen	m²GF	–	–	–	–	–
300	Bauwerk – Baukonstruktionen	m²BGF	4.291.482	1.704,47	1.704,47	497,27	74,7
400	Bauwerk – Technische Anlagen	m²BGF	1.450.007	575,91	575,91	168,02	25,3
	Bauwerk 300+400	**m²BGF**	**5.741.489**	**2.280,38**	**2.280,38**	**665,29**	**100,0**
500	Außenanlagen und Freiflächen	m²AF	–	–	–	–	–
600	Ausstattung und Kunstwerke	m²BGF	–	–	–	–	–
700	Baunebenkosten	m²BGF	–	–	–	–	–
800	Finanzierung	m²BGF	–	–	–	–	–

KG	Kostengruppe	Menge Einheit	Kosten €	€/Einheit	%
3+4	**Bauwerk**				**100,0**
300	**Bauwerk – Baukonstruktionen**	2.517,78 m²BGF	4.291.482	**1.704,47**	74,7

Baugrubenaushub; Stb-Bodenplatte, Stb-Treppen, Dämmung, Heizestrich, Parkett, Kautschukbeläge, Fliesen, Perimeterdämmung; Massivholzwände, Stahlverbundstützen, Holz-Alufenster, Holz-Alutüren, Dämmung, senkrechte, sägeraue Holzverschalung, Innenschale oberflächenfertig, Raffstoreanlagen; Holzständerwände, oberflächenfertig, GK-Wände, Holztüren, Beschichtung; Holzmassivdecken, Dämmung, Heizestrich, Parkett, Kautschukbeläge, Fliesen, Federschienen-Schallschutzdecken, Stahl-Treppengeländer; Holzmassiv-Flachdach, Dämmung, Abdichtung, Dachentwässerung, Schallschutzdecken; Einbauschränke, Garderoben

KG	Kostengruppe	Menge Einheit	Kosten €	€/Einheit	%
400	**Bauwerk – Technische Anlagen**	2.517,78 m²BGF	1.450.007	**575,91**	25,3

Gebäudeentwässerung, Warm- und Kaltwasserleitungen, Sanitärobjekte; Hybridanlage mit Luft-Wärmepumpe, Gas-Brennwerttherme, Fußbodenheizung; kontrollierte Be- und Entlüftung mit Decken-Kompaktgeräten; Elektroinstallation, Beleuchtung; Aufzugsanlage; Aufwärmküche

4400-0351
Kindertagesstätte
(6 Gruppen)
(138 Kinder)

Objektübersicht

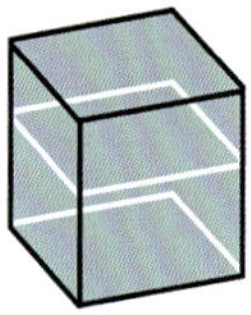

BRI 733 €/m³

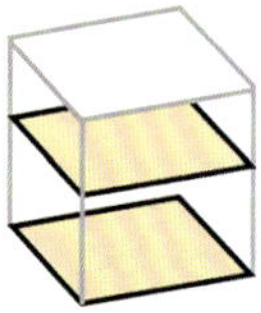

BGF 3.457 €/m²

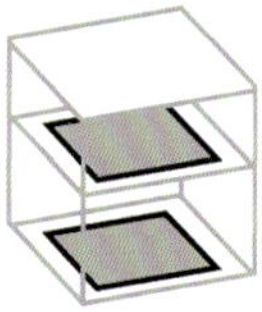

NUF 5.852 €/m²

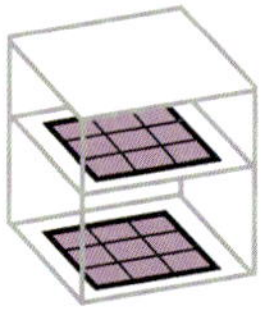

NE 40.084 €/NE

NE: Kinder

Objekt:
Kennwerte: 1. Ebene DIN 276
BRI: 7.542 m³
BGF: 1.600 m²
NUF: 945 m²
Bauzeit: 70 Wochen
Bauende: 2019
Standard: über Durchschnitt
Bundesland: Bayern
Kreis: Eichstätt

Architekt*in:
Bär Stadelmann Stöcker
Architekten und Stadtplaner
PartGmbH
Vordere Cramergasse 11
90478 Nürnberg

Bauherr*in:
Stadt Beilngries
Hauptstraße 24
92339 Beilngries

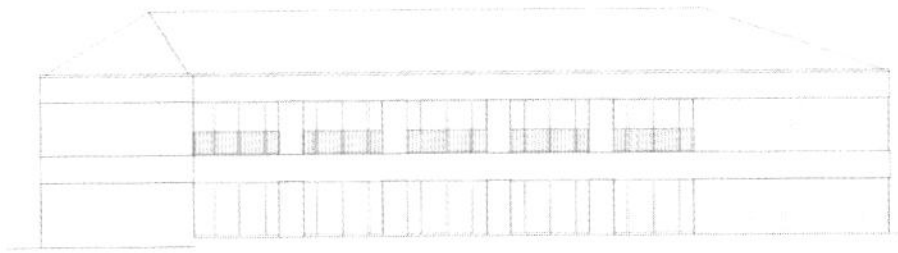

Ansicht Süd

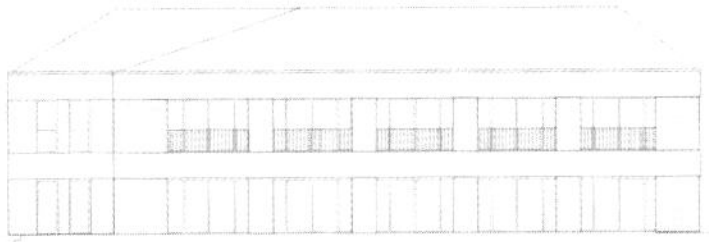

Ansicht Ost

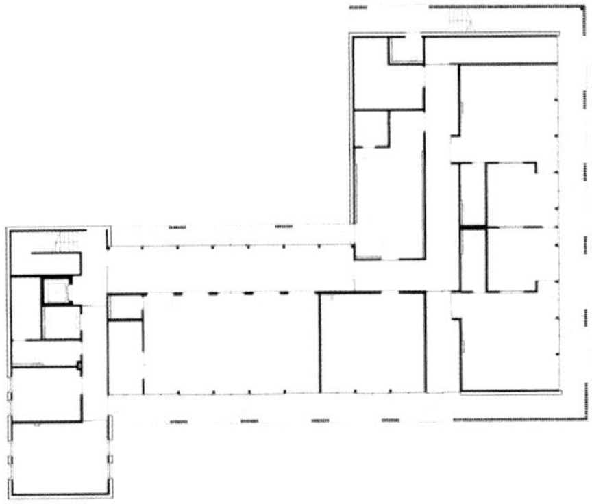

Erdgeschoss

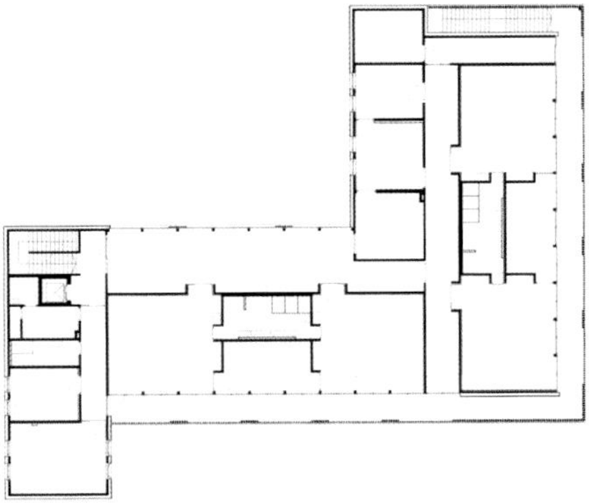

Obergeschoss

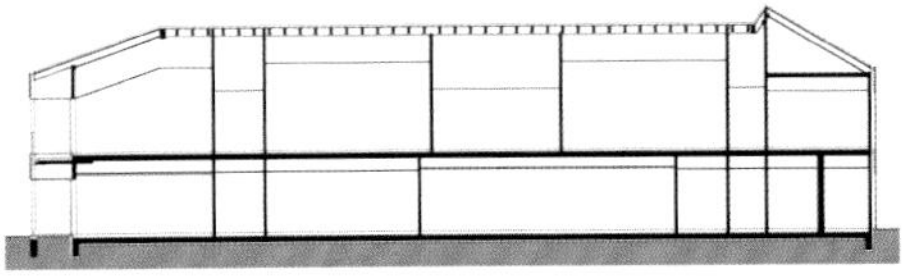

Schnitt

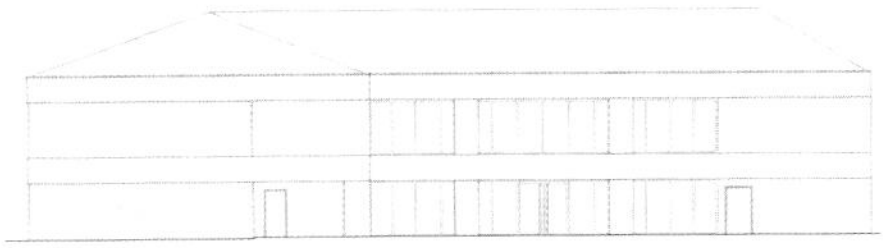

Ansicht Nord

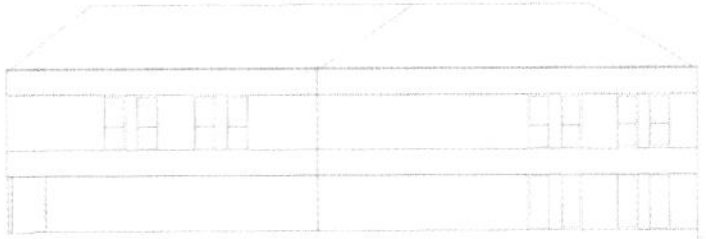

Ansicht West

4400-0351
Kindertagesstätte
(6 Gruppen)
(138 Kinder)

Objektbeschreibung

Allgemeine Objektinformationen

Der Neubau befindet sich in einem Park. Bei der Umsetzung wurde besonderen Wert auf die Verknüpfung von öffentlichen und privaten Räumen gelegt. Fließende Raumlandschaften verbinden Vorplatz, Foyer und Haupträume über die Terrassen mit dem Freibereich der Einrichtung.

Nutzung

1 Erdgeschoss
Gruppenräume, Mehrzweckraum, Verwaltung, Küche

1 Obergeschoss
Gruppenräume, Verwaltung

Nutzeinheiten

Gruppen: 6
Kinder: 138

Grundstück

Bauraum: Freier Bauraum
Neigung: Ebenes Gelände
Bodenklasse: BK 3 bis BK 5

Markt

Hauptvergabezeit: 2. Quartal 2018
Baubeginn: 2. Quartal 2018
Bauende: 3. Quartal 2019
Konjunkturelle Gesamtlage: über Durchschnitt
Regionaler Baumarkt: Durchschnitt

Baukonstruktion

Der Baukörper wurde als konstruktiver Massivholzbau mit hohem Vorfertigungsgrad realisiert. Auf der Stahlbetonbodenplatte wurde die Holzkonstruktion aus Brettschichtholzwänden und -decken, einer Vollholztreppe, Holzstützen und -unterzügen errichtet. Der Aufzugschacht besteht aus Stahlbeton, zur Installationsführung kamen Trockenbauwände zum Einbau. Gegeneinander versetzt gestülpte Holzverschalungen sind der tragenden Konstruktion vorgehängt und gliedern die Holz-Pfosten-Riegel-Fassaden. Die Ausführung in Sichtqualität ermöglicht es, dass Innenräume holzsichtig bleiben. Großformatige Holzfenster und -türen bringen natürliches Licht ins Innere. Zusätzlich zur natürlichen Verschattung durch die Laubengänge sind mechanische Sonnenschutzelemente montiert. Die Böden der Hauptnutzungen des Kindergartens wurden in Parkett ausgeführt, weitere Räume in Linoleum oder Kunststoffbeschichtung. Die Decken wurden als Holzlamellenakustikdecken oder mit Gipskarton hergestellt. Das Walmdach mit Jutedämmung wurde als Zimmererdachstuhl erstellt und mit Ziegeln eingedeckt. Der Neubau ist mit Einbaumöbeln in Holz ausgestattet.

Technische Anlagen

Über eine Luft-Wasser-Wärmepumpe im Außenbereich und eine Fußbodenheizung wird die Kindertagesstätte beheizt. Zudem wurde für einen energieeffizienten Betrieb eine dezentrale Warmwasseraufbereitung gewählt. Der erforderliche Luftwechsel wird durch eine zentrale Zu- und Abluftanlage mit Wärmerückgewinnung gewährleistet. Es wurde eine Telekommunikations- und eine Sprechanlage, sowie Netzwerkverkabelung eingebaut. Eine Blitzschutzanlage, Rauchwarnmelder und eine Zutrittskontrolle über die Türsteuerung dienen der Sicherheit. Das Gebäude ist mit einem Personenaufzug ausgestattet.

Planungskennwerte für Flächen und Rauminhalte nach DIN 277

Flächen des Grundstücks		Menge Einheit	% an GF
BF	Bebaute Fläche	850,00 m²	25,9
UF	Unbebaute Fläche	2.438,00 m²	74,1
GF	Grundstücksfläche	3.288,00 m²	100,0

Grundflächen des Bauwerks		Menge Einheit	% an NUF	% an BGF
NUF	Nutzungsfläche	945,25 m²	100,0	59,1
TF	Technikfläche	74,95 m²	7,9	4,7
VF	Verkehrsfläche	398,06 m²	42,1	24,9
NRF	Netto-Raumfläche	1.418,26 m²	150,0	88,6
KGF	Konstruktions-Grundfläche	181,74 m²	19,2	11,4
BGF	Brutto-Grundfläche	1.600,00 m²	169,3	100,0

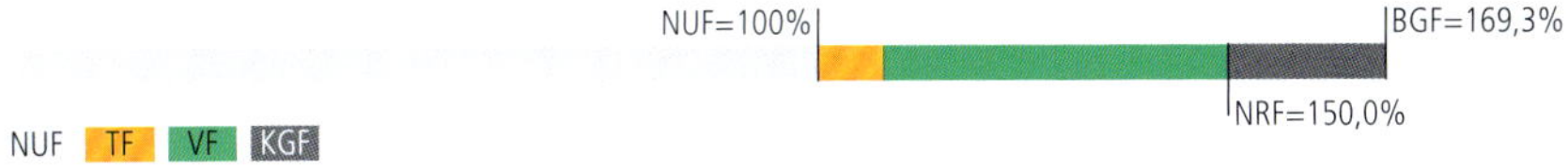

Brutto-Rauminhalt des Bauwerks		Menge Einheit	BRI/NUF (m)	BRI/BGF (m)
BRI	Brutto-Rauminhalt	7.541,96 m³	7,98	4,71

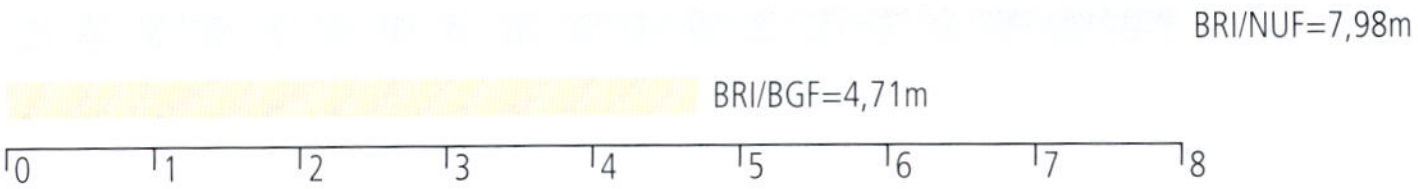

Kostenkennwerte für die Kostengruppen der 1. Ebene DIN 276

KG	Kostengruppen (1. Ebene)	Einheit	Kosten €	€/Einheit	€/m² BGF	€/m³ BRI	% 300+400
100	Grundstück	m² GF	–	–	–	–	–
200	Vorbereitende Maßnahmen	m² GF	–	–	–	–	–
300	Bauwerk – Baukonstruktionen	m² BGF	3.786.987	2.366,87	2.366,87	502,12	68,5
400	Bauwerk – Technische Anlagen	m² BGF	1.744.590	1.090,37	1.090,37	231,32	31,5
	Bauwerk 300+400	**m² BGF**	**5.531.577**	**3.457,24**	**3.457,24**	**733,44**	**100,0**
500	Außenanlagen und Freiflächen	m² AF	–	–	–	–	–
600	Ausstattung und Kunstwerke	m² BGF	–	–	–	–	–
700	Baunebenkosten	m² BGF	–	–	–	–	–
800	Finanzierung	m² BGF	–	–	–	–	–

KG	Kostengruppe	Menge Einheit	Kosten €	€/Einheit	%
3+4	**Bauwerk**				**100,0**
300	**Bauwerk – Baukonstruktionen**	1.600,00 m² BGF	3.786.987	**2.366,87**	68,5

Stb-Streifenfundamente, Stb-Bodenplatte, Heizestrich, Parkett, Linoleum, Beschichtung; Massivholzwände, Holz-Pfosten-Riegel-Fassade, Holzfenster und -türen, Holzfaserdämmung, Holzverschalung und -stelen, textiler außenliegender Sonnschutz; Massivholzwände, Stb-Wände, GK-Wände, Holztüren, Beschichtung; Massivholzdecke, Vollholztreppe, Trittschalldämmung, Heizestrich, Parkett, Linoleum, Beschichtung, Holz-Akustikdecke, GK-Akustikdecke; Zimmererdachstuhl, Jutedämmung, Dachziegel, Dachentwässerung; Einbaumöbel

KG	Kostengruppe	Menge Einheit	Kosten €	€/Einheit	%
400	**Bauwerk – Technische Anlagen**	1.600,00 m² BGF	1.744.590	**1.090,37**	31,5

Gebäudeentwässerung, Kalt- und Warmwasserleitungen, Sanitärobjekte; Luft-Wasser-Wärmepumpe, dezentrale Warmwasserversorgung, Fußbodenheizung; Lüftungsanlage mit Wärmerückgewinnung, mechanische Entlüftung Sanitärbereich; Elektroinstallation, Innen- und Außenbeleuchtung, Blitzschutzanlage; Telekommunikationsanlage, Sprechanlage, Zutrittskontrolle über Türsteuerung, Rauchwarnmelder, Netzwerkverkabelung; Personenaufzug

4400-0354
Kindertagesstätte
(5 Gruppen)
(90 Kinder)

Objektübersicht

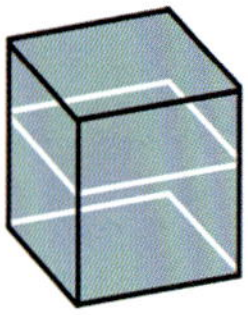

BRI 862€/m^3

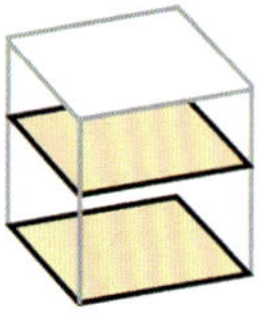

BGF 3.072€/m^2

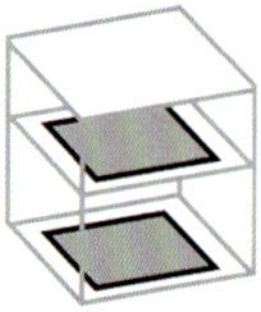

NUF 5.424€/m^2

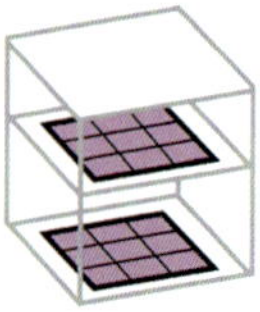

NE 48.589€/NE

NE: Kinder

Objekt:
Kennwerte: 1. Ebene DIN 276
BRI: 5.075 m^3
BGF: 1.424 m^2
NUF: 806 m^2
Bauzeit: 70 Wochen
Bauende: 2020
Standard: Durchschnitt
Bundesland: Hessen
Kreis: Bergstraße

Architekt*in:
werk.um architekten
Rheinstraße 99.4
64295 Darmstadt

Bauherr*in:
Eigenbetrieb
Kinderbetreuung Bensheim
64625 Bensheim

© Thomas Ott, www.o2t.de

© Thomas Ott, www.o2t.de

© Thomas Ott, www.o2t.de

© Thomas Ott, www.o2t.de

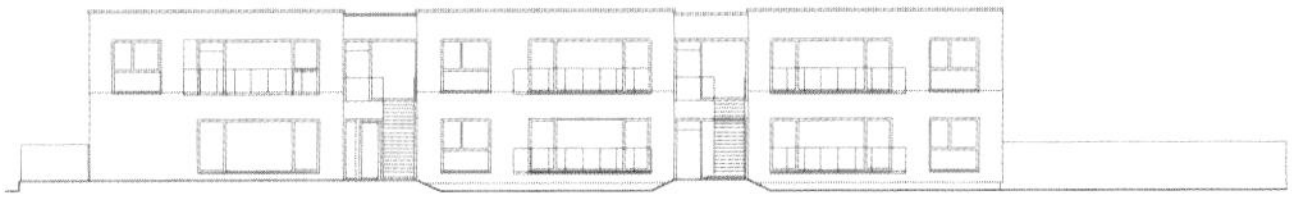

Ansicht Süd-West

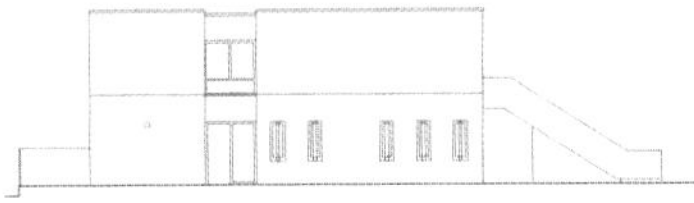

Ansicht Nord-West

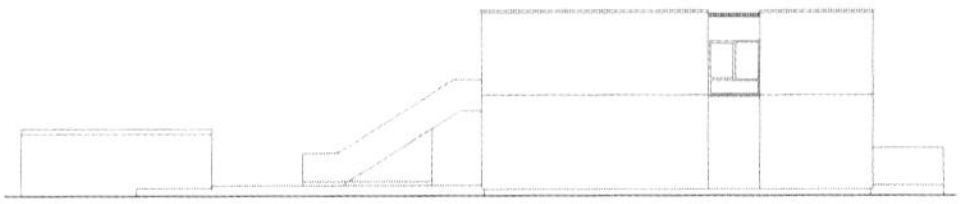

Ansicht Süd-Ost

Erdgeschoss

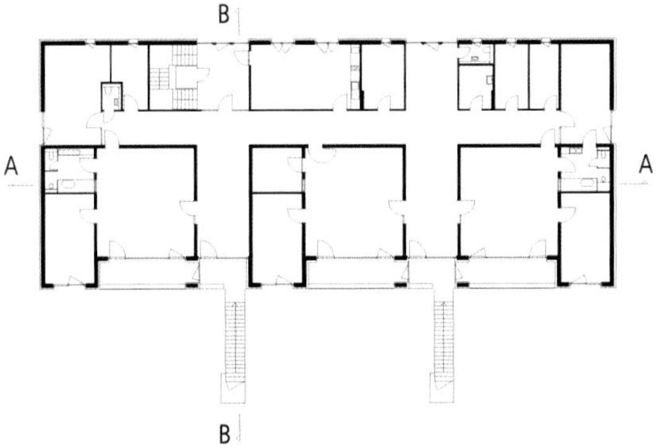

Obergeschoss

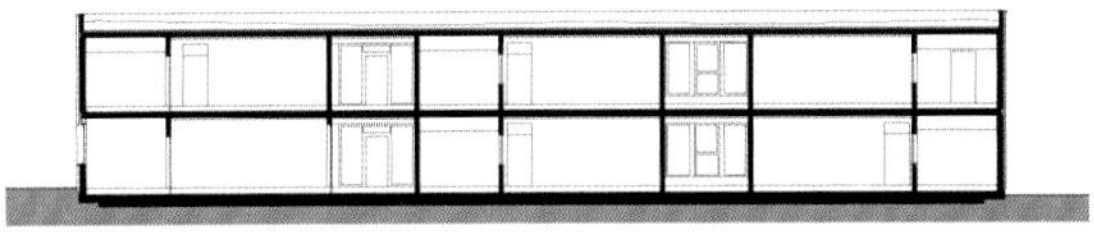

Schnitt A-A

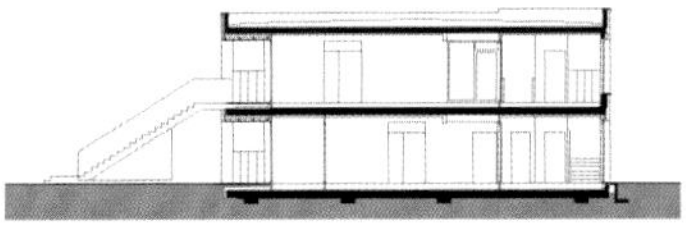

Schnitt B-B

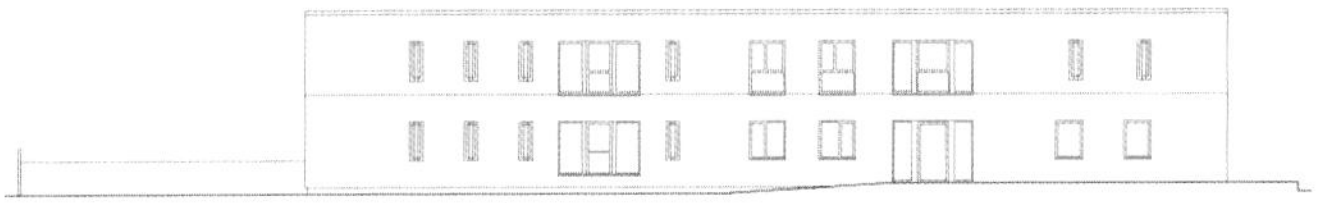

Ansicht Nord-Ost

4400-0354
Kindertagesstätte
(5 Gruppen)
(90 Kinder)

Objektbeschreibung

Allgemeine Objektinformationen

Der Neubau ist als zweigeschossiger kompakter Baukörper in Holzelementbauweise mit Flachdach realisiert worden. Er bietet Platz für fünf Gruppen mit insgesamt 90 Kindern. Über ein zentrales Treppenhaus sowie einen Aufzug werden die Räume im Obergeschoss erschlossen. Alle Gruppenräume verfügen über einen direkten Zugang zum Außenspielbereich.

Nutzung

1 Erdgeschoss
Zwei Gruppenräume (U3), Mehrzweckraum, Spielflur, Küche, Leitung

1 Obergeschoss
Drei Gruppenräume (U7), Spielflur, Bistro, Personalraum, Terrassen

Nutzeinheiten

Gruppen: 5
Kinder: 90

Grundstück

Bauraum: Freier Bauraum
Neigung: Ebenes Gelände
Bodenklasse: BK 1 bis BK 4

Besonderer Kosteneinfluss Grundstück
Da der Boden nicht ausreichend tragfähig ist, musste mit einer Pfahlgründung gearbeitet werden.

Markt

Hauptvergabezeit: 3. Quartal 2018
Baubeginn: 3. Quartal 2018
Bauende: 1. Quartal 2020
Konjunkturelle Gesamtlage: über Durchschnitt
Regionaler Baumarkt: Durchschnitt

Baukonstruktion

Das Gebäude ist als Holzkonstruktion auf einer Pfahlgründung und Stahlbetonfundamentplatte errichtet. Tragende Innenwände sind in Holzständerbauweise hergestellt, nicht tragende Wände in Trockenbauweise. In den Gruppen- und Aufenthaltsräumen kam eine Holzleistendecke mit akustischer Wirkung zum Einbau, der Spielflur erhielt eine Gipskarton-Lochdecke. Die Fußböden der Aufenthaltsräume, Flure und Sanitärräume sind mit Kautschuk belegt. Die Wände wurden größtenteils mit einem Rammschutz aus Kautschuk versehen, die Sanitärräume verfügen über einen Wandschutz aus Vollkernmaterial. Die hinterlüftete Wechselfalzschalung wurde in drei verschiedenen, unregelmäßig angeordneten Breiten ausgeführt. Sämtliche Decken bestehen aus Brettschichtholz-Deckenelementen. Das Dach erhielt eine Gefälledämmung und wurde begrünt.

Technische Anlagen

Die Beheizung der Räume erfolgt mittels Luft-Wasser-Wärmepumpe und Fußbodenheizung. Alle Gruppenräume, Intensivräume, Kinderbäder, der Mehrzweckraum und die Küche verfügen über ein dezentrales Lüftungsgerät mit Wärmerückgewinnung. Die innenliegenden WCs sowie der Wäscheraum sind mit einer einfachen Abluftanlage ausgestattet. Zur Beleuchtung dienen energiesparende LEDs. Auf dem Dach befindet sich eine Photovoltaikanlage, die aber nicht in den Kosten dieser Dokumentation enthalten ist. Ein BUS-System wurde installiert.

Sonstiges

Die Cateringküche ist auch zum Kochen vor Ort vorgerüstet. Zur Kita gehört ein eingeschossiges Nebengebäude, dass als Kinderwagenabstellplatz und Außenmateriallager genutzt wird. Zudem gibt es vier Pkw-Stellplätze auf dem Grundstück.

Planungskennwerte für Flächen und Rauminhalte nach DIN 277

Flächen des Grundstücks		Menge Einheit	% an GF
BF	Bebaute Fläche	718,90 m²	32,1
UF	Unbebaute Fläche	1.523,00 m²	67,9
GF	Grundstücksfläche	2.241,90 m²	100,0

Grundflächen des Bauwerks		Menge Einheit	% an NUF	% an BGF
NUF	Nutzungsfläche	806,24 m²	100,0	56,6
TF	Technikfläche	31,98 m²	4,0	2,2
VF	Verkehrsfläche	373,79 m²	46,4	26,3
NRF	Netto-Raumfläche	1.212,01 m²	150,3	85,1
KGF	Konstruktions-Grundfläche	211,69 m²	26,3	14,9
BGF	Brutto-Grundfläche	1.423,70 m²	176,6	100,0

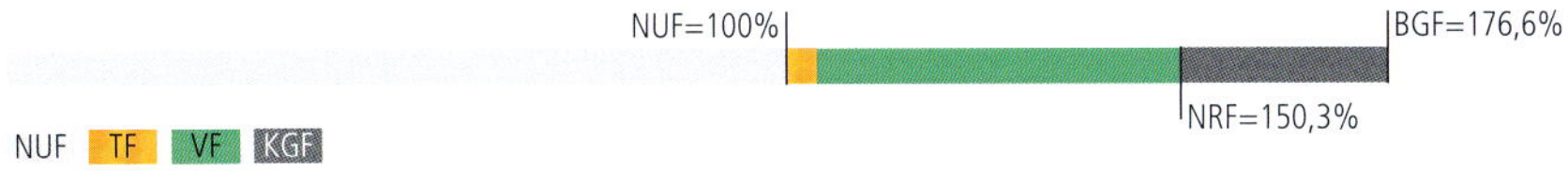

Brutto-Rauminhalt des Bauwerks		Menge Einheit	BRI/NUF (m)	BRI/BGF (m)
BRI	Brutto-Rauminhalt	5.075,00 m³	6,30	3,57

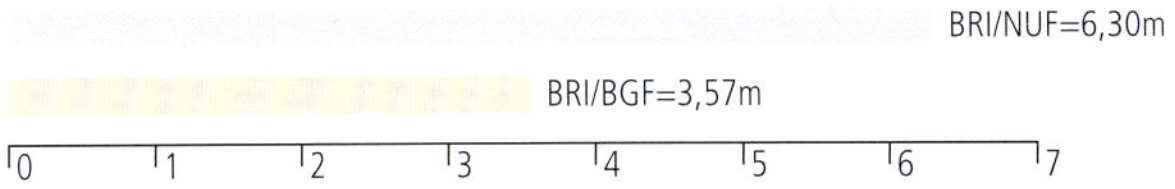

Kostenkennwerte für die Kostengruppen der 1. Ebene DIN 276

KG	Kostengruppen (1. Ebene)	Einheit	Kosten €	€/Einheit	€/m² BGF	€/m³ BRI	% 300+400
100	Grundstück	m² GF	–	–	–	–	–
200	Vorbereitende Maßnahmen	m² GF	–	–	–	–	–
300	Bauwerk – Baukonstruktionen	m² BGF	3.256.845	2.287,59	2.287,59	641,74	74,5
400	Bauwerk – Technische Anlagen	m² BGF	1.116.174	784,00	784,00	219,94	25,5
	Bauwerk 300+400	**m² BGF**	**4.373.019**	**3.071,59**	**3.071,59**	**861,68**	**100,0**
500	Außenanlagen und Freiflächen	m² AF	419.104	845,65	294,38	82,58	9,6
600	Ausstattung und Kunstwerke	m² BGF	150.260	105,54	105,54	29,61	3,4
700	Baunebenkosten	m² BGF	–	–	–	–	–
800	Finanzierung	m² BGF	–	–	–	–	–

KG	Kostengruppe	Menge Einheit	Kosten €	€/Einheit	%
3+4	**Bauwerk**				**100,0**
300	**Bauwerk – Baukonstruktionen**	1.423,70 m² BGF	3.256.845	**2.287,59**	74,5

Stb-Bodenplatte, Pfahlgründung, Dämmung, Estrich, Kautschukbelag; Holzrahmen-Außenwände, Holz-Außenfenster und -türen, hinterlüftete Wechselfalzschalung mit drei verschiedenen, unregelmäßig angeordneten Breiten, Alu-Lamellenraffstores; Holzständer-Innenwände, GK-Wände, Holz-Innentüren, Wandbeschichtungen, Rammschutz Kautschuk, Sanitärräume mit Wandschutz aus HPL-Vollkernmaterial; Brettschichtholzdecke, Innentreppe, Außentreppen, Holzleisten-Decke mit akustischer Wirkung, Gipskarton-Lochdecke; Brettschichtholz-Flachdach, Gefälledämmung, Abdichtung, extensive Dachbegrünung, Attikaabdeckung, Dachentwässerung; Einbauschränke, Garderoben, Teeküchen

KG	Kostengruppe	Menge Einheit	Kosten €	€/Einheit	%
400	**Bauwerk – Technische Anlagen**	1.423,70 m² BGF	1.116.174	**784,00**	25,5

Gebäudeentwässerung, Kalt- und Warmwasserleitungen, Sanitärobjekte; Luft-Wasser-Wärmepumpe, Heizungsrohre, Fußbodenheizung; dezentrale Lüftungsgeräte mit Wärmerückgewinnung, Abluftanlage für innenliegende Sanitärräume; Elektroinstallation, LED-Beleuchtung, Blitzschutz; Telefonanschluss, Datenübertragungsnetz; Plattformlift, Aufzug; Catering-Küche; EIB-BUS-System

KG	Kostengruppe	Menge Einheit	Kosten €	€/Einheit	%
500	**Außenanlagen und Freiflächen**	495,60 m² AF	419.104	**845,65**	9,6

Schwerpunkt Bewegungskindergarten, Bodenarbeiten; befestigte Flächen für Wege, Plätze und Spielflächen, Bobbycar-Rennstrecke, Sandspielfläche, Matschplatz mit Wasserpumpe und Wasserlauf; Zaunanlagen; Oberflächenentwässerung, Außenbeleuchtung; Betonsitzblöcke, Spielgeräte; Oberbodenarbeiten, Bepflanzung, Rasen, Findlinge

KG	Kostengruppe	Menge Einheit	Kosten €	€/Einheit	%
600	**Ausstattung und Kunstwerke**	1.423,70 m² BGF	150.260	**105,54**	3,4

Lose Möblierung, Kita Ausstattung, Kücheninventar, Spielzeug

4400-0356
Kindergarten
(4 Gruppen)
(112 Kinder)
Wohnungen (4 WE)

Objektübersicht

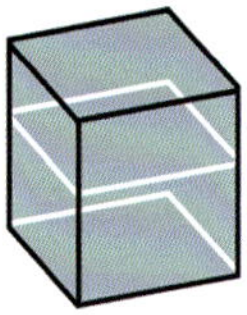

BRI **707 €/m³**

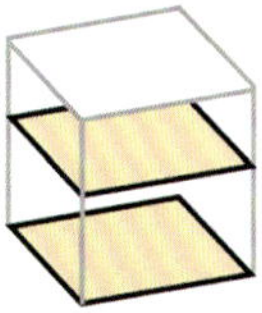

BGF **2.926 €/m²**

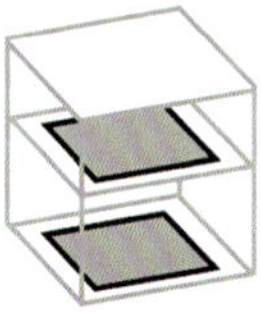

NUF **4.206 €/m²**

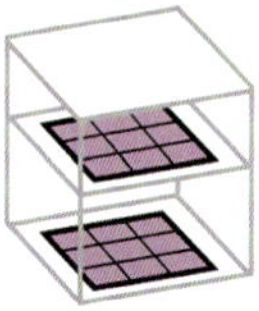

NE **31.477 €/NE**

NE: Kinder

Objekt:
Kennwerte: 3. Ebene DIN 276
BRI: 4.984 m³
BGF: 1.205 m²
NUF: 838 m²
Bauzeit: 79 Wochen
Bauende: 2020
Standard: Durchschnitt
Bundesland: Bayern
Kreis: Freising

Architekt*in:
goldbrunner + hrycyk
architekten
Sommerstraße 9
81543 München

Bauherr*in:
Gemeinde Neufahrn
Bahnhofstraße 32
85375 Neufahrn bei Freising

© Sebastian Schels

© Sebastian Schels

© Sebastian Schels

© Sebastian Schels

© Sebastian Schels

© Sebastian Schels

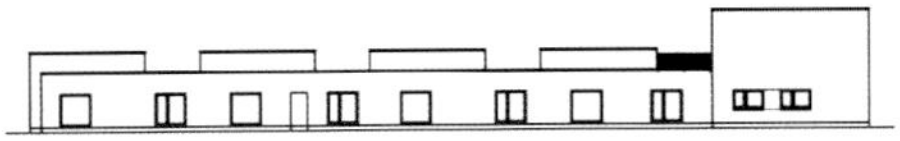

Ansicht Nord

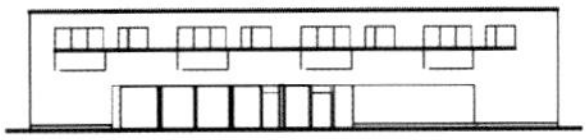

Ansicht West

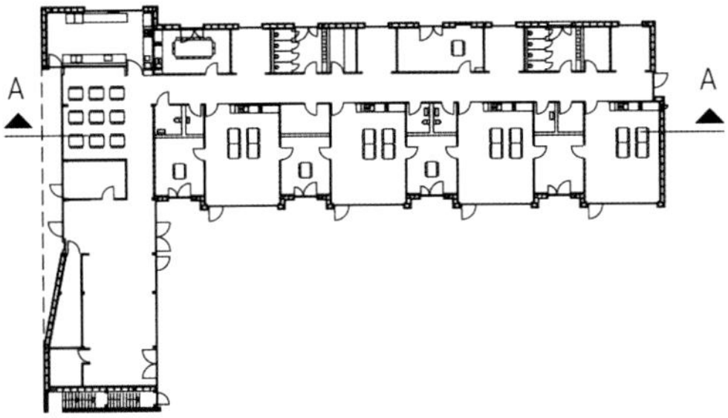

Erdgeschoss

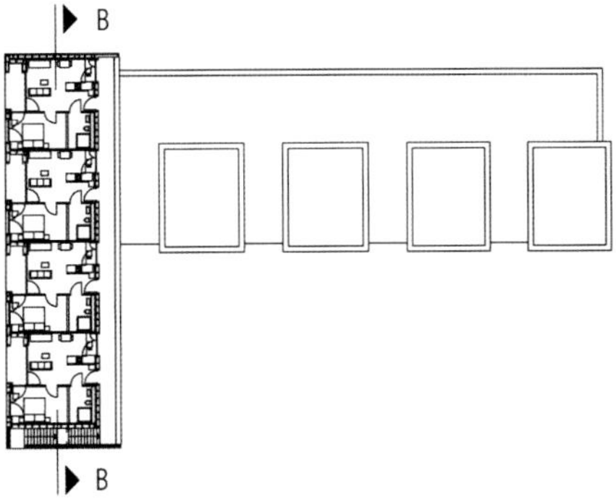

Obergeschoss

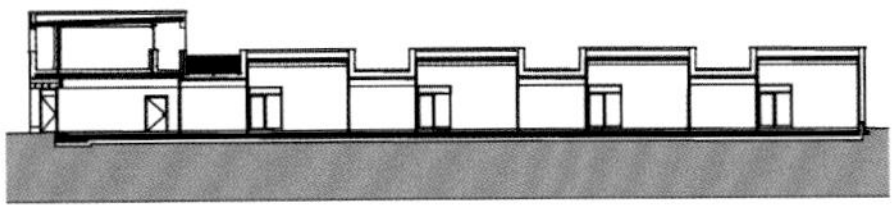

Schnitt A-A

Schnitt B-B

Ansicht Süd

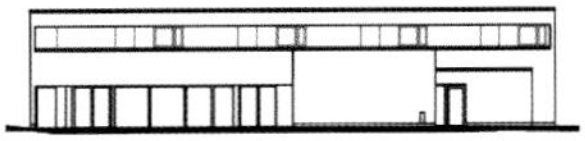

Ansicht Ost

Objektbeschreibung

Allgemeine Objektinformationen

Der winkelförmige Neubau des viergruppigen Kindergartens schirmt den Freispielbereich zur Wohnbebauung hin ab. Im zweigeschossigen Kopfbau befinden sich neben dem Zugang im Erdgeschoss alle gemeinsam genutzten Räume des Kindergartens. Vom zentralen Foyer bietet sich ein direkter Durchgang in den Garten. Durch die Raumnischen mit den Garderobenbereichen entstehen Durchblicke und Aufweitungen des Spielflurs in den Außenspielbereich. Mittels einer mobilen Faltwand kann der Mehrzweckraum zugeschaltet und so Platz für Feste und Veranstaltungen geschaffen werden.
Im Obergeschoss des Kopfbaus befinden sich vier Wohnungen für das Personal, die über eine einläufige Treppe und einen Laubengang erschlossen werden und nach Westen ausgerichtet sind. Das ermöglicht eine maximale Privatheit und Rückzug vom Arbeitsalltag.

Nutzung

1 Erdgeschoss
Gruppenräume (4St), Nebenräume (4St), Foyer mit Garderobe, Mehrzweckraum, Multifunktionsraum, Küche, Lagerräume, Büro, Personalraum, Therapieraum, Sanitätsräume

1 Obergeschoss
Wohnungen (4St) mit je Wohn, -Essküche, Schlafzimmer, Bad, Balkon

Nutzeinheiten

Gruppen: 4
Kinder: 112
Wohnfläche: 180 m^2

Grundstück

Bauraum: Freier Bauraum
Neigung: Ebenes Gelände
Bodenklasse: BK 3 bis BK 4

Markt

Hauptvergabezeit: 4. Quartal 2018
Baubeginn: 1. Quartal 2019
Bauende: 3. Quartal 2020
Konjunkturelle Gesamtlage: über Durchschnitt
Regionaler Baumarkt: über Durchschnitt

Baukonstruktion

Die Ausführung der Bodenplatte erfolgte in Stahlbetonbauweise, ebenfalls die Treppe und die Treppenwand an der Nordseite. Die gesamte weitere Konstruktion wurde in Holzmassivbauweise mit Brettsperrholzwänden und -decken ausgeführt. Die Fassaden sind mit einer vorgegrauten, sägerauen Holzverschalung in unterschiedlichen Fugenbreiten bekleidet. Die Fenster sind in Holz-Aluminium ausgeführt. Die Dachflächen sind als Massivholzdecken mit einem Gefälle von jeweils 2,5 % ausgebildet. Der Dachaufbau setzt sich aus der notwendigen Wärmedämmschicht und einer zweilagigen Dachabdichtung zusammen. Der eingeschossige Gebäudeteil erhielt eine extensive Dachbegrünung. Die nichttragenden Innenwände sind in Trockenbauweise erstellt. Zur Erzielung der erforderlichen Schallschutzwerte sind die Holzmassivwände mit Vorsatzschalen bekleidet. Die Unterdecken wurden mit abgehängten Holzwolle-Akustikplatten ausgeführt. Im Bereich der Nebenräume, sowie in den Wohnungen wurden abgehängte Gipskartondecken mit Akustiklochung verbaut.

Technische Anlagen

Die Heizwärme und Warmwasserbereitung ist mittels einer Grundwasser-Wärmepumpe sichergestellt. Zu diesem Zwecke wurde ein Schluckbrunnen installiert. Alle Räume werden über Fußbodenheizung beheizt. Im Gebäude wurde eine kontrollierte Be- und Entlüftungsanlage eingebaut. Auf der zweigeschossigen Dachfläche kommt eine PV-Anlage zum Einsatz.

Planungskennwerte für Flächen und Rauminhalte nach DIN 277

Flächen des Grundstücks		Menge Einheit	% an GF
BF	Bebaute Fläche	1.447,78 m^2	41,4
UF	Unbebaute Fläche	2.051,95 m^2	58,6
GF	Grundstücksfläche	3.499,73 m^2	100,0

Grundflächen des Bauwerks		Menge Einheit	% an NUF	% an BGF
NUF	Nutzungsfläche	838,23 m^2	100,0	69,6
TF	Technikfläche	13,40 m^2	1,6	1,1
VF	Verkehrsfläche	247,95 m^2	29,6	20,6
NRF	Netto-Raumfläche	1.099,58 m^2	131,2	91,3
KGF	Konstruktions-Grundfläche	105,16 m^2	12,5	8,7
BGF	Brutto-Grundfläche	1.204,74 m^2	143,7	100,0

Brutto-Rauminhalt des Bauwerks		Menge Einheit	BRI/NUF (m)	BRI/BGF (m)
BRI	Brutto-Rauminhalt	4.984,09 m^3	5,95	4,14

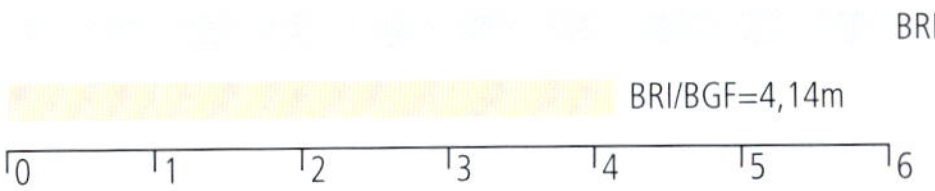

Lufttechnisch behandelte Flächen	Menge Einheit	% an NUF	% an BGF
Entlüftete Fläche	–	–	–
Be- und entlüftete Fläche	–	–	–
Teilklimatisierte Fläche	–	–	–
Klimatisierte Fläche	–	–	–

KG	Kostengruppen (2. Ebene)	Menge Einheit	Menge/NUF	Menge/BGF
310	Baugrube / Erdbau	681,76 m^3 BGI	0,81	0,57
320	Gründung, Unterbau	820,96 m^2 GRF	0,98	0,68
330	Außenwände/Vertikale Baukonstruktionen, außen	850,25 m^2 AWF	1,01	0,71
340	Innenwände/Vertikale Baukonstruktionen, innen	991,46 m^2 IWF	1,18	0,82
350	Decken/Horizontale Baukonstruktionen	283,25 m^2 DEF	0,34	0,24
360	Dächer	1.011,71 m^2 DAF	1,21	0,84

Kostenkennwerte für die Kostengruppen der 1. Ebene DIN 276

KG	Kostengruppen (1. Ebene)	Einheit	Kosten €	€/Einheit	€/m² BGF	€/m³ BRI	% 300+400
100	Grundstück	m² GF	–	–	–	–	–
200	Vorbereitende Maßnahmen	m² GF	28.249	8,07	23,45	5,67	0,8
300	Bauwerk – Baukonstruktionen	m² BGF	2.508.704	2.082,36	2.082,36	503,34	71,2
400	Bauwerk – Technische Anlagen	m² BGF	1.016.742	843,95	843,95	204,00	28,8
	Bauwerk 300+400	**m² BGF**	**3.525.445**	**2.926,31**	**2.926,31**	**707,34**	**100,0**
500	Außenanlagen und Freiflächen	m² AF	333.407	721,39	276,75	66,89	9,5
600	Ausstattung und Kunstwerke	m² BGF	19.637	16,30	16,30	3,94	0,6
700	Baunebenkosten	m² BGF	–	–	–	–	–
800	Finanzierung	m² BGF	–	–	–	–	–

KG	Kostengruppe	Menge Einheit	Kosten €	€/Einheit	%
200	**Vorbereitende Maßnahmen**	3.499,73 m² GF	28.249	**8,07**	0,8
	Abbruch von Asphaltbelägen; Entsorgung, Deponiegebühren; Oberbodenarbeiten, Wurzelstöcke entfernen				
3+4	**Bauwerk**				**100,0**
300	**Bauwerk – Baukonstruktionen**	1.204,74 m² BGF	2.508.704	**2.082,36**	71,2
	Baugrubenaushub; Stb-Bodenplatte, Abdichtung, Heizestrich, Parkett, Kautschukbelag, Bodenfliesen, Perimeterdämmung; Brettsperrholzwände, BSH-Stützen, Holz-Alu-Fensterelemente, Holz-Alu-Türen, Holzfaserdämmung, hinterlüftete Holzbekleidung, Oberputz, Silikatbeschichtung, GK-Vorsatzschalen, Wandfliesen, Fenstermarkisen; GK-Wände, Holztüren, Dispersionsbeschichtung, mobile Trennwand, WC-Trennwände; Brettsperrholzdecken, Stb-Treppe, Stahlträger, Fertigparkett, Betonplatten, Dachentwässerung, Holzwolle-Akustikdecken, GK-Bekleidung, Handlauf; Brettsperrholzdach, Dämmung, Dachbegrünung, Gitterrostbelag, GK-Schallschutzdecken, Geländer; Kücheneinrichtungen, Einbauschränke				
400	**Bauwerk – Technische Anlagen**	1.204,74 m² BGF	1.016.742	**843,95**	28,8
	Gebäudeentwässerung, Kalt- und Warmwasserleitungen, Sanitärobjekte; Sole/Wasser-Wärmepumpe, Trinkwasser-Erwärmungs-Stationen, Energiespeicher, 300 l, Warmwasserspeicher 1.500 l, Heizleitungen, Fußbodenheizung; Lüftungsanlagen, Einzelraumlüfter, Plattenwärmetauscher; Photovoltaikanlage, Elektroinstallation, Beleuchtung, Blitzschutzanlage; Videosprechanlage, Sat-Antennenanlage, Brandmeldeanlage, Datenübertragungsnetz; Kücheneinrichtung; Gebäudeautomation				
500	**Außenanlagen und Freiflächen**	462,17 m² AF	333.407	**721,39**	9,5
	Bodenarbeiten; Stb-Bodenplatte, Stb-Streifenfundamente, Einzelfundamente, Schraubfundamente; Asphaltbelag; Sonnensegel, Fahrradabstellplätze: Stahlkonstruktionen, Furnierschichtholzdach, Abdichtung; zwei Nebengebäude: Holzkonstruktionen, BSH-Dachbalken, Furnierschichtholzdächer, Abdichtung, Faserzement-Wandbekleidungen, Dreischichtplatten als Trennwände, Türen; Geländeentwässerung, Schluckbrunnen, Brunnenschächte				
600	**Ausstattung und Kunstwerke**	1.204,74 m² BGF	19.637	**16,30**	0,6
	Sitzbänke, Sanitärausstattung				

Kostenkennwerte für die Kostengruppen 300 der 2. und 3. Ebene DIN 276 (Übersicht)

KG	Kostengruppe	Menge Einheit	€/Einheit	Kosten €	% an 3+4
300	**Bauwerk – Baukonstruktionen**	**1.204,74 m² BGF**	**2.082,36**	**2.508.703,61**	**71,2**
310	**Baugrube / Erdbau**	**681,76 m³ BGI**	**22,66**	**15.446,13**	**0,4**
311	Herstellung	681,76 m³ BGI	22,66	15.446,13	0,4
312	Umschließung	–	–	–	–
313	Wasserhaltung	–	–	–	–
314	Vortrieb	–	–	–	–
319	Sonstiges zur KG 310	–	–	–	–
320	**Gründung, Unterbau**	**820,96 m² GRF**	**356,19**	**292.417,88**	**8,3**
321	Baugrundverbesserung	991,71 m²	8,48	8.409,40	0,2
322	Flachgründungen und Bodenplatten	820,96 m²	118,99	97.684,22	2,8
323	Tiefgründungen	–	–	–	–
324	Gründungsbeläge	762,33 m²	164,98	125.766,61	3,6
325	Abdichtungen und Bekleidungen	857,07 m²	70,66	60.557,64	1,7
326	Dränagen	–	–	–	–
329	Sonstiges zur KG 320	–	–	–	–
330	**Außenwände/Vert. Baukonstrukt., außen**	**850,25 m² AWF**	**865,53**	**735.913,41**	**20,9**
331	Tragende Außenwände	497,57 m²	237,33	118.089,78	3,3
332	Nichttragende Außenwände	45,25 m²	86,87	3.930,73	0,1
333	Außenstützen	57,67 m	202,52	11.679,19	0,3
334	Außenwandöffnungen	307,43 m²	768,11	236.140,52	6,7
335	Außenwandbekleidungen, außen	1.247,21 m²	256,03	319.317,61	9,1
336	Außenwandbekleidungen, innen	145,00 m²	110,77	16.060,93	0,5
337	Element. Außenwandkonstruktionen	–	–	–	–
338	Lichtschutz zur KG 330	155,63 m²	197,23	30.694,65	0,9
339	Sonstiges zur KG 330	–	–	–	–
340	**Innenwände/Vert. Baukonstrukt., innen**	**991,46 m² IWF**	**369,10**	**365.947,98**	**10,4**
341	Tragende Innenwände	794,30 m²	186,50	148.133,70	4,2
342	Nichttragende Innenwände	158,06 m²	86,42	13.659,02	0,4
343	Innenstützen	26,28 m	181,68	4.774,58	0,1
344	Innenwandöffnungen	117,26 m²	582,03	68.248,57	1,9
345	Innenwandbekleidungen	1.201,99 m²	89,65	107.753,50	3,1
346	Elementierte Innenwandkonstruktionen	39,10 m²	597,92	23.378,60	0,7
347	Lichtschutz zur KG 340	–	–	–	–
349	Sonstiges zur KG 340	–	–	–	–
350	**Decken/Horizontale Baukonstruktionen**	**283,25 m² DEF**	**1.014,11**	**287.247,48**	**8,1**
351	Deckenkonstruktionen	283,25 m²	524,12	148.457,56	4,2
352	Deckenöffnungen	–	–	–	–
353	Deckenbeläge	242,29 m²	352,02	85.292,01	2,4
354	Deckenbekleidungen	242,49 m²	210,72	51.096,72	1,4
355	Elementierte Deckenkonstruktionen	–	–	–	–
359	Sonstiges zur KG 350	283,25 m² DEF	8,48	2.401,20	< 0,1
360	**Dächer**	**1.011,71 m² DAF**	**536,72**	**543.008,73**	**15,4**
361	Dachkonstruktionen	877,54 m²	197,07	172.935,23	4,9
362	Dachöffnungen	–	–	–	–
363	Dachbeläge	1.011,71 m²	261,89	264.959,49	7,5
364	Dachbekleidungen	502,32 m²	162,15	81.451,66	2,3
365	Elementierte Dachkonstruktionen	–	–	–	–
366	Lichtschutz zur KG 360	–	–	–	–
369	Sonstiges zur KG 360	1.011,71 m² DAF	23,39	23.662,36	0,7
370	**Infrastrukturanlagen**	**–**	**–**	**–**	**–**
380	**Baukonstruktive Einbauten**	**1.204,74 m² BGF**	**98,33**	**118.459,14**	**3,4**
390	**Sonst. Maßnahmen für Baukonstrukt.**	**1.204,74 m² BGF**	**124,73**	**150.262,83**	**4,3**

4400-0356
Kindergarten
(4 Gruppen)
(112 Kinder)
Wohnungen (4 WE)

Kostenkennwerte für die Kostengruppen 400 der 2. und 3. Ebene DIN 276 (Übersicht)

KG	Kostengruppe	Menge Einheit	€/Einheit	Kosten €	% an 3+4
400	**Bauwerk – Technische Anlagen**	**1.204,74 m²BGF**	**843,95**	**1.016.741,81**	**28,8**
410	**Abwasser-, Wasser-, Gasanlagen**	**1.204,74 m²BGF**	**136,43**	**164.357,41**	**4,7**
411	Abwasseranlagen	1.204,74 m²BGF	56,64	68.235,76	1,9
412	Wasseranlagen	1.204,74 m²BGF	73,16	88.141,60	2,5
413	Gasanlagen	–	–	–	–
419	Sonstiges zur KG 410	1.204,74 m²BGF	6,62	7.980,05	0,2
420	**Wärmeversorgungsanlagen**	**1.204,74 m²BGF**	**187,11**	**225.417,45**	**6,4**
421	Wärmeerzeugungsanlagen	1.204,74 m²BGF	74,85	90.178,01	2,6
422	Wärmeverteilnetze	1.204,74 m²BGF	50,48	60.815,41	1,7
423	Raumheizflächen	1.204,74 m²BGF	61,78	74.424,02	2,1
424	Verkehrsheizflächen	–	–	–	–
429	Sonstiges zur KG 420	–	–	–	–
430	**Raumlufttechnische Anlagen**	**1.204,74 m²BGF**	**92,51**	**111.456,50**	**3,2**
431	Lüftungsanlagen	1.204,74 m²BGF	92,51	111.456,50	3,2
432	Teilklimaanlagen	–	–	–	–
433	Klimaanlagen	–	–	–	–
434	Kälteanlagen	–	–	–	–
439	Sonstiges zur KG 430	–	–	–	–
440	**Elektrische Anlagen**	**1.204,74 m²BGF**	**271,85**	**327.510,58**	**9,3**
441	Hoch- und Mittelspannungsanlagen	–	–	–	–
442	Eigenstromversorgungsanlagen	1.204,74 m²BGF	40,21	48.440,03	1,4
443	Niederspannungsschaltanlagen	–	–	–	–
444	Niederspannungsinstallationsanlagen	1.204,74 m²BGF	143,79	173.231,26	4,9
445	Beleuchtungsanlagen	1.204,74 m²BGF	62,95	75.836,23	2,2
446	Blitzschutz- und Erdungsanlagen	1.204,74 m²BGF	24,90	30.003,07	0,9
447	Fahrleitungssysteme	–	–	–	–
449	Sonstiges zur KG 440	–	–	–	–
450	**Kommunikationstechnische Anlagen**	**1.204,74 m²BGF**	**78,83**	**94.972,12**	**2,7**
451	Telekommunikationsanlagen	–	–	–	–
452	Such- und Signalanlagen	1.204,74 m²BGF	7,70	9.271,54	0,3
453	Zeitdienstanlagen	–	–	–	–
454	Elektroakustische Anlagen	–	–	–	–
455	Audiovisuelle Medien- u. Antennenanl.	1.204,74 m²BGF	4,99	6.009,82	0,2
456	Gefahrenmelde- und Alarmanlagen	1.204,74 m²BGF	43,75	52.701,59	1,5
457	Datenübertragungsnetze	1.204,74 m²BGF	22,40	26.989,17	0,8
458	Verkehrsbeeinflussungsanlagen	–	–	–	–
459	Sonstiges zur KG 450	–	–	–	–
460	**Förderanlagen**	**–**	**–**	**–**	**–**
461	Aufzugsanlagen	–	–	–	–
462	Fahrtreppen, Fahrsteige	–	–	–	–
463	Befahranlagen	–	–	–	–
464	Transportanlagen	–	–	–	–
465	Krananlagen	–	–	–	–
466	Hydraulikanlagen	–	–	–	–
469	Sonstiges zur KG 460	–	–	–	–
470	**Nutzungsspez. u. verfahrenstechn. Anl.**	**1.204,74 m²BGF**	**49,08**	**59.122,95**	**1,7**
480	**Gebäude- und Anlagenautomation**	**1.204,74 m²BGF**	**28,14**	**33.904,80**	**1,0**
490	**Sonst. Maßnahmen für techn. Anlagen**	**–**	**–**	**–**	**–**

Kostenkennwerte für Leistungsbereiche nach STLB (Kosten des Bauwerks nach DIN 276)

LB	Leistungsbereiche	Kosten €	€/m² BGF	€/m³ BRI	% an 3+4
000	Sicherheits-, Baustelleneinrichtungen inkl. 001	137.802	114,40	27,60	3,9
002	Erdarbeiten	22.144	18,40	4,40	0,6
006	Spezialtiefbauarbeiten inkl. 005	59	0,05	0,01	< 0,1
009	Entwässerungskanalarbeiten inkl. 011	–	–	–	–
010	Drän- und Versickerarbeiten	–	–	–	–
012	Mauerarbeiten	–	–	–	–
013	Betonarbeiten	186.496	154,80	37,40	5,3
014	Natur-, Betonwerksteinarbeiten	–	–	–	–
016	Zimmer- und Holzbauarbeiten	774.619	643,00	155,40	22,0
017	Stahlbauarbeiten	77.788	64,60	15,60	2,2
018	Abdichtungsarbeiten	84.358	70,00	16,90	2,4
019	Kampfmittelräumarbeiten	–	–	–	–
020	Dachdeckungsarbeiten	–	–	–	–
021	Dachabdichtungsarbeiten	163.373	135,60	32,80	4,6
022	Klempnerarbeiten	104.694	86,90	21,00	3,0
	Rohbau	**1.551.332**	**1.287,70**	**311,30**	**44,0**
023	Putz- und Stuckarbeiten, Wärmedämmsysteme	42.329	35,10	8,50	1,2
024	Fliesen- und Plattenarbeiten	71.643	59,50	14,40	2,0
025	Estricharbeiten	31.176	25,90	6,30	0,9
026	Fenster, Außentüren inkl. 029, 032	227.243	188,60	45,60	6,4
027	Tischlerarbeiten	300.032	249,00	60,20	8,5
028	Parkettarbeiten, Holzpflasterarbeiten	67.624	56,10	13,60	1,9
030	Rollladenarbeiten	24.406	20,30	4,90	0,7
031	Metallbauarbeiten inkl. 035	–	–	–	–
034	Maler- und Lackiererarbeiten inkl. 037	27.636	22,90	5,50	0,8
036	Bodenbelagarbeiten	11.439	9,50	2,30	0,3
038	Vorgehängte hinterlüftete Fassaden	–	–	–	–
039	Trockenbauarbeiten	199.645	165,70	40,10	5,7
	Ausbau	**1.003.173**	**832,70**	**201,30**	**28,5**
040	Wärmeversorgungsanl. - Betriebseinr. inkl. 041	211.466	175,50	42,40	6,0
042	Gas- und Wasserinstallation, Leitungen inkl. 043	53.725	44,60	10,80	1,5
044	Abwasseranlagen - Leitungen	65.259	54,20	13,10	1,9
045	GWE-Einrichtungsgegenstände inkl. 046	39.047	32,40	7,80	1,1
047	Dämmarbeiten an betriebstechnischen Anlagen	29.055	24,10	5,80	0,8
049	Feuerlöschanlagen, Feuerlöschgeräte	–	–	–	–
050	Blitzschutz- und Erdungsanlagen	18.634	15,50	3,70	0,5
053	Niederspannungsanlagen inkl. 052, 054	233.463	193,80	46,80	6,6
055	Sicherheits- u. Ersatzstromversorgungsanl.	–	–	–	–
057	Gebäudesystemtechnik	–	–	–	–
058	Leuchten und Lampen inkl. 059	75.836	62,90	15,20	2,2
060	Sprechanlagen, elektroakust. Anlagen inkl. 064	6.627	5,50	1,30	0,2
061	Kommunikationsnetze inkl. 063	79.691	66,10	16,00	2,3
069	Aufzüge	–	–	–	–
070	Gebäudeautomation	33.905	28,10	6,80	1,0
075	Raumlufttechnische Anlagen inkl. 078	106.606	88,50	21,40	3,0
	Gebäudetechnik	**953.314**	**791,30**	**191,30**	**27,0**
084	Abbruch, Rückbau, Schadstoffsanierung	–	–	–	–
	Abbrucharbeiten	**–**	**–**	**–**	**–**
	Sonstige Leistungsbereiche	**17.626**	**14,60**	**3,50**	**0,5**

4400-0357
Kinderhaus
(4 Gruppen)
(74 Kinder)
Effizienzhaus ~45%

Objektübersicht

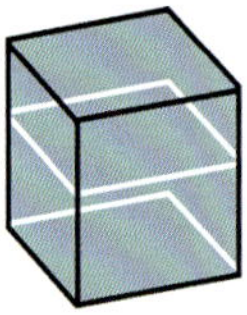

BRI 743 €/m³

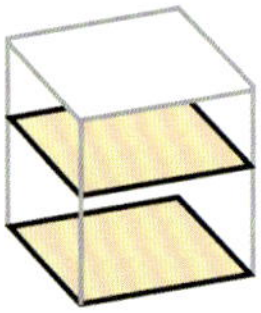

BGF 2.895 €/m²

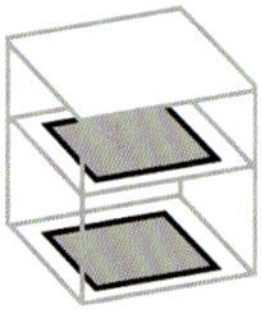

NUF 4.828 €/m²

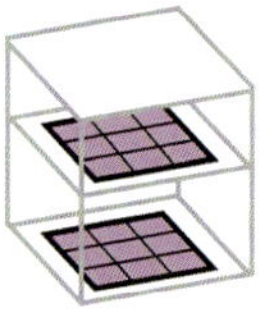

NE 39.472 €/NE

NE: Kinder

Objekt:
Kennwerte: 3. Ebene DIN 276
BRI: 3.931 m³
BGF: 1.009 m²
NUF: 605 m²
Bauzeit: 61 Wochen
Bauende: 2019
Standard: Durchschnitt
Bundesland: Bayern
Kreis: Landshut

Architekt*in:
goldbrunner + hrycyk
architekten
Sommerstraße 9
81543 München

Bauherr*in:
Gemeinde St. Franziskus
Bruckberg
Rathausplatz 1
84079 Bruckberg

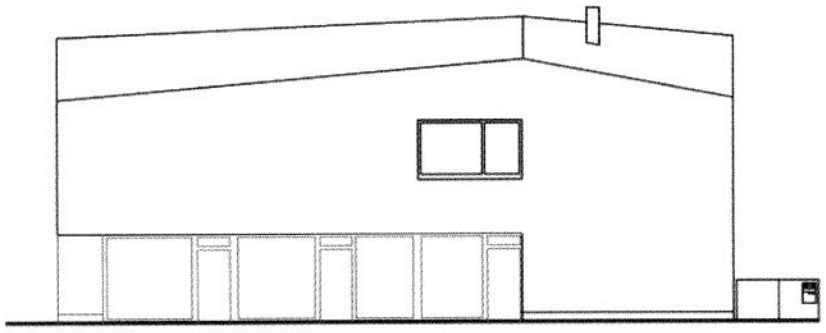
Ansicht Nord-Ost

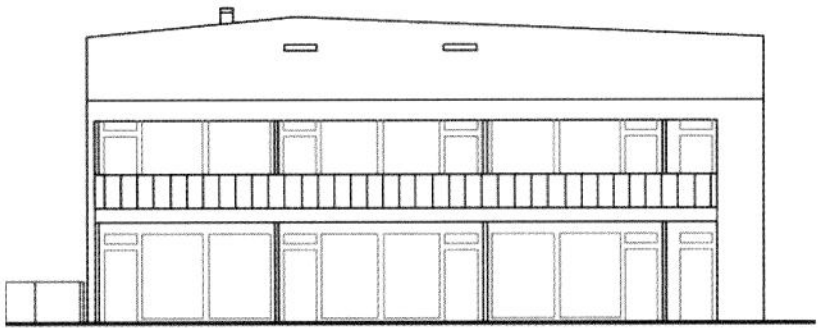
Ansicht Süd-West

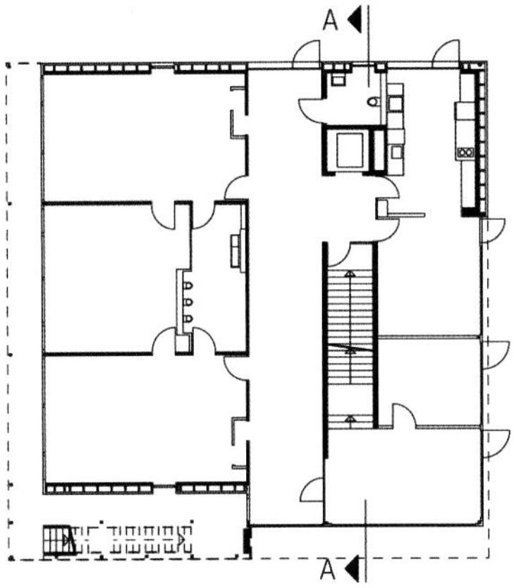

Erdgeschoss

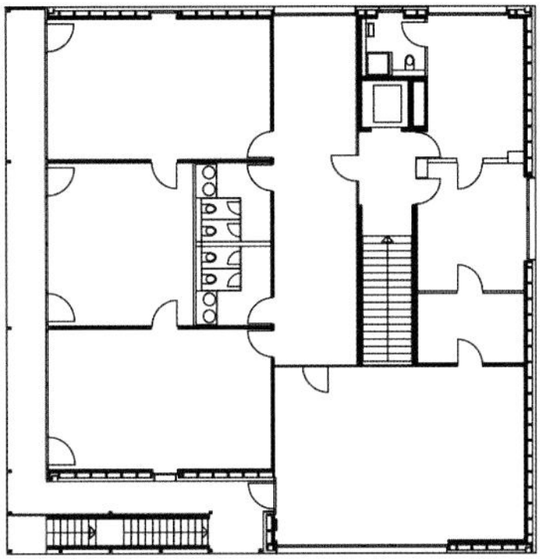
Obergeschoss

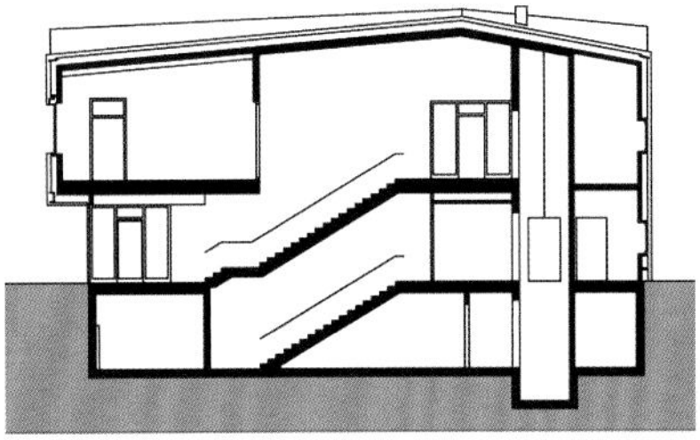
Schnitt A-A

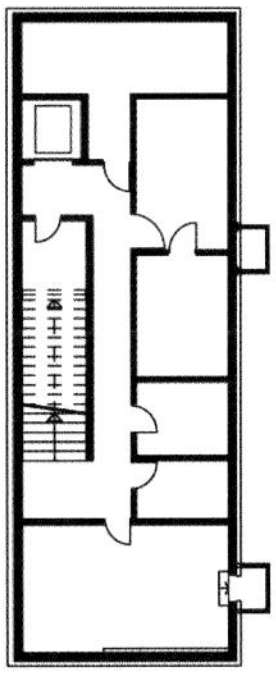
Untergeschoss

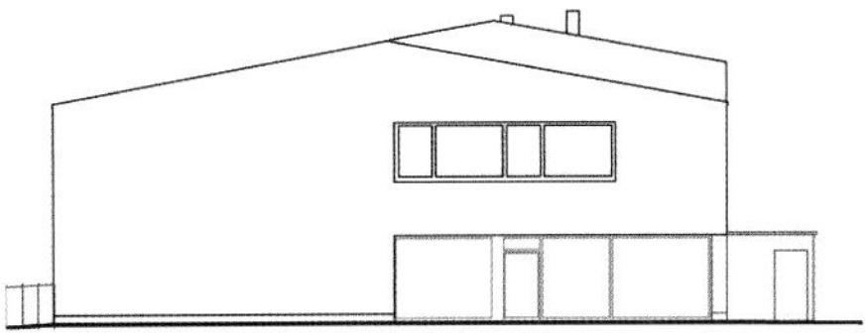
Ansicht Süd-Ost

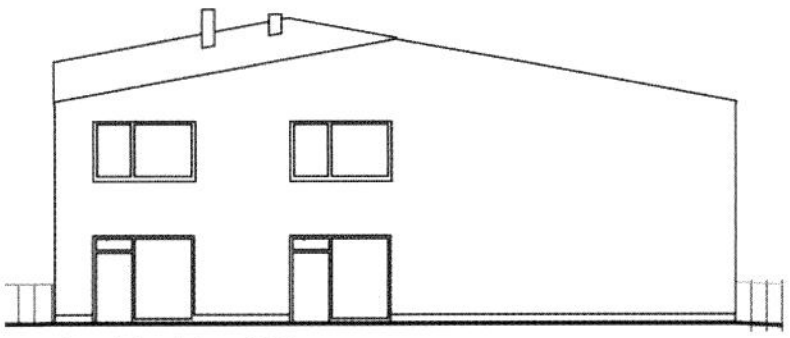
Ansicht Nord-West

4400-0357
Kinderhaus
(4 Gruppen)
(74 Kinder)
Effizienzhaus ~45%

Objektbeschreibung

Allgemeine Objektinformationen

Das viergruppige Kinderhaus bildet mit dem bestehenden Schulgebäude einen neuen Platz als Treffpunkt der Kinder zwischen Kirche und Rathaus. Der Neubau fügt sich mit seinen drei geschlossenen Fassadenseiten in die dörfliche Ortsmitte gut ein. Der quadratische Baukörper öffnet sich zum Freispielbereich. Im Erdgeschoss befinden sich die Krippenkinder mit direkten Zugängen zum Freispielbereich, die Schüler aus der Grundschule gelangen über die zentrale Haupttreppe zu den beiden Hortgruppen im Obergeschoss. Durch das gemeinsame Foyer sind beide Einheiten unabhängig voneinander nutzbar.

Nutzung

1 Untergeschoss
Lager, Technik, Putzraum, Pelletlager, Flur, Treppenhaus

1 Erdgeschoss
Foyer, Spielflur, Krippenräume (2St), Schlafraum, Küche, Nebenraum, Büro, WCs, WC barrierefrei

1 Obergeschoss
Spielflur, Horträume (2St), Mehrzweckraum, Therapieraum, Nebenraum, Lager, Personalraum, WCs, WC-Personal

Nutzeinheiten

Gruppen: 4
Kinder: 74

Grundstück

Bauraum: Freier Bauraum
Neigung: Ebenes Gelände
Bodenklasse: BK 1 bis BK 7

Markt

Hauptvergabezeit: 2. Quartal 2018
Baubeginn: 3. Quartal 2018
Bauende: 3. Quartal 2019
Konjunkturelle Gesamtlage: über Durchschnitt
Regionaler Baumarkt: unter Durchschnitt

Baukonstruktion

Die Bodenplatte, der Aufzugschacht und der Treppenraum sind in Stahlbetonbauweise ausgeführt. Die Unterkellerung ist bis zur Oberkante der Kellerdecke in WU-Bauweise hergestellt. Alle weiteren Konstruktionen wurden in Holzmassivbauweise mit Brettsperrholzwänden, -decken und -dachflächen angefertigt. Die tragenden Holzoberflächen sind ebenso wie die Sichtbetonwände in ihrer natürlichen Oberfläche belassen. Vorsatzschalen aus Dreischichtplatten vor den Holzmassiv- und den Trockenbauwänden dienen dem Schallschutz. Die Fassaden sind mit einer unbehandelten, sägerauen Holzschalung bekleidet. Es kamen flächenbündige Holz-Aluminium-Fenster zum Einbau. Die hinterlüftete Dachfläche erhielt eine Stehfalzdeckung aus Kupferblech. Die Unterdecken sind mit abgehängten Holzwolle-Akustikplatten versehen. Die Dachentwässerung wird in einer umlaufenden, zurückversetzten Rinne und in verdeckt liegenden Fallleitungen geführt.

Technische Anlagen

Die Heizwärme und Warmwasserbereitung ist zentral über eine Pelletheizung im Untergeschoss sichergestellt. Alle Nutzräume werden über eine Fußbodenheizung erwärmt. Im Gebäude ist eine kontrollierte Be- und Entlüftungsanlage eingebaut. Das Gebäude ist barrierefrei und mit einem Aufzug ausgestattet.

Sonstiges

Alle Bauteile sind im Passivhausstandard und die umfassenden Hüllflächen mit einer Anforderung von U=mind. 0,15W/m²K ausgeführt.

Planungskennwerte für Flächen und Rauminhalte nach DIN 277

Flächen des Grundstücks		Menge Einheit	% an GF
BF	Bebaute Fläche	470,00 m²	36,8
UF	Unbebaute Fläche	808,00 m²	63,2
GF	Grundstücksfläche	1.278,00 m²	100,0

Grundflächen des Bauwerks		Menge Einheit	% an NUF	% an BGF
NUF	Nutzungsfläche	605,00 m²	100,0	60,0
TF	Technikfläche	65,00 m²	10,7	6,4
VF	Verkehrsfläche	222,26 m²	36,7	22,0
NRF	Netto-Raumfläche	892,26 m²	147,5	88,4
KGF	Konstruktions-Grundfläche	116,74 m²	19,3	11,6
BGF	Brutto-Grundfläche	1.009,00 m²	166,8	100,0

Brutto-Rauminhalt des Bauwerks		Menge Einheit	BRI/NUF (m)	BRI/BGF (m)
BRI	Brutto-Rauminhalt	3.931,00 m³	6,50	3,90

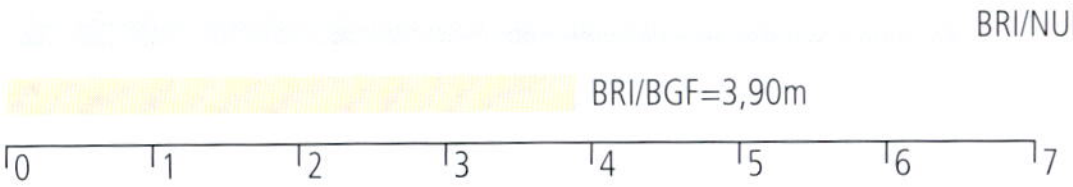

Lufttechnisch behandelte Flächen	Menge Einheit	% an NUF	% an BGF
Entlüftete Fläche	–	–	–
Be- und entlüftete Fläche	–	–	–
Teilklimatisierte Fläche	–	–	–
Klimatisierte Fläche	–	–	–

KG	Kostengruppen (2. Ebene)	Menge Einheit	Menge/NUF	Menge/BGF
310	Baugrube / Erdbau	1.532,00 m³ BGI	2,53	1,52
320	Gründung, Unterbau	390,10 m² GRF	0,65	0,39
330	Außenwände/Vertikale Baukonstruktionen, außen	739,05 m² AWF	1,22	0,73
340	Innenwände/Vertikale Baukonstruktionen, innen	836,58 m² IWF	1,38	0,83
350	Decken/Horizontale Baukonstruktionen	586,18 m² DEF	0,97	0,58
360	Dächer	393,62 m² DAF	0,65	0,39

Kostenkennwerte für die Kostengruppen der 1. Ebene DIN 276

KG	Kostengruppen (1. Ebene)	Einheit	Kosten €	€/Einheit	€/m² BGF	€/m³ BRI	% 300+400
100	Grundstück	m² GF	–	–	–	–	–
200	Vorbereitende Maßnahmen	m² GF	1.470	1,15	1,46	0,37	< 0,1
300	Bauwerk – Baukonstruktionen	m² BGF	2.277.307	2.256,99	2.256,99	579,32	78,0
400	Bauwerk – Technische Anlagen	m² BGF	643.600	637,86	637,86	163,72	22,0
	Bauwerk 300+400	**m² BGF**	**2.920.907**	**2.894,85**	**2.894,85**	**743,04**	**100,0**
500	Außenanlagen und Freiflächen	m² AF	126.162	156,14	125,04	32,09	4,3
600	Ausstattung und Kunstwerke	m² BGF	10.344	10,25	10,25	2,63	0,4
700	Baunebenkosten	m² BGF	–	–	–	–	–
800	Finanzierung	m² BGF	–	–	–	–	–

KG	Kostengruppe	Menge Einheit	Kosten €	€/Einheit	%
200	**Vorbereitende Maßnahmen**	1.278,00 m² GF	1.470	**1,15**	< 0,1
	Abbruch von Asphaltflächen; Entsorgung, Deponiegebühren				
3+4	**Bauwerk**				**100,0**
300	**Bauwerk – Baukonstruktionen**	1.009,00 m² BGF	2.277.307	**2.256,99**	78,0
	Baugrubenaushub, Stb-Bodenplatte, Stb-Streifenfundamente, Heizestrich, Linoleum, Bodenfliesen; Brettsperrholzwände, Stb-Wände, Stahlstützen, Holz-Alu-Fensterelemente, Holz-Alu-Türelemente, Holzfaserdämmplatten, Zelluloseeinblasdämmung, Weißtannen-Holzfassade, Wandfliesen, Fenstermarkisen; Brettsperrholzwände, Stb-Wände, GK-Wände, Holztüren, Stahltüren, Dispersionsbeschichtung; Brettsperrholzdecken, Stb-Decken, Stb-Treppen, Betonterrassenplatten, Holzwolle-Akustikdecken, Stahltreppe, Balkongeländer; Brettsperrholzdach, Stb-Satteldach, Lichtkuppeln, Zellulosedämmung, Doppelstehfalzdeckung, Dachentwässerung, Holzwolle-Akustikdecken; Einbaumöbel, Kücheneinrichtungen				
400	**Bauwerk – Technische Anlagen**	1.009,00 m² BGF	643.600	**637,86**	22,0
	Gebäudeentwässerung, Kalt- und Warmwasserleitungen, Sanitärobjekte; Pelletkessel, Heizleitungen, Fußbodenheizung; Lüftungsanlage; Elektroinstallation, Beleuchtung, Blitzschutzanlage; Sprechanlage, Brandmeldezentrale, Datenübertragungsnetz; Aufzugsanlage				
500	**Außenanlagen und Freiflächen**	808,00 m² AF	126.162	**156,14**	4,3
	Bodenarbeiten; Stb-Streifenfundamente; Zaun mit Toren, Nebengebäude, Stahlkonstruktion, Holzfassade, Brettsperrholzflachdach, extensive Dachbegrünung; Außenbeleuchtung				
600	**Ausstattung und Kunstwerke**	1.009,00 m² BGF	10.344	**10,25**	0,4
	Sanitärausstattung, Speisentransportbehälter, Servierwagen, Sitzwürfel				

Kostenkennwerte für die Kostengruppen 300 der 2. und 3.Ebene DIN 276 (Übersicht)

4400-0357
Kinderhaus
(4 Gruppen)
(74 Kinder)
Effizienzhaus ~45%

KG	Kostengruppe	Menge Einheit	€/Einheit	Kosten €	% an 3+4
300	**Bauwerk – Baukonstruktionen**	**1.009,00 m2 BGF**	**2.256,99**	**2.277.306,68**	**78,0**
310	**Baugrube / Erdbau**	**1.532,00 m3 BGI**	**19,73**	**30.219,09**	**1,0**
311	Herstellung	1.532,00 m3 BGI	19,73	30.219,09	1,0
312	Umschließung	–	–	–	–
313	Wasserhaltung	–	–	–	–
314	Vortrieb	–	–	–	–
319	Sonstiges zur KG 310	–	–	–	–
320	**Gründung, Unterbau**	**390,10 m2 GRF**	**413,37**	**161.254,11**	**5,5**
321	Baugrundverbesserung	343,00 m2	33,61	11.527,02	0,4
322	Flachgründungen und Bodenplatten	367,36 m2	231,00	84.858,52	2,9
323	Tiefgründungen	–	–	–	–
324	Gründungsbeläge	222,08 m2	154,30	34.267,75	1,2
325	Abdichtungen und Bekleidungen	390,10 m2	78,44	30.600,81	1,0
326	Dränagen	–	–	–	–
329	Sonstiges zur KG 320	–	–	–	–
330	**Außenwände/Vert. Baukonstrukt., außen**	**739,05 m2 AWF**	**852,46**	**630.013,33**	**21,6**
331	Tragende Außenwände	480,27 m2	278,75	133.876,00	4,6
332	Nichttragende Außenwände	–	–	–	–
333	Außenstützen	86,01 m	288,98	24.855,05	0,9
334	Außenwandöffnungen	258,78 m2	906,68	234.631,61	8,0
335	Außenwandbekleidungen, außen	542,67 m2	345,85	187.682,97	6,4
336	Außenwandbekleidungen, innen	171,33 m2	94,86	16.252,21	0,6
337	Element. Außenwandkonstruktionen	–	–	–	–
338	Lichtschutz zur KG 330	105,07 m2	259,56	27.272,35	0,9
339	Sonstiges zur KG 330	739,05 m2 AWF	7,37	5.443,16	0,2
340	**Innenwände/Vert. Baukonstrukt., innen**	**836,58 m2 IWF**	**462,84**	**387.204,84**	**13,3**
341	Tragende Innenwände	577,99 m2	262,29	151.603,22	5,2
342	Nichttragende Innenwände	164,29 m2	145,39	23.886,55	0,8
343	Innenstützen	–	–	–	–
344	Innenwandöffnungen	97,75 m2	1.329,51	129.960,09	4,4
345	Innenwandbekleidungen	848,79 m2	96,32	81.754,98	2,8
346	Elementierte Innenwandkonstruktionen	–	–	–	–
347	Lichtschutz zur KG 340	–	–	–	–
349	Sonstiges zur KG 340	–	–	–	–
350	**Decken/Horizontale Baukonstruktionen**	**586,18 m2 DEF**	**642,59**	**376.670,73**	**12,9**
351	Deckenkonstruktionen	576,74 m2	312,12	180.010,11	6,2
352	Deckenöffnungen	–	–	–	–
353	Deckenbeläge	464,37 m2	179,00	83.123,86	2,8
354	Deckenbekleidungen	303,93 m2	227,37	69.103,95	2,4
355	Elementierte Deckenkonstruktionen	9,44 m2	2.244,03	21.183,64	0,7
359	Sonstiges zur KG 350	586,18 m2 DEF	39,66	23.249,16	0,8
360	**Dächer**	**393,62 m2 DAF**	**949,34**	**373.680,17**	**12,8**
361	Dachkonstruktionen	391,62 m2	299,62	117.335,47	4,0
362	Dachöffnungen	2,00 m2	8.264,29	16.528,59	0,6
363	Dachbeläge	431,42 m2	443,09	191.157,17	6,5
364	Dachbekleidungen	285,95 m2	156,38	44.715,91	1,5
365	Elementierte Dachkonstruktionen	–	–	–	–
366	Lichtschutz zur KG 360	–	–	–	–
369	Sonstiges zur KG 360	393,62 m2 DAF	10,02	3.943,01	0,1
370	**Infrastrukturanlagen**	**–**	**–**	**–**	**–**
380	**Baukonstruktive Einbauten**	**1.009,00 m2 BGF**	**232,26**	**234.349,16**	**8,0**
390	**Sonst. Maßnahmen für Baukonstrukt.**	**1.009,00 m2 BGF**	**83,17**	**83.915,28**	**2,9**

Kostenkennwerte für die Kostengruppen 400 der 2. und 3. Ebene DIN 276 (Übersicht)

KG	Kostengruppe	Menge Einheit	€/Einheit	Kosten €	% an 3+4
400	**Bauwerk – Technische Anlagen**	**1.009,00 m² BGF**	**637,86**	**643.600,43**	**22,0**
410	**Abwasser-, Wasser-, Gasanlagen**	**1.009,00 m² BGF**	**108,88**	**109.863,95**	**3,8**
411	Abwasseranlagen	1.009,00 m² BGF	38,04	38.379,96	1,3
412	Wasseranlagen	1.009,00 m² BGF	67,04	67.640,68	2,3
413	Gasanlagen	–	–	–	–
419	Sonstiges zur KG 410	1.009,00 m² BGF	3,81	3.843,31	0,1
420	**Wärmeversorgungsanlagen**	**1.009,00 m² BGF**	**106,19**	**107.142,11**	**3,7**
421	Wärmeerzeugungsanlagen	1.009,00 m² BGF	27,22	27.463,32	0,9
422	Wärmeverteilnetze	1.009,00 m² BGF	36,10	36.422,98	1,2
423	Raumheizflächen	1.009,00 m² BGF	34,83	35.143,12	1,2
424	Verkehrsheizflächen	–	–	–	–
429	Sonstiges zur KG 420	1.009,00 m² BGF	8,04	8.112,70	0,3
430	**Raumlufttechnische Anlagen**	**1.009,00 m² BGF**	**136,40**	**137.632,05**	**4,7**
431	Lüftungsanlagen	1.009,00 m² BGF	136,40	137.632,05	4,7
432	Teilklimaanlagen	–	–	–	–
433	Klimaanlagen	–	–	–	–
434	Kälteanlagen	–	–	–	–
439	Sonstiges zur KG 430	–	–	–	–
440	**Elektrische Anlagen**	**1.009,00 m² BGF**	**202,23**	**204.054,10**	**7,0**
441	Hoch- und Mittelspannungsanlagen	–	–	–	–
442	Eigenstromversorgungsanlagen	–	–	–	–
443	Niederspannungsschaltanlagen	–	–	–	–
444	Niederspannungsinstallationsanlagen	1.009,00 m² BGF	132,49	133.680,83	4,6
445	Beleuchtungsanlagen	1.009,00 m² BGF	55,78	56.280,20	1,9
446	Blitzschutz- und Erdungsanlagen	1.009,00 m² BGF	13,97	14.093,09	0,5
447	Fahrleitungssysteme	–	–	–	–
449	Sonstiges zur KG 440	–	–	–	–
450	**Kommunikationstechnische Anlagen**	**1.009,00 m² BGF**	**28,36**	**28.616,92**	**1,0**
451	Telekommunikationsanlagen	–	–	–	–
452	Such- und Signalanlagen	1.009,00 m² BGF	3,67	3.707,35	0,1
453	Zeitdienstanlagen	–	–	–	–
454	Elektroakustische Anlagen	–	–	–	–
455	Audiovisuelle Medien- u. Antennenanl.	–	–	–	–
456	Gefahrenmelde- und Alarmanlagen	1.009,00 m² BGF	17,91	18.071,18	0,6
457	Datenübertragungsnetze	1.009,00 m² BGF	6,78	6.838,39	0,2
458	Verkehrsbeeinflussungsanlagen	–	–	–	–
459	Sonstiges zur KG 450	–	–	–	–
460	**Förderanlagen**	**1.009,00 m² BGF**	**55,79**	**56.291,32**	**1,9**
461	Aufzugsanlagen	1.009,00 m² BGF	55,79	56.291,32	1,9
462	Fahrtreppen, Fahrsteige	–	–	–	–
463	Befahranlagen	–	–	–	–
464	Transportanlagen	–	–	–	–
465	Krananlagen	–	–	–	–
466	Hydraulikanlagen	–	–	–	–
469	Sonstiges zur KG 460	–	–	–	–
470	**Nutzungsspez. u. verfahrenstechn. Anl.**	**–**	**–**	**–**	**–**
480	**Gebäude- und Anlagenautomation**	**–**	**–**	**–**	**–**
490	**Sonst. Maßnahmen für techn. Anlagen**	**–**	**–**	**–**	**–**

Kostenkennwerte für Leistungsbereiche nach STLB (Kosten des Bauwerks nach DIN 276)

LB	Leistungsbereiche	Kosten €	€/m² BGF	€/m³ BRI	% an 3+4
000	Sicherheits-, Baustelleneinrichtungen inkl. 001	52.701	52,20	13,40	1,8
002	Erdarbeiten	48.986	48,50	12,50	1,7
006	Spezialtiefbauarbeiten inkl. 005	–	–	–	–
009	Entwässerungskanalarbeiten inkl. 011	799	0,79	0,20	< 0,1
010	Drän- und Versickerarbeiten	–	–	–	–
012	Mauerarbeiten	11.366	11,30	2,90	0,4
013	Betonarbeiten	333.204	330,20	84,80	11,4
014	Natur-, Betonwerksteinarbeiten	–	–	–	–
016	Zimmer- und Holzbauarbeiten	656.965	651,10	167,10	22,5
017	Stahlbauarbeiten	98.840	98,00	25,10	3,4
018	Abdichtungsarbeiten	3.120	3,10	0,79	0,1
019	Kampfmittelräumarbeiten	–	–	–	–
020	Dachdeckungsarbeiten	–	–	–	–
021	Dachabdichtungsarbeiten	19.458	19,30	4,90	0,7
022	Klempnerarbeiten	109.122	108,10	27,80	3,7
	Rohbau	**1.334.560**	**1.322,70**	**339,50**	**45,7**
023	Putz- und Stuckarbeiten, Wärmedämmsysteme	769	0,76	0,20	< 0,1
024	Fliesen- und Plattenarbeiten	26.525	26,30	6,70	0,9
025	Estricharbeiten	39.834	39,50	10,10	1,4
026	Fenster, Außentüren inkl. 029, 032	231.440	229,40	58,90	7,9
027	Tischlerarbeiten	414.110	410,40	105,30	14,2
028	Parkettarbeiten, Holzpflasterarbeiten	–	–	–	–
030	Rollladenarbeiten	24.835	24,60	6,30	0,9
031	Metallbauarbeiten inkl. 035	–	–	–	–
034	Maler- und Lackiererarbeiten inkl. 037	2.360	2,30	0,60	< 0,1
036	Bodenbelagarbeiten	36.685	36,40	9,30	1,3
038	Vorgehängte hinterlüftete Fassaden	–	–	–	–
039	Trockenbauarbeiten	151.809	150,50	38,60	5,2
	Ausbau	**928.367**	**920,10**	**236,20**	**31,8**
040	Wärmeversorgungsanl. - Betriebseinr. inkl. 041	87.673	86,90	22,30	3,0
042	Gas- und Wasserinstallation, Leitungen inkl. 043	44.414	44,00	11,30	1,5
044	Abwasseranlagen - Leitungen	30.880	30,60	7,90	1,1
045	GWE-Einrichtungsgegenstände inkl. 046	26.787	26,50	6,80	0,9
047	Dämmarbeiten an betriebstechnischen Anlagen	22.612	22,40	5,80	0,8
049	Feuerlöschanlagen, Feuerlöschgeräte	–	–	–	–
050	Blitzschutz- und Erdungsanlagen	14.093	14,00	3,60	0,5
053	Niederspannungsanlagen inkl. 052, 054	174.371	172,80	44,40	6,0
055	Sicherheits- u. Ersatzstromversorgungsanl.	–	–	–	–
057	Gebäudesystemtechnik	–	–	–	–
058	Leuchten und Lampen inkl. 059	20.682	20,50	5,30	0,7
060	Sprechanlagen, elektroakust. Anlagen inkl. 064	2.272	2,30	0,58	< 0,1
061	Kommunikationsnetze inkl. 063	30.092	29,80	7,70	1,0
069	Aufzüge	56.291	55,80	14,30	1,9
070	Gebäudeautomation	–	–	–	–
075	Raumlufttechnische Anlagen inkl. 078	132.688	131,50	33,80	4,5
	Gebäudetechnik	**642.854**	**637,10**	**163,50**	**22,0**
084	Abbruch, Rückbau, Schadstoffsanierung	–	–	–	–
	Abbrucharbeiten	**–**	**–**	**–**	**–**
	Sonstige Leistungsbereiche	**15.126**	**15,00**	**3,80**	**0,5**

4400-0358
Schulhort
(15 Gruppen)
(250 Kinder)

Objektübersicht

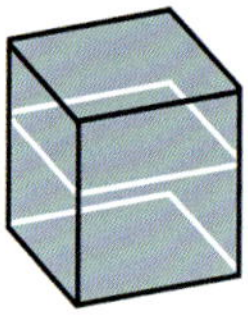

BRI 698 €/m³

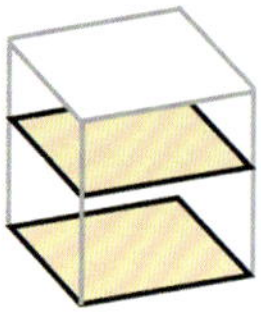

BGF 2.680 €/m²

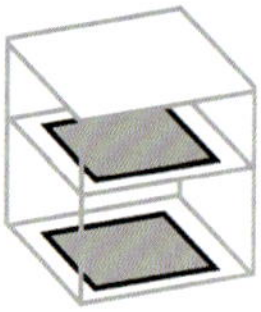

NUF 3.548 €/m²

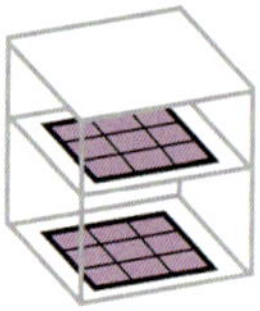

NE 22.620 €/NE
NE: Kinder

Objekt:
Kennwerte: 1. Ebene DIN 276
BRI: 8.106 m³
BGF: 2.110 m²
NUF: 1.594 m²
Bauzeit: 74 Wochen
Bauende: 2021
Standard: Durchschnitt
Bundesland: Brandenburg
Kreis: Teltow-Fläming

Architekt*in:
°pha design
Banniza, Hermann,
Öchsner und Partner
Holzmarktstraße 11
14467 Potsdam

Bauherr*in:
Stadt Luckenwalde
14943 Luckenwalde

© °pha Architekten BDA

© °pha Architekten BDA

© Leon Lenk

© Leon Lenk

Zeichnungen

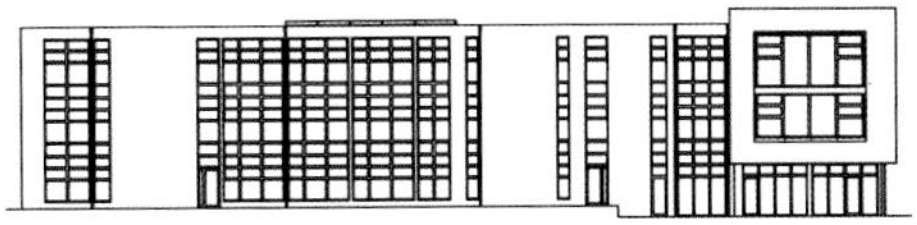

Ansicht Nord

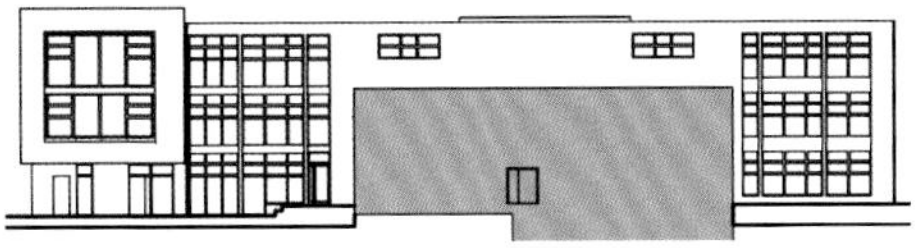

Ansicht Süd

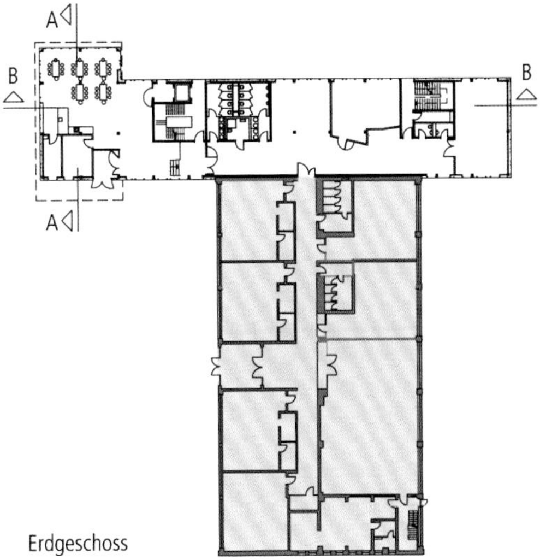

Erdgeschoss

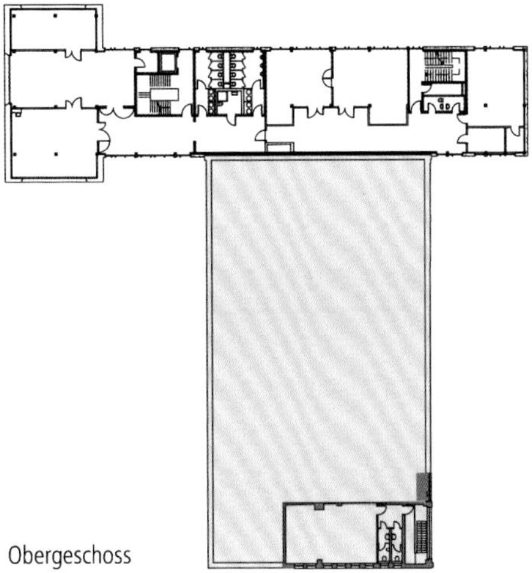

Obergeschoss

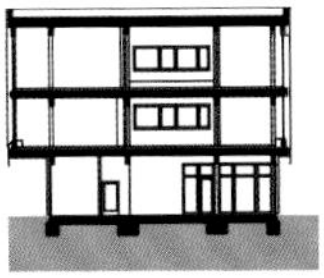

Schnitt A-A

Schnitt B-B

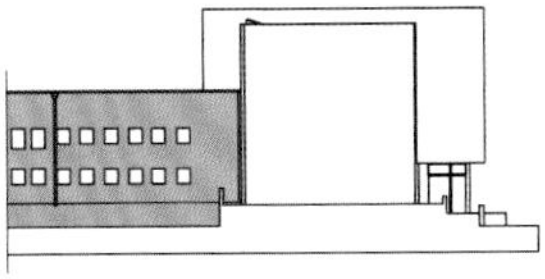

Ansicht Ost

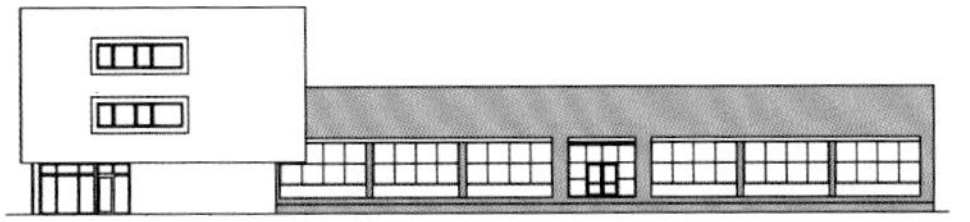

Ansicht West

Objektbeschreibung

Allgemeine Objektinformationen

Neubau eines dreigeschossigen Hortgebäudes als Anbau an eine Grundschule mit Mensa. Hort mit offenem Konzept ohne Flure und feste Gruppenzuordnungen.

Nutzung

1 Untergeschoss
Mediengänge

1 Erdgeschoss
Horträume, Multifunktionsraum, Bewegungsraum, Küche, Büro, Sanitärräume, Garderobe, Technikraum

2 Obergeschosse
Horträume, Experimentierräume, Malwerkstatt, offene Werkstatt, Töpfern, Musikwerkstatt, Lernwerkstatt, offene Bibliothek, Klubraum, Rückzugsräume, Teamraum, Besprechungsraum, Kopierraum, Sanitärräume, Technikraum

Nutzeinheiten

Gruppen: 15
Kinder: 250

Grundstück

Bauraum: Beengter Bauraum
Neigung: Ebenes Gelände
Bodenklasse: BK 1 bis BK 3

Markt

Hauptvergabezeit: 2. Quartal 2020
Baubeginn: 3. Quartal 2020
Bauende: 4. Quartal 2021
Konjunkturelle Gesamtlage: über Durchschnitt
Regionaler Baumarkt: Durchschnitt

Besonderer Kosteneinfluss Markt:
Durch die Covid-Pandemie Lieferengpässe in der Bauzeit.

Baukonstruktion

Das Gebäude gründet auf Stahlbeton-Streifenfundamenten. Die Bodenplatte besteht aus Stahlbeton. Die tragenden Außenwände wurden in Holz-Massivbauweise mit vorgefertigten Elementen ausgeführt. Zur Aussteifung dienen Stahlbeton-Treppenkerne, die ebenfalls vorgefertigt sind. Auch Stützen und Unterzüge wurden in Holz ausgeführt. Die Außenwände sind mit einer vorgehängten Lärchenholzfassade bekleidet. Alle Fenster sind aus Holz und haben absturzsichernde Wärme- und Sonnenschutzverglasungen erhalten. Teilweise gibt es Fenster-Sitzbänke mit Raumakustikfunktion. Innentüren sind aus Holz oder als Alu-Glasrahmenelemente ausgeführt. Die Decken sind als Massivholzdecken mit unterseitigen Holz-Akustikdecken ausgebildet. Im Innenbereich wurden die Stb-Wände mit Sichtoberflächen ausgeführt. Ansonsten sind die Wände mit Dispersionsfarbe beschichtet. Die Innenmöblierung aus Holz und Polsterelementen wurde individuell und regional gefertigt.

Technische Anlagen

Der Hort wird mit Fernwärme beheizt, die Wärmeübertragung erfolgt über eine Fußbodenheizung. Auch das Warmwasser wird mit Fernwärme erhitzt. Die Lüftung erfolgt kontrolliert durch computergestütztes Öffnen von ca. 120 Oberlicht-Fensterflügeln. In mehreren individuellen Lüftungszonen wird die natürliche Lüftung mit einseitiger Lüftung oder Querlüftung umgesetzt und Nachtauskühlung im Sommer ermöglicht. Außerdem sind die Räume mit LED-Einzelleuchten, einer Brandmeldeanlage, Sicherheitsbeleuchtung und Netzwerkverkabelung ausgestattet.

Planungskennwerte für Flächen und Rauminhalte nach DIN 277

Flächen des Grundstücks		Menge Einheit	% an GF
BF	Bebaute Fläche	720,00 m²	9,2
UF	Unbebaute Fläche	7.080,00 m²	90,8
GF	Grundstücksfläche	7.800,00 m²	100,0

Grundflächen des Bauwerks		Menge Einheit	% an NUF	% an BGF
NUF	Nutzungsfläche	1.593,99 m²	100,0	75,5
TF	Technikfläche	15,42 m²	1,0	0,7
VF	Verkehrsfläche	171,85 m²	10,8	8,1
NRF	Netto-Raumfläche	1.781,26 m²	111,7	84,4
KGF	Konstruktions-Grundfläche	328,86 m²	20,6	15,6
BGF	Brutto-Grundfläche	2.110,12 m²	132,4	100,0

Brutto-Rauminhalt des Bauwerks		Menge Einheit	BRI/NUF (m)	BRI/BGF (m)
BRI	Brutto-Rauminhalt	8.106,00 m³	5,09	3,84

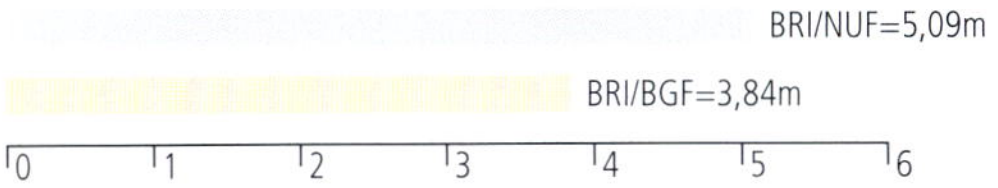

Kostenkennwerte für die Kostengruppen der 1. Ebene DIN 276

KG	Kostengruppen (1. Ebene)	Einheit	Kosten €	€/Einheit	€/m² BGF	€/m³ BRI	% 300+400
100	Grundstück	m² GF	–	–	–	–	–
200	Vorbereitende Maßnahmen	m² GF	–	–	–	–	–
300	Bauwerk – Baukonstruktionen	m² BGF	4.430.050	2.099,43	2.099,43	546,51	78,3
400	Bauwerk – Technische Anlagen	m² BGF	1.224.837	580,46	580,46	151,10	21,7
	Bauwerk 300+400	**m² BGF**	**5.654.887**	**2.679,89**	**2.679,89**	**697,62**	**100,0**
500	Außenanlagen und Freiflächen	m² AF	–	–	–	–	–
600	Ausstattung und Kunstwerke	m² BGF	513.585	243,39	243,39	63,36	9,1
700	Baunebenkosten	m² BGF	–	–	–	–	–
800	Finanzierung	m² BGF	–	–	–	–	–

KG	Kostengruppe	Menge Einheit	Kosten €	€/Einheit	%
3+4	**Bauwerk**				**100,0**
300	**Bauwerk – Baukonstruktionen**	2.110,12 m² BGF	4.430.050	**2.099,43**	78,3

Stb-Bodenplatte, Stb-Streifenfundamente, Abdichtung, Wärmedämmung, Zement-Heizestrich, Epoxidharzbeschichtung, Perimeterdämmung, Sauberkeitsschicht; vorgefertigte Massivholzwände, Stb-Wände mit Sichtoberflächen, Holzstützen, Holzfenster mit Wärme- und Sonnenschutzverglasungen, vorgehängte Lärchenholzfassade, Dispersionsbeschichtung, WC-Trennwände, Alu-Jalousien außen als Sonnenschutz; Stb-Innenwände, GK-Metallständerwände, Holztüren, Alu-Glasrahmentüren, Wandfliesen; Massivholzdecken, Unterdecken als Holz-Akustikdecken; Flachdach aus Brettsperrholz, Abdichtung, Wärmedämmung, Dachabdichtung, innenliegende Dachentwässerung

KG	Kostengruppe	Menge Einheit	Kosten €	€/Einheit	%
400	**Bauwerk – Technische Anlagen**	2.110,12 m² BGF	1.224.837	**580,46**	21,7

Gebäudeentwässerung, Kalt- und Warmwasserleitungen, Sanitärobjekte; Fernwärmeanschluss, Heizungsrohre, Fußbodenheizung; Elektroinstallation, LED-Einzelleuchten, Sicherheitsbeleuchtung, Blitzschutz; Brandmeldeanlage, Netzwerkverkabelung

KG	Kostengruppe	Menge Einheit	Kosten €	€/Einheit	%
600	**Ausstattung und Kunstwerke**	2.110,12 m² BGF	513.585	**243,39**	9,1

Innenmöblierung aus Holz und Polsterelementen

4400-0360
Kinderkrippe
(3 Gruppen)
(45 Kinder)

Objektübersicht

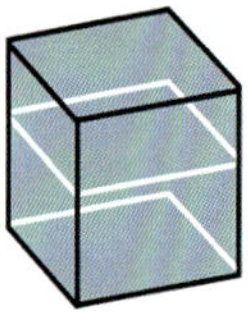

BRI 991 €/m³

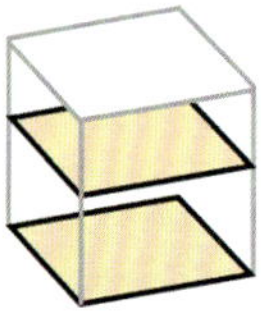

BGF 3.839 €/m²

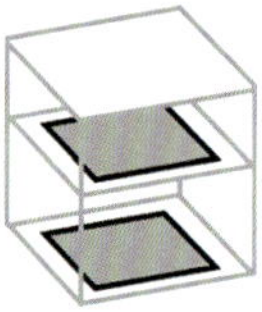

NUF 5.688 €/m²

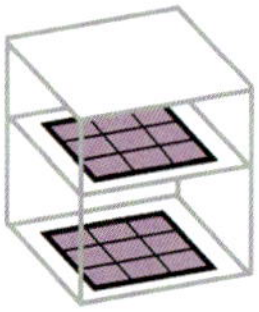

NE 51.966 €/NE

NE: Kinder

Objekt:
Kennwerte: 1. Ebene DIN 276
BRI: 2.359 m³
BGF: 609 m²
NUF: 411 m²
Bauzeit: 65 Wochen
Bauende: 2021
Standard: Durchschnitt
Bundesland: Niedersachsen
Kreis: Wesermarsch

Architekt*in:
KUKUK Architekten
Partnerschaftsgesellschaft
mbB
Hermann-Ritter-Straße 112
28197 Bremen

Bauherr*in:
Gemeinde Lemwerder
Stedinger Straße 51
27809 Lemwerder

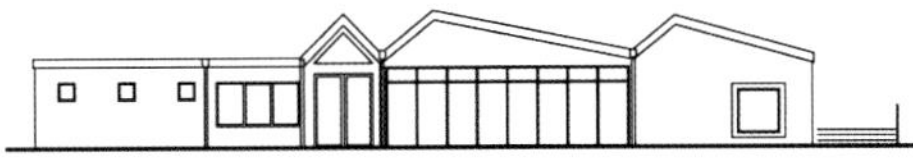

Ansicht Nord-Ost

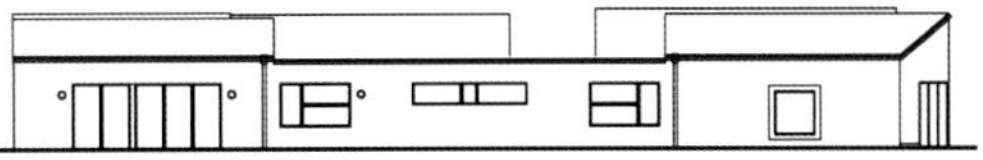

Ansicht Süd-Ost

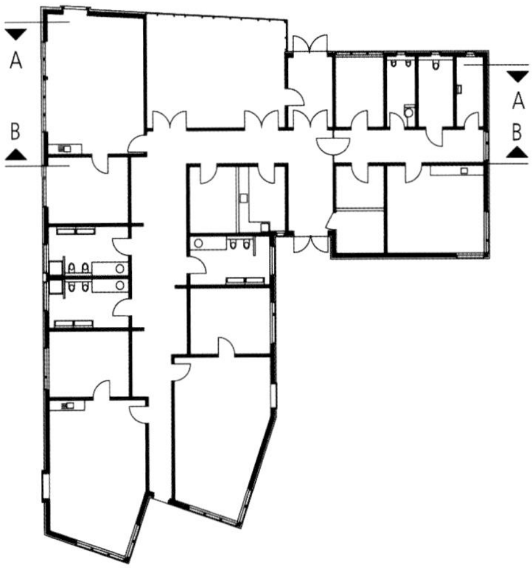

Erdgeschoss

Schnitt A-A

Schnitt B-B

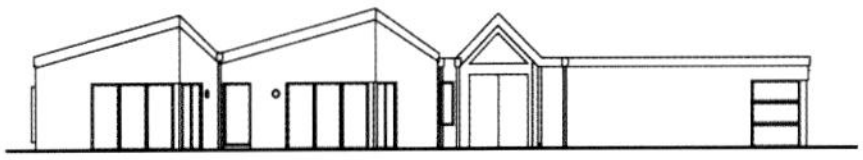

Ansicht Süd-West

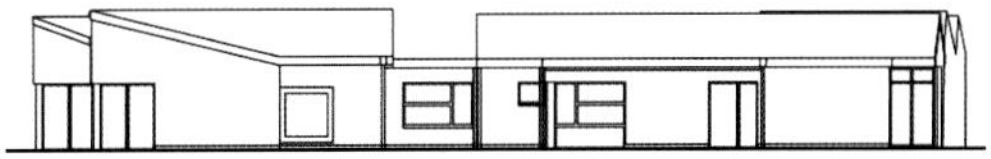

Ansicht Nord-West

Objektbeschreibung

Allgemeine Objektinformationen

Der Neubau schließt die städtebauliche Lücke in der Flucht der bestehenden Gebäude im Kontext der vorhandenen Kindertageseinrichtungen. Die Gruppenräume des eingeschossigen Gebäudes werden mit unregelmäßigen Satteldächern betont und verfügen über eigene Außenbereiche. Der Mehrzweckraum und der großzügige Spielflur bieten Raum für die Begegnung zwischen den Gruppen. In den Außenanlagen unter dem alten Baumbestand finden sich vielfältige Anregungen und Spielangebote.

Nutzung

1 Erdgeschoss
Gruppenräume, Schlafräume, Mehrzweckraum, Verteilerküche, Büro, Personalraum, WCs, Waschräume, Lagerräume, Hausanschlussraum

Nutzeinheiten

Gruppen: 3
Kinder: 45

Grundstück

Bauraum: Freier Bauraum
Neigung: Ebenes Gelände
Bodenklasse: BK 1 bis BK 4

Besonderer Kosteneinfluss Grundstück
Der gewachsene Boden (Marschboden, Schluff) wurde unterhalb der Sohle 50cm hoch ausgetauscht, auf dem Planum wurde schalungslos betoniert.

Markt

Hauptvergabezeit: 1. Quartal 2020
Baubeginn: 1. Quartal 2020
Bauende: 2. Quartal 2021
Konjunkturelle Gesamtlage: über Durchschnitt
Regionaler Baumarkt: unter Durchschnitt

Besonderer Kosteneinfluss Markt:
Baustellenstart mit erstem Covid-Lockdown. Es ergaben sich Lieferschwierigkeiten, Kostenunsicherheiten und Mitarbeiterausfälle.

Baukonstruktion

Das Gebäude ist als Holzrahmenbau auf einer Stahlbetonflächengründung ausgeführt. Das Fassadenholz der Nut- und Federschalung wurde vorbewittert und hellgrau lasiert. Die Fenster erhielten schmale Aluprofile und öffnen alle nach außen. Auf außen liegenden Sonnenschutz wurde verzichtet. Stattdessen wurde Sonnenschutzglas eingesetzt. Das Dach ist als Foliendach sowohl im Flach- als auch im Schrägdachbereich ausgeführt. Die Satteldächer sind als sichtbare Binderkonstruktion ausgeführt. Im Innenraum bilden die grauen und weißen Oberflächen und die holzsichtigen Binder einen Hintergrund für das bunte Kinderspiel. Oberlichter in Gruppenräumen und Spielflur setzen in der Tiefe des Grundrisses noch helle Akzente. Die Gebäudedämmung erfolgte gemäß EnEV.

Technische Anlagen

Die Krippe wird über eine Luft-Wasser-Wärmepumpe in Verbindung mit einer Fußbodenheizung beheizt. Die Warmwassererzeugung erfolgt dezentral über Elektrogeräte. Der erforderliche Luftwechsel wird über ausreichende Fensterlüftung sicher gestellt. Die Gruppenräume erhalten zusätzlich elektromotorisch zu öffnende Dachflächenfenster. Darüber findet im Sommer auch eine geführte Nachtlüftung statt. Die Wasch- und WC-Räume werden mechanisch entlüftet. Die Elektroinstallation erfolgt in standardmäßiger Ausstattung.

Sonstiges

Das Projekt erhielt eine Förderung durch das Investitionsprogramm "Kinderbetreuungsfinanzierung 2017-2020" vom Bundesministerium für Familie, Senioren, Frauen und Jugend.

Planungskennwerte für Flächen und Rauminhalte nach DIN 277

Flächen des Grundstücks		Menge Einheit	% an GF
BF	Bebaute Fläche	609,20 m²	34,3
UF	Unbebaute Fläche	1.165,80 m²	65,7
GF	Grundstücksfläche	1.775,00 m²	100,0

Grundflächen des Bauwerks		Menge Einheit	% an NUF	% an BGF
NUF	Nutzungsfläche	411,10 m²	100,0	67,5
TF	Technikfläche	7,30 m²	1,8	1,2
VF	Verkehrsfläche	120,72 m²	29,4	19,8
NRF	Netto-Raumfläche	539,12 m²	131,1	88,5
KGF	Konstruktions-Grundfläche	70,08 m²	17,0	11,5
BGF	Brutto-Grundfläche	609,20 m²	148,2	100,0

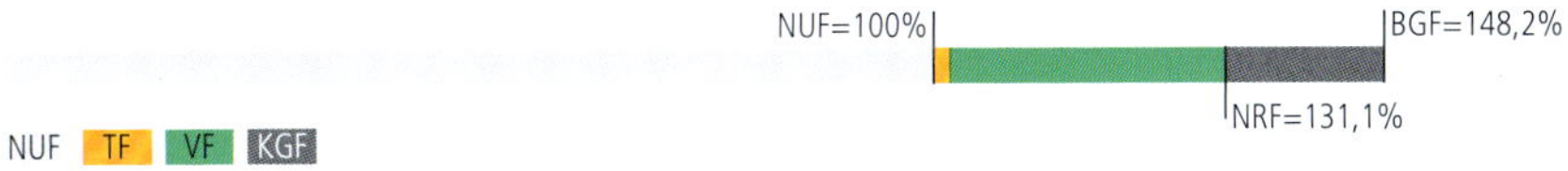

Brutto-Rauminhalt des Bauwerks		Menge Einheit	BRI/NUF (m)	BRI/BGF (m)
BRI	Brutto-Rauminhalt	2.358,85 m³	5,74	3,87

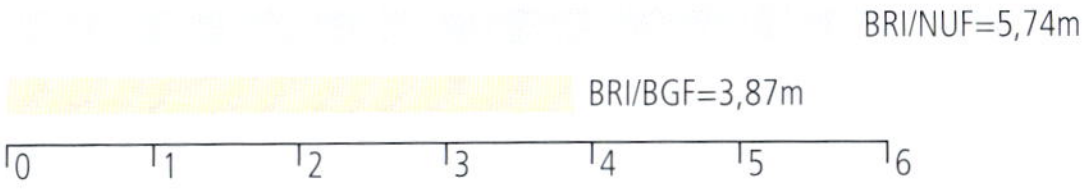

Kostenkennwerte für die Kostengruppen der 1. Ebene DIN 276

KG	Kostengruppen (1. Ebene)	Einheit	Kosten €	€/Einheit	€/m² BGF	€/m³ BRI	% 300+400
100	Grundstück	m² GF	–	–	–	–	–
200	Vorbereitende Maßnahmen	m² GF	69.807	39,33	114,59	29,59	3,0
300	Bauwerk – Baukonstruktionen	m² BGF	1.829.740	3.003,51	3.003,51	775,69	78,2
400	Bauwerk – Technische Anlagen	m² BGF	508.735	835,09	835,09	215,67	21,8
	Bauwerk 300+400	**m² BGF**	**2.338.475**	**3.838,60**	**3.838,60**	**991,36**	**100,0**
500	Außenanlagen und Freiflächen	m² AF	249.131	237,00	408,95	105,62	10,7
600	Ausstattung und Kunstwerke	m² BGF	39.092	64,17	64,17	16,57	1,7
700	Baunebenkosten	m² BGF	–	–	–	–	–
800	Finanzierung	m² BGF	–	–	–	–	–

KG	Kostengruppe	Menge Einheit	Kosten €	€/Einheit	%
200	**Vorbereitende Maßnahmen**	1.775,00 m² GF	69.807	**39,33**	3,0
	Rückbau einer Straße und von Leitungen				
3+4	**Bauwerk**				**100,0**
300	**Bauwerk – Baukonstruktionen**	609,20 m² BGF	1.829.740	**3.003,51**	78,2
	Baugrubenaushub; Bodenaustausch, Frostschürze, Stb-Bodenplatte, Abdichtung, Dämmung, Zement-Heizestrich, Linoleum, Teppichboden, Bodenfliesen, Perimeterdämmung vertikal; Holzrahmenwände, Alu-Holzfenster, teilw. Sonnenschutzverglasung, Wärmedämmung, Holzfassade, Gipsfaserbekleidung; Holzrahmenwände, GK-Wände, Innentüren, Wandfliesen; Holzfachwerkbinder mit Holzbalkendach, Dachflächenfenster, Oberlichter, Dämmung, Dachziegel, Abdichtung, außenliegende Entwässerung, GK-Decke, Schallschutzdecke; Einbaumöbel, Ausgabeküche				
400	**Bauwerk – Technische Anlagen**	609,20 m² BGF	508.735	**835,09**	21,8
	Gebäudeentwässerung, Kalt- und Warmwasserleitungen, Sanitärobjekte; Luft-Wasser-Wärmepumpe, Durchlauferhitzer, Heizungsrohre, Fußbodenheizung; elektromotorische Nachtlüftung der Dachfenster; Elektroinstallation, Beleuchtung; Internetzugänge, Brandmeldeanlage, Einbruchmeldeanlage				
500	**Außenanlagen und Freiflächen**	1.051,20 m² AF	249.131	**237,00**	10,7
	Oberbodenarbeiten, Bodenarbeiten; Wege, Terrassen, Stellplätze, Umbau der „Kiss-and-Ride-Zone"; Umgestaltung zu altersgerechten Spielangeboten; Oberbodenauftrag, Stauden, Rasen				
600	**Ausstattung und Kunstwerke**	609,20 m² BGF	39.092	**64,17**	1,7
	Spielelemente				

4400-0362
Kindertagesstätte
(6 Gruppen)
(124 Kinder)
Effizienzhaus ~36%

Objektübersicht

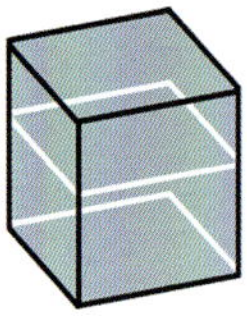

BRI 574 €/m^3

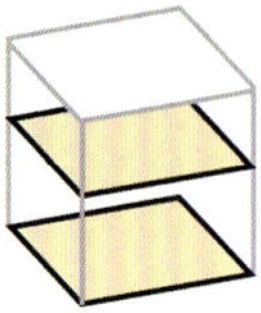

BGF 2.206 €/m^2

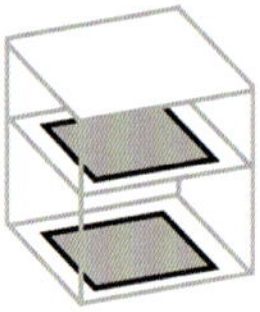

NUF 3.885 €/m^2

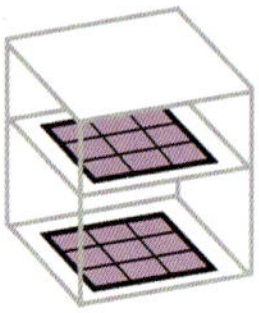

NE 29.858 €/NE

NE: Kinder

Objekt:
Kennwerte: 3. Ebene DIN 276
BRI: 6.446 m^3
BGF: 1.678 m^2
NUF: 953 m^2
Bauzeit: 82 Wochen
Bauende: 2019
Standard: Durchschnitt
Bundesland: Bayern
Kreis: Berchtesgadener Land

Architekt*in:
härtner architekten PartGmbB
Tübinger Straße 83a
70178 Stuttgart

Bauherr*in:
Stadt Bad Reichenhall
83435 Bad Reichenhall

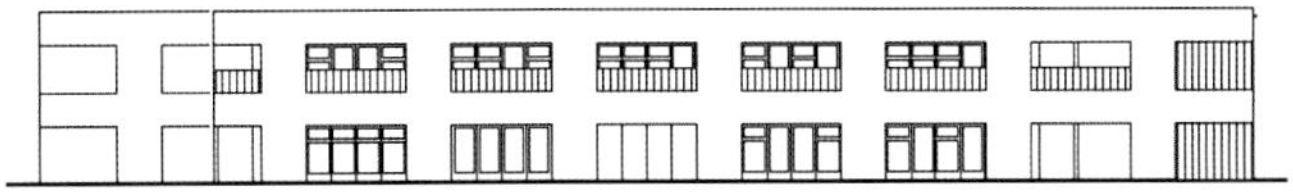
Ansicht Süd

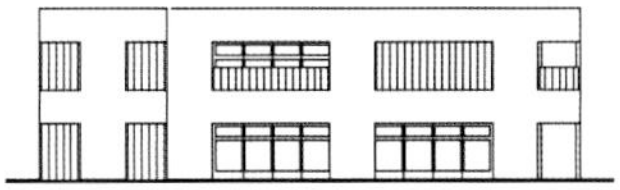
Ansicht Ost

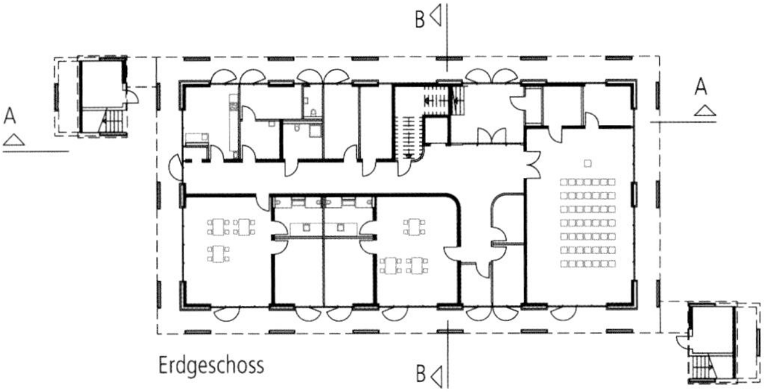

Erdgeschoss

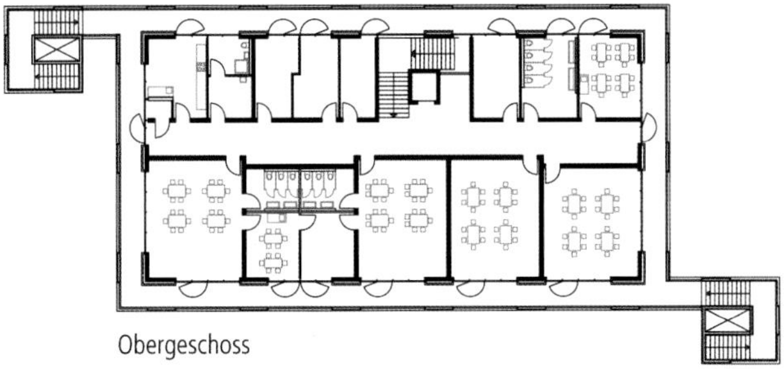
Obergeschoss

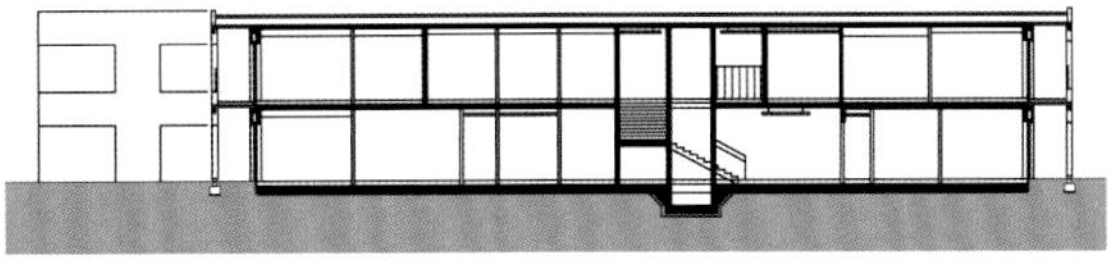
Schnitt A-A

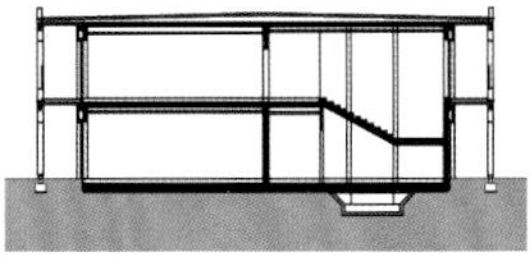
Schnitt B-B

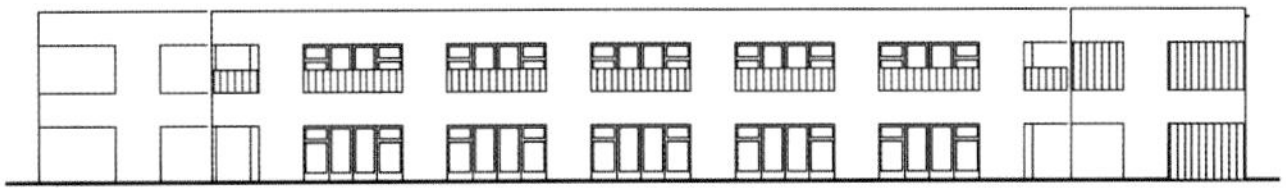
Ansicht Nord

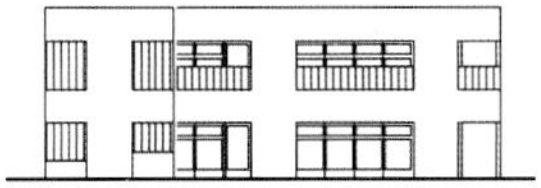
Ansicht West

Objektbeschreibung

Allgemeine Objektinformationen

Bei dem Neubau handelt es sich um einen viergruppigen Kindergarten und eine zweigruppige Kinderkrippe. Die Kinderkrippenräume befinden sich im Erdgeschoss während die Kindergartenräume im Obergeschoss untergebracht sind. Die Materialien sind möglichst naturbelassen, damit der Veränderungsprozess der natürlichen Materialien von den Kindern wahrgenommen werden kann. Außerdem kann dies den Aufwand des Bauunterhalts minimieren. Eine beschichtete Holzoberfläche ist aufwändiger zu sanieren als eine naturbelassene Holzoberfläche. Durch die sägeraue Lärchenschalung wird eine gleichmäßige Vergrauung der Holzoberflächenfarbe möglich. Die Farben des Gebäudes sind zurückhaltend, da die Kinder die Farben ins Haus bringen. Das Gebäude ist als Hintergrund für die Kinder konzipiert.

Nutzung

1 Erdgeschoss
Gruppenräume U3, Schlafräume, Mehrzweckraum, Büro, Besprechungsraum, Personalraum, Sanitärräume, Küche, HWR, Lager, Flur, Treppenhaus, Technikräume, Putzraum

1 Obergeschoss
Gruppenräume, Intensivräume, Büro, Besprechungsraum, Personalraum, Sanitärräume, Küche, HWR, Lager, Flur, Windfang, Technikräume, Putzraum

Nutzeinheiten

Gruppen: 6
Kinder: 124

Grundstück

Bauraum: Freier Bauraum
Neigung: Ebenes Gelände
Bodenklasse: BK 1 bis BK 4

Markt

Hauptvergabezeit: 4. Quartal 2017
Baubeginn: 1. Quartal 2018
Bauende: 3. Quartal 2019
Konjunkturelle Gesamtlage: Durchschnitt
Regionaler Baumarkt: Durchschnitt

Baukonstruktion

Das zweigeschossige Gebäude besteht aus Beton mit einem umlaufenden Umgang aus Holz. Die tragende Außenhülle des Umlaufs und der Attika sind als Holzrahmenbau hergestellt. Die Außenhülle trägt Vordach und Umlauf. Durch den Umlauf fällt das Tageslicht sanft in die Räume hinein (keine direkte Sonnenstrahlung). Im ganzen Gebäude werden dadurch keine außenliegenden Sonnenschutzelemente benötigt. Bei den tragenden Innenwänden handelt es sich sowohl um Mauerwerkswände als auch Stahlbetonwände. Die Geschossdecke und das Dach bestehen aus Betonhalbfertigteilen. Das Flachdach ist bekiest. Durch die Dachfenster über dem Spielflur im Obergeschoss fällt das Tageslicht ins Gebäude hinein.

Technische Anlagen

Das Gebäude wird mit eine Sole-Wasser-Wärmepumpe beheizt. Die Wärme wird über eine Fußbodenheizung in den Räumen verteilt. Auf dem Dach ist eine Photovoltaikanlage installiert. Eine Lüftungsanlage mit Wärmerückgewinnung sorgt für Frischluft. Ein Personenaufzug verbindet die zwei Geschosse miteinander barrierefrei.

Sonstiges

Der Umgang des Neubaus dient als Fluchtbalkon, überdachte Spielfläche und Verschattungselement. Zwei Treppentürme dienen als Fluchttreppe und Spielturm für die Kinder. Durch die im Grundriss diagonal angeordneten Treppentürme kann man aus den Räumen über den Umgang direkt ins Freie flüchten. Dadurch wurde die Haupttreppe im Gebäude von allen brandschutztechnischen Anforderungen befreit.

Planungskennwerte für Flächen und Rauminhalte nach DIN 277

Flächen des Grundstücks		Menge Einheit	% an GF
BF	Bebaute Fläche	851,73 m^2	12,5
UF	Unbebaute Fläche	5.988,27 m^2	87,5
GF	Grundstücksfläche	6.840,00 m^2	100,0

Grundflächen des Bauwerks		Menge Einheit	% an NUF	% an BGF
NUF	Nutzungsfläche	953,05 m^2	100,0	56,8
TF	Technikfläche	23,25 m^2	2,4	1,4
VF	Verkehrsfläche	396,63 m^2	41,6	23,6
NRF	Netto-Raumfläche	1.372,93 m^2	144,1	81,8
KGF	Konstruktions-Grundfläche	305,35 m^2	32,0	18,2
BGF	Brutto-Grundfläche	1.678,28 m^2	176,1	100,0

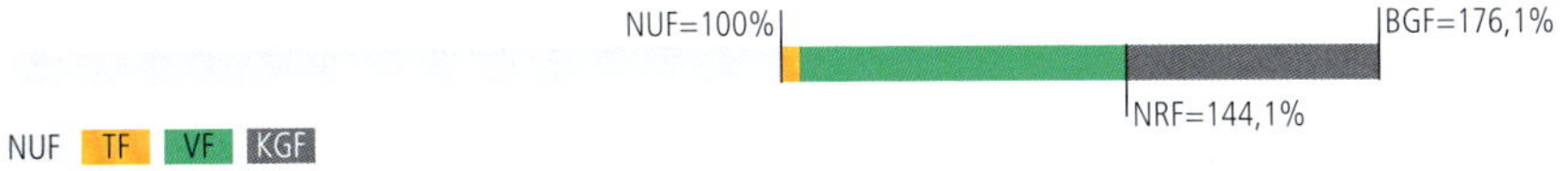

Brutto-Rauminhalt des Bauwerks		Menge Einheit	BRI/NUF (m)	BRI/BGF (m)
BRI	Brutto-Rauminhalt	6.446,45 m^3	6,76	3,84

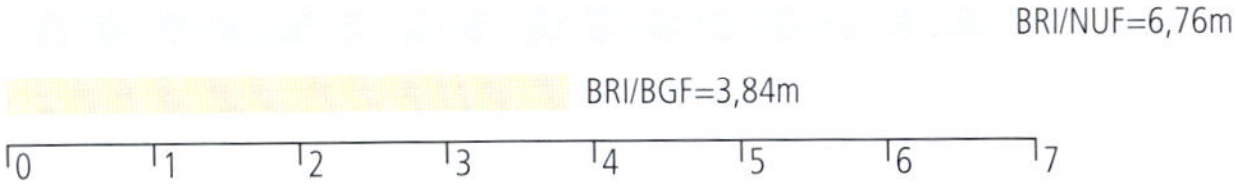

Lufttechnisch behandelte Flächen	Menge Einheit	% an NUF	% an BGF
Entlüftete Fläche	–	–	–
Be- und entlüftete Fläche	–	–	–
Teilklimatisierte Fläche	–	–	–
Klimatisierte Fläche	–	–	–

KG	Kostengruppen (2. Ebene)	Menge Einheit	Menge/NUF	Menge/BGF
310	Baugrube / Erdbau	416,14 m^3 BGI	0,44	0,25
320	Gründung, Unterbau	841,92 m^2 GRF	0,88	0,50
330	Außenwände/Vertikale Baukonstruktionen, außen	1.465,75 m^2 AWF	1,54	0,87
340	Innenwände/Vertikale Baukonstruktionen, innen	1.216,77 m^2 IWF	1,28	0,73
350	Decken/Horizontale Baukonstruktionen	822,00 m^2 DEF	0,86	0,49
360	Dächer	874,50 m^2 DAF	0,92	0,52

Kostenkennwerte für die Kostengruppen der 1. Ebene DIN 276

KG	Kostengruppen (1. Ebene)	Einheit	Kosten €	€/Einheit	€/m² BGF	€/m³ BRI	% 300+400
100	Grundstück	m² GF	–	–	–	–	–
200	Vorbereitende Maßnahmen	m² GF	250.603	36,64	149,32	38,87	6,8
300	Bauwerk – Baukonstruktionen	m² BGF	3.025.423	1.802,69	1.802,69	469,32	81,7
400	Bauwerk – Technische Anlagen	m² BGF	677.009	403,39	403,39	105,02	18,3
	Bauwerk 300+400	**m² BGF**	**3.702.432**	**2.206,09**	**2.206,09**	**574,34**	**100,0**
500	Außenanlagen und Freiflächen	m² AF	118.789	19,84	70,78	18,43	3,2
600	Ausstattung und Kunstwerke	m² BGF	99.718	59,42	59,42	15,47	2,7
700	Baunebenkosten	m² BGF	–	–	–	–	–
800	Finanzierung	m² BGF	–	–	–	–	–

KG	Kostengruppe	Menge Einheit	Kosten €	€/Einheit	%
200	**Vorbereitende Maßnahmen**	6.840,00 m² GF	250.603	**36,64**	6,8

Baumschutz, Entsorgung von Haufwerk, Baumwurzeln entfernen; Hausanschluss Wasser und Glasfaser

KG	Kostengruppe	Menge Einheit	Kosten €	€/Einheit	%
3+4	**Bauwerk**				**100,0**
300	**Bauwerk – Baukonstruktionen**	1.678,28 m² BGF	3.025.423	**1.802,69**	81,7

Baugrundverbesserung, Stb-Bodenplatte, Fundamente, Heizestrich, Linoleum, Bodenfliesen; Holzrahmenwände, Stb-Wände, Alufenster, Fassadenbekleidung Fichte-Dreischichtplatte, Nut-/Federschalung Lärche, Holzgeländer, Lamellenelemente; Mauerwerk, GK-Wände, Holztüren, Gipsputz, Beschichtung, PU-Lack, Wandfliesen, WC-Trennwände; Stb-Elementdecke, Stb-Treppen, Brettsperrholz-Decken, Terrassendielen, Akustikdecke, GK-Decke; Stb-Elementdach, Brettsperrholz-Dach, Alu-Lichtdach, Lichtkuppel, Gefälledämmung, Dachabdichtung, Rundkies; Einbaumöbel, Einbauküchen; Schließanlage

KG	Kostengruppe	Menge Einheit	Kosten €	€/Einheit	%
400	**Bauwerk – Technische Anlagen**	1.678,28 m² BGF	677.009	**403,39**	18,3

Gebäudeentwässerung, Kalt- und Warmwasserleitungen, Sanitärobjekte; Sole-Wasser-Wärmepumpe, Heizungsrohre, Fußbodenheizung; Lüftungsanlage; Elektroinstallation, Beleuchtung, Blitzschutz; Telefonanschluss, Telefonanlage, Türsprechanlage, Personen-Notrufanlage, Brandmeldeanlage, Netzwerkverkabelung; Personenaufzug; Gebäudeautomation

KG	Kostengruppe	Menge Einheit	Kosten €	€/Einheit	%
500	**Außenanlagen und Freiflächen**	5.988,27 m² AF	118.789	**19,84**	3,2

Bodenarbeiten; Gebäudeentwässerung, Fettabscheider, Hebeanlage, Regenwasser-Rigolen, Mastaufsatzleuchten, Erdkabel

KG	Kostengruppe	Menge Einheit	Kosten €	€/Einheit	%
600	**Ausstattung und Kunstwerke**	1.678,28 m² BGF	99.718	**59,42**	2,7

Gewerbe-Waschmaschinen, Gewerbe-Wäschetrockner, Speisentransportbehälter, Möblierung für Gruppenräume, Schlafräume, Personal, Büro und Garderoben, Sanitärausstattungen, Rasenmäher; Spiel- und Indoor-Sportgeräte

Kostenkennwerte für die Kostengruppen 300 der 2. und 3. Ebene DIN 276 (Übersicht)

KG	Kostengruppe	Menge Einheit	€/Einheit	Kosten €	% an 3+4
300	**Bauwerk – Baukonstruktionen**	**1.678,28 m² BGF**	**1.802,69**	**3.025.422,88**	**81,7**
310	**Baugrube / Erdbau**	**416,14 m³ BGI**	**73,92**	**30.760,99**	**0,8**
311	Herstellung	416,14 m³ BGI	73,92	30.760,99	0,8
312	Umschließung	–	–	–	–
313	Wasserhaltung	–	–	–	–
314	Vortrieb	–	–	–	–
319	Sonstiges zur KG 310	–	–	–	–
320	**Gründung, Unterbau**	**841,92 m² GRF**	**663,84**	**558.897,74**	**15,1**
321	Baugrundverbesserung	841,92 m²	386,70	325.570,78	8,8
322	Flachgründungen und Bodenplatten	841,92 m²	137,41	115.689,82	3,1
323	Tiefgründungen	–	–	–	–
324	Gründungsbeläge	522,28 m²	199,92	104.416,29	2,8
325	Abdichtungen und Bekleidungen	710,71 m²	18,60	13.220,84	0,4
326	Dränagen	–	–	–	–
329	Sonstiges zur KG 320	–	–	–	–
330	**Außenwände/Vert. Baukonstrukt., außen**	**1.465,75 m² AWF**	**642,40**	**941.594,24**	**25,4**
331	Tragende Außenwände	1.084,90 m²	187,84	203.791,48	5,5
332	Nichttragende Außenwände	11,65 m²	323,89	3.773,29	0,1
333	Außenstützen	–	–	–	–
334	Außenwandöffnungen	369,20 m²	989,19	365.207,93	9,9
335	Außenwandbekleidungen, außen	1.009,67 m²	219,68	221.801,91	6,0
336	Außenwandbekleidungen, innen	896,81 m²	122,09	109.492,56	3,0
337	Element. Außenwandkonstruktionen	–	–	–	–
338	Lichtschutz zur KG 330	–	–	–	–
339	Sonstiges zur KG 330	1.465,75 m² AWF	25,60	37.527,06	1,0
340	**Innenwände/Vert. Baukonstrukt., innen**	**1.216,77 m² IWF**	**291,32**	**354.465,28**	**9,6**
341	Tragende Innenwände	690,87 m²	157,96	109.126,64	2,9
342	Nichttragende Innenwände	390,42 m²	99,20	38.729,41	1,0
343	Innenstützen	–	–	–	–
344	Innenwandöffnungen	93,96 m²	993,26	93.326,32	2,5
345	Innenwandbekleidungen	1.900,87 m²	51,66	98.204,23	2,7
346	Elementierte Innenwandkonstruktionen	41,52 m²	363,17	15.078,71	0,4
347	Lichtschutz zur KG 340	–	–	–	–
349	Sonstiges zur KG 340	–	–	–	–
350	**Decken/Horizontale Baukonstruktionen**	**822,00 m² DEF**	**452,51**	**371.963,60**	**10,0**
351	Deckenkonstruktionen	822,00 m²	183,66	150.966,57	4,1
352	Deckenöffnungen	–	–	–	–
353	Deckenbeläge	722,83 m²	220,04	159.054,01	4,3
354	Deckenbekleidungen	428,00 m²	121,20	51.872,31	1,4
355	Elementierte Deckenkonstruktionen	–	–	–	–
359	Sonstiges zur KG 350	822,00 m² DEF	12,25	10.070,71	0,3
360	**Dächer**	**874,50 m² DAF**	**443,09**	**387.481,49**	**10,5**
361	Dachkonstruktionen	850,19 m²	138,72	117.934,64	3,2
362	Dachöffnungen	19,29 m²	1.941,23	37.446,37	1,0
363	Dachbeläge	855,21 m²	187,94	160.730,73	4,3
364	Dachbekleidungen	489,00 m²	122,65	59.973,52	1,6
365	Elementierte Dachkonstruktionen	–	–	–	–
366	Lichtschutz zur KG 360	–	–	–	–
369	Sonstiges zur KG 360	874,50 m² DAF	13,03	11.396,22	0,3
370	**Infrastrukturanlagen**	**–**	**–**	**–**	**–**
380	**Baukonstruktive Einbauten**	**1.678,28 m² BGF**	**106,38**	**178.531,90**	**4,8**
390	**Sonst. Maßnahmen für Baukonstrukt.**	**1.678,28 m² BGF**	**120,20**	**201.727,65**	**5,4**

Kostenkennwerte für die Kostengruppen 400 der 2. und 3. Ebene DIN 276 (Übersicht)

KG	Kostengruppe	Menge Einheit	€/Einheit	Kosten €	% an 3+4
400	**Bauwerk – Technische Anlagen**	**1.678,28 m²BGF**	**403,39**	**677.009,31**	**18,3**
410	**Abwasser-, Wasser-, Gasanlagen**	**1.678,28 m²BGF**	**86,46**	**145.099,29**	**3,9**
411	Abwasseranlagen	1.678,28 m²BGF	13,74	23.059,82	0,6
412	Wasseranlagen	1.678,28 m²BGF	65,10	109.253,75	3,0
413	Gasanlagen	–	–	–	–
419	Sonstiges zur KG 410	1.678,28 m²BGF	7,62	12.785,70	0,3
420	**Wärmeversorgungsanlagen**	**1.678,28 m²BGF**	**54,41**	**91.312,20**	**2,5**
421	Wärmeerzeugungsanlagen	1.678,28 m²BGF	21,57	36.197,69	1,0
422	Wärmeverteilnetze	1.678,28 m²BGF	19,99	33.545,74	0,9
423	Raumheizflächen	1.678,28 m²BGF	12,85	21.568,76	0,6
424	Verkehrsheizflächen	–	–	–	–
429	Sonstiges zur KG 420	–	–	–	–
430	**Raumlufttechnische Anlagen**	**1.678,28 m²BGF**	**22,50**	**37.756,14**	**1,0**
431	Lüftungsanlagen	1.678,28 m²BGF	22,50	37.756,14	1,0
432	Teilklimaanlagen	–	–	–	–
433	Klimaanlagen	–	–	–	–
434	Kälteanlagen	–	–	–	–
439	Sonstiges zur KG 430	–	–	–	–
440	**Elektrische Anlagen**	**1.678,28 m²BGF**	**165,53**	**277.811,51**	**7,5**
441	Hoch- und Mittelspannungsanlagen	–	–	–	–
442	Eigenstromversorgungsanlagen	1.678,28 m²BGF	21,09	35.395,74	1,0
443	Niederspannungsschaltanlagen	–	–	–	–
444	Niederspannungsinstallationsanlagen	1.678,28 m²BGF	96,50	161.959,36	4,4
445	Beleuchtungsanlagen	1.678,28 m²BGF	38,79	65.095,35	1,8
446	Blitzschutz- und Erdungsanlagen	1.678,28 m²BGF	9,15	15.361,06	0,4
447	Fahrleitungssysteme	–	–	–	–
449	Sonstiges zur KG 440	–	–	–	–
450	**Kommunikationstechnische Anlagen**	**1.678,28 m²BGF**	**30,69**	**51.506,57**	**1,4**
451	Telekommunikationsanlagen	1.678,28 m²BGF	4,19	7.028,53	0,2
452	Such- und Signalanlagen	1.678,28 m²BGF	4,14	6.953,65	0,2
453	Zeitdienstanlagen	–	–	–	–
454	Elektroakustische Anlagen	–	–	–	–
455	Audiovisuelle Medien- u. Antennenanl.	–	–	–	–
456	Gefahrenmelde- und Alarmanlagen	1.678,28 m²BGF	16,05	26.934,74	0,7
457	Datenübertragungsnetze	1.678,28 m²BGF	6,31	10.589,65	0,3
458	Verkehrsbeeinflussungsanlagen	–	–	–	–
459	Sonstiges zur KG 450	–	–	–	–
460	**Förderanlagen**	**1.678,28 m²BGF**	**27,64**	**46.381,11**	**1,3**
461	Aufzugsanlagen	1.678,28 m²BGF	27,64	46.381,11	1,3
462	Fahrtreppen, Fahrsteige	–	–	–	–
463	Befahranlagen	–	–	–	–
464	Transportanlagen	–	–	–	–
465	Krananlagen	–	–	–	–
466	Hydraulikanlagen	–	–	–	–
469	Sonstiges zur KG 460	–	–	–	–
470	**Nutzungsspez. u. verfahrenstechn. Anl.**	**–**	**–**	**–**	**–**
480	**Gebäude- und Anlagenautomation**	**1.678,28 m²BGF**	**13,39**	**22.466,59**	**0,6**
490	**Sonst. Maßnahmen für techn. Anlagen**	**1.678,28 m²BGF**	**2,79**	**4.675,94**	**0,1**

Kostenkennwerte für Leistungsbereiche nach STLB (Kosten des Bauwerks nach DIN 276)

LB	Leistungsbereiche	Kosten €	€/m² BGF	€/m³ BRI	% an 3+4
000	Sicherheits-, Baustelleneinrichtungen inkl. 001	116.125	69,20	18,00	3,1
002	Erdarbeiten	386.918	230,50	60,00	10,5
006	Spezialtiefbauarbeiten inkl. 005	–	–	–	–
009	Entwässerungskanalarbeiten inkl. 011	9.680	5,80	1,50	0,3
010	Drän- und Versickerarbeiten	–	–	–	–
012	Mauerarbeiten	50.529	30,10	7,80	1,4
013	Betonarbeiten	470.816	280,50	73,00	12,7
014	Natur-, Betonwerksteinarbeiten	–	–	–	–
016	Zimmer- und Holzbauarbeiten	586.293	349,30	90,90	15,8
017	Stahlbauarbeiten	–	–	–	–
018	Abdichtungsarbeiten	6.067	3,60	0,94	0,2
019	Kampfmittelräumarbeiten	–	–	–	–
020	Dachdeckungsarbeiten	–	–	–	–
021	Dachabdichtungsarbeiten	184.351	109,80	28,60	5,0
022	Klempnerarbeiten	32.385	19,30	5,00	0,9
	Rohbau	**1.843.164**	**1.098,20**	**285,90**	**49,8**
023	Putz- und Stuckarbeiten, Wärmedämmsysteme	22.322	13,30	3,50	0,6
024	Fliesen- und Plattenarbeiten	11.263	6,70	1,70	0,3
025	Estricharbeiten	81.996	48,90	12,70	2,2
026	Fenster, Außentüren inkl. 029, 032	380.571	226,80	59,00	10,3
027	Tischlerarbeiten	312.765	186,40	48,50	8,4
028	Parkettarbeiten, Holzpflasterarbeiten	77	0,05	0,01	< 0,1
030	Rollladenarbeiten	–	–	–	–
031	Metallbauarbeiten inkl. 035	36.492	21,70	5,70	1,0
034	Maler- und Lackiererarbeiten inkl. 037	64.277	38,30	10,00	1,7
036	Bodenbelagarbeiten	92.208	54,90	14,30	2,5
038	Vorgehängte hinterlüftete Fassaden	–	–	–	–
039	Trockenbauarbeiten	147.602	87,90	22,90	4,0
	Ausbau	**1.149.572**	**685,00**	**178,30**	**31,0**
040	Wärmeversorgungsanl. - Betriebseinr. inkl. 041	87.121	51,90	13,50	2,4
042	Gas- und Wasserinstallation, Leitungen inkl. 043	34.160	20,40	5,30	0,9
044	Abwasseranlagen - Leitungen	10.089	6,00	1,60	0,3
045	GWE-Einrichtungsgegenstände inkl. 046	84.283	50,20	13,10	2,3
047	Dämmarbeiten an betriebstechnischen Anlagen	11.533	6,90	1,80	0,3
049	Feuerlöschanlagen, Feuerlöschgeräte	–	–	–	–
050	Blitzschutz- und Erdungsanlagen	15.361	9,20	2,40	0,4
053	Niederspannungsanlagen inkl. 052, 054	183.732	109,50	28,50	5,0
055	Sicherheits- u. Ersatzstromversorgungsanl.	–	–	–	–
057	Gebäudesystemtechnik	–	–	–	–
058	Leuchten und Lampen inkl. 059	77.837	46,40	12,10	2,1
060	Sprechanlagen, elektroakust. Anlagen inkl. 064	10.785	6,40	1,70	0,3
061	Kommunikationsnetze inkl. 063	44.398	26,50	6,90	1,2
069	Aufzüge	46.381	27,60	7,20	1,3
070	Gebäudeautomation	22.467	13,40	3,50	0,6
075	Raumlufttechnische Anlagen inkl. 078	36.610	21,80	5,70	1,0
	Gebäudetechnik	**664.756**	**396,10**	**103,10**	**18,0**
084	Abbruch, Rückbau, Schadstoffsanierung	–	–	–	–
	Abbrucharbeiten	**–**	**–**	**–**	**–**
	Sonstige Leistungsbereiche	**44.941**	**26,80**	**7,00**	**1,2**

Ein- und Zweifamilienhäuser, unterkellert

4

Ein- und Zweifamilienhäuser, unterkellert

Kostenkennwerte für die Kosten des Bauwerks (Kostengruppen 300+400 nach DIN 276)

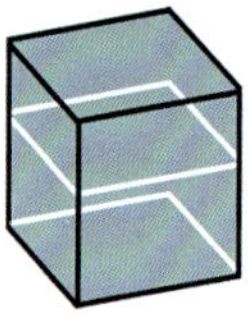

BRI 620 €/m³
von 515 €/m³
bis 735 €/m³

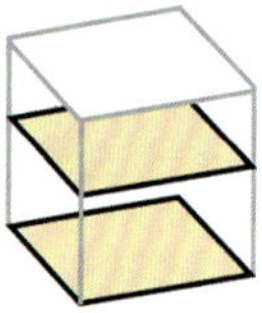

BGF 1.955 €/m²
von 1.595 €/m²
bis 2.335 €/m²

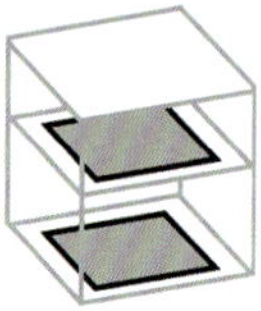

NUF 2.930 €/m²
von 2.260 €/m²
bis 3.580 €/m²

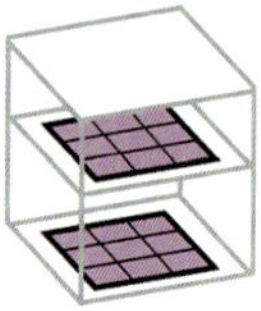

NE 3.570 €/NE
von 2.810 €/NE
bis 4.440 €/NE
NE: Wohnfläche

Kosten:
Stand 3. Quartal 2022
Bundesdurchschnitt
inkl. 19% MwSt.

Objektbeispiele

6100-1575

6100-1535

6100-1527

Kosten der 33 Vergleichsobjekte

Seiten 466 bis 565

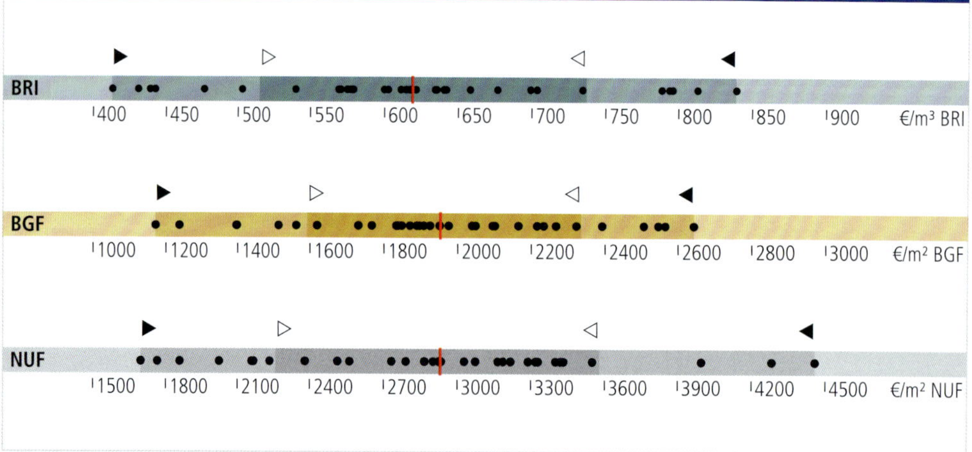

● KKW
▶ min
▷ von
| Mittelwert
◁ bis
◀ max

Kostenkennwerte für die Kostengruppen der 1. und 2. Ebene DIN 276

KG	Kostengruppen der 1. Ebene	Einheit	▷	€/Einheit	◁	▷	% an 300+400	◁
100	Grundstück	m²GF	–	**–**	–	–	**–**	–
200	Vorbereitende Maßnahmen	m²GF	16	**40**	97	1,0	**2,7**	5,0
300	Bauwerk – Baukonstruktionen	m²BGF	1.261	**1.591**	1.903	78,1	**81,3**	85,1
400	Bauwerk – Technische Anlagen	m²BGF	273	**362**	445	14,9	**18,7**	21,9
	Bauwerk 300+400	m²BGF	1.593	**1.953**	2.335	100,0	**100,0**	100,0
500	Außenanlagen und Freiflächen	m²AF	72	**220**	581	2,4	**6,0**	9,8
600	Ausstattung und Kunstwerke	m²BGF	11	**29**	66	0,4	**1,4**	2,8
700	Baunebenkosten*	m²BGF	473	**528**	582	24,5	**27,3**	30,1 ◁
800	Finanzierung	m²BGF	–	**–**	–	–	**–**	–

* Auf Grundlage der HOAI 2021 berechnete Werte nach §§ 35, 52, 56. Weitere Informationen siehe Seite 56

KG	Kostengruppen der 2. Ebene	Einheit	▷	€/Einheit	◁	▷	% an 1. Ebene	◁
310	Baugrube / Erdbau	m³BGI	23	**34**	49	2,0	**2,8**	4,1
320	Gründung, Unterbau	m²GRF	223	**299**	419	5,8	**7,7**	11,8
330	Außenwände / vertikal außen	m²AWF	390	**493**	621	40,6	**44,2**	48,3
340	Innenwände / vertikal innen	m²IWF	186	**230**	317	8,4	**11,6**	14,1
350	Decken / horizontal	m²DEF	295	**369**	464	11,2	**16,4**	21,4
360	Dächer	m²DAF	341	**423**	553	11,5	**13,3**	18,4
370	Infrastrukturanlagen		–	**–**	–	–	**–**	–
380	Baukonstruktive Einbauten	m²BGF	6	**33**	87	< 0,1	**0,4**	3,1
390	Sonst. Maßnahmen für Baukonst.	m²BGF	31	**53**	113	2,4	**3,6**	6,3
300	**Bauwerk – Baukonstruktionen**	**m²BGF**					**100,0**	
410	Abwasser-, Wasser-, Gasanlagen	m²BGF	75	**109**	160	23,8	**31,2**	36,4
420	Wärmeversorgungsanlagen	m²BGF	98	**134**	187	22,3	**37,8**	52,3
430	Raumlufttechnische Anlagen	m²BGF	24	**52**	100	0,3	**7,0**	17,5
440	Elektrische Anlagen	m²BGF	46	**74**	142	13,9	**20,3**	29,5
450	Kommunikationstechnische Anlagen	m²BGF	6	**9**	16	1,8	**2,7**	4,4
460	Förderanlagen	m²BGF	–	**–**	–	–	**–**	–
470	Nutzungsspez. / verfahrenstech. Anl.	m²BGF	–	**9**	–	0,0	**0,2**	2,6
480	Gebäude- und Anlagenautomation	m²BGF	–	**48**	–	< 0,1	**0,6**	8,9
490	Sonst. Maßnahmen f. techn. Anl.	m²BGF	–	**11**	–	0,0	**0,2**	2,2
400	**Bauwerk – Technische Anlagen**	**m²BGF**					**100,0**	

Prozentanteile der Kosten 2. Ebene an den Kosten des Bauwerks nach DIN 276 (Von/Mittel/Bis)

KG	Kostengruppe	%
310	Baugrube / Erdbau	2,3
320	Gründung, Unterbau	6,2
330	Außenwände / vertikal außen	35,5
340	Innenwände / vertikal innen	9,3
350	Decken / horizontal	13,1
360	Dächer	10,7
370	Infrastrukturanlagen	
380	Baukonstruktive Einbauten	0,3
390	Sonst. Maßnahmen für Baukonst.	2,9
410	Abwasser-, Wasser-, Gasanlagen	6,1
420	Wärmeversorgungsanlagen	7,7
430	Raumlufttechnische Anlagen	1,4
440	Elektrische Anlagen	4,0
450	Kommunikationstechnische Anlagen	0,5
460	Förderanlagen	
470	Nutzungsspez. / verfahrenstech. Anl.	< 0,1
480	Gebäude- und Anlagenautomation	0,2
490	Sonst. Maßnahmen f. techn. Anl.	< 0,1

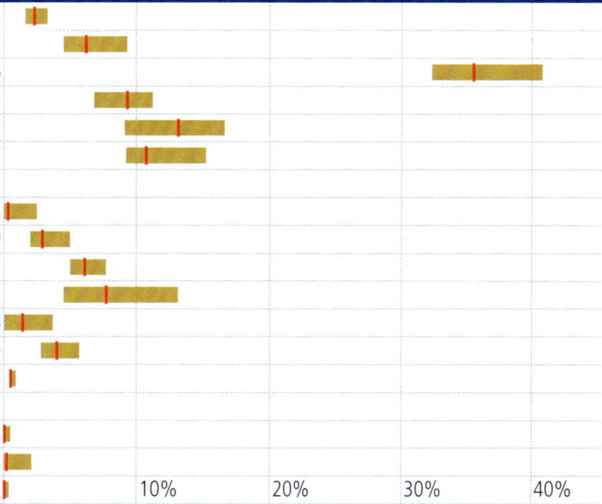

Kosten:
Stand 3. Quartal 2022
Bundesdurchschnitt
inkl. 19% MwSt.

● KKW
▶ min
▷ von
| Mittelwert
◁ bis
◀ max

Prozentanteile der Kosten für Leistungsbereiche nach STLB (Kosten Bauwerk nach DIN 276)

LB	Leistungsbereiche	▷	% an 300+400	◁
000	Sicherheits-, Baustelleneinrichtungen inkl. 001	1,9	**2,7**	4,7
002	Erdarbeiten	1,5	**2,5**	3,5
006	Spezialtiefbauarbeiten inkl. 005	0,0	**< 0,1**	< 0,1
009	Entwässerungskanalarbeiten inkl. 011	0,1	**0,6**	1,8
010	Drän- und Versickerarbeiten	< 0,1	**0,2**	0,4
012	Mauerarbeiten	1,0	**2,5**	6,5
013	Betonarbeiten	8,9	**10,8**	15,0
014	Natur-, Betonwerksteinarbeiten	< 0,1	**0,2**	0,8
016	Zimmer- und Holzbauarbeiten	19,1	**25,3**	32,4
017	Stahlbauarbeiten	< 0,1	**0,2**	1,0
018	Abdichtungsarbeiten	0,3	**1,3**	2,5
020	Dachdeckungsarbeiten	< 0,1	**1,4**	2,9
021	Dachabdichtungsarbeiten	< 0,1	**0,8**	3,1
022	Klempnerarbeiten	0,8	**2,6**	5,9
	Rohbau	45,0	**50,9**	60,9
023	Putz- und Stuckarbeiten, Wärmedämmsysteme	0,8	**2,6**	6,5
024	Fliesen- und Plattenarbeiten	1,1	**1,8**	3,4
025	Estricharbeiten	0,7	**1,6**	3,3
026	Fenster, Außentüren inkl. 029, 032	5,2	**7,4**	9,6
027	Tischlerarbeiten	2,0	**3,8**	5,6
028	Parkettarbeiten, Holzpflasterarbeiten	0,1	**1,5**	3,0
030	Rollladenarbeiten	0,1	**1,2**	1,9
031	Metallbauarbeiten inkl. 035	0,1	**1,7**	4,7
034	Maler- und Lackiererarbeiten inkl. 037	< 0,1	**1,5**	2,0
036	Bodenbelagarbeiten	0,0	**0,4**	1,7
038	Vorgehängte hinterlüftete Fassaden	< 0,1	**1,9**	9,4
039	Trockenbauarbeiten	2,0	**4,5**	7,1
	Ausbau	24,0	**30,1**	35,8
040	Wärmeversorgungsanl. - Betriebseinr. inkl. 041	5,4	**7,5**	11,7
042	Gas- und Wasserinstallation, Leitungen inkl. 043	1,2	**1,8**	2,6
044	Abwasseranlagen - Leitungen	0,5	**0,8**	1,4
045	GWE-Einrichtungsgegenstände inkl. 046	2,1	**2,8**	4,8
047	Dämmarbeiten an betriebstechnischen Anlagen	0,1	**0,4**	0,7
049	Feuerlöschanlagen, Feuerlöschgeräte	–	**–**	–
050	Blitzschutz- und Erdungsanlagen	0,1	**0,3**	0,6
052	Mittelspannungsanlagen	–	**–**	–
053	Niederspannungsanlagen inkl. 054	2,9	**3,8**	5,3
055	Sicherheits- u. Ersatzstromversorgungsanl.	–	**–**	–
057	Gebäudesystemtechnik	–	**–**	–
058	Leuchten und Lampen inkl. 059	< 0,1	**< 0,1**	0,4
060	Sprechanlagen, elektroakust. Anlagen inkl. 064	< 0,1	**0,1**	0,3
061	Kommunikationsnetze inkl. 062	0,1	**0,3**	0,6
063	Gefahrenmeldeanlagen	< 0,1	**< 0,1**	< 0,1
069	Aufzüge	–	**–**	–
070	Gebäudeautomation	0,0	**0,2**	2,1
075	Raumlufttechnische Anlagen inkl. 078	< 0,1	**0,9**	2,7
	Gebäudetechnik	16,0	**18,9**	22,7
	Sonstige Leistungsbereiche inkl. 008, 033, 051	0,0	**< 0,1**	0,3

Planungskennwerte für Flächen und Rauminhalte nach DIN 277

Grundflächen		▷	Fläche/NUF (%)	◁	▷	Fläche/BGF (%)	◁
NUF	Nutzungsfläche	100,0	**100,0**	100,0	63,9	**67,4**	70,7
TF	Technikfläche	3,8	**4,9**	8,0	2,5	**3,2**	5,0
VF	Verkehrsfläche	12,7	**15,3**	19,5	8,5	**10,1**	11,9
NRF	Netto-Raumfläche	117,2	**120,2**	126,5	77,8	**80,6**	82,6
KGF	Konstruktions-Grundfläche	25,5	**29,3**	35,0	17,4	**19,4**	22,2
BGF	Brutto-Grundfläche	143,0	**149,5**	158,7	100,0	**100,0**	100,0

Brutto-Rauminhalte		▷	BRI/NUF (m)	◁	▷	BRI/BGF (m)	◁
BRI	Brutto-Rauminhalt	4,42	**4,72**	5,03	3,02	**3,16**	3,33

Flächen von Nutzeinheiten	▷	NUF/Einheit (m²)	◁	▷	BGF/Einheit (m²)	◁
Nutzeinheit: Wohnfläche	1,10	**1,20**	1,36	1,65	**1,78**	1,99

Lufttechnisch behandelte Flächen	▷	Fläche/NUF (%)	◁	▷	Fläche/BGF (%)	◁
Entlüftete Fläche	–	–	–	–	–	–
Be- und entlüftete Fläche	127,0	**127,0**	127,0	83,9	**83,9**	83,9
Teilklimatisierte Fläche	–	–	–	–	–	–
Klimatisierte Fläche	–	–	–	–	–	–

KG	Kostengruppen (2. Ebene)	Einheit	▷	Menge/NUF	◁	▷	Menge/BGF	◁
310	Baugrube / Erdbau	m³ BGI	1,25	**1,80**	2,12	0,86	**1,25**	1,46
320	Gründung, Unterbau	m² GRF	0,47	**0,53**	0,73	0,32	**0,36**	0,48
330	Außenwände / vertikal außen	m² AWF	1,65	**1,85**	2,00	1,17	**1,27**	1,36
340	Innenwände / vertikal innen	m² IWF	0,99	**1,03**	1,11	0,64	**0,71**	0,77
350	Decken / horizontal	m² DEF	0,72	**0,88**	0,96	0,47	**0,60**	0,63
360	Dächer	m² DAF	0,60	**0,65**	0,87	0,42	**0,45**	0,56
370	Infrastrukturanlagen		–	–	–	–	–	–
380	Baukonstruktive Einbauten	m² BGF	1,43	**1,49**	1,59	1,00	**1,00**	1,00
390	Sonst. Maßnahmen für Baukonst.	m² BGF	1,43	**1,49**	1,59	1,00	**1,00**	1,00
300	**Bauwerk – Baukonstruktionen**	**m² BGF**	1,43	**1,49**	1,59	1,00	**1,00**	1,00

Planungskennwerte für Bauzeiten — 33 Vergleichsobjekte

Bauzeit in Wochen

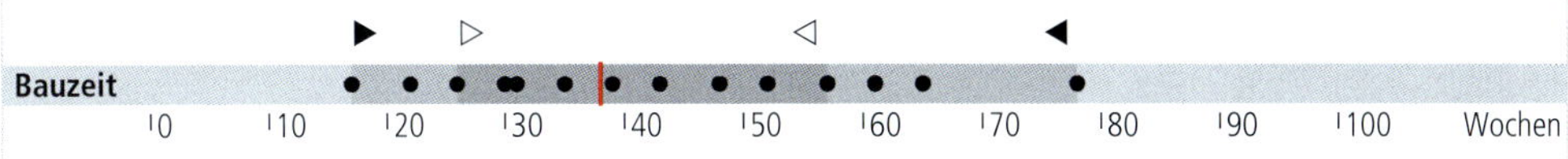

6100-1106
Einfamilienhaus
Garage
Effizienzhaus 70

Objektübersicht

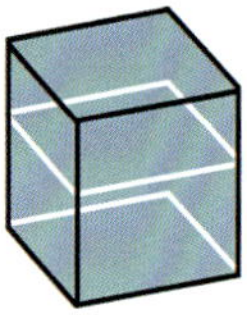
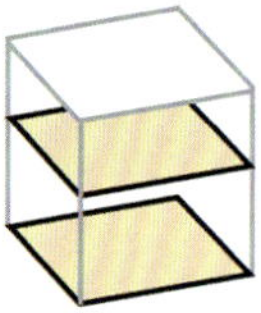
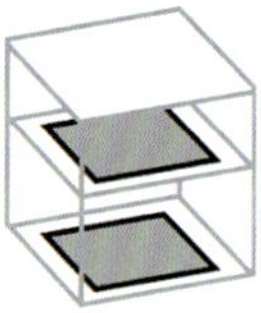
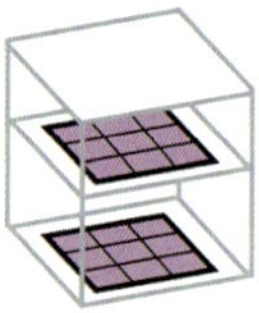

BRI 615 €/m³ | **BGF** 1.619 €/m² | **NUF** 2.159 €/m² | **NE** 3.867 €/NE

NE: Wohnfläche

Objekt:
Kennwerte: 3. Ebene DIN 276
BRI: 1.038 m³
BGF: 394 m²
NUF: 296 m²
Bauzeit: 31 Wochen
Bauende: 2014
Standard: über Durchschnitt
Bundesland: Nordrhein-Westfalen
Kreis: Viersen

Architekt*in:
Lilienström
Architekten PartG mbB
Christoph-Probst-Weg 1
41540 Dormagen

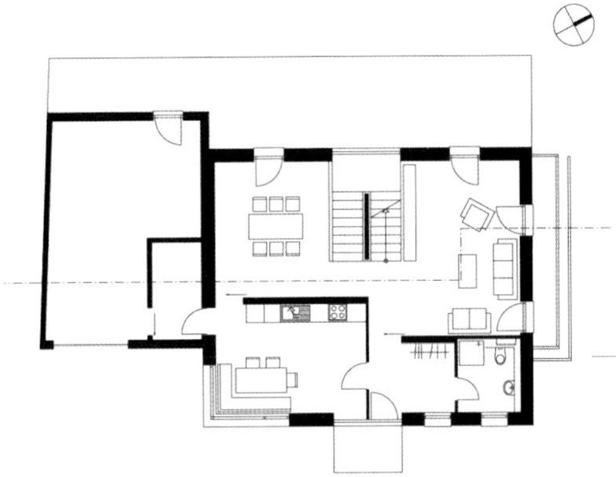

Erdgeschoss

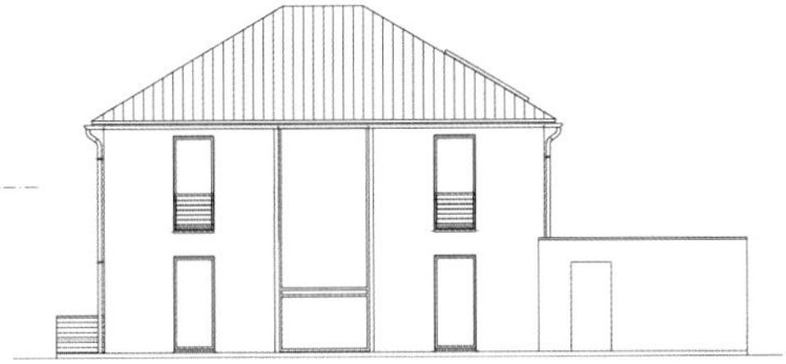

Ansicht West

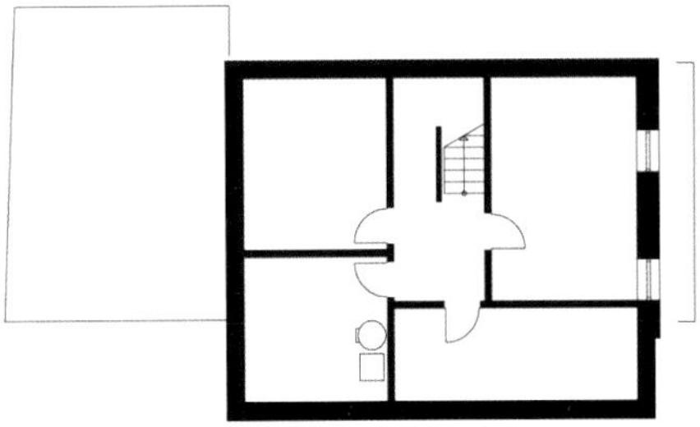

Untergeschoss

Obergeschoss

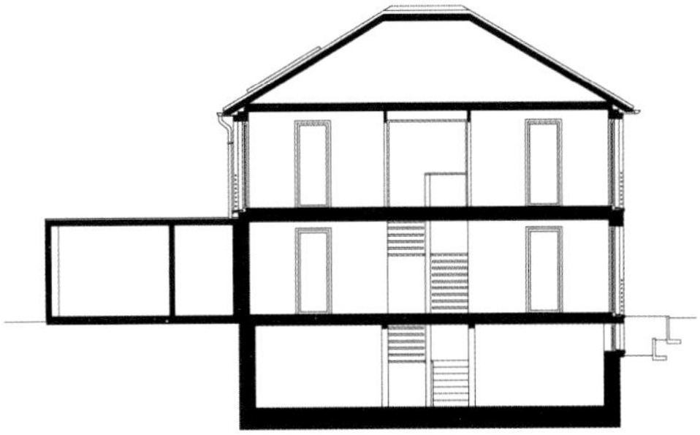

Schnitt

Ansicht Süd

Objektbeschreibung

Allgemeine Objektinformationen

Der Neubau umfasst auf drei Geschossen ca. 165m² Wohnfläche. Im Untergeschoss befinden sich neben der Haustechnik, ein Hobby-, ein Hauswirtschaftsraum und ein Keller. Im Erdgeschoss sind die Küche, ein Toilettenraum mit Dusche, ein Abstellraum und das Wohn- und Esszimmer angeordnet. Im Obergeschoss gibt es neben einem Bad zwei Kinderzimmer, ein Schlafzimmer und eine Ankleide.

Nutzung

1 Untergeschoss
Haustechnik, Hobbyraum, Hauswirtschaftsraum, Keller

1 Erdgeschoss
Diele, Küche, WC/Dusche, Wohnzimmer, Esszimmer, Garage, Abstellraum

1 Obergeschoss
Schlafzimmer, Ankleide, Bad, zwei Kinderzimmer

Nutzeinheiten

Wohneinheiten: 1
Wohnfläche: 165m²

Grundstück

Bauraum: Freier Bauraum
Neigung: Ebenes Gelände
Bodenklasse: BK 1 bis BK 3

Markt

Hauptvergabezeit: 2.Quartal 2013
Baubeginn: 2.Quartal 2013
Bauende: 1.Quartal 2014
Konjunkturelle Gesamtlage: Durchschnitt
Regionaler Baumarkt: Durchschnitt

Baukonstruktion

Das Einfamilienhaus besitzt ein mit WU-Beton errichtetes Untergeschoss. Die Wände des Erd- und Obergeschosses sind als Brettsperrholzwände konstruiert. Es kamen Kunststofffenster zum Einbau. Die Fassade ist mit hinterlüftetem Verblendmauerwerk ausgeführt. Ein Teil der Fassade ist als Pfosten-Riegel-Konstruktion errichtet. Die Rollläden sind mit Motorantrieb versehen. Die Wände sind teilweise tapeziert bzw. gefliest. Das Dach des Wohnhauses ist als Walmdach konstruiert und mit Tondachziegeln gedeckt. Das Dach der Garage ist als Flachdach ausgebildet.

Technische Anlagen

Der Neubau wird über eine Luft-Wasser-Wärmepumpe versorgt. Über eine Fußbodenheizung wird die Wärme verteilt. Im Bad ist ein zusätzlicher Heizkörper eingebaut. Ein Lüftungsgerät mit Wärmerückgewinnung kam zum Einbau. Die eingebaute digitale Satellitenanlage kann vier bis acht Teilnehmer versorgen.

Sonstiges

Das Baugrundstück liegt am Rande eines Sumpfgebiets. Der Grundwasserhöchststand liegt knapp 0,60m unterhalb der Geländeoberfläche. Beim Ausschachten musste das Grundwasser abgepumpt werden. Unterhalb der Bodenplatte wurde der Boden entsprechend eines geologischen Gutachtens ausgetauscht.

Planungskennwerte für Flächen und Rauminhalte nach DIN 277

Flächen des Grundstücks		Menge Einheit	% an GF
BF	Bebaute Fläche	197,90 m²	37,1
UF	Unbebaute Fläche	336,10 m²	62,9
GF	Grundstücksfläche	534,00 m²	100,0

Grundflächen des Bauwerks		Menge Einheit	% an NUF	% an BGF
NUF	Nutzungsfläche	295,55 m²	100,0	75,0
TF	Technikfläche	13,35 m²	4,5	3,4
VF	Verkehrsfläche	19,10 m²	6,5	4,8
NRF	Netto-Raumfläche	328,00 m²	111,0	83,2
KGF	Konstruktions-Grundfläche	66,14 m²	22,4	16,8
BGF	Brutto-Grundfläche	394,14 m²	133,4	100,0

Brutto-Rauminhalt des Bauwerks		Menge Einheit	BRI/NUF (m)	BRI/BGF (m)
BRI	Brutto-Rauminhalt	1.038,00 m³	3,51	2,63

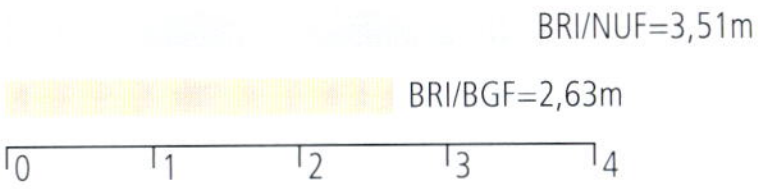

Lufttechnisch behandelte Flächen	Menge Einheit	% an NUF	% an BGF
Entlüftete Fläche	–	–	–
Be- und entlüftete Fläche	–	–	–
Teilklimatisierte Fläche	–	–	–
Klimatisierte Fläche	–	–	–

KG	Kostengruppen (2. Ebene)	Menge Einheit	Menge/NUF	Menge/BGF
310	Baugrube / Erdbau	450,00 m³ BGI	1,52	1,14
320	Gründung, Unterbau	138,63 m² GRF	0,47	0,35
330	Außenwände/Vertikale Baukonstruktionen, außen	350,63 m² AWF	1,19	0,89
340	Innenwände/Vertikale Baukonstruktionen, innen	222,97 m² IWF	0,75	0,57
350	Decken/Horizontale Baukonstruktionen	255,52 m² DEF	0,87	0,65
360	Dächer	154,91 m² DAF	0,52	0,39

Kostenkennwerte für die Kostengruppen der 1. Ebene DIN 276

KG	Kostengruppen (1. Ebene)	Einheit	Kosten €	€/Einheit	€/m² BGF	€/m³ BRI	% 300+400
100	Grundstück	m² GF	–	–	–	–	–
200	Vorbereitende Maßnahmen	m² GF	–	–	–	–	–
300	Bauwerk – Baukonstruktionen	m² BGF	522.932	1.326,77	1.326,77	503,79	82,0
400	Bauwerk – Technische Anlagen	m² BGF	115.161	292,18	292,18	110,95	18,0
	Bauwerk 300+400	**m² BGF**	**638.094**	**1.618,95**	**1.618,95**	**614,73**	**100,0**
500	Außenanlagen und Freiflächen	m² AF	8.813	26,22	22,36	8,49	1,4
600	Ausstattung und Kunstwerke	m² BGF	10.309	26,16	26,16	9,93	1,6
700	Baunebenkosten	m² BGF	–	–	–	–	–
800	Finanzierung	m² BGF	–	–	–	–	–

KG	Kostengruppe	Menge Einheit	Kosten €	€/Einheit	%
3+4	**Bauwerk**				**100,0**
300	**Bauwerk – Baukonstruktionen**	394,14 m² BGF	522.932	**1.326,77**	82,0

Stb-Bodenplatten, Dämmung, Zementestrich, Bodenfliesen, Verbundestrich, Perimeterdämmung; Stb-Wände, Brettsperrholzwände, Holzrahmenwände, Kunststofffenster, Alu-Pfosten-Riegel-Fassade, Sektionaltor, Perimeterdämmung, Verblendmauerwerk, Dämmung, Oberputz, Rollläden; KS-Mauerwerk, Metallständerwand, Holztüren, Putz, Tapete, Anstrich, Wandfliesen, Netzsystem mit Edelstahlseil; Stb-Decke, Deckenkonstruktion, Nadelholz, Dämmung, Brettstapeldecke, Treppe, Dämmung, Estrich, Vinylboden, Bodenfliesen, GK-Decken, Putz, Tapete, Anstrich, Bodentreppe; Walmdach, KVH, Dämmung, Flachdach, Brettstapeldecke, Lattung, Tondachziegel, Dachentwässerung, Dämmung, Flachdachabdichtung

KG	Kostengruppe	Menge Einheit	Kosten €	€/Einheit	%
400	**Bauwerk – Technische Anlagen**	394,14 m² BGF	115.161	**292,18**	18,0

Gebäudeentwässerung, Kalt- und Warmwasserleitungen, Sanitärobjekte; Luft-Wasser-Wärmepumpe, Flachkollektoren, Kupferrohre, Fußbodenheizung, Badheizkörper; Lüftungsgerät mit Wärmerückgewinnung, Sole-Erdwärmetauscher; Elektroinstallation, Lampen mit Bewegungsmelder, Blitzschutz; TAE-Dosen, Klingelanlage, Sat-Dosen, Satellitenanlage, LAN-Dosen

KG	Kostengruppe	Menge Einheit	Kosten €	€/Einheit	%
500	**Außenanlagen und Freiflächen**	336,10 m² AF	8.813	**26,22**	1,4

Schmutzwasserleitungen, Regenwasserleitungen, Revisionsschächte, Erdkollektorrohre

KG	Kostengruppe	Menge Einheit	Kosten €	€/Einheit	%
600	**Ausstattung und Kunstwerke**	394,14 m² BGF	10.309	**26,16**	1,6

Badmöbel

Kostenkennwerte für die Kostengruppen 300 der 2. und 3. Ebene DIN 276 (Übersicht)

KG	Kostengruppe	Menge Einheit	€/Einheit	Kosten €	% an 3+4
300	**Bauwerk – Baukonstruktionen**	**394,14 m² BGF**	**1.326,77**	**522.932,28**	**82,0**
310	**Baugrube / Erdbau**	**450,00 m³ BGI**	**28,98**	**13.039,26**	**2,0**
311	Herstellung	450,00 m³ BGI	24,85	11.184,57	1,8
312	Umschließung	–	–	–	–
313	Wasserhaltung	450,00 m³	4,12	1.854,69	0,3
314	Vortrieb	–	–	–	–
319	Sonstiges zur KG 310	–	–	–	–
320	**Gründung, Unterbau**	**138,63 m² GRF**	**284,70**	**39.466,49**	**6,2**
321	Baugrundverbesserung	–	–	–	–
322	Flachgründungen und Bodenplatten	138,63 m²	122,58	16.993,31	2,7
323	Tiefgründungen	–	–	–	–
324	Gründungsbeläge	103,30 m²	90,46	9.344,52	1,5
325	Abdichtungen und Bekleidungen	155,43 m²	84,47	13.128,68	2,1
326	Dränagen	–	–	–	–
329	Sonstiges zur KG 320	–	–	–	–
330	**Außenwände/Vert. Baukonstrukt., außen**	**350,63 m² AWF**	**609,28**	**213.632,77**	**33,5**
331	Tragende Außenwände	281,00 m²	194,78	54.731,82	8,6
332	Nichttragende Außenwände	–	–	–	–
333	Außenstützen	–	–	–	–
334	Außenwandöffnungen	69,63 m²	753,51	52.466,67	8,2
335	Außenwandbekleidungen, außen	296,70 m²	222,79	66.101,58	10,4
336	Außenwandbekleidungen, innen	281,00 m²	48,23	13.551,40	2,1
337	Element. Außenwandkonstruktionen	–	–	–	–
338	Lichtschutz zur KG 330	39,05 m²	413,51	16.148,77	2,5
339	Sonstiges zur KG 330	350,63 m² AWF	30,32	10.632,54	1,7
340	**Innenwände/Vert. Baukonstrukt., innen**	**222,97 m² IWF**	**345,02**	**76.927,57**	**12,1**
341	Tragende Innenwände	177,15 m²	144,30	25.562,30	4,0
342	Nichttragende Innenwände	3,50 m²	95,98	335,93	< 0,1
343	Innenstützen	–	–	–	–
344	Innenwandöffnungen	29,32 m²	534,02	15.656,44	2,5
345	Innenwandbekleidungen	440,00 m²	53,99	23.755,49	3,7
346	Elementierte Innenwandkonstruktionen	13,00 m²	792,81	10.306,52	1,6
347	Lichtschutz zur KG 340	–	–	–	–
349	Sonstiges zur KG 340	222,97 m² IWF	5,88	1.310,90	0,2
350	**Decken/Horizontale Baukonstruktionen**	**255,52 m² DEF**	**442,49**	**113.062,96**	**17,7**
351	Deckenkonstruktionen	255,52 m²	296,30	75.709,68	11,9
352	Deckenöffnungen	–	–	–	–
353	Deckenbeläge	195,50 m²	99,78	19.507,33	3,1
354	Deckenbekleidungen	196,00 m²	69,84	13.687,72	2,1
355	Elementierte Deckenkonstruktionen	0,91 m²	1.106,70	1.007,09	0,2
359	Sonstiges zur KG 350	255,52 m² DEF	12,33	3.151,12	0,5
360	**Dächer**	**154,91 m² DAF**	**336,12**	**52.068,84**	**8,2**
361	Dachkonstruktionen	154,00 m²	140,84	21.689,10	3,4
362	Dachöffnungen	–	–	–	–
363	Dachbeläge	167,00 m²	179,96	30.052,75	4,7
364	Dachbekleidungen	41,00 m²	7,98	326,99	< 0,1
365	Elementierte Dachkonstruktionen	–	–	–	–
366	Lichtschutz zur KG 360	–	–	–	–
369	Sonstiges zur KG 360	–	–	–	–
370	**Infrastrukturanlagen**	**–**	**–**	**–**	**–**
380	**Baukonstruktive Einbauten**	**–**	**–**	**–**	**–**
390	**Sonst. Maßnahmen für Baukonstrukt.**	**394,14 m² BGF**	**37,38**	**14.734,36**	**2,3**

Kostenkennwerte für die Kostengruppen 400 der 2. und 3. Ebene DIN 276 (Übersicht)

KG	Kostengruppe	Menge Einheit	€/Einheit	Kosten €	% an 3+4
400	**Bauwerk – Technische Anlagen**	**394,14 m² BGF**	**292,18**	**115.161,33**	**18,0**
410	**Abwasser-, Wasser-, Gasanlagen**	**394,14 m² BGF**	**75,49**	**29.753,99**	**4,7**
411	Abwasseranlagen	394,14 m² BGF	12,98	5.114,82	0,8
412	Wasseranlagen	394,14 m² BGF	55,97	22.060,29	3,5
413	Gasanlagen	–	–	–	–
419	Sonstiges zur KG 410	394,14 m² BGF	6,54	2.578,88	0,4
420	**Wärmeversorgungsanlagen**	**394,14 m² BGF**	**120,32**	**47.423,47**	**7,4**
421	Wärmeerzeugungsanlagen	394,14 m² BGF	65,59	25.852,43	4,1
422	Wärmeverteilnetze	394,14 m² BGF	5,16	2.033,91	0,3
423	Raumheizflächen	394,14 m² BGF	49,57	19.537,12	3,1
424	Verkehrsheizflächen	–	–	–	–
429	Sonstiges zur KG 420	–	–	–	–
430	**Raumlufttechnische Anlagen**	**394,14 m² BGF**	**64,67**	**25.490,33**	**4,0**
431	Lüftungsanlagen	394,14 m² BGF	64,67	25.490,33	4,0
432	Teilklimaanlagen	–	–	–	–
433	Klimaanlagen	–	–	–	–
434	Kälteanlagen	–	–	–	–
439	Sonstiges zur KG 430	–	–	–	–
440	**Elektrische Anlagen**	**394,14 m² BGF**	**25,95**	**10.227,09**	**1,6**
441	Hoch- und Mittelspannungsanlagen	–	–	–	–
442	Eigenstromversorgungsanlagen	–	–	–	–
443	Niederspannungsschaltanlagen	–	–	–	–
444	Niederspannungsinstallationsanlagen	394,14 m² BGF	22,09	8.708,09	1,4
445	Beleuchtungsanlagen	394,14 m² BGF	0,74	293,03	< 0,1
446	Blitzschutz- und Erdungsanlagen	394,14 m² BGF	3,11	1.225,96	0,2
447	Fahrleitungssysteme	–	–	–	–
449	Sonstiges zur KG 440	–	–	–	–
450	**Kommunikationstechnische Anlagen**	**394,14 m² BGF**	**5,75**	**2.266,45**	**0,4**
451	Telekommunikationsanlagen	394,14 m² BGF	0,40	155,80	< 0,1
452	Such- und Signalanlagen	394,14 m² BGF	0,42	165,06	< 0,1
453	Zeitdienstanlagen	–	–	–	–
454	Elektroakustische Anlagen	–	–	–	–
455	Audiovisuelle Medien- u. Antennenanl.	394,14 m² BGF	4,22	1.663,67	0,3
456	Gefahrenmelde- und Alarmanlagen	–	–	–	–
457	Datenübertragungsnetze	394,14 m² BGF	0,72	281,92	< 0,1
458	Verkehrsbeeinflussungsanlagen	–	–	–	–
459	Sonstiges zur KG 450	–	–	–	–
460	**Förderanlagen**	**–**	**–**	**–**	**–**
461	Aufzugsanlagen	–	–	–	–
462	Fahrtreppen, Fahrsteige	–	–	–	–
463	Befahranlagen	–	–	–	–
464	Transportanlagen	–	–	–	–
465	Krananlagen	–	–	–	–
466	Hydraulikanlagen	–	–	–	–
469	Sonstiges zur KG 460	–	–	–	–
470	**Nutzungsspez. u. verfahrenstechn. Anl.**	**–**	**–**	**–**	**–**
480	**Gebäude- und Anlagenautomation**	**–**	**–**	**–**	**–**
490	**Sonst. Maßnahmen für techn. Anlagen**	**–**	**–**	**–**	**–**

Kostenkennwerte für Leistungsbereiche nach STLB (Kosten des Bauwerks nach DIN 276)

LB	Leistungsbereiche	Kosten €	€/m² BGF	€/m³ BRI	% an 3+4
000	Sicherheits-, Baustelleneinrichtungen inkl. 001	14.734	37,40	14,20	2,3
002	Erdarbeiten	11.703	29,70	11,30	1,8
006	Spezialtiefbauarbeiten inkl. 005	104	0,26	0,10	< 0,1
009	Entwässerungskanalarbeiten inkl. 011	–	–	–	–
010	Drän- und Versickerarbeiten	–	–	–	–
012	Mauerarbeiten	5.244	13,30	5,10	0,8
013	Betonarbeiten	70.005	177,60	67,40	11,0
014	Natur-, Betonwerksteinarbeiten	6.147	15,60	5,90	1,0
016	Zimmer- und Holzbauarbeiten	116.460	295,50	112,20	18,3
017	Stahlbauarbeiten	–	–	–	–
018	Abdichtungsarbeiten	1.802	4,60	1,70	0,3
019	Kampfmittelräumarbeiten	–	–	–	–
020	Dachdeckungsarbeiten	21.765	55,20	21,00	3,4
021	Dachabdichtungsarbeiten	5.189	13,20	5,00	0,8
022	Klempnerarbeiten	4.628	11,70	4,50	0,7
	Rohbau	**257.782**	**654,00**	**248,30**	**40,4**
023	Putz- und Stuckarbeiten, Wärmedämmsysteme	9.451	24,00	9,10	1,5
024	Fliesen- und Plattenarbeiten	15.258	38,70	14,70	2,4
025	Estricharbeiten	7.413	18,80	7,10	1,2
026	Fenster, Außentüren inkl. 029, 032	17.943	45,50	17,30	2,8
027	Tischlerarbeiten	39.635	100,60	38,20	6,2
028	Parkettarbeiten, Holzpflasterarbeiten	1.632	4,10	1,60	0,3
030	Rollladenarbeiten	14.025	35,60	13,50	2,2
031	Metallbauarbeiten inkl. 035	54.049	137,10	52,10	8,5
034	Maler- und Lackiererarbeiten inkl. 037	12.291	31,20	11,80	1,9
036	Bodenbelagarbeiten	12.673	32,20	12,20	2,0
038	Vorgehängte hinterlüftete Fassaden	53.562	135,90	51,60	8,4
039	Trockenbauarbeiten	24.874	63,10	24,00	3,9
	Ausbau	**262.806**	**666,80**	**253,20**	**41,2**
040	Wärmeversorgungsanl. - Betriebseinr. inkl. 041	43.874	111,30	42,30	6,9
042	Gas- und Wasserinstallation, Leitungen inkl. 043	6.250	15,90	6,00	1,0
044	Abwasseranlagen - Leitungen	4.892	12,40	4,70	0,8
045	GWE-Einrichtungsgegenstände inkl. 046	16.874	42,80	16,30	2,6
047	Dämmarbeiten an betriebstechnischen Anlagen	2.570	6,50	2,50	0,4
049	Feuerlöschanlagen, Feuerlöschgeräte	–	–	–	–
050	Blitzschutz- und Erdungsanlagen	1.226	3,10	1,20	0,2
053	Niederspannungsanlagen inkl. 052, 054	14.111	35,80	13,60	2,2
055	Sicherheits- u. Ersatzstromversorgungsanl.	–	–	–	–
057	Gebäudesystemtechnik	–	–	–	–
058	Leuchten und Lampen inkl. 059	293	0,74	0,28	< 0,1
060	Sprechanlagen, elektroakust. Anlagen inkl. 064	165	0,42	0,16	< 0,1
061	Kommunikationsnetze inkl. 063	2.101	5,30	2,00	0,3
069	Aufzüge	–	–	–	–
070	Gebäudeautomation	–	–	–	–
075	Raumlufttechnische Anlagen inkl. 078	23.295	59,10	22,40	3,7
	Gebäudetechnik	**115.651**	**293,40**	**111,40**	**18,1**
084	Abbruch, Rückbau, Schadstoffsanierung	–	–	–	–
	Abbrucharbeiten	**–**	**–**	**–**	**–**
	Sonstige Leistungsbereiche	**1.855**	**4,70**	**1,80**	**0,3**

6100-1254
Einfamilienhaus
Effizienzhaus 55

Objektübersicht

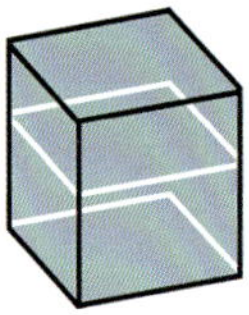

BRI 540 €/m³

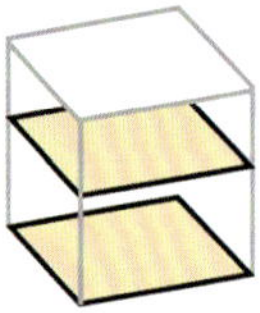

BGF 2.094 €/m²

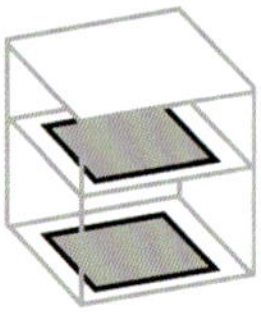

NUF 3.217 €/m²

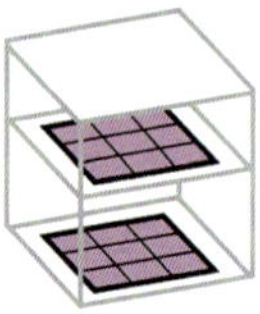

NE 3.090 €/NE

NE: Wohnfläche

Objekt:
Kennwerte: 1. Ebene DIN 276
BRI: 740 m³
BGF: 191 m²
NUF: 124 m²
Bauzeit: 26 Wochen
Bauende: 2014
Standard: über Durchschnitt
Bundesland: Baden-Württemberg
Kreis: Ludwigsburg

Architekt*in:
son.tho architekten
Stadtschreibereigasse 7
74354 Besigheim

© Sonja Rupp

© Olaf Bender

© Sonja Rupp

Zeichnungen

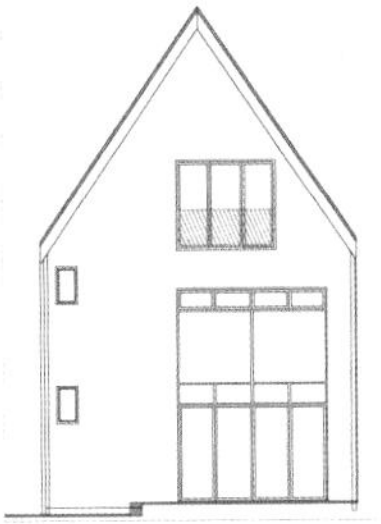

Ansicht Nord

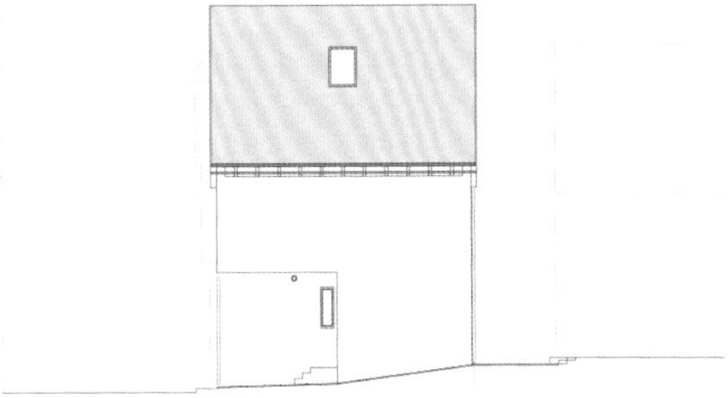

Ansicht Ost

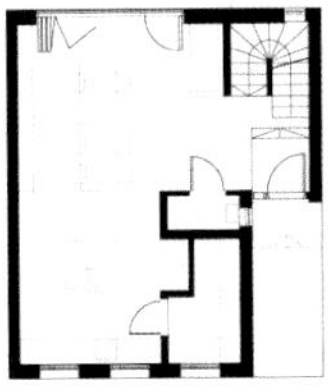

Erdgeschoss

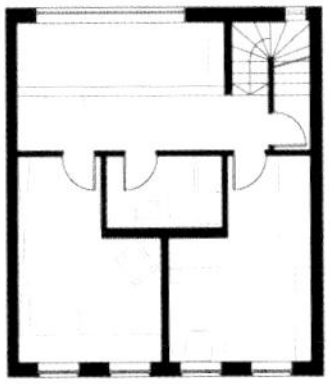

Obergeschoss

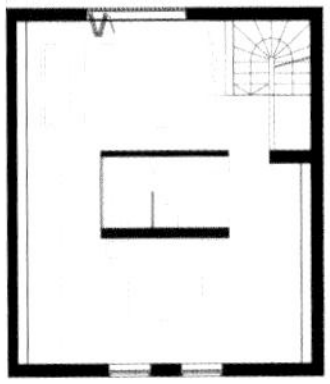

Dachgeschoss

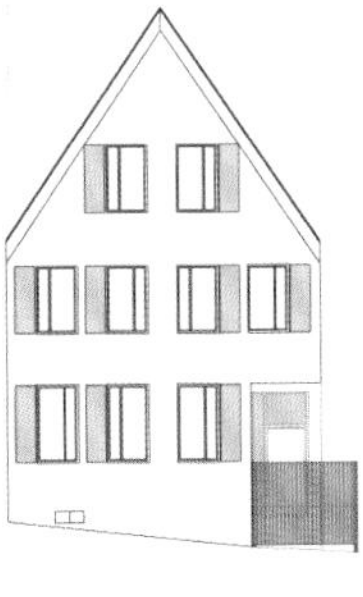

Ansicht Süd

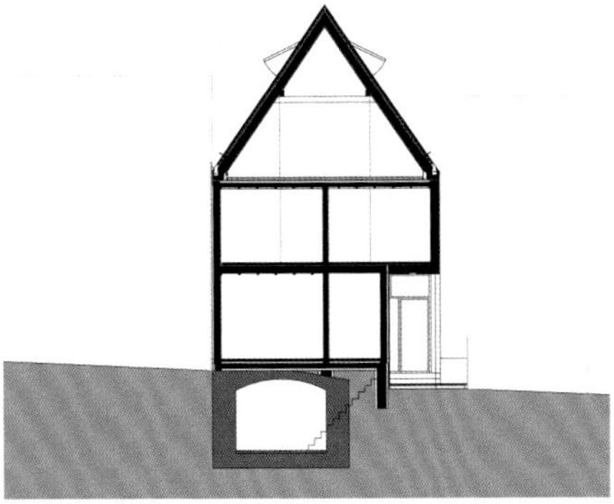

Schnitt

Objektbeschreibung

Allgemeine Objektinformationen

Erbaut wurde das erste Haus an dieser Stelle um 1500. Das Bestandsgebäude war nicht denkmalgeschützt aber das Grundstück befindet sich in der Altstadt innerhalb eines Ensembleschutzes. Eine Generalsanierung des alten Hauses wurde sorgsam geprüft, war aber weder technisch noch ökonomisch oder gar denkmalpflegerisch sinnvoll. Der Altbau wurde deshalb bis auf den Gewölbekeller abgebrochen. Der Neubau orientiert sich in städtebaulicher Ausrichtung und Volumen am Bestand. Das Straßenbild entlang der Gasse bleibt erhalten und wird durch die gegliederte Straßenansicht aufgewertet.

Nutzung

1 Untergeschoss
Gewölbekeller (Bestand)

1 Erdgeschoss
Küche, Esszimmer, WC, Lobby, Hauswirtschaftsraum

1 Obergeschoss
Kinderzimmer (2St), Bad

1 Dachgeschoss
Wohnzimmer, Schlafzimmer, Bad

Nutzeinheiten

Wohneinheiten: 1
Wohnfläche: 129 m^2

Grundstück

Bauraum: Baulücke
Neigung: Geneigtes Gelände
Bodenklasse: BK 1 bis BK 3

Markt

Hauptvergabezeit: 3. Quartal 2012
Baubeginn: 3. Quartal 2013
Bauende: 1. Quartal 2014
Konjunkturelle Gesamtlage: über Durchschnitt
Regionaler Baumarkt: Durchschnitt

Baukonstruktion

Der Neubau gründet auf einer Betonplatte über dem bestehenden Gewölbekeller. Die Außenwände wurden als Holzständerkonstruktion mit Holzfaserplatten und teils mit Mineralfaserdämmung in den Gefachen erstellt. In den Außenwänden liegen teilweise Installationsebenen. Die Innenwände sind mit Gipsfaserplatten bekleidet. Die Zwischendecken sind als Holzbalkendecken mit Mineralfaserdämmung ausgeführt und mit Grobspanplatten, Trittschalldämmung und dünnschichtigem Heizestrich versehen. Zusätzlich kamen abgehängte Akustikplatten aus Gipskarton zum Einsatz. Die Satteldachkonstruktion mit Biberschwanz-Doppeldeckung besteht aus Lattung, Konterlattung, Holzfaserplatte, Dampfbremse, Zwischensparrendämmung aus Mineralwolle und Gipskartonplatten auf Lattung raumseits. Es kamen Fenster und die Eingangstür als Holzrahmenkonstruktion mit Dreifachverglasung zum Einbau.

Technische Anlagen

Das Brauchwasser und die Heizung werden mittels einer Luft-Wasser-Wärmepumpe versorgt. Die Verteilung der Wärme erfolgt über den Heizestrich in allen Geschossen.

Sonstiges

Die Lage des Grundstücks ist in sehr beengter und historischer Altstadt. Es gab während der Bauzeit keine Lagermöglichkeiten auf dem Grundstück. Die Zugangssituation für die Baustellenfahrzeuge war schwierig. Alle gestalterischen Elemente wie Fassadenfarbe, Dachziegel, Fenster mussten mit dem Denkmalamt abgestimmt werden.

Planungskennwerte für Flächen und Rauminhalte nach DIN 277

Flächen des Grundstücks		Menge Einheit	% an GF
BF	Bebaute Fläche	61,60 m²	36,9
UF	Unbebaute Fläche	105,40 m²	63,1
GF	Grundstücksfläche	167,00 m²	100,0

Grundflächen des Bauwerks		Menge Einheit	% an NUF	% an BGF
NUF	Nutzungsfläche	124,20 m²	100,0	65,1
TF	Technikfläche	2,00 m²	1,6	1,0
VF	Verkehrsfläche	25,00 m²	20,1	13,1
NRF	Netto-Raumfläche	151,20 m²	121,7	79,2
KGF	Konstruktions-Grundfläche	39,60 m²	31,9	20,8
BGF	Brutto-Grundfläche	190,80 m²	153,6	100,0

Brutto-Rauminhalt des Bauwerks		Menge Einheit	BRI/NUF (m)	BRI/BGF (m)
BRI	Brutto-Rauminhalt	740,00 m³	5,96	3,88

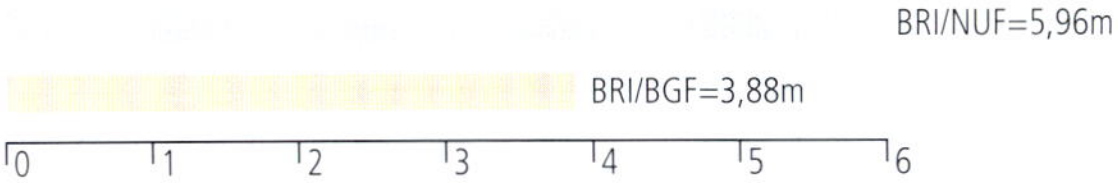

Kostenkennwerte für die Kostengruppen der 1. Ebene DIN 276

KG	Kostengruppen (1. Ebene)	Einheit	Kosten €	€/Einheit	€/m² BGF	€/m³ BRI	% 300+400
100	Grundstück	m² GF	–	–	–	–	–
200	Vorbereitende Maßnahmen	m² GF	21.656	129,67	113,50	29,26	5,4
300	Bauwerk – Baukonstruktionen	m² BGF	320.031	1.677,31	1.677,31	432,47	80,1
400	Bauwerk – Technische Anlagen	m² BGF	79.564	417,00	417,00	107,52	19,9
	Bauwerk 300+400	**m² BGF**	**399.595**	**2.094,31**	**2.094,31**	**539,99**	**100,0**
500	Außenanlagen und Freiflächen	m² AF	–	–	–	–	–
600	Ausstattung und Kunstwerke	m² BGF	–	–	–	–	–
700	Baunebenkosten	m² BGF	–	–	–	–	–
800	Finanzierung	m² BGF	–	–	–	–	–

KG	Kostengruppe	Menge Einheit	Kosten €	€/Einheit	%
200	**Vorbereitende Maßnahmen**	167,00 m² GF	21.656	**129,67**	5,4
	Abbruch von bestehendem Gebäude bis OK Gewölbekeller; Entsorgung, Deponiegebühren				
3+4	**Bauwerk**				**100,0**
300	**Bauwerk – Baukonstruktionen**	190,80 m² BGF	320.031	**1.677,31**	80,1
	Stb-Bodenplatte, Abdichtung, Wärmedämmung, Heizestrich, Massivholz-Stäbchenparkett, Sauberkeitsschicht (über Gewölbekeller), Schotterschicht, Ausgleichsschicht (außerhalb Gewölbekeller), Perimeterdämmung; Holzständerkonstruktion, Dämmung, OSB-Platten, Holzfenster, Dreifachverglasung, Holztür, Filzputz, GK-Platten, Anstrich; Holzständerwände, Dämmung, GK-Platten, Holztüren, Aluzargen, Anstrich; Holzbalkendecken, Heizestrich, Massivholz-Stäbchenparkett, abgehängte GK-Decken, Anstrich; Holzsatteldach, Dämmung, Holzfaserplatte, Dachziegel, Dachentwässerung				
400	**Bauwerk – Technische Anlagen**	190,80 m² BGF	79.564	**417,00**	19,9
	Gebäudeentwässerung, Kalt- und Warmwasserleitungen, Sanitärobjekte; Luft-Wasser-Wärmepumpe, Warmwasserpufferspeicher, Fußbodenheizung; Starkstrom, Elektroinstallation, Beleuchtung; Telefonanlage, EDV-Verkabelung				

6100-1268
Einfamilienhaus
Garage
Effizienzhaus 55

Objektübersicht

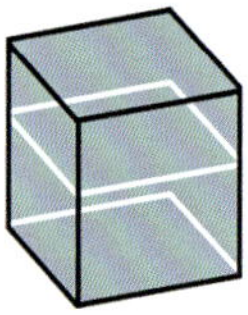

BRI 635€/m³

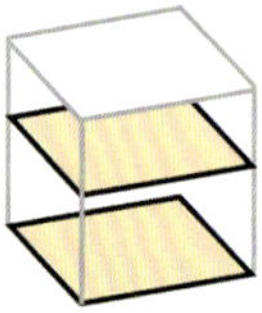

BGF 2.100€/m²

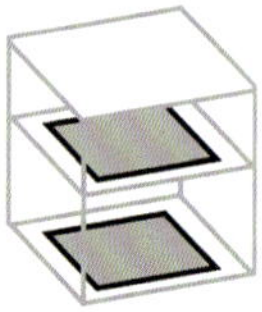

NUF 2.934€/m²

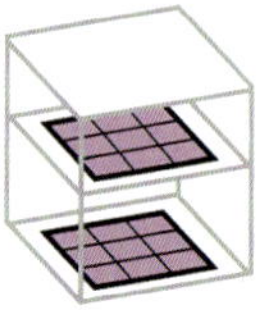

NE 3.509€/NE

NE: Wohnfläche

Objekt:
Kennwerte: 1. Ebene DIN 276
BRI: 1.350 m³
BGF: 408 m²
NUF: 292 m²
Bauzeit: 31 Wochen
Bauende: 2015
Standard: über Durchschnitt
Bundesland: Nordrhein-Westfalen
Kreis: Mettmann

Architekt*in:
kg architektur
Dipl.-Ing. Arch. Kai Grosche
Gottesweg 64
50969 Köln

Zeichnungen

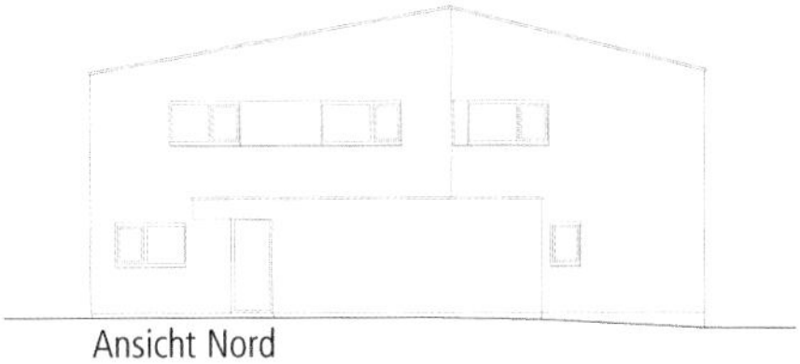

Ansicht Nord

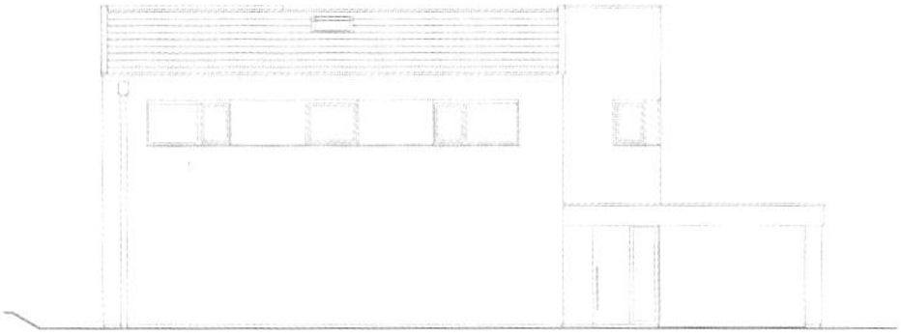

Ansicht Ost

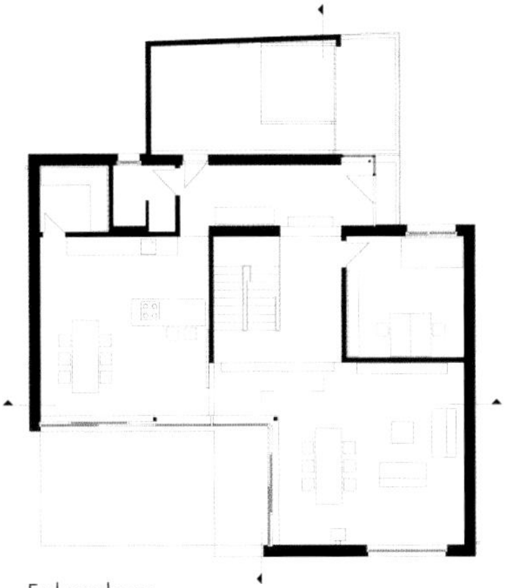

Erdgeschoss

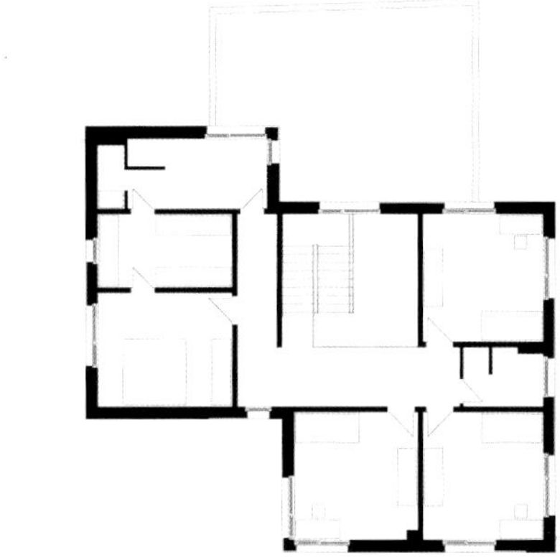

Obergeschoss

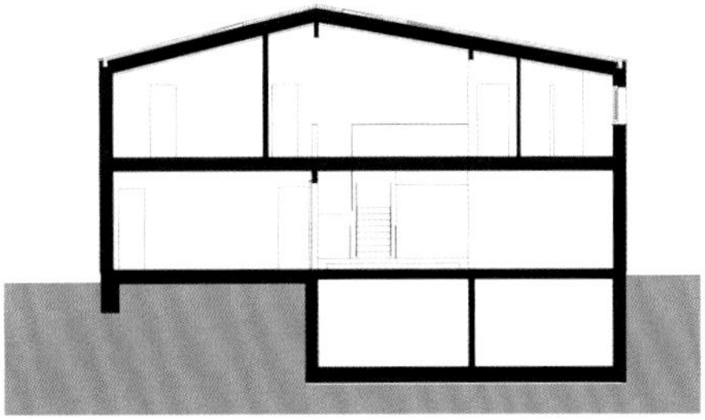

Längsschnitt

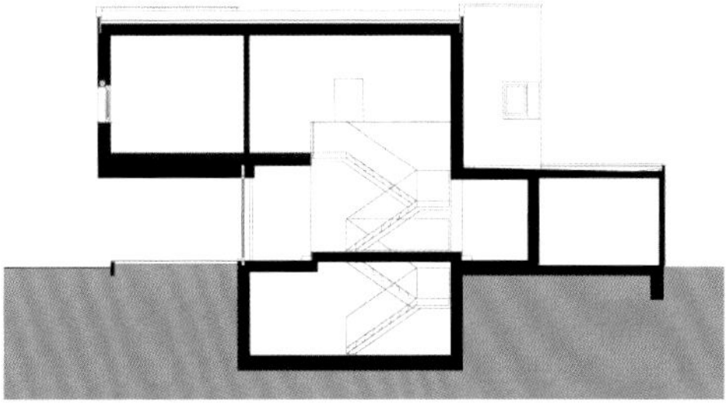

Querschnitt

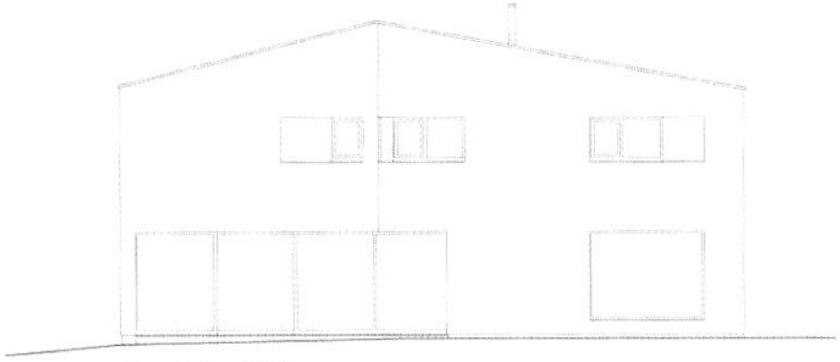

Ansicht Süd

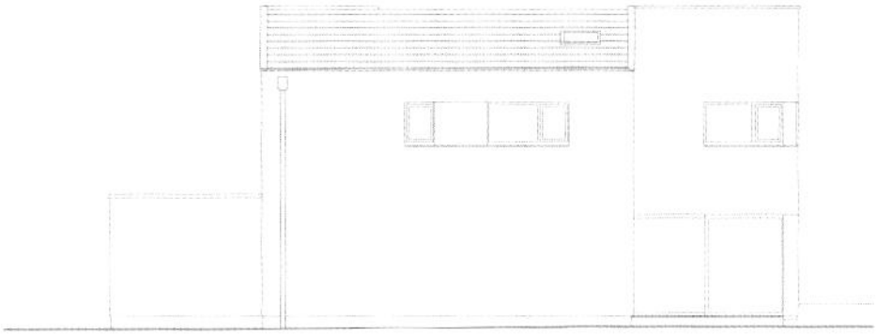

Ansicht West

Objektbeschreibung

Allgemeine Objektinformationen

Der innerstädtische Neubau in Holzrahmenbauweise schafft durch die versetzte Anordnung der Haushälften einen Eingang und einen privaten Gartenbereich mit Südwestausrichtung. Im Inneren verbindet ein Treppenraum die Individualräume im Obergeschoss mit dem Erdgeschoss und dient gleichzeitig zur Zonierung des offenen Grundrisses in Wohn- und Küchenbereich.

Nutzung

1 Untergeschoss
Hausanschlussraum, Hauswirtschaftsraum, Lager

1 Erdgeschoss
Diele, Wohnzimmer, Küche, Arbeitszimmer, WC, Garage

1 Obergeschoss
Kinderzimmer, Bäder, Schlafzimmer, Galerie

Nutzeinheiten

Wohneinheiten: 1
Wohnfläche: 244 m²

Grundstück

Bauraum: Freier Bauraum
Neigung: Ebenes Gelände
Bodenklasse: BK 1 bis BK 4

Markt

Hauptvergabezeit: 2. Quartal 2014
Baubeginn: 2. Quartal 2014
Bauende: 1. Quartal 2015
Konjunkturelle Gesamtlage: über Durchschnitt
Regionaler Baumarkt: Durchschnitt

Baukonstruktion

Die Teilunterkellerung des Bauwerks und die Bodenplatte im Erdgeschoss sind in wasserundurchlässigem Stahlbeton ausgeführt. Tragende Außen- und Innenwände wurden in Holzrahmenbauweise realisiert. Der Aufbau der Außenwände setzt sich aus der Tragebene mit Einblasdämmung aus Zellulose, einer zusätzlichen innenseitigen Installationsebene und einer äußeren Beplankung aus Holzweichfaserplatten zusammen. Die Fassadenoberflächen erhielten einen in Teilen gestrichenen Silikonharzputz. Die dreifachverglasten, lackierten Holzfenster mit Lammellenraffstores oder Rollläden bilden die Öffnungselemente der Fassade. Die Geschossdecke zwischen Erd- und Obergeschoss ist als Holzbalkendecke mit einzelnen Stahlträgern im Bereich extremer Spannweiten ausgeführt. Aus Schallschutzgründen wurde der Balkenzwischenraum mit einer zusätzlichen Dämmung versehen und die abgehängte Trockenbaudecke entkoppelt befestigt. Das Dach ist als Pfettenkonstruktion mit Zwischensparrendämmung und auf Grund der geringen Neigung als wasserdichtes Unterdach mit Flachziegeldeckung umgesetzt.

Technische Anlagen

Als Energieträger wird die Umweltthermie über eine Außenluftwärmepumpe genutzt. Diese erzeugt autark die Energie für den Heiz- und Kühlbedarf und die Warmwasseraufbereitung bis zu einer Außentemperatur von -5°C. Als Speichermedium wird ein Pufferspeicher mit einem Fassungsvermögen von 250l angewendet. Eine zentrale mechanische Lüftungsanlage mit Wärmerückgewinnung ist weiterer Bestandteil des haustechnischen Konzepts.

Sonstiges

Neben den baubiologischen und ökologischen Aspekten war für die Bauherren eine kurze Bauzeit von Bedeutung, so dass die Holzbauweise gewählt wurde. Die hocheffiziente Gebäudehülle, unterstützt durch die solaren Gewinne aus den bodentiefen Fensterflächen in Südausrichtung und die gewählte Anlagetechnik, ermöglicht die Zertifizierung des Gebäudes als KfW Effizienzhaus 55.

Planungskennwerte für Flächen und Rauminhalte nach DIN 277

Flächen des Grundstücks		Menge Einheit	% an GF
BF	Bebaute Fläche	175,23 m²	19,0
UF	Unbebaute Fläche	746,77 m²	81,0
GF	Grundstücksfläche	922,00 m²	100,0

Grundflächen des Bauwerks		Menge Einheit	% an NUF	% an BGF
NUF	Nutzungsfläche	292,34 m²	100,0	71,6
TF	Technikfläche	2,00 m²	0,7	0,5
VF	Verkehrsfläche	47,60 m²	16,3	11,7
NRF	Netto-Raumfläche	341,94 m²	117,0	83,7
KGF	Konstruktions-Grundfläche	66,50 m²	22,7	16,3
BGF	Brutto-Grundfläche	408,44 m²	139,7	100,0

Brutto-Rauminhalt des Bauwerks		Menge Einheit	BRI/NUF (m)	BRI/BGF (m)
BRI	Brutto-Rauminhalt	1.349,88 m³	4,62	3,31

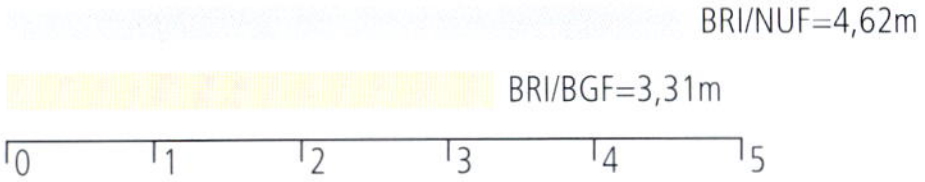

Kostenkennwerte für die Kostengruppen der 1. Ebene DIN 276

KG	Kostengruppen (1. Ebene)	Einheit	Kosten €	€/Einheit	€/m² BGF	€/m³ BRI	% 300+400
100	Grundstück	m² GF	–	–	–	–	–
200	Vorbereitende Maßnahmen	m² GF	–	–	–	–	–
300	Bauwerk – Baukonstruktionen	m² BGF	685.319	1.677,89	1.677,89	507,69	79,9
400	Bauwerk – Technische Anlagen	m² BGF	172.458	422,24	422,24	127,76	20,1
	Bauwerk 300+400	**m² BGF**	**857.777**	**2.100,13**	**2.100,13**	**635,45**	**100,0**
500	Außenanlagen und Freiflächen	m² AF	–	–	–	–	–
600	Ausstattung und Kunstwerke	m² BGF	–	–	–	–	–
700	Baunebenkosten	m² BGF	–	–	–	–	–
800	Finanzierung	m² BGF	–	–	–	–	–

KG	Kostengruppe	Menge Einheit	Kosten €	€/Einheit	%
3+4	**Bauwerk**				**100,0**
300	**Bauwerk – Baukonstruktionen**	408,44 m² BGF	685.319	**1.677,89**	79,9

Baugrubenaushub; Stb-Streifenfundamente (EG), Stb-Bodenplatte, WU-Beton, Estrich, Beschichtung (UG), Dreischichtparkett, Eiche, Bodenfliesen, Perimeterdämmung; Holzrahmenwände, Installationsebene, Holzfenster, Dreifachverglasung, Holzweichfaserplatten, Armierung, Silikonharzputz, Lamellenraffstores, Rollläden; Holzrahmenwände, Stahlstützen, Stahlzargen, Holztüren; Stb-Decke, Holzbalkendecke, Stahlwangentreppe, Holzbelag, Heizestrich, Parkett, Bodenfliesen; Holzdachkonstruktion, Zwischensparrendämmung, Flachziegel, Dachentwässerung, abgehängte GK-Decken

KG	Kostengruppe	Menge Einheit	Kosten €	€/Einheit	%
400	**Bauwerk – Technische Anlagen**	408,44 m² BGF	172.458	**422,24**	20,1

Gebäudeentwässerung, Kalt- und Warmwasserleitungen, Sanitärobjekte; Außenluftwärmepumpe mit Pufferspeicher, Fußbodenheizung (OG); mechanische zentrale Lüftungsanlage mit Wärmerückgewinnung; Elektroinstallation, Beleuchtung

6100-1289
Einfamilienhaus
Garage
Effizienzhaus ~31%

Objektübersicht

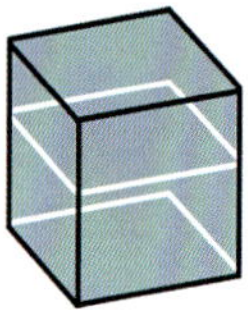

BRI 677 €/m³

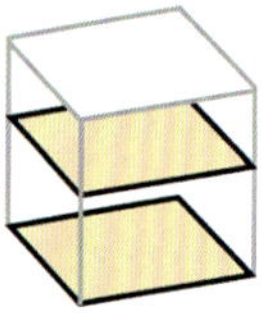

BGF 2.267 €/m²

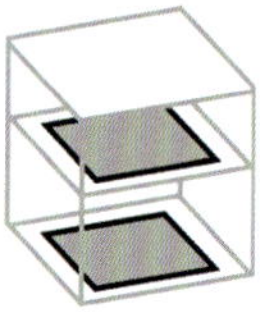

NUF 3.432 €/m²

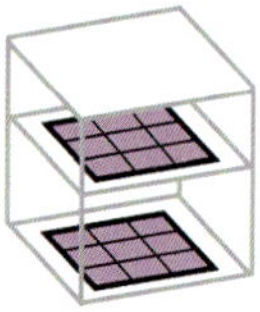

NE 4.591 €/NE

NE: Wohnfläche

Objekt:
Kennwerte: 3. Ebene DIN 276
BRI: 961 m³
BGF: 287 m²
NUF: 189 m²
Bauzeit: 35 Wochen
Bauende: 2015
Standard: Durchschnitt
Bundesland: Nordrhein-Westfalen
Kreis: Viersen

Architekt*in:
bau grün !
energieeffiziente Gebäude
Architekt Daniel Finocchiaro
Burggrafenstraße 98
41061 Mönchengladbach

Bauherr*in:
Melanie und Dirk Brocker

Ansicht Nord

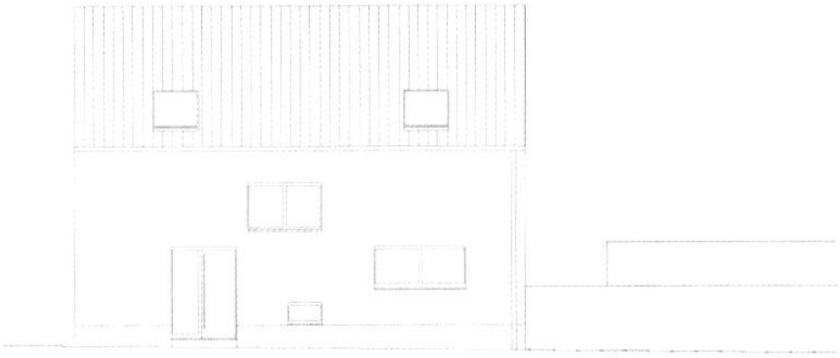

Ansicht West

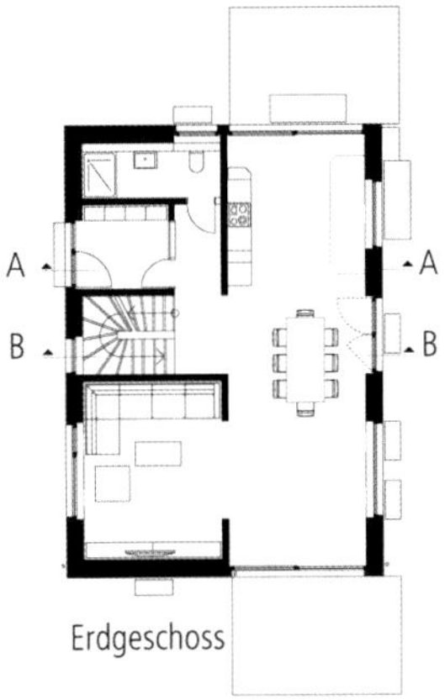

Erdgeschoss

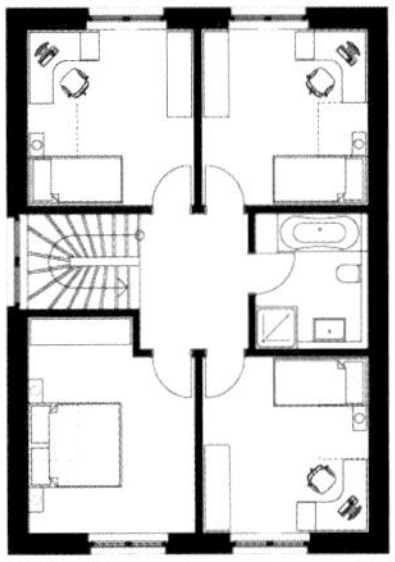

Obergeschoss

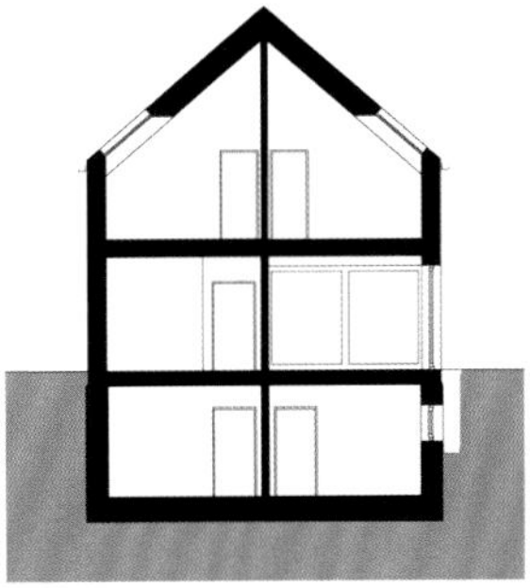

Schnitt A-A

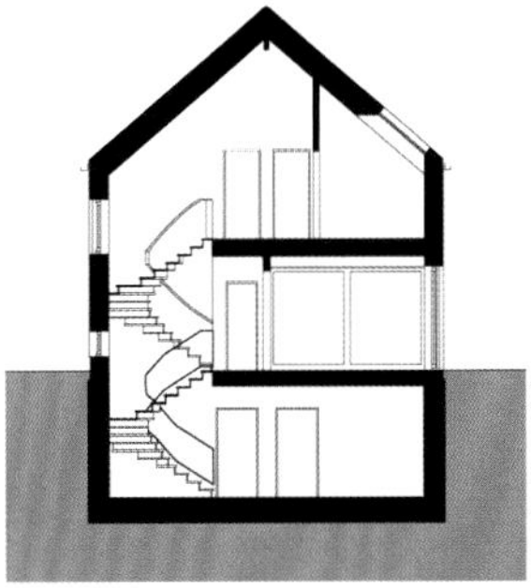

Schnitt B-B

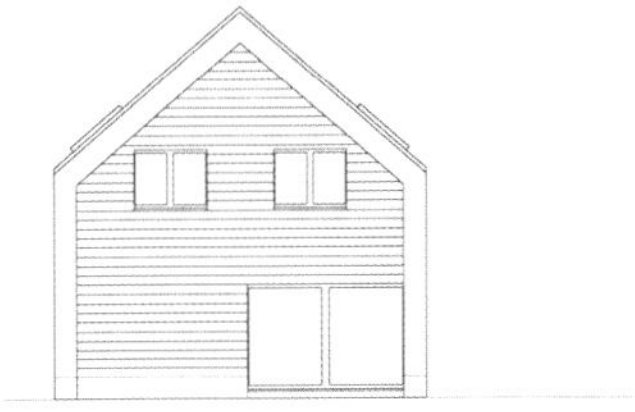

Ansicht Süd

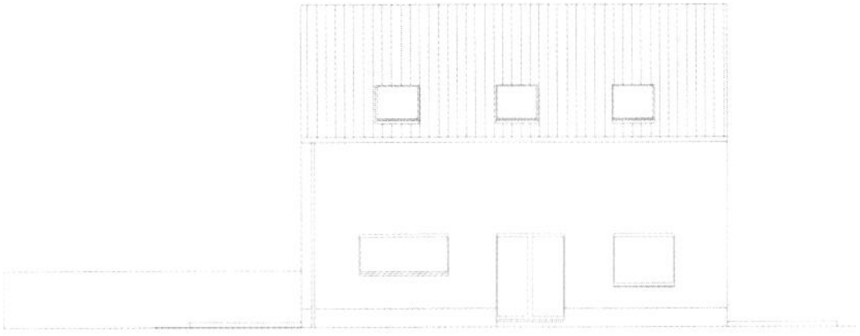

Ansicht Ost

Objektbeschreibung

Allgemeine Objektinformationen

Das Einfamilienhaus besteht aus überwiegend baubiologisch korrekten Baustoffen und ist mit zukunftsorientierter Technik ausgestattet. Es bietet der Bauherrenfamilie 190m² Nutzfläche.

Nutzung

1 Untergeschoss
Hauswirtschaftsraum/Technik, Kellerräume (3St)

1 Erdgeschoss
Wohnen/Essen/Küche, Diele, WC/Dusche

1 Dachgeschoss
Schlafzimmer, Kinderzimmer (3St), Bad

Nutzeinheiten

Wohnfläche: 142 m²

Grundstück

Bauraum: Beengter Bauraum
Neigung: Ebenes Gelände
Bodenklasse: BK 1 bis BK 4

Markt

Hauptvergabezeit: 2. Quartal 2015
Baubeginn: 2. Quartal 2015
Bauende: 4. Quartal 2015
Konjunkturelle Gesamtlage: Durchschnitt
Regionaler Baumarkt: unter Durchschnitt

Baukonstruktion

Der Keller des Neubaus ist in Massivbauweise erstellt. Die oberen Geschosse wurden in Holzrahmenbauweise mit Holzfaser- und Zellulosedämmung errichtet. Die Giebelwände sind mit einer von Putzflächen eingefassten Nut- und Federschalung aus Douglasienholz bekleidet. Die Holzfenster mit Dreifachverglasung und eingebautem Sonnenschutz sowie die Hauseingangstür aus Holz sind passivhaustauglich ausgeführt.

Technische Anlagen

Eine Sole-Wasser-Wärmepumpe mit Erdsonde versorgt den Neubau mit Wärme. Der Luftaustausch erfolgt über eine zentrale Lüftungsanlage mit Wärmerückgewinnung. Durch die Photovoltaikanlage wird der Standard eines Plusenergiehauses erreicht.

Planungskennwerte für Flächen und Rauminhalte nach DIN 277

Flächen des Grundstücks		Menge Einheit	% an GF
BF	Bebaute Fläche	106,91 m^2	25,9
UF	Unbebaute Fläche	306,09 m^2	74,1
GF	Grundstücksfläche	413,00 m^2	100,0

Grundflächen des Bauwerks		Menge Einheit	% an NUF	% an BGF
NUF	Nutzungsfläche	189,43 m^2	100,0	66,0
TF	Technikfläche	12,99 m^2	6,9	4,5
VF	Verkehrsfläche	38,22 m^2	20,2	13,3
NRF	Netto-Raumfläche	240,64 m^2	127,0	83,9
KGF	Konstruktions-Grundfläche	46,21 m^2	24,4	16,1
BGF	Brutto-Grundfläche	286,85 m^2	151,4	100,0

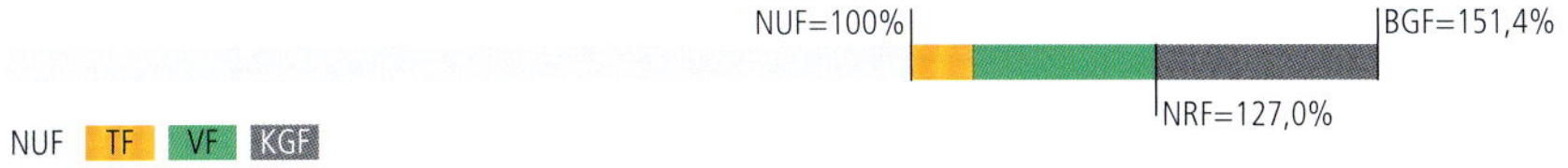

Brutto-Rauminhalt des Bauwerks		Menge Einheit	BRI/NUF (m)	BRI/BGF (m)
BRI	Brutto-Rauminhalt	960,94 m^3	5,07	3,35

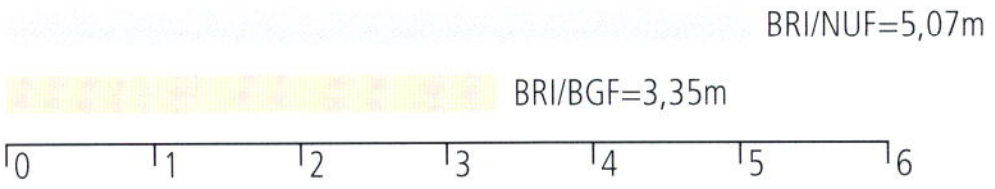

Lufttechnisch behandelte Flächen	Menge Einheit	% an NUF	% an BGF
Entlüftete Fläche	–	–	–
Be- und entlüftete Fläche	240,64 m^2	127,0	83,9
Teilklimatisierte Fläche	–	–	–
Klimatisierte Fläche	–	–	–

KG	Kostengruppen (2. Ebene)	Menge Einheit	Menge/NUF	Menge/BGF
310	Baugrube / Erdbau	560,32 m^3 BGI	2,96	1,95
320	Gründung, Unterbau	88,57 m^2 GRF	0,47	0,31
330	Außenwände/Vertikale Baukonstruktionen, außen	389,08 m^2 AWF	2,05	1,36
340	Innenwände/Vertikale Baukonstruktionen, innen	215,75 m^2 IWF	1,14	0,75
350	Decken/Horizontale Baukonstruktionen	171,72 m^2 DEF	0,91	0,60
360	Dächer	129,19 m^2 DAF	0,68	0,45

Kostenkennwerte für die Kostengruppen der 1. Ebene DIN 276

KG	Kostengruppen (1. Ebene)	Einheit	Kosten €	€/Einheit	€/m² BGF	€/m³ BRI	% 300+400
100	Grundstück	m² GF	–	–	–	–	–
200	Vorbereitende Maßnahmen	m² GF	15.691	37,99	54,70	16,33	2,4
300	Bauwerk – Baukonstruktionen	m² BGF	496.554	1.731,06	1.731,06	516,74	76,4
400	Bauwerk – Technische Anlagen	m² BGF	153.648	535,64	535,64	159,89	23,6
	Bauwerk 300+400	**m² BGF**	**650.202**	**2.266,70**	**2.266,70**	**676,63**	**100,0**
500	Außenanlagen und Freiflächen	m² AF	46.407	315,05	161,78	48,29	7,1
600	Ausstattung und Kunstwerke	m² BGF	2.842	9,91	9,91	2,96	0,4
700	Baunebenkosten	m² BGF	–	–	–	–	–
800	Finanzierung	m² BGF	–	–	–	–	–

KG	Kostengruppe	Menge Einheit	Kosten €	€/Einheit	%
200	**Vorbereitende Maßnahmen**	413,00 m² GF	15.691	**37,99**	2,4

Abbruch von Mauerwerkswand; Abwasseranschluss an Kanal, Hausanschlüsse Trinkwasser, Strom, Telekommunikation

KG	Kostengruppe	Menge Einheit	Kosten €	€/Einheit	%
3+4	**Bauwerk**				**100,0**
300	**Bauwerk – Baukonstruktionen**	286,85 m² BGF	496.554	**1.731,06**	76,4

Stb-Fundamentplatte, Heizestrich, Bodenfliesen, Parkett, Perimeterdämmung; Stb-Wände, Holzrahmenwände, Dämmung, Holzfenster mit Aufsatzraffstores, Kellerfenster, Haustür, Abdichtung, Putz, Holzschalung; Holzrahmenwände, KS-Mauerwerk, Holztüren, GK-Bekleidung, Beschichtung, Wandfliesen; Stb-Decke, Holzbalkendecke, Holztreppen; Holzdachkonstruktion, Dämmung, Dachflächenfenster, Titanzinkdeckung, Dachentwässerung; Küchenarbeitsplatten

KG	Kostengruppe	Menge Einheit	Kosten €	€/Einheit	%
400	**Bauwerk – Technische Anlagen**	286,85 m² BGF	153.648	**535,64**	23,6

Gebäudeentwässerung, Kalt- und Warmwasserleitungen, Sanitärobjekte; Teilklimaanlage mit Wärmerückgewinnung, Warmwasserspeicher, elektrische Zusatzheizung, integrierte Erdwärmepumpe, Pufferspeicher, Fußbodenheizung; Solaranlage, Elektroinstallation, Erdung; Klingel, Lautsprecher, Sat-Anlage, Rauchmelder, Datenverkabelung; Energiesparsystem

KG	Kostengruppe	Menge Einheit	Kosten €	€/Einheit	%
500	**Außenanlagen und Freiflächen**	147,30 m² AF	46.407	**315,05**	7,1

Stb-Fundamente; Betonpflaster; Winkelstützmauern, Betonblockstufen, Stb-Fertiggarage; Entwässerungsrinne, Erdwärmesonde, Elektroinstallation Garage; Rollrasen

KG	Kostengruppe	Menge Einheit	Kosten €	€/Einheit	%
600	**Ausstattung und Kunstwerke**	286,85 m² BGF	2.842	**9,91**	0,4

Duschabtrennungen (2St)

Kostenkennwerte für die Kostengruppen 300 der 2. und 3. Ebene DIN 276 (Übersicht)

KG	Kostengruppe	Menge Einheit	€/Einheit	Kosten €	% an 3+4
300	**Bauwerk – Baukonstruktionen**	**286,85 m² BGF**	**1.731,06**	**496.554,35**	**76,4**
310	**Baugrube / Erdbau**	**560,32 m³ BGI**	**32,50**	**18.208,95**	**2,8**
311	Herstellung	560,32 m³ BGI	32,50	18.208,95	2,8
312	Umschließung	–	–	–	–
313	Wasserhaltung	–	–	–	–
314	Vortrieb	–	–	–	–
319	Sonstiges zur KG 310	–	–	–	–
320	**Gründung, Unterbau**	**88,57 m² GRF**	**372,83**	**33.021,78**	**5,1**
321	Baugrundverbesserung	–	–	–	–
322	Flachgründungen und Bodenplatten	88,57 m²	182,77	16.188,42	2,5
323	Tiefgründungen	–	–	–	–
324	Gründungsbeläge	72,96 m²	144,51	10.543,49	1,6
325	Abdichtungen und Bekleidungen	88,57 m²	71,01	6.289,85	1,0
326	Dränagen	–	–	–	–
329	Sonstiges zur KG 320	–	–	–	–
330	**Außenwände/Vert. Baukonstrukt., außen**	**389,08 m² AWF**	**587,31**	**228.512,64**	**35,1**
331	Tragende Außenwände	326,28 m²	289,43	94.436,20	14,5
332	Nichttragende Außenwände	–	–	–	–
333	Außenstützen	–	–	–	–
334	Außenwandöffnungen	62,80 m²	1.064,13	66.829,48	10,3
335	Außenwandbekleidungen, außen	316,59 m²	115,00	36.406,05	5,6
336	Außenwandbekleidungen, innen	309,83 m²	67,87	21.028,95	3,2
337	Element. Außenwandkonstruktionen	–	–	–	–
338	Lichtschutz zur KG 330	–	–	–	–
339	Sonstiges zur KG 330	389,08 m² AWF	25,22	9.811,96	1,5
340	**Innenwände/Vert. Baukonstrukt., innen**	**215,75 m² IWF**	**253,63**	**54.718,82**	**8,4**
341	Tragende Innenwände	197,29 m²	103,59	20.436,71	3,1
342	Nichttragende Innenwände	1,60 m²	404,42	647,07	< 0,1
343	Innenstützen	–	–	–	–
344	Innenwandöffnungen	16,85 m²	383,15	6.456,45	1,0
345	Innenwandbekleidungen	378,15 m²	71,87	27.178,60	4,2
346	Elementierte Innenwandkonstruktionen	–	–	–	–
347	Lichtschutz zur KG 340	–	–	–	–
349	Sonstiges zur KG 340	–	–	–	–
350	**Decken/Horizontale Baukonstruktionen**	**171,72 m² DEF**	**401,43**	**68.930,71**	**10,6**
351	Deckenkonstruktionen	162,68 m²	144,35	23.482,24	3,6
352	Deckenöffnungen	–	–	–	–
353	Deckenbeläge	135,04 m²	161,04	21.746,19	3,3
354	Deckenbekleidungen	163,10 m²	48,51	7.912,27	1,2
355	Elementierte Deckenkonstruktionen	9,04 m²	1.746,68	15.790,01	2,4
359	Sonstiges zur KG 350	–	–	–	–
360	**Dächer**	**129,19 m² DAF**	**598,97**	**77.379,15**	**11,9**
361	Dachkonstruktionen	124,40 m²	219,58	27.315,34	4,2
362	Dachöffnungen	4,79 m²	3.308,64	15.841,79	2,4
363	Dachbeläge	127,48 m²	198,77	25.339,58	3,9
364	Dachbekleidungen	118,18 m²	75,16	8.882,44	1,4
365	Elementierte Dachkonstruktionen	–	–	–	–
366	Lichtschutz zur KG 360	–	–	–	–
369	Sonstiges zur KG 360	–	–	–	–
370	**Infrastrukturanlagen**	**–**	**–**	**–**	**–**
380	**Baukonstruktive Einbauten**	**286,85 m² BGF**	**10,99**	**3.151,97**	**0,5**
390	**Sonst. Maßnahmen für Baukonstrukt.**	**286,85 m² BGF**	**44,03**	**12.630,33**	**1,9**

Kostenkennwerte für die Kostengruppen 400 der 2. und 3. Ebene DIN 276 (Übersicht)

KG	Kostengruppe	Menge Einheit	€/Einheit	Kosten €	% an 3+4
400	**Bauwerk – Technische Anlagen**	**286,85 m²BGF**	**535,64**	**153.647,89**	**23,6**
410	**Abwasser-, Wasser-, Gasanlagen**	**286,85 m²BGF**	**170,62**	**48.941,52**	**7,5**
411	Abwasseranlagen	–	–	–	–
412	Wasseranlagen	–	–	–	–
413	Gasanlagen	–	–	–	–
419	Sonstiges zur KG 410	–	–	–	–
420	**Wärmeversorgungsanlagen**	**–**	**–**	**–**	**–**
421	Wärmeerzeugungsanlagen	–	–	–	–
422	Wärmeverteilnetze	–	–	–	–
423	Raumheizflächen	–	–	–	–
424	Verkehrsheizflächen	–	–	–	–
429	Sonstiges zur KG 420	–	–	–	–
430	**Raumlufttechnische Anlagen**	**286,85 m²BGF**	**133,31**	**38.238,79**	**5,9**
431	Lüftungsanlagen	–	–	–	–
432	Teilklimaanlagen	–	–	–	–
433	Klimaanlagen	–	–	–	–
434	Kälteanlagen	–	–	–	–
439	Sonstiges zur KG 430	–	–	–	–
440	**Elektrische Anlagen**	**286,85 m²BGF**	**161,30**	**46.270,23**	**7,1**
441	Hoch- und Mittelspannungsanlagen	–	–	–	–
442	Eigenstromversorgungsanlagen	286,85 m²BGF	63,48	18.208,95	2,8
443	Niederspannungsschaltanlagen	–	–	–	–
444	Niederspannungsinstallationsanlagen	286,85 m²BGF	96,01	27.539,69	4,2
445	Beleuchtungsanlagen	286,85 m²BGF	0,99	284,05	< 0,1
446	Blitzschutz- und Erdungsanlagen	286,85 m²BGF	0,83	237,53	< 0,1
447	Fahrleitungssysteme	–	–	–	–
449	Sonstiges zur KG 440	–	–	–	–
450	**Kommunikationstechnische Anlagen**	**286,85 m²BGF**	**22,67**	**6.504,00**	**1,0**
451	Telekommunikationsanlagen	–	–	–	–
452	Such- und Signalanlagen	286,85 m²BGF	1,06	303,11	< 0,1
453	Zeitdienstanlagen	–	–	–	–
454	Elektroakustische Anlagen	286,85 m²BGF	1,55	445,15	< 0,1
455	Audiovisuelle Medien- u. Antennenanl.	286,85 m²BGF	8,24	2.364,29	0,4
456	Gefahrenmelde- und Alarmanlagen	286,85 m²BGF	2,34	672,36	0,1
457	Datenübertragungsnetze	286,85 m²BGF	9,48	2.719,09	0,4
458	Verkehrsbeeinflussungsanlagen	–	–	–	–
459	Sonstiges zur KG 450	–	–	–	–
460	**Förderanlagen**	**–**	**–**	**–**	**–**
461	Aufzugsanlagen	–	–	–	–
462	Fahrtreppen, Fahrsteige	–	–	–	–
463	Befahranlagen	–	–	–	–
464	Transportanlagen	–	–	–	–
465	Krananlagen	–	–	–	–
466	Hydraulikanlagen	–	–	–	–
469	Sonstiges zur KG 460	–	–	–	–
470	**Nutzungsspez. u. verfahrenstechn. Anl.**	**–**	**–**	**–**	**–**
480	**Gebäude- und Anlagenautomation**	**286,85 m²BGF**	**47,74**	**13.693,34**	**2,1**
490	**Sonst. Maßnahmen für techn. Anlagen**	**–**	**–**	**–**	**–**

Kostenkennwerte für Leistungsbereiche nach STLB (Kosten des Bauwerks nach DIN 276)

LB	Leistungsbereiche	Kosten €	€/m² BGF	€/m³ BRI	% an 3+4
000	Sicherheits-, Baustelleneinrichtungen inkl. 001	12.630	44,00	13,10	1,9
002	Erdarbeiten	18.209	63,50	18,90	2,8
006	Spezialtiefbauarbeiten inkl. 005	–	–	–	–
009	Entwässerungskanalarbeiten inkl. 011	9.544	33,30	9,90	1,5
010	Drän- und Versickerarbeiten	–	–	–	–
012	Mauerarbeiten	16.056	56,00	16,70	2,5
013	Betonarbeiten	57.279	199,70	59,60	8,8
014	Natur-, Betonwerksteinarbeiten	5.562	19,40	5,80	0,9
016	Zimmer- und Holzbauarbeiten	126.734	441,80	131,90	19,5
017	Stahlbauarbeiten	–	–	–	–
018	Abdichtungsarbeiten	18.684	65,10	19,40	2,9
019	Kampfmittelräumarbeiten	–	–	–	–
020	Dachdeckungsarbeiten	–	–	–	–
021	Dachabdichtungsarbeiten	–	–	–	–
022	Klempnerarbeiten	25.340	88,30	26,40	3,9
	Rohbau	**290.037**	**1.011,10**	**301,80**	**44,6**
023	Putz- und Stuckarbeiten, Wärmedämmsysteme	15.614	54,40	16,20	2,4
024	Fliesen- und Plattenarbeiten	15.227	53,10	15,80	2,3
025	Estricharbeiten	6.397	22,30	6,70	1,0
026	Fenster, Außentüren inkl. 029, 032	80.611	281,00	83,90	12,4
027	Tischlerarbeiten	21.897	76,30	22,80	3,4
028	Parkettarbeiten, Holzpflasterarbeiten	17.269	60,20	18,00	2,7
030	Rollladenarbeiten	–	–	–	–
031	Metallbauarbeiten inkl. 035	–	–	–	–
034	Maler- und Lackiererarbeiten inkl. 037	17.568	61,20	18,30	2,7
036	Bodenbelagarbeiten	–	–	–	–
038	Vorgehängte hinterlüftete Fassaden	–	–	–	–
039	Trockenbauarbeiten	41.477	144,60	43,20	6,4
	Ausbau	**216.061**	**753,20**	**224,80**	**33,2**
040	Wärmeversorgungsanl. - Betriebseinr. inkl. 041	38.239	133,30	39,80	5,9
042	Gas- und Wasserinstallation, Leitungen inkl. 043	18.209	63,50	18,90	2,8
044	Abwasseranlagen - Leitungen	2.979	10,40	3,10	0,5
045	GWE-Einrichtungsgegenstände inkl. 046	18.209	63,50	18,90	2,8
047	Dämmarbeiten an betriebstechnischen Anlagen	–	–	–	–
049	Feuerlöschanlagen, Feuerlöschgeräte	–	–	–	–
050	Blitzschutz- und Erdungsanlagen	238	0,83	0,25	< 0,1
053	Niederspannungsanlagen inkl. 052, 054	45.749	159,50	47,60	7,0
055	Sicherheits- u. Ersatzstromversorgungsanl.	–	–	–	–
057	Gebäudesystemtechnik	–	–	–	–
058	Leuchten und Lampen inkl. 059	284	0,99	0,30	< 0,1
060	Sprechanlagen, elektroakust. Anlagen inkl. 064	748	2,60	0,78	0,1
061	Kommunikationsnetze inkl. 063	5.756	20,10	6,00	0,9
069	Aufzüge	–	–	–	–
070	Gebäudeautomation	13.693	47,70	14,20	2,1
075	Raumlufttechnische Anlagen inkl. 078	–	–	–	–
	Gebäudetechnik	**144.104**	**502,40**	**150,00**	**22,2**
084	Abbruch, Rückbau, Schadstoffsanierung	–	–	–	–
	Abbrucharbeiten	**–**	**–**	**–**	**–**
	Sonstige Leistungsbereiche	**–**	**–**	**–**	**–**

6100-1291
Einfamilienhaus
Garage

Objektübersicht

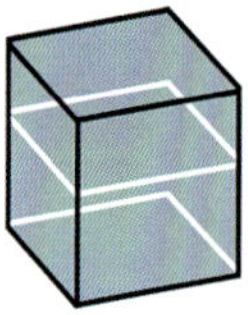

BRI 839 €/m³

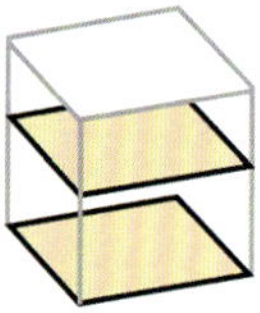

BGF 2.564 €/m²

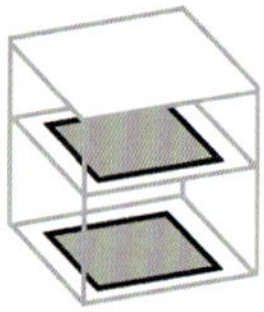

NUF 3.288 €/m²

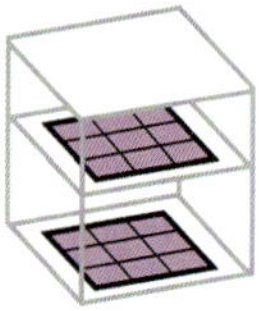

NE 4.930 €/NE

NE: Wohnfläche

Objekt:
Kennwerte: 3. Ebene DIN 276
BRI: 942 m³
BGF: 308 m²
NUF: 240 m²
Bauzeit: 78 Wochen
Bauende: 2015
Standard: über Durchschnitt
Bundesland: Hessen
Kreis: Darmstadt-Dieburg

Architekt*in:
studio moeve architekten
Liebfrauenstraße 80
64289 Darmstadt

© Anastasia Hermann Photographie

© Anastasia Hermann Photographie

© Anastasia Hermann Photographie

© Anastasia Hermann Photographie

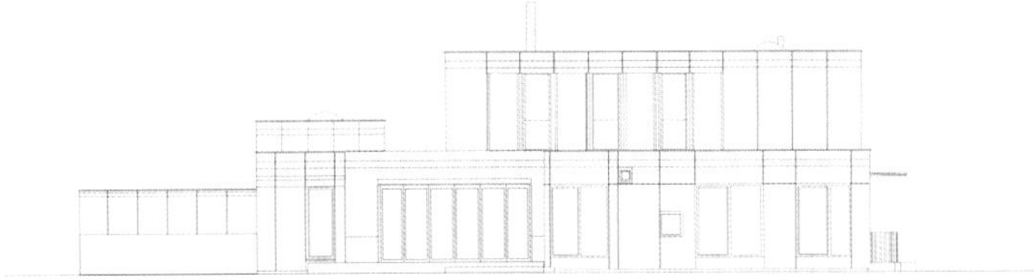
Ansicht West

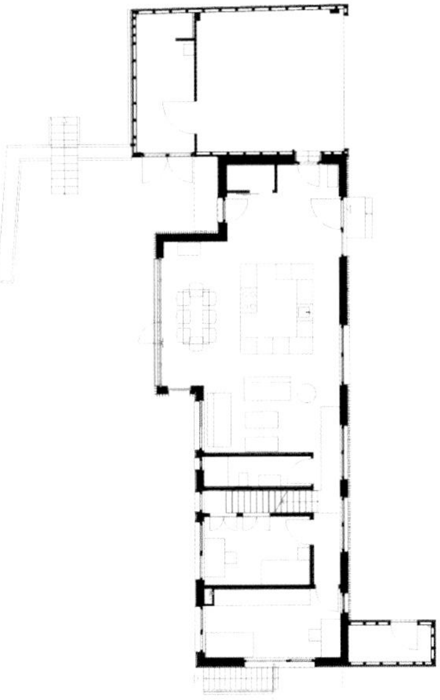
Erdgeschoss

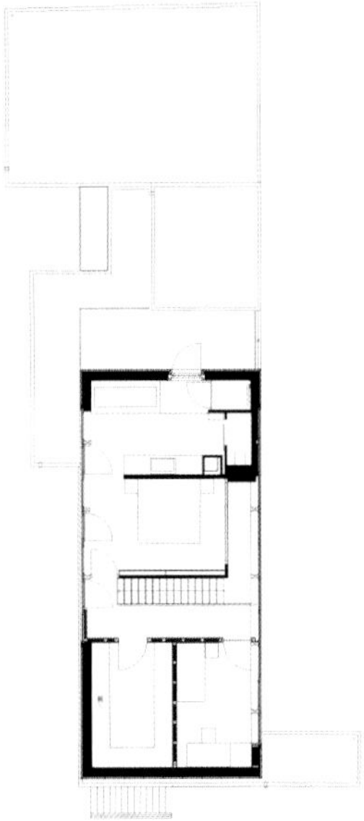
Obergeschoss

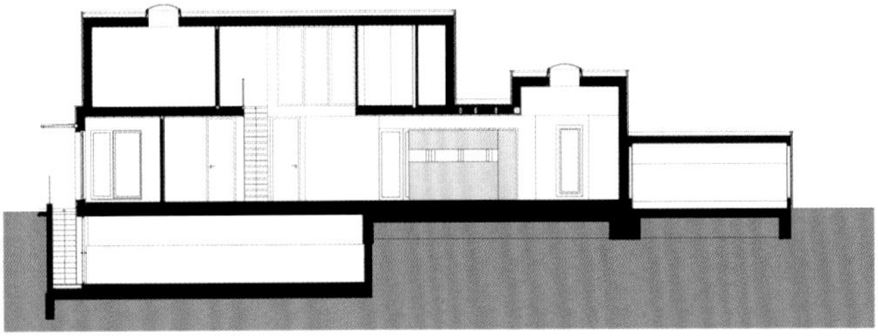
Schnitt

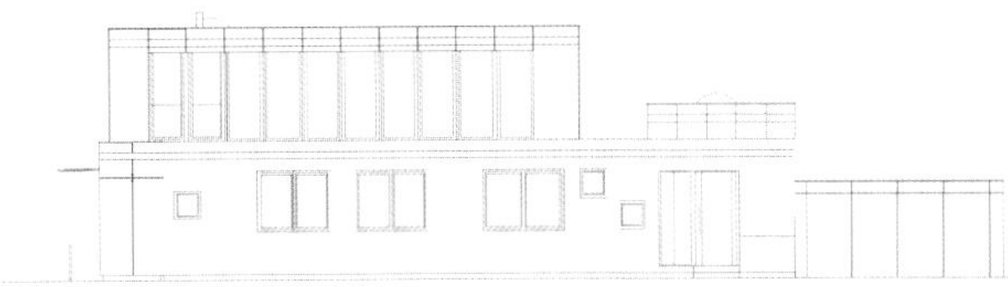
Ansicht Ost

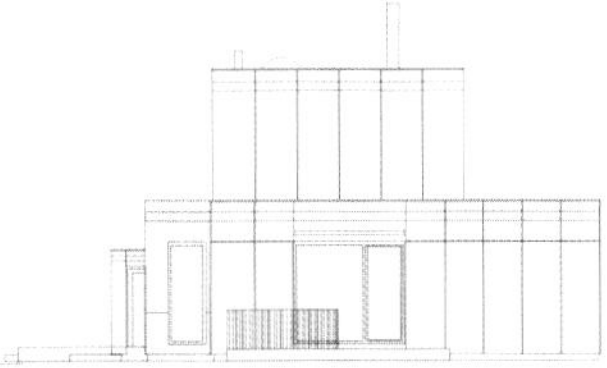
Ansicht Süd

Objektbeschreibung

Allgemeine Objektinformationen

Für den Neubau des Einfamilienhauses wurde eine leichte Holzkonstruktion gewählt, welche flexibel und umweltbewusst ist. Im Erdgeschoss definiert der eingestellte Küchenblock die Wohn-, Ess- und Eingangsbereiche. Unterschiedliche Deckenhöhen unterstützen die Zonierung. Eine einläufige gerade Stahltreppe führt ins private Obergeschoss mit Elternschlafzimmer und Bad-en-Suite, Ankleide sowie Dachterrasse. Das Schlafzimmer ist zum angrenzenden Luftraum vollflächig verglast.

Nutzung

1 Untergeschoss
Keller/Technik

1 Erdgeschoss
Wohnen/Essen/Küche, Kinderzimmer (2St), Abstellraum, Garage, Außenabstellraum

1 Obergeschoss
Schlafzimmer, Bad, Ankleide, Arbeitszimmer, Dachterrasse

Nutzeinheiten

Wohnfläche: 160 m^2

Grundstück

Bauraum: Freier Bauraum
Neigung: Ebenes Gelände
Bodenklasse: BK 3 bis BK 6

Markt

Hauptvergabezeit: 4. Quartal 2013
Baubeginn: 4. Quartal 2013
Bauende: 2. Quartal 2015
Konjunkturelle Gesamtlage: Durchschnitt
Regionaler Baumarkt: unter Durchschnitt

Baukonstruktion

Die Teilunterkellerung wurde als Weiße Wanne errichtet, die Bodenplatte im Erdgeschoss aus wasserundurchlässigem Beton. Erd- und Obergeschoss sind in klassischer Holzbauweise erstellt. Die Kunststofffenster mit Dreifachverglasung wurden zum Teil mit Jalousie im Scheibenzwischenraum zur Steuerung des Lichteinfalls ausgeführt. Der geschliffene Gussasphaltestrich dient überwiegend als oberflächenfertiger Bodenbelag. Für die Befestigung der Fassadenbekleidung aus Faserzementtafeln und senkrechten Faserzementlamellen wurde eigens eine spezielle Unterkonstruktion entwickelt. Raumhohe Türen, mit einer fast unsichtbaren Zarge, verschwinden in den Wänden. Die gefällelose Dachdeckung aus rollnahtverschweißtem Edelstahl wurde mit Kies bedeckt. Der Küchenblock sowie die Einbauelemente im Bad wurden aus Acrylstein maßgefertigt.

Technische Anlagen

Das Gebäude wird mittels einem Gas-Brennwertkessel beheizt. Eine Fußbodenheizung erwärmt die Räume.

Planungskennwerte für Flächen und Rauminhalte nach DIN 277

Flächen des Grundstücks		Menge Einheit	% an GF
BF	Bebaute Fläche	171,00 m²	37,5
UF	Unbebaute Fläche	285,00 m²	62,5
GF	Grundstücksfläche	456,00 m²	100,0

Grundflächen des Bauwerks		Menge Einheit	% an NUF	% an BGF
NUF	Nutzungsfläche	240,42 m²	100,0	78,0
TF	Technikfläche	2,00 m²	0,8	0,6
VF	Verkehrsfläche	17,39 m²	7,2	5,6
NRF	Netto-Raumfläche	259,81 m²	108,1	84,3
KGF	Konstruktions-Grundfläche	48,50 m²	20,2	15,7
BGF	Brutto-Grundfläche	308,31 m²	128,2	100,0

Brutto-Rauminhalt des Bauwerks		Menge Einheit	BRI/NUF (m)	BRI/BGF (m)
BRI	Brutto-Rauminhalt	941,91 m³	3,92	3,06

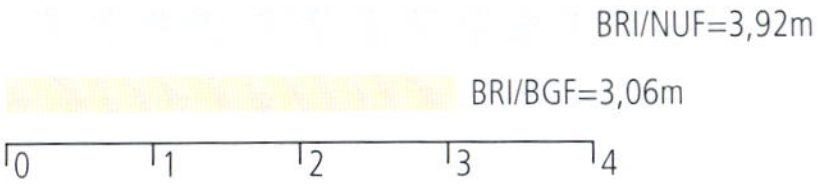

Lufttechnisch behandelte Flächen	Menge Einheit	% an NUF	% an BGF
Entlüftete Fläche	–	–	–
Be- und entlüftete Fläche	–	–	–
Teilklimatisierte Fläche	–	–	–
Klimatisierte Fläche	–	–	–

KG	Kostengruppen (2. Ebene)	Menge Einheit	Menge/NUF	Menge/BGF
310	Baugrube / Erdbau	439,77 m³ BGI	1,83	1,43
320	Gründung, Unterbau	162,54 m² GRF	0,68	0,53
330	Außenwände/Vertikale Baukonstruktionen, außen	445,31 m² AWF	1,85	1,44
340	Innenwände/Vertikale Baukonstruktionen, innen	190,04 m² IWF	0,79	0,62
350	Decken/Horizontale Baukonstruktionen	130,73 m² DEF	0,54	0,42
360	Dächer	160,28 m² DAF	0,67	0,52

Kostenkennwerte für die Kostengruppen der 1. Ebene DIN 276

KG	Kostengruppen (1. Ebene)	Einheit	Kosten €	€/Einheit	€/m² BGF	€/m³ BRI	% 300+400
100	Grundstück	m² GF	–	–	–	–	–
200	Vorbereitende Maßnahmen	m² GF	7.955	17,44	25,80	8,45	1,0
300	Bauwerk – Baukonstruktionen	m² BGF	629.953	2.043,25	2.043,25	668,80	79,7
400	Bauwerk – Technische Anlagen	m² BGF	160.640	521,04	521,04	170,55	20,3
	Bauwerk 300+400	**m² BGF**	**790.593**	**2.564,28**	**2.564,28**	**839,35**	**100,0**
500	Außenanlagen und Freiflächen	m² AF	73.939	952,82	239,82	78,50	9,4
600	Ausstattung und Kunstwerke	m² BGF	4.242	13,76	13,76	4,50	0,5
700	Baunebenkosten	m² BGF	–	–	–	–	–
800	Finanzierung	m² BGF	–	–	–	–	–

KG	Kostengruppe	Menge Einheit	Kosten €	€/Einheit	%
200	**Vorbereitende Maßnahmen**	456,00 m² GF	7.955	**17,44**	1,0

Hausanschlüsse für Gas, Strom

KG	Kostengruppe	Menge Einheit	Kosten €	€/Einheit	%
3+4	**Bauwerk**				**100,0**
300	**Bauwerk – Baukonstruktionen**	308,31 m² BGF	629.953	**2.043,25**	79,7

Stb-Flachgründungen; Stb-Wände, Stb-Treppe, Holzrahmenwände, Holzstützen, Stahlstützen, Kunststofffenster, SZR-Jalousien, Alu-Eingangstür, Faserzementbekleidung, senkrechte Faserzement-lamellen, Lochblechbekleidung, GK-Bekleidung; GK-Wände, Holztüren, Beschichtung; Holzbalken-decke, Stb-Decke, Stahltreppe, Gussasphalt-Heizestrich, Bodenfliesen, Geländer; Holzbalken-Flach-dächer, Dämmung, OSB-Schalung, Lichtkuppeln, Edelstahldeckung, Kies, Dachentwässerung; Einbauküche

KG	Kostengruppe	Menge Einheit	Kosten €	€/Einheit	%
400	**Bauwerk – Technische Anlagen**	308,31 m² BGF	160.640	**521,04**	20,3

Gebäudeentwässerung, Kalt-und Warmwasserleitungen, Sanitärobjekte; Gas-Brennwertkessel, Brauchwasserspeicher, Fußbodenheizung, Badheizkörper; Elektroinstallation, Blitzschutz; Sprech-anlage, Antennenanlage, EDV-Verkabelung

KG	Kostengruppe	Menge Einheit	Kosten €	€/Einheit	%
500	**Außenanlagen und Freiflächen**	77,60 m² AF	73.939	**952,82**	9,4

Bodenarbeiten; Betonpflaster, Betonplatten; Winkelstützmauern, Blockstufen; Kontrollschacht, Hofabläufe, Zisterne

KG	Kostengruppe	Menge Einheit	Kosten €	€/Einheit	%
600	**Ausstattung und Kunstwerke**	308,31 m² BGF	4.242	**13,76**	0,5

Sanitärausstattung

Kostenkennwerte für die Kostengruppen 300 der 2. und 3. Ebene DIN 276 (Übersicht)

KG	Kostengruppe	Menge Einheit	€/Einheit	Kosten €	% an 3+4
300	**Bauwerk – Baukonstruktionen**	**308,31 m² BGF**	**2.043,25**	**629.952,90**	**79,7**
310	**Baugrube / Erdbau**	**439,77 m³ BGI**	**60,88**	**26.773,11**	**3,4**
311	Herstellung	439,77 m³ BGI	59,44	26.139,28	3,3
312	Umschließung	186,25 m²	3,40	633,82	< 0,1
313	Wasserhaltung	–	–	–	–
314	Vortrieb	–	–	–	–
319	Sonstiges zur KG 310	–	–	–	–
320	**Gründung, Unterbau**	**162,54 m² GRF**	**500,83**	**81.404,80**	**10,3**
321	Baugrundverbesserung	–	–	–	–
322	Flachgründungen und Bodenplatten	162,54 m²	279,60	45.446,62	5,7
323	Tiefgründungen	–	–	–	–
324	Gründungsbeläge	47,50 m²	363,49	17.265,93	2,2
325	Abdichtungen und Bekleidungen	251,77 m²	65,58	16.511,01	2,1
326	Dränagen	162,54 m² GRF	13,42	2.181,24	0,3
329	Sonstiges zur KG 320	–	–	–	–
330	**Außenwände/Vert. Baukonstrukt., außen**	**445,31 m² AWF**	**581,56**	**258.974,16**	**32,8**
331	Tragende Außenwände	330,36 m²	248,45	82.078,37	10,4
332	Nichttragende Außenwände	–	–	–	–
333	Außenstützen	35,00 m	89,46	3.131,14	0,4
334	Außenwandöffnungen	114,95 m²	544,54	62.593,40	7,9
335	Außenwandbekleidungen, außen	358,25 m²	270,81	97.017,95	12,3
336	Außenwandbekleidungen, innen	278,49 m²	28,47	7.927,51	1,0
337	Element. Außenwandkonstruktionen	–	–	–	–
338	Lichtschutz zur KG 330	–	–	–	–
339	Sonstiges zur KG 330	445,31 m² AWF	13,98	6.225,77	0,8
340	**Innenwände/Vert. Baukonstrukt., innen**	**190,04 m² IWF**	**205,30**	**39.015,29**	**4,9**
341	Tragende Innenwände	67,09 m²	131,53	8.824,19	1,1
342	Nichttragende Innenwände	103,32 m²	116,94	12.082,32	1,5
343	Innenstützen	–	–	–	–
344	Innenwandöffnungen	19,63 m²	444,57	8.726,87	1,1
345	Innenwandbekleidungen	287,31 m²	32,65	9.381,91	1,2
346	Elementierte Innenwandkonstruktionen	–	–	–	–
347	Lichtschutz zur KG 340	–	–	–	–
349	Sonstiges zur KG 340	–	–	–	–
350	**Decken/Horizontale Baukonstruktionen**	**130,73 m² DEF**	**530,35**	**69.334,77**	**8,8**
351	Deckenkonstruktionen	130,73 m²	223,94	29.275,93	3,7
352	Deckenöffnungen	–	–	–	–
353	Deckenbeläge	115,59 m²	321,09	37.115,21	4,7
354	Deckenbekleidungen	54,00 m²	37,41	2.020,15	0,3
355	Elementierte Deckenkonstruktionen	–	–	–	–
359	Sonstiges zur KG 350	130,73 m² DEF	7,06	923,49	0,1
360	**Dächer**	**160,28 m² DAF**	**511,60**	**81.999,67**	**10,4**
361	Dachkonstruktionen	158,28 m²	138,31	21.891,71	2,8
362	Dachöffnungen	2,00 m²	2.531,68	5.063,36	0,6
363	Dachbeläge	161,74 m²	303,77	49.131,53	6,2
364	Dachbekleidungen	129,00 m²	45,84	5.913,07	0,7
365	Elementierte Dachkonstruktionen	–	–	–	–
366	Lichtschutz zur KG 360	–	–	–	–
369	Sonstiges zur KG 360	–	–	–	–
370	**Infrastrukturanlagen**	**–**	**–**	**–**	**–**
380	**Baukonstruktive Einbauten**	**308,31 m² BGF**	**86,91**	**26.795,97**	**3,4**
390	**Sonst. Maßnahmen für Baukonstrukt.**	**308,31 m² BGF**	**148,08**	**45.655,09**	**5,8**

Kostenkennwerte für die Kostengruppen 400 der 2. und 3. Ebene DIN 276 (Übersicht)

KG	Kostengruppe	Menge Einheit	€/Einheit	Kosten €	% an 3+4
400	**Bauwerk – Technische Anlagen**	**308,31 m²BGF**	**521,04**	**160.640,32**	**20,3**
410	**Abwasser-, Wasser-, Gasanlagen**	**308,31 m²BGF**	**185,14**	**57.081,84**	**7,2**
411	Abwasseranlagen	308,31 m²BGF	15,92	4.909,13	0,6
412	Wasseranlagen	308,31 m²BGF	169,22	52.172,70	6,6
413	Gasanlagen	–	–	–	–
419	Sonstiges zur KG 410	–	–	–	–
420	**Wärmeversorgungsanlagen**	**308,31 m²BGF**	**181,57**	**55.981,38**	**7,1**
421	Wärmeerzeugungsanlagen	308,31 m²BGF	103,74	31.985,33	4,0
422	Wärmeverteilnetze	308,31 m²BGF	15,74	4.853,71	0,6
423	Raumheizflächen	308,31 m²BGF	55,45	17.094,84	2,2
424	Verkehrsheizflächen	–	–	–	–
429	Sonstiges zur KG 420	308,31 m²BGF	6,64	2.047,50	0,3
430	**Raumlufttechnische Anlagen**	**–**	**–**	**–**	**–**
431	Lüftungsanlagen	–	–	–	–
432	Teilklimaanlagen	–	–	–	–
433	Klimaanlagen	–	–	–	–
434	Kälteanlagen	–	–	–	–
439	Sonstiges zur KG 430	–	–	–	–
440	**Elektrische Anlagen**	**308,31 m²BGF**	**129,86**	**40.036,03**	**5,1**
441	Hoch- und Mittelspannungsanlagen	–	–	–	–
442	Eigenstromversorgungsanlagen	–	–	–	–
443	Niederspannungsschaltanlagen	–	–	–	–
444	Niederspannungsinstallationsanlagen	308,31 m²BGF	112,49	34.681,09	4,4
445	Beleuchtungsanlagen	–	–	–	–
446	Blitzschutz- und Erdungsanlagen	308,31 m²BGF	17,37	5.354,94	0,7
447	Fahrleitungssysteme	–	–	–	–
449	Sonstiges zur KG 440	–	–	–	–
450	**Kommunikationstechnische Anlagen**	**308,31 m²BGF**	**13,08**	**4.032,78**	**0,5**
451	Telekommunikationsanlagen	–	–	–	–
452	Such- und Signalanlagen	308,31 m²BGF	1,94	599,21	< 0,1
453	Zeitdienstanlagen	–	–	–	–
454	Elektroakustische Anlagen	–	–	–	–
455	Audiovisuelle Medien- u. Antennenanl.	308,31 m²BGF	7,34	2.261,53	0,3
456	Gefahrenmelde- und Alarmanlagen	–	–	–	–
457	Datenübertragungsnetze	308,31 m²BGF	3,80	1.172,03	0,1
458	Verkehrsbeeinflussungsanlagen	–	–	–	–
459	Sonstiges zur KG 450	–	–	–	–
460	**Förderanlagen**	**–**	**–**	**–**	**–**
461	Aufzugsanlagen	–	–	–	–
462	Fahrtreppen, Fahrsteige	–	–	–	–
463	Befahranlagen	–	–	–	–
464	Transportanlagen	–	–	–	–
465	Krananlagen	–	–	–	–
466	Hydraulikanlagen	–	–	–	–
469	Sonstiges zur KG 460	–	–	–	–
470	**Nutzungsspez. u. verfahrenstechn. Anl.**	**–**	**–**	**–**	**–**
480	**Gebäude- und Anlagenautomation**	**–**	**–**	**–**	**–**
490	**Sonst. Maßnahmen für techn. Anlagen**	**308,31 m²BGF**	**11,38**	**3.508,29**	**0,4**

Kostenkennwerte für Leistungsbereiche nach STLB (Kosten des Bauwerks nach DIN 276)

LB	Leistungsbereiche	Kosten €	€/m² BGF	€/m³ BRI	% an 3+4
000	Sicherheits-, Baustelleneinrichtungen inkl. 001	43.603	141,40	46,30	5,5
002	Erdarbeiten	35.577	115,40	37,80	4,5
006	Spezialtiefbauarbeiten inkl. 005	–	–	–	–
009	Entwässerungskanalarbeiten inkl. 011	–	–	–	–
010	Drän- und Versickerarbeiten	1.759	5,70	1,90	0,2
012	Mauerarbeiten	–	–	–	–
013	Betonarbeiten	93.572	303,50	99,30	11,8
014	Natur-, Betonwerksteinarbeiten	–	–	–	–
016	Zimmer- und Holzbauarbeiten	103.873	336,90	110,30	13,1
017	Stahlbauarbeiten	–	–	–	–
018	Abdichtungsarbeiten	2.314	7,50	2,50	0,3
019	Kampfmittelräumarbeiten	–	–	–	–
020	Dachdeckungsarbeiten	–	–	–	–
021	Dachabdichtungsarbeiten	14.115	45,80	15,00	1,8
022	Klempnerarbeiten	41.039	133,10	43,60	5,2
	Rohbau	**335.853**	**1.089,30**	**356,60**	**42,5**
023	Putz- und Stuckarbeiten, Wärmedämmsysteme	–	–	–	–
024	Fliesen- und Plattenarbeiten	3.931	12,80	4,20	0,5
025	Estricharbeiten	45.379	147,20	48,20	5,7
026	Fenster, Außentüren inkl. 029, 032	52.307	169,70	55,50	6,6
027	Tischlerarbeiten	32.981	107,00	35,00	4,2
028	Parkettarbeiten, Holzpflasterarbeiten	–	–	–	–
030	Rollladenarbeiten	–	–	–	–
031	Metallbauarbeiten inkl. 035	24.490	79,40	26,00	3,1
034	Maler- und Lackiererarbeiten inkl. 037	–	–	–	–
036	Bodenbelagarbeiten	–	–	–	–
038	Vorgehängte hinterlüftete Fassaden	95.232	308,90	101,10	12,0
039	Trockenbauarbeiten	39.447	127,90	41,90	5,0
	Ausbau	**293.768**	**952,80**	**311,90**	**37,2**
040	Wärmeversorgungsanl. - Betriebseinr. inkl. 041	55.132	178,80	58,50	7,0
042	Gas- und Wasserinstallation, Leitungen inkl. 043	14.221	46,10	15,10	1,8
044	Abwasseranlagen - Leitungen	2.901	9,40	3,10	0,4
045	GWE-Einrichtungsgegenstände inkl. 046	40.951	132,80	43,50	5,2
047	Dämmarbeiten an betriebstechnischen Anlagen	1.646	5,30	1,70	0,2
049	Feuerlöschanlagen, Feuerlöschgeräte	–	–	–	–
050	Blitzschutz- und Erdungsanlagen	5.355	17,40	5,70	0,7
053	Niederspannungsanlagen inkl. 052, 054	34.681	112,50	36,80	4,4
055	Sicherheits- u. Ersatzstromversorgungsanl.	–	–	–	–
057	Gebäudesystemtechnik	–	–	–	–
058	Leuchten und Lampen inkl. 059	–	–	–	–
060	Sprechanlagen, elektroakust. Anlagen inkl. 064	599	1,90	0,64	< 0,1
061	Kommunikationsnetze inkl. 063	3.434	11,10	3,60	0,4
069	Aufzüge	–	–	–	–
070	Gebäudeautomation	–	–	–	–
075	Raumlufttechnische Anlagen inkl. 078	–	–	–	–
	Gebäudetechnik	**158.919**	**515,50**	**168,70**	**20,1**
084	Abbruch, Rückbau, Schadstoffsanierung	2.052	6,70	2,20	0,3
	Abbrucharbeiten	**2.052**	**6,70**	**2,20**	**0,3**
	Sonstige Leistungsbereiche	**–**	**–**	**–**	**–**

6100-1365
Einfamilienhaus
Effizienzhaus 40

Objektübersicht

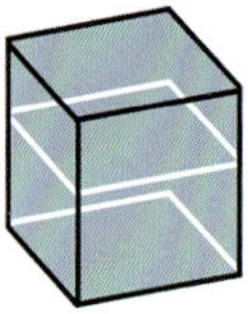

BRI 640 €/m³

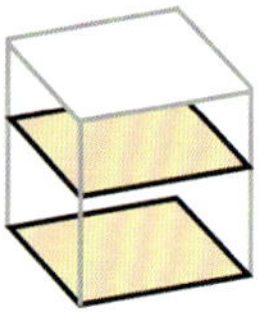

BGF 2.165 €/m²

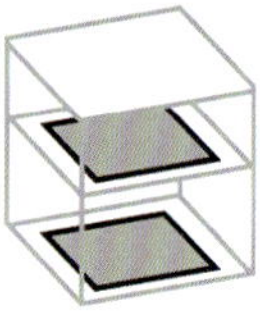

NUF 3.550 €/m²

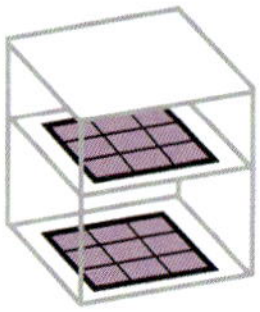

NE 4.122 €/NE

NE: Wohnfläche

Objekt:
Kennwerte: 1. Ebene DIN 276
BRI: 954 m³
BGF: 282 m²
NUF: 172 m²
Bauzeit: 52 Wochen
Bauende: 2014
Standard: über Durchschnitt
Bundesland: Berlin
Kreis: Berlin, Stadt

Architekt*in:
Jirka + Nadansky
Architekten
Friedensallee 14
16556 Hohen Neuendorf

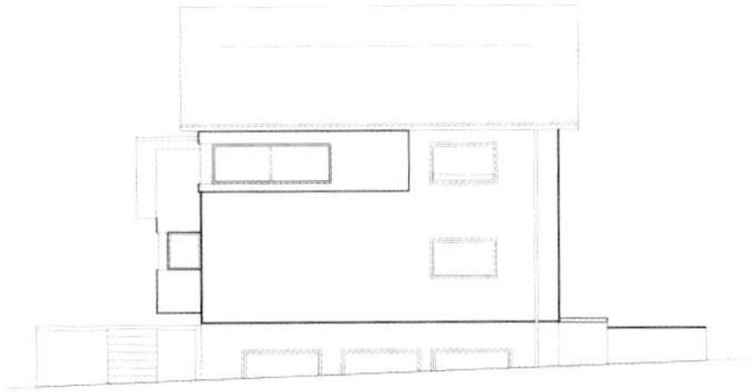

Ansicht Nord

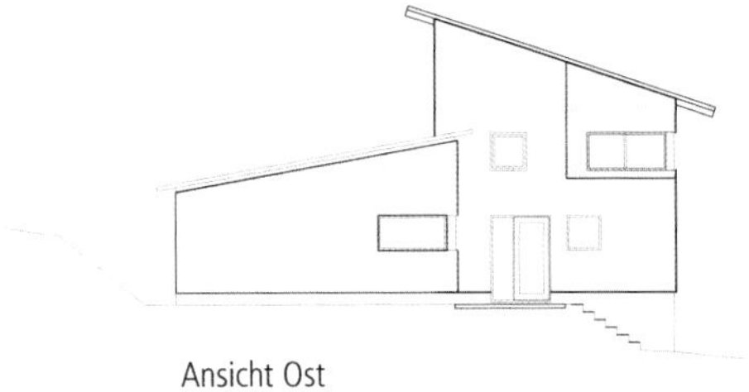

Ansicht Ost

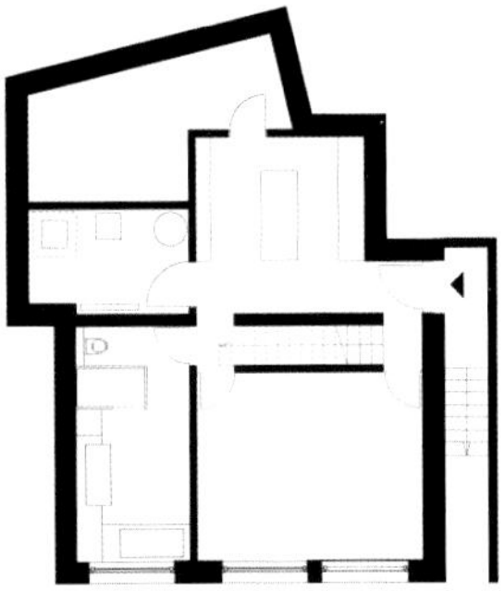

Untergeschoss

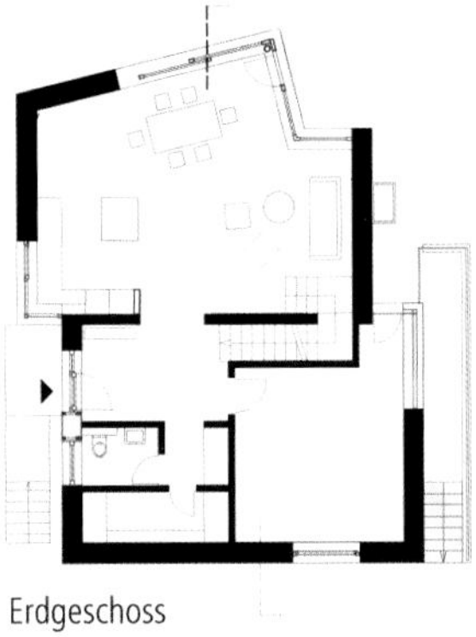

Erdgeschoss

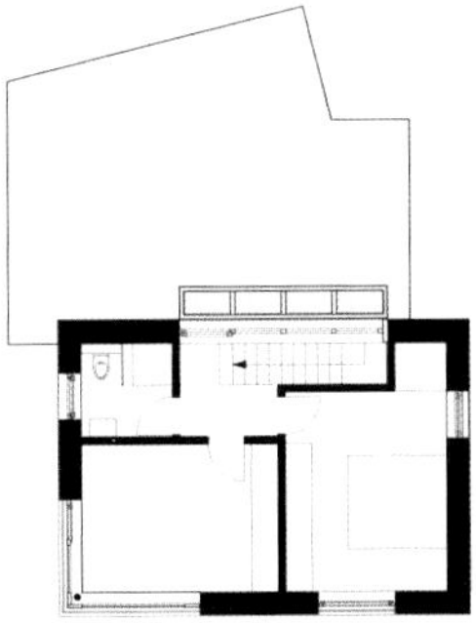

Obergeschoss

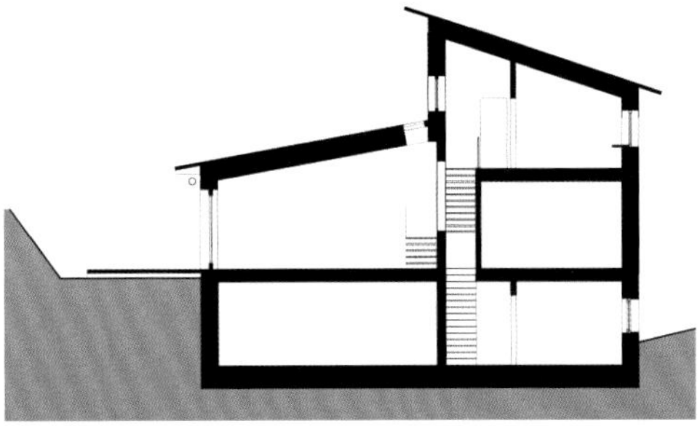

Schnitt

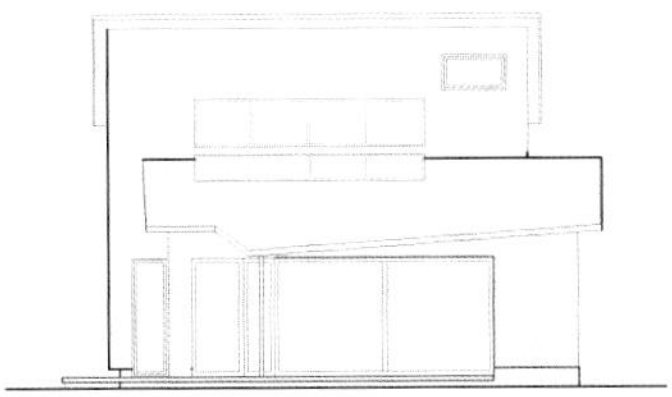

Ansicht Süd

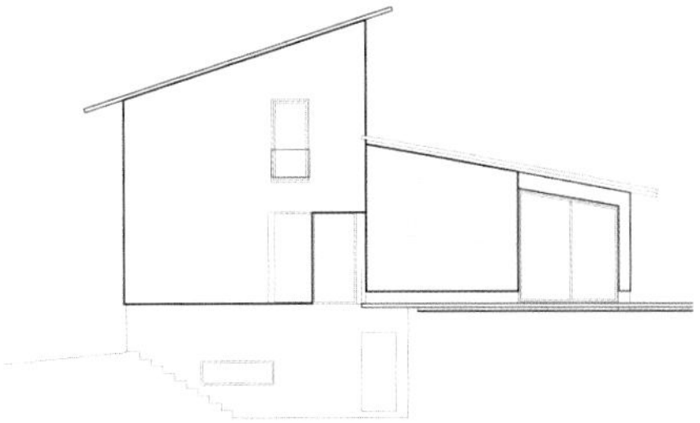

Ansicht West

Objektbeschreibung

Allgemeine Objektinformationen

Das Einfamilienhaus steht an einem Nordhang in Stadtrandlage.

Nutzung

1 Untergeschoss
Werkstatt, Abstellraum, Technikraum, Speisekammer, Bad/Hauswirtschaftsraum, Zimmer

1 Erdgeschoss
Eingang, Garderobe, WC, Hauswirtschaftsraum/Speisekammer, Wohnen/Essen/Kochen, Zimmer

1 Dachgeschoss
Musikzimmer, Schlafzimmer, Bad

Nutzeinheiten

Wohneinheiten: 1
Wohnfläche: 148 m²

Grundstück

Bauraum: Freier Bauraum
Neigung: Hanglage
Bodenklasse: BK 3

Markt

Hauptvergabezeit: 4. Quartal 2013
Baubeginn: 4. Quartal 2013
Bauende: 4. Quartal 2014
Konjunkturelle Gesamtlage: Durchschnitt
Regionaler Baumarkt: Durchschnitt

Baukonstruktion

Das Gebäude ist ein hochgedämmtes, wärmebrückenfreies Holztafelbauwerk, aus vorgefertigten Elementen mit Zellulose-Einblasdämmung. Der Keller wurde in Massivbauweise aus Stahlbeton-Fertigteilen errichtet und ebenfalls hochgedämmt. Die Fassade ist verputzt, teilweise holzverschalt. Das Dach ist extensiv begrünt.

Technische Anlagen

Die Heizungsanlage besteht aus einer Sole-Wasser-Wärmepumpe mit geothermischem Wärmetauscher. Die Wärmeübertragung erfolgt über eine Fußbodenheizung. Be- und Entlüftet wird über eine kontrollierte Lüftungsanlage mit Wärmerückgewinnung.

Planungskennwerte für Flächen und Rauminhalte nach DIN 277

Flächen des Grundstücks		Menge Einheit	% an GF
BF	Bebaute Fläche	118,17 m²	18,2
UF	Unbebaute Fläche	531,83 m²	81,8
GF	Grundstücksfläche	650,00 m²	100,0

Grundflächen des Bauwerks		Menge Einheit	% an NUF	% an BGF
NUF	Nutzungsfläche	172,10 m²	100,0	61,0
TF	Technikfläche	8,70 m²	5,1	3,1
VF	Verkehrsfläche	21,62 m²	12,6	7,7
NRF	Netto-Raumfläche	202,42 m²	117,6	71,7
KGF	Konstruktions-Grundfläche	79,78 m²	46,4	28,3
BGF	Brutto-Grundfläche	282,20 m²	164,0	100,0

Brutto-Rauminhalt des Bauwerks		Menge Einheit	BRI/NUF (m)	BRI/BGF (m)
BRI	Brutto-Rauminhalt	954,00 m³	5,54	3,38

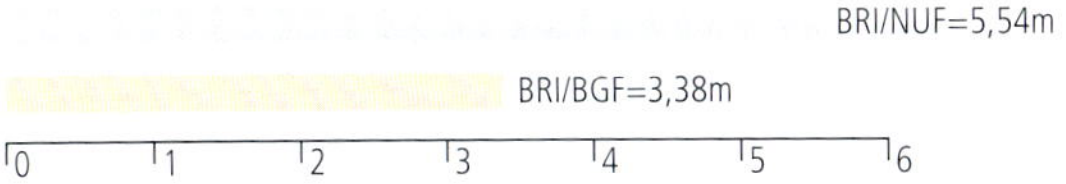

Kostenkennwerte für die Kostengruppen der 1. Ebene DIN 276

KG	Kostengruppen (1. Ebene)	Einheit	Kosten €	€/Einheit	€/m² BGF	€/m³ BRI	% 300+400
100	Grundstück	m² GF	–	–	–	–	–
200	Vorbereitende Maßnahmen	m² GF	35.287	54,29	125,04	36,99	5,8
300	Bauwerk – Baukonstruktionen	m² BGF	514.403	1.822,83	1.822,83	539,21	84,2
400	Bauwerk – Technische Anlagen	m² BGF	96.480	341,88	341,88	101,13	15,8
	Bauwerk 300+400	**m² BGF**	**610.883**	**2.164,71**	**2.164,71**	**640,34**	**100,0**
500	Außenanlagen und Freiflächen	m² AF	33.199	62,42	117,64	34,80	5,4
600	Ausstattung und Kunstwerke	m² BGF	22.631	80,20	80,20	23,72	3,7
700	Baunebenkosten	m² BGF	–	–	–	–	–
800	Finanzierung	m² BGF	–	–	–	–	–

KG	Kostengruppe	Menge Einheit	Kosten €	€/Einheit	%
200	**Vorbereitende Maßnahmen**	650,00 m² GF	35.287	**54,29**	5,8
	Sicherungsmaßnahmen, Herrichten, sonstiges; öffentliche Erschließung; nichtöffentliche Erschließung				
3+4	**Bauwerk**				**100,0**
300	**Bauwerk – Baukonstruktionen**	282,20 m² BGF	514.403	**1.822,83**	84,2
	Stb-Bodenplatte, Perimeterdämmung; Stb-Wände (UG), Holztafelwände, Zellulosedämmung, Rundstützen, Haustür, Holz-Alufenster, Dreifachverglasung, Schiebetürelement, hinterlüftete Holzschalung, Putz, Perimeterdämmung, Raffstores; KS-Mauerwerk, Holztafelwände, Zellulose-Einblasdämmung, Holztüren, Grundierung, Beschichtung, Wandfliesen; Stb-Decke, Stb-Treppen (außen und innen im UG), Holzbalkendecke, sichtbar, Holztreppe, Dämmung, Estrich, Bambusparkett, Linoleum, Bodenfliesen, Kokosmatte, Malervlies, Beschichtung; Pultdächer, Holzkonstruktion, Zellulose-Einblasdämmung, Oberlichter, Dämmung, teilw. Vakuumdämmung, Flachdachabdichtung, Extensivbegrünung, Kies, Flächenziegel, Dachentwässerung, GK-Bekleidung, Malervlies, Beschichtung				
400	**Bauwerk – Technische Anlagen**	282,20 m² BGF	96.480	**341,88**	15,8
	Gebäudeentwässerung, Kalt- und Warmwasserleitungen, Sanitärobjekte; Sole-Wasser-Wärmepumpe, Fußbodenheizung; kontrollierte Be- und Entlüftung mit Wärmerückgewinnung; Elektroinstallation				
500	**Außenanlagen und Freiflächen**	531,83 m² AF	33.199	**62,42**	5,4
	Natursteinpflaster, Betonplatten; Nebengebäude; Oberflächenentwässerung				
600	**Ausstattung und Kunstwerke**	282,20 m² BGF	22.631	**80,20**	3,7
	Einbauküche				

6100-1382
Einfamilienhaus
teilunterkellert

Objektübersicht

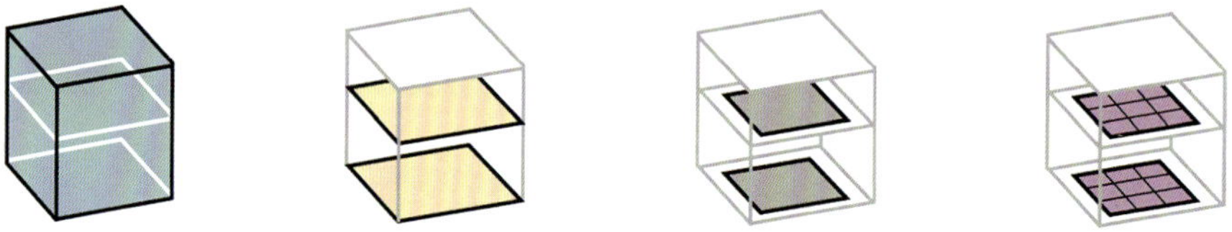

BRI 602 €/m³ **BGF 1.925 €/m²** **NUF 3.164 €/m²** **NE 2.996 €/NE**

NE: Wohnfläche

Objekt:
Kennwerte: 1. Ebene DIN 276
BRI: 747 m³
BGF: 234 m²
NUF: 142 m²
Bauzeit: 22 Wochen
Bauende: 2015
Standard: Durchschnitt
Bundesland: Hamburg
Kreis: Hamburg, Stadt

Architekt*in:
Hatzius Sarramona
Architekten
Heinrichstraße 7
22769 Hamburg

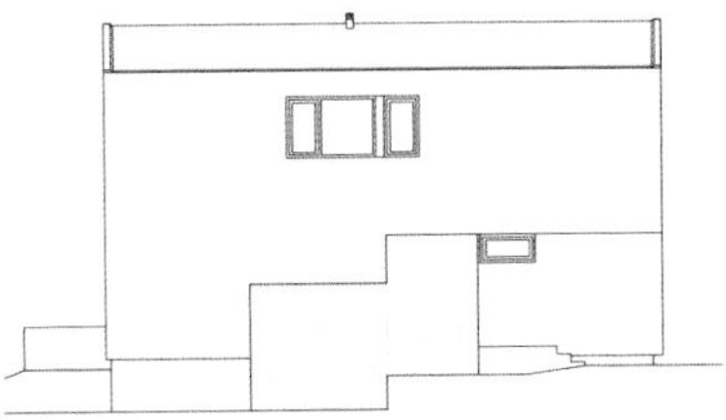

Ansicht Nord

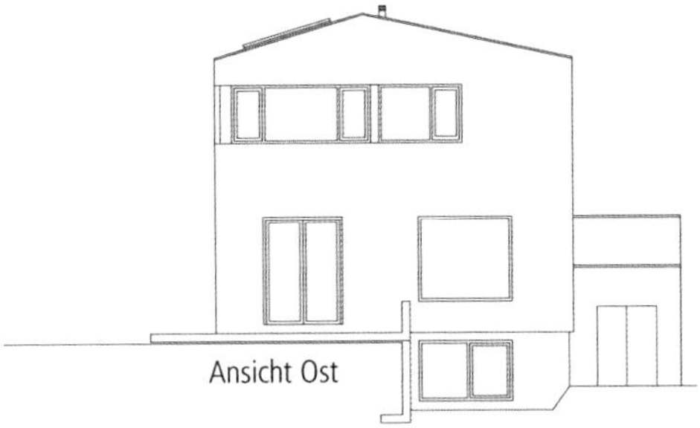

Ansicht Ost

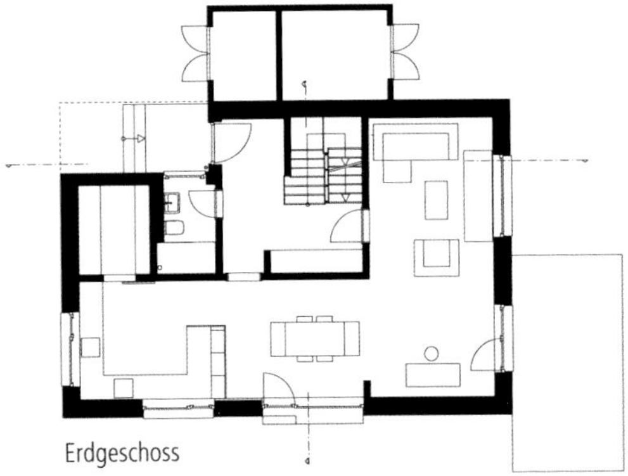

Erdgeschoss

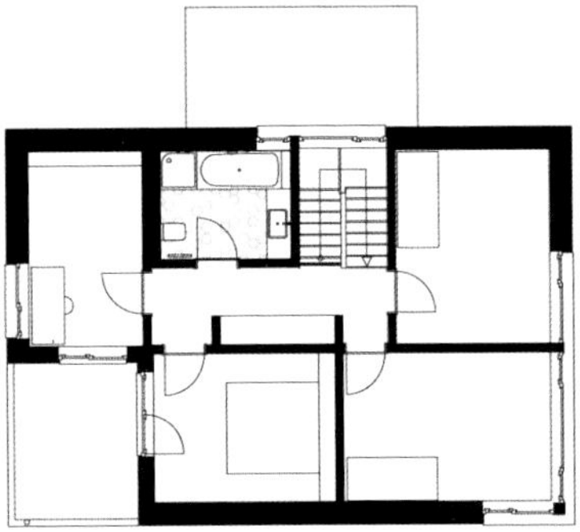

Obergeschoss

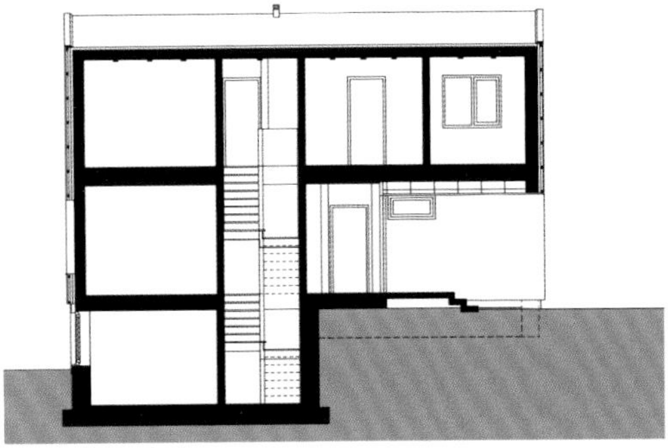

Längsschnitt

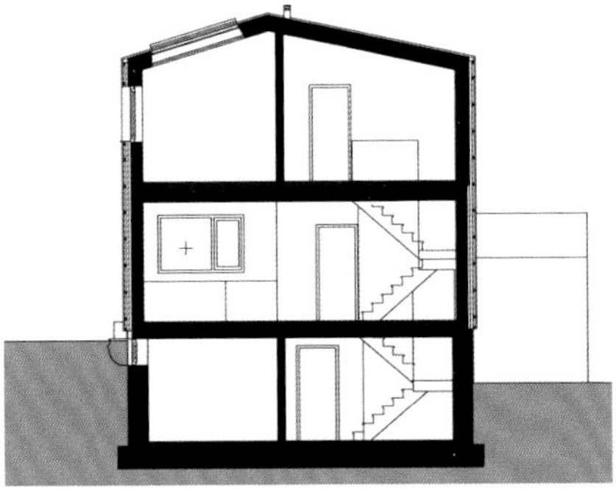

Querschnitt

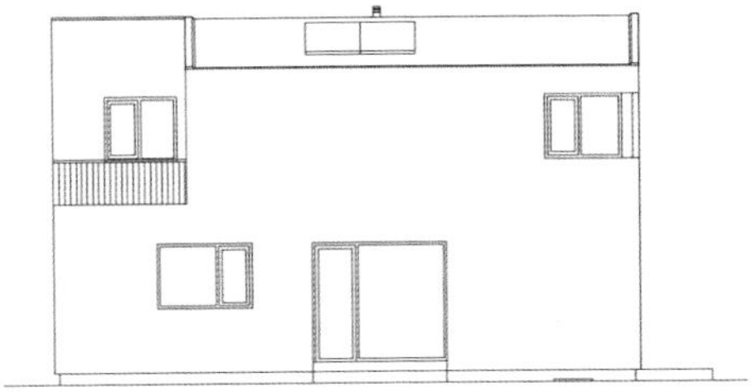

Ansicht Süd

Ansicht West

Objektbeschreibung

Allgemeine Objektinformationen

Das neu gebaute Einfamilienhaus entstand mit Musikzimmer und Technikraum im Untergeschoss, einem offenen Koch-, Ess- und Wohnbereich im Erdgeschoss und einem Arbeitszimmer sowie den Schlafräumen und einem Vollbad im Obergeschoss.

Nutzung

1 Untergeschoss
Musikraum, Technik- und Hauswirtschaftsraum

1 Erdgeschoss
Wohnzimmer, Esszimmer, Küche, Bad, Abstellraum

1 Obergeschoss
Schlafzimmer, Dachterrasse, Arbeitszimmer, Kinderzimmer (2St), Bad

Nutzeinheiten

Wohneinheiten: 1
Wohnfläche: 150 m²

Grundstück

Bauraum: Beengter Bauraum
Neigung: Geneigtes Gelände
Bodenklasse: BK 1 bis BK 5

Markt

Hauptvergabezeit: 2. Quartal 2015
Baubeginn: 2. Quartal 2015
Bauende: 4. Quartal 2015
Konjunkturelle Gesamtlage: über Durchschnitt
Regionaler Baumarkt: über Durchschnitt

Besonderer Kosteneinfluss Markt:
Gewerkeweise Vergaben

Baukonstruktion

Das Gebäude gründet auf Stahlbeton-Fundamentplatten. Die Außenwände im Erdreich wurden aus Porenbeton mit Perimeterdämmung und Innenputz errichtet. Die Wandelemente des Erd- und Obergeschosses entstanden in teilvorgefertigter Holzrahmenbauweise mit Zellulosedämmung und wurden mit vertikalem Lärchenholz bekleidet. Es kamen Holzfenster mit Dreifachverglasung zum Einbau. Die Stahlbetondecke über dem Untergeschoss sowie die Holzbalkendecke über dem Erdgeschoss erhielten einen Belag aus Heizzementestrich und Eichenmassivparkett oder Zementfliesen. Der Dachaufbau erfolgte mit Folienabdichtung und Steinwolldämmplatte sowie Zellulosedämmung.

Technische Anlagen

Eine Gas-Brennwerttherme mit Warmwasserspeicher und solarthermischer Unterstützung wurde installiert. Die Verteilung der Heizenergie erfolgt über Fußbodenheizung im Niedertemperaturbetrieb.

Sonstiges

Trotz individueller Planung und Vergabe an Einzelgewerke konnte dieses teilunterkellerte Haus in lediglich fünf Monaten Bauzeit komplett errichtet werden.

Planungskennwerte für Flächen und Rauminhalte nach DIN 277

Flächen des Grundstücks		Menge Einheit	% an GF
BF	Bebaute Fläche	92,68 m²	17,4
UF	Unbebaute Fläche	439,32 m²	82,6
GF	Grundstücksfläche	532,00 m²	100,0

Grundflächen des Bauwerks		Menge Einheit	% an NUF	% an BGF
NUF	Nutzungsfläche	142,13 m²	100,0	60,8
TF	Technikfläche	4,20 m²	3,0	1,8
VF	Verkehrsfläche	36,47 m²	25,7	15,6
NRF	Netto-Raumfläche	182,80 m²	128,6	78,2
KGF	Konstruktions-Grundfläche	50,85 m²	35,8	21,8
BGF	Brutto-Grundfläche	233,65 m²	164,4	100,0

Brutto-Rauminhalt des Bauwerks		Menge Einheit	BRI/NUF (m)	BRI/BGF (m)
BRI	Brutto-Rauminhalt	746,50 m³	5,25	3,20

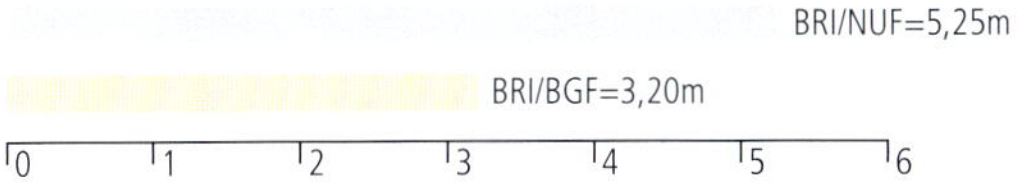

Kostenkennwerte für die Kostengruppen der 1. Ebene DIN 276

KG	Kostengruppen (1. Ebene)	Einheit	Kosten €	€/Einheit	€/m² BGF	€/m³ BRI	% 300+400
100	Grundstück	m² GF	–	–	–	–	–
200	Vorbereitende Maßnahmen	m² GF	–	–	–	–	–
300	Bauwerk – Baukonstruktionen	m² BGF	387.189	1.657,13	1.657,13	518,67	86,1
400	Bauwerk – Technische Anlagen	m² BGF	62.558	267,74	267,74	83,80	13,9
	Bauwerk 300+400	**m² BGF**	**449.747**	**1.924,88**	**1.924,88**	**602,47**	**100,0**
500	Außenanlagen und Freiflächen	m² AF	–	–	–	–	–
600	Ausstattung und Kunstwerke	m² BGF	–	–	–	–	–
700	Baunebenkosten	m² BGF	–	–	–	–	–
800	Finanzierung	m² BGF	–	–	–	–	–

KG	Kostengruppe	Menge Einheit	Kosten €	€/Einheit	%
3+4	**Bauwerk**				**100,0**
300	**Bauwerk – Baukonstruktionen**	233,65 m² BGF	387.189	**1.657,13**	86,1

Wasserhaltung; Stb-Fundamentplatten, Abdichtung, Dämmung, Estrich, Beschichtung, Perimeterdämmung, Dränage; Porenbetonwände, Perimeterdämmung (UG), Holzrahmenbauwände, Holzfenster, Dreifachverglasung, Lärchenholzbekleidung, Holzfaserplatten, Zellulosedämmung, Installationsebene, OSB-Platten, GK-Bekleidung; Innenmauerwerk (UG), Holzrahmenbauwände, Beschichtung, Wandfliesen; Stb-Decke (über UG), Stb-Treppe, Holzbalkendecke, Holztreppe, Heizestrich, Massivholzparkett, Bodenfliesen, GK-Decken, Treppengeländer: Scheiben aus Eichen-Sperrholz und MDF; Holzbalkendach, Dämmung, Abdichtung, Attika, außenliegende Dachentwässerung; Einbauschrank (EG)

KG	Kostengruppe	Menge Einheit	Kosten €	€/Einheit	%
400	**Bauwerk – Technische Anlagen**	233,65 m² BGF	62.558	**267,74**	13,9

Gebäudeentwässerung, Dränagepumpe, Kalt- und Warmwasserleitungen, Sanitärobjekte; Gas-Brenntwerttherme, Solarthermieanlage ca. 5m², Fußbodenheizung, Badheizkörper; Elektroinstallation; Telekommunikationsanlage, Fernseh- und Antennenanlagen, Datenübertragungsnetz

6100-1407
Einfamilienhaus
Doppelgarage
Effizienzhaus 55

Objektübersicht

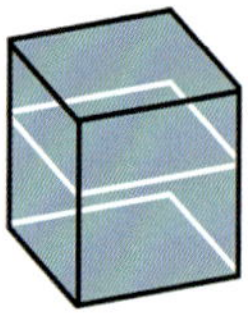

BRI 642 €/m³

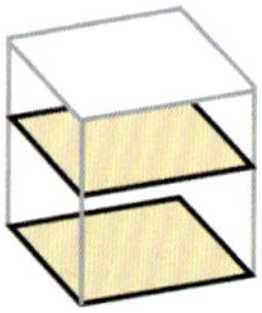

BGF 1.908 €/m²

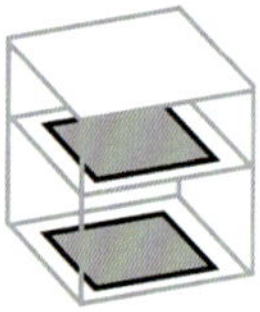

NUF 2.866 €/m²

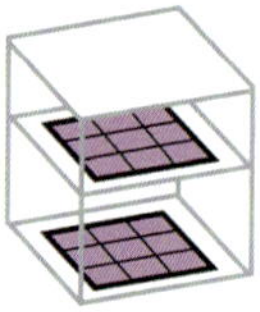

NE 3.132 €/NE

NE: Wohnfläche

Objekt:
Kennwerte: 1. Ebene DIN 276
BRI: 855 m³
BGF: 288 m²
NUF: 192 m²
Bauzeit: 26 Wochen
Bauende: 2017
Standard: Durchschnitt
Bundesland: Baden-Württemberg
Kreis: Heidenheim

Architekt*in:
2P-Raum
Architekten
Korallenstraße 22
89564 Nattheim

Bauherr*in:
Nadine & Mark Pupke

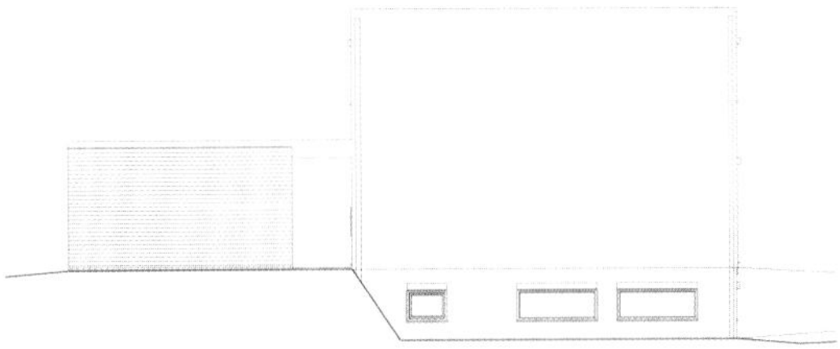
Ansicht Nord

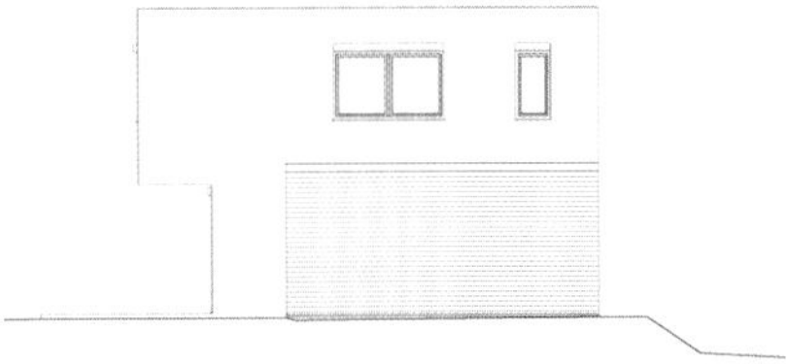
Ansicht Ost

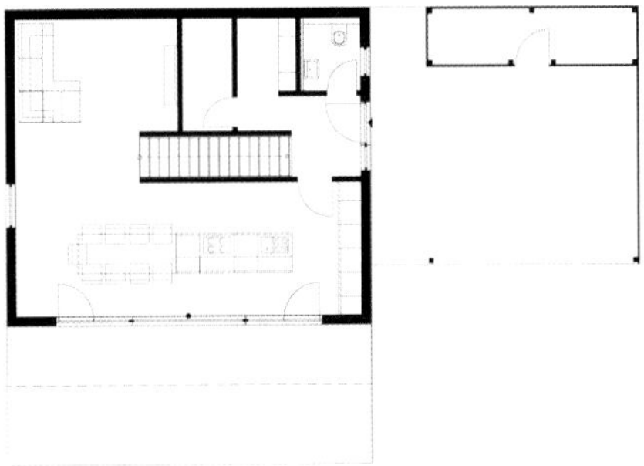
Erdgeschoss

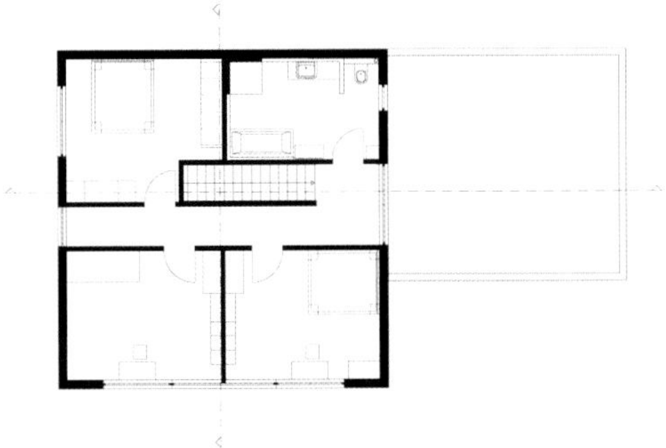
Obergeschoss

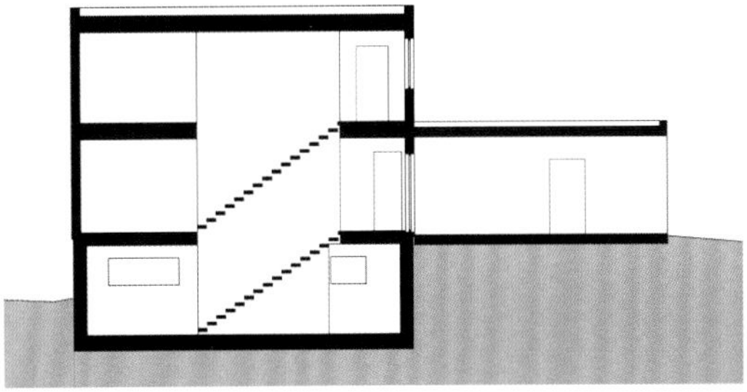
Längsschnitt

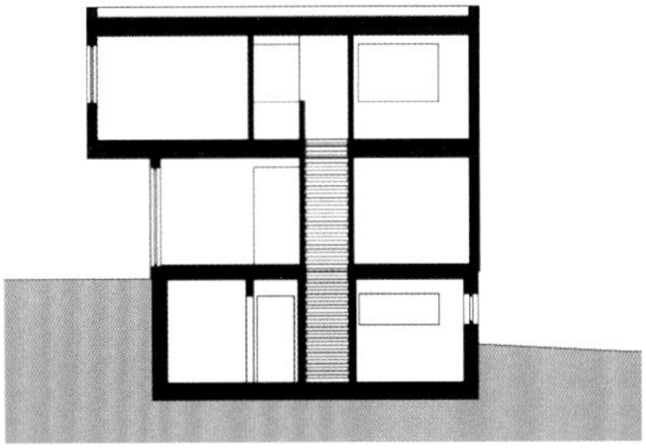
Querschnitt

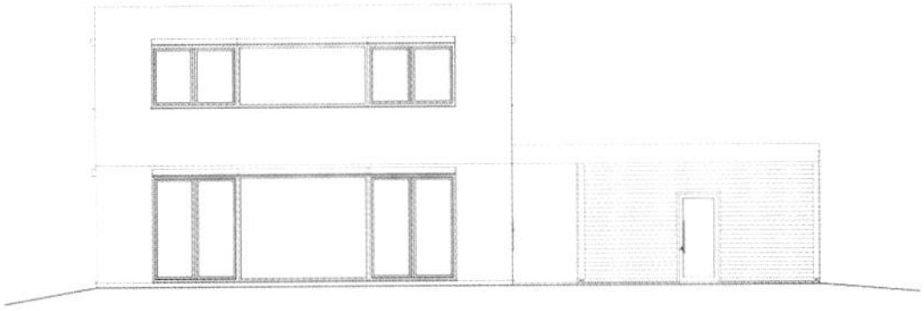
Ansicht Süd

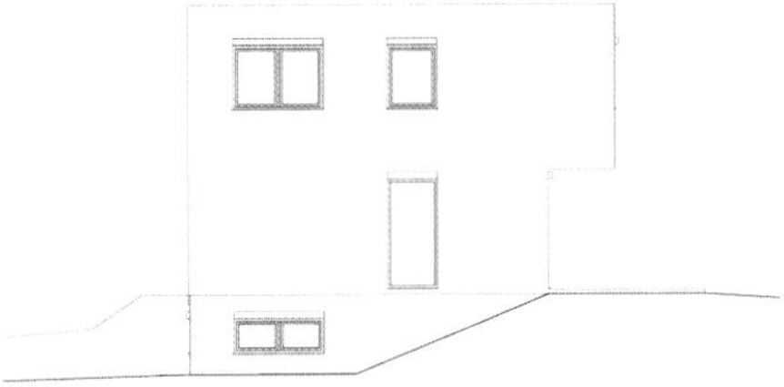
Ansicht West

Objektbeschreibung

Allgemeine Objektinformationen

Das Wohnhaus gliedert sich in drei Etagen, bestehend aus Untergeschoss, Erdgeschoss und Obergeschoss. Durch die Ausrichtung des Grundstücks nach Süden wird eine sehr gute natürliche Belichtung erreicht. Das Obergeschoss kragt um ca. 1,50m über das Erdgeschoss aus, was für die großflächige Verglasung im Erdgeschoss als konstruktiver Sonnenschutz dient. Durch die leichte Hanglage ergibt sich auch im Untergeschoss eine gute natürliche Belichtung. Hier befinden sich die Büroräume.

Nutzung

1 Untergeschoss
Büro, Hauswirtschaftsraum/Technik, Archiv

1 Erdgeschoss
Kochen/Wohnen/Essen, Abstellraum, Gäste-WC

1 Obergeschoss
Schlafzimmer, Kinderzimmer (2St), Bad

Nutzeinheiten

Wohneinheiten: 1
Wohnfläche: 175m²

Grundstück

Bauraum: Freier Bauraum
Neigung: Geneigtes Gelände
Bodenklasse: BK 1 bis BK 4

Markt

Hauptvergabezeit: 4. Quartal 2016
Baubeginn: 1. Quartal 2017
Bauende: 3. Quartal 2017
Konjunkturelle Gesamtlage: über Durchschnitt
Regionaler Baumarkt: unter Durchschnitt

Baukonstruktion

Das komplett unterkellerte Wohnhaus ist auf einer 25cm starken Bodenplatte flach gegründet. Das Untergeschoss wurde mit Stahlbeton-Außenwänden und Ziegel-Innenwänden ausgeführt. Das Erdgeschoss und das Obergeschoss sind als Holzständerkonstruktion mit Holzfaserdämmung und einem mineralischen Außenputz ausgeführt. Die Außenwände sind diffusionsoffen mit einer Dampfbremse und innenseitig doppelt beplankt. Das Flachdach besteht ebenfalls aus einer Holzkonstruktion mit einer Aufdachdämmung, Abdichtung und Kiesschüttung.

Technische Anlagen

Die Gebäudehülle wurde im KfW-Effizienzhaus 55 Standard erbaut. Es kam eine Luft-Wasser-Wärmepumpe zum Einsatz. Die Wärmeübertragung erfolgt im gesamten Wohngebäude über eine Fußbodenheizung. Die Anforderungen der EnEV 2014 mit Verschärfung 2016 sind beim Jahres-Primärenergiebedarf Qp um 34,7% besser als für Neubauten vorgeschrieben.

Sonstiges

Die Anordnung des Eingangsbereiches im Erdgeschoss ist so geplant, dass es eine klare Trennung zwischen Büro- und Privatbereichen ergibt. Der angegliederte Carport bietet nicht nur Platz für 2 Pkws, sondern dient gleichzeitig als Eingangsüberdachung.

Planungskennwerte für Flächen und Rauminhalte nach DIN 277

Flächen des Grundstücks		Menge Einheit	% an GF
BF	Bebaute Fläche	121,50 m²	26,3
UF	Unbebaute Fläche	340,50 m²	73,7
GF	Grundstücksfläche	462,00 m²	100,0

Grundflächen des Bauwerks		Menge Einheit	% an NUF	% an BGF
NUF	Nutzungsfläche	191,58 m²	100,0	66,6
TF	Technikfläche	25,67 m²	13,4	8,9
VF	Verkehrsfläche	20,15 m²	10,5	7,0
NRF	Netto-Raumfläche	237,40 m²	123,9	82,5
KGF	Konstruktions-Grundfläche	50,35 m²	26,3	17,5
BGF	Brutto-Grundfläche	287,75 m²	150,2	100,0

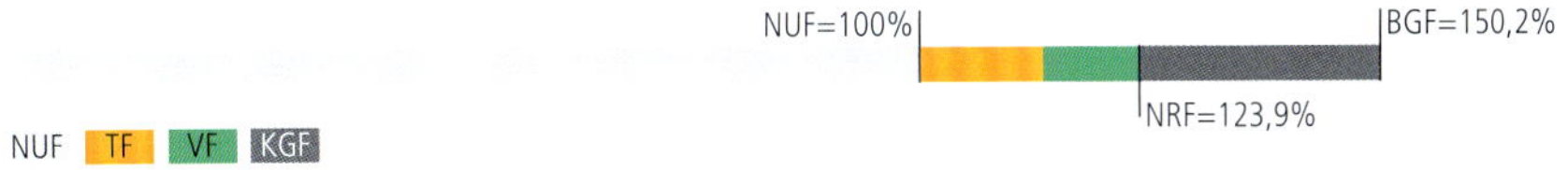

Brutto-Rauminhalt des Bauwerks		Menge Einheit	BRI/NUF (m)	BRI/BGF (m)
BRI	Brutto-Rauminhalt	855,30 m³	4,46	2,97

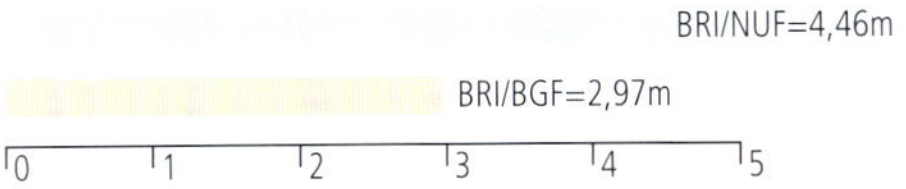

Kostenkennwerte für die Kostengruppen der 1. Ebene DIN 276

KG	Kostengruppen (1. Ebene)	Einheit	Kosten €	€/Einheit	€/m² BGF	€/m³ BRI	% 300+400
100	Grundstück	m² GF	–	–	–	–	–
200	Vorbereitende Maßnahmen	m² GF	16.805	36,37	58,40	19,65	3,1
300	Bauwerk – Baukonstruktionen	m² BGF	427.441	1.485,46	1.485,46	499,76	77,9
400	Bauwerk – Technische Anlagen	m² BGF	121.564	422,46	422,46	142,13	22,1
	Bauwerk 300+400	**m² BGF**	**549.005**	**1.907,92**	**1.907,92**	**641,89**	**100,0**
500	Außenanlagen und Freiflächen	m² AF	71.207	209,43	247,46	83,25	13,0
600	Ausstattung und Kunstwerke	m² BGF	–	–	–	–	–
700	Baunebenkosten	m² BGF	–	–	–	–	–
800	Finanzierung	m² BGF	–	–	–	–	–

KG	Kostengruppe	Menge Einheit	Kosten €	€/Einheit	%
200	**Vorbereitende Maßnahmen**	462,00 m² GF	16.805	**36,37**	3,1

Baustelleneinrichtung inkl. Baustrom-Verteilerkasten, Baustellen WC, Oberboden abtragen, Erschließung inkl. Kontrollschacht, Zisterne und Medienanschlüssen

KG	Kostengruppe	Menge Einheit	Kosten €	€/Einheit	%
3+4	**Bauwerk**				**100,0**
300	**Bauwerk – Baukonstruktionen**	287,75 m² BGF	427.441	**1.485,46**	77,9

Baugrubenaushub; Stb-Bodenplatte, Abdichtung, Wärmedämmung, Zementestrich, Linoleum, Perimeterdämmung; Stb-Wände (UG), Holzständerkonstruktion, Holzfenster, Dreifachverglasung, Wärmedämmung, WDVS, Putz, GK-Bekleidung, Beschichtung, Lamellen-Raffstore, Perimeterdämmung (UG); Mauerwerk (UG), Holzständerwände, GK-Wände, Holztüren, Wärmedämmung, GK-Bekleidung, Fliesen (Bad), Putz, Beschichtung; Stb-Decke (KG), Holzbalkendecke (EG) mit deckengleichen Stahlunterzügen, Stb-Treppe, Dämmung, Heizestrich, Linoleum, Fliesen; Holzbalken-Flachdach, Aufdachdämmung, Abdichtung, Kiesschüttung, Dachentwässerung

KG	Kostengruppe	Menge Einheit	Kosten €	€/Einheit	%
400	**Bauwerk – Technische Anlagen**	287,75 m² BGF	121.564	**422,46**	22,1

Gebäudeentwässerung, Kalt- und Warmwasserleitungen, Sanitärobjekte, Regenwasserzisterne, Warmwasser-Zirkulation; Luft-Wasser-Wärmepumpe, Fußbodenheizung; Elektroinstallation inkl. SmartHome-System, elektrische Rollläden, Beleuchtung; Alarmanlage

KG	Kostengruppe	Menge Einheit	Kosten €	€/Einheit	%
500	**Außenanlagen und Freiflächen**	340,00 m² AF	71.207	**209,43**	13,0

Zufahrt, Carport und Nordgarten in gebrochenem Edelsplitt 11/16mm, Fußweg zum Haus in Granitplatten, Feinsteinzeug Terrassenplatten; div. Stützmauern aus Granitstein (Quader 40/40/80-100cm), Aufschotterung der Terrasse, div. Einfassungen in Beton- Rabattenplatten, Sichtschutzmauer aus Beton (Gesamt 7,0m); Fassadenrinnen mit Längsstab Rost; Auffüllen mit Humus, Kirschlorbeerhecke, Bambuspflanzen, Rasenfläche, Pflanzbeet

6100-1527
Einfamilienhaus

Objektübersicht

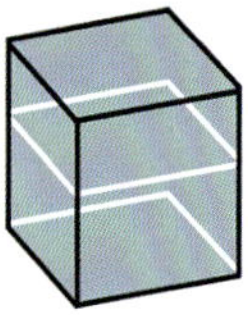

BRI 621 €/m³

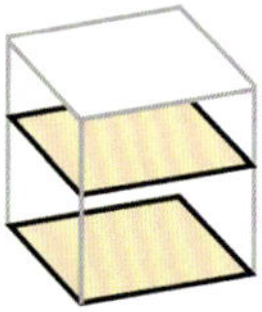

BGF 1.848 €/m²

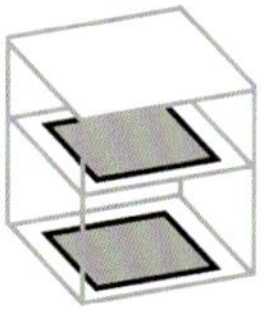

NUF 3.400 €/m²

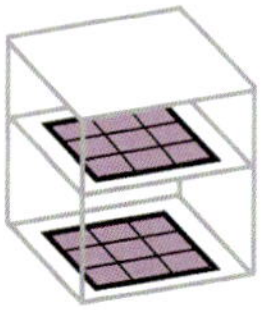

NE 2.977 €/NE
NE: Wohnfläche

Objekt:
Kennwerte: 3. Ebene DIN 276
BRI: 719 m³
BGF: 242 m²
NUF: 131 m²
Bauzeit: 39 Wochen
Bauende: 2017
Standard: Durchschnitt
Bundesland: Bayern
Kreis: Schweinfurt

Architekt*in:
claus arnold architekt bda
m. eng. dipl.- ing. fh architekt
Methfesselstraße 19
97074 Würzburg

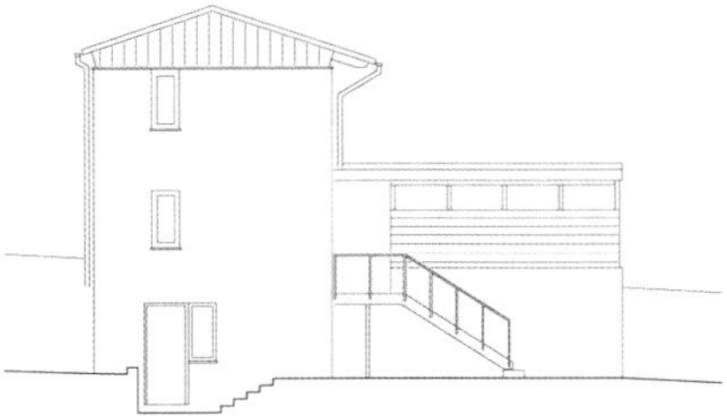

Ansicht Nord

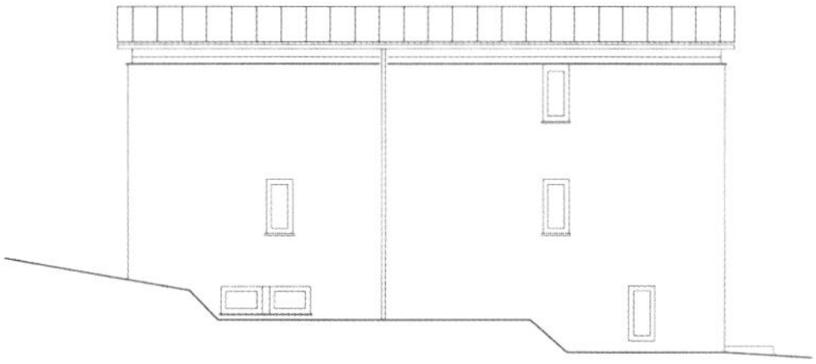

Ansicht Ost

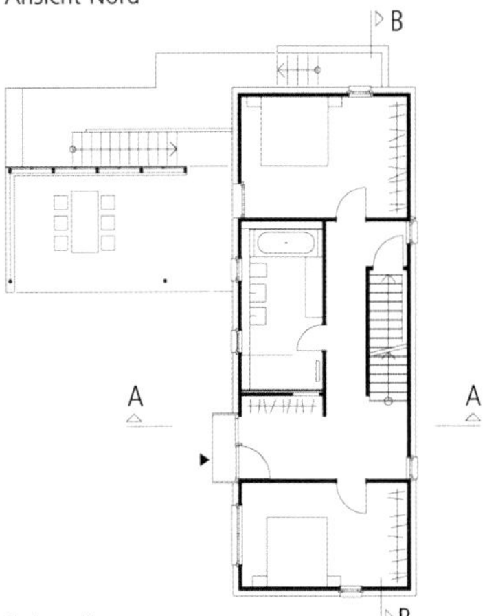

Erdgeschoss

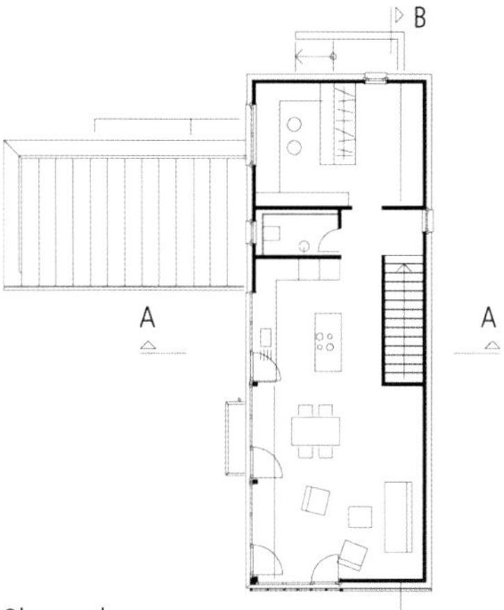

Obergeschoss

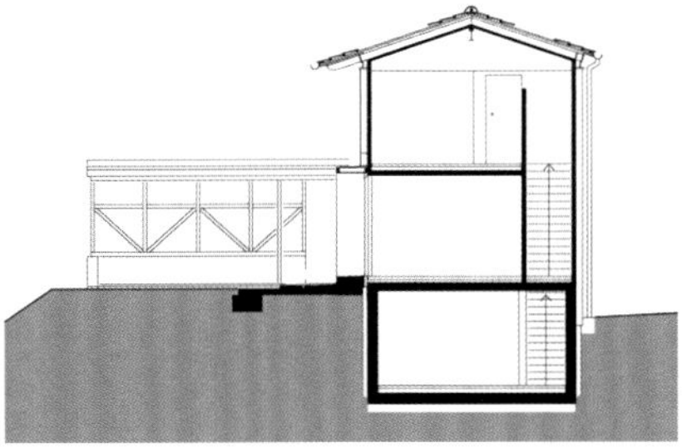

Schnitt A-A

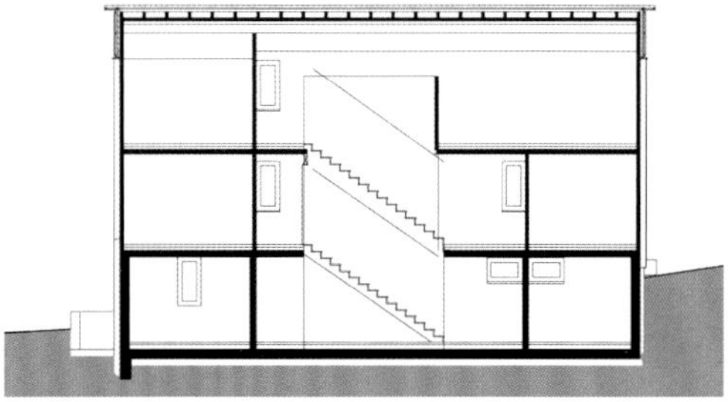

Schnitt B-B

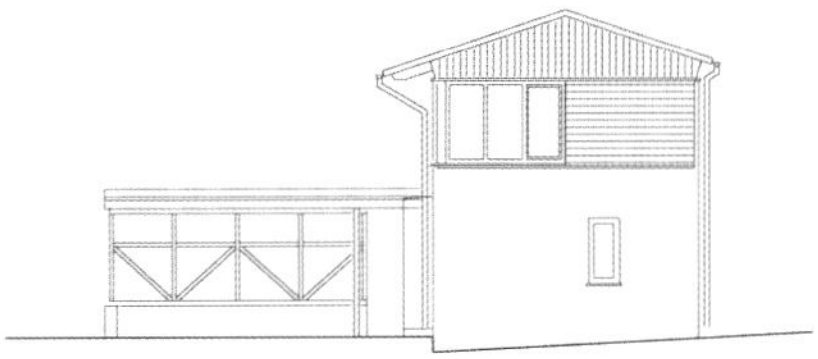

Ansicht Süd

Ansicht West

Objektbeschreibung

Allgemeine Objektinformationen

Der Neubau entstand nach ökologischen Gesichtspunkten in Massivholzbauweise. Der schlanke Baukörper mit raumgreifendem Anbau ermöglicht eine maximale Grundstücksausnutzung. Ein offener Wohn-Essbereich erzeugt Großzügigkeit und eine behagliche Wohnatmosphäre im Innenraum.

Nutzung

1 Untergeschoss
Technik, Vorratsraum, Flur, Abstellen

1 Erdgeschoss
Eingangsbereich, Schlafzimmer, Zimmer, Bad

1 Dachgeschoss
Wohnen, Küche, Arbeitszimmer, WC

Nutzeinheiten

Wohneinheiten: 1
Wohnfläche: 150 m²

Grundstück

Bauraum: Freier Bauraum
Neigung: Geneigtes Gelände
Bodenklasse: BK 3

Markt

Hauptvergabezeit: 1. Quartal 2017
Baubeginn: 1. Quartal 2017
Bauende: 4. Quartal 2017
Konjunkturelle Gesamtlage: Durchschnitt
Regionaler Baumarkt: Durchschnitt

Baukonstruktion

Das dreigeschossige Wohnhaus wurde als Massivbau mit flach geneigtem Satteldach erstellt. Das Untergeschoss ist aus Stahlbeton, die oberen zwei Geschosse in Massivholz mit raumseitig sichtbaren Wand- und Deckenscheiben ausgeführt. Außen hat das Gebäude eine Wärmedämmung mit mineralischem Putz erhalten. Im Eingangsbereich und im oberen Bereich der Giebelseiten sind die Außenwände mit Holzdielen bekleidet. Die Gliederung der Fassade erfolgt durch ein Fensterband sowie einem Schiebeladen auf der Giebelseite, der als Sonnenschutz dient. Es kamen Holz-Alufenster zum Einbau. Die Fußböden in den Wohnräumen sind mit Industrieparkett belegt. Wirtschaftliche Deckenspannweiten im Erdgeschoss werden durch die Ausführung in Schottenbauweise ermöglicht. Ein weit gespannter Stahlträger als Firstpfette sorgt für kurze Spannweiten der Dachfläche.

Technische Anlagen

Der Neubau wird über eine Luft-Wasser-Wärmepumpe mit Energie versorgt. In allen Geschossen erfolgt die Erwärmung der Räume über eine Fußbodenheizung.

Planungskennwerte für Flächen und Rauminhalte nach DIN 277

Flächen des Grundstücks		Menge Einheit	% an GF
BF	Bebaute Fläche	104,27 m²	14,7
UF	Unbebaute Fläche	604,73 m²	85,3
GF	Grundstücksfläche	709,00 m²	100,0

Grundflächen des Bauwerks		Menge Einheit	% an NUF	% an BGF
NUF	Nutzungsfläche	131,48 m²	100,0	54,4
TF	Technikfläche	19,90 m²	15,1	8,2
VF	Verkehrsfläche	41,17 m²	31,3	17,0
NRF	Netto-Raumfläche	192,55 m²	146,4	79,6
KGF	Konstruktions-Grundfläche	49,34 m²	37,5	20,4
BGF	Brutto-Grundfläche	241,89 m²	184,0	100,0

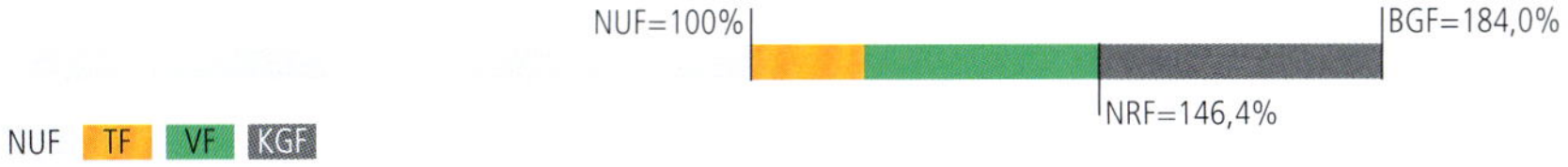

Brutto-Rauminhalt des Bauwerks		Menge Einheit	BRI/NUF (m)	BRI/BGF (m)
BRI	Brutto-Rauminhalt	719,33 m³	5,47	2,97

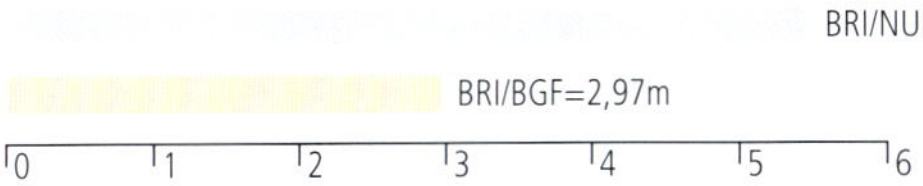

Lufttechnisch behandelte Flächen	Menge Einheit	% an NUF	% an BGF
Entlüftete Fläche	–	–	–
Be- und entlüftete Fläche	–	–	–
Teilklimatisierte Fläche	–	–	–
Klimatisierte Fläche	–	–	–

KG	Kostengruppen (2. Ebene)	Menge Einheit	Menge/NUF	Menge/BGF
310	Baugrube / Erdbau	209,48 m³ BGI	1,59	0,87
320	Gründung, Unterbau	82,74 m² GRF	0,63	0,34
330	Außenwände/Vertikale Baukonstruktionen, außen	316,19 m² AWF	2,41	1,31
340	Innenwände/Vertikale Baukonstruktionen, innen	151,03 m² IWF	1,15	0,62
350	Decken/Horizontale Baukonstruktionen	155,51 m² DEF	1,18	0,64
360	Dächer	116,84 m² DAF	0,89	0,48

Kostenkennwerte für die Kostengruppen der 1. Ebene DIN 276

KG	Kostengruppen (1. Ebene)	Einheit	Kosten €	€/Einheit	€/m² BGF	€/m³ BRI	% 300+400
100	Grundstück	m² GF	–	–	–	–	–
200	Vorbereitende Maßnahmen	m² GF	1.386	1,96	5,73	1,93	0,3
300	Bauwerk – Baukonstruktionen	m² BGF	333.707	1.379,58	1.379,58	463,91	74,7
400	Bauwerk – Technische Anlagen	m² BGF	113.286	468,34	468,34	157,49	25,3
	Bauwerk 300+400	**m² BGF**	**446.993**	**1.847,92**	**1.847,92**	**621,40**	**100,0**
500	Außenanlagen und Freiflächen	m² AF	56.303	539,97	232,76	78,27	12,6
600	Ausstattung und Kunstwerke	m² BGF	–	–	–	–	–
700	Baunebenkosten	m² BGF	–	–	–	–	–
800	Finanzierung	m² BGF	–	–	–	–	–

KG	Kostengruppe	Menge Einheit	Kosten €	€/Einheit	%
200	**Vorbereitende Maßnahmen**	709,00 m² GF	1.386	**1,96**	0,3
	Oberboden abtragen				
3+4	**Bauwerk**				**100,0**
300	**Bauwerk – Baukonstruktionen**	241,89 m² BGF	333.707	**1.379,58**	74,7
	Erdarbeiten; Stb-Fundamentplatte, Dämmung, Heizestrich, Bodenfliesen; Stb-Halbfertigteilwände, Massivholzwände, Holzstützen, Holz-Alufenster, Holzfaserdämmung, WDVS, Wandfliesen, Raffstores, Schiebeladen; KS-Mauerwerk, Holztüren, GK-Vorsatzschalen; Stb-Decke, Massivholzdecke, Stahlträger, Holzwangentreppen, Industrieparkett; Pfettendach, Dämmung, Ziegeldeckung, Dachentwässerung				
400	**Bauwerk – Technische Anlagen**	241,89 m² BGF	113.286	**468,34**	25,3
	Gebäudeentwässerung, Hebeanlage, Kalt- und Warmwasserleitungen, Sanitärobjekte; Luft-Wasser-Wärmepumpe, Heizungsrohre, Fußbodenheizung, Heizkörper; Elektroinstallation, Erdung; Telefon,-Datenverkabelung, Rauchmelder				
500	**Außenanlagen und Freiflächen**	104,27 m² AF	56.303	**539,97**	12,6
	Bodenarbeiten; Stb-Bodenplatte, Versickerungsrigole; Freisitz mit Winkelstützmauern, Fachwerkwänden, Holzbalkenflachdach, KVH, Stahlträger, Stahlstützen, Metall-Stehfalzdeckung, Stahlaußentreppe; KG-Rohre Gebäudeentwässerung, Kontrollschacht				

Kostenkennwerte für die Kostengruppen 300 der 2. und 3. Ebene DIN 276 (Übersicht)

KG	Kostengruppe	Menge Einheit	€/Einheit	Kosten €	% an 3+4
300	**Bauwerk – Baukonstruktionen**	**241,89 m² BGF**	**1.379,58**	**333.706,99**	**74,7**
310	**Baugrube / Erdbau**	**209,48 m³ BGI**	**41,61**	**8.717,18**	**2,0**
311	Herstellung	209,48 m³ BGI	41,61	8.717,18	2,0
312	Umschließung	–	–	–	–
313	Wasserhaltung	–	–	–	–
314	Vortrieb	–	–	–	–
319	Sonstiges zur KG 310	–	–	–	–
320	**Gründung, Unterbau**	**82,74 m² GRF**	**244,94**	**20.266,04**	**4,5**
321	Baugrundverbesserung	–	–	–	–
322	Flachgründungen und Bodenplatten	82,74 m²	120,80	9.995,07	2,2
323	Tiefgründungen	–	–	–	–
324	Gründungsbeläge	67,65 m²	85,05	5.753,81	1,3
325	Abdichtungen und Bekleidungen	113,82 m²	22,79	2.593,78	0,6
326	Dränagen	82,74 m² GRF	23,25	1.923,38	0,4
329	Sonstiges zur KG 320	–	–	–	–
330	**Außenwände/Vert. Baukonstrukt., außen**	**316,19 m² AWF**	**484,53**	**153.201,70**	**34,3**
331	Tragende Außenwände	279,67 m²	181,61	50.790,43	11,4
332	Nichttragende Außenwände	–	–	–	–
333	Außenstützen	7,05 m	21,60	152,30	< 0,1
334	Außenwandöffnungen	36,52 m²	653,08	23.850,66	5,3
335	Außenwandbekleidungen, außen	336,53 m²	189,05	63.619,90	14,2
336	Außenwandbekleidungen, innen	8,17 m²	152,64	1.247,09	0,3
337	Element. Außenwandkonstruktionen	–	–	–	–
338	Lichtschutz zur KG 330	25,14 m²	324,88	8.167,61	1,8
339	Sonstiges zur KG 330	316,19 m² AWF	17,00	5.373,70	1,2
340	**Innenwände/Vert. Baukonstrukt., innen**	**151,03 m² IWF**	**221,86**	**33.507,51**	**7,5**
341	Tragende Innenwände	135,49 m²	157,24	21.303,79	4,8
342	Nichttragende Innenwände	–	–	–	–
343	Innenstützen	–	–	–	–
344	Innenwandöffnungen	15,54 m²	499,34	7.759,71	1,7
345	Innenwandbekleidungen	32,04 m²	138,70	4.444,02	1,0
346	Elementierte Innenwandkonstruktionen	–	–	–	–
347	Lichtschutz zur KG 340	–	–	–	–
349	Sonstiges zur KG 340	–	–	–	–
350	**Decken/Horizontale Baukonstruktionen**	**155,51 m² DEF**	**346,95**	**53.953,05**	**12,1**
351	Deckenkonstruktionen	155,41 m²	236,31	36.724,64	8,2
352	Deckenöffnungen	–	–	–	–
353	Deckenbeläge	124,84 m²	138,00	17.228,41	3,9
354	Deckenbekleidungen	–	–	–	–
355	Elementierte Deckenkonstruktionen	–	–	–	–
359	Sonstiges zur KG 350	–	–	–	–
360	**Dächer**	**116,84 m² DAF**	**351,48**	**41.068,25**	**9,2**
361	Dachkonstruktionen	97,35 m²	206,32	20.085,34	4,5
362	Dachöffnungen	–	–	–	–
363	Dachbeläge	116,84 m²	133,61	15.611,38	3,5
364	Dachbekleidungen	28,78 m²	186,67	5.371,54	1,2
365	Elementierte Dachkonstruktionen	–	–	–	–
366	Lichtschutz zur KG 360	–	–	–	–
369	Sonstiges zur KG 360	–	–	–	–
370	**Infrastrukturanlagen**	**–**	**–**	**–**	**–**
380	**Baukonstruktive Einbauten**	**–**	**–**	**–**	**–**
390	**Sonst. Maßnahmen für Baukonstrukt.**	**241,89 m² BGF**	**95,06**	**22.993,25**	**5,1**

Kostenkennwerte für die Kostengruppen 400 der 2. und 3. Ebene DIN 276 (Übersicht)

KG	Kostengruppe	Menge Einheit	€/Einheit	Kosten €	% an 3+4
400	**Bauwerk – Technische Anlagen**	**241,89 m² BGF**	**468,34**	**113.286,49**	**25,3**
410	**Abwasser-, Wasser-, Gasanlagen**	**241,89 m² BGF**	**175,19**	**42.376,67**	**9,5**
411	Abwasseranlagen	241,89 m² BGF	38,59	9.334,17	2,1
412	Wasseranlagen	241,89 m² BGF	116,01	28.060,74	6,3
413	Gasanlagen	–	–	–	–
419	Sonstiges zur KG 410	241,89 m² BGF	20,60	4.981,75	1,1
420	**Wärmeversorgungsanlagen**	**241,89 m² BGF**	**192,45**	**46.551,38**	**10,4**
421	Wärmeerzeugungsanlagen	241,89 m² BGF	124,39	30.089,90	6,7
422	Wärmeverteilnetze	241,89 m² BGF	18,10	4.378,30	1,0
423	Raumheizflächen	241,89 m² BGF	49,95	12.083,20	2,7
424	Verkehrsheizflächen	–	–	–	–
429	Sonstiges zur KG 420	–	–	–	–
430	**Raumlufttechnische Anlagen**	**–**	**–**	**–**	**–**
431	Lüftungsanlagen	–	–	–	–
432	Teilklimaanlagen	–	–	–	–
433	Klimaanlagen	–	–	–	–
434	Kälteanlagen	–	–	–	–
439	Sonstiges zur KG 430	–	–	–	–
440	**Elektrische Anlagen**	**241,89 m² BGF**	**91,75**	**22.194,23**	**5,0**
441	Hoch- und Mittelspannungsanlagen	–	–	–	–
442	Eigenstromversorgungsanlagen	–	–	–	–
443	Niederspannungsschaltanlagen	–	–	–	–
444	Niederspannungsinstallationsanlagen	241,89 m² BGF	81,65	19.749,68	4,4
445	Beleuchtungsanlagen	–	–	–	–
446	Blitzschutz- und Erdungsanlagen	241,89 m² BGF	10,11	2.444,57	0,5
447	Fahrleitungssysteme	–	–	–	–
449	Sonstiges zur KG 440	–	–	–	–
450	**Kommunikationstechnische Anlagen**	**241,89 m² BGF**	**8,95**	**2.164,19**	**0,5**
451	Telekommunikationsanlagen	241,89 m² BGF	0,17	40,73	< 0,1
452	Such- und Signalanlagen	241,89 m² BGF	0,96	231,61	< 0,1
453	Zeitdienstanlagen	–	–	–	–
454	Elektroakustische Anlagen	–	–	–	–
455	Audiovisuelle Medien- u. Antennenanl.	–	–	–	–
456	Gefahrenmelde- und Alarmanlagen	241,89 m² BGF	1,26	303,73	< 0,1
457	Datenübertragungsnetze	241,89 m² BGF	6,57	1.588,11	0,4
458	Verkehrsbeeinflussungsanlagen	–	–	–	–
459	Sonstiges zur KG 450	–	–	–	–
460	**Förderanlagen**	**–**	**–**	**–**	**–**
461	Aufzugsanlagen	–	–	–	–
462	Fahrtreppen, Fahrsteige	–	–	–	–
463	Befahranlagen	–	–	–	–
464	Transportanlagen	–	–	–	–
465	Krananlagen	–	–	–	–
466	Hydraulikanlagen	–	–	–	–
469	Sonstiges zur KG 460	–	–	–	–
470	**Nutzungsspez. u. verfahrenstechn. Anl.**	**–**	**–**	**–**	**–**
480	**Gebäude- und Anlagenautomation**	**–**	**–**	**–**	**–**
490	**Sonst. Maßnahmen für techn. Anlagen**	**–**	**–**	**–**	**–**

Kostenkennwerte für Leistungsbereiche nach STLB (Kosten des Bauwerks nach DIN 276)

LB	Leistungsbereiche	Kosten €	€/m² BGF	€/m³ BRI	% an 3+4
000	Sicherheits-, Baustelleneinrichtungen inkl. 001	22.993	95,10	32,00	5,1
002	Erdarbeiten	9.911	41,00	13,80	2,2
006	Spezialtiefbauarbeiten inkl. 005	–	–	–	–
009	Entwässerungskanalarbeiten inkl. 011	–	–	–	–
010	Drän- und Versickerarbeiten	1.923	8,00	2,70	0,4
012	Mauerarbeiten	4.063	16,80	5,60	0,9
013	Betonarbeiten	48.074	198,70	66,80	10,8
014	Natur-, Betonwerksteinarbeiten	–	–	–	–
016	Zimmer- und Holzbauarbeiten	86.822	358,90	120,70	19,4
017	Stahlbauarbeiten	4.139	17,10	5,80	0,9
018	Abdichtungsarbeiten	14.652	60,60	20,40	3,3
019	Kampfmittelräumarbeiten	–	–	–	–
020	Dachdeckungsarbeiten	8.208	33,90	11,40	1,8
021	Dachabdichtungsarbeiten	–	–	–	–
022	Klempnerarbeiten	6.995	28,90	9,70	1,6
	Rohbau	**207.781**	**859,00**	**288,90**	**46,5**
023	Putz- und Stuckarbeiten, Wärmedämmsysteme	47.092	194,70	65,50	10,5
024	Fliesen- und Plattenarbeiten	5.508	22,80	7,70	1,2
025	Estricharbeiten	7.914	32,70	11,00	1,8
026	Fenster, Außentüren inkl. 029, 032	21.946	90,70	30,50	4,9
027	Tischlerarbeiten	22.115	91,40	30,70	4,9
028	Parkettarbeiten, Holzpflasterarbeiten	8.766	36,20	12,20	2,0
030	Rollladenarbeiten	5.571	23,00	7,70	1,2
031	Metallbauarbeiten inkl. 035	2.597	10,70	3,60	0,6
034	Maler- und Lackiererarbeiten inkl. 037	430	1,80	0,60	< 0,1
036	Bodenbelagarbeiten	–	–	–	–
038	Vorgehängte hinterlüftete Fassaden	–	–	–	–
039	Trockenbauarbeiten	3.988	16,50	5,50	0,9
	Ausbau	**125.926**	**520,60**	**175,10**	**28,2**
040	Wärmeversorgungsanl. - Betriebseinr. inkl. 041	44.405	183,60	61,70	9,9
042	Gas- und Wasserinstallation, Leitungen inkl. 043	11.164	46,20	15,50	2,5
044	Abwasseranlagen - Leitungen	4.025	16,60	5,60	0,9
045	GWE-Einrichtungsgegenstände inkl. 046	26.876	111,10	37,40	6,0
047	Dämmarbeiten an betriebstechnischen Anlagen	2.458	10,20	3,40	0,5
049	Feuerlöschanlagen, Feuerlöschgeräte	–	–	–	–
050	Blitzschutz- und Erdungsanlagen	2.445	10,10	3,40	0,5
053	Niederspannungsanlagen inkl. 052, 054	19.750	81,60	27,50	4,4
055	Sicherheits- u. Ersatzstromversorgungsanl.	–	–	–	–
057	Gebäudesystemtechnik	–	–	–	–
058	Leuchten und Lampen inkl. 059	–	–	–	–
060	Sprechanlagen, elektroakust. Anlagen inkl. 064	232	0,96	0,32	< 0,1
061	Kommunikationsnetze inkl. 063	1.933	8,00	2,70	0,4
069	Aufzüge	–	–	–	–
070	Gebäudeautomation	–	–	–	–
075	Raumlufttechnische Anlagen inkl. 078	–	–	–	–
	Gebäudetechnik	**113.287**	**468,30**	**157,50**	**25,3**
084	Abbruch, Rückbau, Schadstoffsanierung	–	–	–	–
	Abbrucharbeiten	**–**	**–**	**–**	**–**
	Sonstige Leistungsbereiche	**–**	**–**	**–**	**–**

6100-1531
Einfamilienhaus
Effizienzhaus ~63%

Objektübersicht

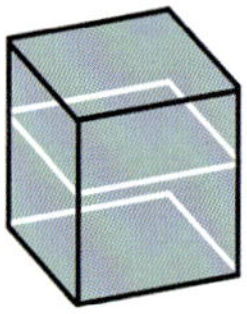
BRI 634 €/m³

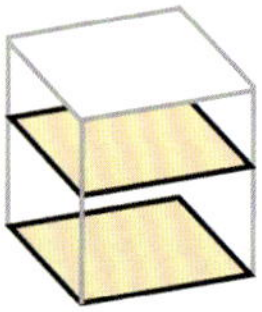
BGF 1.896 €/m²

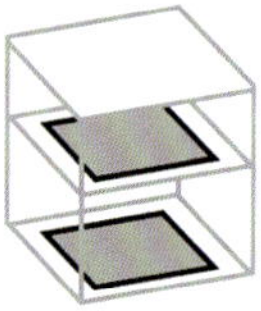
NUF 2.902 €/m²

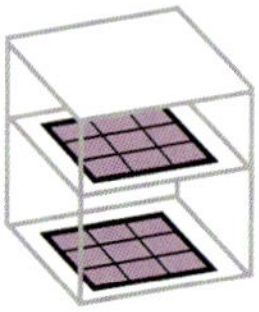
NE 3.292 €/NE
NE: Wohnfläche

Objekt:
Kennwerte: 1. Ebene DIN 276
BRI: 836 m³
BGF: 280 m²
NUF: 183 m²
Bauzeit: 39 Wochen
Bauende: 2018
Standard: über Durchschnitt
Bundesland: Nordrhein-Westfalen
Kreis: Rheinisch-Bergischer Kreis

Architekt*in:
Grosche Burgmer
Architekten Part GmbB
Gottesweg 64
50969 Köln

© Grosche Burgmer Architekten Part GmbB

© Grosche Burgmer Architekten Part GmbB

© Grosche Burgmer Architekten Part GmbB

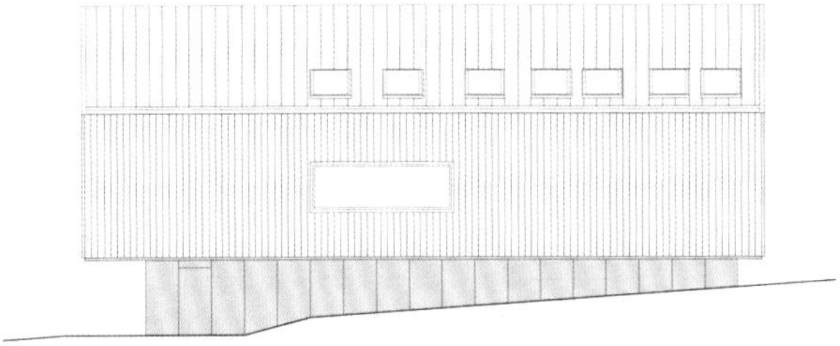

Ansicht Nord

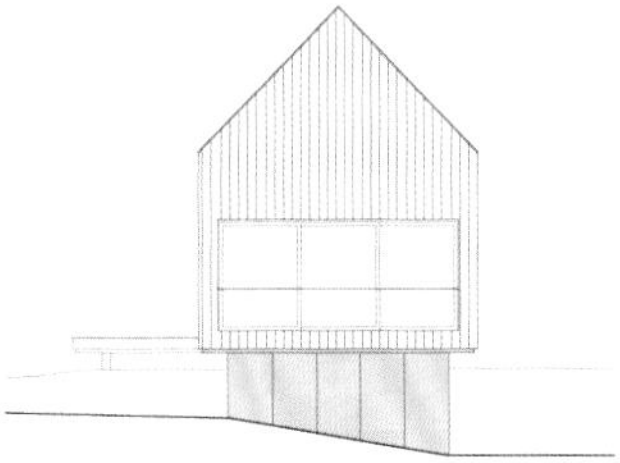

Ansicht Ost

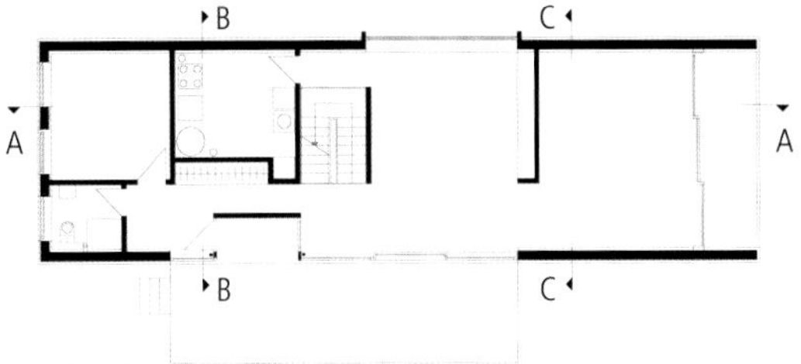

Erdgeschoss

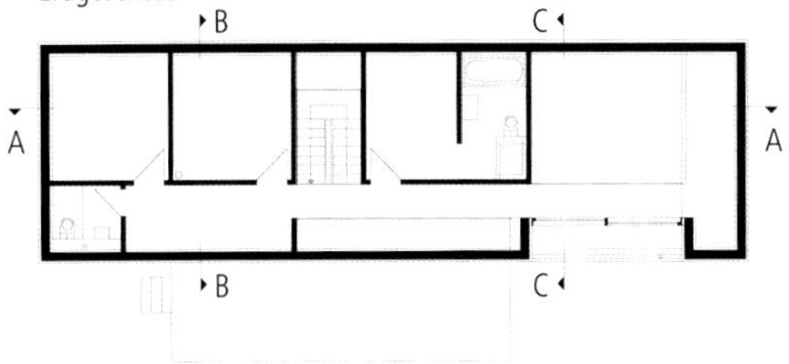

Obergeschoss

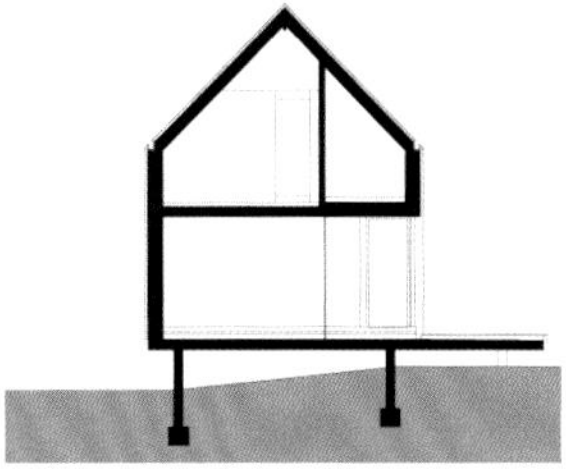

Schnitt B-B

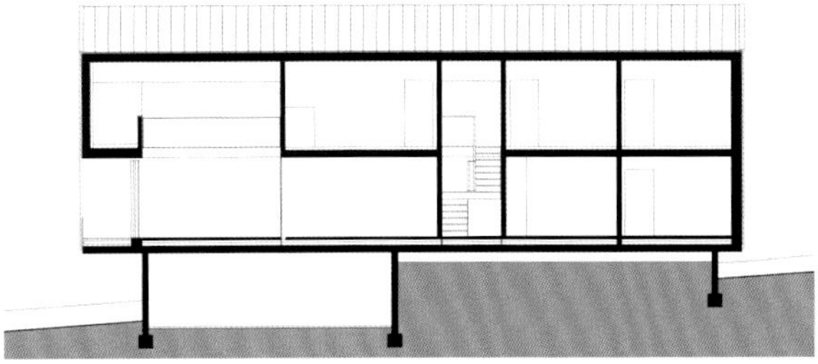

Schnitt A-A

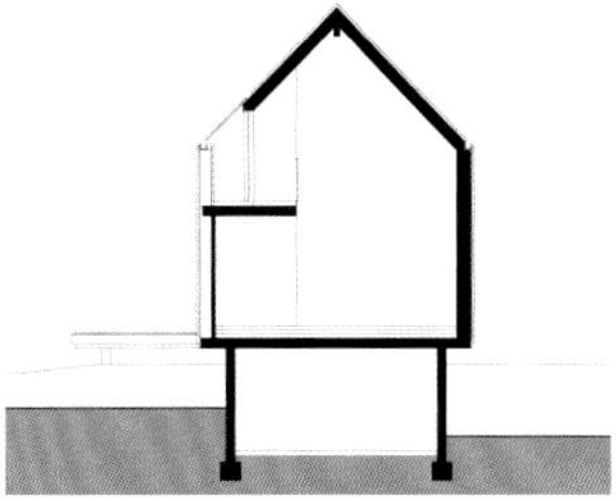

Schnitt C-C

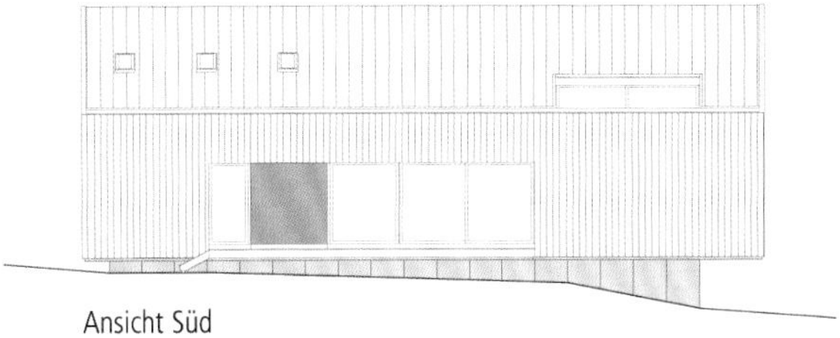

Ansicht Süd

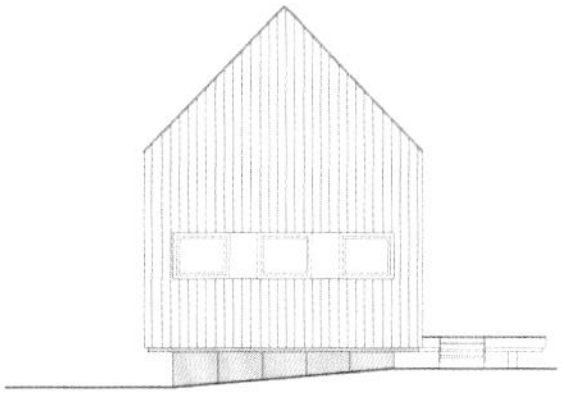

Ansicht West

Objektbeschreibung

Allgemeine Objektinformationen

Die Form-, Material- und Farbgebung des neuen Wohnhauses nehmen Bezug auf die Typologie der für die Region charakteristischen Scheunen des landwirtschaftlich geprägten Umfelds. Die Positionierung des Baukörpers thematisiert die vorhandene Topografie und berücksichtigt den zu erhaltenden Baumbestand auf dem Grundstück. Das Raumkonzept setzt die offene Folge aus erdgeschossigem Eingangs-, Ess- und Wohnbereich über Lufträume mit den Individualräumen im Dachgeschoss in Beziehung.

Nutzung

1 Untergeschoss
Abstellraum

1 Erdgeschoss
Wohnen/Essen/Küche, Arbeitszimmer, Bad, Garderobe

1 Dachgeschoss
Schlafzimmer, Kinderzimmer (2St), Bad

Nutzeinheiten

Wohneinheiten: 1
Wohnfläche: 161 m²

Grundstück

Bauraum: Freier Bauraum
Neigung: Geneigtes Gelände
Bodenklasse: BK 1 bis BK 4

Markt

Hauptvergabezeit: 1. Quartal 2018
Baubeginn: 1. Quartal 2018
Bauende: 4. Quartal 2018
Konjunkturelle Gesamtlage: über Durchschnitt
Regionaler Baumarkt: unter Durchschnitt

Baukonstruktion

Der in Teilen raumhaltige Sichtbetonsockel hebt den allseitig überkragenden aufgesetzten Holzbau ab. Außen- und Innenwände des Holzbaukörpers wurden in Rahmenbauweise, das Dach als Pfettendach ausgeführt. Außenwände und Dach sind mit Zelluloseeinblasdämmung und innenseitiger Installationsebene ausgeführt. Die Dacheindeckung ist als Alustehfalzdach ausgeführt. Eine Vorhangfassade aus lasiertem Lärchenholz bekleidet die Außenwände. Es kamen dreifach verglaste Fenster- und Haustürkonstruktionen aus geöltem Lärchenholz zum Einbau. Eine Stahlwangentreppe mit Trittstufen aus Eiche verbindet die Geschosse. Der Bodenaufbau besteht aus Heizestrich mit Eichenparkett aus Hochkantlamellen.

Technische Anlagen

Die Wärme- und Warmwassererzeugung erfolgt über eine Sole-Wasser-Wärmepumpe mit einer Erdsondenbohrung. Die Wärme wird mittels einer Fußbodenheizung im gesamten Gebäude verteilt. Das Lüftungskonzept beinhaltet mehrere dezentrale Anlagen mit Zuluftführung in den Schlaf- und Wohnräumen sowie Abluftabzug in den Sanitärräumen.

Sonstiges

Aufgrund der beengten Anbindung des Grundstücks und für eine ressourcenschonende Umsetzung des Projekts war die Vorfertigung des Holzbaus für eine einfache, schnelle und landschaftsschonende Errichtung vor Ort entscheidend.

Planungskennwerte für Flächen und Rauminhalte nach DIN 277

Flächen des Grundstücks		Menge Einheit	% an GF
BF	Bebaute Fläche	129,84 m²	13,1
UF	Unbebaute Fläche	863,16 m²	86,9
GF	Grundstücksfläche	993,00 m²	100,0

Grundflächen des Bauwerks		Menge Einheit	% an NUF	% an BGF
NUF	Nutzungsfläche	182,78 m²	100,0	65,3
TF	Technikfläche	6,01 m²	3,3	2,1
VF	Verkehrsfläche	30,40 m²	16,6	10,9
NRF	Netto-Raumfläche	219,19 m²	119,9	78,3
KGF	Konstruktions-Grundfläche	60,61 m²	33,2	21,7
BGF	Brutto-Grundfläche	279,80 m²	153,1	100,0

Brutto-Rauminhalt des Bauwerks		Menge Einheit	BRI/NUF (m)	BRI/BGF (m)
BRI	Brutto-Rauminhalt	836,19 m³	4,58	2,99

Kostenkennwerte für die Kostengruppen der 1. Ebene DIN 276

KG	Kostengruppen (1. Ebene)	Einheit	Kosten €	€/Einheit	€/m² BGF	€/m³ BRI	% 300+400
100	Grundstück	m² GF	–	–	–	–	–
200	Vorbereitende Maßnahmen	m² GF	–	–	–	–	–
300	Bauwerk – Baukonstruktionen	m² BGF	435.419	1.556,18	1.556,18	520,72	82,1
400	Bauwerk – Technische Anlagen	m² BGF	95.041	339,67	339,67	113,66	17,9
	Bauwerk 300+400	**m² BGF**	**530.460**	**1.895,85**	**1.895,85**	**634,38**	**100,0**
500	Außenanlagen und Freiflächen	m² AF	–	–	–	–	–
600	Ausstattung und Kunstwerke	m² BGF	–	–	–	–	–
700	Baunebenkosten	m² BGF	–	–	–	–	–
800	Finanzierung	m² BGF	–	–	–	–	–

KG	Kostengruppe	Menge Einheit	Kosten €	€/Einheit	%
3+4	**Bauwerk**				**100,0**
300	**Bauwerk – Baukonstruktionen**	279,80 m² BGF	435.419	**1.556,18**	82,1

Baugrubenaushub; Stb-Fundamente, Gründung als Stb-Sockelbauwerk, Stb-Bodenplatte, Wärmedämmung, Heizestrich, Hochkant-Lamellenparkett, Eiche; Holzrahmenwände mit Zellulose-Einblasdämmung, InstallationsebeneHolzfenster, Dreifachverglasung, Holz-Haustür, Lärche-Vorhangfassade, hinterlüftet, innenseitig GF-Bekleidung, Holzrahmenwände mit beiseitiger GF-Bekleidung, Holz-Innentüren, Beschichtung, Geländer, Flachstahlgeländer; Rippendecke, Stahlwangentreppe, Holzbelag, Heizestrich, Eichenparkett; Holzpfettendach, Dachfenster, Zellulose, Zwischensparrendämmmung, Alu-Stehfalzdeckung, Dachentwässerung

KG	Kostengruppe	Menge Einheit	Kosten €	€/Einheit	%
400	**Bauwerk – Technische Anlagen**	279,80 m² BGF	95.041	**339,67**	17,9

Gebäudeentwässerung, Kalt- und Warmwasserleitungen, Sanitärobjekte; Erdsonde, Sole-Wasser-Wärmepumpe, Pufferspeicher, Fußbodenheizung; dezentrale Lüftungsanlage mit Wärmerückgewinnung; Elektoinstallation, Beleuchtung

6100-1535
Einfamilienhaus

Objektübersicht

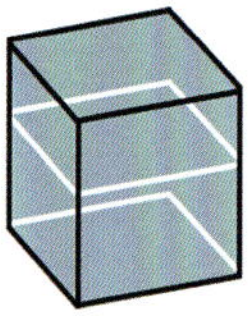

BRI 611 €/m³

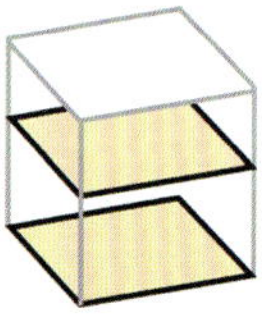

BGF 1.951 €/m²

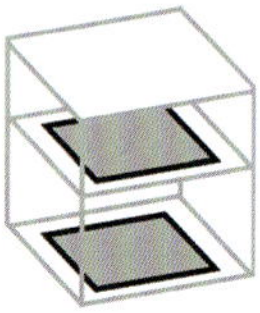

NUF 2.790 €/m²

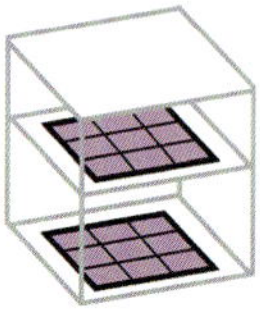

NE 4.443 €/NE

NE: Wohnfläche

Objekt:
Kennwerte: 1. Ebene DIN 276
BRI: 1.456 m³
BGF: 456 m²
NUF: 319 m²
Bauzeit: 48 Wochen
Bauende: 2018
Standard: Durchschnitt
Bundesland: Hamburg
Kreis: Hamburg, Stadt

Architekt*in:
Laura Hirsch Architektin
Kleefeld 24a
21077 Hamburg

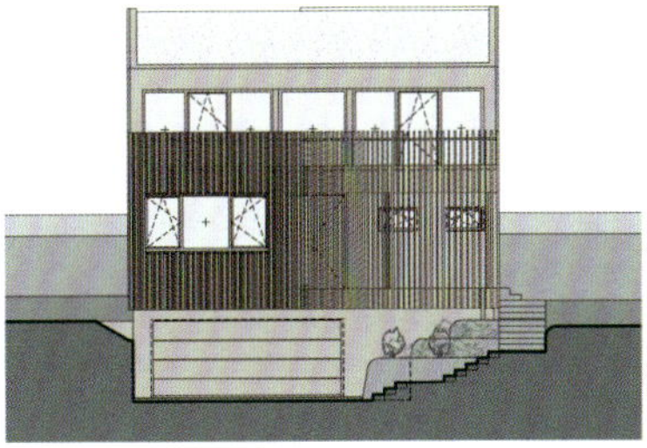

Ansicht Nord

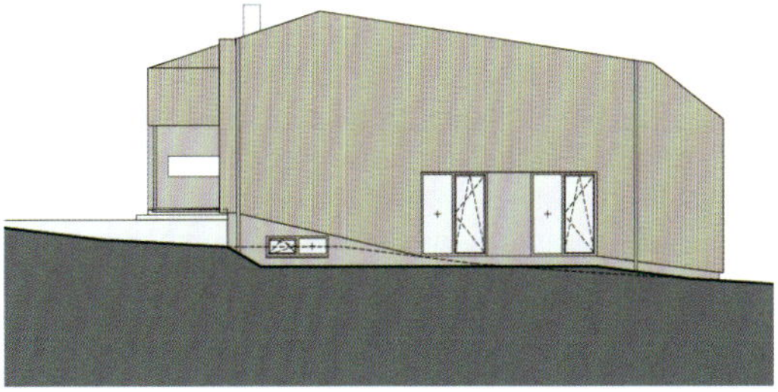

Ansicht Ost

Erdgeschoss

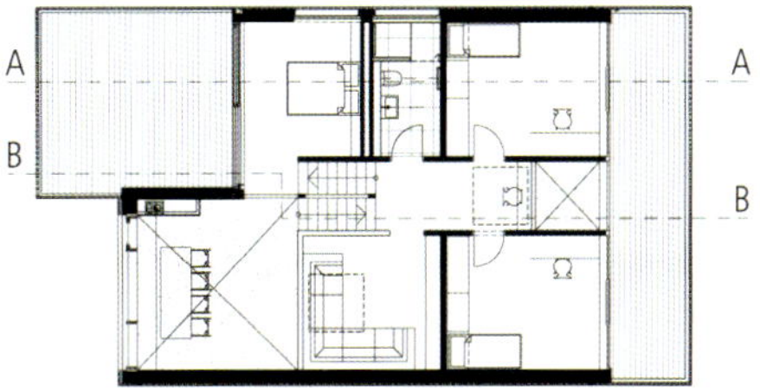

Obergeschoss

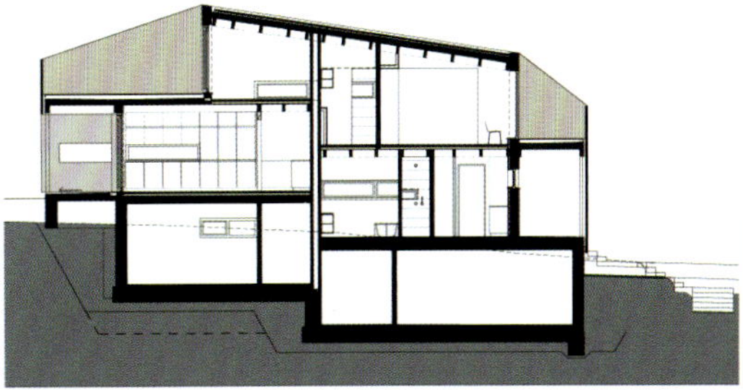

Schnitt A-A

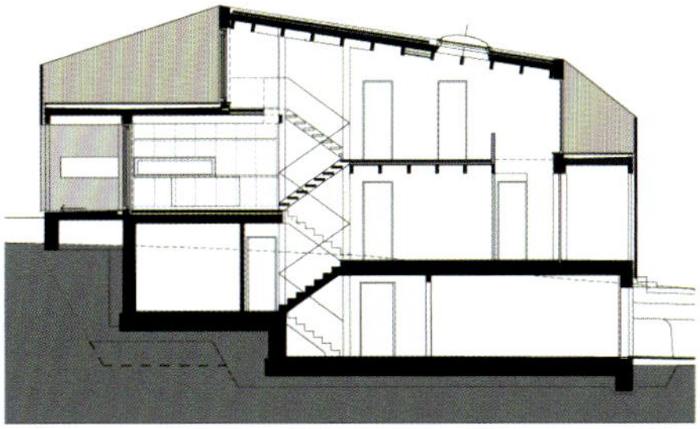

Schnitt B-B

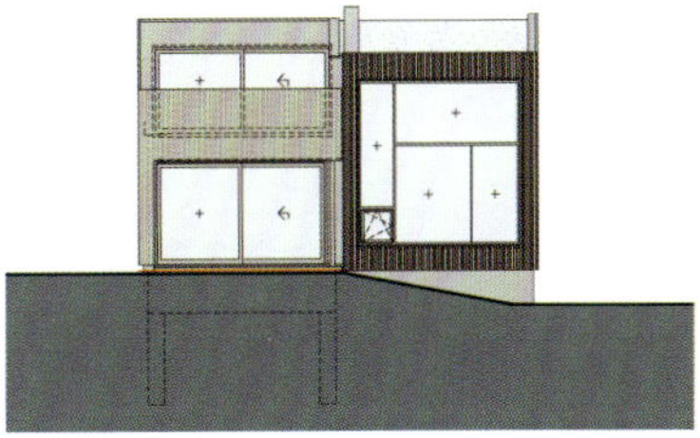

Ansicht Süd

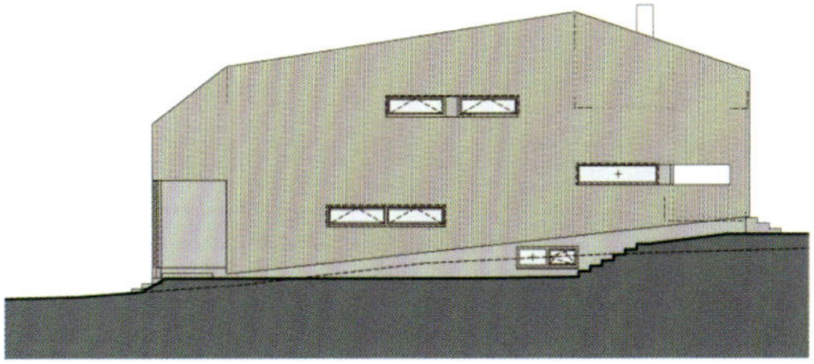

Ansicht West

Objektbeschreibung

Allgemeine Objektinformationen

Auf einem Hanggrundstück konnte die Architektin ihren Traum vom eigenen Haus mit Raum für ihr Architekturbüro realisieren. Es ist trotz der baurechtlich vorgeschriebenen Eingeschossigkeit in Split-Level-Ebenen erbaut, die es ermöglichen, auf die unterschiedlichen Höhen des Grundstücks einzugehen. Die Seiten des Wohnhauses sind weitestgehend geschlossen, die größten Öffnungen orientieren sich zum Garten und nach Südwesten.

Nutzung

1 Untergeschoss
Hobbyraum, Sauna, Lagerraum, Hauswirtschaftsraum, Hausanschlussraum, Garage

1 Erdgeschoss
Diele, Arbeitsraum, Koch-Ess-Raum, Schlafzimmer, Bad, WC, Abstellraum, Terrasse

1 Obergeschoss
Wohnraum, Schlafräume, Bad, Luftraum, Galerie, Terrassen

Nutzeinheiten

Wohneinheiten: 1
Wohnfläche: 200 m²

Grundstück

Bauraum: Freier Bauraum
Neigung: Hanglage
Bodenklasse: BK 1 bis BK 4

Markt

Hauptvergabezeit: 4. Quartal 2017
Baubeginn: 4. Quartal 2017
Bauende: 4. Quartal 2018
Konjunkturelle Gesamtlage: über Durchschnitt
Regionaler Baumarkt: über Durchschnitt

Baukonstruktion

Das Gebäude wurde als Holzrahmenbau auf einem Keller aus WU-Beton errichtet. Die Außenwände des Kellers bestehen aus Filigranwänden, die Decken sind aus Filigran-Halbfertigteilen hergestellt. Decken und Außenwände wurden innen roh belassen. Für den darüber aufsteigenden Holzrahmenbau wurden als innere Beplankung leimfreie Massivholzplatten verwendet, die in Teilen sichtbar blieben. Sie bilden gleichzeitig die Aussteifung und die Dampfsperre und sind aus Weißtanne gefertigt, ebenso wie die Treppenstufen. Auf den Stahlbetondecken und der Sohle des Kellers wurde geschliffener Estrich als Bodenbelag gewählt. Alle Holzbalkendecken sind sichtbar belassen. Als Fassade wurden Kanthölzer aus Douglasie gewählt, die gleichzeitig das Geländer der Dachterrassen bilden. Sämtliche Fenster haben Rahmen aus Accoya-Kiefer und sind dreifachverglast. Die große Glasfassade im Esszimmer ist eine Pfosten-Riegel-Konstruktion aus Alu mit einer senkrechten Zip-Markise als außenliegender Sonnenschutz.

Technische Anlagen

Das Haus wird über eine Gas-Brennwerttherme und Solarthermie beheizt. Der wassergeführte Kaminofen speist ebenfalls den Pufferspeicher. Wärmeabgebende Fläche ist hauptsächlich die im gesamten Haus installierte Fußbodenheizung, die über digitale Raumthermostate geregelt wird. Eine zentrale Be- und Entlüftungsanlage mit Wärmerückgewinnung sorgt für frische Luft und geringe Lüftungswärmeverluste.

Planungskennwerte für Flächen und Rauminhalte nach DIN 277

Flächen des Grundstücks		Menge Einheit	% an GF
BF	Bebaute Fläche	164,00 m²	19,6
UF	Unbebaute Fläche	671,00 m²	80,4
GF	Grundstücksfläche	835,00 m²	100,0

Grundflächen des Bauwerks		Menge Einheit	% an NUF	% an BGF
NUF	Nutzungsfläche	319,02 m²	100,0	69,9
TF	Technikfläche	7,90 m²	2,5	1,7
VF	Verkehrsfläche	47,07 m²	14,8	10,3
NRF	Netto-Raumfläche	373,99 m²	117,2	82,0
KGF	Konstruktions-Grundfläche	82,29 m²	25,8	18,0
BGF	Brutto-Grundfläche	456,28 m²	143,0	100,0

Brutto-Rauminhalt des Bauwerks		Menge Einheit	BRI/NUF (m)	BRI/BGF (m)
BRI	Brutto-Rauminhalt	1.456,49 m³	4,57	3,19

Kostenkennwerte für die Kostengruppen der 1. Ebene DIN 276

KG	Kostengruppen (1. Ebene)	Einheit	Kosten €	€/Einheit	€/m² BGF	€/m³ BRI	% 300+400
100	Grundstück	m² GF	–	–	–	–	–
200	Vorbereitende Maßnahmen	m² GF	–	–	–	–	–
300	Bauwerk – Baukonstruktionen	m² BGF	764.192	1.674,83	1.674,83	524,68	85,8
400	Bauwerk – Technische Anlagen	m² BGF	126.015	276,18	276,18	86,52	14,2
	Bauwerk 300+400	**m² BGF**	**890.207**	**1.951,01**	**1.951,01**	**611,20**	**100,0**
500	Außenanlagen und Freiflächen	m² AF	–	–	–	–	–
600	Ausstattung und Kunstwerke	m² BGF	–	–	–	–	–
700	Baunebenkosten	m² BGF	–	–	–	–	–
800	Finanzierung	m² BGF	–	–	–	–	–

KG	Kostengruppe	Menge Einheit	Kosten €	€/Einheit	%
3+4	**Bauwerk**				**100,0**
300	**Bauwerk – Baukonstruktionen**	456,28 m² BGF	764.192	**1.674,83**	85,8

Baugrubenaushub; Frostschürze, Stb-Bodenplatte, WU-Beton, Perimeterdämmung, Estrich, geschliffener Estrich, Bodenfliesen, Beschichtung; Stb-Filigranwände in WU-Sichtbeton (UG), Holzrahmenbauwände, Holzfenster, Dreifachverglasung, Garagentor, Wärmedämmung, Alu-Pfosten-Riegel-Fassade, Douglasien-Fassade, leimfreie Holzplatten, teilw. als Sichtoberfläche, Sonnenschutz, Geländer; Innenmauerwerk, Stb-Wände, teilw. Sichtbeton, Holzrahmenbauwände, Wandfliesen; Stb-Elementdecken in Sichtbeton, Holzbalkendecke als sichtbare Balkendecke, Stb-Treppe, Holztreppen, Estrich, Dielen, Bodenfliesen, Treppengeländer; Holzbalkendach als sichtbare Balkendecke, Dämmung, Abdichtung, Oberlichter, Entwässerung

KG	Kostengruppe	Menge Einheit	Kosten €	€/Einheit	%
400	**Bauwerk – Technische Anlagen**	456,28 m² BGF	126.015	**276,18**	14,2

Gebäudeentwässerung, Kalt- und Warmwasserleitungen, Sanitärobjekte; Gas-Brennwerttherme, Solaranlage (7m²), wassergeführter Kaminofen, Fußbodenheizung, Schornstein; zentrale Be- und Entlüftung mit Wärmerückgewinnung; Elektroinstallation; Fernseh- und Antennenanlagen

6100-1556
Doppelhaushälfte
(1 WE)

Objektübersicht

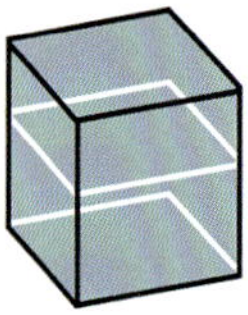

BRI 617 €/m³

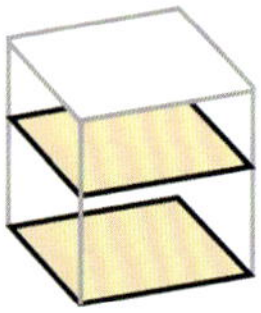

BGF 1.870 €/m²

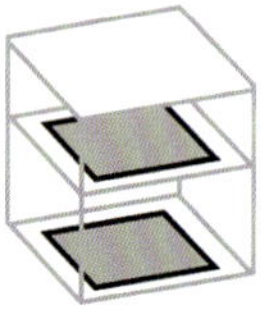

NUF 2.867 €/m²

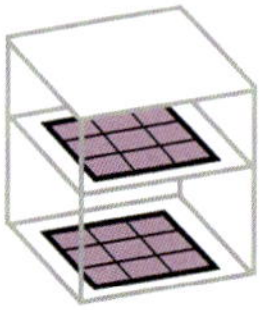

NE 3.233 €/NE

NE: Wohnfläche

Objekt:
Kennwerte: 1. Ebene DIN 276
BRI: 948 m³
BGF: 313 m²
NUF: 204 m²
Bauzeit: 30 Wochen
Bauende: 2019
Standard: Durchschnitt
Bundesland: Bayern
Kreis: Lindau (Bodensee)

Architekt*in:
riekMANUFAKTUR
Im Ängerle 12a
88149 Nonnenhorn

Bauherr*in:
Maren und Thorsten Riekmann
Im Ängerle 12a
88149 Nonnenhorn

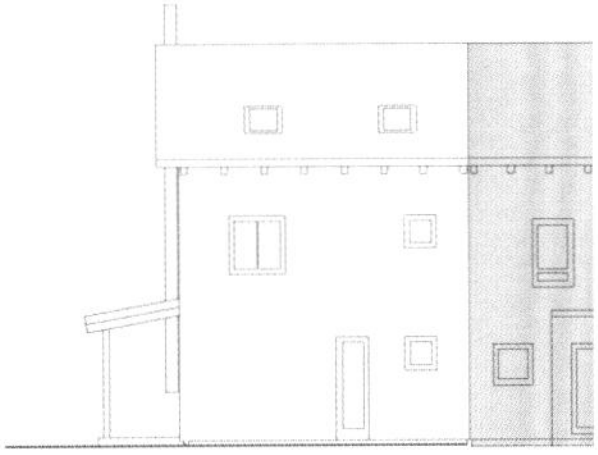

Ansicht Nord-Ost

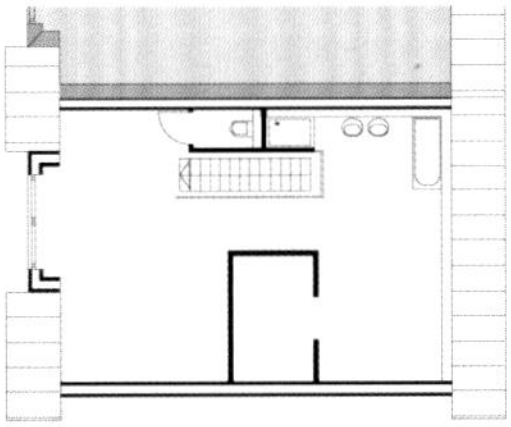

Dachgeschoss

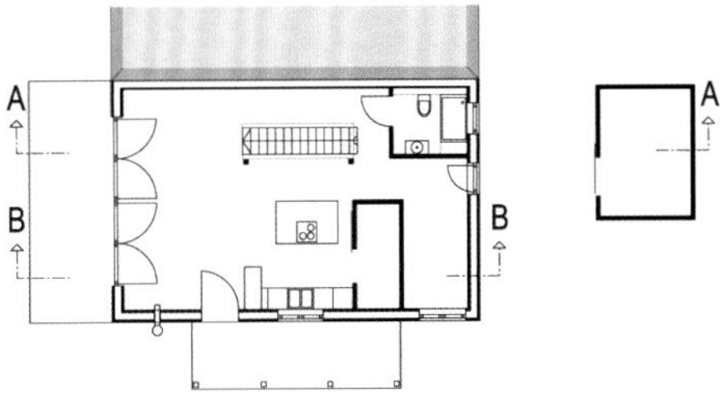

Erdgeschoss

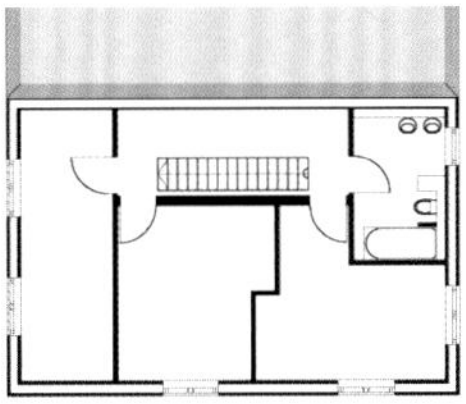

Obergeschoss

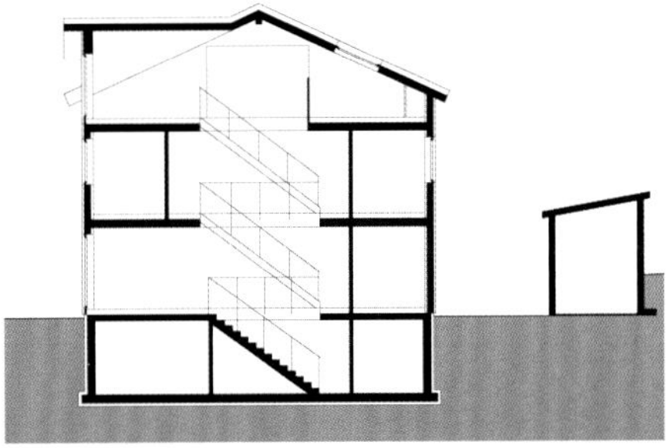

Schnitt A-A

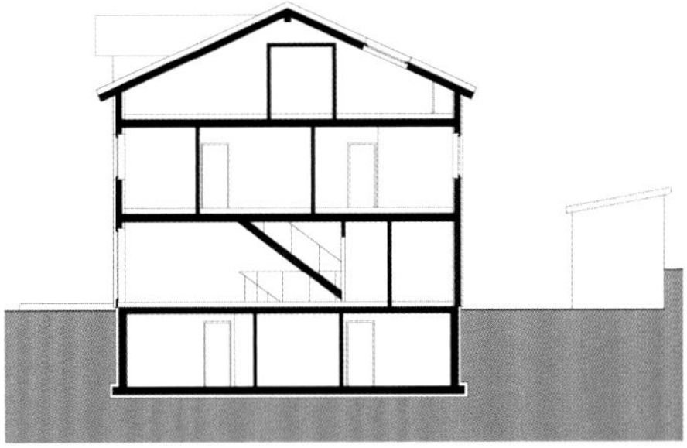

Schnitt B-B

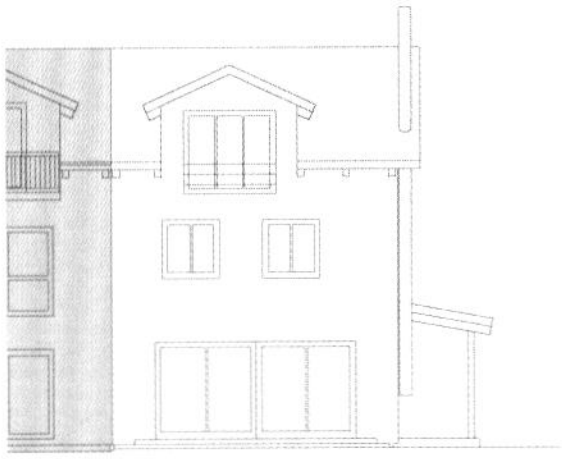

Ansicht Süd-West

Ansicht Süd-Ost

6100-1556
Doppelhaushälfte
(1 WE)

Objektbeschreibung

Allgemeine Objektinformationen

In einem kleinen Neubaugebiet am Bodensee entstand in ökologischer Bauweise eine neue Doppelhaushälfte. Das offene Wohnkonzept mit weitgehendem Verzicht auf Innenwände basiert auf der Idee, auf Ebenen statt in geschlossenen Räumen zu wohnen. Vertikal werden alle Geschosse vereint durch eine Wand aus Kiefernholz. Das Erdgeschoss agiert multifunktional mit Küche, Essen und Büro. Unter dem Satteldach befindet sich das Wohnzimmer mit Seeblick.

Nutzung

1 Untergeschoss
Gästezimmer, Hobby, Werkstatt, Technik, Vorratsraum, Abstellen

1 Erdgeschoss
Esszimmer, offene Wohnküche, Arbeiten, WC, Vorratsraum

1 Obergeschoss
Kinderzimmer, Bad, Flur

1 Dachgeschoss
Schlafzimmer, Ankleide, Wohnzimmer, Bad, WC

Nutzeinheiten

Wohnfläche: 181 m^2

Grundstück

Bauraum: Freier Bauraum
Neigung: Geneigtes Gelände
Bodenklasse: BK 4

Markt

Hauptvergabezeit: 2. Quartal 2018
Baubeginn: 3. Quartal 2018
Bauende: 2. Quartal 2019
Konjunkturelle Gesamtlage: über Durchschnitt
Regionaler Baumarkt: unter Durchschnitt

Baukonstruktion

Das vollunterkellerte Wohnhaus gründet auf einer wasserundurchlässigen Stahlbetonbodenplatte. Alle Außenwände des Untergeschosses sind ebenfalls in WU-Stahlbeton hergestellt, die oberen Geschosse wurden in Holzrahmenbauweise mit Zellulose-Einblasdämmung errichtet. Die Fassade ist mit sägerauer Fichte bekleidet und lasiert. Es kamen Holz-Alufenster zum Einbau. Das Holzsparrendach wurde mit Tonziegeln gedeckt. Innenseitig ist die offene Holzbalkendecke sichtbar. Stahlstützen und Trockenbauwände gliedern die Wohnflächen. Als Innenwandbekleidung wurde Streichputz und Kiefernholz gewählt. Eine unbehandelte Stahltreppe verbindet die Geschosse. Die Fußböden sind mit Massivholzdielen, Kork und Bodenfliesen belegt.

Technische Anlagen

Das Gebäude wird über eine Luft-Wärmepumpe beheizt, die sowohl die Warmwasserbereitung als auch die Fußbodenheizung versorgt. Abgerundet wird das ökologische Gesamtkonzept durch ein Lüftungssystem mit Wärmerückgewinnung.

Sonstiges

Zum Bau des Hauses wurde heimisches Holz verwendet. Das nachwachsende Material kam in den Wänden, der Fassade und im Dach zur Ausführung. Durch den Einsatz von vorgefertigten Wandelementen konnte die Bauzeit verringert und Kosten reduziert werden.

Planungskennwerte für Flächen und Rauminhalte nach DIN 277

Flächen des Grundstücks		Menge Einheit	% an GF
BF	Bebaute Fläche	80,00 m²	23,5
UF	Unbebaute Fläche	260,00 m²	76,5
GF	Grundstücksfläche	340,00 m²	100,0

Grundflächen des Bauwerks		Menge Einheit	% an NUF	% an BGF
NUF	Nutzungsfläche	204,06 m²	100,0	65,2
TF	Technikfläche	14,81 m²	7,3	4,7
VF	Verkehrsfläche	40,51 m²	19,9	12,9
NRF	Netto-Raumfläche	259,38 m²	127,1	82,9
KGF	Konstruktions-Grundfläche	53,44 m²	26,2	17,1
BGF	Brutto-Grundfläche	312,82 m²	153,3	100,0

Brutto-Rauminhalt des Bauwerks		Menge Einheit	BRI/NUF (m)	BRI/BGF (m)
BRI	Brutto-Rauminhalt	948,00 m³	4,65	3,03

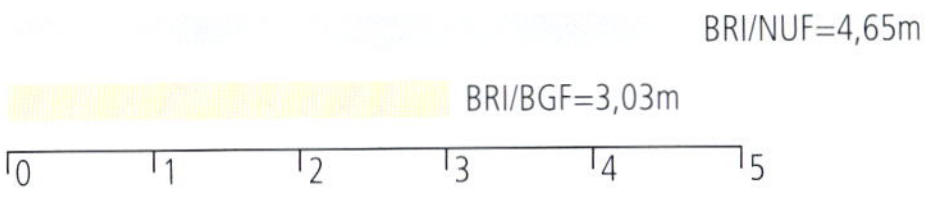

Kostenkennwerte für die Kostengruppen der 1. Ebene DIN 276

KG	Kostengruppen (1. Ebene)	Einheit	Kosten €	€/Einheit	€/m²BGF	€/m³BRI	% 300+400
100	Grundstück	m²GF	–	–	–	–	–
200	Vorbereitende Maßnahmen	m²GF	26.774	78,75	85,59	28,24	4,6
300	Bauwerk – Baukonstruktionen	m²BGF	469.040	1.499,39	1.499,39	494,77	80,2
400	Bauwerk – Technische Anlagen	m²BGF	116.046	370,97	370,97	122,41	19,8
	Bauwerk 300+400	**m²BGF**	**585.086**	**1.870,36**	**1.870,36**	**617,18**	**100,0**
500	Außenanlagen und Freiflächen	m²AF	40.452	–	129,31	42,67	6,9
600	Ausstattung und Kunstwerke	m²BGF	11.955	38,22	38,22	12,61	2,0
700	Baunebenkosten	m²BGF	–	–	–	–	–
800	Finanzierung	m²BGF	–	–	–	–	–

KG	Kostengruppe	Menge Einheit	Kosten €	€/Einheit	%
200	**Vorbereitende Maßnahmen**	340,00 m²GF	26.774	**78,75**	4,6

Öffentliche Erschließung

KG	Kostengruppe	Menge Einheit	Kosten €	€/Einheit	%
3+4	**Bauwerk**				**100,0**
300	**Bauwerk – Baukonstruktionen**	312,82 m²BGF	469.040	**1.499,39**	80,2

Bodenarbeiten; Stb-Bodenplatte WU, Estrich, Fliesen, Parkett, Perimeterdämmung; Stb-Außenwände WU, Holzahmenwände mit Zellulose-Einblasdämmung, Holz-Alufenster, dreifachverglast, Holzaußentüre, Holzverschalung, Beschichtung; Stb-Innenwände, Holzständerwände, GK-Wände, Stahlstützen, Holztüren, Schiebetüren, Wandfliesen, Streichputz, Beschichtung; Stb-Decke, offene Holzbalkendecken, Stb-Kellertreppe, Stahl-Wangentreppen, Heizestrich, Massivholz-Dielenböden, Bodenfliesen, GK-Decke, Beschichtung, Treppengeländer; Holz-Satteldach, Dachgaube, Dämmung, Dachfenster, Ziegeldeckung, Dachentwässerung

KG	Kostengruppe	Menge Einheit	Kosten €	€/Einheit	%
400	**Bauwerk – Technische Anlagen**	312,82 m²BGF	116.046	**370,97**	19,8

Gebäudeentwässerung, Kalt- und Warmwasserleitungen, Sanitärobjekte; Luft-Wärmepumpe, Heizleitungen, Fußbodenheizung; zentrale Lüftungsanlage mit Wärmerückgewinnung; Elektroinstallation

KG	Kostengruppe	Menge Einheit	Kosten €	€/Einheit	%
500	**Außenanlagen und Freiflächen**	–	40.452	**–**	6,9

Holzterrassen; Gartenhaus, Badetonne Hot Tube; Oberbodenbearbeitung, Bepflanzung

KG	Kostengruppe	Menge Einheit	Kosten €	€/Einheit	%
600	**Ausstattung und Kunstwerke**	312,82 m²BGF	11.955	**38,22**	2,0

Einrichtung Speisekammer; Kamin, Edelstahlschornstein

6100-1564
Einfamilienhaus
Garage

Objektübersicht

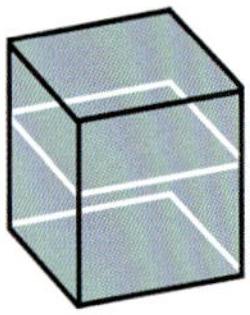
BRI 813 €/m³

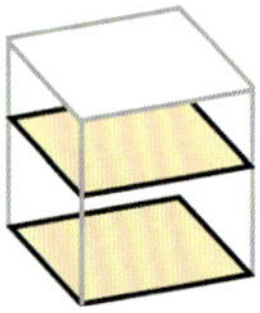
BGF 2.643 €/m²

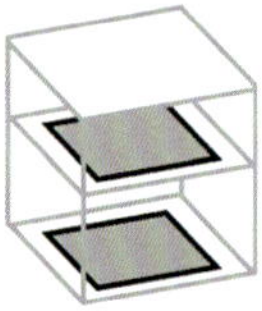
NUF 4.283 €/m²

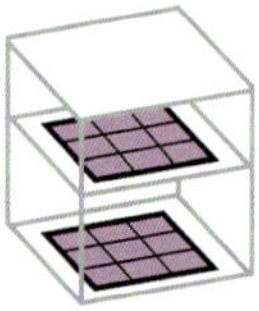
NE 5.684 €/NE
NE: Wohnfläche

Objekt:
Kennwerte: 1. Ebene DIN 276
BRI: 1.114 m³
BGF: 343 m²
NUF: 211 m²
Bauzeit: 43 Wochen
Bauende: 2019
Standard: über Durchschnitt
Bundesland: Baden-Württemberg
Kreis: Calw

Architekt*in:
Partner und Partner
Architekten
Reichenberger Straße 124 A
10999 Berlin

© Jan Rottler

© Ulrike Klumpp

© Ulrike Klumpp

© Ulrike Klumpp

© Ulrike Klumpp

© Ulrike Klumpp

Zeichnungen

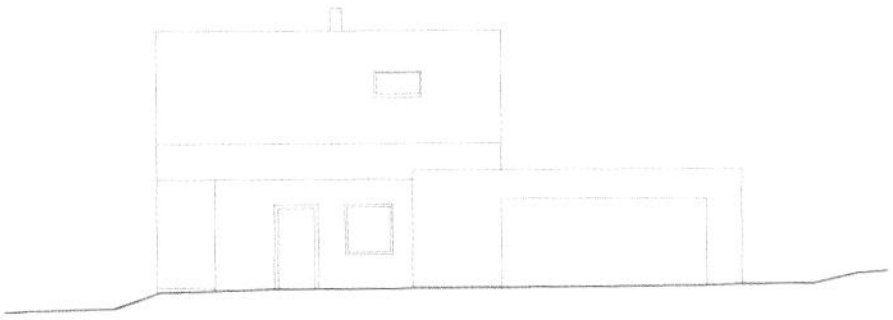

Ansicht Nord

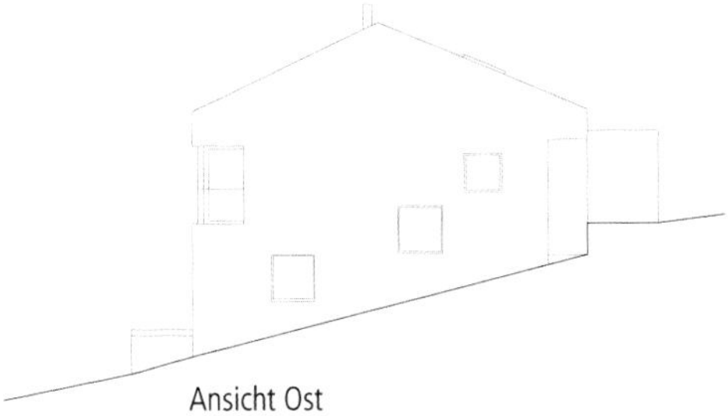

Ansicht Ost

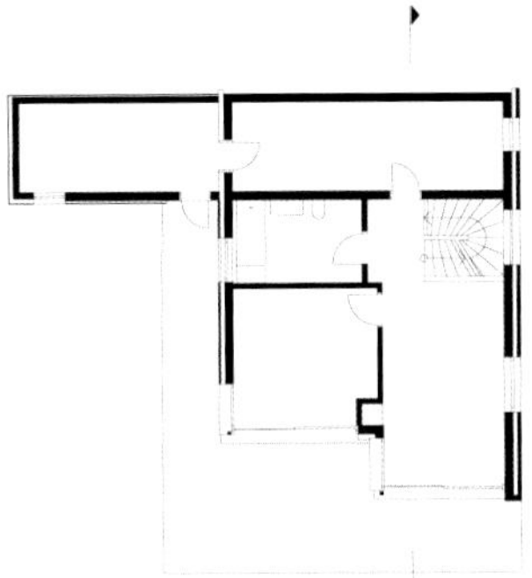

Untergeschoss

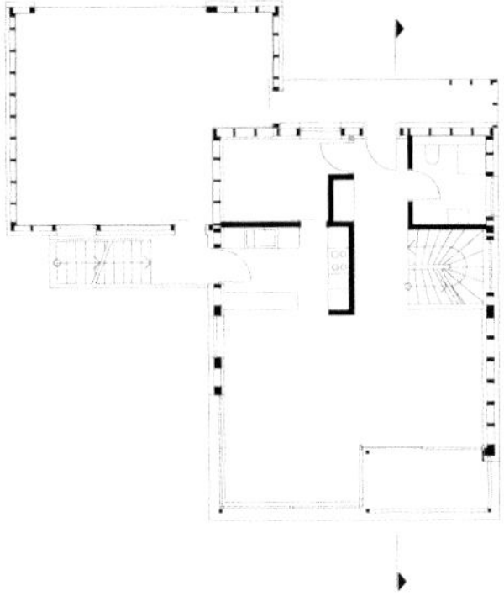

Erdgeschoss

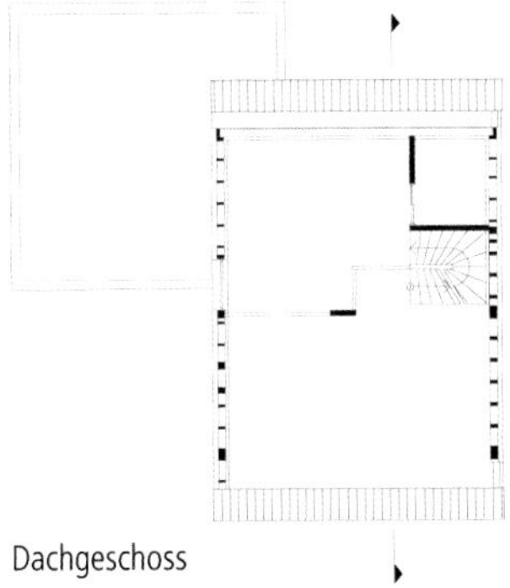

Dachgeschoss

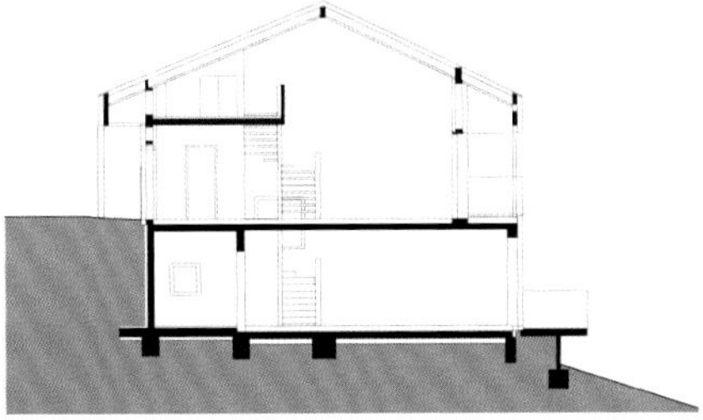

Schnitt

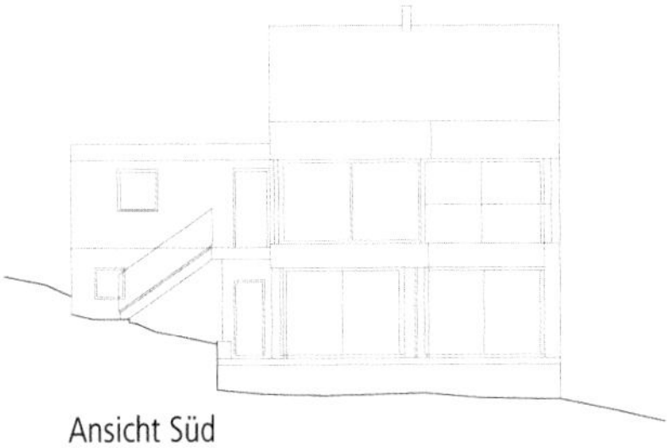

Ansicht Süd

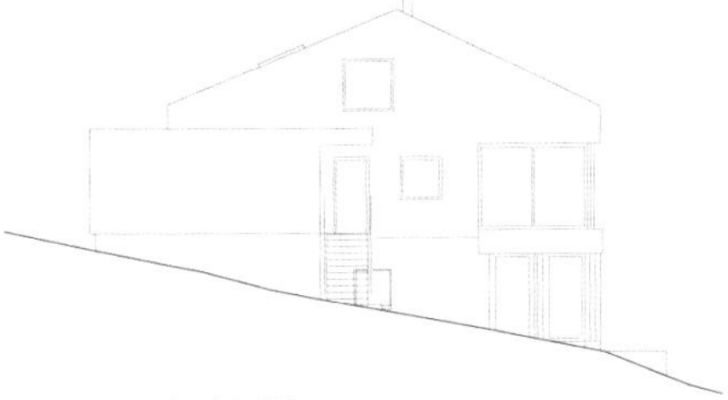

Ansicht West

Objektbeschreibung

Allgemeine Objektinformationen

Auf einem steilen Hanggrundstück gelegen, fügt sich das neue Einfamilienhaus durch seine Form in die Ortslandschaft ein und setzt gleichzeitig einen Akzent mit seiner verkohlten Holzfassade. Das Gebäude besteht aus zwei ineinander gesteckten Baukörpern, die sich aus dem Wohnhaus und einer Garage zusammensetzen. Mit straßenseitig zurückhaltender Fassade öffnet sich das Bauwerk mit seinen großen Fensterausschnitten in Richtung Südwesten und stellt mit seiner reduzierten Materialwahl einen fließenden Übergang zwischen Außen- und Innenraum her. Der offen gestaltete Grundriss gewährt ausreichend Freiraum zu unterschiedlicher Nutzung.

Nutzung

1 Untergeschoss
Geräteraum, Hausanschluss, Bad, Schlafzimmer, Studio, Terrasse

1 Erdgeschoss
Garderobe, Hauswirtschaftsraum, Wohnen/Essen, Küche, Loggia, Bad, Garage

1 Dachgeschoss
Galerie, Abstellraum

Nutzeinheiten

Stellplätze: 2
Wohneinheiten: 1
Wohnfläche: 159 m²

Grundstück

Bauraum: Freier Bauraum
Neigung: Hanglage
Bodenklasse: BK 4 bis BK 6

Besonderer Kosteneinfluss Grundstück
Hanggrundstück, Baugrundklasse A, Gründungsniveau: Sandstein, Untergrundklasse R, Bodenklasse 4

Markt

Hauptvergabezeit: 4. Quartal 2018
Baubeginn: 4. Quartal 2018
Bauende: 3. Quartal 2019
Konjunkturelle Gesamtlage: Durchschnitt
Regionaler Baumarkt: unter Durchschnitt

Baukonstruktion

Die Außenwände des Untergeschosses wurden als Sichtbetonwände realisiert. Für die Außenwände der Unter- und Erdgeschosse kam eine Holzständerkonstruktion mit Zellulosedämmung zur Ausführung. Die gesamte Fassade ist mit einer verkohlten Tannenschalung bekleidet. Als Fenster wurden Holz-Alufenster mit außenliegendem Sonnenschutz gewählt. Holzinnentreppen verbinden die Geschosse, außen wurde eine Stahltreppe eingebaut. Das Satteldach besteht aus einer Sparrendachkonstruktion mit Zellulosedämmung und einer Ziegeldeckung. Die Außenwände sind in den Wohnräumen innenseitig mit Lehmplatten und -putz beschichtet. Sämtliche Innenwände wurden als Brettsperrholzwände hergestellt und sichtbar belassen. An den Wänden im Nassbereich kam die Kalkputztechnik Tadelakt zum Einsatz. Ergänzt werden die Räume durch einen Sichtestrich als Bodenbelag.

Technische Anlagen

Eine Photovoltaikanlage auf dem Dach ergänzt das nachhaltige Gebäudekonzept und speist Energie für die Luft-Wasser-Wärmepumpe und später das Elektroauto in der Garage ein. Die Wärmeverteilung im Gebäude erfolgt über eine geregelte Fußbodenheizung. Ein Kaminofen im Erdgeschoss sorgt in der kalten Jahreszeit für zusätzliche Strahlungswärme.

Planungskennwerte für Flächen und Rauminhalte nach DIN 277

Flächen des Grundstücks		Menge Einheit	% an GF
BF	Bebaute Fläche	194,13 m²	13,9
UF	Unbebaute Fläche	1.204,14 m²	86,1
GF	Grundstücksfläche	1.398,27 m²	100,0

Grundflächen des Bauwerks		Menge Einheit	% an NUF	% an BGF
NUF	Nutzungsfläche	211,49 m²	100,0	61,7
TF	Technikfläche	18,63 m²	8,8	5,4
VF	Verkehrsfläche	46,14 m²	21,8	13,5
NRF	Netto-Raumfläche	276,26 m²	130,6	80,6
KGF	Konstruktions-Grundfläche	66,49 m²	31,4	19,4
BGF	Brutto-Grundfläche	342,75 m²	162,1	100,0

Brutto-Rauminhalt des Bauwerks		Menge Einheit	BRI/NUF (m)	BRI/BGF (m)
BRI	Brutto-Rauminhalt	1.114,16 m³	5,27	3,25

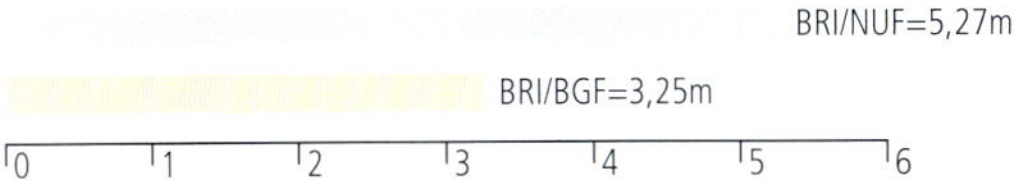

Kostenkennwerte für die Kostengruppen der 1.Ebene DIN 276

KG	Kostengruppen (1.Ebene)	Einheit	Kosten €	€/Einheit	€/m²BGF	€/m³BRI	% 300+400
100	Grundstück	m² GF	–	–	–	–	–
200	Vorbereitende Maßnahmen	m² GF	–	–	–	–	–
300	Bauwerk – Baukonstruktionen	m² BGF	788.762	2.301,27	2.301,27	707,94	87,1
400	Bauwerk – Technische Anlagen	m² BGF	116.999	341,35	341,35	105,01	12,9
	Bauwerk 300+400	**m² BGF**	**905.760**	**2.642,63**	**2.642,63**	**812,95**	**100,0**
500	Außenanlagen und Freiflächen	m² AF	–	–	–	–	–
600	Ausstattung und Kunstwerke	m² BGF	–	–	–	–	–
700	Baunebenkosten	m² BGF	–	–	–	–	–
800	Finanzierung	m² BGF	–	–	–	–	–

KG	Kostengruppe	Menge Einheit	Kosten €	€/Einheit	%
3+4	**Bauwerk**				**100,0**
300	**Bauwerk – Baukonstruktionen**	342,75 m² BGF	788.762	**2.301,27**	87,1

Stb-Bodenplatte, Sichtestrich, Stb-Terrasse; Sichtbetonwände im UG, Holzständerwände mit Zellulosedämmung, Holz-Alufenster, Fassade als verkohlte Tannenschalung, Lehmbauplatten, Lehmputz, Sonnenschutz, Stahlaußentreppe; Brettsperrholzwände, Sichtqualität, Holztüren, Kalkputztechnik Tadelakt im Duschbereich; Massivholzdecke, Sichtqualität, Holzinnentreppe, Sichtestrich, Betonplatten; Sparrendach, Zellulosedämmung, Dachziegel, Dachentwässerung

KG	Kostengruppe	Menge Einheit	Kosten €	€/Einheit	%
400	**Bauwerk – Technische Anlagen**	342,75 m² BGF	116.999	**341,35**	12,9

Gebäudeentwässerung, Kalt- und Warmwasserleitungen, Sanitärobjekte; Luft-Wasser-Wärmepumpe, Fußbodenheizung, Kamin; Photovoltaikanlage, Elektroinstallation, Beleuchtung

6100-1568
Einfamilienhaus
Carport

Objektübersicht

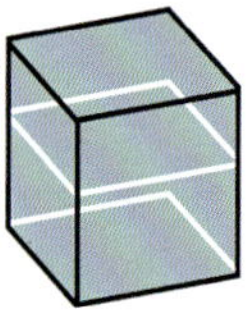

BRI 794 €/m³

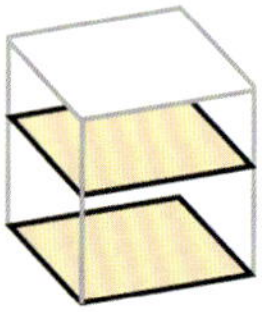

BGF 2.392 €/m²

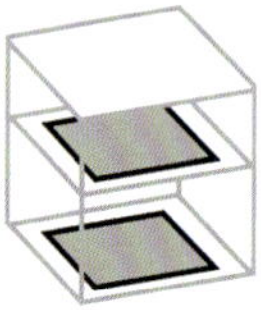

NUF 3.421 €/m²

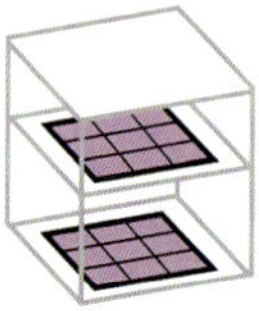

NE 3.706 €/NE
NE: Wohnfläche

Objekt:
Kennwerte: 1. Ebene DIN 276
BRI: 704 m³
BGF: 234 m²
NUF: 163 m²
Bauzeit: 65 Wochen
Bauende: 2020
Standard: Durchschnitt
Bundesland: Bayern
Kreis: Würzburg

Architekt*in:
claus arnold architekt bda
Methfesselstraße 19
97074 Würzburg

Ansicht Nord

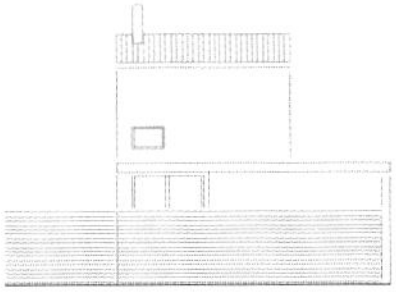

Ansicht Ost

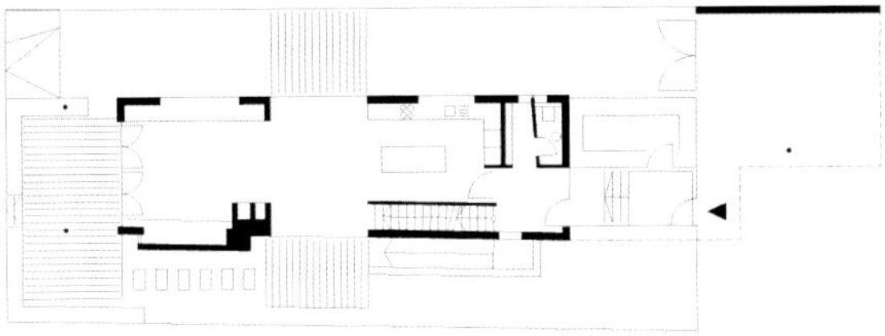

Erdgeschoss

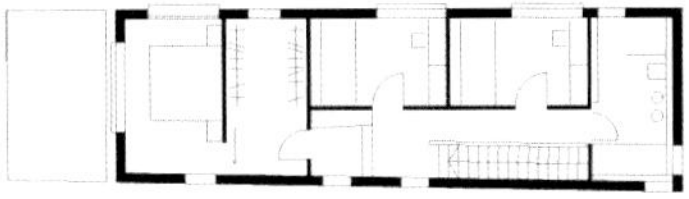

Obergeschoss

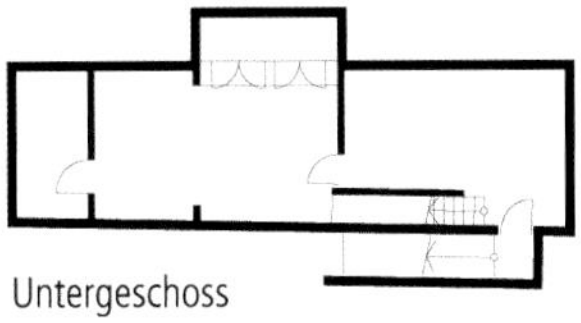

Untergeschoss

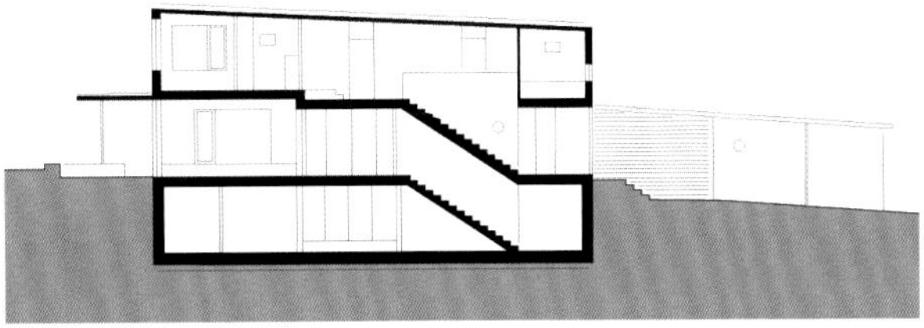

Längsschnitt

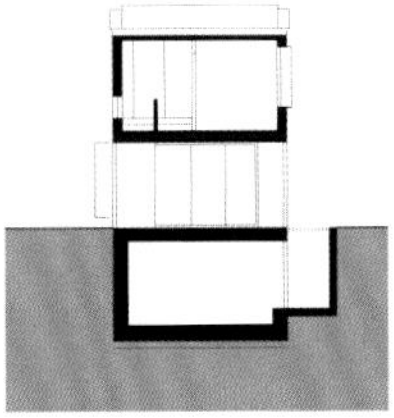

Querschnitt

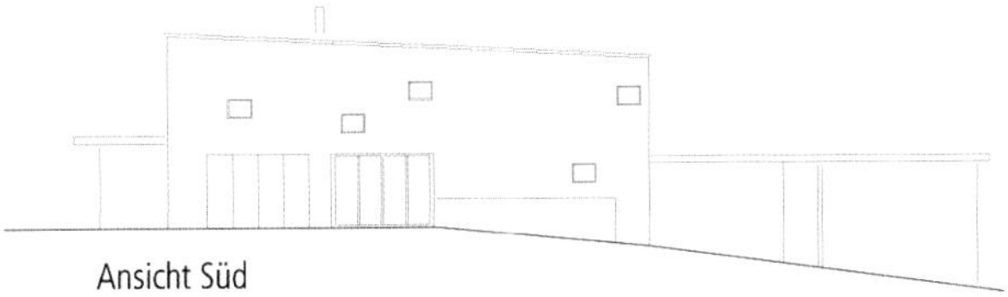

Ansicht Süd

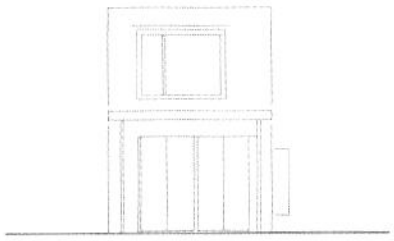

Ansicht West

Objektbeschreibung

Allgemeine Objektinformationen

Der nur 4,70m breite Baukörper schöpft die Möglichkeiten des Baurechts auf dem schmalen Baugrundstück voll aus. Das zweigeschossige Wohnhaus bietet Platz für eine Familie. Das Maß der baulichen Nutzung ist durch eine zurückversetzte Attika und einen als untergeordnetes Bauteil geltenden Alkoven optimiert. Im Inneren entstehen kleine, jedoch großzügig wirkende Räume durch spezifische Öffnungen zum Außenraum. Terrassen im Osten, Süden und Norden für unterschiedliche Tageszeiten folgen dem Sonnenstand. Im Norden wurde ein teilüberdachter eingefriedeter Eingangshof angelegt.

Nutzung

1 Untergeschoss
Musikzimmer, Weinkeller, Abstellraum, Flur, Technik

1 Erdgeschoss
Eingang, Wohn-, Essküche, WC, Terrassen

1 Obergeschoss
Schlafzimmer, Ankleide, Bad, zwei Kinderzimmer, Flur

Nutzeinheiten

Wohnfläche: 151 m²

Grundstück

Bauraum: Beengter Bauraum
Neigung: Ebenes Gelände
Bodenklasse: BK 3

Markt

Hauptvergabezeit: 2. Quartal 2019
Baubeginn: 3. Quartal 2019
Bauende: 4. Quartal 2020
Konjunkturelle Gesamtlage: Durchschnitt
Regionaler Baumarkt: Durchschnitt

Baukonstruktion

Der Neubau wurde in Mischbauweise als zweigeschossiges Gebäude mit Unterkellerung errichtet. Bodenplatte, erdberührte Wände und die Decke über dem Untergeschoss sind aus Stahlbeton, die oberirdische Kubatur ist als Holzkonstruktion mit Massivholzwänden und -decken ausgeführt. Ein Betonrahmen im Erdgeschoss steift den Holzbau aus und gliedert die Nutzungsbereiche. Die Fassade wurde mit einem Wärmedämmverbundsystem aus Holzfaserdämmplatten ummantelt und mit einem mineralischen Außenputz beschichtet. Sämtliche Lärchenholzfenster sind zweifach verglast und mit umlaufenden Holzrahmen gestaltet. Als Sonnenschutz dienen außenliegende Fassadenraffstores. Das flach geneigte Pultdach wurde als nicht hinterlüftetes Foliendach ausgeführt. Die Holzoberflächen raumseitiger Wände und Decken wurden sichtbar belassen. Innentreppen und -türen bestehen aus Lärchenholz. Als Bodenbelag dient im Erdgeschoss geschliffener Gussasphaltestrich, das Obergeschoss wurde mit Eiche-Massivholzdielen gestaltet.

Technische Anlagen

Das Gebäude wird über ein Gasbrennwertgerät mit Wärme versorgt. Mittels einer geregelten Fußbodenheizung in allen Etagen wird die Wärme auf die Räume verteilt. Für zusätzliche Energie sorgt eine Photovoltaikanlage auf dem Dach, die über einen Pufferspeicher verfügt. Zur Nutzung regenerativer Energie dient ein Holzofen im Erdgeschoss.

Sonstiges

Energieeffizienz wird neben der Technik durch die Bauart erreicht: im Gebäude existiert eine energetisch sinnvolle Zonierung mit dienenden Nutzungen im Norden als puffernde Raumschicht und Orientierung der großen Fassadenöffnungen nach Süden und Westen für solare Wärmegewinne.

Planungskennwerte für Flächen und Rauminhalte nach DIN 277

Flächen des Grundstücks		Menge Einheit	% an GF
BF	Bebaute Fläche	139,17 m²	21,8
UF	Unbebaute Fläche	498,83 m²	78,2
GF	Grundstücksfläche	638,00 m²	100,0

Grundflächen des Bauwerks		Menge Einheit	% an NUF	% an BGF
NUF	Nutzungsfläche	163,44 m²	100,0	69,9
TF	Technikfläche	5,27 m²	3,2	2,3
VF	Verkehrsfläche	18,90 m²	11,6	8,1
NRF	Netto-Raumfläche	187,61 m²	114,8	80,3
KGF	Konstruktions-Grundfläche	46,15 m²	28,2	19,7
BGF	Brutto-Grundfläche	233,76 m²	143,0	100,0

Brutto-Rauminhalt des Bauwerks		Menge Einheit	BRI/NUF (m)	BRI/BGF (m)
BRI	Brutto-Rauminhalt	704,40 m³	4,31	3,01

Kostenkennwerte für die Kostengruppen der 1. Ebene DIN 276

KG	Kostengruppen (1. Ebene)	Einheit	Kosten €	€/Einheit	€/m² BGF	€/m³ BRI	% 300+400
100	Grundstück	m² GF	–	–	–	–	–
200	Vorbereitende Maßnahmen	m² GF	–	–	–	–	–
300	Bauwerk – Baukonstruktionen	m² BGF	454.307	1.943,48	1.943,48	644,96	81,3
400	Bauwerk – Technische Anlagen	m² BGF	104.801	448,33	448,33	148,78	18,7
	Bauwerk 300+400	**m² BGF**	**559.109**	**2.391,81**	**2.391,81**	**793,74**	**100,0**
500	Außenanlagen und Freiflächen	m² AF	–	–	–	–	–
600	Ausstattung und Kunstwerke	m² BGF	–	–	–	–	–
700	Baunebenkosten	m² BGF	–	–	–	–	–
800	Finanzierung	m² BGF	–	–	–	–	–

KG	Kostengruppe	Menge Einheit	Kosten €	€/Einheit	%
3+4	**Bauwerk**				**100,0**
300	**Bauwerk – Baukonstruktionen**	233,76 m² BGF	454.307	**1.943,48**	81,3

Bodenarbeiten, Stb-Bodenplatte, Abdichtung, Dämmung, Heiz-Zementestrich, versiegelt; Stb-Wände, Massivholzwände, Lärchenholzfenster, zweifachverglast, Perimeterdämmung, Abdichtung, WDVS, Massivholzwände, Fassadenraffstores; KS-Innenwände, Sichtbetonwände, Massivholzwände, Lärchenholz-Türen, Wandoberfläche geschlämmt, sichtbare Holzoberfläche; Stb-Decke, Massivholzdecke, Holztreppen, Gussasphalt-Heizestrich, geschliffen, versiegelt, Heiz-Zementestrich, Eiche-Massivholzdielen; Massivholz-Flachdach, 5% Gefälle, Mineralwolldämmung, Folien-Dachabdichtung, Kies, Attikaaufkantung HPL-Fassadenplatten, Dachentwässerung

KG	Kostengruppe	Menge Einheit	Kosten €	€/Einheit	%
400	**Bauwerk – Technische Anlagen**	233,76 m² BGF	104.801	**448,33**	18,7

Gebäudeentwässerung, Kalt- und Warmwasserleitungen, Sanitärgegenstände; Gasbrennwertgerät, Kaminofen, Fußbodenheizung; Photovoltaikanlage Dach, Elektroinstallation, Beleuchtung

6100-1575
Einfamilienhaus
Garage

Objektübersicht

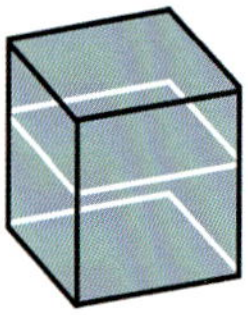

BRI 789 €/m³

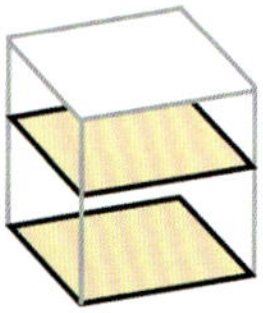

BGF 2.545 €/m²

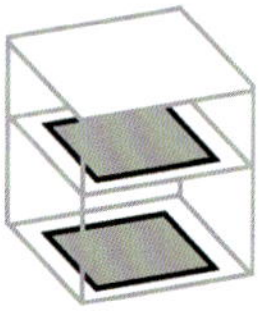

NUF 3.996 €/m²

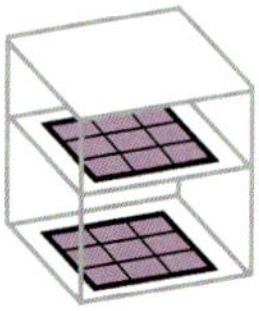

NE 4.804 €/NE

NE: Wohnfläche

Objekt:
Kennwerte: 3. Ebene DIN 276
BRI: 938 m³
BGF: 290 m²
NUF: 185 m²
Bauzeit: 39 Wochen
Bauende: 2019
Standard: über Durchschnitt
Bundesland: Baden-Württemberg
Kreis: Mannheim, Stadt

Architekt*in:
sgfa
schäfer gaukel kammerer
freie architekten
partnerschaft mbb
Gottesauer Platz 1
76131 Karlsruhe

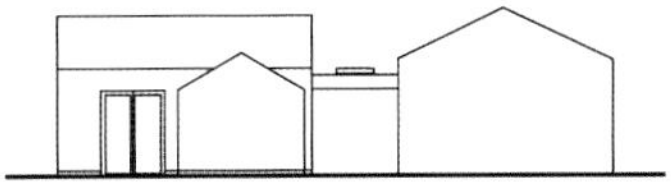

Ansicht Süd

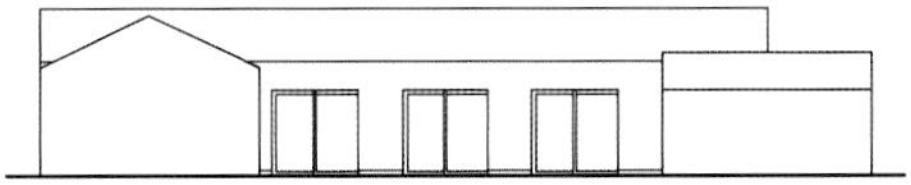

Ansicht Ost

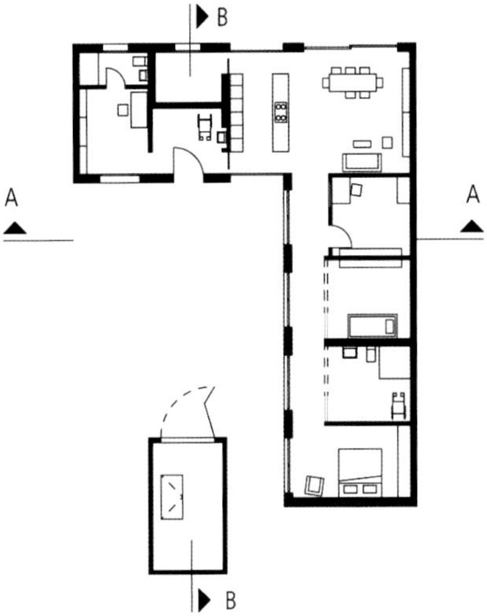

Erdgeschoss

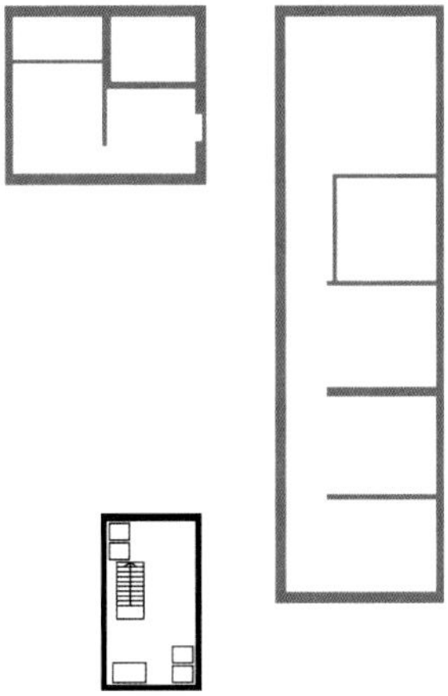

Untergeschoss

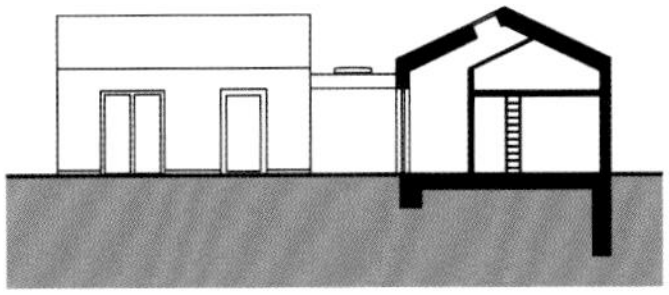

Schnitt A-A

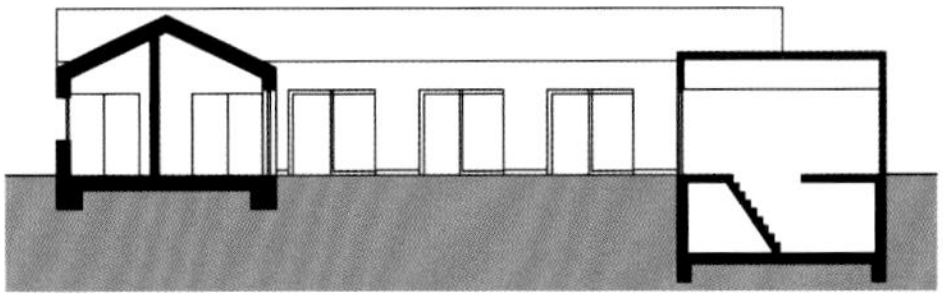

Schnitt B-B

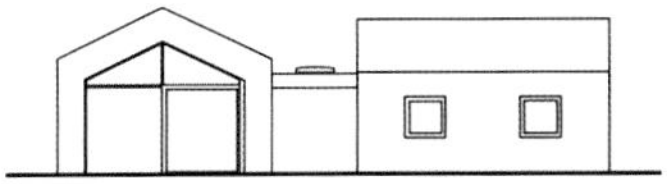

Ansicht Nord

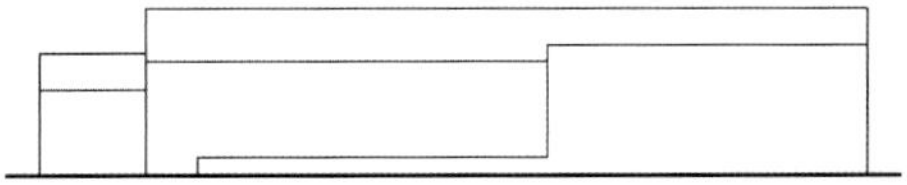

Ansicht West

Objektbeschreibung

Allgemeine Objektinformationen

Das barrierefreie, eingeschossige Einfamilienhaus fügt sich in die Umgebung ein und die Gebäudeform orientiert sich an den bestehenden Siedlungsgebäuden. Das Hauptgebäude ist rollstuhlgerecht, ein Bad wurde barrierefrei ausgeführt. Die lichtdurchflutete Glasbox, in welcher die Küche untergebracht ist, bildet das verbindende Element zwischen den zwei aufeinandertreffenden Satteldächern. Die technischen Anlagen und Anschlüsse sind im Technikkeller unter der Garage untergebracht.

Nutzung

1 Untergeschoss
Nebengebäude: Technik

1 Erdgeschoss
Wohnen/Essen/Küche, Schlafzimmer, Kinderzimmer (2St), Arbeitszimmer, Bäder (2St), Flur, Eingang, Hauswirtschaftsraum, Nebengebäude: Garage

1 Dachgeschoss
Lagerflächen mit vier Bodentreppen

Nutzeinheiten

Wohneinheiten: 1
Wohnfläche: 154 m^2

Grundstück

Bauraum: Baulücke
Neigung: Ebenes Gelände
Bodenklasse: BK 1 bis BK 3

Markt

Hauptvergabezeit: 1. Quartal 2019
Baubeginn: 1. Quartal 2019
Bauende: 4. Quartal 2019
Konjunkturelle Gesamtlage: über Durchschnitt
Regionaler Baumarkt: Durchschnitt

Baukonstruktion

Der Neubau wurde auf einer Stahlbeton-Bodenplatte mit Streifenfundament gegründet. Das Bauwerk ist konstruktiv als Holzrahmenbau angelegt. Die vorgefertigten Außenwände wurden bereits werkseitig mit einer vertikalen Holzfassade, bzw. einer Putzträgerplatte bekleidet. Schiebetürelemente ermöglichen den barrierefreien Zugang zum Außenbereich. Die inneren Holzschiebetüren sind schwellenlos ausgeführt. Die Räume sind mit Linoleum oder Bodenfliesen ausgelegt. Das Holzsatteldach wurde mit Trapezblech gedeckt. Das Holzbalken-Flachdach ist mit einer Bitumenabdichtung versehen. Der Keller des Nebengebäudes ist in Stahlbeton ausgeführt.

Technische Anlagen

Das Wohnhaus wird ausschließlich über eine Luft-Wasser-Wärmepumpe beheizt. Gekoppelt mit der Fußbodenheizung und einem Warmwasserbereiter wird der gesamte Neubau gewärmt und mit Warmwasser versorgt. Das Gebäude ist für den späteren Einbau einer Photovoltaikanlage und einer Nachrüstung von Elektromobilität ausgelegt. Das anfallende Regenwasser der großen Dachflächen versickert größtenteils auf dem Grundstück.

Planungskennwerte für Flächen und Rauminhalte nach DIN 277

Flächen des Grundstücks		Menge Einheit	% an GF
BF	Bebaute Fläche	213,48 m²	38,7
UF	Unbebaute Fläche	338,67 m²	61,3
GF	Grundstücksfläche	552,15 m²	100,0

Grundflächen des Bauwerks		Menge Einheit	% an NUF	% an BGF
NUF	Nutzungsfläche	185,02 m²	100,0	63,7
TF	Technikfläche	16,70 m²	9,0	5,7
VF	Verkehrsfläche	25,80 m²	13,9	8,9
NRF	Netto-Raumfläche	227,52 m²	123,0	78,3
KGF	Konstruktions-Grundfläche	62,96 m²	34,0	21,7
BGF	Brutto-Grundfläche	290,48 m²	157,0	100,0

Brutto-Rauminhalt des Bauwerks		Menge Einheit	BRI/NUF (m)	BRI/BGF (m)
BRI	Brutto-Rauminhalt	937,73 m³	5,07	3,23

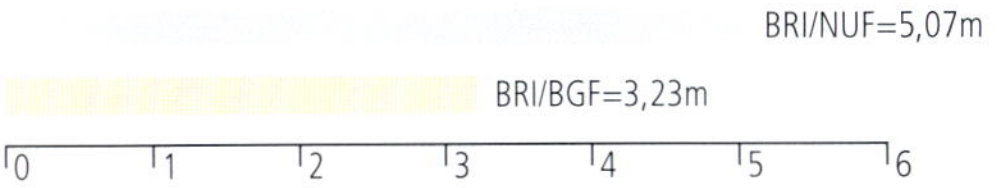

Lufttechnisch behandelte Flächen	Menge Einheit	% an NUF	% an BGF
Entlüftete Fläche	–	–	–
Be- und entlüftete Fläche	–	–	–
Teilklimatisierte Fläche	–	–	–
Klimatisierte Fläche	–	–	–

KG	Kostengruppen (2. Ebene)	Menge Einheit	Menge/NUF	Menge/BGF
310	Baugrube / Erdbau	355,80 m³ BGI	1,92	1,23
320	Gründung, Unterbau	198,33 m² GRF	1,07	0,68
330	Außenwände/Vertikale Baukonstruktionen, außen	339,51 m² AWF	1,84	1,17
340	Innenwände/Vertikale Baukonstruktionen, innen	191,11 m² IWF	1,03	0,66
350	Decken/Horizontale Baukonstruktionen	82,88 m² DEF	0,45	0,29
360	Dächer	230,28 m² DAF	1,25	0,79

Kostenkennwerte für die Kostengruppen der 1. Ebene DIN 276

KG	Kostengruppen (1. Ebene)	Einheit	Kosten €	€/Einheit	€/m² BGF	€/m³ BRI	% 300+400
100	Grundstück	m² GF	–	–	–	–	–
200	Vorbereitende Maßnahmen	m² GF	12.503	22,64	43,04	13,33	1,7
300	Bauwerk – Baukonstruktionen	m² BGF	617.515	2.125,84	2.125,84	658,52	83,5
400	Bauwerk – Technische Anlagen	m² BGF	121.894	419,63	419,63	129,99	16,5
	Bauwerk 300+400	**m² BGF**	**739.410**	**2.545,48**	**2.545,48**	**788,51**	**100,0**
500	Außenanlagen und Freiflächen	m² AF	27.817	139,09	95,76	29,66	3,8
600	Ausstattung und Kunstwerke	m² BGF	–	–	–	–	–
700	Baunebenkosten	m² BGF	–	–	–	–	–
800	Finanzierung	m² BGF	–	–	–	–	–

KG	Kostengruppe	Menge Einheit	Kosten €	€/Einheit	%
200	**Vorbereitende Maßnahmen**	552,15 m² GF	12.503	**22,64**	1,7
	Böschungssicherung, Abbruch von Garagenbodenplatte, Grenzwand, Zaunanlage, Fundamenten, Pflasterfläche, Brunnen, Schutt entsorgen, Grundstück freimachen, Oberboden aufnehmen, lagern				
3+4	**Bauwerk**				**100,0**
300	**Bauwerk – Baukonstruktionen**	290,48 m² BGF	617.515	**2.125,84**	83,5
	Stb-Bodenplatten, Abdichtung, Estrich, Linoleum, Bodenfliesen; Betonsockel, Stb-Elementwände, Stahlstütze, Holz-Alu-Fenstertüren, Hebeschiebe-Elemente, Haustür, Garagentor, Putz, Holzrahmen-Außenwände mit Holzbekleidung, Markisen, Fensterladen; Holzrahmen-Innenwände, GK-Wände, Holztüren, GK-Beplankung, Beschichtung, Wandfliesen, Schiebetüranlage; Holzbalkendecke, Stahl-Deckenbalken, Stb-Elementdecke, Stahltreppe, GK-Bekleidung: Holzdächer, Dämmung, Dachflächenfenster, Trapezblechdeckung, Dachabdichtung, Dachentwässerung, OSB-Bekleidung, GK-Decken				
400	**Bauwerk – Technische Anlagen**	290,48 m² BGF	121.894	**419,63**	16,5
	Gebäudeentwässerung, Kalt- und Warmwasserleitungen, Sanitärobjekte; Luft-Wasser-Wärmepumpe, Fußbodenheizung; Elektroinstallation, Beleuchtung, Erdung; Telefonanschluss, Klingelanlage, Multimediaverteiler				
500	**Außenanlagen und Freiflächen**	200,00 m² AF	27.817	**139,09**	3,8
	Bodenarbeiten; Entwässerung, Wasserleitungen, Wassergewinnungsbrunnen; Mehrspartenrohre				

Kostenkennwerte für die Kostengruppen 300 der 2. und 3.Ebene DIN 276 (Übersicht)

KG	Kostengruppe	Menge Einheit	€/Einheit	Kosten €	% an 3+4
300	**Bauwerk – Baukonstruktionen**	**290,48 m²BGF**	**2.125,84**	**617.515,20**	**83,5**
310	**Baugrube / Erdbau**	**355,80 m³BGI**	**41,51**	**14.770,97**	**2,0**
311	Herstellung	355,80 m³BGI	41,51	14.770,97	2,0
312	Umschließung	–	–	–	–
313	Wasserhaltung	–	–	–	–
314	Vortrieb	–	–	–	–
319	Sonstiges zur KG 310	–	–	–	–
320	**Gründung, Unterbau**	**198,33 m²GRF**	**408,51**	**81.020,08**	**11,0**
321	Baugrundverbesserung	–	–	–	–
322	Flachgründungen und Bodenplatten	198,33 m²	214,03	42.447,98	5,7
323	Tiefgründungen	–	–	–	–
324	Gründungsbeläge	170,00 m²	146,35	24.879,90	3,4
325	Abdichtungen und Bekleidungen	229,90 m²	59,56	13.692,22	1,9
326	Dränagen	–	–	–	–
329	Sonstiges zur KG 320	–	–	–	–
330	**Außenwände/Vert. Baukonstrukt., außen**	**339,51 m²AWF**	**728,72**	**247.406,19**	**33,5**
331	Tragende Außenwände	66,08 m²	204,00	13.480,17	1,8
332	Nichttragende Außenwände	–	–	–	–
333	Außenstützen	4,30 m	311,99	1.341,56	0,2
334	Außenwandöffnungen	67,18 m²	1.083,13	72.764,38	9,8
335	Außenwandbekleidungen, außen	117,78 m²	281,98	33.211,40	4,5
336	Außenwandbekleidungen, innen	181,66 m²	78,64	14.286,30	1,9
337	Element. Außenwandkonstruktionen	206,25 m²	448,88	92.581,19	12,5
338	Lichtschutz zur KG 330	35,04 m²	289,41	10.140,96	1,4
339	Sonstiges zur KG 330	339,51 m²AWF	28,28	9.600,25	1,3
340	**Innenwände/Vert. Baukonstrukt., innen**	**191,11 m²IWF**	**377,53**	**72.149,67**	**9,8**
341	Tragende Innenwände	106,19 m²	218,87	23.241,75	3,1
342	Nichttragende Innenwände	51,22 m²	111,58	5.715,07	0,8
343	Innenstützen	4,50 m	281,72	1.267,76	0,2
344	Innenwandöffnungen	17,38 m²	769,59	13.375,44	1,8
345	Innenwandbekleidungen	191,61 m²	93,49	17.914,37	2,4
346	Elementierte Innenwandkonstruktionen	16,32 m²	651,67	10.635,27	1,4
347	Lichtschutz zur KG 340	–	–	–	–
349	Sonstiges zur KG 340	–	–	–	–
350	**Decken/Horizontale Baukonstruktionen**	**82,88 m²DEF**	**390,67**	**32.378,68**	**4,4**
351	Deckenkonstruktionen	78,00 m²	232,91	18.167,28	2,5
352	Deckenöffnungen	4,88 m²	1.397,51	6.819,85	0,9
353	Deckenbeläge	–	–	–	–
354	Deckenbekleidungen	56,52 m²	130,78	7.391,54	1,0
355	Elementierte Deckenkonstruktionen	–	–	–	–
359	Sonstiges zur KG 350	–	–	–	–
360	**Dächer**	**230,28 m²DAF**	**596,92**	**137.458,21**	**18,6**
361	Dachkonstruktionen	221,01 m²	162,51	35.916,89	4,9
362	Dachöffnungen	9,27 m²	2.622,74	24.312,78	3,3
363	Dachbeläge	221,02 m²	248,85	55.001,47	7,4
364	Dachbekleidungen	209,48 m²	94,59	19.813,78	2,7
365	Elementierte Dachkonstruktionen	–	–	–	–
366	Lichtschutz zur KG 360	–	–	–	–
369	Sonstiges zur KG 360	230,28 m²DAF	10,48	2.413,26	0,3
370	**Infrastrukturanlagen**	**–**	**–**	**–**	**–**
380	**Baukonstruktive Einbauten**	**–**	**–**	**–**	**–**
390	**Sonst. Maßnahmen für Baukonstrukt.**	**290,48 m²BGF**	**111,30**	**32.331,39**	**4,4**

Kostenkennwerte für die Kostengruppen 400 der 2. und 3. Ebene DIN 276 (Übersicht)

KG	Kostengruppe	Menge Einheit	€/Einheit	Kosten €	% an 3+4
400	**Bauwerk – Technische Anlagen**	**290,48 m² BGF**	**419,63**	**121.894,45**	**16,5**
410	**Abwasser-, Wasser-, Gasanlagen**	**290,48 m² BGF**	**147,70**	**42.905,09**	**5,8**
411	Abwasseranlagen	290,48 m² BGF	35,10	10.197,06	1,4
412	Wasseranlagen	290,48 m² BGF	105,48	30.641,25	4,1
413	Gasanlagen	–	–	–	–
419	Sonstiges zur KG 410	290,48 m² BGF	7,12	2.066,77	0,3
420	**Wärmeversorgungsanlagen**	**290,48 m² BGF**	**105,05**	**30.514,38**	**4,1**
421	Wärmeerzeugungsanlagen	290,48 m² BGF	59,58	17.305,64	2,3
422	Wärmeverteilnetze	290,48 m² BGF	6,20	1.800,83	0,2
423	Raumheizflächen	290,48 m² BGF	39,27	11.407,93	1,5
424	Verkehrsheizflächen	–	–	–	–
429	Sonstiges zur KG 420	–	–	–	–
430	**Raumlufttechnische Anlagen**	**–**	**–**	**–**	**–**
431	Lüftungsanlagen	–	–	–	–
432	Teilklimaanlagen	–	–	–	–
433	Klimaanlagen	–	–	–	–
434	Kälteanlagen	–	–	–	–
439	Sonstiges zur KG 430	–	–	–	–
440	**Elektrische Anlagen**	**290,48 m² BGF**	**160,94**	**46.750,62**	**6,3**
441	Hoch- und Mittelspannungsanlagen	–	–	–	–
442	Eigenstromversorgungsanlagen	–	–	–	–
443	Niederspannungsschaltanlagen	–	–	–	–
444	Niederspannungsinstallationsanlagen	290,48 m² BGF	132,85	38.591,17	5,2
445	Beleuchtungsanlagen	290,48 m² BGF	14,13	4.105,83	0,6
446	Blitzschutz- und Erdungsanlagen	290,48 m² BGF	13,95	4.053,62	0,5
447	Fahrleitungssysteme	–	–	–	–
449	Sonstiges zur KG 440	–	–	–	–
450	**Kommunikationstechnische Anlagen**	**290,48 m² BGF**	**5,94**	**1.724,34**	**0,2**
451	Telekommunikationsanlagen	290,48 m² BGF	3,70	1.075,18	0,1
452	Such- und Signalanlagen	290,48 m² BGF	0,93	270,12	< 0,1
453	Zeitdienstanlagen	–	–	–	–
454	Elektroakustische Anlagen	–	–	–	–
455	Audiovisuelle Medien- u. Antennenanl.	–	–	–	–
456	Gefahrenmelde- und Alarmanlagen	–	–	–	–
457	Datenübertragungsnetze	290,48 m² BGF	1,30	379,04	< 0,1
458	Verkehrsbeeinflussungsanlagen	–	–	–	–
459	Sonstiges zur KG 450	–	–	–	–
460	**Förderanlagen**	**–**	**–**	**–**	**–**
461	Aufzugsanlagen	–	–	–	–
462	Fahrtreppen, Fahrsteige	–	–	–	–
463	Befahranlagen	–	–	–	–
464	Transportanlagen	–	–	–	–
465	Krananlagen	–	–	–	–
466	Hydraulikanlagen	–	–	–	–
469	Sonstiges zur KG 460	–	–	–	–
470	**Nutzungsspez. u. verfahrenstechn. Anl.**	**–**	**–**	**–**	**–**
480	**Gebäude- und Anlagenautomation**	**–**	**–**	**–**	**–**
490	**Sonst. Maßnahmen für techn. Anlagen**	**–**	**–**	**–**	**–**

Kostenkennwerte für Leistungsbereiche nach STLB (Kosten des Bauwerks nach DIN 276)

LB	Leistungsbereiche	Kosten €	€/m² BGF	€/m³ BRI	% an 3+4
000	Sicherheits-, Baustelleneinrichtungen inkl. 001	20.921	72,00	22,30	2,8
002	Erdarbeiten	19.331	66,50	20,60	2,6
006	Spezialtiefbauarbeiten inkl. 005	–	–	–	–
009	Entwässerungskanalarbeiten inkl. 011	4.040	13,90	4,30	0,5
010	Drän- und Versickerarbeiten	–	–	–	–
012	Mauerarbeiten	–	–	–	–
013	Betonarbeiten	77.719	267,60	82,90	10,5
014	Natur-, Betonwerksteinarbeiten	–	–	–	–
016	Zimmer- und Holzbauarbeiten	187.604	645,80	200,10	25,4
017	Stahlbauarbeiten	8.270	28,50	8,80	1,1
018	Abdichtungsarbeiten	21.826	75,10	23,30	3,0
019	Kampfmittelräumarbeiten	–	–	–	–
020	Dachdeckungsarbeiten	–	–	–	–
021	Dachabdichtungsarbeiten	4.178	14,40	4,50	0,6
022	Klempnerarbeiten	73.276	252,30	78,10	9,9
	Rohbau	**417.164**	**1.436,10**	**444,90**	**56,4**
023	Putz- und Stuckarbeiten, Wärmedämmsysteme	6.419	22,10	6,80	0,9
024	Fliesen- und Plattenarbeiten	7.959	27,40	8,50	1,1
025	Estricharbeiten	6.184	21,30	6,60	0,8
026	Fenster, Außentüren inkl. 029, 032	66.869	230,20	71,30	9,0
027	Tischlerarbeiten	22.805	78,50	24,30	3,1
028	Parkettarbeiten, Holzpflasterarbeiten	–	–	–	–
030	Rollladenarbeiten	10.141	34,90	10,80	1,4
031	Metallbauarbeiten inkl. 035	18.175	62,60	19,40	2,5
034	Maler- und Lackiererarbeiten inkl. 037	16.177	55,70	17,30	2,2
036	Bodenbelagarbeiten	10.417	35,90	11,10	1,4
038	Vorgehängte hinterlüftete Fassaden	–	–	–	–
039	Trockenbauarbeiten	39.016	134,30	41,60	5,3
	Ausbau	**204.162**	**702,80**	**217,70**	**27,6**
040	Wärmeversorgungsanl. - Betriebseinr. inkl. 041	29.791	102,60	31,80	4,0
042	Gas- und Wasserinstallation, Leitungen inkl. 043	9.351	32,20	10,00	1,3
044	Abwasseranlagen - Leitungen	4.991	17,20	5,30	0,7
045	GWE-Einrichtungsgegenstände inkl. 046	22.895	78,80	24,40	3,1
047	Dämmarbeiten an betriebstechnischen Anlagen	1.560	5,40	1,70	0,2
049	Feuerlöschanlagen, Feuerlöschgeräte	–	–	–	–
050	Blitzschutz- und Erdungsanlagen	4.054	14,00	4,30	0,5
053	Niederspannungsanlagen inkl. 052, 054	38.591	132,90	41,20	5,2
055	Sicherheits- u. Ersatzstromversorgungsanl.	–	–	–	–
057	Gebäudesystemtechnik	–	–	–	–
058	Leuchten und Lampen inkl. 059	4.106	14,10	4,40	0,6
060	Sprechanlagen, elektroakust. Anlagen inkl. 064	270	0,93	0,29	< 0,1
061	Kommunikationsnetze inkl. 063	1.454	5,00	1,60	0,2
069	Aufzüge	–	–	–	–
070	Gebäudeautomation	–	–	–	–
075	Raumlufttechnische Anlagen inkl. 078	–	–	–	–
	Gebäudetechnik	**117.063**	**403,00**	**124,80**	**15,8**
084	Abbruch, Rückbau, Schadstoffsanierung	–	–	–	–
	Abbrucharbeiten	**–**	**–**	**–**	**–**
	Sonstige Leistungsbereiche	**1.021**	**3,50**	**1,10**	**0,1**

5

Ein- und Zweifamilienhäuser, nicht unterkellert

Kostenkennwerte für die Kosten des Bauwerks (Kostengruppen 300+400 nach DIN 276)

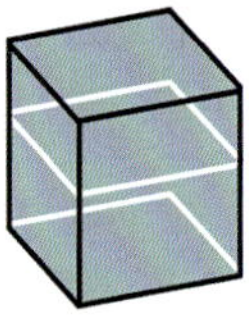

BRI 635 €/m³
von 545 €/m³
bis 765 €/m³

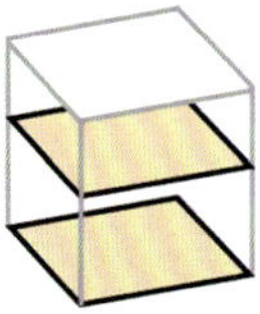

BGF 2.025 €/m²
von 1.705 €/m²
bis 2.485 €/m²

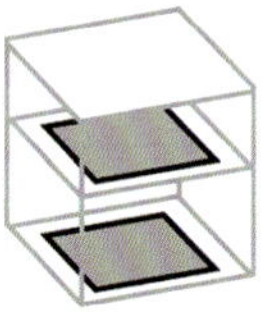

NUF 2.970 €/m²
von 2.390 €/m²
bis 3.735 €/m²

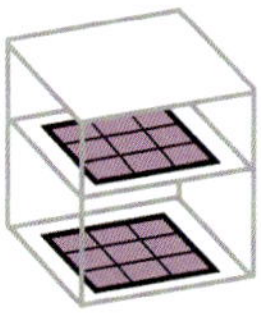

NE 2.960 €/NE
von 2.480 €/NE
bis 3.480 €/NE
NE: Wohnfläche

Objektbeispiele

Kosten:
Stand 3. Quartal 2022
Bundesdurchschnitt
inkl. 19% MwSt.

6100-1565

6100-1563

6100-1546

Kosten der 31 Vergleichsobjekte

Seiten 572 bis 682

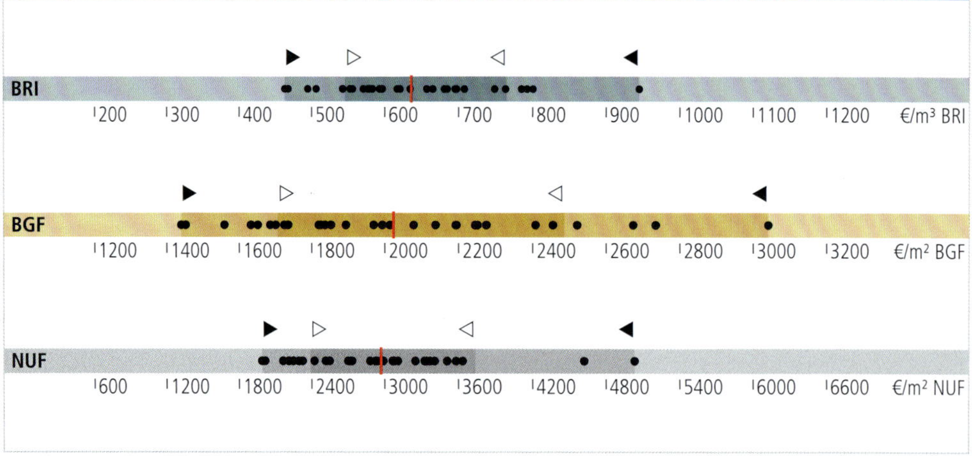

- ● KKW
- ▶ min
- ▷ von
- | Mittelwert
- ◁ bis
- ◀ max

Kostenkennwerte für die Kostengruppen der 1. und 2. Ebene DIN 276

KG	Kostengruppen der 1. Ebene	Einheit	▷	€/Einheit	◁	▷	% an 300+400	◁
100	Grundstück	m² GF	–	**–**	–	–	**–**	–
200	Vorbereitende Maßnahmen	m² GF	6	**21**	76	1,0	**2,7**	7,8
300	Bauwerk – Baukonstruktionen	m² BGF	1.343	**1.663**	2.073	76,1	**81,9**	86,9
400	Bauwerk – Technische Anlagen	m² BGF	263	**360**	471	13,1	**18,1**	23,9
	Bauwerk 300+400	m² BGF	1.706	**2.023**	2.486	100,0	**100,0**	100,0
500	Außenanlagen und Freiflächen	m² AF	17	**67**	186	1,5	**3,9**	7,9
600	Ausstattung und Kunstwerke	m² BGF	7	**17**	57	0,3	**0,8**	2,1
700	Baunebenkosten*	m² BGF	508	**567**	625	25,3	**28,2**	31,1 ◁
800	Finanzierung	m² BGF	–	**–**	–	–	**–**	–

* Auf Grundlage der HOAI 2021 berechnete Werte nach §§ 35, 52, 56. Weitere Informationen siehe Seite 56

KG	Kostengruppen der 2. Ebene	Einheit	▷	€/Einheit	◁	▷	% an 1. Ebene	◁
310	Baugrube / Erdbau	m³ BGI	20	**57**	111	0,6	**1,4**	2,4
320	Gründung, Unterbau	m² GRF	313	**368**	454	10,6	**11,9**	13,1
330	Außenwände / vertikal außen	m² AWF	429	**541**	655	33,9	**40,3**	45,7
340	Innenwände / vertikal innen	m² IWF	179	**245**	348	9,0	**12,1**	16,4
350	Decken / horizontal	m² DEF	282	**398**	505	6,7	**11,4**	14,0
360	Dächer	m² DAF	329	**442**	609	14,6	**19,0**	24,2
370	Infrastrukturanlagen		–	**–**	–	–	**–**	–
380	Baukonstruktive Einbauten	m² BGF	13	**27**	67	< 0,1	**0,6**	2,3
390	Sonst. Maßnahmen für Baukonst.	m² BGF	29	**53**	108	1,9	**3,4**	6,7
300	**Bauwerk – Baukonstruktionen**	**m² BGF**					**100,0**	
410	Abwasser-, Wasser-, Gasanlagen	m² BGF	54	**92**	131	18,9	**25,6**	32,6
420	Wärmeversorgungsanlagen	m² BGF	109	**163**	256	33,2	**44,5**	55,8
430	Raumlufttechnische Anlagen	m² BGF	33	**41**	53	0,0	**7,1**	13,3
440	Elektrische Anlagen	m² BGF	50	**70**	153	14,6	**19,1**	34,9
450	Kommunikationstechnische Anlagen	m² BGF	5	**9**	20	1,2	**2,5**	5,2
460	Förderanlagen	m² BGF	–	**–**	–	–	**–**	–
470	Nutzungsspez. / verfahrenstech. Anl.	m² BGF	–	**10**	–	0,0	**0,2**	2,7
480	Gebäude- und Anlagenautomation	m² BGF	–	**19**	–	0,0	**0,7**	8,7
490	Sonst. Maßnahmen f. techn. Anl.	m² BGF	–	**–**	–	–	**–**	–
400	**Bauwerk – Technische Anlagen**	**m² BGF**					**100,0**	

Prozentanteile der Kosten 2. Ebene an den Kosten des Bauwerks nach DIN 276 (Von/Mittel/Bis)

KG	Kostengruppe	%
310	Baugrube / Erdbau	1,1
320	Gründung, Unterbau	9,7
330	Außenwände / vertikal außen	32,9
340	Innenwände / vertikal innen	9,8
350	Decken / horizontal	9,2
360	Dächer	15,4
370	Infrastrukturanlagen	
380	Baukonstruktive Einbauten	0,5
390	Sonst. Maßnahmen für Baukonst.	2,7
410	Abwasser-, Wasser-, Gasanlagen	4,8
420	Wärmeversorgungsanlagen	8,3
430	Raumlufttechnische Anlagen	1,3
440	Elektrische Anlagen	3,6
450	Kommunikationstechnische Anlagen	0,4
460	Förderanlagen	
470	Nutzungsspez. / verfahrenstech. Anl.	< 0,1
480	Gebäude- und Anlagenautomation	< 0,1
490	Sonst. Maßnahmen f. techn. Anl.	

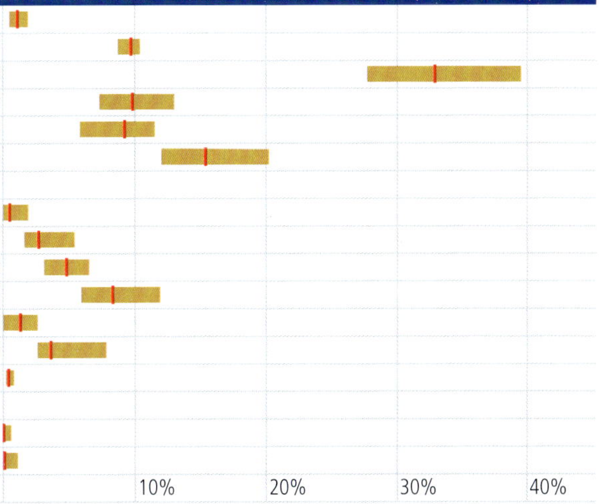

Kosten:
Stand 3. Quartal 2022
Bundesdurchschnitt
inkl. 19% MwSt.

Prozentanteile der Kosten für Leistungsbereiche nach STLB (Kosten Bauwerk nach DIN 276)

LB	Leistungsbereiche	▷	% an 300+400	◁
000	Sicherheits-, Baustelleneinrichtungen inkl. 001	1,5	**2,3**	4,5
002	Erdarbeiten	1,2	**2,3**	3,3
006	Spezialtiefbauarbeiten inkl. 005	–	**–**	–
009	Entwässerungskanalarbeiten inkl. 011	< 0,1	**0,7**	2,5
010	Drän- und Versickerarbeiten	0,0	**< 0,1**	< 0,1
012	Mauerarbeiten	< 0,1	**0,4**	2,2
013	Betonarbeiten	3,9	**5,1**	7,7
014	Natur-, Betonwerksteinarbeiten	0,0	**< 0,1**	0,7
016	Zimmer- und Holzbauarbeiten	26,4	**37,8**	51,3
017	Stahlbauarbeiten	0,0	**0,2**	1,1
018	Abdichtungsarbeiten	< 0,1	**0,3**	0,9
020	Dachdeckungsarbeiten	0,0	**1,3**	3,5
021	Dachabdichtungsarbeiten	0,4	**2,1**	9,0
022	Klempnerarbeiten	0,6	**2,5**	4,7
	Rohbau	45,6	**55,2**	67,1
023	Putz- und Stuckarbeiten, Wärmedämmsysteme	0,3	**1,9**	3,3
024	Fliesen- und Plattenarbeiten	0,7	**1,6**	3,9
025	Estricharbeiten	0,4	**1,4**	2,1
026	Fenster, Außentüren inkl. 029, 032	5,1	**9,1**	13,3
027	Tischlerarbeiten	1,2	**3,1**	5,3
028	Parkettarbeiten, Holzpflasterarbeiten	< 0,1	**1,5**	3,6
030	Rollladenarbeiten	0,0	**1,9**	3,7
031	Metallbauarbeiten inkl. 035	0,0	**0,3**	1,9
034	Maler- und Lackiererarbeiten inkl. 037	0,3	**1,6**	3,8
036	Bodenbelagarbeiten	0,0	**0,8**	2,2
038	Vorgehängte hinterlüftete Fassaden	–	**–**	–
039	Trockenbauarbeiten	0,3	**3,4**	5,2
	Ausbau	13,1	**26,6**	32,4
040	Wärmeversorgungsanl. - Betriebseinr. inkl. 041	3,1	**6,5**	10,6
042	Gas- und Wasserinstallation, Leitungen inkl. 043	0,8	**2,3**	10,5
044	Abwasseranlagen - Leitungen	0,2	**0,7**	3,0
045	GWE-Einrichtungsgegenstände inkl. 046	0,4	**1,5**	2,3
047	Dämmarbeiten an betriebstechnischen Anlagen	< 0,1	**0,2**	0,8
049	Feuerlöschanlagen, Feuerlöschgeräte	–	**–**	–
050	Blitzschutz- und Erdungsanlagen	< 0,1	**0,2**	0,5
052	Mittelspannungsanlagen	–	**–**	–
053	Niederspannungsanlagen inkl. 054	2,2	**3,5**	8,2
055	Sicherheits- u. Ersatzstromversorgungsanl.	–	**–**	–
057	Gebäudesystemtechnik	0,0	**0,2**	2,3
058	Leuchten und Lampen inkl. 059	< 0,1	**0,4**	1,0
060	Sprechanlagen, elektroakust. Anlagen inkl. 064	< 0,1	**< 0,1**	0,2
061	Kommunikationsnetze inkl. 062	< 0,1	**0,3**	0,6
063	Gefahrenmeldeanlagen	0,0	**< 0,1**	< 0,1
069	Aufzüge	–	**–**	–
070	Gebäudeautomation	–	**–**	–
075	Raumlufttechnische Anlagen inkl. 078	0,0	**1,6**	2,6
	Gebäudetechnik	13,3	**17,5**	22,1
	Sonstige Leistungsbereiche inkl. 008, 033, 051	< 0,1	**0,7**	3,7

- ● KKW
- ▶ min
- ▷ von
- | Mittelwert
- ◁ bis
- ◀ max

Planungskennwerte für Flächen und Rauminhalte nach DIN 277

Grundflächen		▷	Fläche/NUF (%)	◁	▷	Fläche/BGF (%)	◁
NUF	Nutzungsfläche	100,0	**100,0**	100,0	65,8	**68,9**	71,4
TF	Technikfläche	3,6	**4,8**	9,6	2,5	**3,1**	5,7
VF	Verkehrsfläche	9,3	**12,3**	15,6	6,5	**8,3**	10,1
NRF	Netto-Raumfläche	114,0	**117,5**	126,3	77,6	**80,6**	82,4
KGF	Konstruktions-Grundfläche	26,2	**29,1**	35,6	18,2	**19,7**	22,6
BGF	Brutto-Grundfläche	141,7	**146,2**	154,3	100,0	**100,0**	100,0

Brutto-Rauminhalte		▷	BRI/NUF (m)	◁	▷	BRI/BGF (m)	◁
BRI	Brutto-Rauminhalt	4,37	**4,66**	5,03	2,98	**3,19**	3,41

Flächen von Nutzeinheiten	▷	NUF/Einheit (m²)	◁	▷	BGF/Einheit (m²)	◁
Nutzeinheit: Wohnfläche	0,93	**1,02**	1,18	1,38	**1,47**	1,66

Lufttechnisch behandelte Flächen	▷	Fläche/NUF (%)	◁	▷	Fläche/BGF (%)	◁
Entlüftete Fläche	–	**–**	–	–	**–**	–
Be- und entlüftete Fläche	–	**–**	–	–	**–**	–
Teilklimatisierte Fläche	–	**–**	–	–	**–**	–
Klimatisierte Fläche	–	**–**	–	–	**–**	–

KG	Kostengruppen (2. Ebene)	Einheit	▷	Menge/NUF	◁	▷	Menge/BGF	◁
310	Baugrube / Erdbau	m³ BGI	0,56	**0,66**	0,86	0,40	**0,47**	0,61
320	Gründung, Unterbau	m² GRF	0,65	**0,74**	0,86	0,46	**0,52**	0,63
330	Außenwände / vertikal außen	m² AWF	1,48	**1,69**	1,84	1,04	**1,18**	1,24
340	Innenwände / vertikal innen	m² IWF	1,06	**1,14**	1,36	0,73	**0,79**	0,90
350	Decken / horizontal	m² DEF	0,52	**0,63**	0,68	0,37	**0,44**	0,49
360	Dächer	m² DAF	0,92	**0,97**	1,07	0,63	**0,68**	0,76
370	Infrastrukturanlagen		–	**–**	–	–	**–**	–
380	Baukonstruktive Einbauten	m² BGF	1,42	**1,46**	1,54	1,00	**1,00**	1,00
390	Sonst. Maßnahmen für Baukonst.	m² BGF	1,42	**1,46**	1,54	1,00	**1,00**	1,00
300	**Bauwerk – Baukonstruktionen**	**m² BGF**	1,42	**1,46**	1,54	1,00	**1,00**	1,00

Planungskennwerte für Bauzeiten — 31 Vergleichsobjekte

Bauzeit in Wochen

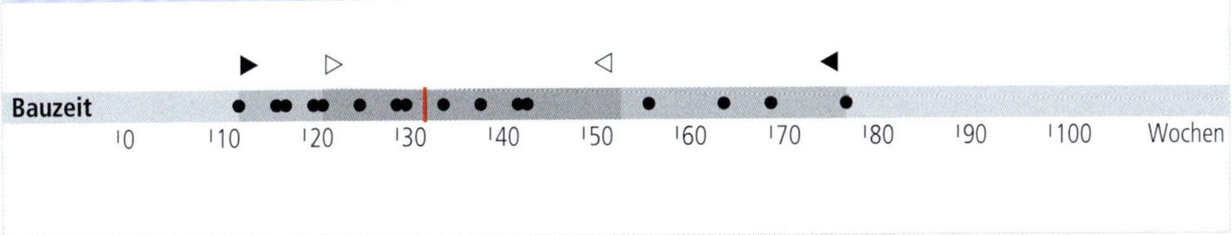

6100-1097
Einfamilienhaus
Carport
Effizienzhaus 55

Objektübersicht

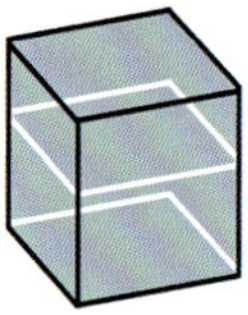

BRI 543 €/m³

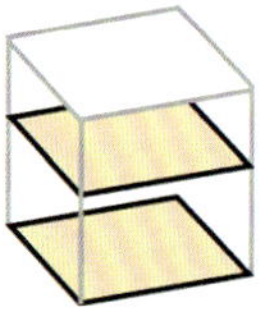

BGF 1.724 €/m²

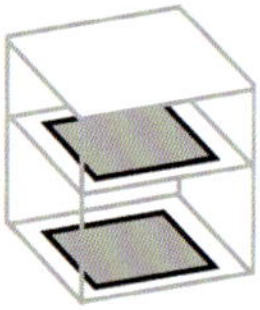

NUF 2.719 €/m²

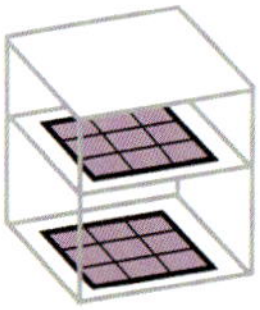

NE 2.611 €/NE

NE: Wohnfläche

Objekt:
Kennwerte: 3. Ebene DIN 276
BRI: 716 m³
BGF: 226 m²
NUF: 143 m²
Bauzeit: 35 Wochen
Bauende: 2013
Standard: über Durchschnitt
Bundesland: Bayern
Kreis: Lichtenfels

Architekt*in:
Planungsgruppe Barthelmey
Architekt Dipl.-Ing.
Stefan Barthelmey
Mühlhäuser Str. 83
99092 Erfurt

Ansicht Nord

Ansicht Ost

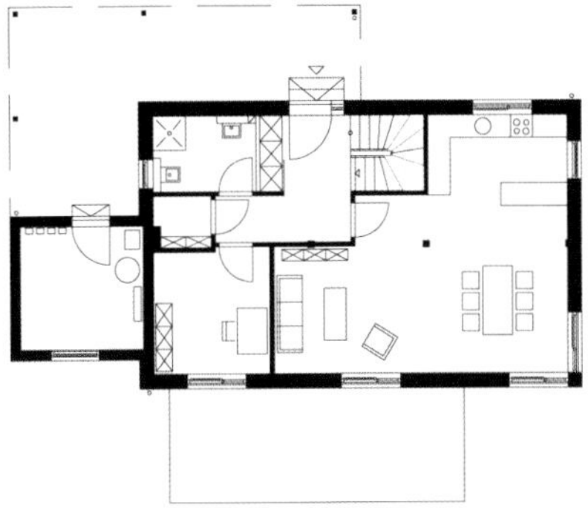

Erdgeschoss

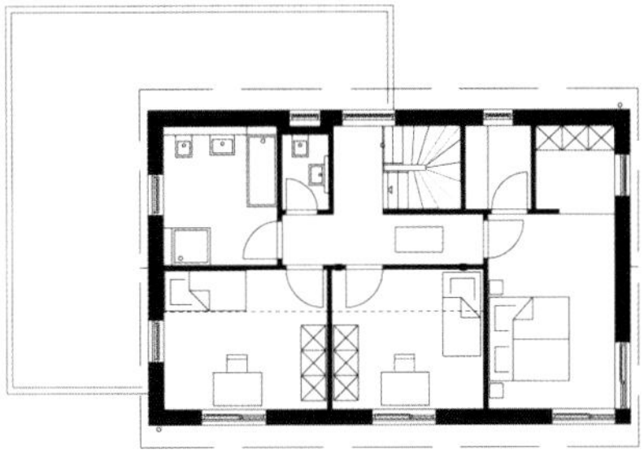

Obergeschoss

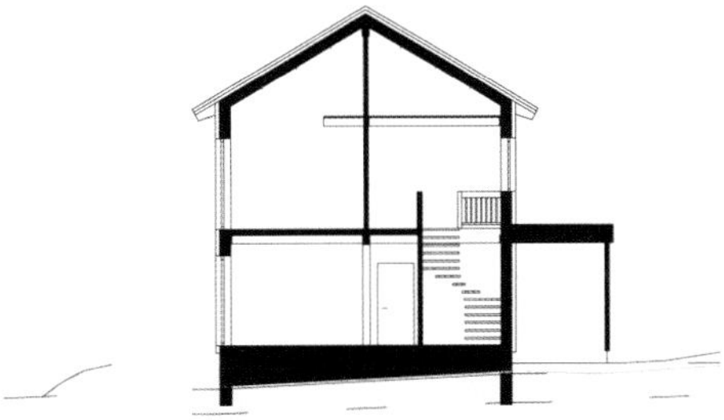

Schnitt

Ansicht Süd

Ansicht West

Objektbeschreibung

Allgemeine Objektinformationen

Dieses neu errichtete Einfamilienhaus besitzt eine Wohnfläche von ca. 150m². Zur besseren Grundstücksausnutzung wurde der Baukörper versetzt angeordnet.

Nutzung

1 Erdgeschoss
Diele, Wohn- und Esszimmer, Küche, Arbeitszimmer, Dusche/WC, Speisekammer, Technikraum

1 Obergeschoss
Schlafzimmer, Ankleide, Kinderzimmer, Bad, WC, Hauswirtschaftsraum

Nutzeinheiten

Wohnfläche: 149m²

Grundstück

Bauraum: Freier Bauraum
Neigung: Ebenes Gelände
Bodenklasse: BK 2 bis BK 5

Markt

Hauptvergabezeit: 1. Quartal 2013
Baubeginn: 1. Quartal 2013
Bauende: 4. Quartal 2013
Konjunkturelle Gesamtlage: Durchschnitt
Regionaler Baumarkt: unter Durchschnitt

Baukonstruktion

Das Gebäude wurde auf 30cm breiten Streifenfundamenten frostfrei gegründet. Die Holzrahmen-Außenwände sind mit einer Holzfassade aus unbehandeltem Lärchenholz versehen. Zum Teil wurden farbig behandelte Dreischichtplatten aufgebracht. Die Holzbalkendecke wurde sichtbar belassen. Das Dach besitzt 26cm hohe Sparren, die mit einer Vollsparrendämmung versehen sind. Im Erd- und Obergeschoss kommt als Bodenbelag Linoleum zum Einsatz. Im Erdgeschoss im Wohn- und Esszimmer und in der Küche wurde 8mm starkes Stäbchenparkett im englischen Verband eingebracht. Es kamen Holzfenster aus nordischer Fichte zum Einsatz. Die Fenster wurden mittels speziellen Klebebändern an die Außenwand angeschlossen.

Technische Anlagen

Die kontrollierte Be- und Entlüftung des Neubaus erfolgt als dezentrale Lüftung mit Wärmerückgewinnung. Als Heizungsanlage wurde eine Gas-Brennwerttherme, die mit Flüssiggas betrieben wird, eingesetzt.

Planungskennwerte für Flächen und Rauminhalte nach DIN 277

Flächen des Grundstücks		Menge Einheit	% an GF
BF	Bebaute Fläche	104,00 m²	12,0
UF	Unbebaute Fläche	764,00 m²	88,0
GF	Grundstücksfläche	868,00 m²	100,0

Grundflächen des Bauwerks		Menge Einheit	% an NUF	% an BGF
NUF	Nutzungsfläche	143,00 m²	100,0	63,4
TF	Technikfläche	10,70 m²	7,5	4,7
VF	Verkehrsfläche	22,00 m²	15,4	9,8
NRF	Netto-Raumfläche	175,70 m²	122,9	77,9
KGF	Konstruktions-Grundfläche	49,80 m²	34,8	22,1
BGF	Brutto-Grundfläche	225,50 m²	157,7	100,0

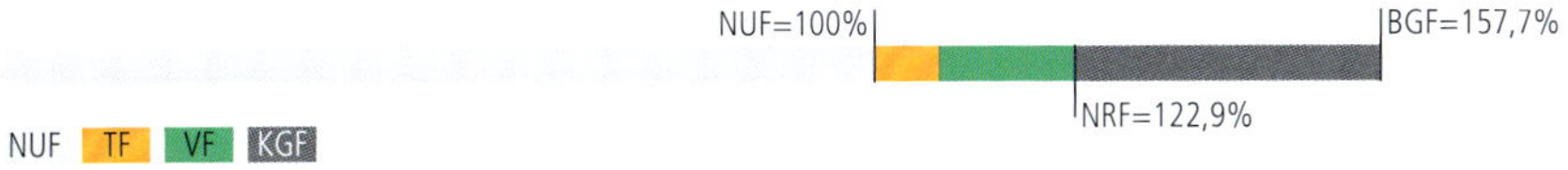

Brutto-Rauminhalt des Bauwerks		Menge Einheit	BRI/NUF (m)	BRI/BGF (m)
BRI	Brutto-Rauminhalt	716,40 m³	5,01	3,18

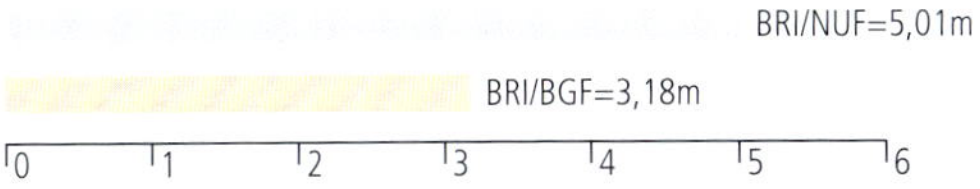

Lufttechnisch behandelte Flächen	Menge Einheit	% an NUF	% an BGF
Entlüftete Fläche	–	–	–
Be- und entlüftete Fläche	–	–	–
Teilklimatisierte Fläche	–	–	–
Klimatisierte Fläche	–	–	–

KG	Kostengruppen (2. Ebene)	Menge Einheit	Menge/NUF	Menge/BGF
310	Baugrube / Erdbau	76,00 m³ BGI	0,53	0,34
320	Gründung, Unterbau	100,00 m² GRF	0,70	0,44
330	Außenwände/Vertikale Baukonstruktionen, außen	313,55 m² AWF	2,19	1,39
340	Innenwände/Vertikale Baukonstruktionen, innen	193,64 m² IWF	1,35	0,86
350	Decken/Horizontale Baukonstruktionen	125,50 m² DEF	0,88	0,56
360	Dächer	174,52 m² DAF	1,22	0,77

Kostenkennwerte für die Kostengruppen der 1. Ebene DIN 276

KG	Kostengruppen (1. Ebene)	Einheit	Kosten €	€/Einheit	€/m² BGF	€/m³ BRI	% 300+400
100	Grundstück	m² GF	–	–	–	–	–
200	Vorbereitende Maßnahmen	m² GF	–	–	–	–	–
300	Bauwerk – Baukonstruktionen	m² BGF	331.138	1.468,46	1.468,46	462,23	85,2
400	Bauwerk – Technische Anlagen	m² BGF	57.646	255,64	255,64	80,47	14,8
	Bauwerk 300+400	**m² BGF**	**388.784**	**1.724,10**	**1.724,10**	**542,69**	**100,0**
500	Außenanlagen und Freiflächen	m² AF	7.435	9,73	32,97	10,38	1,9
600	Ausstattung und Kunstwerke	m² BGF	1.704	7,56	7,56	2,38	0,4
700	Baunebenkosten	m² BGF	–	–	–	–	–
800	Finanzierung	m² BGF	–	–	–	–	–

KG	Kostengruppe	Menge Einheit	Kosten €	€/Einheit	%
3+4	**Bauwerk**				**100,0**
300	**Bauwerk – Baukonstruktionen**	225,50 m² BGF	331.138	**1.468,46**	85,2
	Stb-Fundamente, Stb-Bodenplatte, Dämmung, Estrich, Parkett, Linoleum, Bodenfliesen; Holzrahmenwände, Holzstützen, Haustür, Holzfenster, Holzfassade, Holzfaserdämmplatten, Lehmbauplatten, Feinputz, Wandfliesen, Außenjalousien, Eingangspodest; Holztüren; Holzbalkendecke, Massivholztreppe; Holzkonstruktionen, Satteldach, Flachdach, Dachausstieg, Lattung, Dachziegel, Bitumenschweißbahn, Flachdachabdichtung, Kiesschicht, Attikabekleidung, Dachentwässerung, Dämmung, OSB-Platten, GK-Beplankung				
400	**Bauwerk – Technische Anlagen**	225,50 m² BGF	57.646	**255,64**	14,8
	Gebäudeentwässerung, Kalt- und Warmwasserleitungen, Sanitärobjekte; Gas-Brennwerttherme, Warmwasserspeicher, Flachkollektoren, Solarspeicher, Heizungsrohre, Heizkörper, Edelstahlschornstein; Be- und Entlüftung; Elektroinstallation, Fundamenterder; Sat-Anlage, EDV-Verkabelung				
500	**Außenanlagen und Freiflächen**	764,00 m² AF	7.435	**9,73**	1,9
	Bodenarbeiten; Trag- und Frostschutzschicht; KG-Rohre, Revisionsschacht				
600	**Ausstattung und Kunstwerke**	225,50 m² BGF	1.704	**7,56**	0,4
	Duschwand				

Kostenkennwerte für die Kostengruppen 300 der 2. und 3. Ebene DIN 276 (Übersicht)

KG	Kostengruppe	Menge Einheit	€/Einheit	Kosten €	% an 3+4
300	**Bauwerk – Baukonstruktionen**	**225,50 m² BGF**	**1.468,46**	**331.138,45**	**85,2**
310	**Baugrube / Erdbau**	**76,00 m³ BGI**	**13,35**	**1.014,56**	**0,3**
311	Herstellung	76,00 m³ BGI	13,35	1.014,56	0,3
312	Umschließung	–	–	–	–
313	Wasserhaltung	–	–	–	–
314	Vortrieb	–	–	–	–
319	Sonstiges zur KG 310	–	–	–	–
320	**Gründung, Unterbau**	**100,00 m² GRF**	**371,06**	**37.106,29**	**9,5**
321	Baugrundverbesserung	–	–	–	–
322	Flachgründungen und Bodenplatten	100,00 m²	159,99	15.999,32	4,1
323	Tiefgründungen	–	–	–	–
324	Gründungsbeläge	84,00 m²	142,25	11.949,10	3,1
325	Abdichtungen und Bekleidungen	100,00 m²	91,58	9.157,87	2,4
326	Dränagen	–	–	–	–
329	Sonstiges zur KG 320	–	–	–	–
330	**Außenwände/Vert. Baukonstrukt., außen**	**313,55 m² AWF**	**465,12**	**145.840,03**	**37,5**
331	Tragende Außenwände	273,90 m²	180,60	49.467,24	12,7
332	Nichttragende Außenwände	–	–	–	–
333	Außenstützen	24,70 m	50,85	1.256,01	0,3
334	Außenwandöffnungen	39,65 m²	823,74	32.662,09	8,4
335	Außenwandbekleidungen, außen	286,10 m²	150,01	42.918,51	11,0
336	Außenwandbekleidungen, innen	156,00 m²	66,31	10.343,75	2,7
337	Element. Außenwandkonstruktionen	–	–	–	–
338	Lichtschutz zur KG 330	28,50 m²	284,63	8.112,04	2,1
339	Sonstiges zur KG 330	313,55 m² AWF	3,45	1.080,37	0,3
340	**Innenwände/Vert. Baukonstrukt., innen**	**193,64 m² IWF**	**185,11**	**35.845,22**	**9,2**
341	Tragende Innenwände	–	–	–	–
342	Nichttragende Innenwände	176,10 m²	146,09	25.727,16	6,6
343	Innenstützen	53,60 m	34,00	1.822,14	0,5
344	Innenwandöffnungen	17,54 m²	332,47	5.830,87	1,5
345	Innenwandbekleidungen	26,18 m²	94,16	2.465,06	0,6
346	Elementierte Innenwandkonstruktionen	–	–	–	–
347	Lichtschutz zur KG 340	–	–	–	–
349	Sonstiges zur KG 340	–	–	–	–
350	**Decken/Horizontale Baukonstruktionen**	**125,50 m² DEF**	**286,14**	**35.910,00**	**9,2**
351	Deckenkonstruktionen	121,60 m²	184,43	22.426,36	5,8
352	Deckenöffnungen	–	–	–	–
353	Deckenbeläge	67,90 m²	114,66	7.785,23	2,0
354	Deckenbekleidungen	–	–	–	–
355	Elementierte Deckenkonstruktionen	3,90 m²	1.248,54	4.869,32	1,3
359	Sonstiges zur KG 350	125,50 m² DEF	6,61	829,08	0,2
360	**Dächer**	**174,52 m² DAF**	**302,26**	**52.749,73**	**13,6**
361	Dachkonstruktionen	173,80 m²	144,91	25.185,13	6,5
362	Dachöffnungen	0,72 m²	1.442,52	1.038,62	0,3
363	Dachbeläge	172,00 m²	90,80	15.617,34	4,0
364	Dachbekleidungen	99,10 m²	105,66	10.471,30	2,7
365	Elementierte Dachkonstruktionen	–	–	–	–
366	Lichtschutz zur KG 360	–	–	–	–
369	Sonstiges zur KG 360	174,52 m² DAF	2,51	437,32	0,1
370	**Infrastrukturanlagen**	**–**	**–**	**–**	**–**
380	**Baukonstruktive Einbauten**	**–**	**–**	**–**	**–**
390	**Sonst. Maßnahmen für Baukonstrukt.**	**225,50 m² BGF**	**100,54**	**22.672,61**	**5,8**

Kostenkennwerte für die Kostengruppen 400 der 2. und 3. Ebene DIN 276 (Übersicht)

KG	Kostengruppe	Menge Einheit	€/Einheit	Kosten €	% an 3+4
400	**Bauwerk – Technische Anlagen**	**225,50 m²BGF**	**255,64**	**57.645,98**	**14,8**
410	**Abwasser-, Wasser-, Gasanlagen**	**225,50 m²BGF**	**47,00**	**10.599,40**	**2,7**
411	Abwasseranlagen	225,50 m²BGF	5,77	1.301,92	0,3
412	Wasseranlagen	225,50 m²BGF	35,25	7.949,09	2,0
413	Gasanlagen	–	–	–	–
419	Sonstiges zur KG 410	225,50 m²BGF	5,98	1.348,39	0,3
420	**Wärmeversorgungsanlagen**	**225,50 m²BGF**	**119,79**	**27.013,17**	**6,9**
421	Wärmeerzeugungsanlagen	225,50 m²BGF	61,14	13.786,94	3,5
422	Wärmeverteilnetze	225,50 m²BGF	15,02	3.386,65	0,9
423	Raumheizflächen	225,50 m²BGF	17,37	3.917,60	1,0
424	Verkehrsheizflächen	–	–	–	–
429	Sonstiges zur KG 420	225,50 m²BGF	26,26	5.921,97	1,5
430	**Raumlufttechnische Anlagen**	**225,50 m²BGF**	**34,66**	**7.815,00**	**2,0**
431	Lüftungsanlagen	225,50 m²BGF	34,66	7.815,00	2,0
432	Teilklimaanlagen	–	–	–	–
433	Klimaanlagen	–	–	–	–
434	Kälteanlagen	–	–	–	–
439	Sonstiges zur KG 430	–	–	–	–
440	**Elektrische Anlagen**	**225,50 m²BGF**	**45,41**	**10.240,15**	**2,6**
441	Hoch- und Mittelspannungsanlagen	–	–	–	–
442	Eigenstromversorgungsanlagen	–	–	–	–
443	Niederspannungsschaltanlagen	–	–	–	–
444	Niederspannungsinstallationsanlagen	225,50 m²BGF	43,96	9.914,08	2,6
445	Beleuchtungsanlagen	–	–	–	–
446	Blitzschutz- und Erdungsanlagen	225,50 m²BGF	1,45	326,06	< 0,1
447	Fahrleitungssysteme	–	–	–	–
449	Sonstiges zur KG 440	–	–	–	–
450	**Kommunikationstechnische Anlagen**	**225,50 m²BGF**	**8,77**	**1.978,29**	**0,5**
451	Telekommunikationsanlagen	–	–	–	–
452	Such- und Signalanlagen	–	–	–	–
453	Zeitdienstanlagen	–	–	–	–
454	Elektroakustische Anlagen	–	–	–	–
455	Audiovisuelle Medien- u. Antennenanl.	225,50 m²BGF	4,85	1.093,29	0,3
456	Gefahrenmelde- und Alarmanlagen	–	–	–	–
457	Datenübertragungsnetze	225,50 m²BGF	3,92	885,02	0,2
458	Verkehrsbeeinflussungsanlagen	–	–	–	–
459	Sonstiges zur KG 450	–	–	–	–
460	**Förderanlagen**	**–**	**–**	**–**	**–**
461	Aufzugsanlagen	–	–	–	–
462	Fahrtreppen, Fahrsteige	–	–	–	–
463	Befahranlagen	–	–	–	–
464	Transportanlagen	–	–	–	–
465	Krananlagen	–	–	–	–
466	Hydraulikanlagen	–	–	–	–
469	Sonstiges zur KG 460	–	–	–	–
470	**Nutzungsspez. u. verfahrenstechn. Anl.**	**–**	**–**	**–**	**–**
480	**Gebäude- und Anlagenautomation**	**–**	**–**	**–**	**–**
490	**Sonst. Maßnahmen für techn. Anlagen**	**–**	**–**	**–**	**–**

Kostenkennwerte für Leistungsbereiche nach STLB (Kosten des Bauwerks nach DIN 276)

LB	Leistungsbereiche	Kosten €	€/m² BGF	€/m³ BRI	% an 3+4
000	Sicherheits-, Baustelleneinrichtungen inkl. 001	22.673	100,50	31,60	5,8
002	Erdarbeiten	11.263	49,90	15,70	2,9
006	Spezialtiefbauarbeiten inkl. 005	–	–	–	–
009	Entwässerungskanalarbeiten inkl. 011	–	–	–	–
010	Drän- und Versickerarbeiten	–	–	–	–
012	Mauerarbeiten	–	–	–	–
013	Betonarbeiten	15.592	69,10	21,80	4,0
014	Natur-, Betonwerksteinarbeiten	–	–	–	–
016	Zimmer- und Holzbauarbeiten	169.910	753,50	237,20	43,7
017	Stahlbauarbeiten	–	–	–	–
018	Abdichtungsarbeiten	–	–	–	–
019	Kampfmittelräumarbeiten	–	–	–	–
020	Dachdeckungsarbeiten	8.029	35,60	11,20	2,1
021	Dachabdichtungsarbeiten	3.507	15,60	4,90	0,9
022	Klempnerarbeiten	5.104	22,60	7,10	1,3
	Rohbau	**236.077**	**1.046,90**	**329,50**	**60,7**
023	Putz- und Stuckarbeiten, Wärmedämmsysteme	8.839	39,20	12,30	2,3
024	Fliesen- und Plattenarbeiten	3.192	14,20	4,50	0,8
025	Estricharbeiten	6.540	29,00	9,10	1,7
026	Fenster, Außentüren inkl. 029, 032	32.662	144,80	45,60	8,4
027	Tischlerarbeiten	12.568	55,70	17,50	3,2
028	Parkettarbeiten, Holzpflasterarbeiten	–	–	–	–
030	Rollladenarbeiten	8.112	36,00	11,30	2,1
031	Metallbauarbeiten inkl. 035	–	–	–	–
034	Maler- und Lackiererarbeiten inkl. 037	–	–	–	–
036	Bodenbelagarbeiten	11.224	49,80	15,70	2,9
038	Vorgehängte hinterlüftete Fassaden	–	–	–	–
039	Trockenbauarbeiten	13.193	58,50	18,40	3,4
	Ausbau	**96.329**	**427,20**	**134,50**	**24,8**
040	Wärmeversorgungsanl. - Betriebseinr. inkl. 041	26.330	116,80	36,80	6,8
042	Gas- und Wasserinstallation, Leitungen inkl. 043	2.360	10,50	3,30	0,6
044	Abwasseranlagen - Leitungen	717	3,20	1,00	0,2
045	GWE-Einrichtungsgegenstände inkl. 046	6.938	30,80	9,70	1,8
047	Dämmarbeiten an betriebstechnischen Anlagen	–	–	–	–
049	Feuerlöschanlagen, Feuerlöschgeräte	–	–	–	–
050	Blitzschutz- und Erdungsanlagen	326	1,40	0,46	< 0,1
053	Niederspannungsanlagen inkl. 052, 054	9.914	44,00	13,80	2,6
055	Sicherheits- u. Ersatzstromversorgungsanl.	–	–	–	–
057	Gebäudesystemtechnik	–	–	–	–
058	Leuchten und Lampen inkl. 059	–	–	–	–
060	Sprechanlagen, elektroakust. Anlagen inkl. 064	–	–	–	–
061	Kommunikationsnetze inkl. 063	1.978	8,80	2,80	0,5
069	Aufzüge	–	–	–	–
070	Gebäudeautomation	–	–	–	–
075	Raumlufttechnische Anlagen inkl. 078	7.815	34,70	10,90	2,0
	Gebäudetechnik	**56.378**	**250,00**	**78,70**	**14,5**
084	Abbruch, Rückbau, Schadstoffsanierung	–	–	–	–
	Abbrucharbeiten	**–**	**–**	**–**	**–**
	Sonstige Leistungsbereiche	**–**	**–**	**–**	**–**

6100-1190
Einfamilienhaus
Garage
Effizienzhaus 40

Objektübersicht

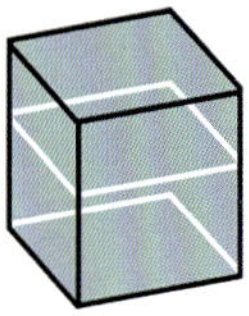

BRI 571 €/m^3

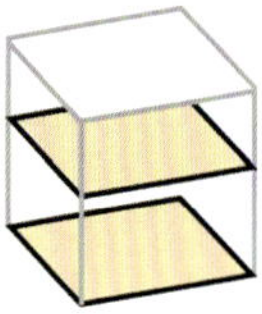

BGF 1.700 €/m^2

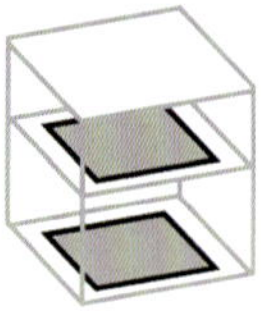

NUF 2.247 €/m^2

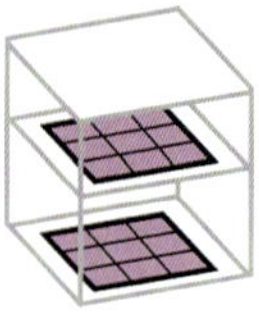

NE 2.855 €/NE

NE: Wohnfläche

Objekt:
Kennwerte: 3. Ebene DIN 276
BRI: 656 m^3
BGF: 220 m^2
NUF: 167 m^2
Bauzeit: 70 Wochen
Bauende: 2013
Standard: Durchschnitt
Bundesland: Bayern
Kreis: Oberallgäu

Architekt*in:
brack architekten
Brennergasse 9
87435 Kempten

© brack architekten

© brack architekten

© brack architekten

© brack architekten

© brack architekten

© brack architekten

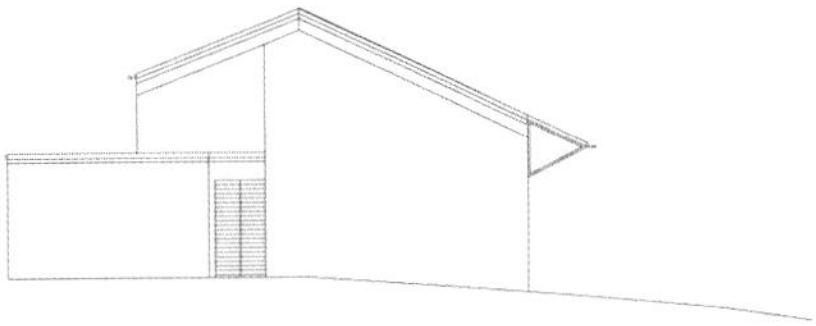

Ansicht Nord

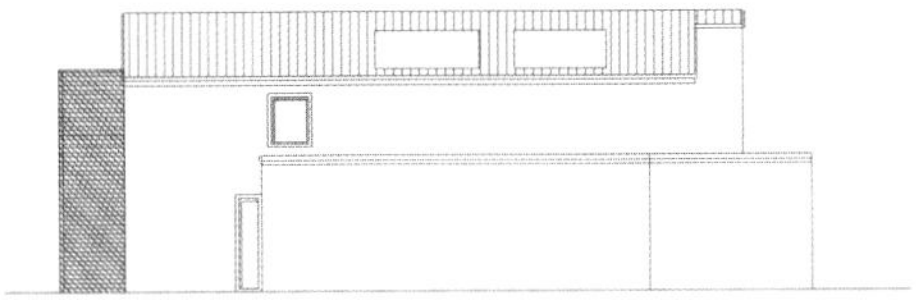

Ansicht Ost

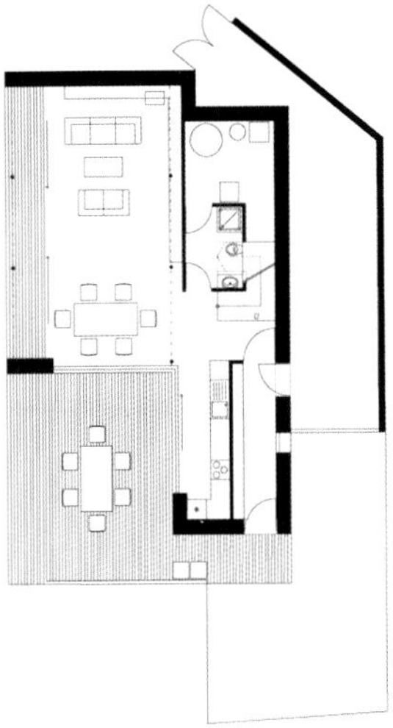

Erdgeschoss

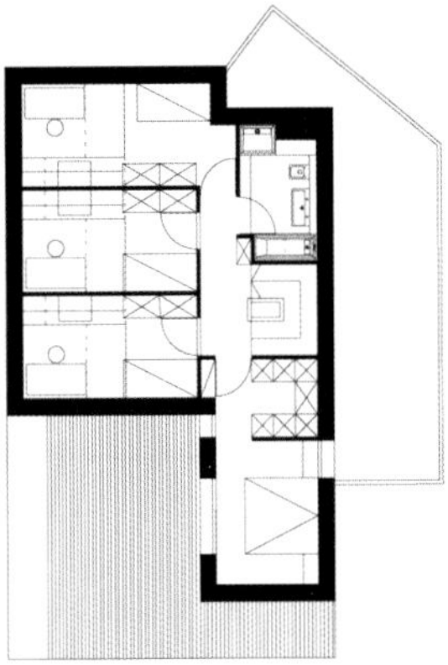

Dachgeschoss

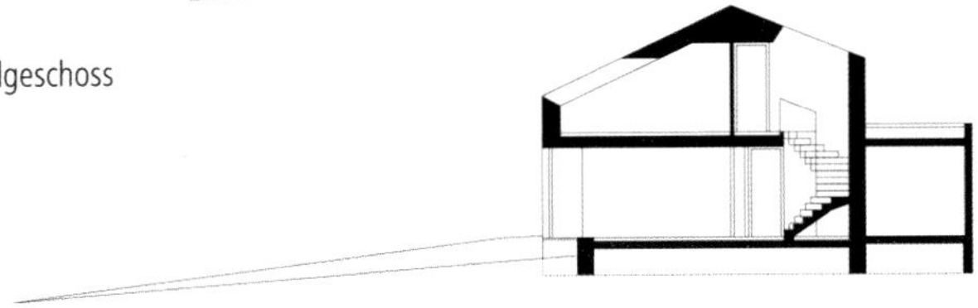

Schnitt

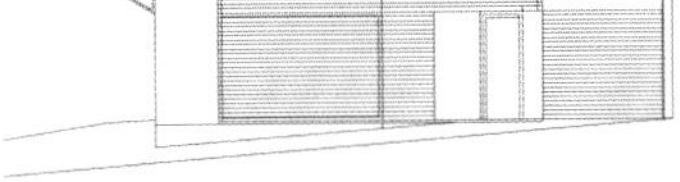

Ansicht Süd

Ansicht West

Objektbeschreibung

Allgemeine Objektinformationen

Auf einem sehr kleinen Grundstück im Außenbereich wurde ein Ersatzbau als Passivhaus für ein bestehendes Wohnhaus gebaut. Das alte Gebäude musste während der Bauphase bewohnbar bleiben. Der Neubau wurde um das Bestandsgebäude herum konstruiert und nach Abbruch des Altbaus um eine große Pergola ergänzt.

Nutzung

1 Erdgeschoss
Wohnen

1 Dachgeschoss
Wohnen

Nutzeinheiten

Wohneinheiten: 1
Wohnfläche: 131 m²

Grundstück

Bauraum: Beengter Bauraum
Neigung: Geneigtes Gelände
Bodenklasse: BK 1 bis BK 4

Markt

Hauptvergabezeit: 1. Quartal 2012
Baubeginn: 1. Quartal 2012
Bauende: 3. Quartal 2013
Konjunkturelle Gesamtlage: über Durchschnitt
Regionaler Baumarkt: unter Durchschnitt

Baukonstruktion

Das komplette Gebäude ist als Holzrahmenkonstruktion ausgeführt. Durch den hohen Vorfertigungsgrad und die präzise Ausführung konnten Fenster und Sonnenschutzeinrichtungen parallel angefertigt werden. Die Montage des Rohbaus und der Fenster erfolgte innerhalb nur einer Woche.

Technische Anlagen

Das Gebäude wird über eine Fußbodenheizung beheizt, die Warmwasserbereitung erfolgt über ein Frischwassersystem. Die notwendige Energie wird über einen Großflächenkollektor, in Spitzenzeiten unterstützt durch einen Stückholzofen, erzeugt. Für die Belüftung sorgt eine Lüftungsanlage mit Wärmerückgewinnung. Gekühlt wird das Gebäude im Sommer durch natürliche Belüftung mit kleinen Dachflächenfenstern.

Sonstiges

Küche und Essbereich öffnen sich mit großzügigen Schiebefenstern zur Pergola und zum Freisitz hin. Im Obergeschoss erlauben raumgroße Oberlichter in der Dachschräge einen unverbauten Ausblick und sorgen für eine ganztägige Belichtung der Räume. Im Innenausbau wurden einige Leistungen vom Bauherrn selber ausgeführt. Die Kosten für die jeweiligen Materiallieferungen sind in der Dokumentation enthalten.

Planungskennwerte für Flächen und Rauminhalte nach DIN 277

Flächen des Grundstücks		Menge Einheit	% an GF
BF	Bebaute Fläche	116,00 m²	23,4
UF	Unbebaute Fläche	379,00 m²	76,6
GF	Grundstücksfläche	495,00 m²	100,0

Grundflächen des Bauwerks		Menge Einheit	% an NUF	% an BGF
NUF	Nutzungsfläche	166,70 m²	100,0	75,7
TF	Technikfläche	7,46 m²	4,5	3,4
VF	Verkehrsfläche	11,76 m²	7,1	5,3
NRF	Netto-Raumfläche	185,92 m²	111,5	84,4
KGF	Konstruktions-Grundfläche	34,36 m²	20,6	15,6
BGF	Brutto-Grundfläche	220,28 m²	132,1	100,0

Brutto-Rauminhalt des Bauwerks		Menge Einheit	BRI/NUF (m)	BRI/BGF (m)
BRI	Brutto-Rauminhalt	656,29 m³	3,94	2,98

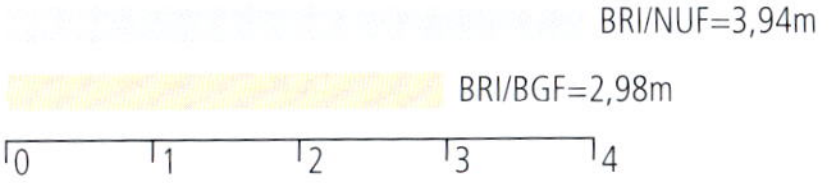

Lufttechnisch behandelte Flächen	Menge Einheit	% an NUF	% an BGF
Entlüftete Fläche	–	–	–
Be- und entlüftete Fläche	–	–	–
Teilklimatisierte Fläche	–	–	–
Klimatisierte Fläche	–	–	–

KG	Kostengruppen (2. Ebene)	Menge Einheit	Menge/NUF	Menge/BGF
310	Baugrube / Erdbau	194,66 m³ BGI	1,17	0,88
320	Gründung, Unterbau	116,01 m² GRF	0,70	0,53
330	Außenwände/Vertikale Baukonstruktionen, außen	285,36 m² AWF	1,71	1,30
340	Innenwände/Vertikale Baukonstruktionen, innen	149,90 m² IWF	0,90	0,68
350	Decken/Horizontale Baukonstruktionen	87,94 m² DEF	0,53	0,40
360	Dächer	120,88 m² DAF	0,73	0,55

Kostenkennwerte für die Kostengruppen der 1. Ebene DIN 276

KG	Kostengruppen (1. Ebene)	Einheit	Kosten €	€/Einheit	€/m²BGF	€/m³BRI	% 300+400
100	Grundstück	m²GF	–	–	–	–	–
200	Vorbereitende Maßnahmen	m²GF	2.195	4,43	9,96	3,34	0,6
300	Bauwerk – Baukonstruktionen	m²BGF	290.474	1.318,66	1.318,66	442,60	77,6
400	Bauwerk – Technische Anlagen	m²BGF	84.050	381,56	381,56	128,07	22,4
	Bauwerk 300+400	**m²BGF**	**374.523**	**1.700,22**	**1.700,22**	**570,67**	**100,0**
500	Außenanlagen und Freiflächen	m²AF	31.406	274,00	142,57	47,85	8,4
600	Ausstattung und Kunstwerke	m²BGF	1.875	8,51	8,51	2,86	0,5
700	Baunebenkosten	m²BGF	–	–	–	–	–
800	Finanzierung	m²BGF	–	–	–	–	–

KG	Kostengruppe	Menge Einheit	Kosten €	€/Einheit	%
200	**Vorbereitende Maßnahmen**	495,00 m²GF	2.195	**4,43**	0,6
	Schutzkonstruktion, Abbruch Klärgrube, Oberbodenarbeiten				
3+4	**Bauwerk**				**100,0**
300	**Bauwerk – Baukonstruktionen**	220,28 m²BGF	290.474	**1.318,66**	77,6
	Fundamente, Bodenplatte, Trockenestrich, Bodenfliesen, Perimeterdämmung, Dränage; Stahlstützen, Kunststofffenster, Sektionaltor, Außenputz, GK-Wandbekleidung, Wandfliesen, Holzrahmenwände, Dämmung, Sonnenschutz; GK-Wände, Holztüren; Holzbalkendecke, Holztreppe, GK-Decke; Flachdach, Überkopfverglasung, Dachfenster, Betondachsteine, Flachdachabdichtung, vorelementiertes Satteldach, Hitzeschutz-Markisen				
400	**Bauwerk – Technische Anlagen**	220,28 m²BGF	84.050	**381,56**	22,4
	Gebäudeentwässerung, Kalt- und Warmwasserleitungen, Sanitärobjekte; Kaminofen, Solaranlage, Solarschichtspeicher, Fußbodenheizung, Außenwandkamin; Lüftungsanlage mit Wärmerückgewinnung; Elektroinstallation, Beleuchtung; zentrale Staubsaugeranlage				
500	**Außenanlagen und Freiflächen**	114,62 m²AF	31.406	**274,00**	8,4
	Bodenarbeiten, Rohrgrabenaushub, wassergebundene Wegedecke, Terrassendielen, Rollkies; Stahlkonstruktion für Pergola, Holzfüllung bauseits; Revisionsschacht als Fassung einer Quelle, Stromanschluss, Mehrspartenanschluss, Telefonanschluss				
600	**Ausstattung und Kunstwerke**	220,28 m²BGF	1.875	**8,51**	0,5
	Spiegel, Funkenschutzplatte				

Kostenkennwerte für die Kostengruppen 300 der 2. und 3.Ebene DIN 276 (Übersicht)

KG	Kostengruppe	Menge Einheit	€/Einheit	Kosten €	% an 3+4
300	**Bauwerk – Baukonstruktionen**	**220,28 m²BGF**	**1.318,66**	**290.473,58**	**77,6**
310	**Baugrube / Erdbau**	**194,66 m³BGI**	**20,41**	**3.972,85**	**1,1**
311	Herstellung	194,66 m³BGI	20,41	3.972,85	1,1
312	Umschließung	–	–	–	–
313	Wasserhaltung	–	–	–	–
314	Vortrieb	–	–	–	–
319	Sonstiges zur KG 310	–	–	–	–
320	**Gründung, Unterbau**	**116,01 m²GRF**	**334,40**	**38.792,92**	**10,4**
321	Baugrundverbesserung	264,00 m²	33,57	8.863,59	2,4
322	Flachgründungen und Bodenplatten	116,01 m²	151,61	17.587,60	4,7
323	Tiefgründungen	–	–	–	–
324	Gründungsbeläge	72,00 m²	38,72	2.788,10	0,7
325	Abdichtungen und Bekleidungen	116,01 m²	80,67	9.358,28	2,5
326	Dränagen	116,01 m²GRF	1,68	195,35	< 0,1
329	Sonstiges zur KG 320	–	–	–	–
330	**Außenwände/Vert. Baukonstrukt., außen**	**285,36 m²AWF**	**368,21**	**105.071,77**	**28,1**
331	Tragende Außenwände	–	–	–	–
332	Nichttragende Außenwände	–	–	–	–
333	Außenstützen	5,60 m	61,52	344,53	< 0,1
334	Außenwandöffnungen	62,49 m²	590,37	36.889,91	9,8
335	Außenwandbekleidungen, außen	251,57 m²	56,21	14.140,45	3,8
336	Außenwandbekleidungen, innen	194,01 m²	6,61	1.282,30	0,3
337	Element. Außenwandkonstruktionen	222,87 m²	219,95	49.020,86	13,1
338	Lichtschutz zur KG 330	20,19 m²	168,06	3.393,71	0,9
339	Sonstiges zur KG 330	–	–	–	–
340	**Innenwände/Vert. Baukonstrukt., innen**	**149,90 m²IWF**	**115,88**	**17.369,76**	**4,6**
341	Tragende Innenwände	–	–	–	–
342	Nichttragende Innenwände	131,18 m²	21,34	2.799,61	0,7
343	Innenstützen	13,11 m	59,13	775,22	0,2
344	Innenwandöffnungen	18,72 m²	639,94	11.979,61	3,2
345	Innenwandbekleidungen	12,52 m²	145,00	1.815,35	0,5
346	Elementierte Innenwandkonstruktionen	–	–	–	–
347	Lichtschutz zur KG 340	–	–	–	–
349	Sonstiges zur KG 340	–	–	–	–
350	**Decken/Horizontale Baukonstruktionen**	**87,94 m²DEF**	**241,90**	**21.273,09**	**5,7**
351	Deckenkonstruktionen	87,94 m²	180,14	15.841,30	4,2
352	Deckenöffnungen	–	–	–	–
353	Deckenbeläge	73,50 m²	34,57	2.540,60	0,7
354	Deckenbekleidungen	82,56 m²	20,62	1.702,54	0,5
355	Elementierte Deckenkonstruktionen	–	–	–	–
359	Sonstiges zur KG 350	87,94 m²DEF	13,52	1.188,65	0,3
360	**Dächer**	**120,88 m²DAF**	**663,79**	**80.236,52**	**21,4**
361	Dachkonstruktionen	36,84 m²	132,02	4.863,71	1,3
362	Dachöffnungen	27,23 m²	1.415,88	38.557,29	10,3
363	Dachbeläge	92,47 m²	225,77	20.877,41	5,6
364	Dachbekleidungen	81,77 m²	4,25	347,12	< 0,1
365	Elementierte Dachkonstruktionen	81,77 m²	184,36	15.075,03	4,0
366	Lichtschutz zur KG 360	2,34 m²	216,81	506,46	0,1
369	Sonstiges zur KG 360	120,88 m²DAF	0,08	9,46	< 0,1
370	**Infrastrukturanlagen**	–	–	–	–
380	**Baukonstruktive Einbauten**	–	–	–	–
390	**Sonst. Maßnahmen für Baukonstrukt.**	**220,28 m²BGF**	**107,85**	**23.756,69**	**6,3**

Kostenkennwerte für die Kostengruppen 400 der 2. und 3. Ebene DIN 276 (Übersicht)

KG	Kostengruppe	Menge Einheit	€/Einheit	Kosten €	% an 3+4
400	**Bauwerk – Technische Anlagen**	**220,28 m² BGF**	**381,56**	**84.049,80**	**22,4**
410	**Abwasser-, Wasser-, Gasanlagen**	**220,28 m² BGF**	**42,96**	**9.462,46**	**2,5**
411	Abwasseranlagen	220,28 m² BGF	9,41	2.072,08	0,6
412	Wasseranlagen	220,28 m² BGF	31,02	6.833,03	1,8
413	Gasanlagen	–	–	–	–
419	Sonstiges zur KG 410	220,28 m² BGF	2,53	557,36	0,1
420	**Wärmeversorgungsanlagen**	**220,28 m² BGF**	**206,35**	**45.455,53**	**12,1**
421	Wärmeerzeugungsanlagen	220,28 m² BGF	144,74	31.883,50	8,5
422	Wärmeverteilnetze	220,28 m² BGF	5,41	1.190,91	0,3
423	Raumheizflächen	220,28 m² BGF	42,13	9.279,79	2,5
424	Verkehrsheizflächen	–	–	–	–
429	Sonstiges zur KG 420	220,28 m² BGF	14,08	3.101,31	0,8
430	**Raumlufttechnische Anlagen**	**220,28 m² BGF**	**60,71**	**13.373,24**	**3,6**
431	Lüftungsanlagen	220,28 m² BGF	60,71	13.373,24	3,6
432	Teilklimaanlagen	–	–	–	–
433	Klimaanlagen	–	–	–	–
434	Kälteanlagen	–	–	–	–
439	Sonstiges zur KG 430	–	–	–	–
440	**Elektrische Anlagen**	**220,28 m² BGF**	**60,24**	**13.269,23**	**3,5**
441	Hoch- und Mittelspannungsanlagen	–	–	–	–
442	Eigenstromversorgungsanlagen	–	–	–	–
443	Niederspannungsschaltanlagen	–	–	–	–
444	Niederspannungsinstallationsanlagen	220,28 m² BGF	37,80	8.327,15	2,2
445	Beleuchtungsanlagen	220,28 m² BGF	20,31	4.472,97	1,2
446	Blitzschutz- und Erdungsanlagen	220,28 m² BGF	2,13	469,13	0,1
447	Fahrleitungssysteme	–	–	–	–
449	Sonstiges zur KG 440	–	–	–	–
450	**Kommunikationstechnische Anlagen**	**220,28 m² BGF**	**0,88**	**193,80**	**< 0,1**
451	Telekommunikationsanlagen	–	–	–	–
452	Such- und Signalanlagen	–	–	–	–
453	Zeitdienstanlagen	–	–	–	–
454	Elektroakustische Anlagen	–	–	–	–
455	Audiovisuelle Medien- u. Antennenanl.	220,28 m² BGF	0,88	193,80	< 0,1
456	Gefahrenmelde- und Alarmanlagen	–	–	–	–
457	Datenübertragungsnetze	–	–	–	–
458	Verkehrsbeeinflussungsanlagen	–	–	–	–
459	Sonstiges zur KG 450	–	–	–	–
460	**Förderanlagen**	**–**	**–**	**–**	**–**
461	Aufzugsanlagen	–	–	–	–
462	Fahrtreppen, Fahrsteige	–	–	–	–
463	Befahranlagen	–	–	–	–
464	Transportanlagen	–	–	–	–
465	Krananlagen	–	–	–	–
466	Hydraulikanlagen	–	–	–	–
469	Sonstiges zur KG 460	–	–	–	–
470	**Nutzungsspez. u. verfahrenstechn. Anl.**	**220,28 m² BGF**	**10,42**	**2.295,56**	**0,6**
480	**Gebäude- und Anlagenautomation**	**–**	**–**	**–**	**–**
490	**Sonst. Maßnahmen für techn. Anlagen**	**–**	**–**	**–**	**–**

Kostenkennwerte für Leistungsbereiche nach STLB (Kosten des Bauwerks nach DIN 276)

LB	Leistungsbereiche	Kosten €	€/m² BGF	€/m³ BRI	% an 3+4
000	Sicherheits-, Baustelleneinrichtungen inkl. 001	10.322	46,90	15,70	2,8
002	Erdarbeiten	12.346	56,00	18,80	3,3
006	Spezialtiefbauarbeiten inkl. 005	–	–	–	–
009	Entwässerungskanalarbeiten inkl. 011	–	–	–	–
010	Drän- und Versickerarbeiten	195	0,89	0,30	< 0,1
012	Mauerarbeiten	–	–	–	–
013	Betonarbeiten	27.590	125,30	42,00	7,4
014	Natur-, Betonwerksteinarbeiten	–	–	–	–
016	Zimmer- und Holzbauarbeiten	79.740	362,00	121,50	21,3
017	Stahlbauarbeiten	2.067	9,40	3,10	0,6
018	Abdichtungsarbeiten	–	–	–	–
019	Kampfmittelräumarbeiten	–	–	–	–
020	Dachdeckungsarbeiten	10.129	46,00	15,40	2,7
021	Dachabdichtungsarbeiten	3.699	16,80	5,60	1,0
022	Klempnerarbeiten	12.186	55,30	18,60	3,3
	Rohbau	**158.274**	**718,50**	**241,20**	**42,3**
023	Putz- und Stuckarbeiten, Wärmedämmsysteme	14.079	63,90	21,50	3,8
024	Fliesen- und Plattenarbeiten	3.702	16,80	5,60	1,0
025	Estricharbeiten	4.085	18,50	6,20	1,1
026	Fenster, Außentüren inkl. 029, 032	59.802	271,50	91,10	16,0
027	Tischlerarbeiten	19.611	89,00	29,90	5,2
028	Parkettarbeiten, Holzpflasterarbeiten	–	–	–	–
030	Rollladenarbeiten	14.419	65,50	22,00	3,8
031	Metallbauarbeiten inkl. 035	–	–	–	–
034	Maler- und Lackiererarbeiten inkl. 037	–	–	–	–
036	Bodenbelagarbeiten	–	–	–	–
038	Vorgehängte hinterlüftete Fassaden	–	–	–	–
039	Trockenbauarbeiten	3.160	14,30	4,80	0,8
	Ausbau	**118.857**	**539,60**	**181,10**	**31,7**
040	Wärmeversorgungsanl. - Betriebseinr. inkl. 041	45.455	206,40	69,30	12,1
042	Gas- und Wasserinstallation, Leitungen inkl. 043	3.182	14,40	4,80	0,8
044	Abwasseranlagen - Leitungen	1.980	9,00	3,00	0,5
045	GWE-Einrichtungsgegenstände inkl. 046	3.852	17,50	5,90	1,0
047	Dämmarbeiten an betriebstechnischen Anlagen	356	1,60	0,54	< 0,1
049	Feuerlöschanlagen, Feuerlöschgeräte	–	–	–	–
050	Blitzschutz- und Erdungsanlagen	469	2,10	0,71	0,1
053	Niederspannungsanlagen inkl. 052, 054	8.521	38,70	13,00	2,3
055	Sicherheits- u. Ersatzstromversorgungsanl.	–	–	–	–
057	Gebäudesystemtechnik	–	–	–	–
058	Leuchten und Lampen inkl. 059	4.473	20,30	6,80	1,2
060	Sprechanlagen, elektroakust. Anlagen inkl. 064	–	–	–	–
061	Kommunikationsnetze inkl. 063	–	–	–	–
069	Aufzüge	–	–	–	–
070	Gebäudeautomation	–	–	–	–
075	Raumlufttechnische Anlagen inkl. 078	13.373	60,70	20,40	3,6
	Gebäudetechnik	**81.662**	**370,70**	**124,40**	**21,8**
084	Abbruch, Rückbau, Schadstoffsanierung	13.435	61,00	20,50	3,6
	Abbrucharbeiten	**13.435**	**61,00**	**20,50**	**3,6**
	Sonstige Leistungsbereiche	**2.296**	**10,40**	**3,50**	**0,6**

6100-1214
Einfamilienhaus
Garage
Effizienzhaus 70

Objektübersicht

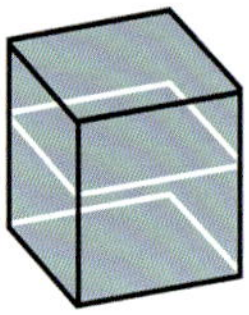

BRI 685 €/m³

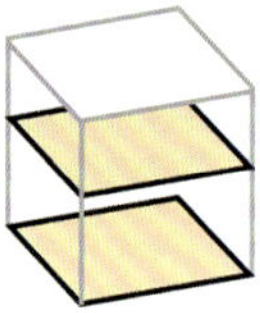

BGF 2.275 €/m²

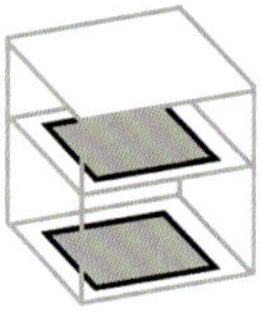

NUF 3.250 €/m²

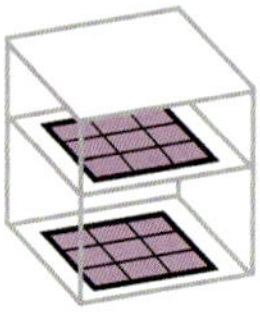

NE 3.470 €/NE

NE: Wohnfläche

Objekt:
Kennwerte: 1. Ebene DIN 276
BRI: 1.194 m³
BGF: 360 m²
NUF: 252 m²
Bauzeit: 78 Wochen
Bauende: 2015
Standard: über Durchschnitt
Bundesland: Bayern
Kreis: Neuburg-Schrobenhausen

Architekt*in:
Thomas Pscherer
Architekt
Anglerstraße 10
80339 München

Bauherr*in:
Dieter Geier

© Thomas Pscherer Architekt

© Thomas Pscherer Architekt

© Thomas Pscherer Architekt

© Thomas Pscherer Architekt

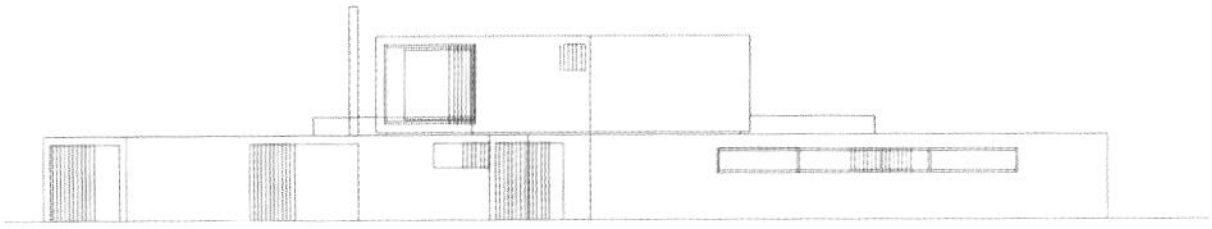

Ansicht Nord-Ost

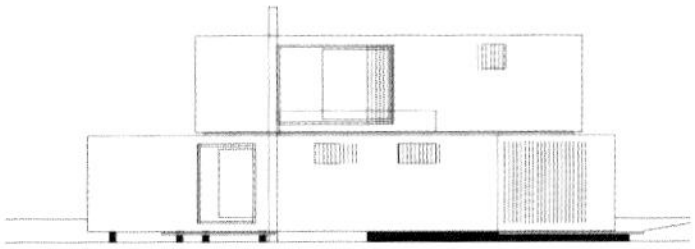

Ansicht Süd-Ost

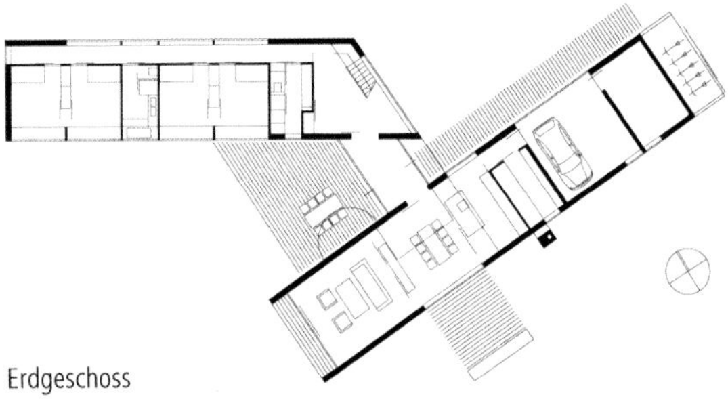

Erdgeschoss

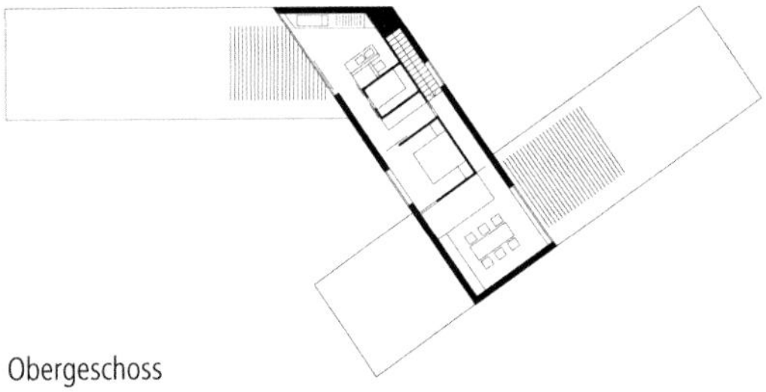

Obergeschoss

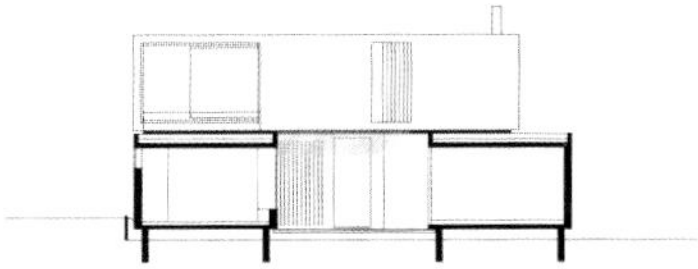

Schnitt

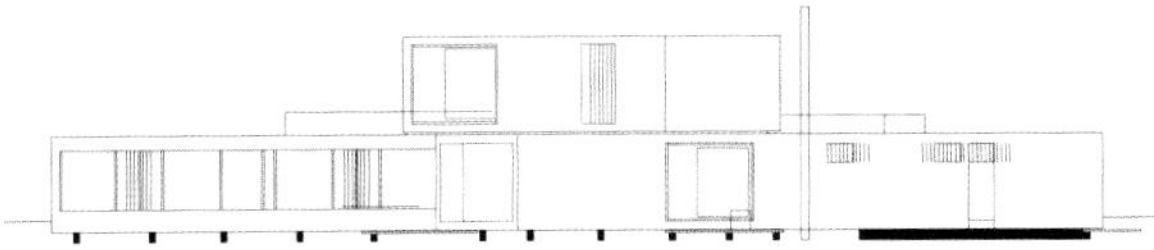

Ansicht Süd-West

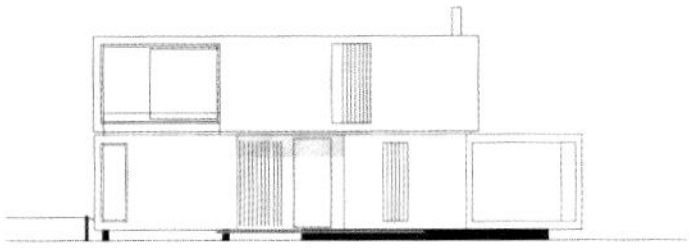

Ansicht Nord-West

Objektbeschreibung

Allgemeine Objektinformationen

Das Einfamilienhaus, auf Bohrpfählen ins Moos gegründet birgt ca. 235m² Wohnfläche. In der äußeren Gestaltung der Umgebung angepasst - raue Schale zum rauen Moosumfeld - ist der Neubau innen minimal und klar gehalten.

Nutzung

1 Erdgeschoss
Wohnen/Essen/Kochen, Kinderzimmer (4St), Bad, Gäste-WC, Diele, Wintergarten, Speisekammer, Garage, Abstellraum

1 Obergeschoss
Schlafzimmer/Ankleide, Bad/Sauna, Arbeitszimmer

Nutzeinheiten

Wohneinheiten: 1
Wohnfläche: 236 m²

Grundstück

Bauraum: Freier Bauraum
Neigung: Ebenes Gelände
Bodenklasse: BK 1 bis BK 2

Markt

Hauptvergabezeit: 1. Quartal 2013
Baubeginn: 3. Quartal 2013
Bauende: 1. Quartal 2015
Konjunkturelle Gesamtlage: unter Durchschnitt
Regionaler Baumarkt: unter Durchschnitt

Baukonstruktion

Der Neubau wurde in Holzmassivbauweise errichtet. Die Holzmassivwände wurden leim- und stahlfrei aus drei Lagen Konstruktionsvollholz mit Holzschrauben verschraubt. Dadurch konnte der Leim und Stahlanteil des Gebäudes erheblich gesenkt werden. Als Dämmung wurde Holzfaserdämmung verwendet.

Technische Anlagen

Zur Wärmeversorgung wird eine Wärmepumpe mit 500m² Flächenkollektoren verwendet. Dies war aufgrund der Größe und der günstigen Grundstückspreise die effektivste und günstigste Wärmeversorgung für das Gebäude.

Planungskennwerte für Flächen und Rauminhalte nach DIN 277

Flächen des Grundstücks		Menge Einheit	% an GF
BF	Bebaute Fläche	265,00 m²	11,5
UF	Unbebaute Fläche	2.030,00 m²	88,5
GF	Grundstücksfläche	2.295,00 m²	100,0

Grundflächen des Bauwerks		Menge Einheit	% an NUF	% an BGF
NUF	Nutzungsfläche	251,66 m²	100,0	70,0
TF	Technikfläche	4,00 m²	1,6	1,1
VF	Verkehrsfläche	24,79 m²	9,9	6,9
NRF	Netto-Raumfläche	280,45 m²	111,4	78,0
KGF	Konstruktions-Grundfläche	79,07 m²	31,4	22,0
BGF	Brutto-Grundfläche	359,52 m²	142,9	100,0

Brutto-Rauminhalt des Bauwerks		Menge Einheit	BRI/NUF (m)	BRI/BGF (m)
BRI	Brutto-Rauminhalt	1.193,98 m³	4,74	3,32

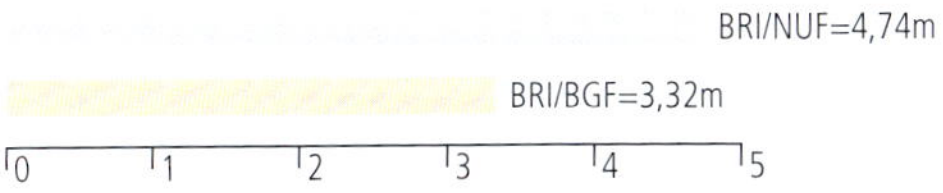

Kostenkennwerte für die Kostengruppen der 1. Ebene DIN 276

KG	Kostengruppen (1. Ebene)	Einheit	Kosten €	€/Einheit	€/m² BGF	€/m³ BRI	% 300+400
100	Grundstück	m² GF	–	–	–	–	–
200	Vorbereitende Maßnahmen	m² GF	–	–	–	–	–
300	Bauwerk – Baukonstruktionen	m² BGF	732.066	2.036,23	2.036,23	613,13	89,5
400	Bauwerk – Technische Anlagen	m² BGF	85.710	238,40	238,40	71,79	10,5
	Bauwerk 300+400	**m² BGF**	**817.776**	**2.274,63**	**2.274,63**	**684,92**	**100,0**
500	Außenanlagen und Freiflächen	m² AF	–	–	–	–	–
600	Ausstattung und Kunstwerke	m² BGF	–	–	–	–	–
700	Baunebenkosten	m² BGF	–	–	–	–	–
800	Finanzierung	m² BGF	–	–	–	–	–

KG	Kostengruppe	Menge Einheit	Kosten €	€/Einheit	%
3+4	**Bauwerk**				**100,0**
300	**Bauwerk – Baukonstruktionen**	359,52 m² BGF	732.066	**2.036,23**	89,5

Pfahlgründung mit Stb-Fertigteilrammpfählen, Stb-Balken 24x70cm, Holzzementplatten, d=12,5mm, Folie, Balkenlage 24x12cm, Holzfaserdämmung, d=100mm, OSB-Platten, Dämmschüttung, d=70mm, TSD, Zementestrich, stahlfaserbewehrt, zementöse Bodenbeschichtung; Massivholzwand, d=137mm, Holzfenster, Dreifachverglasung, Holzriegelwerk 6x20cm, Holzfaserdämmung, d=100mm, Holzfaserplatte, d=35mm, Lärchenholzschalung, hinterlüftet, GF-Bekleidung; Holzständerwände, Holzfaserdämmung, Holztüren, GF-Bekleidung; Brettsperrholzdecke, Dämmschüttung, d=50mm, TSD, Zementestrich, stahlfaserbewehrt, zementöse Bodenbeschichtung, Aluprofile als Installationsebene, d=30mm, GF-Bekleidung; Brettsperrholzdach, d=120mm, PS-Gefälledämmung, d=160mm, Kunststoffabdichtung, extensive Begrünung

KG	Kostengruppe	Menge Einheit	Kosten €	€/Einheit	%
400	**Bauwerk – Technische Anlagen**	359,52 m² BGF	85.710	**238,40**	10,5

Gebäudeentwässerung, Kalt- und Warmwasserleitungen, Sanitärobjekte; Sole-Wärmepumpe 7kW, Erdkollektoren 500m²; Elektroinstallation

6100-1272
Einfamilienhäuser
(2 Gebäude)
Effizienzhaus ~50%

Objektübersicht

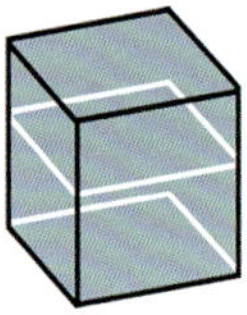

BRI 696 €/m³

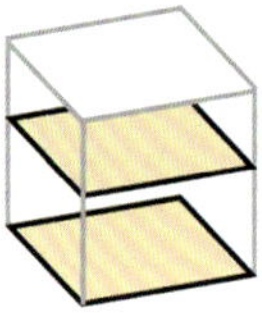

BGF 2.078 €/m²

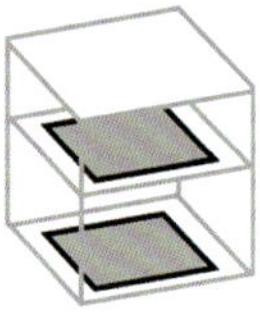

NUF 3.634 €/m²

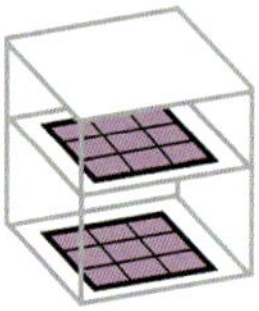

NE 3.069 €/NE

NE: Wohnfläche

Objekt:
Kennwerte: 1. Ebene DIN 276
BRI: 1.051 m³
BGF: 352 m²
NUF: 201 m²
Bauzeit: 57 Wochen
Bauende: 2015
Standard: Durchschnitt
Bundesland: Bayern
Kreis: Rosenheim

Architekt*in:
finsterwalderarchitekten
Finsterwalderstraße 5
83071 Stephanskirchen

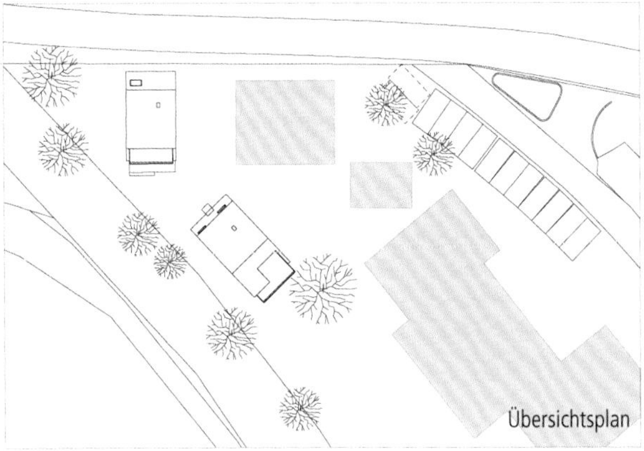

Übersichtsplan

Ginger

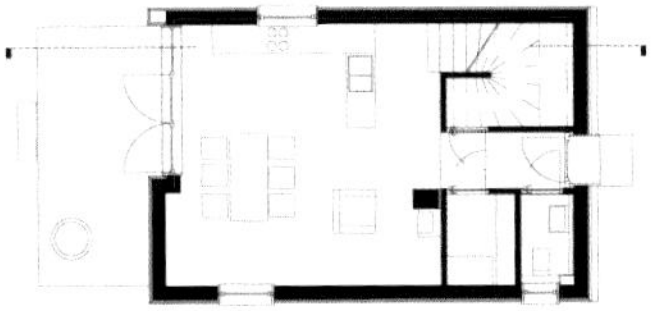

Erdgeschoss

Fred

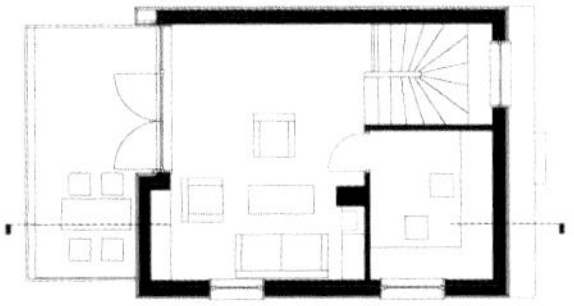

Dachgeschoss

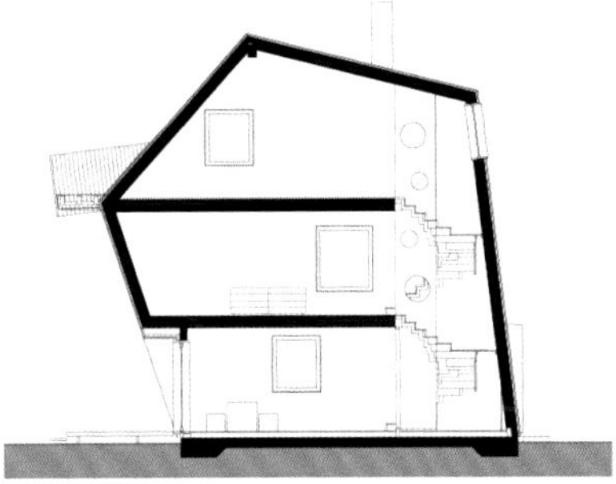

Schnitt

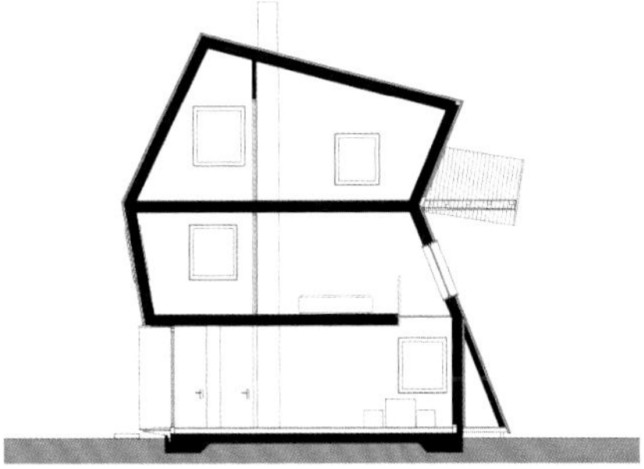

Schnitt

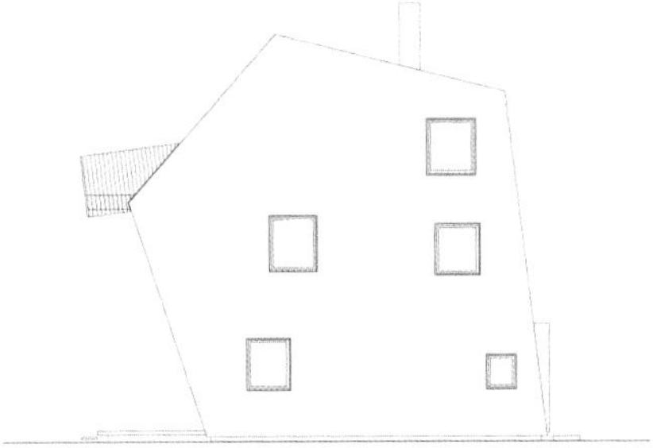

Ansicht Ost

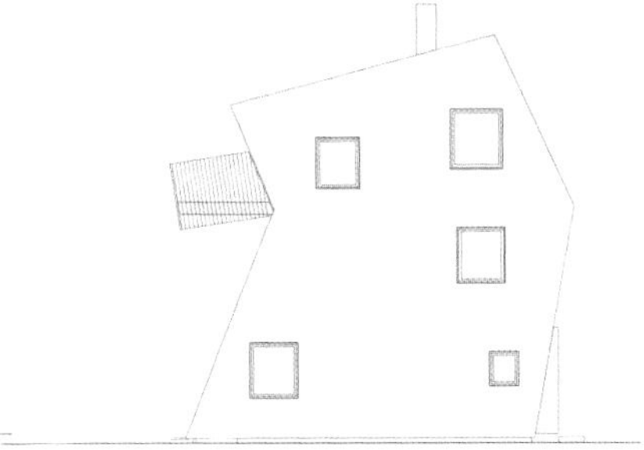

Ansicht Ost

6100-1272
Einfamilienhäuser
(2 Gebäude)
Effizienzhaus ~50%

Objektbeschreibung

Allgemeine Objektinformationen

Fred und Ginger sind zwei kleine Holzhäuser, die sich jeweils über drei Etagen erstrecken. Trotz der sehr kleinen Grundfläche bieten sie eine Menge Platz. Sie sind als skulpturales Ensemble entwickelt, beide reagieren aufeinander und auf ihre Umgebung. Ginger reagiert mit ihrer Form auf die vor ihr stehende Birke. Um die Wurzeln nicht zu gefährden und dennoch zu ermöglichen, dass der Balkon im zweiten Obergeschoss und die gesamte Südfassade dem Baum nahe kommen, kippt die Fassade in den Baum. Fred reagiert mit seiner Südseite auf Ginger. Die beide gegenüberliegenden Seiten klappen voneinander weg und erlauben den Bewohnern des dahinterliegenden Hauses einen gerahmten Ausblick und eine Besonnung von Südwesten.

Nutzung

1 Erdgeschoss
Essen/Kochen, WC, Abstellraum

1 Obergeschoss
Schlafzimmer, Bad

1 Dachgeschoss
Wohnen, Arbeitszimmer, Balkon

Nutzeinheiten

Wohneinheiten: 2
Wohnfläche: 238 m^2

Grundstück

Bauraum: Beengter Bauraum
Neigung: Geneigtes Gelände
Bodenklasse: BK 1 bis BK 3

Markt

Hauptvergabezeit: 3. Quartal 2014
Baubeginn: 4. Quartal 2014
Bauende: 4. Quartal 2015
Konjunkturelle Gesamtlage: Durchschnitt
Regionaler Baumarkt: unter Durchschnitt

Baukonstruktion

In Kooperation mit einer in der Umgebung ansässigen Zimmerei, wurde vor einigen Jahren ein genutetes Holzlamellenprodukt mit Sichtqualität entwickelt. Dessen Vorteil liegt dabei im Produzieren massiver Holzscheiben, welche zur gleichen Zeit als Wand- sowie Deckenelement fungieren. Im Inneren führen die homogene Anordnung der Holzlamellen und gleichzeitiger Verzicht auf Leim zu einem angenehmen Wohlfühlklima. Außen wurde der gesamte Baukörper, inklusive Dach mit einer Stulpschalung aus Lärchenholz bekleidet.

Technische Anlagen

Die Fassaden wurden mit einer hochwertigen Dämmung isoliert. Dadurch konnten die Heizungsanlagen auf ein Minimum an Technik und die damit einhergehenden Kosten reduziert werden. Die Häuser werden mit Holz beheizt. Um den anfallenden Warmwasserbedarf abzudecken, wurde ein platzsparender Warmwasserboiler installiert.

Sonstiges

Wie beim Holzrahmenbau so sind auch beim genuteten Holzlamellenprodukt hohe Vorfertigungsgrade erreichbar, mit dem Zusatz sich durch bessere Schallschutzeigenschaften auszuzeichnen. Die energetischen Kennwerte beziehen sich auf Haus Fred, Haus Ginger erreicht ähnliche Werte.

Planungskennwerte für Flächen und Rauminhalte nach DIN 277

Flächen des Grundstücks		Menge Einheit	% an GF
BF	Bebaute Fläche	139,73 m²	–
UF	Unbebaute Fläche	–	–
GF	Grundstücksfläche	–	–

Grundflächen des Bauwerks		Menge Einheit	% an NUF	% an BGF
NUF	Nutzungsfläche	201,10 m²	100,0	57,2
TF	Technikfläche	5,07 m²	2,5	1,4
VF	Verkehrsfläche	29,46 m²	14,6	8,4
NRF	Netto-Raumfläche	235,63 m²	117,2	67,0
KGF	Konstruktions-Grundfläche	115,97 m²	57,7	33,0
BGF	Brutto-Grundfläche	351,60 m²	174,8	100,0

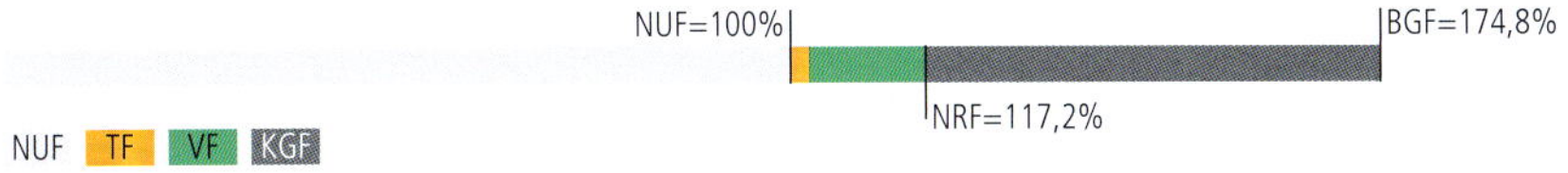

Brutto-Rauminhalt des Bauwerks		Menge Einheit	BRI/NUF (m)	BRI/BGF (m)
BRI	Brutto-Rauminhalt	1.050,65 m³	5,23	2,99

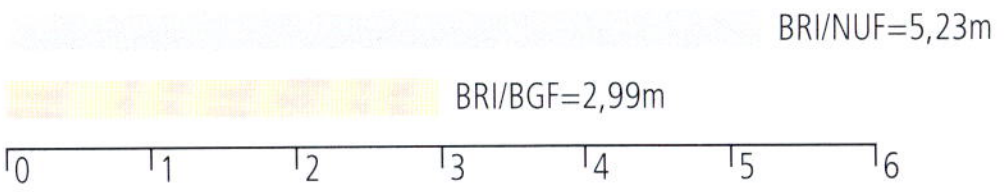

Kostenkennwerte für die Kostengruppen der 1. Ebene DIN 276

KG	Kostengruppen (1. Ebene)	Einheit	Kosten €	€/Einheit	€/m² BGF	€/m³ BRI	% 300+400
100	Grundstück	m² GF	–	–	–	–	–
200	Vorbereitende Maßnahmen	m² GF	10.287	–	29,26	9,79	1,4
300	Bauwerk – Baukonstruktionen	m² BGF	658.958	1.874,17	1.874,17	627,19	90,2
400	Bauwerk – Technische Anlagen	m² BGF	71.822	204,27	204,27	68,36	9,8
	Bauwerk 300+400	**m² BGF**	**730.780**	**2.078,44**	**2.078,44**	**695,55**	**100,0**
500	Außenanlagen und Freiflächen	m² AF	–	–	–	–	–
600	Ausstattung und Kunstwerke	m² BGF	–	–	–	–	–
700	Baunebenkosten	m² BGF	–	–	–	–	–
800	Finanzierung	m² BGF	–	–	–	–	–

KG	Kostengruppe	Menge Einheit	Kosten €	€/Einheit	%
200	**Vorbereitende Maßnahmen**	–	10.287	–	1,4
	Geländeanpassung zur Straßenseite; Abwasserentsorgung				
3+4	**Bauwerk**				**100,0**
300	**Bauwerk – Baukonstruktionen**	351,60 m² BGF	658.958	**1.874,17**	90,2
	Stb-Bodenplatten, Abdichtung, Holzlattung mit Dämmung, Holzdielen, Schotter, Geotextil, Sauberkeitsschicht, Perimeterdämmung; Dickholzwände, Holzfenster, OSB-Platten, Dämmung, Winddichtband, hinterlüftete Stulpschalung; Dickholzdecke, OSB-Platten, Holzriegel mit Dämmung, Holzdielen; Dickholz-Steildachkonstrukion, OSB-Platten, Abdichtung, Dämmung, diffusionsoffene Unterspannbahn, hinterlüftete Stulpschalung				
400	**Bauwerk – Technische Anlagen**	351,60 m² BGF	71.822	**204,27**	9,8
	Gebäudeentwässerung, Kalt- und Warmwasserleitungen, Sanitärobjekte; Warmwasserboiler, Holzofen, Elektroheizkörper vorinstalliert; Elektroinstallation, Beleuchtung; Telefonleitungen, TV-Anschlüsse				

6100-1273
Einfamilienhaus
Effizienzhaus ~56%

Objektübersicht

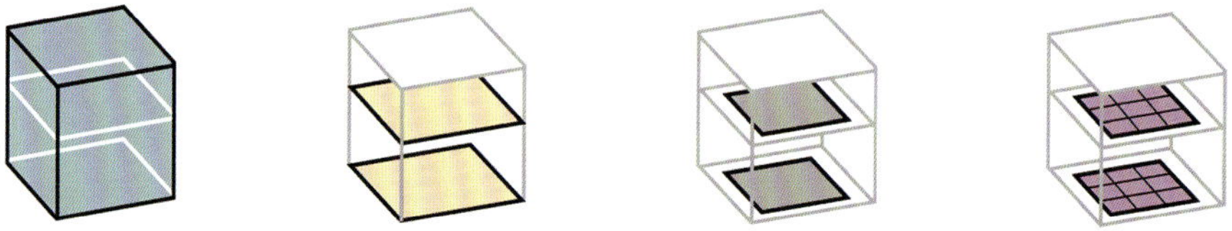

BRI 621 €/m³ | BGF 2.251 €/m² | NUF 2.925 €/m² | NE 2.552 €/NE

NE: Wohnfläche

Objekt:
Kennwerte: 1. Ebene DIN 276
BRI: 790 m³
BGF: 218 m²
NUF: 168 m²
Bauzeit: 43 Wochen
Bauende: 2014
Standard: Durchschnitt
Bundesland: Bayern
Kreis: Rosenheim

Architekt*in:
finsterwalderarchitekten
Finsterwalderstraße 5
83071 Stephanskirchen

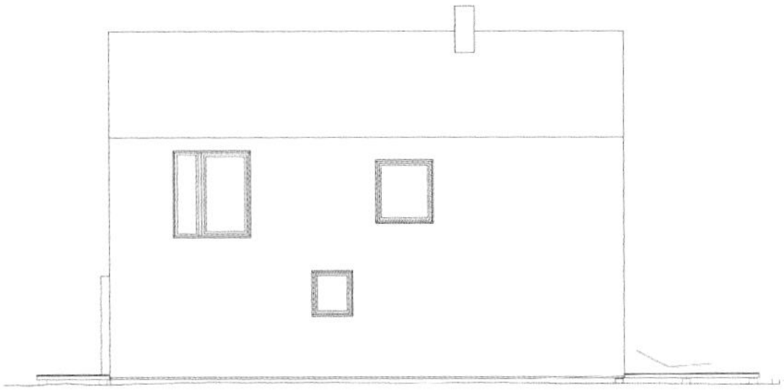

Ansicht West

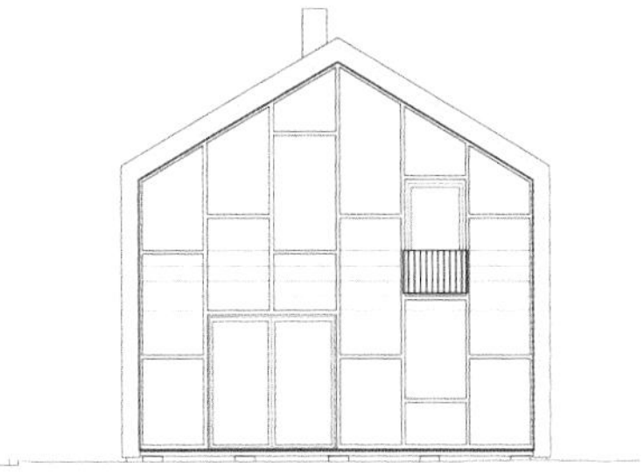

Ansicht Süd

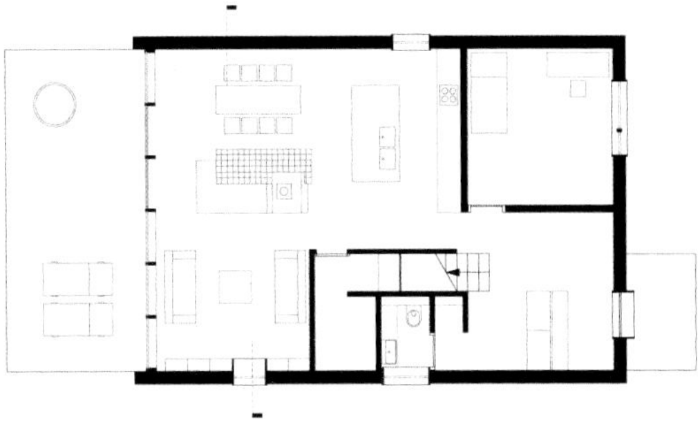

Erdgeschoss

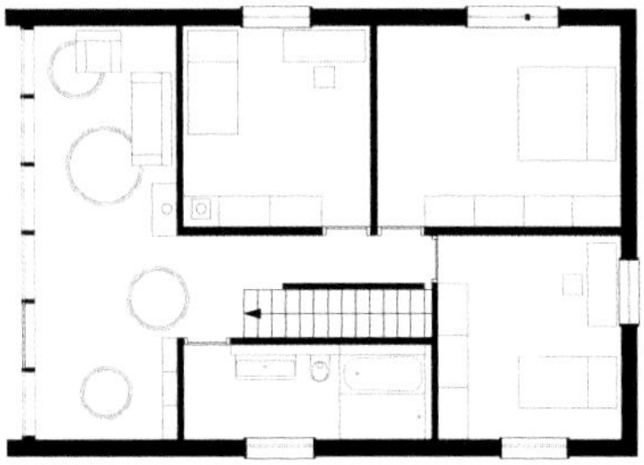

Obergeschoss

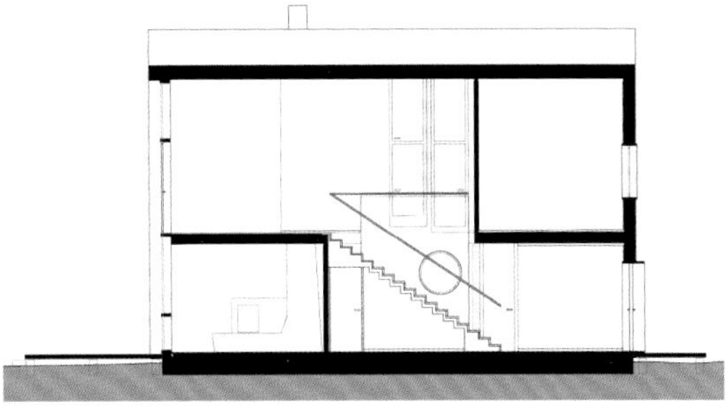

Längsschnitt

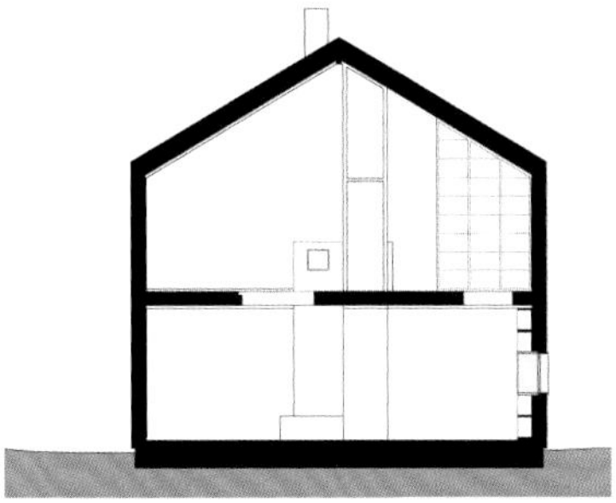

Querschnitt

Objektbeschreibung

Allgemeine Objektinformationen

Der Neubau ist ein Eigenheim mit der Flexibilität eines Automobiles und den Wohnqualitäten eines Holzbaus. In Kooperation mit einer in der Umgebung ansässigen Zimmerei hat das Architekturbüro vor einigen Jahren ein genutetes Holzlamellenprodukt mit Sichtqualität entwickelt. Daraus entsteht das Smarthaus, das mit 5 verschiedenen Grundrissvarianten bei immer gleichen Außenmaßen gebaut wird. Erhältlich sind eine effiziente Variante für Familien, eine luxuriöse Loftvariante sowie eine Version für Arbeiten und Wohnen.

Nutzung

1 Erdgeschoss
Wohnen/Essen/Kochen, Arbeitszimmer, Diele, WC, Abstellraum

1 Obergeschoss
Schlafzimmer, Kinderzimmer (2St), Bad, Wintergarten

Nutzeinheiten

Wohneinheiten: 1
Wohnfläche: 192 m²

Grundstück

Bauraum: Beengter Bauraum
Neigung: Geneigtes Gelände
Bodenklasse: BK 1 bis BK 4

Markt

Hauptvergabezeit: 4. Quartal 2013
Baubeginn: 4. Quartal 2013
Bauende: 3. Quartal 2014
Konjunkturelle Gesamtlage: Durchschnitt
Regionaler Baumarkt: unter Durchschnitt

Baukonstruktion

Das Holzhaus wurde hauptsächlich aus massiven, oberflächenfertigen Holzscheiben errichtet, die als Wand- und Deckenelemente fungieren. Im Inneren führt die homogene Anordnung der Holzlamellen und gleichzeitiger Verzicht auf Leim zu einem angenehmen Wohlfühlklima. Außen wurde der gesamte Baukörper, inklusive Dach mit einer Stulpschalung aus Lärchenholz bekleidet. Die komplette Südfassade wurde verglast und macht das Haus zu einem lichtdurchfluteten Wohnerlebnis. Ein gemauerter Ofen mit handgemachten portugiesischen Kacheln verschmilzt durch die Farbgebung der Fugen mit der angrenzenden Stampfbetonliege.

Technische Anlagen

Das Haus wird in der Standardversion ausschließlich mit einem Kachelofen beheizt. Um den anfallenden Warmwasserbedarf abzudecken, wurde ein platzsparender Warmwasserboiler installiert.

Sonstiges

Wie beim Holzrahmenbau so sind auch beim genuteten Holzlamellenprodukt hohe Vorfertigungsgrade erreichbar, mit dem Zusatz sich durch bessere Schallschutzeigenschaften auszuzeichnen.

Planungskennwerte für Flächen und Rauminhalte nach DIN 277

Flächen des Grundstücks		Menge Einheit	% an GF
BF	Bebaute Fläche	109,40 m²	11,8
UF	Unbebaute Fläche	815,07 m²	88,2
GF	Grundstücksfläche	924,47 m²	100,0

Grundflächen des Bauwerks		Menge Einheit	% an NUF	% an BGF
NUF	Nutzungsfläche	167,84 m²	100,0	77,0
TF	Technikfläche	1,00 m²	0,6	0,5
VF	Verkehrsfläche	9,86 m²	5,9	4,5
NRF	Netto-Raumfläche	178,70 m²	106,5	81,9
KGF	Konstruktions-Grundfläche	39,38 m²	23,5	18,1
BGF	Brutto-Grundfläche	218,08 m²	129,9	100,0

Brutto-Rauminhalt des Bauwerks		Menge Einheit	BRI/NUF (m)	BRI/BGF (m)
BRI	Brutto-Rauminhalt	790,48 m³	4,71	3,63

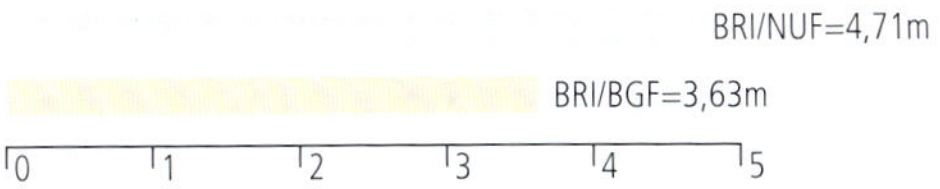

Kostenkennwerte für die Kostengruppen der 1. Ebene DIN 276

KG	Kostengruppen (1. Ebene)	Einheit	Kosten €	€/Einheit	€/m² BGF	€/m³ BRI	% 300+400
100	Grundstück	m² GF	–	–	–	–	–
200	Vorbereitende Maßnahmen	m² GF	13.297	14,38	60,97	16,82	2,7
300	Bauwerk – Baukonstruktionen	m² BGF	419.159	1.922,04	1.922,04	530,26	85,4
400	Bauwerk – Technische Anlagen	m² BGF	71.690	328,73	328,73	90,69	14,6
	Bauwerk 300+400	**m² BGF**	**490.849**	**2.250,78**	**2.250,78**	**620,95**	**100,0**
500	Außenanlagen und Freiflächen	m² AF	–	–	–	–	–
600	Ausstattung und Kunstwerke	m² BGF	–	–	–	–	–
700	Baunebenkosten	m² BGF	–	–	–	–	–
800	Finanzierung	m² BGF	–	–	–	–	–

KG	Kostengruppe	Menge Einheit	Kosten €	€/Einheit	%
200	**Vorbereitende Maßnahmen**	924,47 m² GF	13.297	**14,38**	2,7
	Anpassen von Hang und Bachverlauf; Abwasserentsorgung, Wasserversorgung				
3+4	**Bauwerk**				**100,0**
300	**Bauwerk – Baukonstruktionen**	218,08 m² BGF	419.159	**1.922,04**	85,4
	Stb-Bodenplatte, Abdichtung, Holzriegel mit Dämmung, Holzdielen, Kiesfilterschicht, Trennvlies, Sauberkeitsschicht, Perimeterdämmung; Dickholzwände, Holzfenster, OSB-Platten, Dämmung, Winddichtband, hinterlüftete Stulpschalung; Dickholzdecke, OSB-Platten, Holzriegel mit Dämmung, Holzdielen; Dickholz-Steildachkonstruktion, OSB-Platten, Abdichtung, Dämmung, diffusionsoffene Unterspannbahn, hinterlüftete Stulpschalung				
400	**Bauwerk – Technische Anlagen**	218,08 m² BGF	71.690	**328,73**	14,6
	Gebäudeentwässerung, Kalt- und Warmwasserleitungen, Sanitärobjekte; Warmwasserboiler, Kachelofen; Elektroinstallation, Beleuchtung; Telefonleitungen, TV-Anschluss				

6100-1276
Einfamilienhaus
Garage
Effizienzhaus ~72%

Objektübersicht

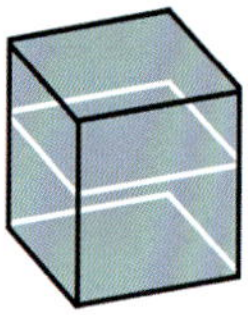

BRI 577 €/m³

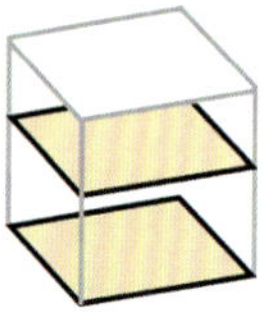

BGF 1.734 €/m²

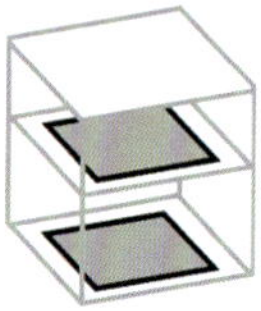

NUF 2.423 €/m²

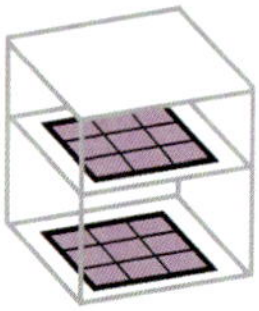

NE 2.581 €/NE

NE: Wohnfläche

Objekt:
Kennwerte: 1. Ebene DIN 276
BRI: 841 m³
BGF: 280 m²
NUF: 200 m²
Bauzeit: 26 Wochen
Bauende: 2015
Standard: Durchschnitt
Bundesland: Brandenburg
Kreis: Brandenburg a.d. Havel

Architekt*in:
Märkplan GmbH
Neustädtischer Markt 27
14776 Brandenburg a.d. Havel

© Märkplan GmbH

© Märkplan GmbH

© Märkplan GmbH

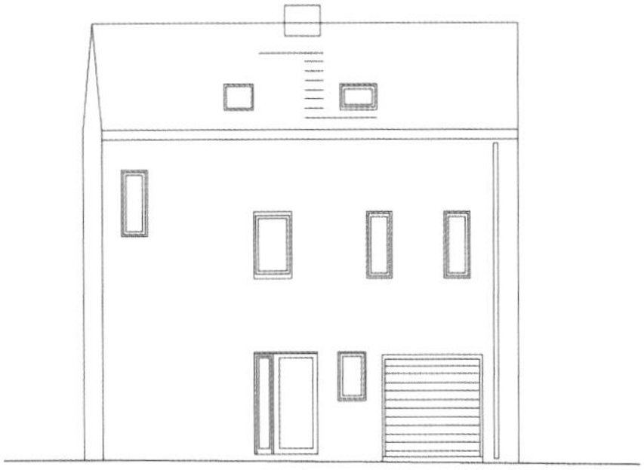

Ansicht Nord

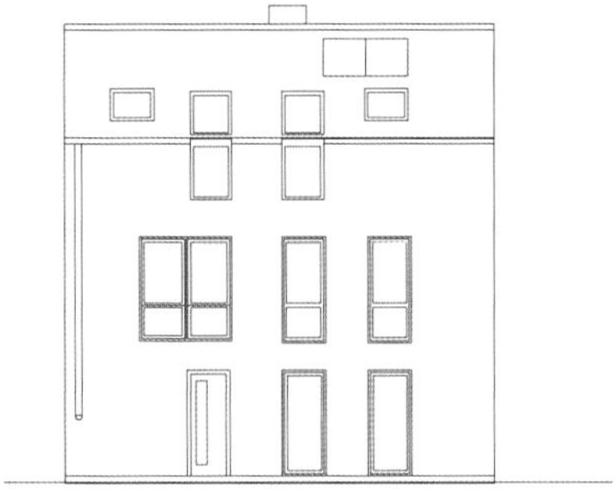

Ansicht Süd

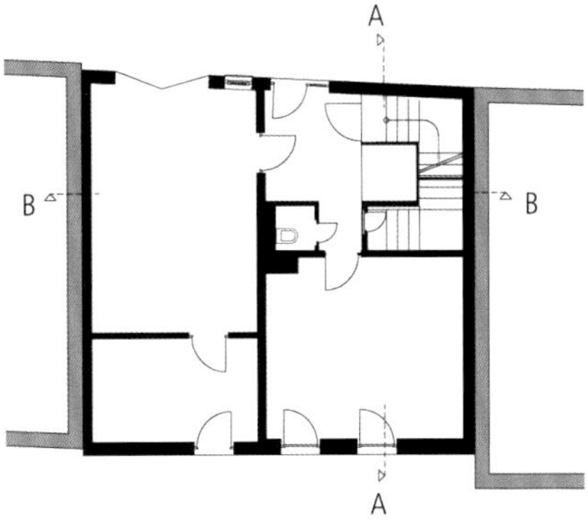

Erdgeschoss

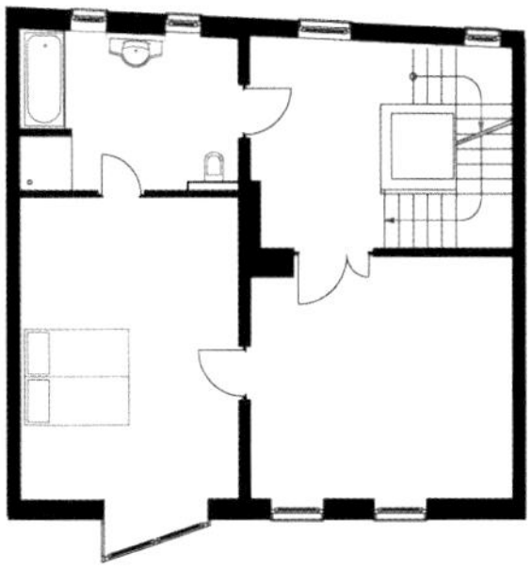

Obergeschoss

Schnitt A-A

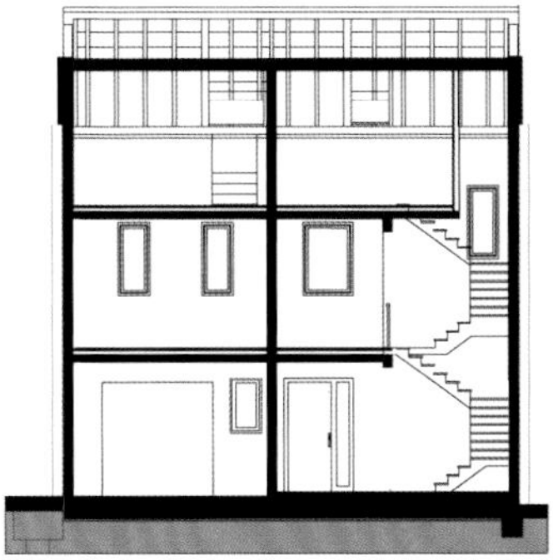

Schnitt B-B

6100-1276
Einfamilienhaus
Garage
Effizienzhaus ~72%

Objektbeschreibung

Allgemeine Objektinformationen

Das dreigeschossige Wohnhaus entstand als Lückenbebauung im innerstädtischen Sanierungsgebiet.

Nutzung

1 Erdgeschoss
Wohnküche, Hauswirtschaftsraum, WC, Garage

1 Obergeschoss
Wohnen, Schlafzimmer, Bad

1 Dachgeschoss
Schlafzimmer, Bad

Nutzeinheiten

Wohneinheiten: 1
Wohnfläche: 188 m^2

Grundstück

Bauraum: Baulücke
Neigung: Ebenes Gelände
Bodenklasse: BK 1 bis BK 4

Markt

Hauptvergabezeit: 2. Quartal 2014
Baubeginn: 3. Quartal 2014
Bauende: 1. Quartal 2015
Konjunkturelle Gesamtlage: Durchschnitt
Regionaler Baumarkt: Durchschnitt

Baukonstruktion

Ein Stahlbetonstreifenfundament bildet die Basis für den Neubau. Für die Außen- und Innenwände wurde die Holzrahmenbauweise gewählt. Die Fassade wurde außen mit Wärmedämmverbundsystem isoliert, verputzt und mit einer Farbbeschichtung versehen. Die Brandwände sind aus Stahlbetonfertigteilen und die Decken aus Massivholz errichtet. Sämtliche Fenster sind als Holzfenster mit Wärme- und Sonnenschutzverglasung ausgeführt. Das Satteldach ist mit Dachziegeln gedeckt.

Technische Anlagen

Neben einer Gas-Brennwerttherme wird der Neubau zusätzlich über einem Kaminofen beheizt. Alle Hausanschlüsse einschließlich der Verteilzähleinrichtungen sind in der Garage und im Hauswirtschaftsraum untergebracht, ebenso die Heizungsanlage.

Sonstiges

Während der Bauphase fanden im großen Umfang Straßenbauarbeiten statt, so dass für die Baustelleneinrichtung und Materiallagerung kein Platz vorhanden war.

Planungskennwerte für Flächen und Rauminhalte nach DIN 277

Flächen des Grundstücks		Menge Einheit	% an GF
BF	Bebaute Fläche	93,30 m²	28,7
UF	Unbebaute Fläche	231,70 m²	71,3
GF	Grundstücksfläche	325,00 m²	100,0

Grundflächen des Bauwerks		Menge Einheit	% an NUF	% an BGF
NUF	Nutzungsfläche	200,36 m²	100,0	71,6
TF	Technikfläche	2,03 m²	1,0	0,7
VF	Verkehrsfläche	33,22 m²	16,6	11,9
NRF	Netto-Raumfläche	235,61 m²	117,6	84,2
KGF	Konstruktions-Grundfläche	44,29 m²	22,1	15,8
BGF	Brutto-Grundfläche	279,90 m²	139,7	100,0

Brutto-Rauminhalt des Bauwerks		Menge Einheit	BRI/NUF (m)	BRI/BGF (m)
BRI	Brutto-Rauminhalt	841,00 m³	4,20	3,01

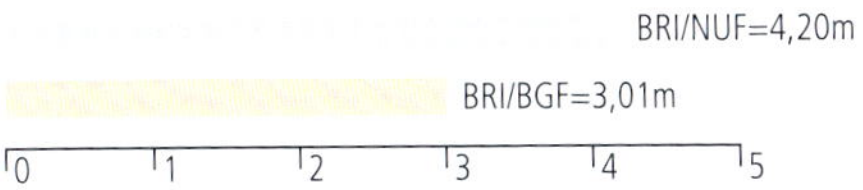

Kostenkennwerte für die Kostengruppen der 1. Ebene DIN 276

KG	Kostengruppen (1. Ebene)	Einheit	Kosten €	€/Einheit	€/m² BGF	€/m³ BRI	% 300+400
100	Grundstück	m² GF	–	–	–	–	–
200	Vorbereitende Maßnahmen	m² GF	15.087	46,42	53,90	17,94	3,1
300	Bauwerk – Baukonstruktionen	m² BGF	428.108	1.529,50	1.529,50	509,05	88,2
400	Bauwerk – Technische Anlagen	m² BGF	57.352	204,90	204,90	68,19	11,8
	Bauwerk 300+400	**m² BGF**	**485.460**	**1.734,40**	**1.734,40**	**577,24**	**100,0**
500	Außenanlagen und Freiflächen	m² AF	–	–	–	–	–
600	Ausstattung und Kunstwerke	m² BGF	–	–	–	–	–
700	Baunebenkosten	m² BGF	–	–	–	–	–
800	Finanzierung	m² BGF	–	–	–	–	–

KG	Kostengruppe	Menge Einheit	Kosten €	€/Einheit	%
200	**Vorbereitende Maßnahmen**	325,00 m² GF	15.087	**46,42**	3,1
	Erschließung Abwasser, Wasser, Gas, Strom, Kabelanschluss				
3+4	**Bauwerk**				**100,0**
300	**Bauwerk – Baukonstruktionen**	279,90 m² BGF	428.108	**1.529,50**	88,2
	Stb-Bodenplatte, Dämmung, Abdichtung, Estrich, Bodenfliesen; Holzrahmenkonstruktion, Stb-Fertigteile (Brandwände), Holzfenster, Holztüren, WDVS, Putz, Beschichtung; Holzständerwände, Trockenbauwände, Holztüren, GK-Bekleidung, Putz, Beschichtung; Massivholzdecken, Holztreppen, Estrich, Bodenfliesen, Linoleum; Satteldach Holzkonstruktion, Dämmung, Ziegel, GF-Bekleidung, Dachentwässerung				
400	**Bauwerk – Technische Anlagen**	279,90 m² BGF	57.352	**204,90**	11,8
	Gebäudeentwässerung, Kalt- und Warmwasserleitungen, Sanitärobjekte; Gas-Brennwerttherme, Solaranlage für die Warmwasserbereitung, Plattenheizkörper, Röhrenradiatoren; Elektroinstallation				

6100-1304
Einfamilienhaus
ELW

Objektübersicht

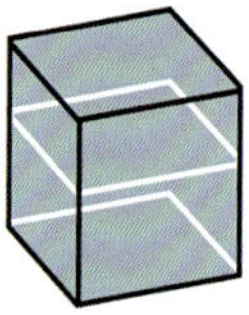

BRI 749 €/m³

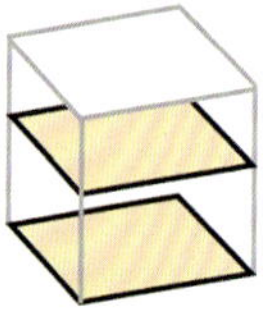

BGF 2.734 €/m²

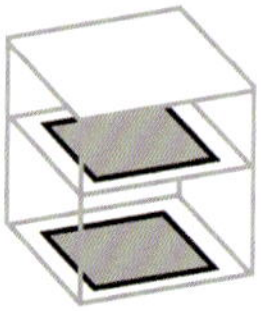

NUF 4.620 €/m²

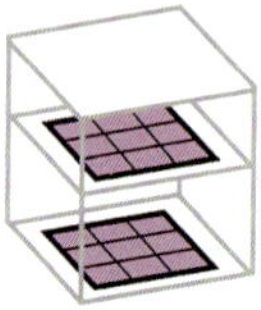

NE 3.296 €/NE

NE: Wohnfläche

Objekt:
Kennwerte: 1. Ebene DIN 276
BRI: 836 m³
BGF: 229 m²
NUF: 136 m²
Bauzeit: 13 Wochen
Bauende: 2016
Standard: über Durchschnitt
Bundesland: Nordrhein-Westfalen
Kreis: Ennepe-Ruhr-Kreis

Architekt*in:
adbarchitektur
Einern 123
42279 Wuppertal

© Philipp Wülfing

© Philipp Wülfing

© Philipp Wülfing

Kostenstand: 3. Quartal 2022, Bundesdurchschnitt, **inkl. 19% MwSt.**

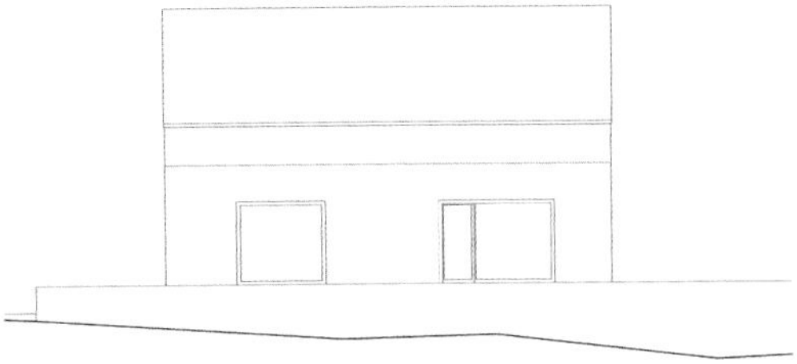

Ansicht Nord

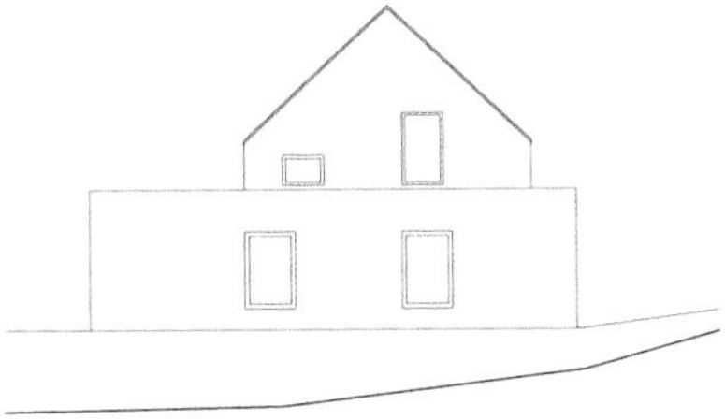

Ansicht Ost

Erdgeschoss

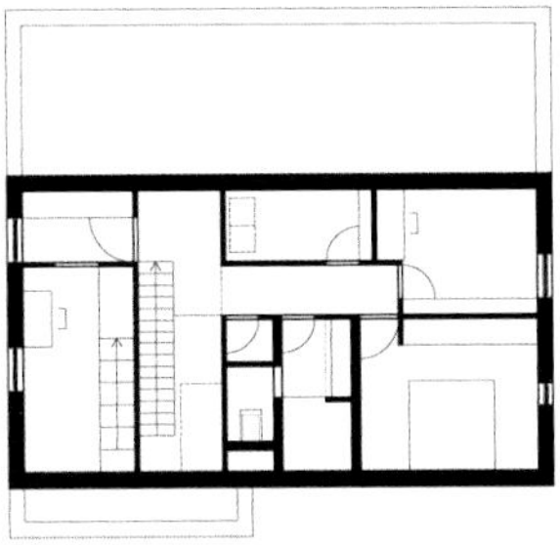

Obergeschoss

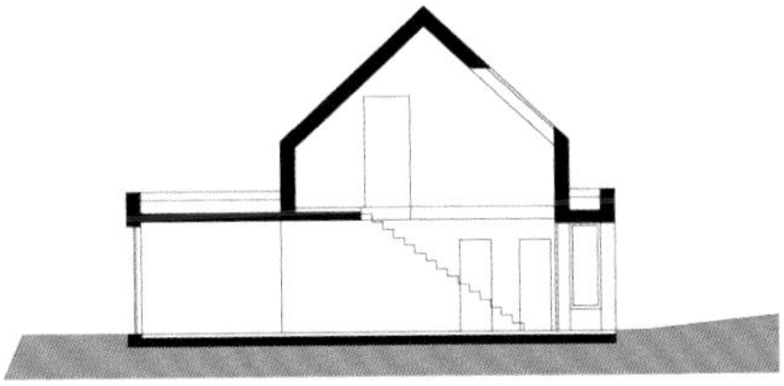

Schnitt A-A

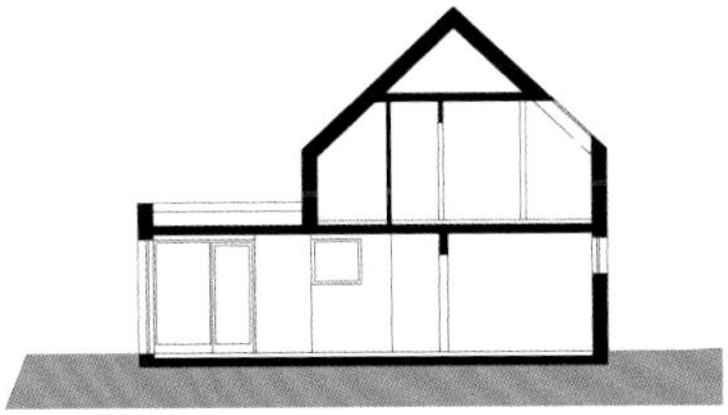

Schnitt B-B

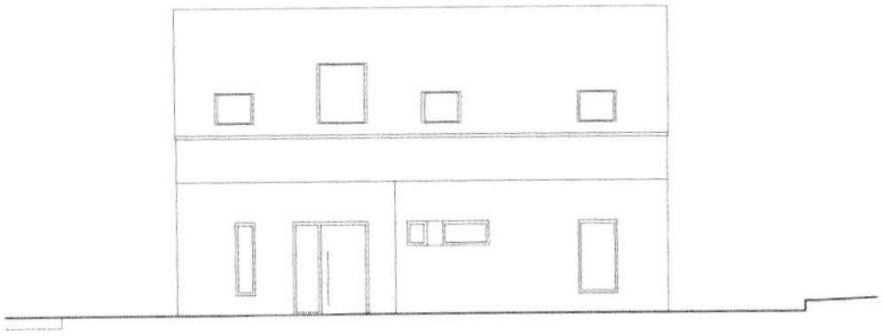

Ansicht Süd

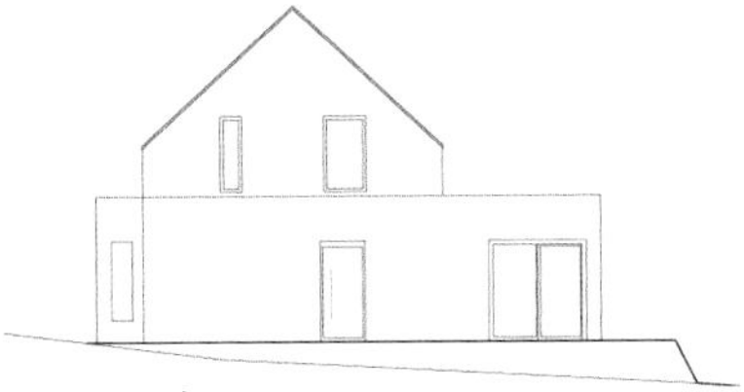

Ansicht West

Objektbeschreibung

Allgemeine Objektinformationen

Die Bauherrenfamilie wohnt mit den Eltern zusammen in einem "Familienhaus" unter einem Dach. Die Eltern wohnen in der ELW. Der Baukörper besteht in seiner äußeren Erscheinung aus einem Erdgeschoss und einem farblich abgesetzten Dachgeschoss, welches in Querrichtung wie scheinbar aufgesetzt wirkt. Im Erdgeschoss wird das Gebäude in Haupt- und Einliegerwohnung geteilt. Zur Trennung dienen Nebenräume. Dies hat Vorteile für den Schallschutz zwischen den Einheiten und für die konstruktiven Belange der Lastabtragung.

Nutzung

1 Erdgeschoss
Wohnen, Essen, Kochen, ELW

1 Dachgeschoss
Schlafzimmer, Kinderzimmer, Spielzimmer, Bad

Nutzeinheiten

Wohneinheiten: 2
Wohnfläche: 190 m²

Grundstück

Bauraum: Beengter Bauraum
Neigung: Hanglage
Bodenklasse: BK 1 bis BK 3

Markt

Hauptvergabezeit: 2. Quartal 2016
Baubeginn: 2. Quartal 2016
Bauende: 3. Quartal 2016
Konjunkturelle Gesamtlage: über Durchschnitt
Regionaler Baumarkt: Durchschnitt

Baukonstruktion

Das Haus wurde um Kosten und Zeit zu sparen in Holzrahmenbauweise vorgefertigt, und auf der Baustelle innerhalb von vier Tagen komplett aufgerichtet und geschlossen. Somit blieb genügend Budget für den Ausbau des Hauses übrig. Durch eine intensive Werkplanung und geschickte Koordination der mitwirkenden Firmen, konnte der Rohbau bereits nach einer Woche und der Ausbau nach weiteren acht Wochen abgeschlossen werden.

Technische Anlagen

Beheizt wird das Familienhaus mit einer Luft-Luft-Wärmepumpe mit Pufferspeicher über eine Fußbodenheizung. Die eingesetzte Technik entspricht einem gehobenen Standard. Die Holzfenster haben eine Zweischeiben-Isolierverglasung mit Fensterfalzlüftern.

Planungskennwerte für Flächen und Rauminhalte nach DIN 277

Flächen des Grundstücks		Menge Einheit	% an GF
BF	Bebaute Fläche	141,00 m²	23,3
UF	Unbebaute Fläche	465,00 m²	76,7
GF	Grundstücksfläche	606,00 m²	100,0

Grundflächen des Bauwerks		Menge Einheit	% an NUF	% an BGF
NUF	Nutzungsfläche	135,53 m²	100,0	59,2
TF	Technikfläche	14,98 m²	11,1	6,5
VF	Verkehrsfläche	28,56 m²	21,1	12,5
NRF	Netto-Raumfläche	179,07 m²	132,1	78,2
KGF	Konstruktions-Grundfläche	49,93 m²	36,8	21,8
BGF	Brutto-Grundfläche	229,00 m²	169,0	100,0

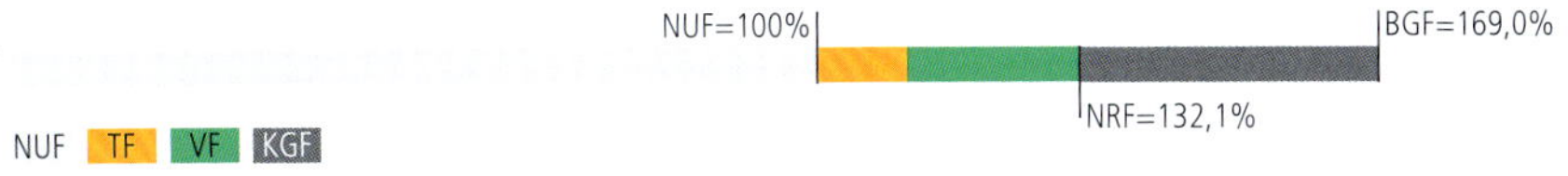

Brutto-Rauminhalt des Bauwerks		Menge Einheit	BRI/NUF (m)	BRI/BGF (m)
BRI	Brutto-Rauminhalt	836,40 m³	6,17	3,65

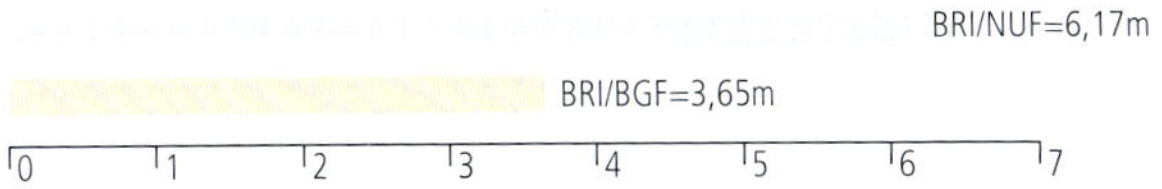

Kostenkennwerte für die Kostengruppen der 1. Ebene DIN 276

KG	Kostengruppen (1. Ebene)	Einheit	Kosten €	€/Einheit	€/m² BGF	€/m³ BRI	% 300+400
100	Grundstück	m² GF	–	–	–	–	–
200	Vorbereitende Maßnahmen	m² GF	73.208	120,80	319,68	87,53	11,7
300	Bauwerk – Baukonstruktionen	m² BGF	561.107	2.450,25	2.450,25	670,86	89,6
400	Bauwerk – Technische Anlagen	m² BGF	65.049	284,06	284,06	77,77	10,4
	Bauwerk 300+400	**m² BGF**	**626.156**	**2.734,30**	**2.734,30**	**748,63**	**100,0**
500	Außenanlagen und Freiflächen	m² AF	–	–	–	–	–
600	Ausstattung und Kunstwerke	m² BGF	12.970	56,64	56,64	15,51	2,1
700	Baunebenkosten	m² BGF	–	–	–	–	–
800	Finanzierung	m² BGF	–	–	–	–	–

KG	Kostengruppe	Menge Einheit	Kosten €	€/Einheit	%
200	**Vorbereitende Maßnahmen**	606,00 m² GF	73.208	**120,80**	11,7
	Gutachtergebühren, öffentlicher Hausanschluss, Bodenverbesserung				
3+4	**Bauwerk**				**100,0**
300	**Bauwerk – Baukonstruktionen**	229,00 m² BGF	561.107	**2.450,25**	89,6
	Stb-Fundamentplatte (Energiesparplatte), Estrich, Perimeterdämmung; Holzrahmenkonstruktion, Dämmung, Holzfenster, DWD-Platten, Putz (Besenstrichoptik), OSB-Platten, GK-Bekleidung; Holzrahmenwände, Schallschutzwand (Wohnungstrennwand), Holztüren, Bekleidungen; Holzbalkendecke, Holztreppe als Schrankelement, Estrich; Holzdachkonstruktion, Zwischensparrendämmung, DWD-Platten, Lattung, Betondachziegel, Dachentwässerung, Flachdach mit Dämmung und Abdichtung, GK-Bekleidung				
400	**Bauwerk – Technische Anlagen**	229,00 m² BGF	65.049	**284,06**	10,4
	Gebäudeentwässerung, Kalt- und Warmwasserleitungen, Sanitärobjekte; Luft-Luft-Wärmepumpe, Pufferspeicher, Fußbodenheizung; Elektroinstallation, Sat-Anlage				
600	**Ausstattung und Kunstwerke**	229,00 m² BGF	12.970	**56,64**	2,1
	Einbauküchen (2St)				

6100-1325
Einfamilienhaus
Effizienzhaus 40

Objektübersicht

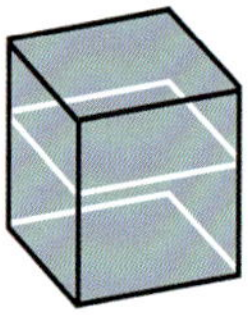

BRI 697 €/m³

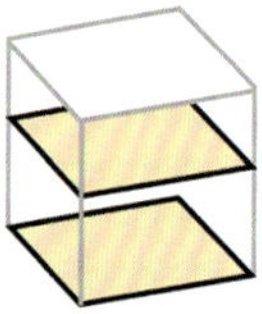

BGF 1.820 €/m²

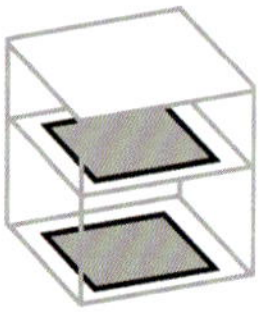

NUF 3.107 €/m²

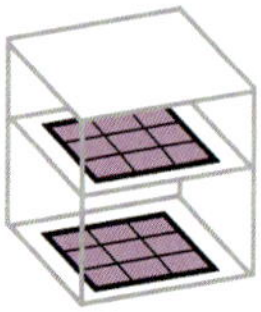

NE 2.756 €/NE

NE: Wohnfläche

Objekt:
Kennwerte: 1. Ebene DIN 276
BRI: 705 m³
BGF: 270 m²
NUF: 158 m²
Bauzeit: 17 Wochen
Bauende: 2015
Standard: Durchschnitt
Bundesland: Bayern
Kreis: Oberallgäu

Architekt*in:
brack architekten
Brennergasse 9
87435 Kempten

Bauherr*in:
Katrin und Carsten Jost
87549 Untermaiselstein

Ansicht Süd-Ost

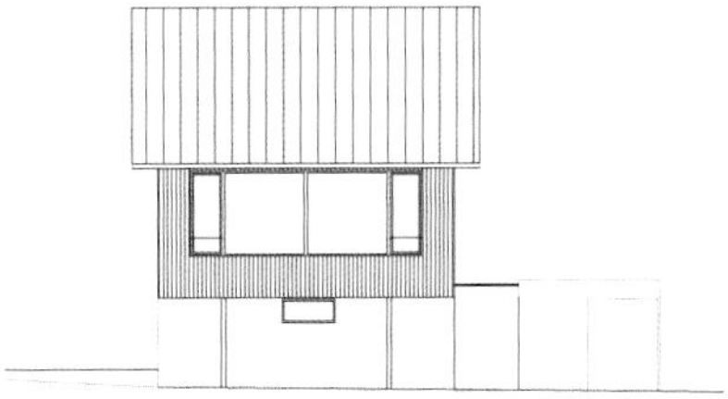

Ansicht Süd-West

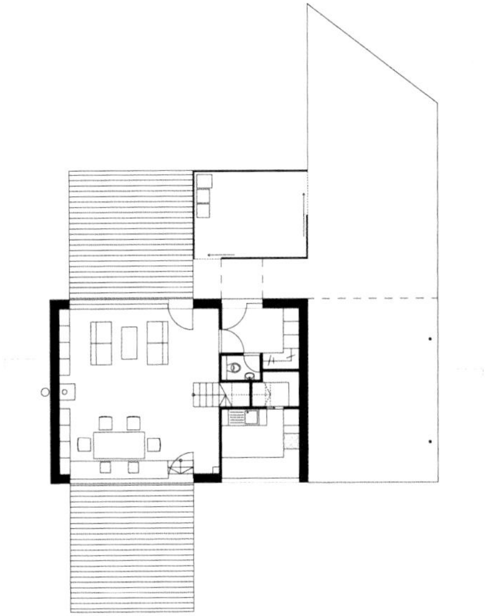

Erdgeschoss

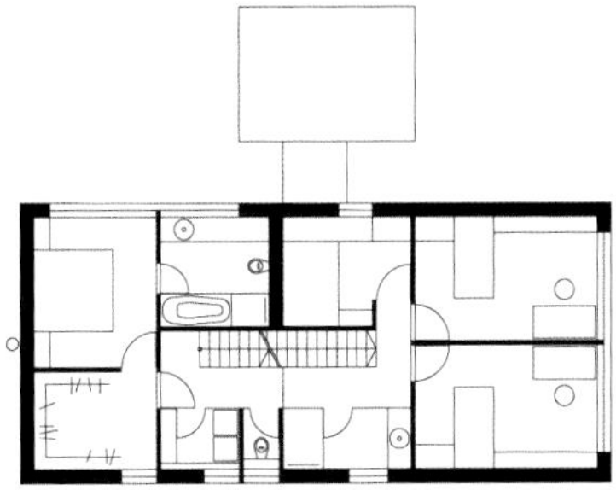

Obergeschoss

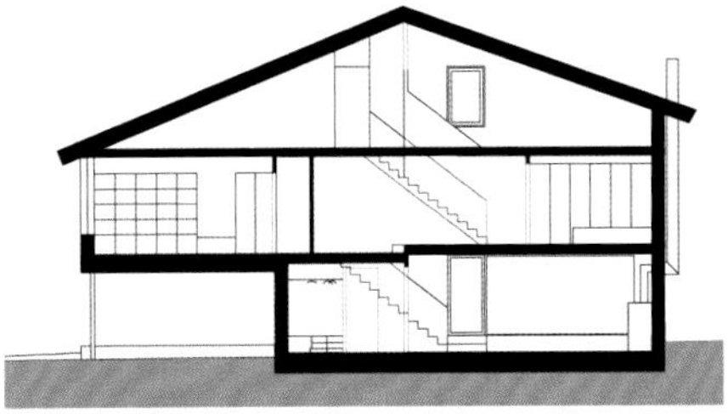

Schnitt

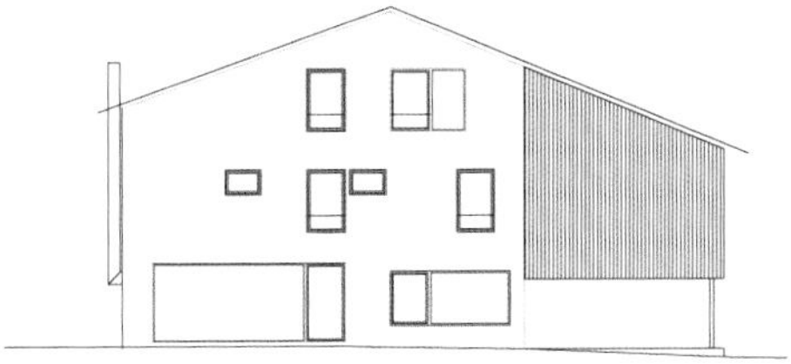

Ansicht Nord-West

Objektbeschreibung

Allgemeine Objektinformationen

Dieses Einfamilienhaus entstand in Massivholzbauweise mit einem weit auskragenden Obergeschoss, das als Carport dient. In Anlehnung an die landwirtschaftlichen Gebäude im Allgäu setzt sich das Haus ganz klassisch zusammen aus einem verputzten Wohnteil und einem holzverschalten "Stall". Der große geforderte Dachüberstand entstand ganz modern aus einer vollflächigen PV-Anlage zur Eigenstromversorgung. Die großzügigen Glasflächen erweitern den Wohnraum nach außen und holen gleichzeitig die traumhafte Landschaft nach innen. Durch die bewusste "gedrehte" Platzierung des Hauses im Grundstück erhält jeder Raum einen anderen, unvergleichlichen und unverbauten Ausblick in die Umgebung. Die Holzwände, -decken, -böden, -fenster und -treppen sorgen für Behaglichkeit und geben ein Gefühl von Wärme. Die leicht unterschiedlichen Deckenhöhen nutzen geschickt die vorgegebene Gebäudehöhe und sorgen für ein Maximum an Wohnfläche. Die semitransparenten Trennwände belichten Flur und Treppe im Obergeschoss.

Nutzung

1 Erdgeschoss
Windfang, Wohnen/Essen, Küche, Speisekammer, WC, Terrassen

1 Obergeschoss
Schlafzimmer, Ankleide, Hauswirtschaftsraum, Kinderzimmer (2St), Gastzimmer, Bäder (2St), WC

1 Dachgeschoss
Büros (2St), Technikraum

Nutzeinheiten

Wohnfläche: 178 m²

Grundstück

Bauraum: Freier Bauraum
Neigung: Geneigtes Gelände
Bodenklasse: BK 1 bis BK 4

Markt

Hauptvergabezeit: 1. Quartal 2015
Baubeginn: 1. Quartal 2015
Bauende: 3. Quartal 2015
Konjunkturelle Gesamtlage: Durchschnitt
Regionaler Baumarkt: unter Durchschnitt

Baukonstruktion

Das Haus gründet auf einer Stahlbetonplatte und das auskragende Obergeschoss auf Stahlstützen. Die Wände und Decken wurden komplett aus sichtbarem Massivholz aus Kreuzlagenholz erstellt. Von außen wurden die Massivholzwände zum Großteil mit Zellulose gedämmt und verputzt, ein kleiner Teil vom Ober- und Dachgeschoss wurden mit Holzschalung bekleidet.

Technische Anlagen

Die vollflächige PV-Anlage kombiniert mit einer Luft-Wärmepumpe und einem Pufferspeicher. Sie dient zur Trinkwassererwärmung mit Frischwasserbereitung und der Fußbodenheizung. Die Fußbodenheizung wurde in Trockenbau-Systemplatten verlegt. Im innenliegenden WC wurde ein Einzelraumlüfter eingebaut.

Sonstiges

Besonderer Clou für die kletterbegeisterten Bauherren ist im Treppenhaus das filigrane, aus Kletterseilen entwickelte Treppengeländer.

Planungskennwerte für Flächen und Rauminhalte nach DIN 277

Flächen des Grundstücks		Menge Einheit	% an GF
BF	Bebaute Fläche	68,75 m²	10,9
UF	Unbebaute Fläche	462,43 m²	73,1
GF	Grundstücksfläche	633,00 m²	100,0

Grundflächen des Bauwerks		Menge Einheit	% an NUF	% an BGF
NUF	Nutzungsfläche	158,23 m²	100,0	58,6
TF	Technikfläche	36,09 m²	22,8	13,4
VF	Verkehrsfläche	14,35 m²	9,1	5,3
NRF	Netto-Raumfläche	237,75 m²	150,3	88,0
KGF	Konstruktions-Grundfläche	51,94 m²	32,8	19,2
BGF	Brutto-Grundfläche	270,19 m²	170,8	100,0

Brutto-Rauminhalt des Bauwerks		Menge Einheit	BRI/NUF (m)	BRI/BGF (m)
BRI	Brutto-Rauminhalt	705,08 m³	4,46	2,61

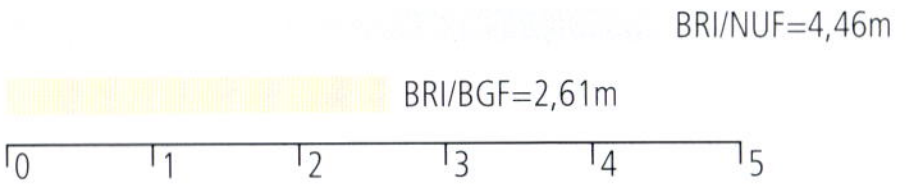

Kostenkennwerte für die Kostengruppen der 1. Ebene DIN 276

KG	Kostengruppen (1. Ebene)	Einheit	Kosten €	€/Einheit	€/m²BGF	€/m³BRI	% 300+400
100	Grundstück	m²GF	–	–	–	–	–
200	Vorbereitende Maßnahmen	m²GF	–	–	–	–	–
300	Bauwerk – Baukonstruktionen	m²BGF	342.887	1.269,06	1.269,06	486,31	69,7
400	Bauwerk – Technische Anlagen	m²BGF	148.728	550,46	550,46	210,94	30,3
	Bauwerk 300+400	**m²BGF**	**491.615**	**1.819,52**	**1.819,52**	**697,25**	**100,0**
500	Außenanlagen und Freiflächen	m²AF	46.230	99,97	171,10	65,57	9,4
600	Ausstattung und Kunstwerke	m²BGF	3.518	13,02	13,02	4,99	0,7
700	Baunebenkosten	m²BGF	–	–	–	–	–
800	Finanzierung	m²BGF	–	–	–	–	–

KG	Kostengruppe	Menge Einheit	Kosten €	€/Einheit	%
3+4	**Bauwerk**				**100,0**
300	**Bauwerk – Baukonstruktionen**	270,19 m²BGF	342.887	**1.269,06**	69,7

Bodenaustausch; Stb-Streifen- und -Einzelfundamente, Stb-Bodenplatte, Perimeterdämmung; Massivholzwände, Kreuzlagenholz, Stahlstützen, Holz-Eingangstür, Holz-Alufenster, Dreifachverglasung, Fassadendämmung, Putz, Beschichtung, Holzschalung, Raffstores; Metallständerwände, raumhohe Holz-Innentüren, Tapete, Beschichtung, Wandfliesen, semitransparente Ganzglaswände; Massivholzdecken, Holztreppen mit Stahlwangen, Trockenestrich, Dielen, Bodenfliesen, Stahl-Handlauf; Holzdach, Dämmung, Abdichtung, Dachentwässerung, GK-Bekleidung, Glasdach; Podest

KG	Kostengruppe	Menge Einheit	Kosten €	€/Einheit	%
400	**Bauwerk – Technische Anlagen**	270,19 m²BGF	148.728	**550,46**	30,3

Gebäudeentwässerung, Kalt- und Warmwasserleitungen, Edelstahlrohre, Sanitärobjekte; PV-Anlage kombiniert mit Luft-Wasser-Wärmepumpe, Pufferspeicher, Fußbodenheizung, Edelstahl-Kamin; Einzelraumlüfter; Dachbelag aus vollflächigen PV-Modulen, Elektroinstallation, LED-Beleuchtung, Blitzschutz; Sat-Anlage

KG	Kostengruppe	Menge Einheit	Kosten €	€/Einheit	%
500	**Außenanlagen und Freiflächen**	462,43 m²AF	46.230	**99,97**	9,4

Bodenarbeiten; Betonpflaster, Holzterrassen, Kiesstreifen; Fahrradschuppen, Massivholzwände, Massivholzdach, Abdichtung, Extensivbegrünung; Rasen

KG	Kostengruppe	Menge Einheit	Kosten €	€/Einheit	%
600	**Ausstattung und Kunstwerke**	270,19 m²BGF	3.518	**13,02**	0,7

Duschtrennwand, Spiegel, Waschtisch-Unterbau

6100-1339
Einfamilienhaus
Garage
Effizienzhaus 40

Objektübersicht

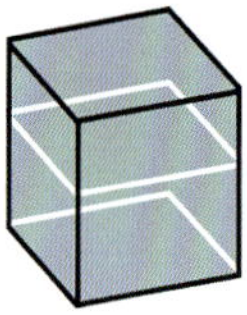

BRI 617 €/m³

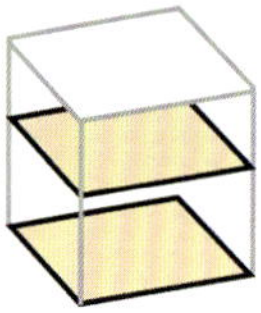

BGF 1.993 €/m²

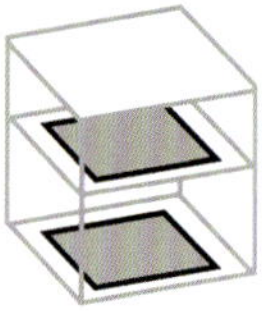

NUF 2.700 €/m²

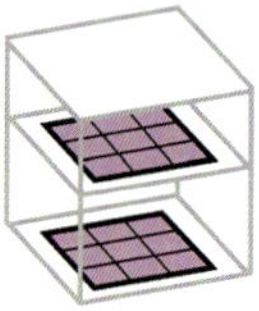

NE 3.226 €/NE

NE: Wohnfläche

Objekt:
Kennwerte: 3. Ebene DIN 276
BRI: 1.010 m³
BGF: 313 m²
NUF: 231 m²
Bauzeit: 26 Wochen
Bauende: 2015
Standard: über Durchschnitt
Bundesland: Baden-Württemberg
Kreis: Reutlingen

Architekt*in:
Architekt Rainer Graf
Architektur +
Energiekonzepte
Paulinenstraße 22
72131 Ofterdingen

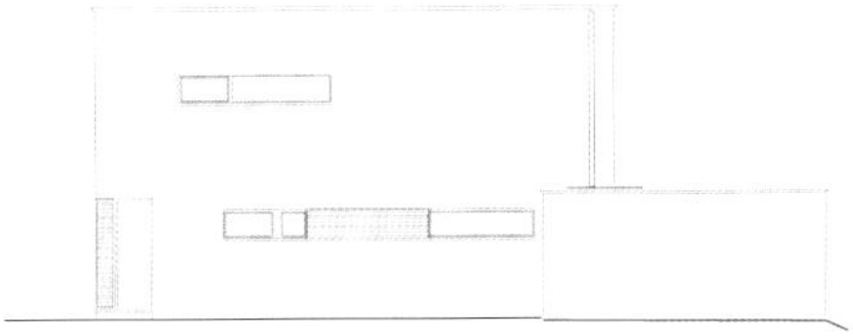

Ansicht Nord

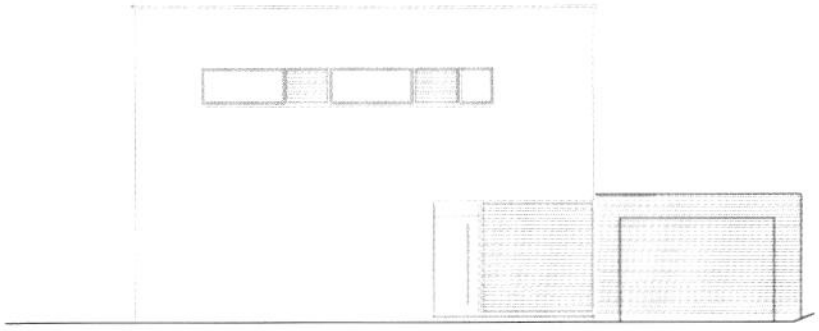

Ansicht Ost

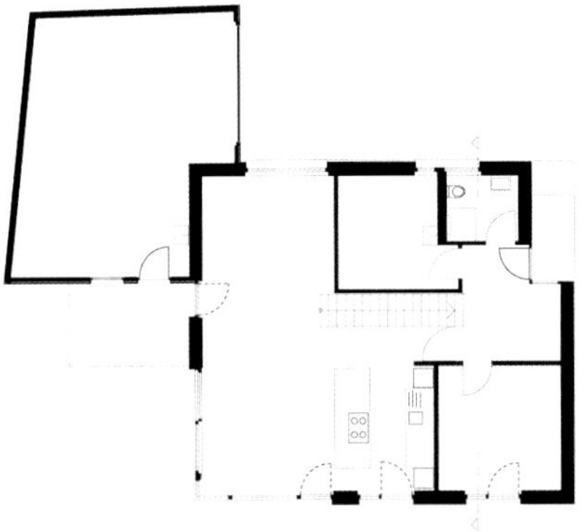

Erdgeschoss

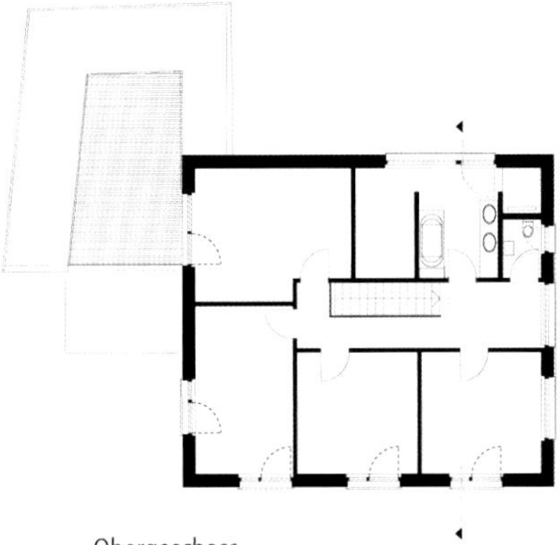

Obergeschoss

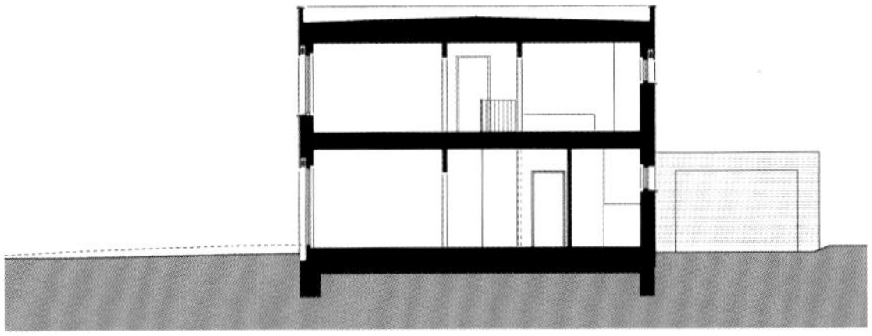

Schnitt

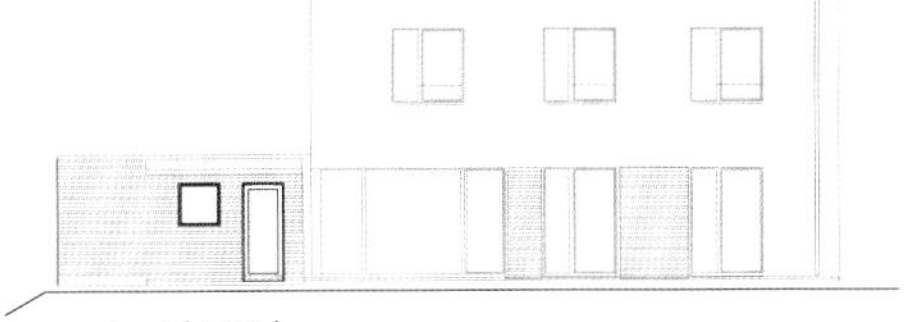

Ansicht Süd

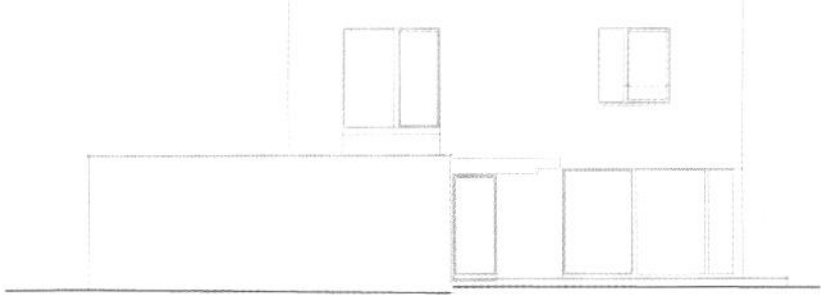

Ansicht West

Objektbeschreibung

Allgemeine Objektinformationen

Das zweigeschossige Wohnhaus befindet sich auf einem ebenen Grundstück. Der Gebäudeentwurf ergab einen Kubus mit Flachdach in Holzbauweise. Die Garage mit Außenabstellraum schließt an das Gebäude an. Eine Auskragung des Garagendachs bildet einen überdachten Sitzplatz zum Wohnbereich hin. Ein weiterer Teil der Garagenüberdachung erhält Zugang vom Obergeschoss und wird als Dachterrasse genutzt.

Nutzung

1 Erdgeschoss
Wohnen, Essen, Küche, Gast, Dusche/WC, Technik, Flur/Garderobe

1 Obergeschoss
Flur, Schlafen, Kinderzimmer (3St), WC, Bad/Hauswirtschaftsraum

Nutzeinheiten

Stellplätze: 1
Wohneinheiten: 1
Wohnfläche: 193 m²

Grundstück

Bauraum: Freier Bauraum
Neigung: Ebenes Gelände
Bodenklasse: BK 1 bis BK 5

Markt

Hauptvergabezeit: 4. Quartal 2014
Baubeginn: 4. Quartal 2014
Bauende: 2. Quartal 2015
Konjunkturelle Gesamtlage: über Durchschnitt
Regionaler Baumarkt: Durchschnitt

Baukonstruktion

Das Gebäude ist in Holzrahmenbauweise mit 41,5cm starken Außenwänden errichtet. Als Dämmung wurden sämtliche Außen- und Innenwände mit Zellulose ausgeflockt. Die Fassade ist größtenteils verputzt, die Garage und Teile der Außenwände sind mit Holzschalung gestaltet. Auf der Bodenplatte wurden 28cm PU-Dämmplatten verlegt, auf der Dachkonstruktion befindet sich eine 36cm PU-Gefälledämmung. Die Innentreppe besteht ebenfalls aus einer Holzkonstruktion. Unter der Treppe wurden Einbauschränke integriert, die optimalen Stauraum bieten. Es kamen zertifizierte Passivhausfenster mit Dreifachverglasung und Aluschale zur Ausführung.

Technische Anlagen

Der Wärmebedarf für Heizung und Warmwasser wird über ein Kompaktgerät gedeckt, in das die Lüftung ebenfalls integriert ist. Es umfasst einen 200l-Warmwasserspeicher, eine Luft-Wasser-Wärmepumpe und einen Wärmetauscher für die Abluft. Die Wärmeverteilung erfolgt über eine Fußbodenheizung. Auf dem Dach befindet sich eine Photovoltaikanlage mit angeschlossenem Batteriespeicher. Für die Regenwassernutzung wurde eine Zisterne eingebaut. Die Luftdichtigkeit des Gebäudes wurde mittels Blower-Door-Test überprüft und als sehr gut bewertet.

Sonstiges

Das Gebäude wurde als KfW 40 Effizienzhaus errichtet. Durch eine hohe Anzahl an Vorfertigungen der Holzkonstruktion konnte die Bauzeit auf nur 7 Monate begrenzt werden.

Planungskennwerte für Flächen und Rauminhalte nach DIN 277

Flächen des Grundstücks		Menge Einheit	% an GF
BF	Bebaute Fläche	171,50 m^2	31,5
UF	Unbebaute Fläche	373,55 m^2	68,5
GF	Grundstücksfläche	545,00 m^2	100,0

Grundflächen des Bauwerks		Menge Einheit	% an NUF	% an BGF
NUF	Nutzungsfläche	230,78 m^2	100,0	73,8
TF	Technikfläche	11,35 m^2	4,9	3,6
VF	Verkehrsfläche	23,84 m^2	10,3	7,6
NRF	Netto-Raumfläche	265,97 m^2	115,2	85,1
KGF	Konstruktions-Grundfläche	46,63 m^2	20,2	14,9
BGF	Brutto-Grundfläche	312,60 m^2	135,5	100,0

Brutto-Rauminhalt des Bauwerks		Menge Einheit	BRI/NUF (m)	BRI/BGF (m)
BRI	Brutto-Rauminhalt	1.009,82 m^3	4,38	3,23

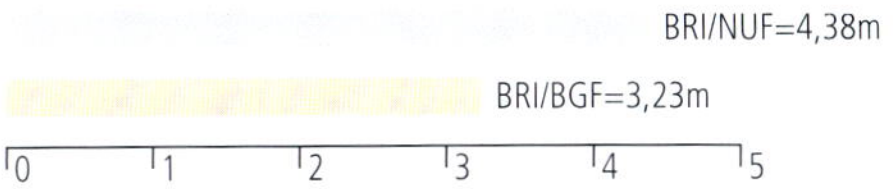

Lufttechnisch behandelte Flächen	Menge Einheit	% an NUF	% an BGF
Entlüftete Fläche	–	–	–
Be- und entlüftete Fläche	–	–	–
Teilklimatisierte Fläche	–	–	–
Klimatisierte Fläche	–	–	–

KG	Kostengruppen (2. Ebene)	Menge Einheit	Menge/NUF	Menge/BGF
310	Baugrube / Erdbau	123,00 m^3 BGI	0,53	0,39
320	Gründung, Unterbau	165,45 m^2 GRF	0,72	0,53
330	Außenwände/Vertikale Baukonstruktionen, außen	363,24 m^2 AWF	1,57	1,16
340	Innenwände/Vertikale Baukonstruktionen, innen	186,57 m^2 IWF	0,81	0,60
350	Decken/Horizontale Baukonstruktionen	120,00 m^2 DEF	0,52	0,38
360	Dächer	177,24 m^2 DAF	0,77	0,57

Kostenkennwerte für die Kostengruppen der 1. Ebene DIN 276

KG	Kostengruppen (1. Ebene)	Einheit	Kosten €	€/Einheit	€/m² BGF	€/m³ BRI	% 300+400
100	Grundstück	m² GF	–	–	–	–	–
200	Vorbereitende Maßnahmen	m² GF	1.501	2,75	4,80	1,49	0,2
300	Bauwerk – Baukonstruktionen	m² BGF	472.275	1.510,80	1.510,80	467,68	75,8
400	Bauwerk – Technische Anlagen	m² BGF	150.752	482,25	482,25	149,29	24,2
	Bauwerk 300+400	**m² BGF**	**623.027**	**1.993,05**	**1.993,05**	**616,97**	**100,0**
500	Außenanlagen und Freiflächen	m² AF	9.375	25,10	29,99	9,28	1,5
600	Ausstattung und Kunstwerke	m² BGF	241	0,77	0,77	0,24	< 0,1
700	Baunebenkosten	m² BGF	–	–	–	–	–
800	Finanzierung	m² BGF	–	–	–	–	–

KG	Kostengruppe	Menge Einheit	Kosten €	€/Einheit	%
200	**Vorbereitende Maßnahmen**	545,00 m² GF	1.501	**2,75**	0,2
	Oberboden abtragen, Freimachen des Baustellengeländes				
3+4	**Bauwerk**				**100,0**
300	**Bauwerk – Baukonstruktionen**	312,60 m² BGF	472.275	**1.510,80**	75,8
	Stb-Flachgründung, Heizestrich, Dielenbelag; Holzrahmenwände, Stb-Wände, Holz-Attika, Stahlstützen, Holz-Alufenster, Holz-Alu-Außentür, Sektionaltor, Außenputz, Holzbekleidung, Raffstores; Holzständerwände, Dämmung, Holztüren, GK-Bekleidung, Innenputz, Beschichtung; Holzbalkendecke, Massivholztreppe, Bodenfliesen; Flachdächer, Holzkonstruktion, Dachabdichtung, Dachentwässerung; Einbauschrank unter Treppe				
400	**Bauwerk – Technische Anlagen**	312,60 m² BGF	150.752	**482,25**	24,2
	Gebäudeentwässerung, Kalt- und Warmwasserleitungen, Sanitärobjekte; Luft-Wasser-Wärmepumpe, Fußbodenheizung; Photovoltaikanlage, Elektroinstallation, Beleuchtung, Blitzschutz; Klingelanlage, Einbauradio, Rauchmelder				
500	**Außenanlagen und Freiflächen**	373,55 m² AF	9.375	**25,10**	1,5
	Traufstreifen; Kontrollschacht, Regenwasserspeicher, Gartenarmatur				
600	**Ausstattung und Kunstwerke**	312,60 m² BGF	241	**0,77**	< 0,1
	Rampe, Riffelblech				

Kostenkennwerte für die Kostengruppen 300 der 2. und 3.Ebene DIN 276 (Übersicht)

KG	Kostengruppe	Menge Einheit	€/Einheit	Kosten €	% an 3+4
300	**Bauwerk – Baukonstruktionen**	**312,60 m² BGF**	**1.510,80**	**472.275,11**	**75,8**
310	**Baugrube / Erdbau**	**123,00 m³ BGI**	**150,78**	**18.545,62**	**3,0**
311	Herstellung	123,00 m³ BGI	150,78	18.545,62	3,0
312	Umschließung	–	–	–	–
313	Wasserhaltung	–	–	–	–
314	Vortrieb	–	–	–	–
319	Sonstiges zur KG 310	–	–	–	–
320	**Gründung, Unterbau**	**165,45 m² GRF**	**345,62**	**57.182,90**	**9,2**
321	Baugrundverbesserung	–	–	–	–
322	Flachgründungen und Bodenplatten	165,45 m²	148,30	24.535,52	3,9
323	Tiefgründungen	–	–	–	–
324	Gründungsbeläge	93,00 m²	320,49	29.805,29	4,8
325	Abdichtungen und Bekleidungen	126,00 m²	22,56	2.842,10	0,5
326	Dränagen	–	–	–	–
329	Sonstiges zur KG 320	–	–	–	–
330	**Außenwände/Vert. Baukonstrukt., außen**	**363,24 m² AWF**	**528,66**	**192.026,42**	**30,8**
331	Tragende Außenwände	269,50 m²	243,82	65.708,61	10,5
332	Nichttragende Außenwände	11,73 m²	173,99	2.040,90	0,3
333	Außenstützen	3,10 m	94,24	292,16	< 0,1
334	Außenwandöffnungen	82,00 m²	716,43	58.747,49	9,4
335	Außenwandbekleidungen, außen	272,80 m²	132,07	36.028,84	5,8
336	Außenwandbekleidungen, innen	195,50 m²	59,77	11.685,13	1,9
337	Element. Außenwandkonstruktionen	–	–	–	–
338	Lichtschutz zur KG 330	50,88 m²	344,40	17.523,28	2,8
339	Sonstiges zur KG 330	–	–	–	–
340	**Innenwände/Vert. Baukonstrukt., innen**	**186,57 m² IWF**	**288,27**	**53.782,88**	**8,6**
341	Tragende Innenwände	–	–	–	–
342	Nichttragende Innenwände	169,28 m²	145,84	24.688,20	4,0
343	Innenstützen	6,80 m	40,44	274,98	< 0,1
344	Innenwandöffnungen	17,29 m²	387,34	6.697,09	1,1
345	Innenwandbekleidungen	274,50 m²	80,59	22.122,61	3,6
346	Elementierte Innenwandkonstruktionen	–	–	–	–
347	Lichtschutz zur KG 340	–	–	–	–
349	Sonstiges zur KG 340	–	–	–	–
350	**Decken/Horizontale Baukonstruktionen**	**120,00 m² DEF**	**461,33**	**55.359,68**	**8,9**
351	Deckenkonstruktionen	120,00 m²	193,67	23.240,16	3,7
352	Deckenöffnungen	–	–	–	–
353	Deckenbeläge	94,43 m²	246,37	23.265,16	3,7
354	Deckenbekleidungen	98,93 m²	71,85	7.108,27	1,1
355	Elementierte Deckenkonstruktionen	–	–	–	–
359	Sonstiges zur KG 350	120,00 m² DEF	14,55	1.746,09	0,3
360	**Dächer**	**177,24 m² DAF**	**435,97**	**77.270,95**	**12,4**
361	Dachkonstruktionen	177,24 m²	59,44	10.534,51	1,7
362	Dachöffnungen	–	–	–	–
363	Dachbeläge	177,24 m²	342,77	60.752,59	9,8
364	Dachbekleidungen	98,93 m²	53,88	5.330,79	0,9
365	Elementierte Dachkonstruktionen	–	–	–	–
366	Lichtschutz zur KG 360	–	–	–	–
369	Sonstiges zur KG 360	177,24 m² DAF	3,68	653,07	0,1
370	**Infrastrukturanlagen**	**–**	**–**	**–**	**–**
380	**Baukonstruktive Einbauten**	**312,60 m² BGF**	**23,86**	**7.458,65**	**1,2**
390	**Sonst. Maßnahmen für Baukonstrukt.**	**312,60 m² BGF**	**34,06**	**10.647,99**	**1,7**

Kostenstand: 3. Quartal 2022, Bundesdurchschnitt, **inkl. 19% MwSt.**

Kostenkennwerte für die Kostengruppen 400 der 2. und 3. Ebene DIN 276 (Übersicht)

KG	Kostengruppe	Menge Einheit	€/Einheit	Kosten €	% an 3+4
400	**Bauwerk – Technische Anlagen**	**312,60 m²BGF**	**482,25**	**150.751,62**	**24,2**
410	**Abwasser-, Wasser-, Gasanlagen**	**312,60 m²BGF**	**108,42**	**33.892,42**	**5,4**
411	Abwasseranlagen	312,60 m²BGF	15,67	4.899,09	0,8
412	Wasseranlagen	312,60 m²BGF	92,75	28.993,33	4,7
413	Gasanlagen	–	–	–	–
419	Sonstiges zur KG 410	–	–	–	–
420	**Wärmeversorgungsanlagen**	**312,60 m²BGF**	**155,24**	**48.527,23**	**7,8**
421	Wärmeerzeugungsanlagen	312,60 m²BGF	124,08	38.787,84	6,2
422	Wärmeverteilnetze	–	–	–	–
423	Raumheizflächen	312,60 m²BGF	31,16	9.739,39	1,6
424	Verkehrsheizflächen	–	–	–	–
429	Sonstiges zur KG 420	–	–	–	–
430	**Raumlufttechnische Anlagen**	**–**	**–**	**–**	**–**
431	Lüftungsanlagen	–	–	–	–
432	Teilklimaanlagen	–	–	–	–
433	Klimaanlagen	–	–	–	–
434	Kälteanlagen	–	–	–	–
439	Sonstiges zur KG 430	–	–	–	–
440	**Elektrische Anlagen**	**312,60 m²BGF**	**213,18**	**66.640,03**	**10,7**
441	Hoch- und Mittelspannungsanlagen	–	–	–	–
442	Eigenstromversorgungsanlagen	312,60 m²BGF	139,78	43.694,76	7,0
443	Niederspannungsschaltanlagen	–	–	–	–
444	Niederspannungsinstallationsanlagen	312,60 m²BGF	56,82	17.762,24	2,9
445	Beleuchtungsanlagen	312,60 m²BGF	15,31	4.787,41	0,8
446	Blitzschutz- und Erdungsanlagen	312,60 m²BGF	1,27	395,62	< 0,1
447	Fahrleitungssysteme	–	–	–	–
449	Sonstiges zur KG 440	–	–	–	–
450	**Kommunikationstechnische Anlagen**	**312,60 m²BGF**	**5,41**	**1.691,95**	**0,3**
451	Telekommunikationsanlagen	–	–	–	–
452	Such- und Signalanlagen	312,60 m²BGF	1,34	419,34	< 0,1
453	Zeitdienstanlagen	–	–	–	–
454	Elektroakustische Anlagen	312,60 m²BGF	2,92	911,70	0,1
455	Audiovisuelle Medien- u. Antennenanl.	–	–	–	–
456	Gefahrenmelde- und Alarmanlagen	312,60 m²BGF	1,15	360,90	< 0,1
457	Datenübertragungsnetze	–	–	–	–
458	Verkehrsbeeinflussungsanlagen	–	–	–	–
459	Sonstiges zur KG 450	–	–	–	–
460	**Förderanlagen**	**–**	**–**	**–**	**–**
461	Aufzugsanlagen	–	–	–	–
462	Fahrtreppen, Fahrsteige	–	–	–	–
463	Befahranlagen	–	–	–	–
464	Transportanlagen	–	–	–	–
465	Krananlagen	–	–	–	–
466	Hydraulikanlagen	–	–	–	–
469	Sonstiges zur KG 460	–	–	–	–
470	**Nutzungsspez. u. verfahrenstechn. Anl.**	**–**	**–**	**–**	**–**
480	**Gebäude- und Anlagenautomation**	**–**	**–**	**–**	**–**
490	**Sonst. Maßnahmen für techn. Anlagen**	**–**	**–**	**–**	**–**

Kostenkennwerte für Leistungsbereiche nach STLB (Kosten des Bauwerks nach DIN 276)

LB	Leistungsbereiche	Kosten €	€/m² BGF	€/m³ BRI	% an 3+4
000	Sicherheits-, Baustelleneinrichtungen inkl. 001	10.648	34,10	10,50	1,7
002	Erdarbeiten	19.986	63,90	19,80	3,2
006	Spezialtiefbauarbeiten inkl. 005	–	–	–	–
009	Entwässerungskanalarbeiten inkl. 011	1.627	5,20	1,60	0,3
010	Drän- und Versickerarbeiten	–	–	–	–
012	Mauerarbeiten	167	0,53	0,17	< 0,1
013	Betonarbeiten	30.045	96,10	29,80	4,8
014	Natur-, Betonwerksteinarbeiten	–	–	–	–
016	Zimmer- und Holzbauarbeiten	163.519	523,10	161,90	26,2
017	Stahlbauarbeiten	8.468	27,10	8,40	1,4
018	Abdichtungsarbeiten	1.459	4,70	1,40	0,2
019	Kampfmittelräumarbeiten	–	–	–	–
020	Dachdeckungsarbeiten	–	–	–	–
021	Dachabdichtungsarbeiten	41.755	133,60	41,30	6,7
022	Klempnerarbeiten	5.279	16,90	5,20	0,8
	Rohbau	**282.953**	**905,20**	**280,20**	**45,4**
023	Putz- und Stuckarbeiten, Wärmedämmsysteme	21.020	67,20	20,80	3,4
024	Fliesen- und Plattenarbeiten	9.105	29,10	9,00	1,5
025	Estricharbeiten	15.410	49,30	15,30	2,5
026	Fenster, Außentüren inkl. 029, 032	55.609	177,90	55,10	8,9
027	Tischlerarbeiten	23.749	76,00	23,50	3,8
028	Parkettarbeiten, Holzpflasterarbeiten	23.494	75,20	23,30	3,8
030	Rollladenarbeiten	17.523	56,10	17,40	2,8
031	Metallbauarbeiten inkl. 035	–	–	–	–
034	Maler- und Lackiererarbeiten inkl. 037	19.422	62,10	19,20	3,1
036	Bodenbelagarbeiten	–	–	–	–
038	Vorgehängte hinterlüftete Fassaden	–	–	–	–
039	Trockenbauarbeiten	–	–	–	–
	Ausbau	**185.333**	**592,90**	**183,50**	**29,7**
040	Wärmeversorgungsanl. - Betriebseinr. inkl. 041	–	–	–	–
042	Gas- und Wasserinstallation, Leitungen inkl. 043	86.805	277,70	86,00	13,9
044	Abwasseranlagen - Leitungen	–	–	–	–
045	GWE-Einrichtungsgegenstände inkl. 046	–	–	–	–
047	Dämmarbeiten an betriebstechnischen Anlagen	–	–	–	–
049	Feuerlöschanlagen, Feuerlöschgeräte	–	–	–	–
050	Blitzschutz- und Erdungsanlagen	–	–	–	–
053	Niederspannungsanlagen inkl. 052, 054	61.881	198,00	61,30	9,9
055	Sicherheits- u. Ersatzstromversorgungsanl.	–	–	–	–
057	Gebäudesystemtechnik	–	–	–	–
058	Leuchten und Lampen inkl. 059	4.787	15,30	4,70	0,8
060	Sprechanlagen, elektroakust. Anlagen inkl. 064	772	2,50	0,76	0,1
061	Kommunikationsnetze inkl. 063	361	1,20	0,36	< 0,1
069	Aufzüge	–	–	–	–
070	Gebäudeautomation	–	–	–	–
075	Raumlufttechnische Anlagen inkl. 078	–	–	–	–
	Gebäudetechnik	**154.607**	**494,60**	**153,10**	**24,8**
084	Abbruch, Rückbau, Schadstoffsanierung	–	–	–	–
	Abbrucharbeiten	**–**	**–**	**–**	**–**
	Sonstige Leistungsbereiche	**135**	**0,43**	**0,13**	**< 0,1**

6100-1344
Einfamilienhaus
Effizienzhaus ~53%

Objektübersicht

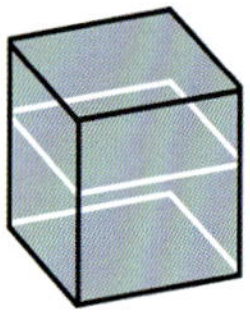
BRI 657 €/m³

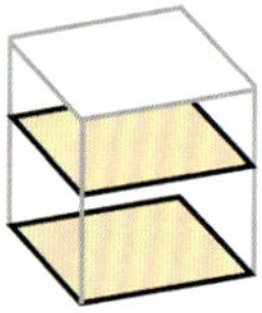
BGF 1.837 €/m²

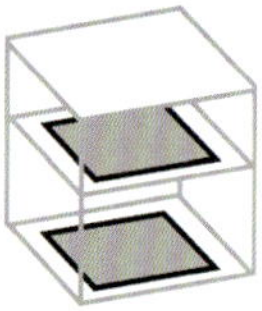
NUF 2.549 €/m²

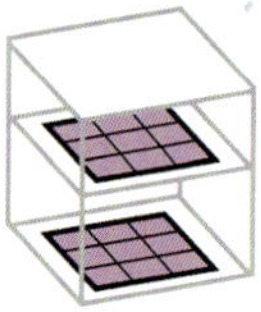
NE 3.252 €/NE

NE: Wohnfläche

Objekt:
Kennwerte: 1. Ebene DIN 276
BRI: 649 m³
BGF: 232 m²
NUF: 167 m²
Bauzeit: 30 Wochen
Bauende: 2017
Standard: Durchschnitt
Bundesland: Nordrhein-Westfalen
Kreis: Rhein-Kreis Neuss

Architekt*in:
bau grün !
energieeffiziente Gebäude
Architekt Daniel Finocchiaro
Burggrafenstraße 98
41061 Mönchengladbach

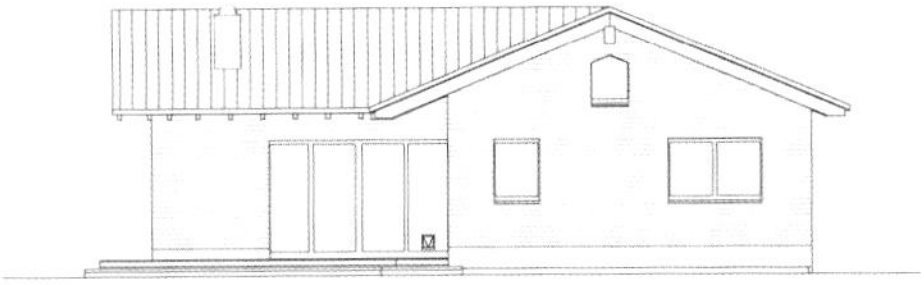

Ansicht Süd

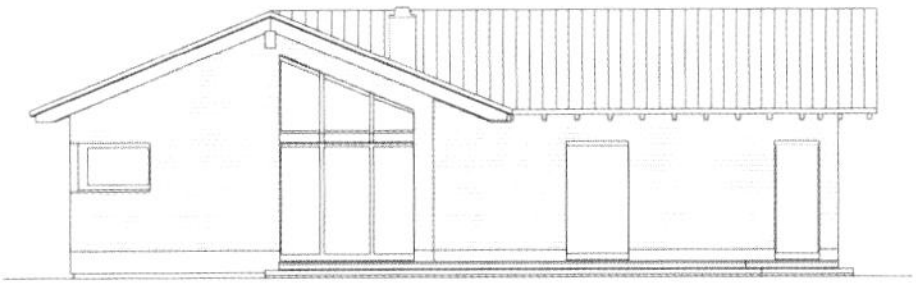

Ansicht West

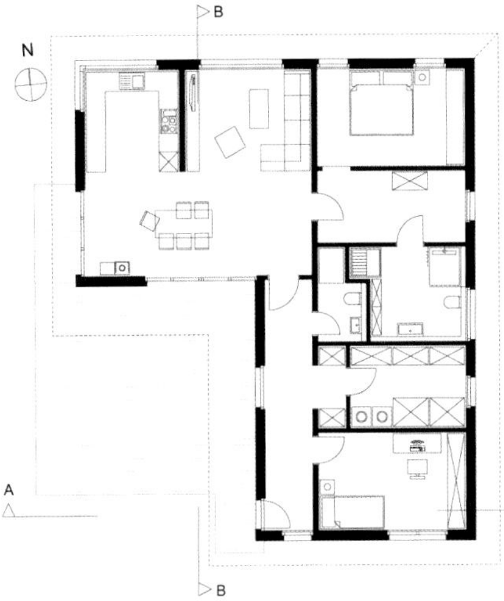

Erdgeschoss

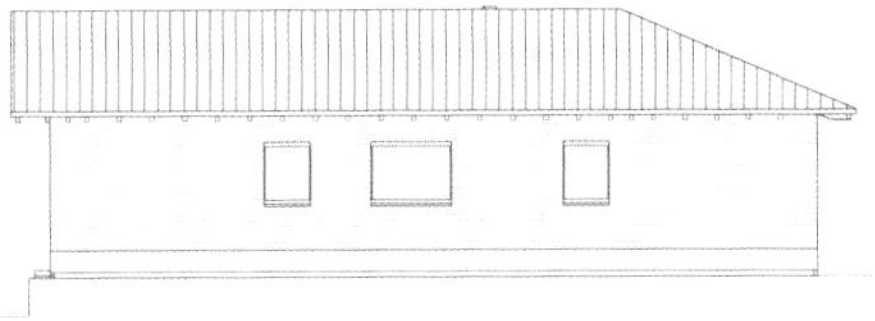

Ansicht Ost

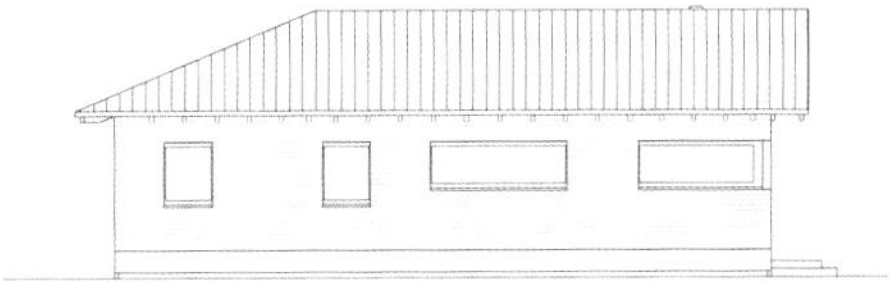

Ansicht Nord

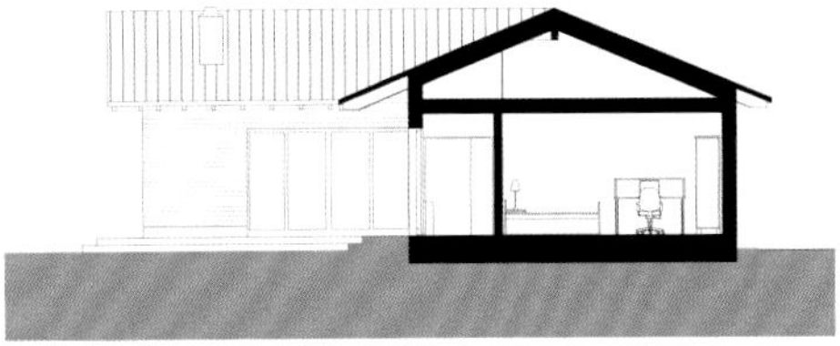

Schnitt A-A

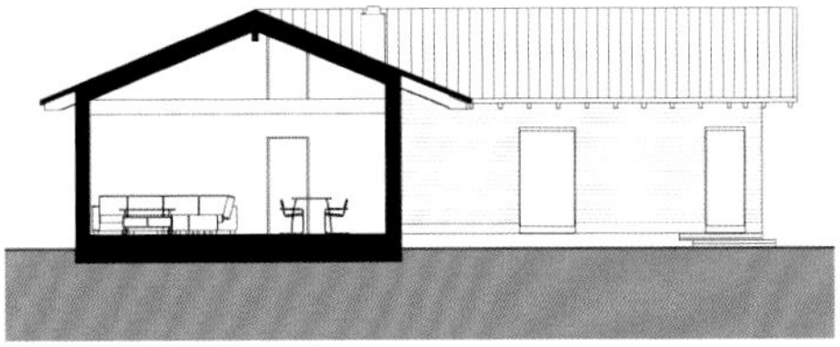

Schnitt B-B

Objektbeschreibung

Allgemeine Objektinformationen

Der Neubau wurde auf einem zurückliegenden Gartengrundstück als energieeffizienter Bungalow in Holzbauweise errichtet. Das Gebäude entstand mit überwiegend baubiologisch korrekten Baustoffen und zukunftsorientierter Technik und bietet ca. 130m² Wohnfläche plus Stauraum im Dachboden. Der Wohnraum ist vollständig offen und hell gestaltet und nach Südwesten ausgerichtet. Die restlichen Räume liegen davon deutlich abgesetzt in Richtung Norden und Osten.

Nutzung

1 Erdgeschoss
Windfang, Garderobe, Wohnen/Essen, Küche, Schlafzimmer, Ankleide, Bad, Gästebad, Gästezimmer, Hauswirtschaftsraum, Terrasse

1 Dachgeschoss
Spitzboden

Nutzeinheiten

Wohneinheiten: 1
Wohnfläche: 131 m²

Grundstück

Bauraum: Beengter Bauraum
Neigung: Ebenes Gelände
Bodenklasse: BK 1

Markt

Hauptvergabezeit: 3. Quartal 2016
Baubeginn: 3. Quartal 2016
Bauende: 1. Quartal 2017
Konjunkturelle Gesamtlage: Durchschnitt
Regionaler Baumarkt: Durchschnitt

Baukonstruktion

Das Gebäude wurde vollständig in Holzrahmenbauweise mit hohem Vorfertigungsgrad konstruiert. Die Außendämmung besteht aus Holzfaserdämmplatten, Wand- und Dachgefache wurden mit Zellulosedämmung ausgeblasen. Die Außenfassade ist mit vorpatinierter, waagrechter Lärchenholzschalung ausgeführt. Das Dach wurde mit anthrazitfarbenen, nicht glänzenden Betondachsteinen belegt und gleicht konstruktiv den Außenwänden. Die Fenster und die Haustür sind aus heimischen Kiefernhölzern mit weißer Naturlasur. Auch die sichtbaren Dachsparren sind weiß gestrichen.

Technische Anlagen

Eine Kompaktanlage sorgt für die nötige Wohnraumlüftung mit Wärmerückgewinnung, Grundheizung und Kühlung. Zusätzlich daran angeschlossen ist eine Erdsonde, aus welcher Heizungswärme für die Fußbodenheizung gewonnen wird. Auch ein raumluftunabhängiger Kaminofen wurde installiert, welcher an kalten Wintertagen für Gemütlichkeit und besondere Strahlungswärme sorgt.

Sonstiges

Die Holzterrasse und der Eingangsbereich wurden in Pinienholz ausgeführt.

Planungskennwerte für Flächen und Rauminhalte nach DIN 277

Flächen des Grundstücks		Menge Einheit	% an GF
BF	Bebaute Fläche	193,24 m²	16,4
UF	Unbebaute Fläche	986,76 m²	83,6
GF	Grundstücksfläche	1.180,00 m²	100,0

Grundflächen des Bauwerks		Menge Einheit	% an NUF	% an BGF
NUF	Nutzungsfläche	167,40 m²	100,0	72,1
TF	Technikfläche	9,20 m²	5,5	4,0
VF	Verkehrsfläche	13,98 m²	8,4	6,0
NRF	Netto-Raumfläche	190,58 m²	113,8	82,1
KGF	Konstruktions-Grundfläche	41,67 m²	24,9	17,9
BGF	Brutto-Grundfläche	232,25 m²	138,7	100,0

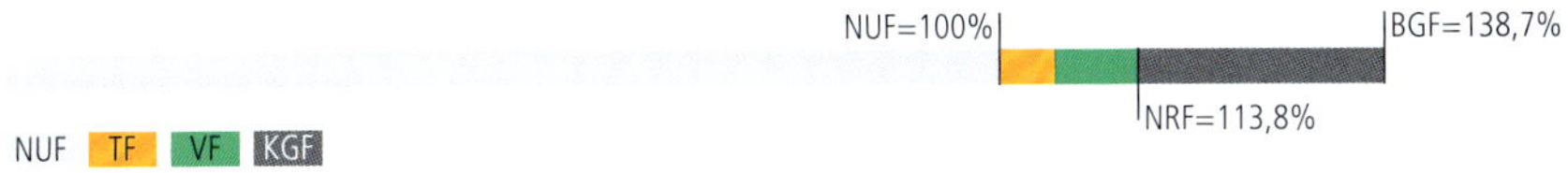

Brutto-Rauminhalt des Bauwerks		Menge Einheit	BRI/NUF (m)	BRI/BGF (m)
BRI	Brutto-Rauminhalt	649,14 m³	3,88	2,80

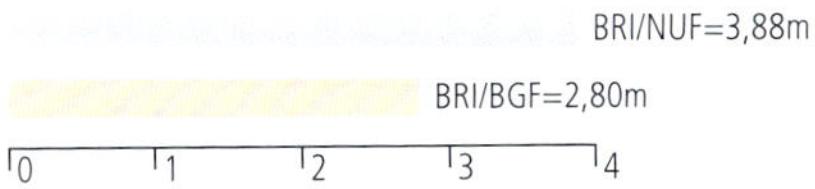

Kostenkennwerte für die Kostengruppen der 1. Ebene DIN 276

KG	Kostengruppen (1. Ebene)	Einheit	Kosten €	€/Einheit	€/m² BGF	€/m³ BRI	% 300+400
100	Grundstück	m² GF	–	–	–	–	–
200	Vorbereitende Maßnahmen	m² GF	11.837	10,03	50,97	18,24	2,8
300	Bauwerk – Baukonstruktionen	m² BGF	323.960	1.394,88	1.394,88	499,06	75,9
400	Bauwerk – Technische Anlagen	m² BGF	102.710	442,24	442,24	158,22	24,1
	Bauwerk 300+400	**m² BGF**	**426.670**	**1.837,12**	**1.837,12**	**657,28**	**100,0**
500	Außenanlagen und Freiflächen	m² AF	9.840	191,47	42,37	15,16	2,3
600	Ausstattung und Kunstwerke	m² BGF	–	–	–	–	–
700	Baunebenkosten	m² BGF	–	–	–	–	–
800	Finanzierung	m² BGF	–	–	–	–	–

KG	Kostengruppe	Menge Einheit	Kosten €	€/Einheit	%
200	**Vorbereitende Maßnahmen**	1.180,00 m² GF	11.837	**10,03**	2,8
	Erschließung Wasser, Gas, Dichtheitsprüfung				
3+4	**Bauwerk**				**100,0**
300	**Bauwerk – Baukonstruktionen**	232,25 m² BGF	323.960	**1.394,88**	75,9
	Stb-Bodenplatte, Dämmung, Zementestrich, Bodenfliesen; Holzrahmenwände, Zellulosedämmung, Holzfaser, MDF-Platten, OSB-Platten, GK-Platten, Holzfenster, Holz-Haustür, Holzschalung, Sockeldämmung, Sockelputz, Sonnenschutz; Trockenbauwände, Holzinnentüren, Malervlies, Beschichtung, Wandfliesen; Holzdach, Zellulosedämmung, GK-Platten, Betondachsteine, Dachentwässerung, Malervlies, Beschichtung, Einschubtreppe				
400	**Bauwerk – Technische Anlagen**	232,25 m² BGF	102.710	**442,24**	24,1
	Gebäudeentwässerung, Kalt- und Warmwasserleitungen, Sanitärobjekte; Erdsonde, Fußbodenheizung, Kaminofen; Kompaktanlage für Lüftung, Grundheizung und Kühlung mit Wärmerückgewinnung; Elektroinstallation; fernmelde- und informationstechnische Anlagen				
500	**Außenanlagen und Freiflächen**	51,39 m² AF	9.840	**191,47**	2,3
	Holzterrasse				

6100-1495
Einfamilienhaus

Objektübersicht

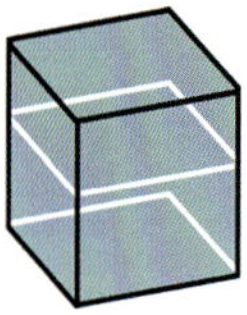

BRI 553 €/m³

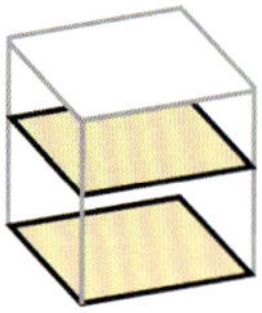

BGF 1.632 €/m²

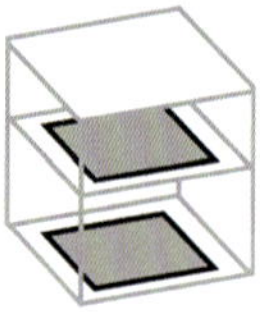

NUF 2.324 €/m²

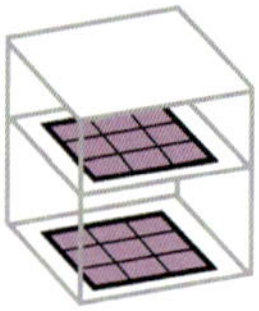

NE 2.491 €/NE

NE: Wohnfläche

Objekt:
Kennwerte: 3. Ebene DIN 276
BRI: 848 m³
BGF: 287 m²
NUF: 202 m²
Bauzeit: 21 Wochen
Bauende: 2018
Standard: Durchschnitt
Bundesland: Niedersachsen
Kreis: Vechta

Architekt*in:
Ruge+Göllner GmbH
Mühlenstraße 49
49377 Vechta

Bauherr*in:
Familie Wanken+Göllner
Herrmannstraße 3
49377 Vechta

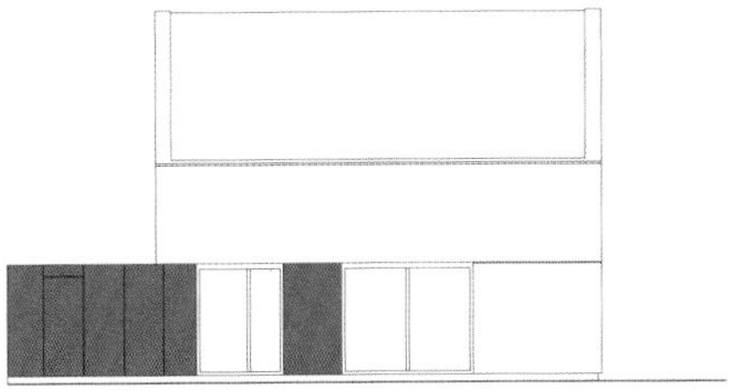

Ansicht Nord

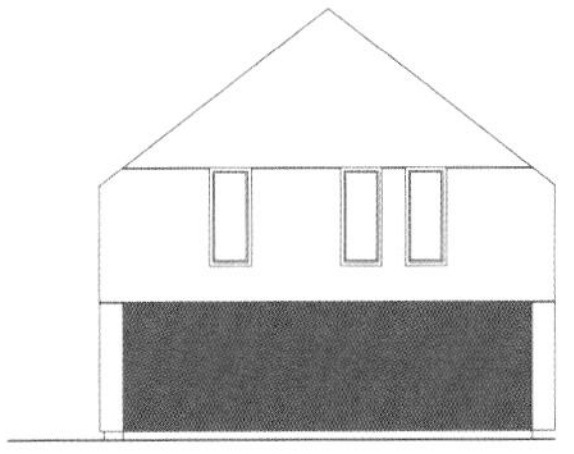

Ansicht Ost

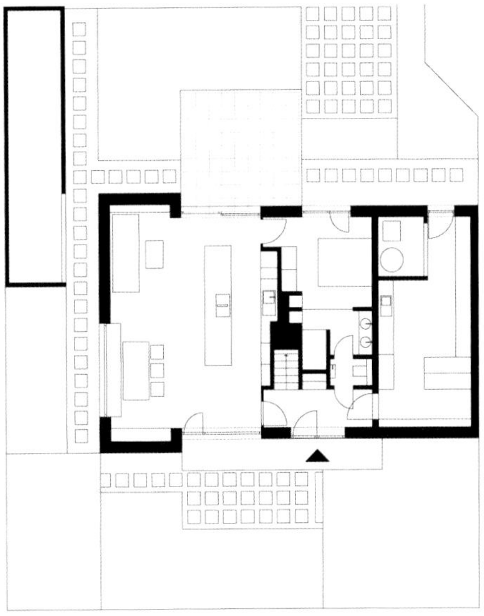

Erdgeschoss

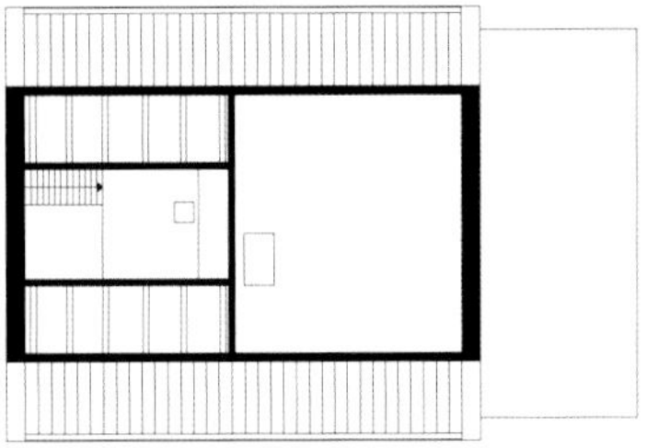

Dachgeschoss

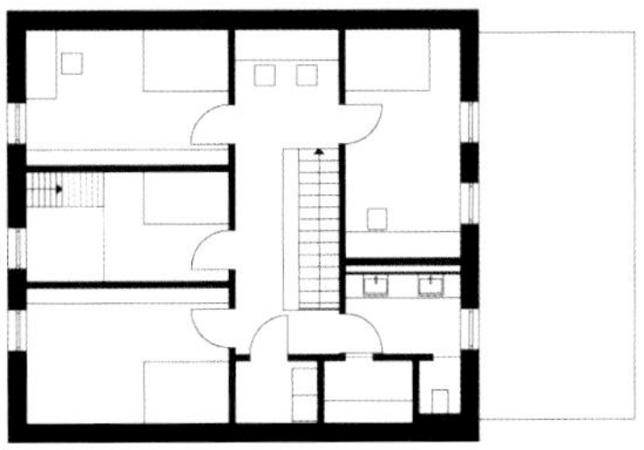

Obergeschoss

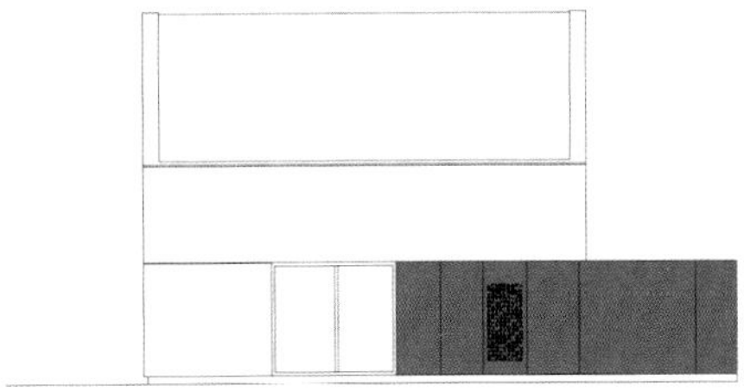

Ansicht Süd

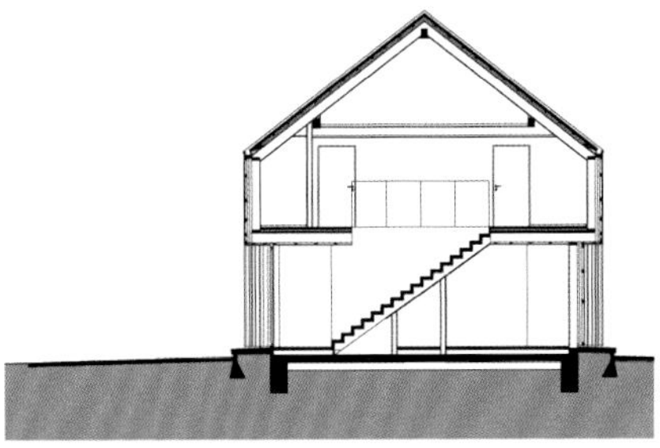

Schnitt

Objektbeschreibung

Allgemeine Objektinformationen

Das neu erbaute Wohnhaus ist eines von zwei Einfamilienhäusern, die durch einen eingeschobenen monolithischen Garagenbau miteinander verbunden sind. Der flächenoptimierte Neubau für eine sechsköpfige Familie befindet sich auf einem ebenen Grundstück. Die Bauherren entschieden sich aufgrund der vielen technologischen und ökologischen Vorteile des Werkstoffes Holz für die Konstruktion eines Holzrahmenbaus. Daher konnte die Bauzeit mit sechs Monaten bis zum Einzug sehr gering gehalten werden.

Nutzung

1 Erdgeschoss
Essen/Wohnen/Küche, Schlafzimmer, Bad, WC, Flur, Hauswirtschaftsraum, Technikraum

1 Obergeschoss
Kinderzimmer (4St), Bad, Dusche, WC,

1 Dachgeschoss
Kinderspielbereich, Dachboden

Nutzeinheiten

Stellplätze: 2
Wohneinheiten: 1
Wohnfläche: 188 m²
Zimmer: 6

Grundstück

Bauraum: Freier Bauraum
Neigung: Ebenes Gelände
Bodenklasse: BK 1

Markt

Hauptvergabezeit: 1. Quartal 2018
Baubeginn: 1. Quartal 2018
Bauende: 3. Quartal 2018
Konjunkturelle Gesamtlage: über Durchschnitt
Regionaler Baumarkt: Durchschnitt

Baukonstruktion

Das nicht unterkellerte Einfamilienhaus gründet auf einer Stahlbetonbodenplatte. Sämtliche Wände sind in Holzrahmenbauweise errichtet. Für die Decken- und Dachkonstruktion sowie die Treppe wurde ebenfalls der Baustoff Holz gewählt. Die Fassade ist mit dunkel lasiertem Douglasienholz und HPL-Platten bekleidet. Rückspringende Bereiche und der Zwischenbau wurden mit beschichteten Holzelementen ausgeführt. Die eingebauten Kunststofffenster und Alu-Fenstertüren haben Markisen als Sonnenschutz erhalten. Das Satteldach wurde mit Trapezblech aus Titanzink gedeckt und schließt bündig mit den Außenwänden ab. Dachflächenfenster mit integriertem Sonnenschutz sorgen für Belichtung von oben. Innen sind die Wände größtenteils vollflächig mit Einbaumöbeln ausgestattet. Unterseitig wurden die Decken mit Gipskarton bekleidet. Die Fußböden im Erdgeschoss sind mit großformatigen Schieferplatten, PVC- und Teppichboden belegt.

Technische Anlagen

Die Wärmegewinnung und die kontrollierte Belüftung erfolgen über eine Luft-Wasser-Wärmepumpe mit dezentraler Zuluft. Mittels Fußbodenheizung wird die Wärme im gesamten Gebäude verteilt.

Sonstiges

Das Gebäude wurde 2018 mit dem Niedersächsischen Holzbaupreis (2.Platz) ausgezeichnet.

Planungskennwerte für Flächen und Rauminhalte nach DIN 277

Flächen des Grundstücks		Menge Einheit	% an GF
BF	Bebaute Fläche	133,55 m²	21,4
UF	Unbebaute Fläche	491,45 m²	78,6
GF	Grundstücksfläche	625,00 m²	100,0

Grundflächen des Bauwerks		Menge Einheit	% an NUF	% an BGF
NUF	Nutzungsfläche	201,73 m²	100,0	70,2
TF	Technikfläche	4,02 m²	2,0	1,4
VF	Verkehrsfläche	24,31 m²	12,1	8,5
NRF	Netto-Raumfläche	230,06 m²	114,0	80,1
KGF	Konstruktions-Grundfläche	57,28 m²	28,4	19,9
BGF	Brutto-Grundfläche	287,34 m²	142,4	100,0

Brutto-Rauminhalt des Bauwerks		Menge Einheit	BRI/NUF (m)	BRI/BGF (m)
BRI	Brutto-Rauminhalt	848,34 m³	4,21	2,95

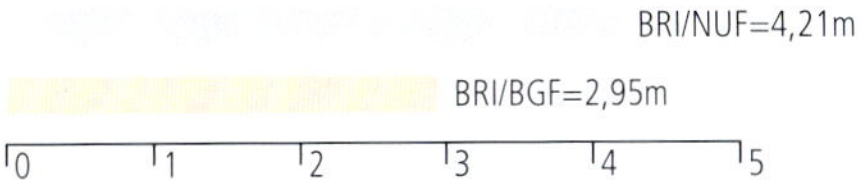

Lufttechnisch behandelte Flächen	Menge Einheit	% an NUF	% an BGF
Entlüftete Fläche	–	–	–
Be- und entlüftete Fläche	–	–	–
Teilklimatisierte Fläche	–	–	–
Klimatisierte Fläche	–	–	–

KG	Kostengruppen (2. Ebene)	Menge Einheit	Menge/NUF	Menge/BGF
310	Baugrube / Erdbau	236,00 m³ BGI	1,17	0,82
320	Gründung, Unterbau	125,72 m² GRF	0,62	0,44
330	Außenwände/Vertikale Baukonstruktionen, außen	284,02 m² AWF	1,41	0,99
340	Innenwände/Vertikale Baukonstruktionen, innen	190,00 m² IWF	0,94	0,66
350	Decken/Horizontale Baukonstruktionen	190,10 m² DEF	0,94	0,66
360	Dächer	171,32 m² DAF	0,85	0,60

Kostenkennwerte für die Kostengruppen der 1. Ebene DIN 276

KG	Kostengruppen (1. Ebene)	Einheit	Kosten €	€/Einheit	€/m² BGF	€/m³ BRI	% 300+400
100	Grundstück	m² GF	–	–	–	–	–
200	Vorbereitende Maßnahmen	m² GF	3.941	6,31	13,72	4,65	0,8
300	Bauwerk – Baukonstruktionen	m² BGF	383.775	1.335,61	1.335,61	452,38	81,8
400	Bauwerk – Technische Anlagen	m² BGF	85.136	296,29	296,29	100,36	18,2
	Bauwerk 300+400	**m² BGF**	**468.911**	**1.631,90**	**1.631,90**	**552,74**	**100,0**
500	Außenanlagen und Freiflächen	m² AF	3.094	6,30	10,77	3,65	0,7
600	Ausstattung und Kunstwerke	m² BGF	–	–	–	–	–
700	Baunebenkosten	m² BGF	–	–	–	–	–
800	Finanzierung	m² BGF	–	–	–	–	–

KG	Kostengruppe	Menge Einheit	Kosten €	€/Einheit	%
200	**Vorbereitende Maßnahmen**	625,00 m² GF	3.941	**6,31**	0,8
	Oberbodenarbeiten				
3+4	**Bauwerk**				**100,0**
300	**Bauwerk – Baukonstruktionen**	287,34 m² BGF	383.775	**1.335,61**	81,8
	Stb-Flachgründung, Heizestrich, Bodenfliesen,PVC-Belag, Teppichboden; Holzrahmenwände, Stahlträger, Holzschwellen, Alu-Fenstertüren, Kunststofffenster, Alu-Haustür, Holzfassade, HPL-Fassade, Beschichtung, Holzständerwände, Innentüren, Wandfliesen; Holzdeckenkonstruktion, Holztreppe, GK-Decken; Holzsatteldach, Holzflachdach, Dachflächenfenster mit Sonnenschutz, Trapezblech-Dacheindeckung, Abdichtung, Dachentwässerung				
400	**Bauwerk – Technische Anlagen**	287,34 m² BGF	85.136	**296,29**	18,2
	Gebäudeentwässerung, Kalt- und Warmwasserleitungen, Sanitärobjekte; Luft-Wasser-Wärmepumpe, Fußbodenheizung; Lüftungsleitungen; Elektroinstallation, Beleuchtung, Erdung; Sprechanlage, Antennenanlage, Rauchmelder				
500	**Außenanlagen und Freiflächen**	491,45 m² AF	3.094	**6,30**	0,7
	Betonplatten; Gartenbewässerung				

Kostenkennwerte für die Kostengruppen 300 der 2. und 3. Ebene DIN 276 (Übersicht)

KG	Kostengruppe	Menge Einheit	€/Einheit	Kosten €	% an 3+4
300	**Bauwerk – Baukonstruktionen**	**287,34 m²BGF**	**1.335,61**	**383.775,29**	**81,8**
310	**Baugrube / Erdbau**	**236,00 m³BGI**	**26,29**	**6.204,35**	**1,3**
311	Herstellung	236,00 m³BGI	26,29	6.204,35	1,3
312	Umschließung	–	–	–	–
313	Wasserhaltung	–	–	–	–
314	Vortrieb	–	–	–	–
319	Sonstiges zur KG 310	–	–	–	–
320	**Gründung, Unterbau**	**125,72 m²GRF**	**338,57**	**42.565,25**	**9,1**
321	Baugrundverbesserung	–	–	–	–
322	Flachgründungen und Bodenplatten	125,72 m²	143,28	18.013,43	3,8
323	Tiefgründungen	–	–	–	–
324	Gründungsbeläge	118,71 m²	201,53	23.923,63	5,1
325	Abdichtungen und Bekleidungen	125,72 m²	5,00	628,19	0,1
326	Dränagen	–	–	–	–
329	Sonstiges zur KG 320	–	–	–	–
330	**Außenwände/Vert. Baukonstrukt., außen**	**284,02 m²AWF**	**572,91**	**162.718,05**	**34,7**
331	Tragende Außenwände	235,00 m²	227,36	53.430,27	11,4
332	Nichttragende Außenwände	–	–	–	–
333	Außenstützen	–	–	–	–
334	Außenwandöffnungen	49,02 m²	1.199,09	58.779,38	12,5
335	Außenwandbekleidungen, außen	228,62 m²	189,72	43.374,01	9,2
336	Außenwandbekleidungen, innen	177,00 m²	40,31	7.134,40	1,5
337	Element. Außenwandkonstruktionen	–	–	–	–
338	Lichtschutz zur KG 330	–	–	–	–
339	Sonstiges zur KG 330	–	–	–	–
340	**Innenwände/Vert. Baukonstrukt., innen**	**190,00 m²IWF**	**242,22**	**46.022,01**	**9,8**
341	Tragende Innenwände	190,00 m²	152,55	28.984,03	6,2
342	Nichttragende Innenwände	–	–	–	–
343	Innenstützen	–	–	–	–
344	Innenwandöffnungen	20,66 m²	231,12	4.774,86	1,0
345	Innenwandbekleidungen	318,00 m²	38,56	12.263,11	2,6
346	Elementierte Innenwandkonstruktionen	–	–	–	–
347	Lichtschutz zur KG 340	–	–	–	–
349	Sonstiges zur KG 340	–	–	–	–
350	**Decken/Horizontale Baukonstruktionen**	**190,10 m²DEF**	**324,31**	**61.651,31**	**13,1**
351	Deckenkonstruktionen	190,10 m²	92,47	17.578,67	3,7
352	Deckenöffnungen	–	–	–	–
353	Deckenbeläge	87,00 m²	195,36	16.996,18	3,6
354	Deckenbekleidungen	169,00 m²	160,22	27.076,43	5,8
355	Elementierte Deckenkonstruktionen	–	–	–	–
359	Sonstiges zur KG 350	–	–	–	–
360	**Dächer**	**171,32 m²DAF**	**314,43**	**53.868,43**	**11,5**
361	Dachkonstruktionen	170,48 m²	38,24	6.519,72	1,4
362	Dachöffnungen	0,84 m²	3.960,04	3.326,43	0,7
363	Dachbeläge	161,07 m²	168,03	27.064,89	5,8
364	Dachbekleidungen	150,00 m²	113,05	16.957,37	3,6
365	Elementierte Dachkonstruktionen	–	–	–	–
366	Lichtschutz zur KG 360	–	–	–	–
369	Sonstiges zur KG 360	–	–	–	–
370	**Infrastrukturanlagen**	**–**	**–**	**–**	**–**
380	**Baukonstruktive Einbauten**	**–**	**–**	**–**	**–**
390	**Sonst. Maßnahmen für Baukonstrukt.**	**287,34 m²BGF**	**37,40**	**10.745,92**	**2,3**

Kostenkennwerte für die Kostengruppen 400 der 2. und 3. Ebene DIN 276 (Übersicht)

KG	Kostengruppe	Menge Einheit	€/Einheit	Kosten €	% an 3+4
400	**Bauwerk – Technische Anlagen**	**287,34 m² BGF**	**296,29**	**85.135,85**	**18,2**
410	**Abwasser-, Wasser-, Gasanlagen**	**287,34 m² BGF**	**68,98**	**19.819,66**	**4,2**
411	Abwasseranlagen	287,34 m² BGF	15,43	4.432,34	0,9
412	Wasseranlagen	287,34 m² BGF	49,25	14.150,38	3,0
413	Gasanlagen	–	–	–	–
419	Sonstiges zur KG 410	287,34 m² BGF	4,30	1.236,96	0,3
420	**Wärmeversorgungsanlagen**	**287,34 m² BGF**	**106,97**	**30.736,16**	**6,6**
421	Wärmeerzeugungsanlagen	287,34 m² BGF	71,01	20.402,97	4,4
422	Wärmeverteilnetze	287,34 m² BGF	5,26	1.510,17	0,3
423	Raumheizflächen	287,34 m² BGF	30,71	8.823,01	1,9
424	Verkehrsheizflächen	–	–	–	–
429	Sonstiges zur KG 420	–	–	–	–
430	**Raumlufttechnische Anlagen**	**287,34 m² BGF**	**32,38**	**9.303,32**	**2,0**
431	Lüftungsanlagen	287,34 m² BGF	32,38	9.303,32	2,0
432	Teilklimaanlagen	–	–	–	–
433	Klimaanlagen	–	–	–	–
434	Kälteanlagen	–	–	–	–
439	Sonstiges zur KG 430	–	–	–	–
440	**Elektrische Anlagen**	**287,34 m² BGF**	**82,07**	**23.582,13**	**5,0**
441	Hoch- und Mittelspannungsanlagen	–	–	–	–
442	Eigenstromversorgungsanlagen	–	–	–	–
443	Niederspannungsschaltanlagen	–	–	–	–
444	Niederspannungsinstallationsanlagen	287,34 m² BGF	78,85	22.656,85	4,8
445	Beleuchtungsanlagen	287,34 m² BGF	0,53	152,01	< 0,1
446	Blitzschutz- und Erdungsanlagen	287,34 m² BGF	2,69	773,27	0,2
447	Fahrleitungssysteme	–	–	–	–
449	Sonstiges zur KG 440	–	–	–	–
450	**Kommunikationstechnische Anlagen**	**287,34 m² BGF**	**5,90**	**1.694,55**	**0,4**
451	Telekommunikationsanlagen	–	–	–	–
452	Such- und Signalanlagen	–	–	–	–
453	Zeitdienstanlagen	–	–	–	–
454	Elektroakustische Anlagen	287,34 m² BGF	0,59	168,25	< 0,1
455	Audiovisuelle Medien- u. Antennenanl.	287,34 m² BGF	0,50	144,22	< 0,1
456	Gefahrenmelde- und Alarmanlagen	287,34 m² BGF	1,86	534,01	0,1
457	Datenübertragungsnetze	287,34 m² BGF	2,95	848,04	0,2
458	Verkehrsbeeinflussungsanlagen	–	–	–	–
459	Sonstiges zur KG 450	–	–	–	–
460	**Förderanlagen**	**–**	**–**	**–**	**–**
461	Aufzugsanlagen	–	–	–	–
462	Fahrtreppen, Fahrsteige	–	–	–	–
463	Befahranlagen	–	–	–	–
464	Transportanlagen	–	–	–	–
465	Krananlagen	–	–	–	–
466	Hydraulikanlagen	–	–	–	–
469	Sonstiges zur KG 460	–	–	–	–
470	**Nutzungsspez. u. verfahrenstechn. Anl.**	**–**	**–**	**–**	**–**
480	**Gebäude- und Anlagenautomation**	**–**	**–**	**–**	**–**
490	**Sonst. Maßnahmen für techn. Anlagen**	**–**	**–**	**–**	**–**

Kostenkennwerte für Leistungsbereiche nach STLB (Kosten des Bauwerks nach DIN 276)

LB	Leistungsbereiche	Kosten €	€/m² BGF	€/m³ BRI	% an 3+4
000	Sicherheits-, Baustelleneinrichtungen inkl. 001	10.746	37,40	12,70	2,3
002	Erdarbeiten	9.594	33,40	11,30	2,0
006	Spezialtiefbauarbeiten inkl. 005	–	–	–	–
009	Entwässerungskanalarbeiten inkl. 011	38	0,13	0,04	< 0,1
010	Drän- und Versickerarbeiten	–	–	–	–
012	Mauerarbeiten	–	–	–	–
013	Betonarbeiten	15.252	53,10	18,00	3,3
014	Natur-, Betonwerksteinarbeiten	–	–	–	–
016	Zimmer- und Holzbauarbeiten	176.926	615,70	208,60	37,7
017	Stahlbauarbeiten	–	–	–	–
018	Abdichtungsarbeiten	6.964	24,20	8,20	1,5
019	Kampfmittelräumarbeiten	–	–	–	–
020	Dachdeckungsarbeiten	–	–	–	–
021	Dachabdichtungsarbeiten	–	–	–	–
022	Klempnerarbeiten	20.169	70,20	23,80	4,3
	Rohbau	**239.689**	**834,20**	**282,50**	**51,1**
023	Putz- und Stuckarbeiten, Wärmedämmsysteme	–	–	–	–
024	Fliesen- und Plattenarbeiten	17.230	60,00	20,30	3,7
025	Estricharbeiten	6.670	23,20	7,90	1,4
026	Fenster, Außentüren inkl. 029, 032	61.256	213,20	72,20	13,1
027	Tischlerarbeiten	4.775	16,60	5,60	1,0
028	Parkettarbeiten, Holzpflasterarbeiten	–	–	–	–
030	Rollladenarbeiten	–	–	–	–
031	Metallbauarbeiten inkl. 035	–	–	–	–
034	Maler- und Lackiererarbeiten inkl. 037	24.455	85,10	28,80	5,2
036	Bodenbelagarbeiten	12.514	43,60	14,80	2,7
038	Vorgehängte hinterlüftete Fassaden	–	–	–	–
039	Trockenbauarbeiten	18.461	64,20	21,80	3,9
	Ausbau	**145.361**	**505,90**	**171,30**	**31,0**
040	Wärmeversorgungsanl. - Betriebseinr. inkl. 041	31.172	108,50	36,70	6,6
042	Gas- und Wasserinstallation, Leitungen inkl. 043	8.175	28,50	9,60	1,7
044	Abwasseranlagen - Leitungen	4.147	14,40	4,90	0,9
045	GWE-Einrichtungsgegenstände inkl. 046	4.812	16,70	5,70	1,0
047	Dämmarbeiten an betriebstechnischen Anlagen	247	0,86	0,29	< 0,1
049	Feuerlöschanlagen, Feuerlöschgeräte	–	–	–	–
050	Blitzschutz- und Erdungsanlagen	773	2,70	0,91	0,2
053	Niederspannungsanlagen inkl. 052, 054	23.504	81,80	27,70	5,0
055	Sicherheits- u. Ersatzstromversorgungsanl.	–	–	–	–
057	Gebäudesystemtechnik	–	–	–	–
058	Leuchten und Lampen inkl. 059	152	0,53	0,18	< 0,1
060	Sprechanlagen, elektroakust. Anlagen inkl. 064	–	–	–	–
061	Kommunikationsnetze inkl. 063	848	3,00	1,00	0,2
069	Aufzüge	–	–	–	–
070	Gebäudeautomation	–	–	–	–
075	Raumlufttechnische Anlagen inkl. 078	10.031	34,90	11,80	2,1
	Gebäudetechnik	**83.861**	**291,90**	**98,90**	**17,9**
084	Abbruch, Rückbau, Schadstoffsanierung	–	–	–	–
	Abbrucharbeiten	**–**	**–**	**–**	**–**
	Sonstige Leistungsbereiche	**–**	**–**	**–**	**–**

6100-1513
Einfamilienhaus
Effizienzhaus ~64%

Objektübersicht

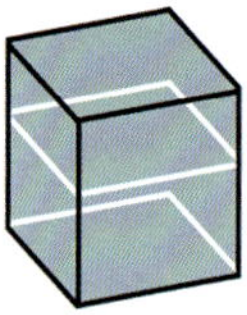

BRI 785 €/m³

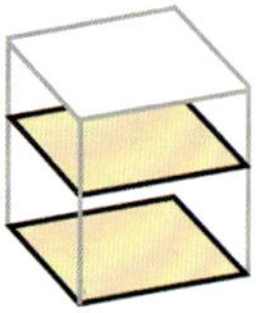

BGF 2.673 €/m²

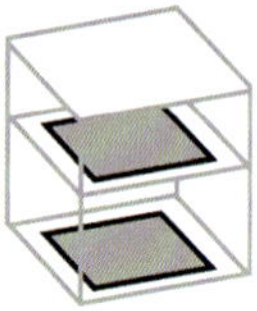

NUF 3.509 €/m²

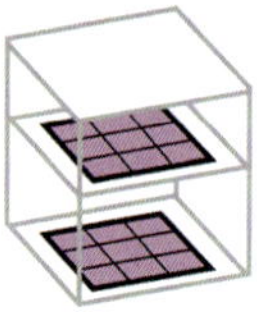

NE 3.356 €/NE

NE: Wohnfläche

Objekt:
Kennwerte: 1. Ebene DIN 276
BRI: 688 m³
BGF: 202 m²
NUF: 154 m²
Bauzeit: 65 Wochen
Bauende: 2017
Standard: Durchschnitt
Bundesland: Bayern
Kreis: Freyung-Grafenau

Architekt*in:
Maximilian Hartinger
Zollstraße 2B
80335 München

© Sebastian Schels

© Daniela Blöchinger

© Daniela Blöchinger

© Sebastian Schels

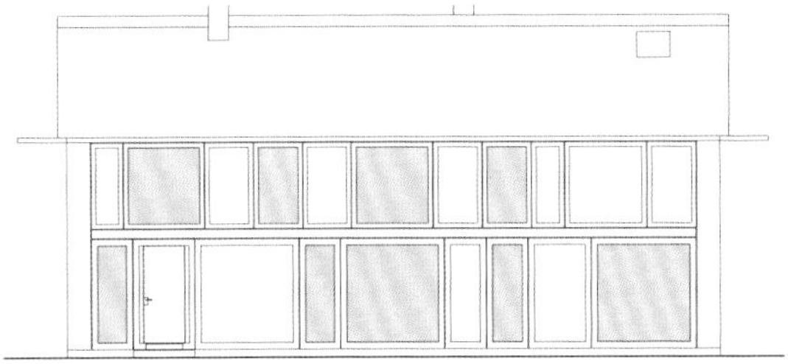

Ansicht West

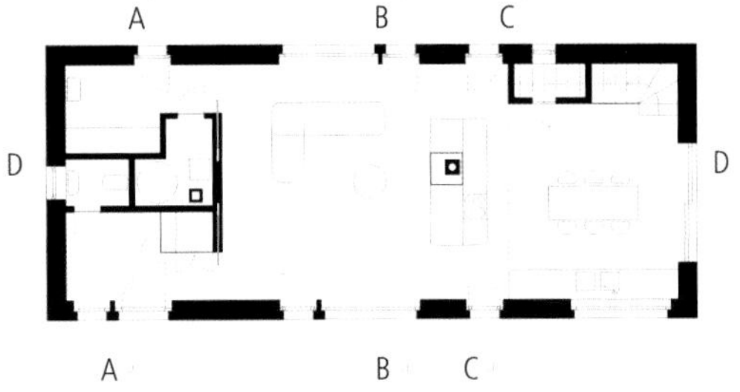

Erdgeschoss

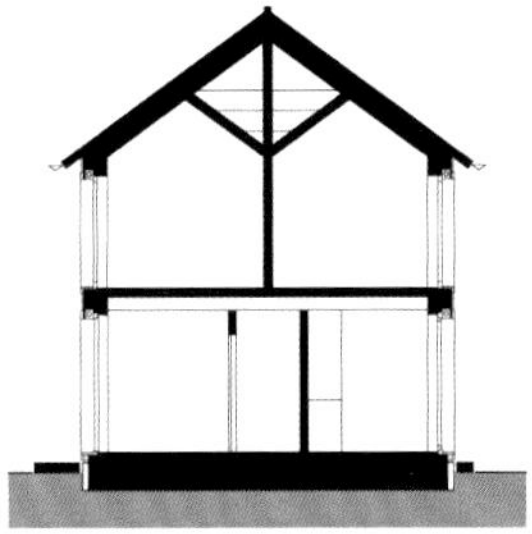

Schnitt A-A

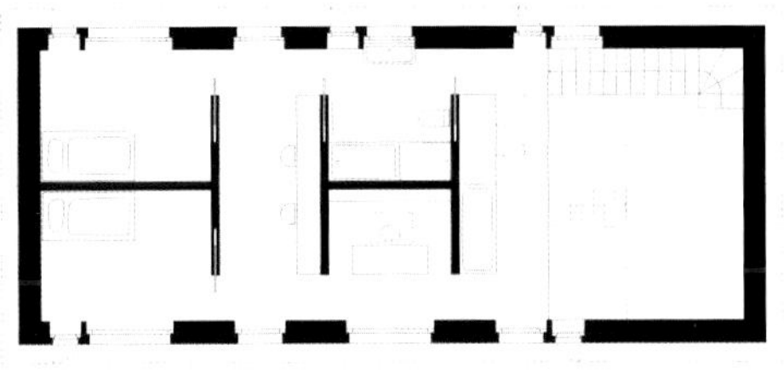

1. Obergeschoss

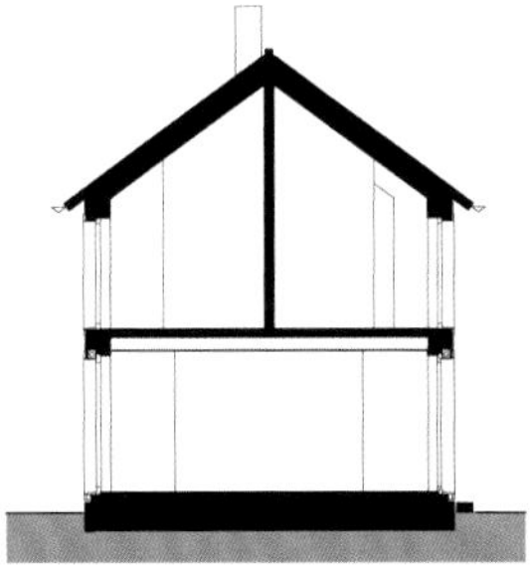

Schnitt B-B

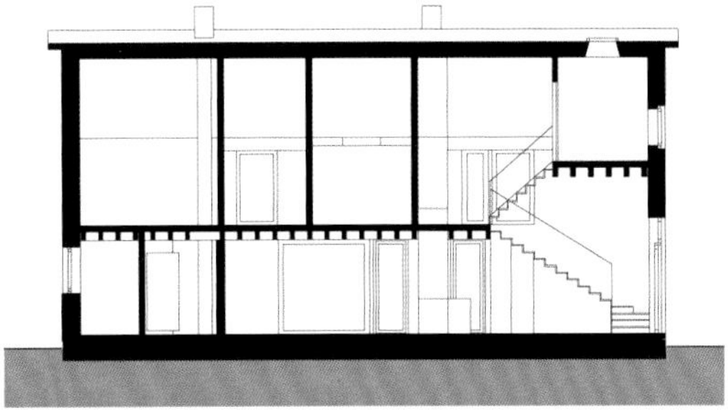

Schnitt D-D

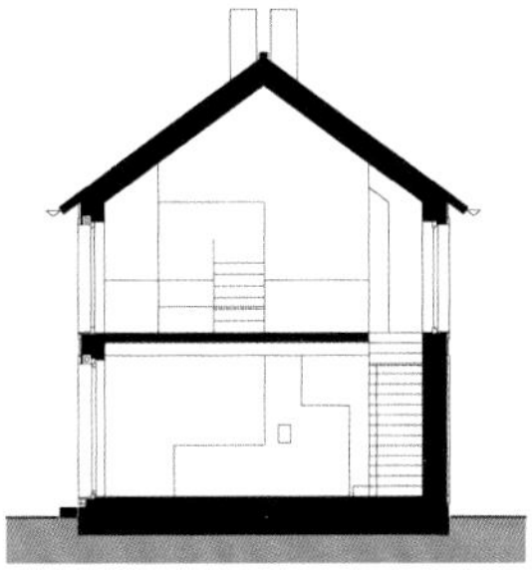

Schnitt C-C

Objektbeschreibung

Allgemeine Objektinformationen

Das neu erbaute Einfamilienhaus befindet sich in einer ländlichen Gegend im Bundesland Bayern. Es entstand ein zweigeschossiges Wohnhaus mit der Anmutung eines typischen lokalen ‚Stadels' (Scheune) und einer Orientierung zum panoramaartigen Ausblick. Die Proportion und die Erschließung schaffen eine fortwährende Promenade und ein Familienleben in fließenden Räumen unter dem gemeinsamen Dach.

Nutzung

1 Erdgeschoss
Technikraum, Entrée, Hauswirtschaftsbereich, WC, Speisekammer

1 Obergeschoss
2 Kinderzimmer, Spieldiele, Bad, Büro, Elternschlafzimmer, Galerie, Stauraum

Nutzeinheiten

Wohneinheiten: 1
Wohnfläche: 161 m²

Grundstück

Bauraum: Freier Bauraum
Neigung: Geneigtes Gelände
Bodenklasse: BK 1 bis BK 3

Markt

Hauptvergabezeit: 2. Quartal 2016
Baubeginn: 2. Quartal 2016
Bauende: 3. Quartal 2017
Konjunkturelle Gesamtlage: über Durchschnitt
Regionaler Baumarkt: unter Durchschnitt

Baukonstruktion

Das nicht unterkellerte Wohnhaus wurde aus lokalem Fichtenholz errichtet. Es gründet flach auf einer dämmenden Schicht aus Schaumglasschotter und steht auf einer Bodenplatte mit Bauteilaktivierung aus einer monolithischen Betonschicht. Alle Außen- und Innenwände sind in Holzrahmenbauweise hergestellt. Für die hinterlüftete Fassadenschalung wurde sägeraues Fichtenholz gewählt. Die Innenbekleidung der Wände erfolgte mit Holzwerkstoffplatten aus Fichtenholz. Alle Dielenböden und Holztreppen wurden ebenfalls in Fichte ausgeführt. Sämtliche Fenster und Schiebetüren sind dreifachverglast und haben Fichtenholzrahmen. Fallmarkisen dienen als Sonnenschutz. An einigen Stellen wurden hochwertige Materialien wie Lehmbaustoffe oder Walzstahl eingebaut. Das Satteldach ist mit Titanzink gedeckt.

Technische Anlagen

Das Niedrigenergie-Konzept basiert auf einer gut gedämmten Gebäudehülle, ausreichender Speichermasse und einer abgestimmten Gebäudetechnik. Das Wohnhaus wird mit einer Kombination aus Solarthermie und einem großen zentralen Speicherofen beheizt. Im Erdgeschoss erfolgt die Wärmeverteilung über Bauteilaktivierung im Boden, im Obergeschoss wurden Wandheizungen installiert. Eine dezentrale Belüftung sorgt für einen hygienischen Luftwechsel mit Wärmerückgewinnung. Die Küche hat einen Gasanschluss erhalten.

Planungskennwerte für Flächen und Rauminhalte nach DIN 277

Flächen des Grundstücks		Menge Einheit	% an GF
BF	Bebaute Fläche	104,50 m²	6,5
UF	Unbebaute Fläche	1.509,50 m²	93,5
GF	Grundstücksfläche	1.614,00 m²	100,0

Grundflächen des Bauwerks		Menge Einheit	% an NUF	% an BGF
NUF	Nutzungsfläche	153,90 m²	100,0	76,2
TF	Technikfläche	3,20 m²	2,1	1,6
VF	Verkehrsfläche	5,70 m²	3,7	2,8
NRF	Netto-Raumfläche	162,80 m²	105,8	80,6
KGF	Konstruktions-Grundfläche	39,20 m²	25,5	19,4
BGF	Brutto-Grundfläche	202,00 m²	131,3	100,0

Brutto-Rauminhalt des Bauwerks		Menge Einheit	BRI/NUF (m)	BRI/BGF (m)
BRI	Brutto-Rauminhalt	688,00 m³	4,47	3,41

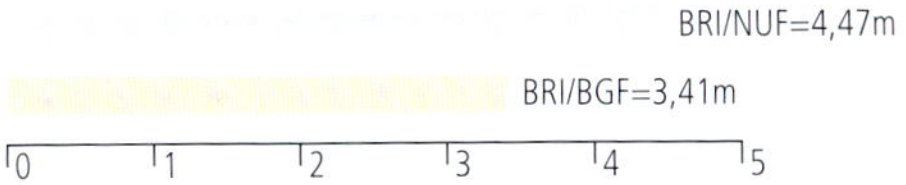

Kostenkennwerte für die Kostengruppen der 1. Ebene DIN 276

KG	Kostengruppen (1. Ebene)	Einheit	Kosten €	€/Einheit	€/m² BGF	€/m³ BRI	% 300+400
100	Grundstück	m² GF	–	–	–	–	–
200	Vorbereitende Maßnahmen	m² GF	–	–	–	–	–
300	Bauwerk – Baukonstruktionen	m² BGF	432.405	2.140,62	2.140,62	628,50	80,1
400	Bauwerk – Technische Anlagen	m² BGF	107.637	532,86	532,86	156,45	19,9
	Bauwerk 300+400	**m² BGF**	**540.042**	**2.673,48**	**2.673,48**	**784,95**	**100,0**
500	Außenanlagen und Freiflächen	m² AF	–	–	–	–	–
600	Ausstattung und Kunstwerke	m² BGF	–	–	–	–	–
700	Baunebenkosten	m² BGF	–	–	–	–	–
800	Finanzierung	m² BGF	–	–	–	–	–

KG	Kostengruppe	Menge Einheit	Kosten €	€/Einheit	%
3+4	**Bauwerk**				**100,0**
300	**Bauwerk – Baukonstruktionen**	202,00 m² BGF	432.405	**2.140,62**	80,1

Baugrubenaushub, Bodenaustausch, Sauberkeitsschicht, Schaumglasschotterschicht, Stb-Bodenplatte, Lehmschüttung, Dielenböden, Perimeterdämmung; Holzrahmenwände, Fenster, Festverglasung, Fenstertüren, dreifachverglast, opake Öffnungsflügel, hinterlüftete Fassadenschalung, Installationsebene, Holzwerkstoffbekleidung, Lehmbauplatten, Lehmputz, Fallarmmarkisen; Holzrahmenwände, Holz-Schiebetüren, Holzwerkstoffbekleidung, Lehmbauplatten, Lehmputz, Geländer; Holzdecke, Holztreppen, Lehmschüttung, Dielenböden; Holz-Dachkonstruktion, Dachflächenfenster, Titanzink-Dachdeckung, Holzwerkstoffbekleidung, Dachentwässerung

KG	Kostengruppe	Menge Einheit	Kosten €	€/Einheit	%
400	**Bauwerk – Technische Anlagen**	202,00 m² BGF	107.637	**532,86**	19,9

Gebäudeentwässerung, Kalt- und Warmwasserleitungen, Sanitärobjekte; Gasbrennwerttherme, Flüssiggas-Tank, Bauteilaktivierung (EG), Wandheizung (OG), Grundofen mit Stahlhülle; Wärmetauscher, dezentrale Lüfter mit Wärmerückgewinnung; Solaranlage, Elektroinstallation, Beleuchtung, Netzwerkverkabelung; Gasanschluss Küche

6100-1539
Einfamilienhaus

Objektübersicht

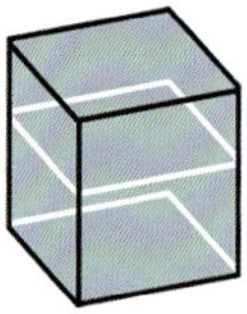

BRI **495 €/m³**

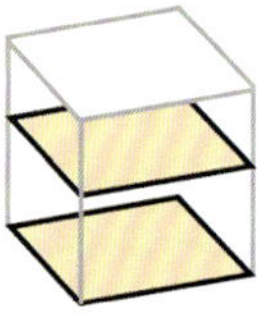

BGF **1.969 €/m²**

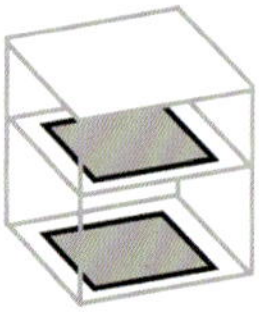

NUF **2.732 €/m²**

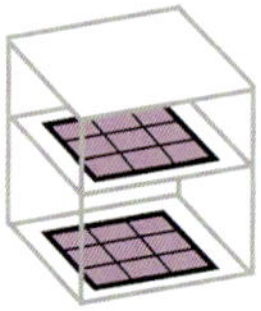

NE **2.478 €/NE**

NE: Wohnfläche

Objekt:
Kennwerte: 1. Ebene DIN 276
BRI: 521 m³
BGF: 131 m²
NUF: 94 m²
Bauzeit: 44 Wochen
Bauende: 2020
Standard: Durchschnitt
Bundesland: Brandenburg
Kreis: Dahme-Spreewald

Architekt*in:
Zeller & Moye
Potsdamer Straße 81A
10785 Berlin

Ansicht Nord

Ansicht Ost

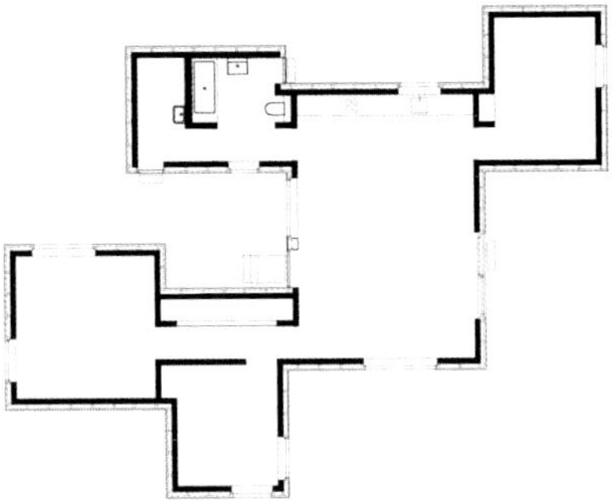

Erdgeschoss

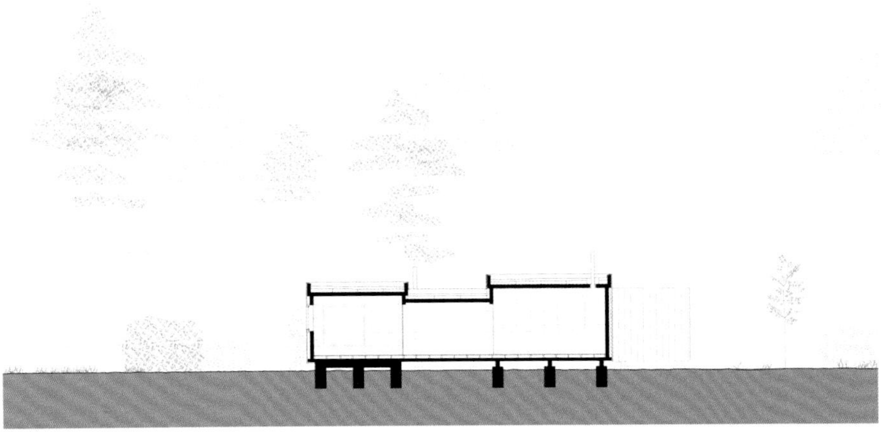

Schnitt

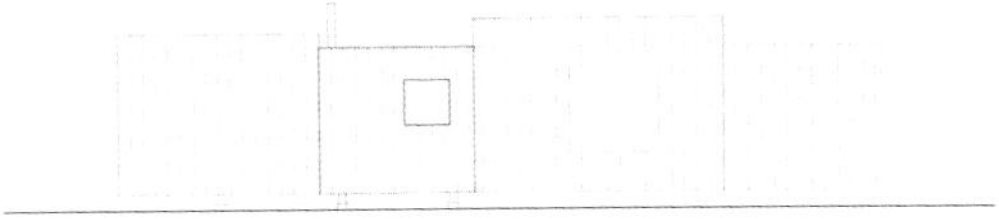

Ansicht Süd

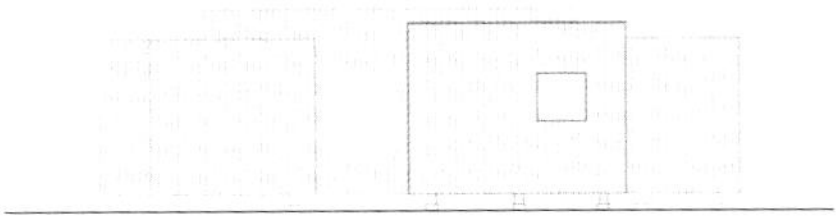

Ansicht West

Objektbeschreibung

Allgemeine Objektinformationen

Das neue Wohnhaus liegt auf einem Grundstück inmitten eines hohen Kiefernwaldes. Es ist in fünf einzelne Volumen unterteilt, die zueinander versetzt und um die bestehenden Bäume herum angeordnet wurden. Die Verschiebungen im Grundriss bilden einen Innenhof und mehrere begrünte Nischen entlang der Fassade. Diese geben den Bewohnern vielfältige Möglichkeiten, den Außenraum als Erweiterung des Innenraums zu nutzen. Das Gebäude proklamiert ein neues Verhältnis von Haus und Natur, bei dem Innen- und Außenraum zusammenspielen und ineinander übergehen ohne ein Glashaus zu sein.

Nutzung

1 Erdgeschoss
Zentrale Wohn-, Essküche, drei Schlaf-/Arbeitszimmer, Bad, Hauswirtschaftsraum, Flur

Nutzeinheiten

Wohneinheiten: 1
Wohnfläche: 104 m²

Grundstück

Bauraum: Beengter Bauraum
Neigung: Ebenes Gelände
Bodenklasse: BK 1 bis BK 3

Markt

Hauptvergabezeit: 1. Quartal 2019
Baubeginn: 2. Quartal 2019
Bauende: 1. Quartal 2020
Konjunkturelle Gesamtlage: über Durchschnitt
Regionaler Baumarkt: unter Durchschnitt

Baukonstruktion

Die leichte Holzkonstruktion wurde auf Beton-Punktfundamenten auf dem Waldboden aufgesetzt. Neben Massivholzböden kamen Deckenelemente aus Brettschichtholz zum Einbau. Sämtliche Außenwände bestehen aus Holzmodulsteinen, die mit holzfaserbasiertem Dämmmaterial gefüllt sind. Die Fassade ist umlaufend mit vertikal angeordneten Holzlatten aus regionalem Fichtenholz bekleidet. Für die Belichtung der Innenräume wurde eine Kombination aus großformatiger Festverglasung und kleineren, öffenbaren Fenstern mit Zweifachverglasung gewählt. Alle Außen- und Innentüren bestehen aus Holz. Die Flachdächer sind mit Gefälledämmung und Dachbelag ausgebildet.

Technische Anlagen

Der zentral angeordnete Holzkamin sorgt für angenehme Strahlungswärme, während eine Gasbrennwerttherme die allgemeine Heizung in allen Räumen speist. Die Wärmeverteilung erfolgt über Rippenrohrheizkörper, Plan-Ventilheizkörper sowie einen Handtuchwärmekörper im Bad.

Sonstiges

Das Gebäude basiert auf dem Gedanken der Nachhaltigkeit, was sich in der konsequenten Verwendung von regenerativen Rohstoffen widerspiegelt. Alle konstruktiven Elemente wurden vorgefertigt. Die Langlebigkeit wird durch variable Nutzungsmöglichkeiten des Gebäudes garantiert.

Planungskennwerte für Flächen und Rauminhalte nach DIN 277

Flächen des Grundstücks		Menge Einheit	% an GF
BF	Bebaute Fläche	132,50 m²	15,0
UF	Unbebaute Fläche	752,50 m²	85,0
GF	Grundstücksfläche	885,00 m²	100,0

Grundflächen des Bauwerks		Menge Einheit	% an NUF	% an BGF
NUF	Nutzungsfläche	94,35 m²	100,0	72,1
TF	Technikfläche	5,50 m²	5,8	4,2
VF	Verkehrsfläche	4,15 m²	4,4	3,2
NRF	Netto-Raumfläche	104,00 m²	110,2	79,5
KGF	Konstruktions-Grundfläche	26,87 m²	28,5	20,5
BGF	Brutto-Grundfläche	130,87 m²	138,7	100,0

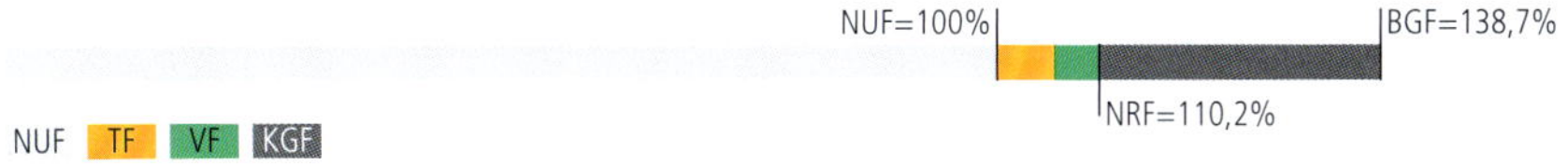

Brutto-Rauminhalt des Bauwerks		Menge Einheit	BRI/NUF (m)	BRI/BGF (m)
BRI	Brutto-Rauminhalt	521,00 m³	5,52	3,98

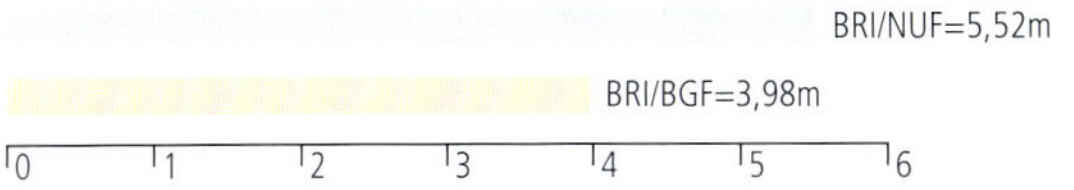

Kostenkennwerte für die Kostengruppen der 1. Ebene DIN 276

KG	Kostengruppen (1. Ebene)	Einheit	Kosten €	€/Einheit	€/m² BGF	€/m³ BRI	% 300+400
100	Grundstück	m² GF	–	–	–	–	–
200	Vorbereitende Maßnahmen	m² GF	–	–	–	–	–
300	Bauwerk – Baukonstruktionen	m² BGF	224.202	1.713,16	1.713,16	430,33	87,0
400	Bauwerk – Technische Anlagen	m² BGF	33.537	256,26	256,26	64,37	13,0
	Bauwerk 300+400	**m² BGF**	**257.739**	**1.969,43**	**1.969,43**	**494,70**	**100,0**
500	Außenanlagen und Freiflächen	m² AF	–	–	–	–	–
600	Ausstattung und Kunstwerke	m² BGF	–	–	–	–	–
700	Baunebenkosten	m² BGF	–	–	–	–	–
800	Finanzierung	m² BGF	–	–	–	–	–

KG	Kostengruppe	Menge Einheit	Kosten €	€/Einheit	%
3+4	**Bauwerk**				**100,0**
300	**Bauwerk – Baukonstruktionen**	130,87 m² BGF	224.202	**1.713,16**	87,0

Fundamentaushub, Beton-Punktfundamente, Holzträger, BSH-Bodenelemente, Dämmung, Holzdielenböden, Abdichtung; Holzmodulsteinwände, Dämmschüttung, WDVS, Perimeterdämmung, Holzverkleidung, Fenster, Zweifachverglasung; Modulsteininnenwände, oberflächenfertig, Holztüren; BSH-Dachelemente, Attika-Holztafeln, Gefälledämmung, Dachabdichtung, Dachentwässerung

KG	Kostengruppe	Menge Einheit	Kosten €	€/Einheit	%
400	**Bauwerk – Technische Anlagen**	130,87 m² BGF	33.537	**256,26**	13,0

Gebäudeentwässerung, Warm- und Kaltwasserleitungen, Sanitärobjekte; Gasbrennwerttherme, Rippenrohrheizkörper, Plan-Ventilheizkörper, Handtuchheizkörper, Schornstein; Elektroinstallation, Wandeinbauleuchten; Telefon, Datenverkabelung

6100-1546
Einfamilienhaus
Carport

Objektübersicht

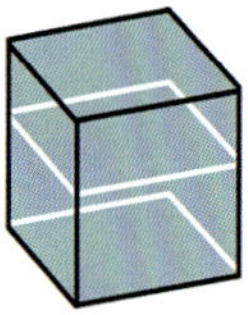

BRI 945 €/m³

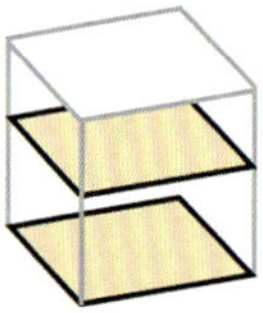

BGF 3.041 €/m²

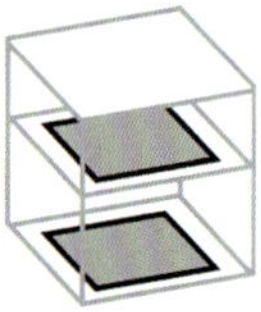

NUF 5.033 €/m²

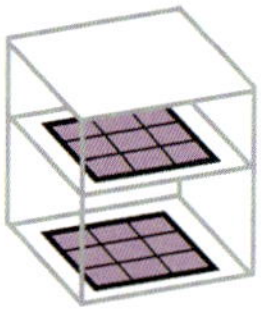

NE 3.605 €/NE

NE: Wohnfläche

Objekt:
Kennwerte: 1. Ebene DIN 276
BRI: 678 m³
BGF: 211 m²
NUF: 127 m²
Bauzeit: 26 Wochen
Bauende: 2019
Standard: Durchschnitt
Bundesland: Niedersachsen
Kreis: Lüneburg

Architekt*in:
Henschke Schulze Reimers
Architekten
Papenstraße 6
21335 Lüneburg

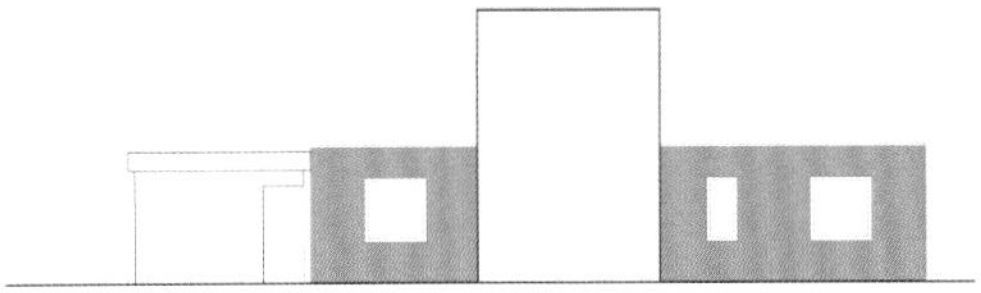

Ansicht Nord-West

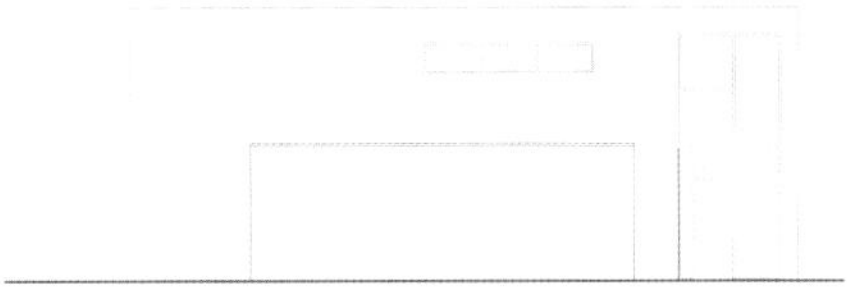

Ansicht Nord-Ost

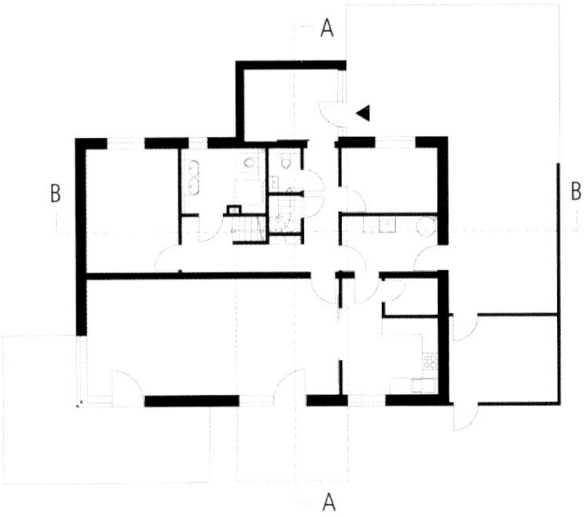

Erdgeschoss

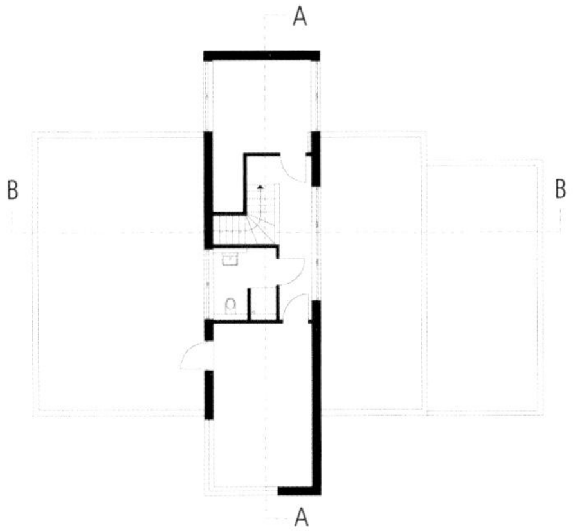

Obergeschoss

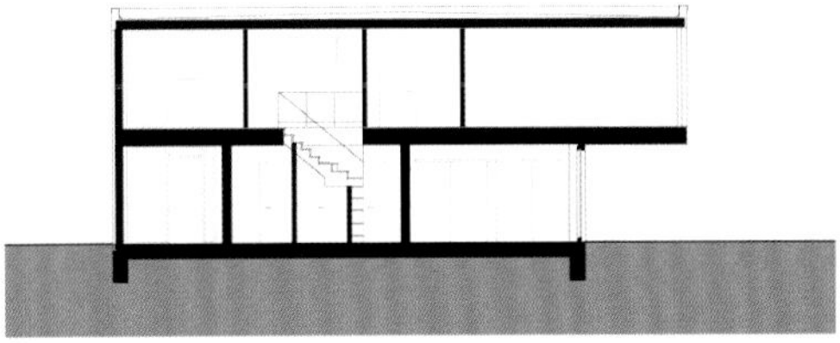

Schnitt A-A

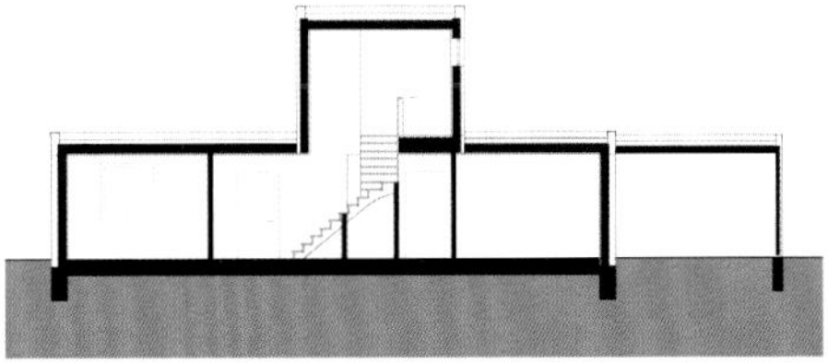

Schnitt B-B

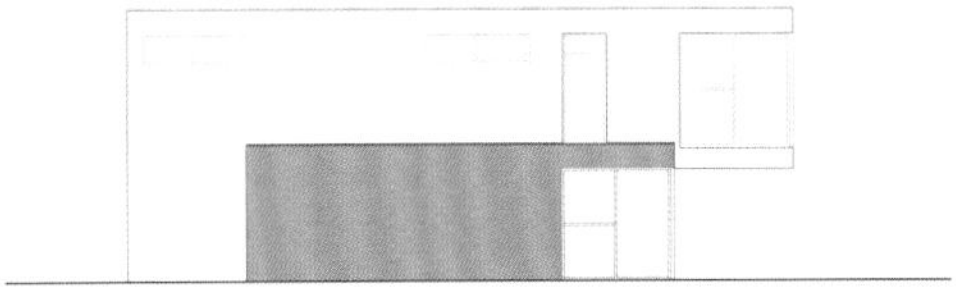

Ansicht Süd-West

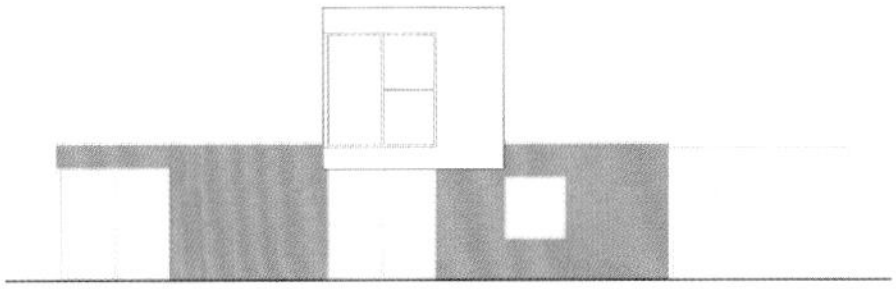

Ansicht Süd-Ost

6100-1546
Einfamilienhaus
Carport

Objektbeschreibung

Allgemeine Objektinformationen

Das neue Einfamilienhaus liegt innerhalb eines gewachsenen älteren Gebäudebestands und ersetzt ein vorher abgebrochenes Wohngebäude.

Nutzung

1 Erdgeschoss
Wohnen, Essen, Küche, Schlafen, Arbeiten, Bad, WC, Technik, Abstellraum, Windfang, Flur, Geräteabstellraum, Carport

1 Obergeschoss
Arbeiten, Gästezimmer, Bad, Flur

Nutzeinheiten

Wohneinheiten: 1
Wohnfläche: 178 m^2

Grundstück

Bauraum: Freier Bauraum
Neigung: Ebenes Gelände
Bodenklasse: BK 1

Markt

Hauptvergabezeit: 3. Quartal 2018
Baubeginn: 3. Quartal 2018
Bauende: 1. Quartal 2019
Konjunkturelle Gesamtlage: Durchschnitt
Regionaler Baumarkt: Durchschnitt

Baukonstruktion

Der Neubau entstand in Holzrahmenbauweise auf Stahlbetonstreifenfundamenten und einer Stahlbetonsohlplatte. Für die Bekleidung der Außenhaut wurden rote Klinkersteine und eine Rhombusschalung aus Lärchenholz gewählt. Die Decken und die Balkenlage des Flachdachs sind aus Nadelholz gefertigt. Für die Auskragung im Obergeschoss wurden Stahlprofile eingebaut. Den oberen Gebäudeabschluss bildet eine Flachdachkonstruktion aus Holz, die mit Zellulose wärmegedämmt ist. Als Innenwände kamen Holzständerwände mit einer Beplankung aus Gipsfaserplatten zum Einbau. Die Treppe besteht ebenfalls aus Holz. Alle Fenster haben eine zweifache Verglasung und Raffstorejalousien erhalten. Die Fußböden sind mit Parkett und Fliesen belegt.

Technische Anlagen

Die Energieversorgung erfolgt mittels einer Luft-Wasser-Wärmepumpe. Über eine Fußbodenheizung wird die Wärme im gesamten Gebäude verteilt. In den Bädern sind zusätzliche Handtuchheizkörper installiert worden.

Sonstiges

Die passgenaue Vorfertigung der Holztafelelemente ermöglichte die zeitgleiche Produktion der Tür- und Fensterelemente. Das Aufstellen der Wand- und Deckenelemente verkürzte die Bauzeit vor Ort erheblich. Weiter entfielen Trocknungs- und Härtungszeiten, sodass die gesamte Bauzeit sechs Monate betrug.

Planungskennwerte für Flächen und Rauminhalte nach DIN 277

Flächen des Grundstücks		Menge Einheit	% an GF
BF	Bebaute Fläche	147,68 m²	19,9
UF	Unbebaute Fläche	593,32 m²	80,1
GF	Grundstücksfläche	741,00 m²	100,0

Grundflächen des Bauwerks		Menge Einheit	% an NUF	% an BGF
NUF	Nutzungsfläche	127,34 m²	100,0	60,4
TF	Technikfläche	7,20 m²	5,7	3,4
VF	Verkehrsfläche	29,01 m²	22,8	13,8
NRF	Netto-Raumfläche	163,55 m²	128,4	77,6
KGF	Konstruktions-Grundfläche	47,18 m²	37,1	22,4
BGF	Brutto-Grundfläche	210,73 m²	165,5	100,0

Brutto-Rauminhalt des Bauwerks		Menge Einheit	BRI/NUF (m)	BRI/BGF (m)
BRI	Brutto-Rauminhalt	678,20 m³	5,33	3,22

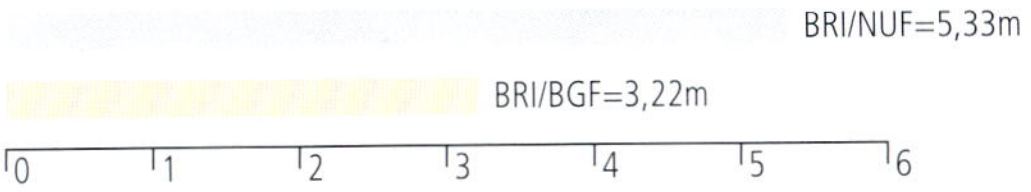

Kostenkennwerte für die Kostengruppen der 1. Ebene DIN 276

KG	Kostengruppen (1. Ebene)	Einheit	Kosten €	€/Einheit	€/m² BGF	€/m³ BRI	% 300+400
100	Grundstück	m² GF	–	–	–	–	–
200	Vorbereitende Maßnahmen	m² GF	–	–	–	–	–
300	Bauwerk – Baukonstruktionen	m² BGF	532.965	2.529,14	2.529,14	785,85	83,2
400	Bauwerk – Technische Anlagen	m² BGF	107.967	512,35	512,35	159,20	16,8
	Bauwerk 300+400	**m² BGF**	**640.932**	**3.041,48**	**3.041,48**	**945,05**	**100,0**
500	Außenanlagen und Freiflächen	m² AF	–	–	–	–	–
600	Ausstattung und Kunstwerke	m² BGF	–	–	–	–	–
700	Baunebenkosten	m² BGF	–	–	–	–	–
800	Finanzierung	m² BGF	–	–	–	–	–

KG	Kostengruppe	Menge Einheit	Kosten €	€/Einheit	%
3+4	**Bauwerk**				**100,0**
300	**Bauwerk – Baukonstruktionen**	210,73 m² BGF	532.965	**2.529,14**	83,2

Baugrubenaushub; Stb-Streifenfundamente, Stb-Bodenplatte, Wärmedämmung, Heizestrich, Parkettboden, Fliesen; Holzrahmenwände, Holzfenster, Türeingangelement, Dämmung, Lärchen-Rhombusschalung, Ziegel-Verblendmauerwerk, Gipsfaserplatte, Beschichtung, Raffstorejalousien; Holzrahmenwände, Holztüren, Gipsfaserplatten, Beschichtung, Wandfliesen; KVH-Holzbalkendecke, Holz-Innentreppe, Trockenestrich, Parkettboden, Fliesen, Gipsfaserplatte, Beschichtung, Holz-Flachdachkonstruktion, Zellulose, Schalung, Abdichtung, Dachbegrünung, Dachentwässerung

KG	Kostengruppe	Menge Einheit	Kosten €	€/Einheit	%
400	**Bauwerk – Technische Anlagen**	210,73 m² BGF	107.967	**512,35**	16,8

Gebäudeentwässerung, Warm- und Kaltwasserleitungen, Sanitärobjekte; Luft-Wasser-Wärmepumpe, Heizungsleitungen, Fußbodenheizung, Badheizkörper; Elektroinstallation, Beleuchtung; Netzwerkverkabelung

6100-1550
Einfamilienhaus
Doppelgarage

Objektübersicht

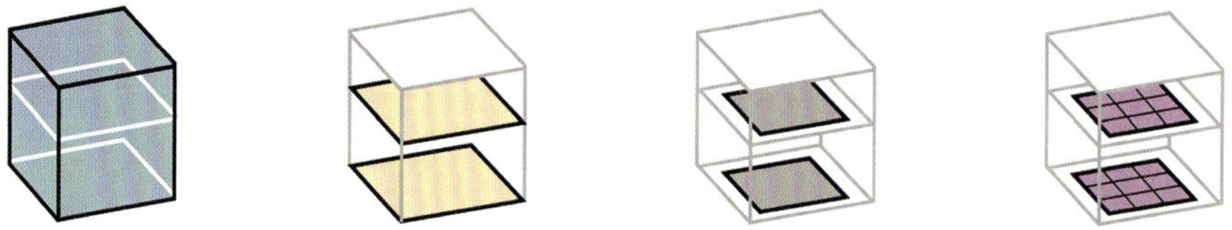

BRI 801 €/m³ | BGF 2.193 €/m² | NUF 3.343 €/m² | NE 3.213 €/NE

NE: Wohnfläche

Objekt:
Kennwerte: 1. Ebene DIN 276
BRI: 684 m³
BGF: 250 m²
NUF: 164 m²
Bauzeit: 39 Wochen
Bauende: 2020
Standard: Durchschnitt
Bundesland: Brandenburg
Kreis: Barnim

Architekt*in:
burgemeister+marx
architekten
Gustav-Adolf-Straße 152
13086 Berlin

© k. A.

© k. A.

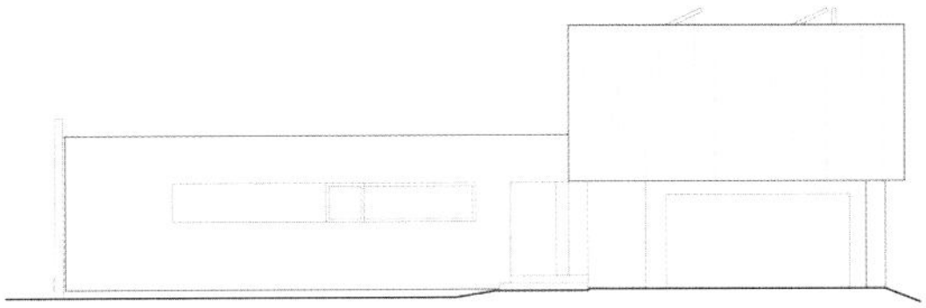

Ansicht Ost

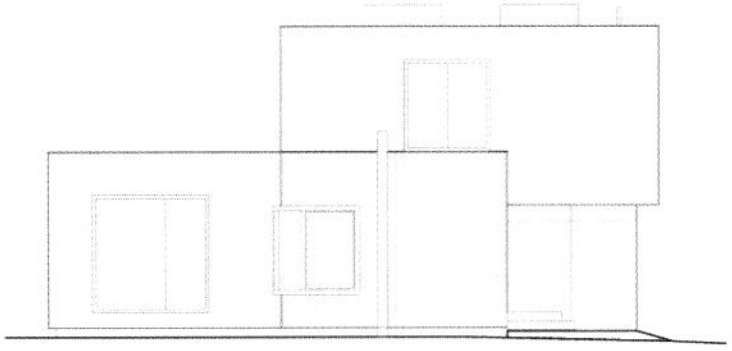

Ansicht Süd

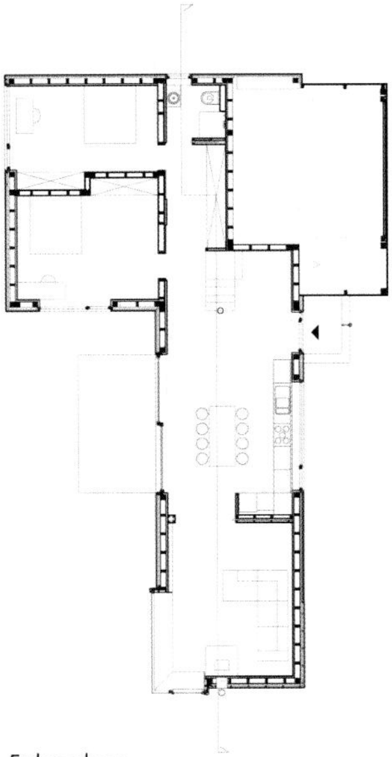

Erdgeschoss

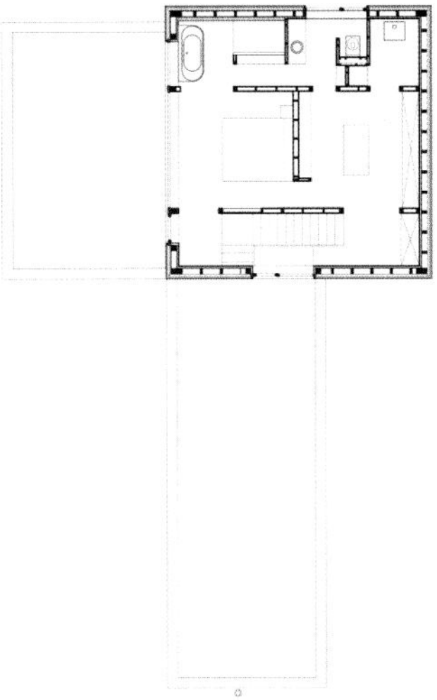

Obergeschoss

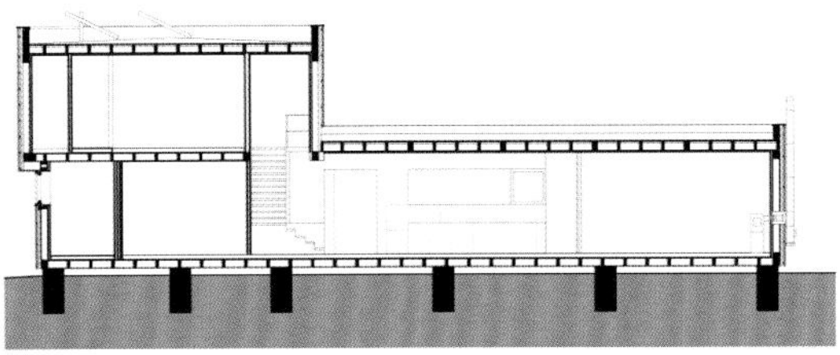

Schnitt

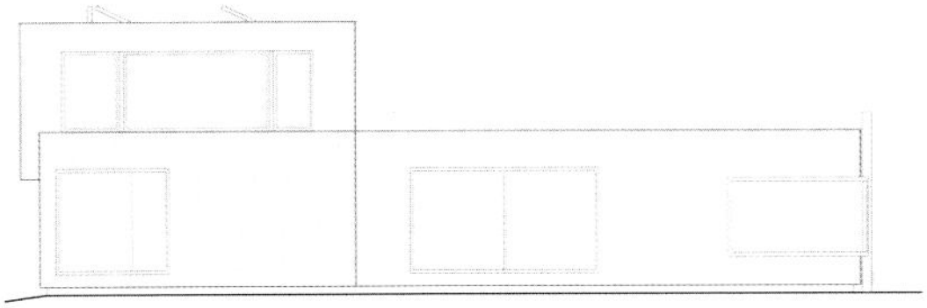

Ansicht West

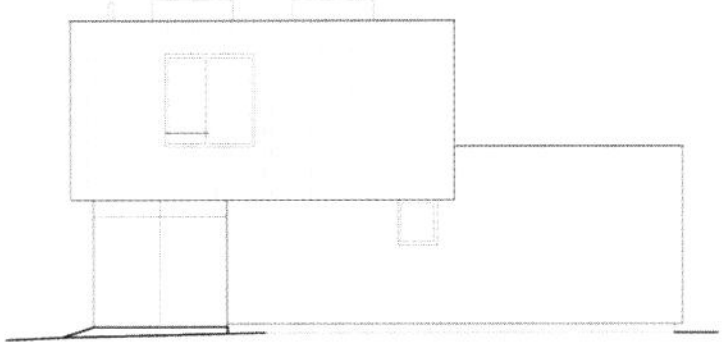

Ansicht Nord

Objektbeschreibung

Allgemeine Objektinformationen

Eine ökologische und materialsparende Bauweise mit dem Baustoff Holz stand im Vordergrund. Durch Vorfertigung konnte die Nebensaison zur Erstellung des Rohbaus genutzt werden. Durch die Verschiebung des Obergeschosses wurde darunter die Pkw-Stellfläche geschaffen, die mit einer leichten Holzkonstruktion verblendet wurde.

Nutzung

1 Erdgeschoss
Eingangsbereich, Wohnen, Essen, Küche, Gästezimmer, Kinderzimmer, Bad, Terrassen, Garage

1 Obergeschoss
Schlafzimmer, Ankleidezimmer, Bad, Haustechnik, Flur, Dachterrasse

Nutzeinheiten

Wohneinheiten: 1
Wohnfläche: 170 m^2

Grundstück

Bauraum: Freier Bauraum
Neigung: Geneigtes Gelände
Bodenklasse: BK 3 bis BK 5

Markt

Hauptvergabezeit: 3. Quartal 2019
Baubeginn: 1. Quartal 2020
Bauende: 4. Quartal 2020
Konjunkturelle Gesamtlage: über Durchschnitt
Regionaler Baumarkt: unter Durchschnitt

Baukonstruktion

Der Neubau wurde in Holzrahmenbauweise mit Holzfaserdämmung erstellt und weitgehend vorgefertigt. Die Fundamente wurden als unbewehrte Streifenfundamente erstellt und damit ein Sockel für die Holzkonstruktion geschaffen. Durch die Abhebung des Baukörpers vom Boden konnte auch die Bodenplatte aus Holz erstellt werden. Die hinterlüftete Fassade wurde mit einer unbehandelten Holzverschalung bekleidet. Von innen sind die Wände beschichtet und mit Fliesen belegt. Es kamen Holztüren und -fenster mit Dreifachverglasung zum Einbau, ein Schwingtor riegelt die Garage ab. Als Bodenbelag wurden Holzdielen oder Bodenfliesen gewählt. Eine Holzinnentreppe verbindet die beiden Stockwerke miteinander. Das Flachdach mit Attika hat eine EPDM-Abdichtung erhalten und ist extensiv begrünt.

Technische Anlagen

Die technische Ausstattung besteht aus einer Gas-Brennwerttherme mit Solarthermieunterstützung, die die Wärmeleistung über eine Fußbodenheizung abgibt. Ein Kaminofen sorgt zusätzlich für Wärme. Die Elektroinstallation ist klassisch dezentral erstellt. Die Anschlüsse sind generell zur Platzersparnis in der Garage untergebracht. Das Gebäude verfügt über eine Netzwerkinstallation mit zentralem Patchfeld.

Planungskennwerte für Flächen und Rauminhalte nach DIN 277

Flächen des Grundstücks		Menge Einheit	% an GF
BF	Bebaute Fläche	174,00 m²	10,2
UF	Unbebaute Fläche	1.526,00 m²	89,8
GF	Grundstücksfläche	1.700,00 m²	100,0

Grundflächen des Bauwerks		Menge Einheit	% an NUF	% an BGF
NUF	Nutzungsfläche	163,72 m²	100,0	65,6
TF	Technikfläche	4,07 m²	2,5	1,6
VF	Verkehrsfläche	29,48 m²	18,0	11,8
NRF	Netto-Raumfläche	197,27 m²	120,5	79,0
KGF	Konstruktions-Grundfläche	52,31 m²	32,0	21,0
BGF	Brutto-Grundfläche	249,58 m²	152,4	100,0

Brutto-Rauminhalt des Bauwerks		Menge Einheit	BRI/NUF (m)	BRI/BGF (m)
BRI	Brutto-Rauminhalt	683,60 m³	4,18	2,74

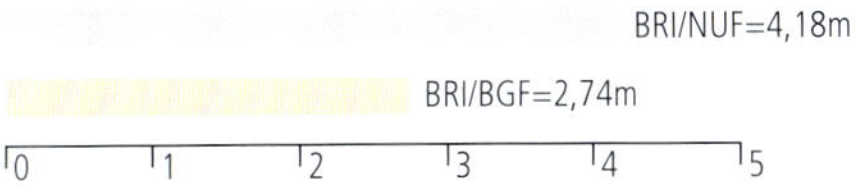

Kostenkennwerte für die Kostengruppen der 1.Ebene DIN 276

KG	Kostengruppen (1.Ebene)	Einheit	Kosten €	€/Einheit	€/m² BGF	€/m³ BRI	% 300+400
100	Grundstück	m² GF	–	–	–	–	–
200	Vorbereitende Maßnahmen	m² GF	8.505	5,00	34,08	12,44	1,6
300	Bauwerk – Baukonstruktionen	m² BGF	467.895	1.874,73	1.874,73	684,46	85,5
400	Bauwerk – Technische Anlagen	m² BGF	79.345	317,92	317,92	116,07	14,5
	Bauwerk 300+400	**m² BGF**	**547.240**	**2.192,65**	**2.192,65**	**800,53**	**100,0**
500	Außenanlagen und Freiflächen	m² AF	–	–	–	–	–
600	Ausstattung und Kunstwerke	m² BGF	–	–	–	–	–
700	Baunebenkosten	m² BGF	–	–	–	–	–
800	Finanzierung	m² BGF	–	–	–	–	–

KG	Kostengruppe	Menge Einheit	Kosten €	€/Einheit	%
200	**Vorbereitende Maßnahmen**	1.700,00 m² GF	8.505	**5,00**	1,6
	Baumfällarbeiten				
3+4	**Bauwerk**				**100,0**
300	**Bauwerk – Baukonstruktionen**	249,58 m² BGF	467.895	**1.874,73**	85,5
	Bodenarbeiten; Stb-Streifenfundamente, Bodenplatte aus Holzbalkenkonstruktion, OSB-Platten, Holzdämmplatten, Heizestrich, Dielenbelag; Holzrahmenwände, Holzfenster, Dreifachverglasung, Garagen-Schwingtor, Zwischendämmung aus Holzfaserdämmung, OSB-Platten, hinterlüftete Holzverschalung, Holzfaserplatten, GK-Bekleidung, Beschichtung, Wandfliesen; GK-Wände, Holztüren, Beschichtung, Fliesen; Holzbalkendecke, Holztreppe, Schalung, Holzdämmplatten, Heizestrich, Dielenbelag, Fliesenbelag; Holzbalken-Flachdachkonstruktion, Zwischendämmung, OSB-Bekleidung, Gefälledämmung, Abdichtung, extensive Dachbegrünung, GK-Abhängung, Beschichtung, Dachentwässerung				
400	**Bauwerk – Technische Anlagen**	249,58 m² BGF	79.345	**317,92**	14,5
	Gebäudeentwässerung, Kalt- und Warmwasserleitungen, Sanitärobjekte; Gas-Brennwerttherme mit Solarthermieunterstützung, Kaminofen, Fußbodenheizung; Elektroinstallation, Beleuchtung, Netzwerkinstallation, zentrales Patchfeld				

6100-1563
Ferienhaus
(1 WE)
Garage

Objektübersicht

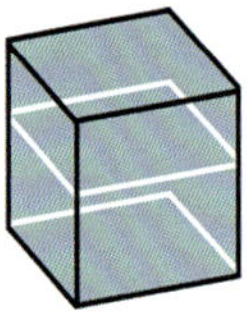

BRI 666 €/m³

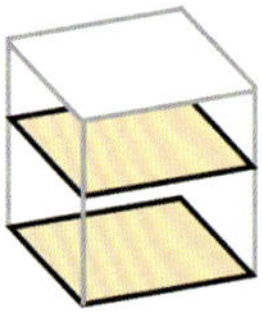

BGF 2.245 €/m²

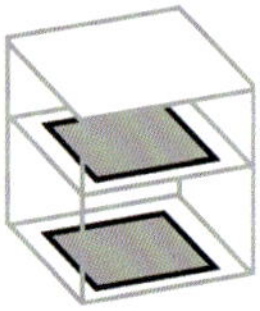

NUF 2.987 €/m²

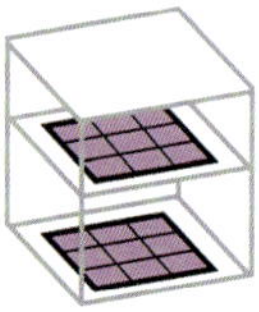

NE 3.833 €/NE

NE: Wohnfläche

Objekt:
Kennwerte: 3. Ebene DIN 276
BRI: 537 m³
BGF: 159 m²
NUF: 120 m²
Bauzeit: 35 Wochen
Bauende: 2019
Standard: Durchschnitt
Bundesland: Sachsen
Kreis: Bautzen

Architekt*in:
meyer-bassin und partner
freie architekten bda
Schanzenstraße 11
01097 Dresden

© Lür Meyer-Bassin

© Lür Meyer-Bassin

© Lür Meyer-Bassin

© Lür Meyer-Bassin

© Lür Meyer-Bassin

Zeichnungen

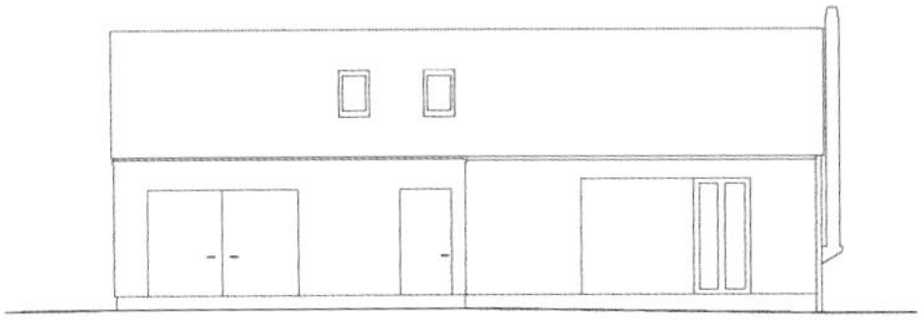

Ansicht Nord

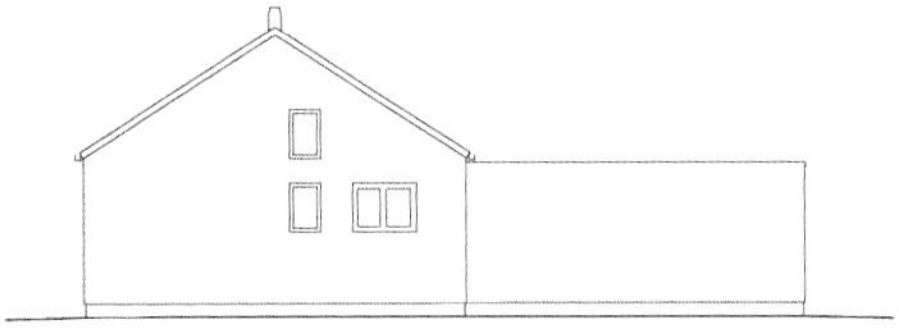

Ansicht Ost

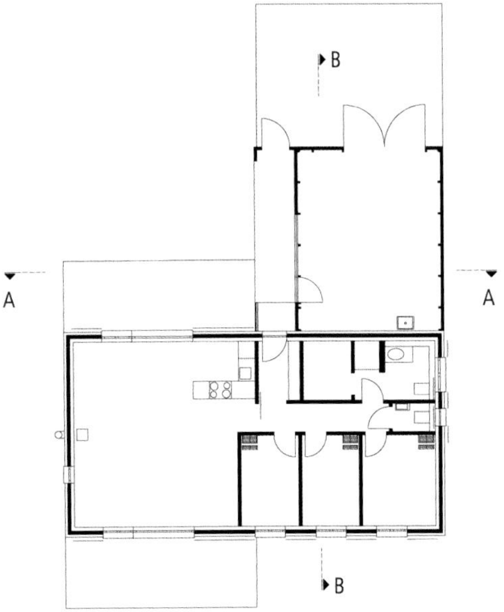

Erdgeschoss

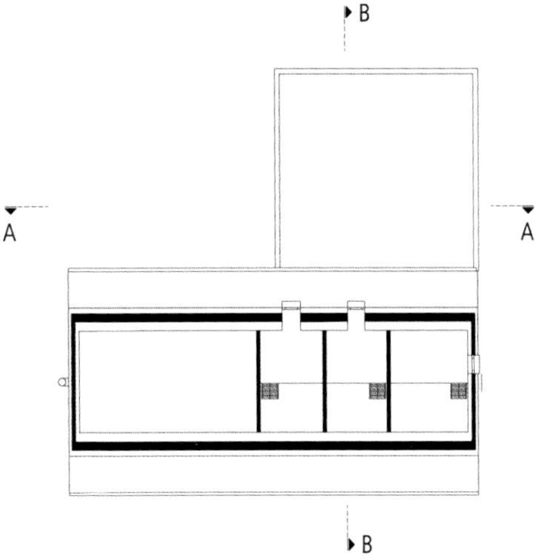

Dachgeschoss

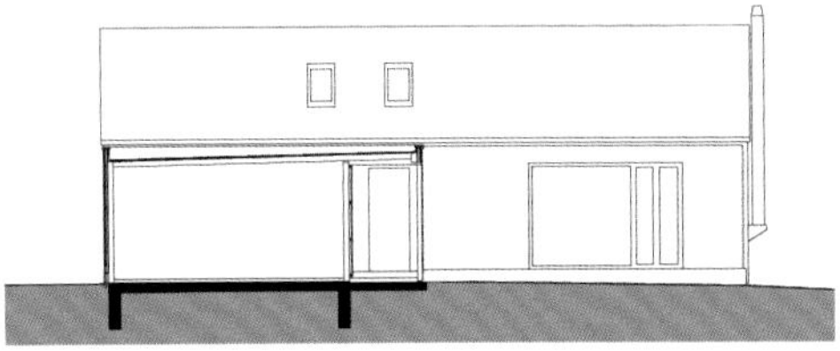

Schnitt A-A

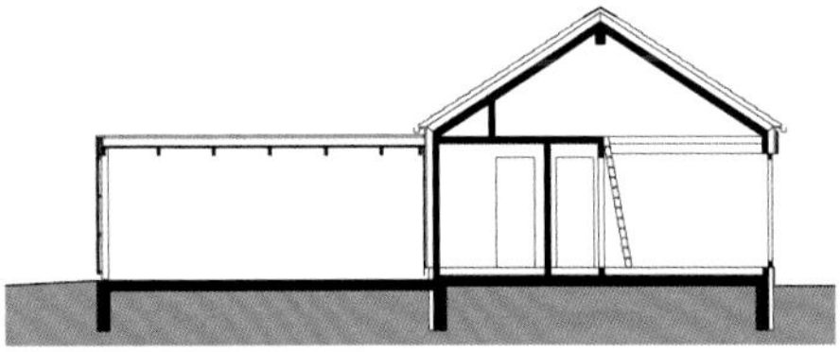

Schnitt B-B

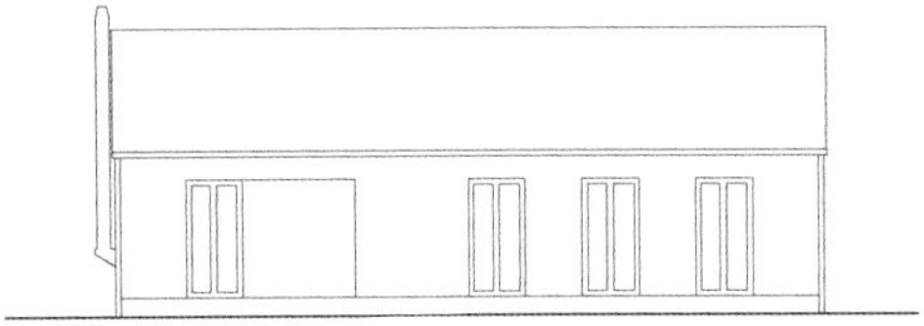

Ansicht Süd

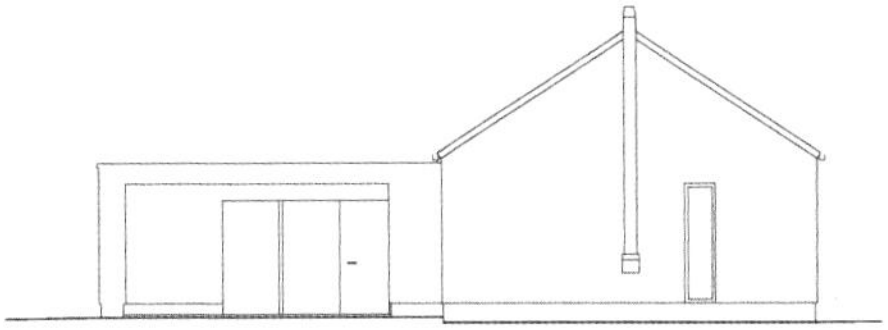

Ansicht West

Objektbeschreibung

Allgemeine Objektinformationen

Das neu erbaute Wohngebäude liegt in einem dörflichen Neubaugebiet und wird derzeit primär als Ferienhaus genutzt. Langfristig ist es zur dauerhaften und ganzjährigen Nutzung vorgesehen. Das eingeschossige Holzhaus mit Satteldach bietet Raum für eine Familie mit drei Kindern. Eine Garage mit Flachdach grenzt unmittelbar an das Wohnhaus. Im Inneren des Gebäudes sind die Massivholzwände prägendes Gestaltungselement in Verbindung mit einigen farbigen Wandflächen. Die Schlafräume sind mit einer Galerieebene ausgestattet, die die relativ kleinen Räume erweitert.

Nutzung

1 Erdgeschoss
Wohnen/Essen/Küche, 3 Schlafzimmer, Sauna, Bad/WC, Gäste/WC, Flur, Zugang, Garage

1 Obergeschoss
3 Galerien mit Leitertreppen

Nutzeinheiten

Wohneinheiten: 1
Wohnfläche: 93 m²

Grundstück

Bauraum: Freier Bauraum
Neigung: Ebenes Gelände
Bodenklasse: BK 1 bis BK 3

Markt

Hauptvergabezeit: 2. Quartal 2018
Baubeginn: 3. Quartal 2018
Bauende: 2. Quartal 2019
Konjunkturelle Gesamtlage: Durchschnitt
Regionaler Baumarkt: unter Durchschnitt

Baukonstruktion

Der Neubau ist nicht unterkellert. Die Tragkonstruktion ist in Massivholzbauweise errichtet. Die Außenwände und die Dachscheiben sind aus verleimten Massivholzscheiben gefertigt, die Dämmung der Wand- und Dachflächen besteht aus Holzfasertafeln. Eine klassische Boden-Deckelschalung aus unbehandelter Lärche bildet die Fassade. Alle Fenster besitzen Rahmen aus Lärchenholz und sind mit großformatigen Holzschiebeläden vor Witterungseinflüssen geschützt. Das Satteldach hat eine Deckung aus Tonziegeln erhalten. Die Fußböden in den Wohnräumen sind mit Lärchenholzdielen belegt. Teilweise wurden einzelne Wände farbig gestaltet. Die Galerieebenen sind über einfache Leitertreppen aus Holz erschlossen.

Technische Anlagen

Aktuell wird das Gebäude mit einem Kaminofen beheizt, zusätzlich decken elektrische Infrarot-Strahlungsheizkörper den Wärmebedarf ab. Langfristig ist die Nachrüstung einer Heizung mit Luft-Wärmepumpe möglich. Die Installation einer Photovoltaikanlage mit Speichermöglichkeit für den Eigenbedarf wurde vorbereitet. Für die Brauchwasser- und Gartennutzung ist eine Regenwasserzisterne mit Pumpanlage installiert worden.

Sonstiges

Das Holz für das Gebäude stammt aus Wäldern der Region.

Planungskennwerte für Flächen und Rauminhalte nach DIN 277

Flächen des Grundstücks		Menge Einheit	% an GF
BF	Bebaute Fläche	142,64 m²	12,5
UF	Unbebaute Fläche	997,36 m²	87,5
GF	Grundstücksfläche	1.140,00 m²	100,0

Grundflächen des Bauwerks		Menge Einheit	% an NUF	% an BGF
NUF	Nutzungsfläche	119,70 m²	100,0	75,1
TF	Technikfläche	–	–	–
VF	Verkehrsfläche	16,90 m²	14,1	10,6
NRF	Netto-Raumfläche	136,60 m²	114,1	85,7
KGF	Konstruktions-Grundfläche	22,71 m²	19,0	14,3
BGF	Brutto-Grundfläche	159,31 m²	133,1	100,0

Brutto-Rauminhalt des Bauwerks		Menge Einheit	BRI/NUF (m)	BRI/BGF (m)
BRI	Brutto-Rauminhalt	537,30 m³	4,49	3,37

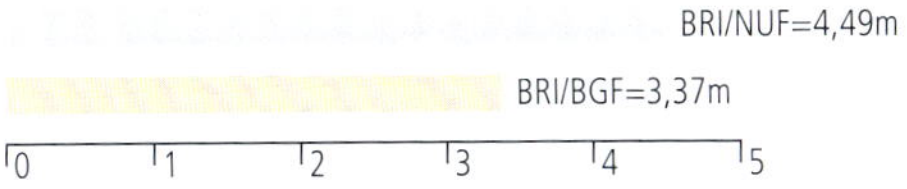

Lufttechnisch behandelte Flächen	Menge Einheit	% an NUF	% an BGF
Entlüftete Fläche	–	–	–
Be- und entlüftete Fläche	–	–	–
Teilklimatisierte Fläche	–	–	–
Klimatisierte Fläche	–	–	–

KG	Kostengruppen (2. Ebene)	Menge Einheit	Menge/NUF	Menge/BGF
310	Baugrube / Erdbau	50,00 m³ BGI	0,42	0,31
320	Gründung, Unterbau	136,88 m² GRF	1,14	0,86
330	Außenwände/Vertikale Baukonstruktionen, außen	177,50 m² AWF	1,48	1,11
340	Innenwände/Vertikale Baukonstruktionen, innen	124,50 m² IWF	1,04	0,78
350	Decken/Horizontale Baukonstruktionen	25,50 m² DEF	0,21	0,16
360	Dächer	151,98 m² DAF	1,27	0,95

Kostenkennwerte für die Kostengruppen der 1. Ebene DIN 276

KG	Kostengruppen (1. Ebene)	Einheit	Kosten €	€/Einheit	€/m² BGF	€/m³ BRI	% 300+400
100	Grundstück	m² GF	–	–	–	–	–
200	Vorbereitende Maßnahmen	m² GF	455	0,40	2,86	0,85	0,1
300	Bauwerk – Baukonstruktionen	m² BGF	317.442	1.992,61	1.992,61	590,81	88,8
400	Bauwerk – Technische Anlagen	m² BGF	40.156	252,06	252,06	74,74	11,2
	Bauwerk 300+400	**m² BGF**	**357.598**	**2.244,67**	**2.244,67**	**665,55**	**100,0**
500	Außenanlagen und Freiflächen	m² AF	10.385	173,08	65,19	19,33	2,9
600	Ausstattung und Kunstwerke	m² BGF	–	–	–	–	–
700	Baunebenkosten	m² BGF	–	–	–	–	–
800	Finanzierung	m² BGF	–	–	–	–	–

KG	Kostengruppe	Menge Einheit	Kosten €	€/Einheit	%
200	**Vorbereitende Maßnahmen**	1.140,00 m² GF	455	**0,40**	0,1

Geländeoberfläche abräumen, Oberboden lagern

KG	Kostengruppe	Menge Einheit	Kosten €	€/Einheit	%
3+4	**Bauwerk**				**100,0**
300	**Bauwerk – Baukonstruktionen**	159,31 m² BGF	317.442	**1.992,61**	88,8

Stb-Bodenplatte, Abdichtung, Wärmedämmung, Holzfaserplatten, Dielenboden, Bodenfliesen; Holzfenster, Holztüren, Perimeterdämmung, Sockelputz, Massivholz-Außenwände mit Holzbekleidung, Holzrahmen-Außenwände mit Holzbekleidung, Schiebeläden, Klappläden; GK-Wände, Holzinnentüren, Wandfliesen, Beschichtung, Massivholz-Innenwand mit Holzbekleidung; Holzelementdecke; Massivholz-Satteldach, Holzbalken-Flachdach, Dachflächenfenster, Dämmung, Ziegeldeckung, Dachabdichtung, Dachentwässerung

KG	Kostengruppe	Menge Einheit	Kosten €	€/Einheit	%
400	**Bauwerk – Technische Anlagen**	159,31 m² BGF	40.156	**252,06**	11,2

Gebäudeentwässerung, Kaltwasserleitungen, Sanitärobjekte, Durchlauferhitzer; Kaminofen mit Speicherelement, Infrarot-Elektroheizungen, Edelstahl-Schornstein * Elektroinstallation, Leuchten, Blitzschutz * Telefonanschluss

KG	Kostengruppe	Menge Einheit	Kosten €	€/Einheit	%
500	**Außenanlagen und Freiflächen**	60,00 m² AF	10.385	**173,08**	2,9

Abwasser-Sammelgrube, Regenwasserzisterne

Kostenkennwerte für die Kostengruppen 300 der 2. und 3.Ebene DIN 276 (Übersicht)

KG	Kostengruppe	Menge Einheit	€/Einheit	Kosten €	% an 3+4
300	**Bauwerk – Baukonstruktionen**	**159,31 m² BGF**	**1.992,61**	**317.442,31**	**88,8**
310	**Baugrube / Erdbau**	**50,00 m³ BGI**	**21,14**	**1.056,92**	**0,3**
311	Herstellung	50,00 m³ BGI	21,14	1.056,92	0,3
312	Umschließung	–	–	–	–
313	Wasserhaltung	–	–	–	–
314	Vortrieb	–	–	–	–
319	Sonstiges zur KG 310	–	–	–	–
320	**Gründung, Unterbau**	**136,88 m² GRF**	**266,34**	**36.457,18**	**10,2**
321	Baugrundverbesserung	–	–	–	–
322	Flachgründungen und Bodenplatten	136,88 m²	81,39	11.140,62	3,1
323	Tiefgründungen	–	–	–	–
324	Gründungsbeläge	82,00 m²	248,34	20.363,51	5,7
325	Abdichtungen und Bekleidungen	145,88 m²	33,95	4.953,05	1,4
326	Dränagen	–	–	–	–
329	Sonstiges zur KG 320	–	–	–	–
330	**Außenwände/Vert. Baukonstrukt., außen**	**177,50 m² AWF**	**798,87**	**141.799,11**	**39,7**
331	Tragende Außenwände	–	–	–	–
332	Nichttragende Außenwände	–	–	–	–
333	Außenstützen	–	–	–	–
334	Außenwandöffnungen	41,37 m²	948,13	39.224,19	11,0
335	Außenwandbekleidungen, außen	7,00 m²	108,19	757,34	0,2
336	Außenwandbekleidungen, innen	–	–	–	–
337	Element. Außenwandkonstruktionen	177,50 m²	460,15	81.676,96	22,8
338	Lichtschutz zur KG 330	27,72 m²	726,57	20.140,65	5,6
339	Sonstiges zur KG 330	–	–	–	–
340	**Innenwände/Vert. Baukonstrukt., innen**	**124,50 m² IWF**	**326,67**	**40.670,16**	**11,4**
341	Tragende Innenwände	–	–	–	–
342	Nichttragende Innenwände	110,00 m²	212,43	23.367,27	6,5
343	Innenstützen	–	–	–	–
344	Innenwandöffnungen	9,71 m²	583,37	5.664,55	1,6
345	Innenwandbekleidungen	162,00 m²	29,14	4.720,49	1,3
346	Elementierte Innenwandkonstruktionen	14,50 m²	477,09	6.917,83	1,9
347	Lichtschutz zur KG 340	–	–	–	–
349	Sonstiges zur KG 340	–	–	–	–
350	**Decken/Horizontale Baukonstruktionen**	**25,50 m² DEF**	**230,78**	**5.884,90**	**1,6**
351	Deckenkonstruktionen	25,50 m²	230,78	5.884,90	1,6
352	Deckenöffnungen	–	–	–	–
353	Deckenbeläge	–	–	–	–
354	Deckenbekleidungen	–	–	–	–
355	Elementierte Deckenkonstruktionen	–	–	–	–
359	Sonstiges zur KG 350	–	–	–	–
360	**Dächer**	**151,98 m² DAF**	**491,36**	**74.677,28**	**20,9**
361	Dachkonstruktionen	150,90 m²	205,41	30.997,09	8,7
362	Dachöffnungen	1,08 m²	2.185,41	2.360,24	0,7
363	Dachbeläge	150,90 m²	273,82	41.319,95	11,6
364	Dachbekleidungen	–	–	–	–
365	Elementierte Dachkonstruktionen	–	–	–	–
366	Lichtschutz zur KG 360	–	–	–	–
369	Sonstiges zur KG 360	–	–	–	–
370	**Infrastrukturanlagen**	**–**	**–**	**–**	**–**
380	**Baukonstruktive Einbauten**	**159,31 m² BGF**	**66,77**	**10.636,80**	**3,0**
390	**Sonst. Maßnahmen für Baukonstrukt.**	**159,31 m² BGF**	**39,29**	**6.259,92**	**1,8**

Kostenstand: 3. Quartal 2022, Bundesdurchschnitt, **inkl. 19% MwSt.**

6100-1563
Ferienhaus
(1 WE)
Garage

Kostenkennwerte für die Kostengruppen 400 der 2. und 3. Ebene DIN 276 (Übersicht)

KG	Kostengruppe	Menge Einheit	€/Einheit	Kosten €	% an 3+4
400	**Bauwerk – Technische Anlagen**	**159,31 m²BGF**	**252,06**	**40.155,55**	**11,2**
410	**Abwasser-, Wasser-, Gasanlagen**	**159,31 m²BGF**	**59,46**	**9.472,43**	**2,6**
411	Abwasseranlagen	159,31 m²BGF	3,26	518,94	0,1
412	Wasseranlagen	159,31 m²BGF	56,20	8.953,49	2,5
413	Gasanlagen	–	–	–	–
419	Sonstiges zur KG 410	–	–	–	–
420	**Wärmeversorgungsanlagen**	**159,31 m²BGF**	**123,46**	**19.668,68**	**5,5**
421	Wärmeerzeugungsanlagen	–	–	–	–
422	Wärmeverteilnetze	–	–	–	–
423	Raumheizflächen	159,31 m²BGF	101,73	16.207,00	4,5
424	Verkehrsheizflächen	–	–	–	–
429	Sonstiges zur KG 420	159,31 m²BGF	21,73	3.461,68	1,0
430	**Raumlufttechnische Anlagen**	**–**	**–**	**–**	**–**
431	Lüftungsanlagen	–	–	–	–
432	Teilklimaanlagen	–	–	–	–
433	Klimaanlagen	–	–	–	–
434	Kälteanlagen	–	–	–	–
439	Sonstiges zur KG 430	–	–	–	–
440	**Elektrische Anlagen**	**159,31 m²BGF**	**64,20**	**10.227,69**	**2,9**
441	Hoch- und Mittelspannungsanlagen	–	–	–	–
442	Eigenstromversorgungsanlagen	–	–	–	–
443	Niederspannungsschaltanlagen	–	–	–	–
444	Niederspannungsinstallationsanlagen	159,31 m²BGF	29,63	4.720,46	1,3
445	Beleuchtungsanlagen	159,31 m²BGF	19,75	3.146,98	0,9
446	Blitzschutz- und Erdungsanlagen	159,31 m²BGF	14,82	2.360,24	0,7
447	Fahrleitungssysteme	–	–	–	–
449	Sonstiges zur KG 440	–	–	–	–
450	**Kommunikationstechnische Anlagen**	**159,31 m²BGF**	**4,94**	**786,76**	**0,2**
451	Telekommunikationsanlagen	159,31 m²BGF	4,94	786,76	0,2
452	Such- und Signalanlagen	–	–	–	–
453	Zeitdienstanlagen	–	–	–	–
454	Elektroakustische Anlagen	–	–	–	–
455	Audiovisuelle Medien- u. Antennenanl.	–	–	–	–
456	Gefahrenmelde- und Alarmanlagen	–	–	–	–
457	Datenübertragungsnetze	–	–	–	–
458	Verkehrsbeeinflussungsanlagen	–	–	–	–
459	Sonstiges zur KG 450	–	–	–	–
460	**Förderanlagen**	**–**	**–**	**–**	**–**
461	Aufzugsanlagen	–	–	–	–
462	Fahrtreppen, Fahrsteige	–	–	–	–
463	Befahranlagen	–	–	–	–
464	Transportanlagen	–	–	–	–
465	Krananlagen	–	–	–	–
466	Hydraulikanlagen	–	–	–	–
469	Sonstiges zur KG 460	–	–	–	–
470	**Nutzungsspez. u. verfahrenstechn. Anl.**	**–**	**–**	**–**	**–**
480	**Gebäude- und Anlagenautomation**	**–**	**–**	**–**	**–**
490	**Sonst. Maßnahmen für techn. Anlagen**	**–**	**–**	**–**	**–**

Kostenkennwerte für Leistungsbereiche nach STLB (Kosten des Bauwerks nach DIN 276)

LB	Leistungsbereiche	Kosten €	€/m² BGF	€/m³ BRI	% an 3+4
000	Sicherheits-, Baustelleneinrichtungen inkl. 001	6.260	39,30	11,70	1,8
002	Erdarbeiten	1.057	6,60	2,00	0,3
006	Spezialtiefbauarbeiten inkl. 005	–	–	–	–
009	Entwässerungskanalarbeiten inkl. 011	–	–	–	–
010	Drän- und Versickerarbeiten	–	–	–	–
012	Mauerarbeiten	–	–	–	–
013	Betonarbeiten	16.851	105,80	31,40	4,7
014	Natur-, Betonwerksteinarbeiten	–	–	–	–
016	Zimmer- und Holzbauarbeiten	166.624	1.045,90	310,10	46,6
017	Stahlbauarbeiten	–	–	–	–
018	Abdichtungsarbeiten	1.387	8,70	2,60	0,4
019	Kampfmittelräumarbeiten	–	–	–	–
020	Dachdeckungsarbeiten	–	–	–	–
021	Dachabdichtungsarbeiten	3.461	21,70	6,40	1,0
022	Klempnerarbeiten	22.439	140,90	41,80	6,3
	Rohbau	**218.079**	**1.368,90**	**405,90**	**61,0**
023	Putz- und Stuckarbeiten, Wärmedämmsysteme	–	–	–	–
024	Fliesen- und Plattenarbeiten	1.605	10,10	3,00	0,4
025	Estricharbeiten	–	–	–	–
026	Fenster, Außentüren inkl. 029, 032	39.224	246,20	73,00	11,0
027	Tischlerarbeiten	5.665	35,60	10,50	1,6
028	Parkettarbeiten, Holzpflasterarbeiten	–	–	–	–
030	Rollladenarbeiten	20.141	126,40	37,50	5,6
031	Metallbauarbeiten inkl. 035	–	–	–	–
034	Maler- und Lackiererarbeiten inkl. 037	1.699	10,70	3,20	0,5
036	Bodenbelagarbeiten	–	–	–	–
038	Vorgehängte hinterlüftete Fassaden	–	–	–	–
039	Trockenbauarbeiten	20.392	128,00	38,00	5,7
	Ausbau	**88.726**	**556,90**	**165,10**	**24,8**
040	Wärmeversorgungsanl. - Betriebseinr. inkl. 041	19.669	123,50	36,60	5,5
042	Gas- und Wasserinstallation, Leitungen inkl. 043	1.526	9,60	2,80	0,4
044	Abwasseranlagen - Leitungen	–	–	–	–
045	GWE-Einrichtungsgegenstände inkl. 046	7.946	49,90	14,80	2,2
047	Dämmarbeiten an betriebstechnischen Anlagen	–	–	–	–
049	Feuerlöschanlagen, Feuerlöschgeräte	–	–	–	–
050	Blitzschutz- und Erdungsanlagen	2.360	14,80	4,40	0,7
053	Niederspannungsanlagen inkl. 052, 054	4.720	29,60	8,80	1,3
055	Sicherheits- u. Ersatzstromversorgungsanl.	–	–	–	–
057	Gebäudesystemtechnik	–	–	–	–
058	Leuchten und Lampen inkl. 059	3.147	19,80	5,90	0,9
060	Sprechanlagen, elektroakust. Anlagen inkl. 064	–	–	–	–
061	Kommunikationsnetze inkl. 063	787	4,90	1,50	0,2
069	Aufzüge	–	–	–	–
070	Gebäudeautomation	–	–	–	–
075	Raumlufttechnische Anlagen inkl. 078	–	–	–	–
	Gebäudetechnik	**40.156**	**252,10**	**74,70**	**11,2**
084	Abbruch, Rückbau, Schadstoffsanierung	–	–	–	–
	Abbrucharbeiten	**–**	**–**	**–**	**–**
	Sonstige Leistungsbereiche	**10.637**	**66,80**	**19,80**	**3,0**

6100-1565
Einfamilienhaus

Objektübersicht

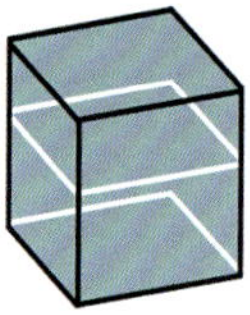

BRI 579 €/m³

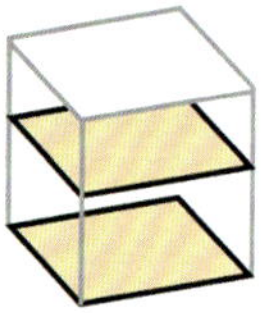

BGF 1.853 €/m²

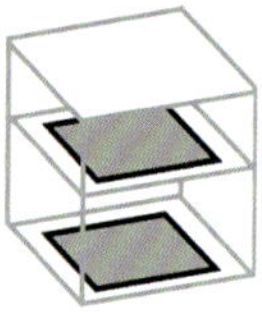

NUF 3.064 €/m²

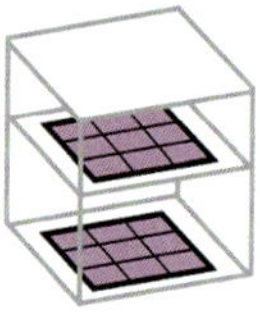

NE 2.215 €/NE
NE: Wohnfläche

Objekt:
Kennwerte: 1. Ebene DIN 276
BRI: 646 m³
BGF: 202 m²
NUF: 122 m²
Bauzeit: 39 Wochen
Bauende: 2019
Standard: Durchschnitt
Bundesland: Hessen
Kreis: Kassel

Architekt*in:
Nina und Michael Bohl
Dipl. Ing. M. Sc. Architekten
Herderstraße 29
34466 Wolfhagen

Bauherr*in:
Nina und Michael Bohl
Herderstraße 29
34466 Wolfhagen

© Michael Bohl

© Michael Bohl

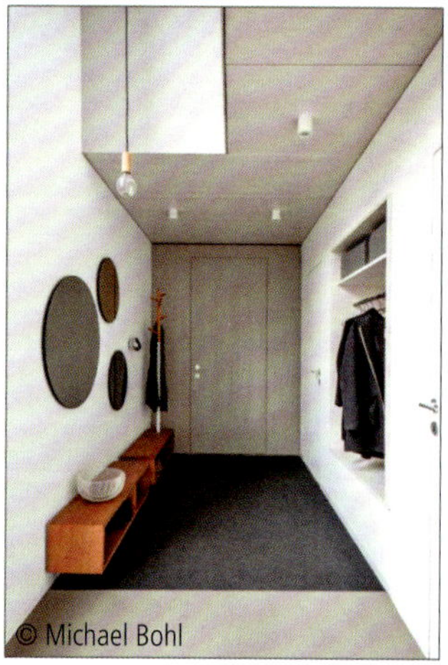

© Michael Bohl

© Michael Bohl

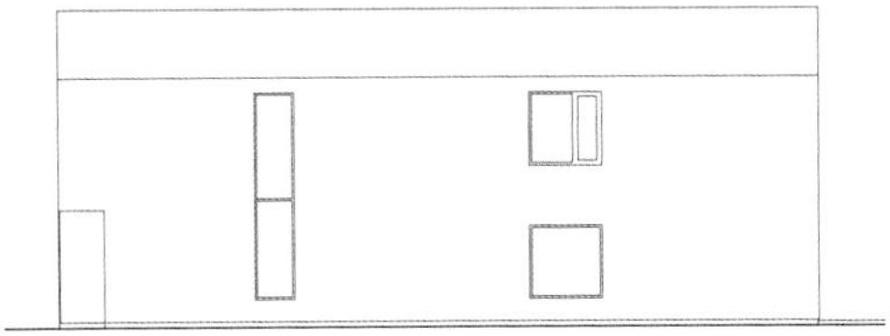

Ansicht Nord

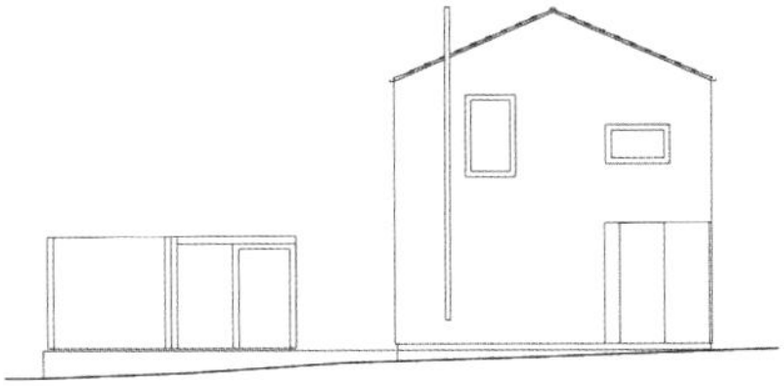

Ansicht Ost

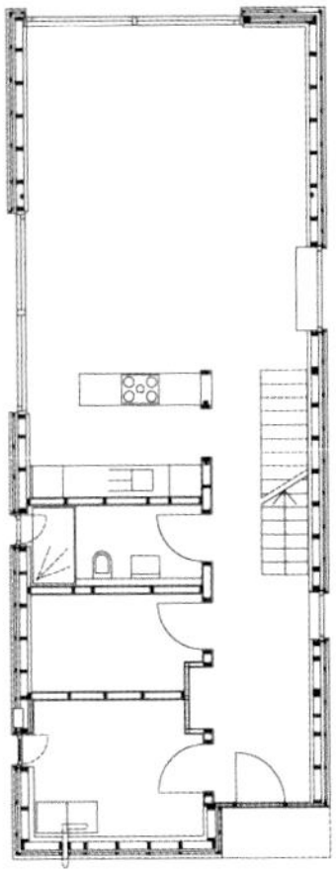

Erdgeschoss

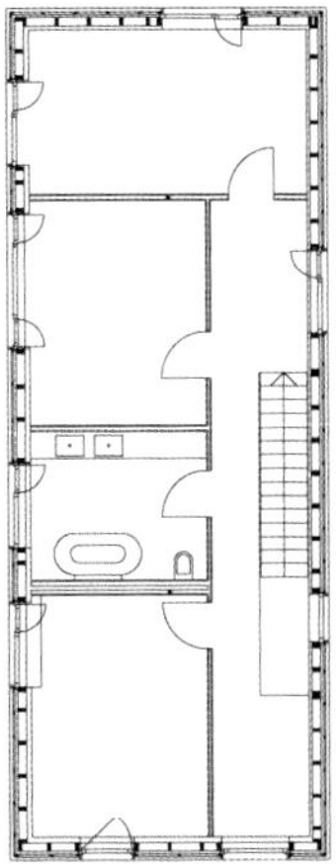

Obergeschoss

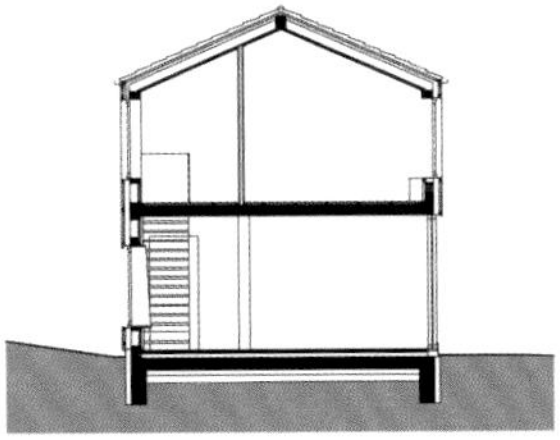

Querschnitt 1

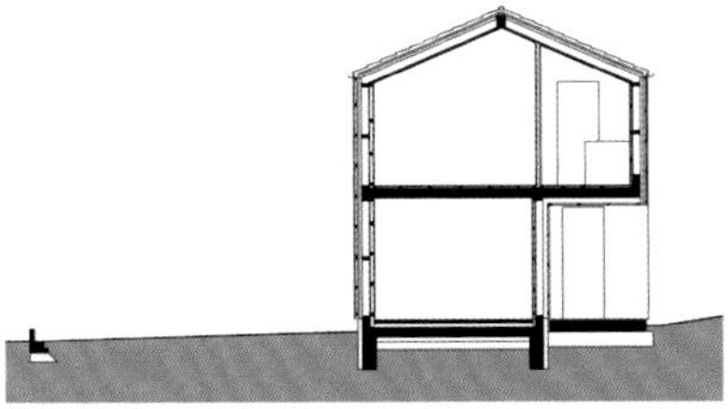

Querschnitt 2

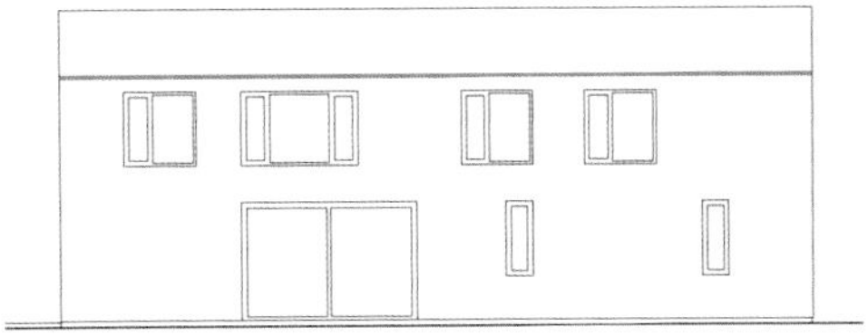

Ansicht Süd

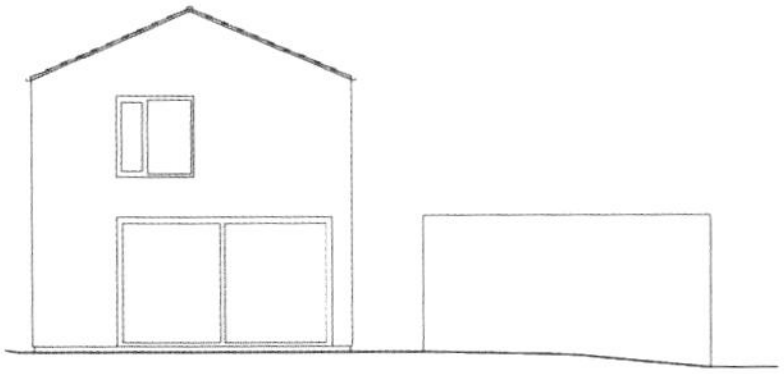

Ansicht West

Objektbeschreibung

Allgemeine Objektinformationen

Am Stadtrand gelegen, erstreckt sich das längliche Einfamilienhaus auf einem schmalen Grundstück. Der zweigeschossige skulpturale Baukörper hebt sich durch seine einheitlich dunkel gestaltete Außenhaut deutlich von den benachbarten Neubauten ab. Die Wohnräume mit großzügigen Verglasungen zu den Terrassen sind nach Süd-Osten ausgerichtet. Das Erdgeschoss ist weitestgehend offen gestaltet und erlaubt eine flexible Nutzung.

Nutzung

1 Erdgeschoss
Wohnen/Kochen/Essen, Duschbad, Diele, Hauswirtschaftsraum, Vorratsraum

1 Obergeschoss
Schlafzimmer, Kinderzimmer (2St), Arbeitsbereich, Bad

Nutzeinheiten

Wohneinheiten: 1
Wohnfläche: 169 m^2

Grundstück

Bauraum: Freier Bauraum
Neigung: Geneigtes Gelände
Bodenklasse: BK 1 bis BK 3

Markt

Hauptvergabezeit: 4. Quartal 2018
Baubeginn: 1. Quartal 2019
Bauende: 4. Quartal 2019
Konjunkturelle Gesamtlage: Durchschnitt
Regionaler Baumarkt: unter Durchschnitt

Baukonstruktion

Das nicht unterkellerte Wohngebäude wurde in Holzbauweise errichtet. Die Stahlbetonbodenplatte mit Sockelaufkantung gründet auf Streifenfundamenten. Schwarz beschichtete, sägeraue Lärchenholzschalung bekleidet die Holzrahmen-Außenwände. Die Fensterelemente haben schwarze Kunststoffrahmen und sind dreifach verglast. Über dem Erdgeschoss spannt eine Decke aus Brettschichtholz. Das Holz-Sparrendach und die Außenwände sind mit Zellulose-Einblasdämmung isoliert. Als Dacheindeckung wurden schwarze Beton-Flachziegel verwendet. Die Innenwände entstanden in Trockenbauweise und sind mit einer Sol-Silikatbeschichtung versehen. Alle Innentüren sind stumpfeinschlagend und mit bündig eingebauten Alu-Zargen ausgeführt. Die Fußböden im Erdgeschoss bestehen aus einer Zementspachtelung mit Versiegelung, im Obergeschoss sind die Böden mit Dielen aus geöltem Lärchenholz belegt.

Technische Anlagen

Der Neubau wird über eine Brennstoffzelle mit Erdgasanschluss beheizt. Die Wärmeverteilung im Gebäude ist im Erdgeschoss mittels Fußbodenheizung geregelt, im Obergeschoss wurden Heizkörper in den einzelnen Räumen montiert. Die Warmwasserbereitung erfolgt zentral.

Sonstiges

Wichtiger Aspekt bei der Ausführung war der Einsatz natürlicher und heimischer Baustoffe, um ein ressourceneffizientes nachhaltiges Wohngebäude zu realisieren.

Planungskennwerte für Flächen und Rauminhalte nach DIN 277

Flächen des Grundstücks		Menge Einheit	% an GF
BF	Bebaute Fläche	101,89 m²	15,7
UF	Unbebaute Fläche	548,11 m²	84,3
GF	Grundstücksfläche	650,00 m²	100,0

Grundflächen des Bauwerks		Menge Einheit	% an NUF	% an BGF
NUF	Nutzungsfläche	121,89 m²	100,0	60,5
TF	Technikfläche	8,43 m²	6,9	4,2
VF	Verkehrsfläche	27,72 m²	22,7	13,8
NRF	Netto-Raumfläche	158,04 m²	129,7	78,4
KGF	Konstruktions-Grundfläche	43,51 m²	35,7	21,6
BGF	Brutto-Grundfläche	201,55 m²	165,4	100,0

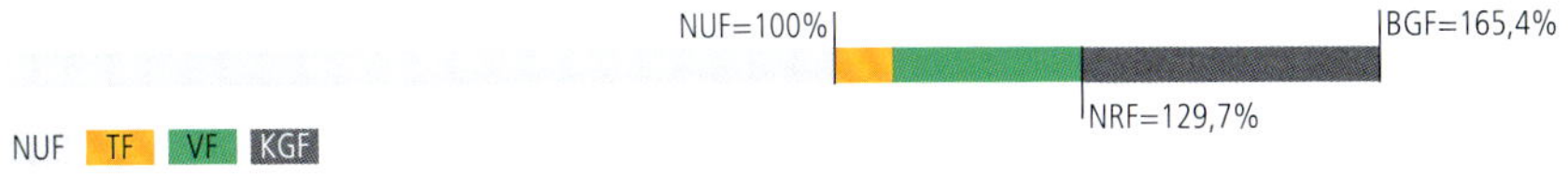

Brutto-Rauminhalt des Bauwerks		Menge Einheit	BRI/NUF (m)	BRI/BGF (m)
BRI	Brutto-Rauminhalt	645,55 m³	5,30	3,20

Kostenkennwerte für die Kostengruppen der 1. Ebene DIN 276

KG	Kostengruppen (1. Ebene)	Einheit	Kosten €	€/Einheit	€/m² BGF	€/m³ BRI	% 300+400
100	Grundstück	m² GF	–	–	–	–	–
200	Vorbereitende Maßnahmen	m² GF	9.459	14,55	46,93	14,65	2,5
300	Bauwerk – Baukonstruktionen	m² BGF	300.312	1.490,01	1.490,01	465,20	80,4
400	Bauwerk – Technische Anlagen	m² BGF	73.146	362,92	362,92	113,31	19,6
	Bauwerk 300+400	**m² BGF**	**373.459**	**1.852,93**	**1.852,93**	**578,51**	**100,0**
500	Außenanlagen und Freiflächen	m² AF	17.944	32,74	89,03	27,80	4,8
600	Ausstattung und Kunstwerke	m² BGF	–	–	–	–	–
700	Baunebenkosten	m² BGF	–	–	–	–	–
800	Finanzierung	m² BGF	–	–	–	–	–

KG	Kostengruppe	Menge Einheit	Kosten €	€/Einheit	%
200	**Vorbereitende Maßnahmen**	650,00 m² GF	9.459	**14,55**	2,5

Wasser-, Strom-, Gasanschlüsse

KG	Kostengruppe	Menge Einheit	Kosten €	€/Einheit	%
3+4	**Bauwerk**				**100,0**
300	**Bauwerk – Baukonstruktionen**	201,55 m² BGF	300.312	**1.490,01**	80,4

Baugrubenaushub; Stb-Fundamente, Stb-Bodenplatte, Stb-Sockel, Zement-Heizestrich, Zementspachtelung mit Versiegelung, Perimeterdämmung; Holzrahmenwände, Einblasdämmung, Holz-Haustür, Kunststofffenster mit Dreifachverglasung, hinterlüftete und beschichtete Lärchenholzbekleidung, GK-Installationsebene, Silikatbeschichtung, Sonnenschutz; Holzrahmen-Innenwände, Holztüren, Aluzargen, GK-Bekleidung, Silikatbeschichtung, Wandfliesen; BSH-Elementdecken, Holz-Stahlwangentreppe, mineralische TSD, geölte Lärchenholzdielen, Bodenfliesen, Lasur; Sparrendach, Einblasdämmung, OSB-Schalung, Holzfaserdämmung, Bitumendachbahn, Betonsteindeckung, Dachentwässerung; Holzgarderobe

KG	Kostengruppe	Menge Einheit	Kosten €	€/Einheit	%
400	**Bauwerk – Technische Anlagen**	201,55 m² BGF	73.146	**362,92**	19,6

Gebäudeentwässerung, Kalt- und Warmwasserleitungen, Sanitärobjekte; Brennstoffzelle, Heizungsrohre, Fußbodenheizung (EG), Heizkörper (OG); Elektroinstallation, Vorrichtung für Photovoltaikanlage

KG	Kostengruppe	Menge Einheit	Kosten €	€/Einheit	%
500	**Außenanlagen und Freiflächen**	548,11 m² AF	17.944	**32,74**	4,8

Gartenmodellierung; Eingangspodest; Betonplatten, Lärchenholzterrasse, Blumen-Schotterrasen; Zisterne 2.000l; Oberbodenarbeiten, Pflanzen, Rasen

Ein- und Zweifamilienhäuser, Passivhausstandard

6

Ein- und Zweifamilienhäuser, Passivhausstandard

Kostenkennwerte für die Kosten des Bauwerks (Kostengruppen 300+400 nach DIN 276)

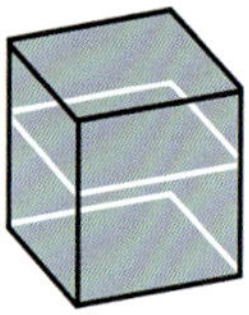

BRI 660 €/m³
von 545 €/m³
bis 735 €/m³

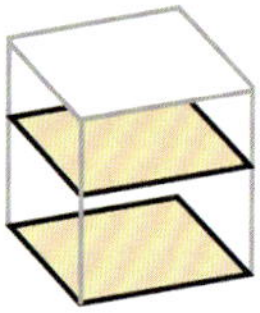

BGF 2.010 €/m²
von 1.675 €/m²
bis 2.335 €/m²

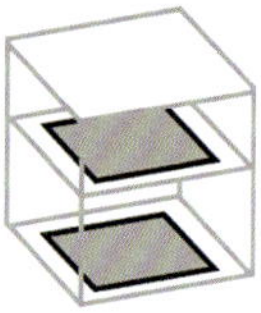

NUF 3.045 €/m²
von 2.600 €/m²
bis 3.570 €/m²

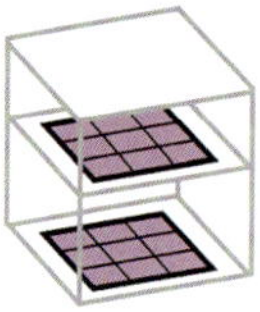

NE 3.505 €/NE
von 2.935 €/NE
bis 4.765 €/NE
NE: Wohnfläche

Objektbeispiele

Kosten:
Stand 3. Quartal 2022
Bundesdurchschnitt
inkl. 19% MwSt.

6100-1474

6100-1559

6100-0587

Kosten der 29 Vergleichsobjekte

Seiten 688 bis 777

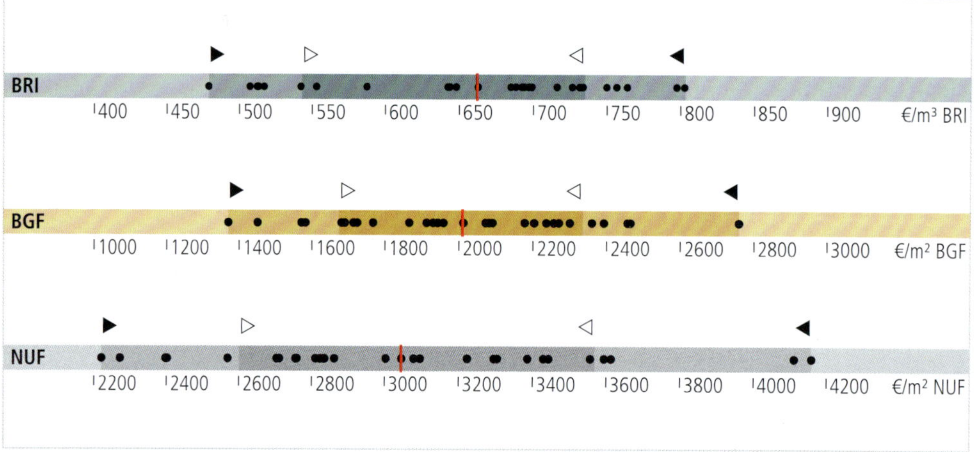

- ● KKW
- ▶ min
- ▷ von
- | Mittelwert
- ◁ bis
- ◀ max

Kostenkennwerte für die Kostengruppen der 1. und 2. Ebene DIN 276

KG	Kostengruppen der 1. Ebene	Einheit	▷	€/Einheit	◁	▷	% an 300+400	◁
100	Grundstück	m² GF	–	**–**	–	–	**–**	–
200	Vorbereitende Maßnahmen	m² GF	6	**14**	36	0,5	**1,4**	2,6
300	Bauwerk – Baukonstruktionen	m² BGF	1.342	**1.597**	1.846	75,8	**79,6**	83,2
400	Bauwerk – Technische Anlagen	m² BGF	304	**413**	532	16,8	**20,4**	24,2
	Bauwerk 300+400	m² BGF	1.674	**2.010**	2.335	100,0	**100,0**	100,0
500	Außenanlagen und Freiflächen	m² AF	39	**89**	170	2,1	**4,5**	9,1
600	Ausstattung und Kunstwerke	m² BGF	–	**2**	–	0,1	**0,1**	0,1
700	Baunebenkosten*	m² BGF	500	**557**	614	24,9	**27,7**	30,6 ◁
800	Finanzierung	m² BGF	–	**–**	–	–	**–**	–

* Auf Grundlage der HOAI 2021 berechnete Werte nach §§ 35, 52, 56. Weitere Informationen siehe Seite 56

KG	Kostengruppen der 2. Ebene	Einheit	▷	€/Einheit	◁	▷	% an 1. Ebene	◁
310	Baugrube / Erdbau	m³ BGI	33	**50**	83	1,2	**2,2**	3,8
320	Gründung, Unterbau	m² GRF	280	**435**	537	6,7	**11,6**	14,9
330	Außenwände / vertikal außen	m² AWF	516	**622**	761	40,1	**43,5**	47,3
340	Innenwände / vertikal innen	m² IWF	220	**269**	359	7,7	**10,4**	12,4
350	Decken / horizontal	m² DEF	379	**466**	533	10,2	**13,5**	17,3
360	Dächer	m² DAF	390	**473**	580	12,0	**14,6**	17,2
370	Infrastrukturanlagen		–	**–**	–	–	**–**	–
380	Baukonstruktive Einbauten	m² BGF	15	**62**	95	< 0,1	**1,2**	5,8
390	Sonst. Maßnahmen für Baukonst.	m² BGF	31	**49**	62	2,3	**3,0**	4,4
300	**Bauwerk – Baukonstruktionen**	**m² BGF**					**100,0**	
410	Abwasser-, Wasser-, Gasanlagen	m² BGF	87	**123**	176	18,6	**27,2**	37,0
420	Wärmeversorgungsanlagen	m² BGF	81	**137**	222	7,8	**23,8**	42,3
430	Raumlufttechnische Anlagen	m² BGF	71	**112**	184	11,4	**23,3**	37,8
440	Elektrische Anlagen	m² BGF	66	**111**	219	16,1	**23,0**	42,9
450	Kommunikationstechnische Anlagen	m² BGF	8	**15**	22	0,7	**2,5**	4,2
460	Förderanlagen	m² BGF	–	**–**	–	–	**–**	–
470	Nutzungsspez. / verfahrenstech. Anl.	m² BGF	–	**10**	–	0,0	**0,1**	2,2
480	Gebäude- und Anlagenautomation	m² BGF	–	**–**	–	–	**–**	–
490	Sonst. Maßnahmen f. techn. Anl.	m² BGF	–	**–**	–	–	**–**	–
400	**Bauwerk – Technische Anlagen**	**m² BGF**					**100,0**	

Prozentanteile der Kosten 2. Ebene an den Kosten des Bauwerks nach DIN 276 (Von/Mittel/Bis)

KG	Kostengruppe	%
310	Baugrube / Erdbau	1,7
320	Gründung, Unterbau	9,0
330	Außenwände / vertikal außen	34,0
340	Innenwände / vertikal innen	8,1
350	Decken / horizontal	10,5
360	Dächer	11,4
370	Infrastrukturanlagen	
380	Baukonstruktive Einbauten	1,0
390	Sonst. Maßnahmen für Baukonst.	2,3
410	Abwasser-, Wasser-, Gasanlagen	5,9
420	Wärmeversorgungsanlagen	5,2
430	Raumlufttechnische Anlagen	5,0
440	Elektrische Anlagen	5,3
450	Kommunikationstechnische Anlagen	0,6
460	Förderanlagen	
470	Nutzungsspez. / verfahrenstech. Anl.	< 0,1
480	Gebäude- und Anlagenautomation	
490	Sonst. Maßnahmen f. techn. Anl.	

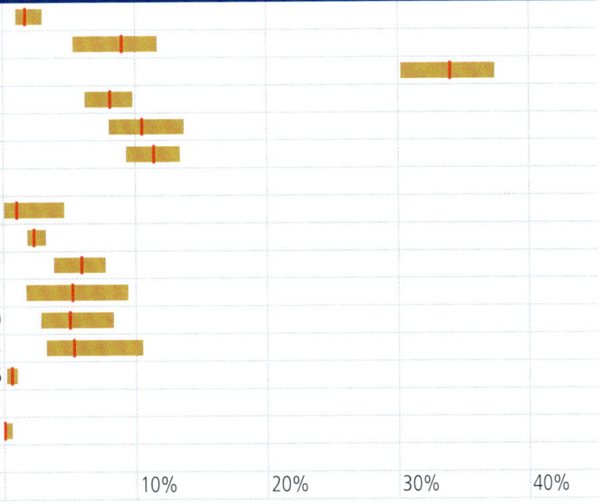

Kosten:
Stand 3. Quartal 2022
Bundesdurchschnitt
inkl. 19% MwSt.

Prozentanteile der Kosten für Leistungsbereiche nach STLB (Kosten Bauwerk nach DIN 276)

LB	Leistungsbereiche	▷	% an 300+400	◁
000	Sicherheits-, Baustelleneinrichtungen inkl. 001	1,2	**2,1**	2,5
002	Erdarbeiten	1,1	**2,0**	3,0
006	Spezialtiefbauarbeiten inkl. 005	–	**–**	–
009	Entwässerungskanalarbeiten inkl. 011	0,1	**0,6**	1,2
010	Drän- und Versickerarbeiten	< 0,1	**0,3**	1,0
012	Mauerarbeiten	0,3	**0,9**	1,7
013	Betonarbeiten	4,3	**7,5**	11,3
014	Natur-, Betonwerksteinarbeiten	< 0,1	**0,2**	1,4
016	Zimmer- und Holzbauarbeiten	23,5	**28,5**	44,0
017	Stahlbauarbeiten	0,0	**0,5**	3,4
018	Abdichtungsarbeiten	0,3	**1,0**	2,4
020	Dachdeckungsarbeiten	0,2	**1,4**	3,5
021	Dachabdichtungsarbeiten	0,3	**1,4**	2,8
022	Klempnerarbeiten	0,8	**1,3**	1,9
	Rohbau	41,8	**47,6**	59,3
023	Putz- und Stuckarbeiten, Wärmedämmsysteme	0,4	**2,3**	4,4
024	Fliesen- und Plattenarbeiten	1,1	**2,0**	3,1
025	Estricharbeiten	1,0	**1,8**	2,8
026	Fenster, Außentüren inkl. 029, 032	5,3	**9,3**	12,2
027	Tischlerarbeiten	1,4	**3,4**	6,4
028	Parkettarbeiten, Holzpflasterarbeiten	0,7	**2,1**	3,1
030	Rollladenarbeiten	0,9	**2,2**	2,9
031	Metallbauarbeiten inkl. 035	0,4	**1,7**	3,3
034	Maler- und Lackiererarbeiten inkl. 037	1,0	**2,1**	3,6
036	Bodenbelagarbeiten	< 0,1	**0,7**	1,8
038	Vorgehängte hinterlüftete Fassaden	0,0	**0,4**	3,0
039	Trockenbauarbeiten	0,9	**3,2**	6,3
	Ausbau	16,7	**31,1**	36,2
040	Wärmeversorgungsanl. - Betriebseinr. inkl. 041	1,3	**4,9**	9,0
042	Gas- und Wasserinstallation, Leitungen inkl. 043	1,0	**1,7**	2,4
044	Abwasseranlagen - Leitungen	0,3	**0,7**	1,1
045	GWE-Einrichtungsgegenstände inkl. 046	1,1	**2,5**	4,3
047	Dämmarbeiten an betriebstechnischen Anlagen	< 0,1	**0,3**	0,6
049	Feuerlöschanlagen, Feuerlöschgeräte	–	**–**	–
050	Blitzschutz- und Erdungsanlagen	< 0,1	**< 0,1**	0,2
052	Mittelspannungsanlagen	–	**–**	–
053	Niederspannungsanlagen inkl. 054	3,0	**5,1**	9,5
055	Sicherheits- u. Ersatzstromversorgungsanl.	–	**–**	–
057	Gebäudesystemtechnik	–	**–**	–
058	Leuchten und Lampen inkl. 059	< 0,1	**0,2**	0,7
060	Sprechanlagen, elektroakust. Anlagen inkl. 064	< 0,1	**0,1**	0,3
061	Kommunikationsnetze inkl. 062	< 0,1	**0,4**	0,7
063	Gefahrenmeldeanlagen	< 0,1	**< 0,1**	0,2
069	Aufzüge	–	**–**	–
070	Gebäudeautomation	–	**–**	–
075	Raumlufttechnische Anlagen inkl. 078	2,7	**4,8**	7,8
	Gebäudetechnik	17,9	**20,9**	24,7
	Sonstige Leistungsbereiche inkl. 008, 033, 051	< 0,1	**0,4**	2,4

- ● KKW
- ▶ min
- ▷ von
- | Mittelwert
- ◁ bis
- ◀ max

Planungskennwerte für Flächen und Rauminhalte nach DIN 277

Grundflächen		▷	Fläche/NUF (%)	◁	▷	Fläche/BGF (%)	◁
NUF	Nutzungsfläche	100,0	**100,0**	100,0	62,5	**66,1**	68,3
TF	Technikfläche	4,3	**5,8**	10,7	2,9	**3,8**	6,5
VF	Verkehrsfläche	9,3	**12,8**	15,4	6,1	**8,4**	10,1
NRF	Netto-Raumfläche	115,2	**118,6**	121,2	74,4	**78,3**	81,4
KGF	Konstruktions-Grundfläche	28,4	**33,6**	43,2	18,6	**21,7**	25,6
BGF	Brutto-Grundfläche	147,4	**152,2**	163,0	100,0	**100,0**	100,0

Brutto-Rauminhalte		▷	BRI/NUF (m)	◁	▷	BRI/BGF (m)	◁
BRI	Brutto-Rauminhalt	4,36	**4,62**	4,88	2,86	**3,05**	3,23

Flächen von Nutzeinheiten	▷	NUF/Einheit (m²)	◁	▷	BGF/Einheit (m²)	◁
Nutzeinheit: Wohnfläche	1,08	**1,16**	1,47	1,61	**1,77**	2,23

Lufttechnisch behandelte Flächen	▷	Fläche/NUF (%)	◁	▷	Fläche/BGF (%)	◁
Entlüftete Fläche	–	**–**	–	–	**–**	–
Be- und entlüftete Fläche	91,7	**101,1**	108,3	58,1	**64,6**	69,5
Teilklimatisierte Fläche	7,4	**7,4**	7,4	4,6	**4,6**	4,6
Klimatisierte Fläche	–	**–**	–	–	**–**	–

KG	Kostengruppen (2. Ebene)	Einheit	▷	Menge/NUF	◁	▷	Menge/BGF	◁
310	Baugrube / Erdbau	m³ BGI	0,96	**1,23**	1,70	0,64	**0,82**	1,08
320	Gründung, Unterbau	m² GRF	0,57	**0,64**	0,71	0,38	**0,44**	0,48
330	Außenwände / vertikal außen	m² AWF	1,60	**1,74**	1,92	1,09	**1,17**	1,30
340	Innenwände / vertikal innen	m² IWF	0,81	**0,96**	1,07	0,54	**0,65**	0,71
350	Decken / horizontal	m² DEF	0,61	**0,70**	0,83	0,40	**0,47**	0,53
360	Dächer	m² DAF	0,66	**0,78**	0,92	0,45	**0,53**	0,63
370	Infrastrukturanlagen		–	**–**	–	–	**–**	–
380	Baukonstruktive Einbauten	m² BGF	1,47	**1,52**	1,63	1,00	**1,00**	1,00
390	Sonst. Maßnahmen für Baukonst.	m² BGF	1,47	**1,52**	1,63	1,00	**1,00**	1,00
300	**Bauwerk – Baukonstruktionen**	**m² BGF**	1,47	**1,52**	1,63	1,00	**1,00**	1,00

Planungskennwerte für Bauzeiten

29 Vergleichsobjekte

Bauzeit in Wochen

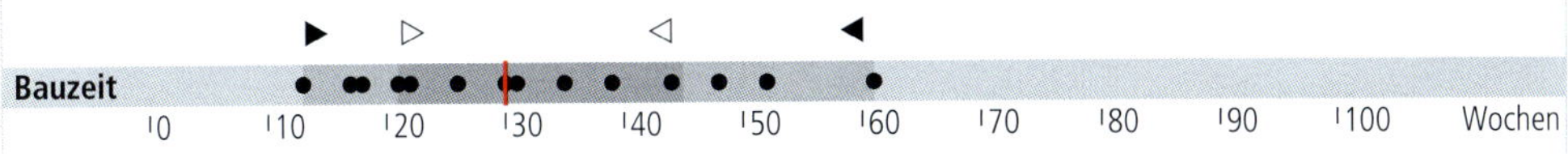

6100-0947
Doppelhaushälfte
Passivhaus

Objektübersicht

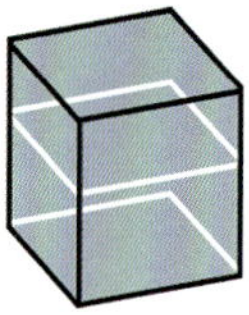

BRI 644€/m³

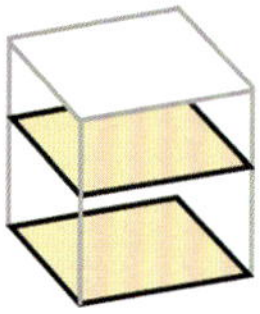

BGF 1.767€/m²

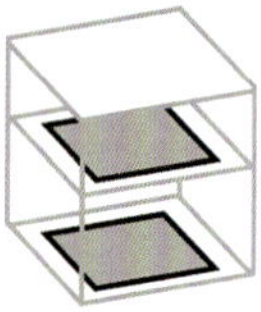

NUF 2.397€/m²

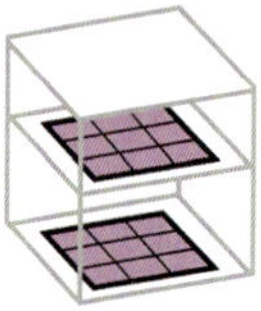

NE 2.206€/NE

NE: Wohnfläche

Objekt:
Kennwerte: 1. Ebene DIN 276
BRI: 542 m³
BGF: 198 m²
NUF: 146 m²
Bauzeit: 13 Wochen
Bauende: 2011
Standard: über Durchschnitt
Bundesland: Hamburg
Kreis: Hamburg, Stadt

Architekt*in:
Architekturbüro
Thyroff-Krause
Otto-Modersohn-Weg 10
24568 Kaltenkirchen

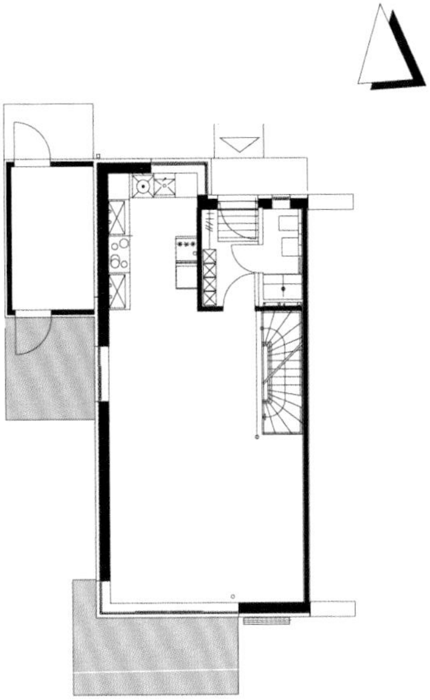

Erdgeschoss

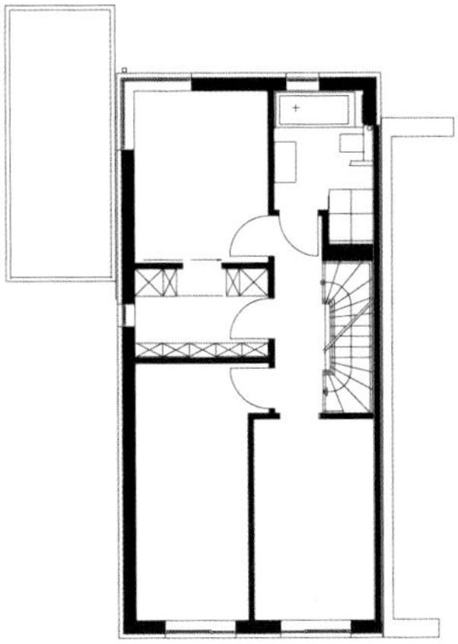

Obergeschoss

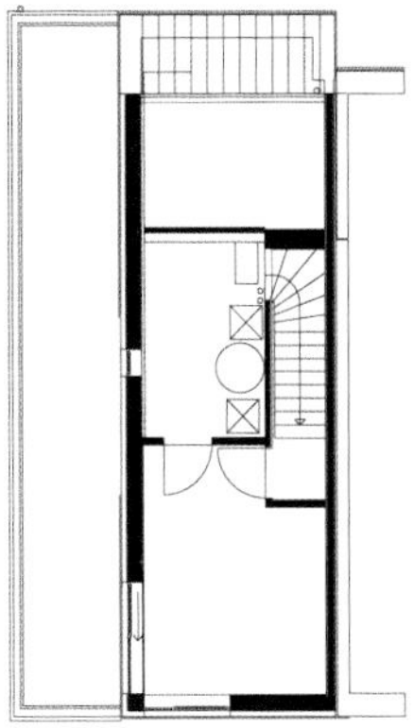

Dachgeschoss

Ansicht Nord

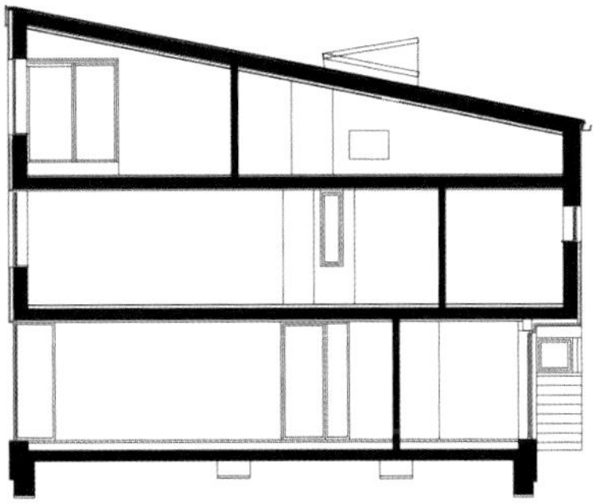

Schnitt

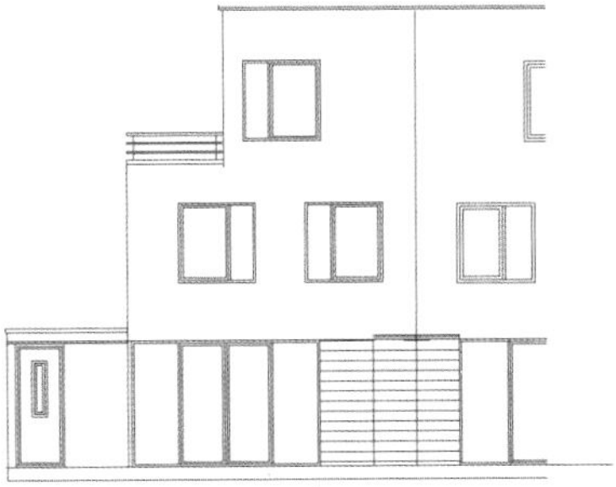

Ansicht Süd

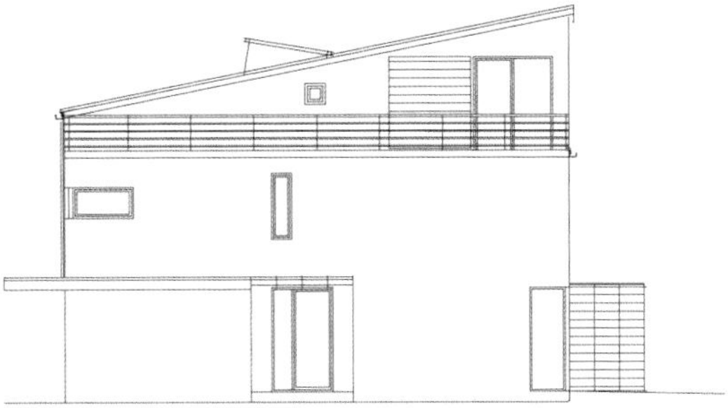

Ansicht West

Objektbeschreibung

Allgemeine Objektinformationen

Die Doppelhaushälfte ist aufgrund der Nord-Südlage des Grundstückes optimal nach Süden ausgerichtet. Im Dachgeschoss vergrößert eine großzügige Dachterrasse nach Westen den Außenbereich.

Nutzung

1 Erdgeschoss
Wohnen, Essen, Kochen

1 Obergeschoss
Drei Schlafzimmer, Bad

1 Dachgeschoss
Studio, Technik

Nutzeinheiten

Wohneinheiten: 1
Wohnfläche: 158 m²

Grundstück

Bauraum: Beengter Bauraum
Neigung: Ebenes Gelände
Bodenklasse: BK 1 bis BK 3

Markt

Hauptvergabezeit: 1. Quartal 2011
Baubeginn: 2. Quartal 2011
Bauende: 3. Quartal 2011
Konjunkturelle Gesamtlage: über Durchschnitt
Regionaler Baumarkt: über Durchschnitt

Baukonstruktion

Der Holzbau ist vorgefertigt und konnte innerhalb weniger Tage auf einer Stahlbeton-Flachgründung aufgestellt werden. Die zweigeschossige Gebäudehülle besteht aus zweischaligen Holzrahmenwänden, die außen mit Putz auf Holzfaserdämmung bekleidet sind. Auf der Südseite sind die dreifachverglasten Kunststofffenster sturzfrei und raumhoch konzipiert. Holz-Schiebeelemente dienen dem Sonnenschutz.
Die Holzrahmen-Innenwände sind doppelt mit Gipskarton beplankt. Die Innentüren wurden in Holz ausgeführt. Alle Geschossdecken sind als Holzbalkendecken errichtet. Das Pultdach erhielt eine Zinkdeckung. Die Böden wurden mit Holzdielen und Sichtestrich ausgeführt.

Technische Anlagen

Die Beheizung erfolgt über die Lüftungsanlage mit Wärmerückgewinnung. Ein Gas-Brennwertkessel dient zur Deckung der Restheizwärme. Solarthermie mit Heizungsunterstützung auf dem geneigten Dach liefert den Warmwasserbedarf.

Planungskennwerte für Flächen und Rauminhalte nach DIN 277

Flächen des Grundstücks		Menge Einheit	% an GF
BF	Bebaute Fläche	84,50 m²	28,4
UF	Unbebaute Fläche	213,00 m²	71,6
GF	Grundstücksfläche	297,50 m²	100,0

Grundflächen des Bauwerks		Menge Einheit	% an NUF	% an BGF
NUF	Nutzungsfläche	145,56 m²	100,0	73,7
TF	Technikfläche	7,95 m²	5,5	4,0
VF	Verkehrsfläche	12,64 m²	8,7	6,4
NRF	Netto-Raumfläche	166,15 m²	114,1	84,1
KGF	Konstruktions-Grundfläche	31,35 m²	21,5	15,9
BGF	Brutto-Grundfläche	197,50 m²	135,7	100,0

Brutto-Rauminhalt des Bauwerks		Menge Einheit	BRI/NUF (m)	BRI/BGF (m)
BRI	Brutto-Rauminhalt	542,00 m³	3,72	2,74

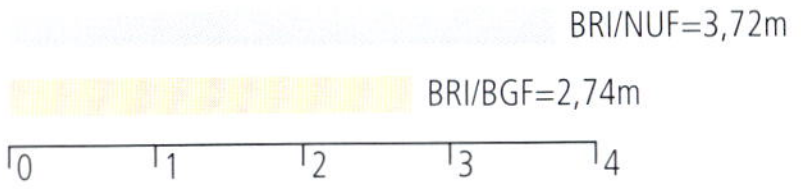

Kostenkennwerte für die Kostengruppen der 1. Ebene DIN 276

KG	Kostengruppen (1. Ebene)	Einheit	Kosten €	€/Einheit	€/m² BGF	€/m³ BRI	% 300+400
100	Grundstück	m² GF	–	–	–	–	–
200	Vorbereitende Maßnahmen	m² GF	–	–	–	–	–
300	Bauwerk – Baukonstruktionen	m² BGF	286.523	1.450,75	1.450,75	528,64	82,1
400	Bauwerk – Technische Anlagen	m² BGF	62.440	316,15	316,15	115,20	17,9
	Bauwerk 300+400	**m² BGF**	**348.963**	**1.766,90**	**1.766,90**	**643,84**	**100,0**
500	Außenanlagen und Freiflächen	m² AF	–	–	–	–	–
600	Ausstattung und Kunstwerke	m² BGF	–	–	–	–	–
700	Baunebenkosten	m² BGF	–	–	–	–	–
800	Finanzierung	m² BGF	–	–	–	–	–

KG	Kostengruppe	Menge Einheit	Kosten €	€/Einheit	%
3+4	**Bauwerk**				**100,0**
300	**Bauwerk – Baukonstruktionen**	197,50 m² BGF	286.523	**1.450,75**	82,1

Stb-Streifenfundamente, Untersohlendämmung, Stb-Bodenplatte, Dämmung, Estrich, Sichtestrichbelag, Holzdielenbelag; Holzrahmenbau, Mineralfaserdämmung, GK-Platten, Außenbekleidung Holzfaserdämmplatten, Putz, Kunststofffenster raumhoch, Dreifachverglasung, Sonnenschutzelemente mit Holz-Schiebeelemente; Holzrahmeninnenwände, doppelte GK-Bekleidung, Wandfliesen, Holztüren; Holzdecken, Stahlwangentreppen, Holzstufen; Holzdachkonstruktion, Sparrendach als Pultdach, Mineralfaserdämmung, OSB-Beplankung, Abdichtung, Zinkblechdeckung, GK-Bekleidung innen, Dachentwässerung

KG	Kostengruppe	Menge Einheit	Kosten €	€/Einheit	%
400	**Bauwerk – Technische Anlagen**	197,50 m² BGF	62.440	**316,15**	17,9

Gebäudeentwässerung, Kalt- und Warmwasserleitungen, Sanitärobjekte; Restheizwärme über Gas-Brennwertkessel, Vakuumröhrenkollektoren; Lüftungsanlage mit Wärmerückgewinnung für Beheizung; Elektroinstallation

6100-0970
Einfamilienhaus
Garage
Passivhaus

Objektübersicht

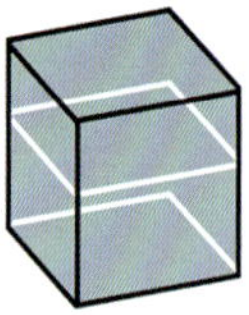

BRI 694 €/m³

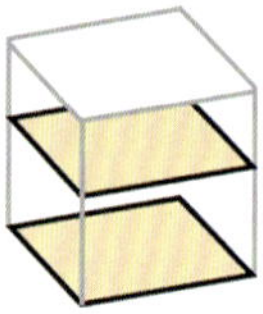

BGF 2.012 €/m²

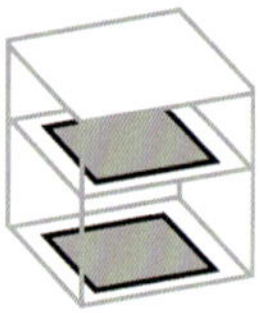

NUF 3.003 €/m²

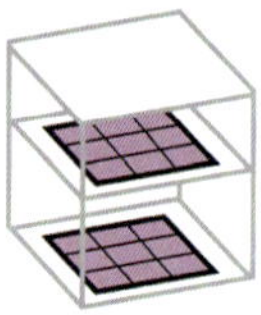

NE 3.991 €/NE

NE: Wohnfläche

Objekt:
Kennwerte: 1. Ebene DIN 276
BRI: 1.575 m³
BGF: 543 m²
NUF: 364 m²
Bauzeit: 39 Wochen
Bauende: 2011
Standard: über Durchschnitt
Bundesland: Nordrhein-Westfalen
Kreis: Münster, Stadt

Architekt*in:
Entwurf:
Dejozé & Dr. Ammann
Bogenstraße 6
48143 Münster
Ausführung:
Architekturbüro Thiel
Rothenburg 34
48143 Münster

Erdgeschoss

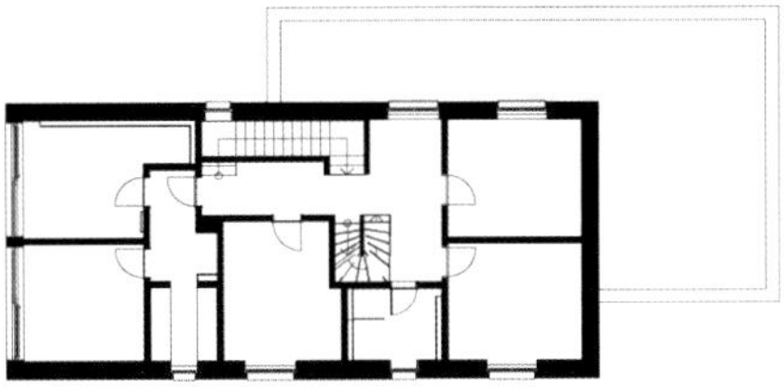

Obergeschoss

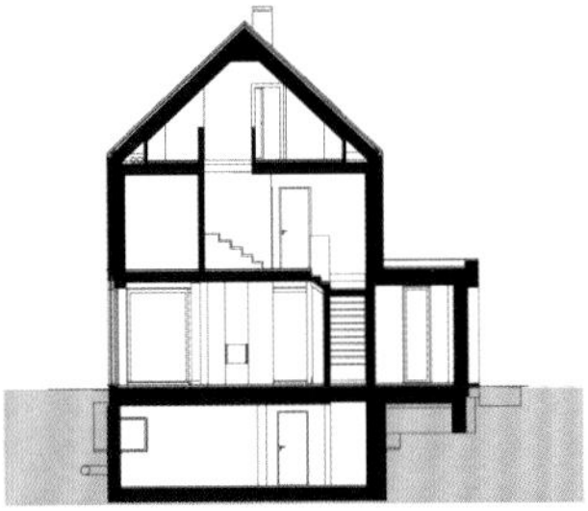

Querschnitt

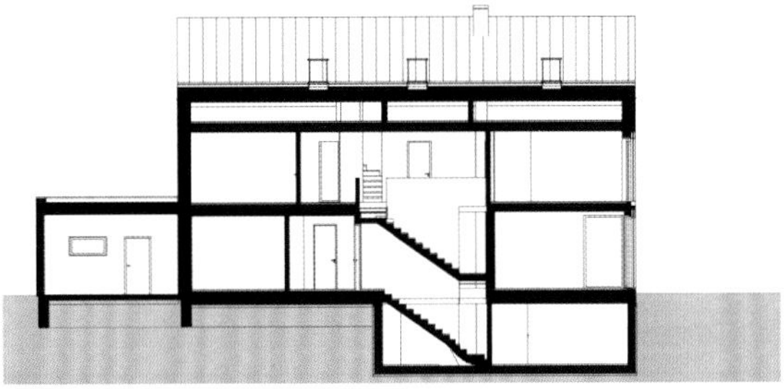

Längsschnitt

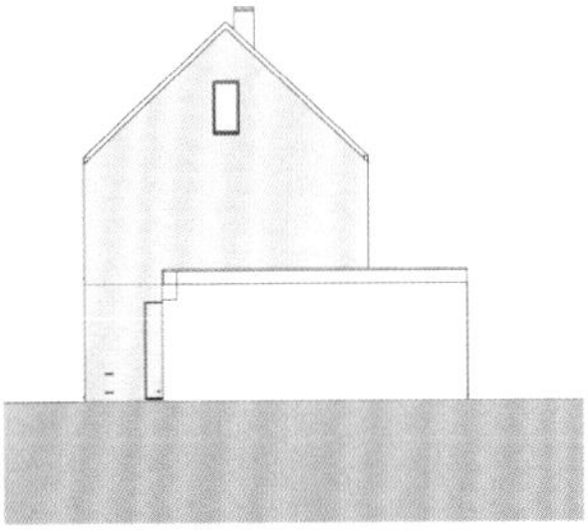

Ansicht Nord-Ost

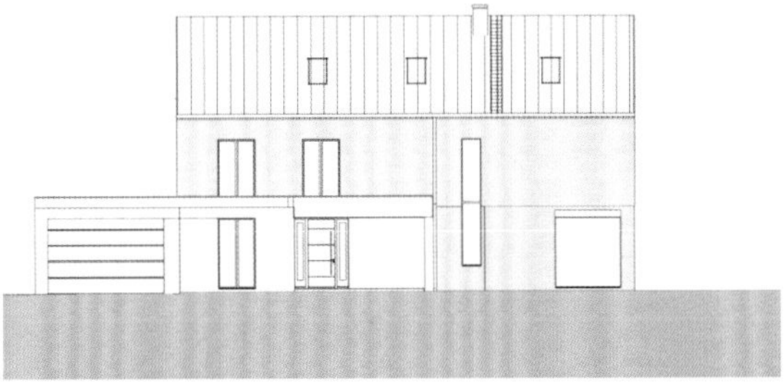

Ansicht Nord-West

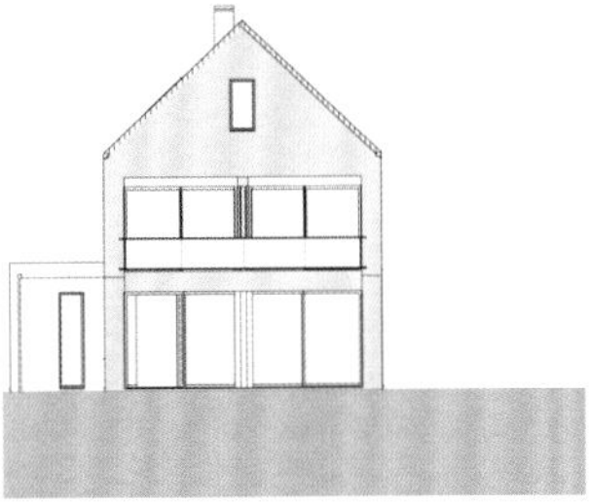

Ansicht Süd-West

Ansicht Süd-Ost

Objektbeschreibung

Allgemeine Objektinformationen

Die zweigeschossige Doppelhaushälfte mit Satteldach wurde orientiert sich mit der Giebelseite nach Südwesten zum Garten hin.

Nutzung

1 Untergeschoss
Teilunterkellerung.
Technik, Lager, Waschen

1 Erdgeschoss
Wohnen, Kochen, Essen, Bad, Arbeiten

1 Obergeschoss
Kinderzimmer, Bäder, Eltern, Ankleide

1 Dachgeschoss
Arbeiten, Spielen, Lagern

Nutzeinheiten

Wohneinheiten: 1
Wohnfläche: 274 m^2

Grundstück

Bauraum: Freier Bauraum
Neigung: Ebenes Gelände
Bodenklasse: BK 1 bis BK 4

Markt

Hauptvergabezeit: 3.Quartal 2010
Baubeginn: 4.Quartal 2010
Bauende: 3.Quartal 2011
Konjunkturelle Gesamtlage: Durchschnitt
Regionaler Baumarkt: Durchschnitt

Baukonstruktion

Der nicht wärmegedämmte Teilkeller ist als Weiße Wanne mit druckwasserdichten Fenstern (Lichtschächte) ausgeführt. Die Geschossdecke über UG und EG wird als Stb-Filigrandecke (Decke über EG mit unterseitiger Glattspachtelung) ausgeführt. Die Decke über EG lagert auf Holzrahmenbauwänden und einer 12cm starken tragenden Installationsebene.

Technische Anlagen

Der Ofen wird in Form eines raumluftunabhängigen Tunnelofens mit einer Heizleistung von ca. 7kW ausgeführt, der als Raumteiler zwischen Ess- und Wohnbereich fungiert. Mittels einer Wassertasche wird die Wärme absorbiert und dem Pufferspeicher im Keller zugeführt. Einbau einer kontrollierten Be- und Entlüftungsanlage mit Wärmerückgewinnung durch Gegenstromwärmetauscher in Kombination mit einem 825l Warmwasser-Schichtspeicher, der sowohl von der Solaranlage, als auch über die Wassertaschen des Tunnelofens gespeist wird. Das zu erwärmende Brauchwasser wird über den Speicher in einem zweiten Kreislauf erwärmt. Anschluss an den Erdreichwärmetauscher mit Nachheizregister des Warmwasserspeichers.

Planungskennwerte für Flächen und Rauminhalte nach DIN 277

Flächen des Grundstücks		Menge Einheit	% an GF
BF	Bebaute Fläche	205,00 m²	23,3
UF	Unbebaute Fläche	676,00 m²	76,7
GF	Grundstücksfläche	881,00 m²	100,0

Grundflächen des Bauwerks		Menge Einheit	% an NUF	% an BGF
NUF	Nutzungsfläche	363,88 m²	100,0	67,0
TF	Technikfläche	20,56 m²	5,7	3,8
VF	Verkehrsfläche	51,43 m²	14,1	9,5
NRF	Netto-Raumfläche	435,87 m²	119,8	80,3
KGF	Konstruktions-Grundfläche	107,24 m²	29,5	19,7
BGF	Brutto-Grundfläche	543,11 m²	149,3	100,0

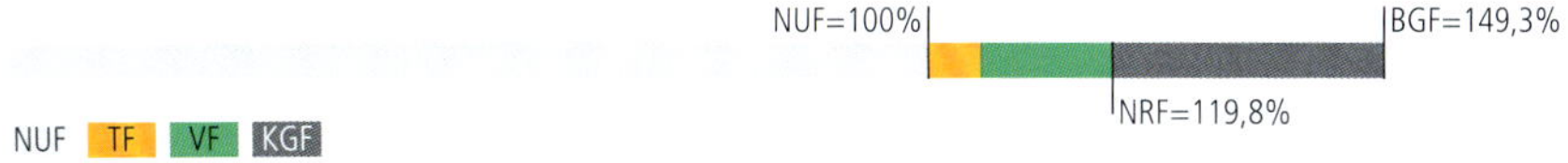

Brutto-Rauminhalt des Bauwerks		Menge Einheit	BRI/NUF (m)	BRI/BGF (m)
BRI	Brutto-Rauminhalt	1.575,00 m³	4,33	2,90

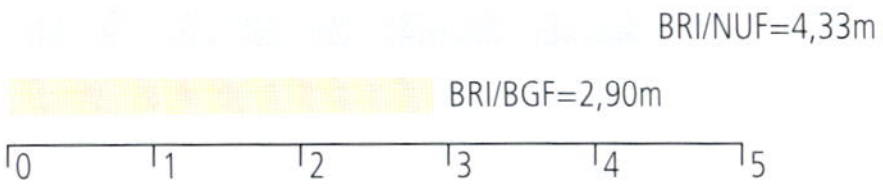

Kostenkennwerte für die Kostengruppen der 1. Ebene DIN 276

KG	Kostengruppen (1. Ebene)	Einheit	Kosten €	€/Einheit	€/m² BGF	€/m³ BRI	% 300+400
100	Grundstück	m² GF	–	–	–	–	–
200	Vorbereitende Maßnahmen	m² GF	–	–	–	–	–
300	Bauwerk – Baukonstruktionen	m² BGF	900.507	1.658,06	1.658,06	571,75	82,4
400	Bauwerk – Technische Anlagen	m² BGF	192.220	353,92	353,92	122,04	17,6
	Bauwerk 300+400	**m² BGF**	**1.092.727**	**2.011,98**	**2.011,98**	**693,80**	**100,0**
500	Außenanlagen und Freiflächen	m² AF	42.413	62,74	78,09	26,93	3,9
600	Ausstattung und Kunstwerke	m² BGF	–	–	–	–	–
700	Baunebenkosten	m² BGF	–	–	–	–	–
800	Finanzierung	m² BGF	–	–	–	–	–

KG	Kostengruppe	Menge Einheit	Kosten €	€/Einheit	%
3+4	**Bauwerk**				**100,0**
300	**Bauwerk – Baukonstruktionen**	543,11 m² BGF	900.507	**1.658,06**	82,4

Baugrubenaushub; Teilunterkellerung (unbeheizt) mit weisser Wanne, Kellerinnenwände KS-Mauerwerk, Stb-Treppe; EG in Holzrahmenbauweise: Ausführung tragender Installationswände als Auflagerwände für die Stb-Decke über EG, Holzrahmenbau-Außenwände mit Vollziegeln verblendet, der eingeschossige Baukörper mit WDVS, Passivhaus-Holzfenster, Dreifach-Verglasung, Lamellenraffstore; Innenwände in Holzrahmenbau mit GKB bzw. Gipsfaserplatten beplankt, eingeschossiger Baukörper mit Holzbalkendecke und Gründach; Obergeschoss bis Dachgeschoss in Holzrahmenbauweise (Wände und Decken); Bodenbeläge: Zementestrich, großformatige Fliesen, Eichenholz- Dreischichtparkett; Dachdeckung mit Flachziegeln, Dachentwässerung

KG	Kostengruppe	Menge Einheit	Kosten €	€/Einheit	%
400	**Bauwerk – Technische Anlagen**	543,11 m² BGF	192.220	**353,92**	17,6

Gebäudeentwässerung, schallgedämmte Sanitärinstallation, Sanitärobjekte, Warmwasserbereitung über Warmwasser- Flachkollektoren; Tunnelofen mit Wassertasche und elektrischer Zuheizung; Lüftungsanlage mit Wärmerückgewinnung, Vorwärmung über Erdreichwärmetauscher, Staubsaugeranlage in allen Geschossen und Garage; Elektroinstallation, EDV-Installation, Photovoltaikanlage

KG	Kostengruppe	Menge Einheit	Kosten €	€/Einheit	%
500	**Außenanlagen und Freiflächen**	676,00 m² AF	42.413	**62,74**	3,9

Pflasterung der Terrasse, Zufahrten und Wege, Frühterrasse mit Holzbelag

6100-1017
Einfamilienhaus
Passivhaus

Objektübersicht

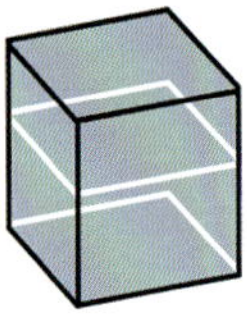

BRI 803 €/m³

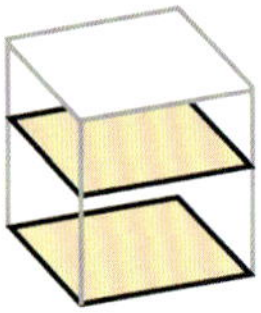

BGF 2.457 €/m²

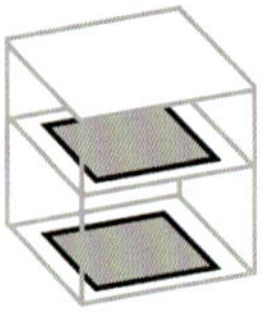

NUF 4.111 €/m²

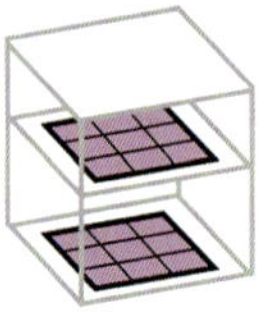

NE 3.809 €/NE

NE: Wohnfläche

Objekt:
Kennwerte: 1. Ebene DIN 276
BRI: 602 m³
BGF: 197 m²
NUF: 118 m²
Bauzeit: 30 Wochen
Bauende: 2011
Standard: Durchschnitt
Bundesland: Sachsen
Kreis: Meißen

Architekt*in:
architekten dd
Dipl.-Ing. Dietmar Eichelmann
Bischofsweg 26
01099 Dresden

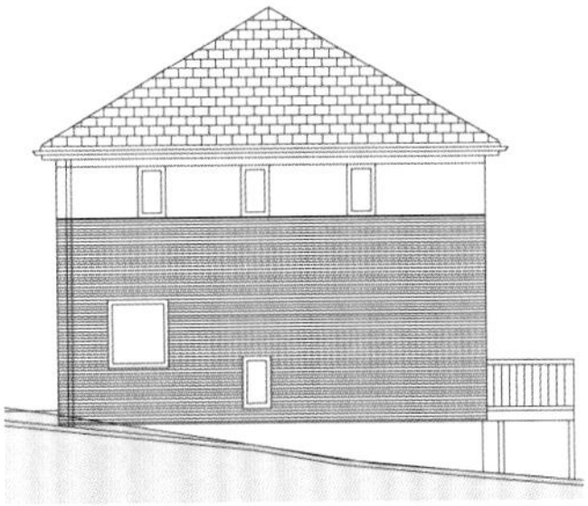

Ansicht Nord

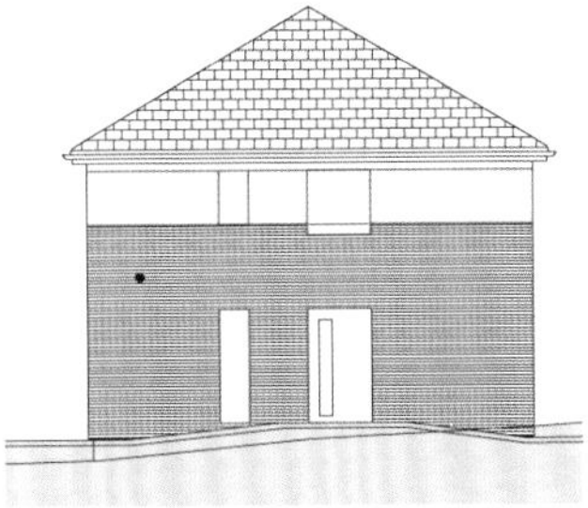

Ansicht Ost

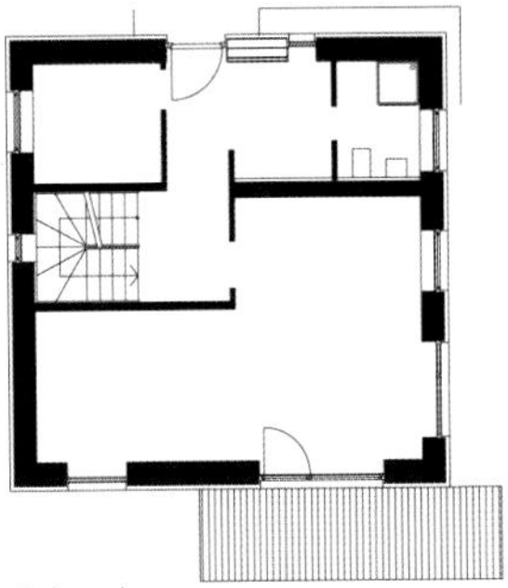

Erdgeschoss

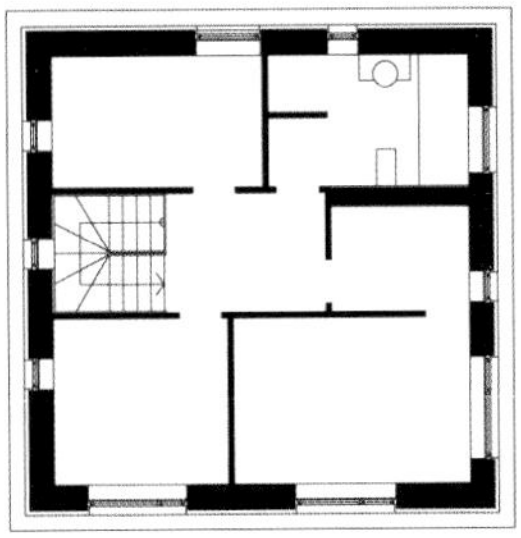

Obergeschoss

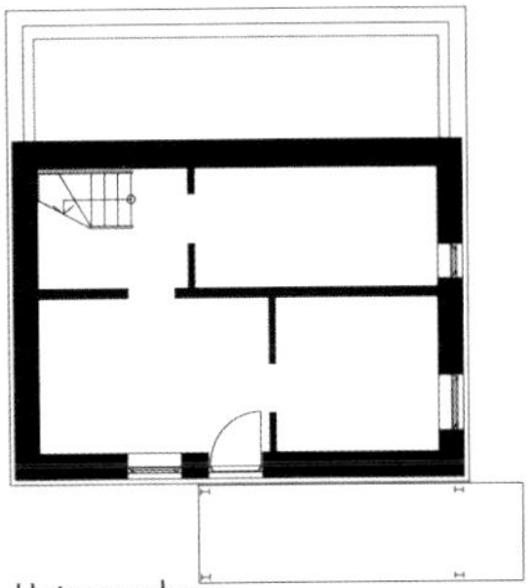

Untergeschoss

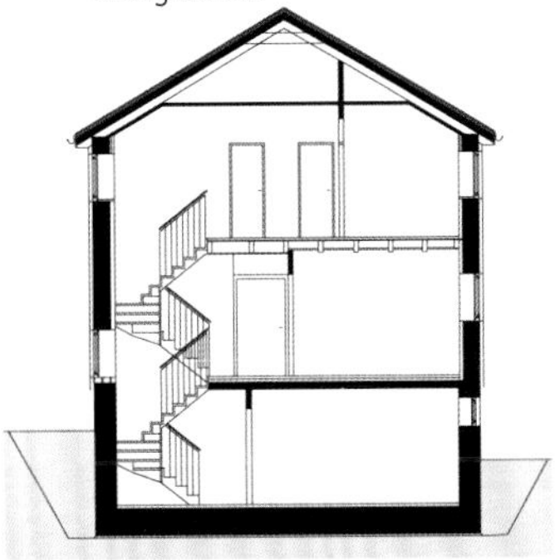

Schnitt

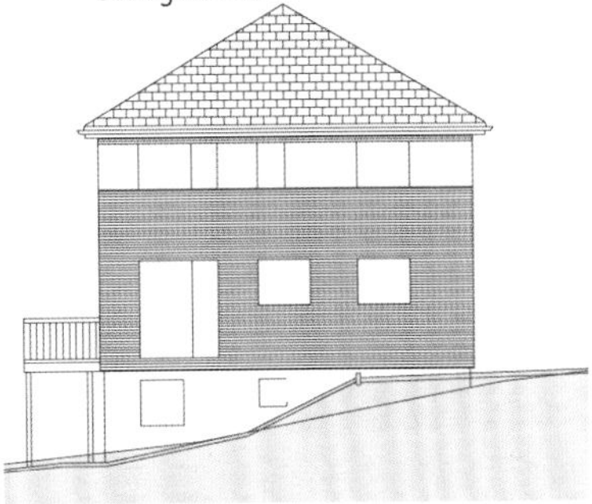

Ansicht Süd

Ansicht West

Objektbeschreibung

Allgemeine Objektinformationen

Im Erdgeschoss befinden sich ein großräumiger Wohn- und Essbereich, ein Arbeitszimmer und ein Gästebad. Im Obergeschoss wurden zwei Kinderzimmer, das Schlafzimmer mit Ankleidebereich und ein großflächiges Bad untergebracht. Ein separater Carport bietet Platz für zwei Stellplätze.

Nutzung

1 Untergeschoss
Hobby, Arbeiten, HWR

1 Erdgeschoss
Wohnen, Küche, Dusche/WC

1 Obergeschoss
Schlafen, Kinder, Bad

Nutzeinheiten

Stellplätze: 2
Wohneinheiten: 1
Wohnfläche: 127 m²

Grundstück

Bauraum: Freier Bauraum
Neigung: Geneigtes Gelände
Bodenklasse: BK 3 bis BK 6

Markt

Hauptvergabezeit: 3. Quartal 2010
Baubeginn: 3. Quartal 2010
Bauende: 2. Quartal 2011
Konjunkturelle Gesamtlage: Durchschnitt
Regionaler Baumarkt: Durchschnitt

Baukonstruktion

Das Erdgeschoss und das Obergeschoss wurden als zweischaliger Holzständerbau mit innenliegender eingeblasener Zellulosedämmung ausgeführt. Die Fassade ist mit einer horizontalen Holzverschalung versehen. Im Obergeschoss ist ein umlaufendes Fensterband angeordnet. Das Dach ist in Form eines Pyramidendaches konstruiert. Das Untergeschoss ist in Massivbauweise errichtet.

Technische Anlagen

Das Einfamilienhaus entspricht dem Passivhausstandard. Es kam eine Lüftungsanlage mit Wärmerückgewinnung zum Einbau. Es wurde keine PHPP-Zertifizierung durchgeführt. Bei der Sicherheits- und Steuertechnik wurde ein erhöhter Standard ausgeführt.

Sonstiges

Bei der Errichtung wurde besonderer Wert auf die Verwendung von ökologischen, nachwachsenden und recycelten Baumaterialien gelegt.

Planungskennwerte für Flächen und Rauminhalte nach DIN 277

Flächen des Grundstücks		Menge Einheit	% an GF
BF	Bebaute Fläche	–	–
UF	Unbebaute Fläche	–	–
GF	Grundstücksfläche	–	–

Grundflächen des Bauwerks		Menge Einheit	% an NUF	% an BGF
NUF	Nutzungsfläche	117,53 m^2	100,0	59,8
TF	Technikfläche	9,69 m^2	8,2	4,9
VF	Verkehrsfläche	17,75 m^2	15,1	9,0
NRF	Netto-Raumfläche	144,97 m^2	123,3	73,7
KGF	Konstruktions-Grundfläche	51,72 m^2	44,0	26,3
BGF	Brutto-Grundfläche	196,69 m^2	167,4	100,0

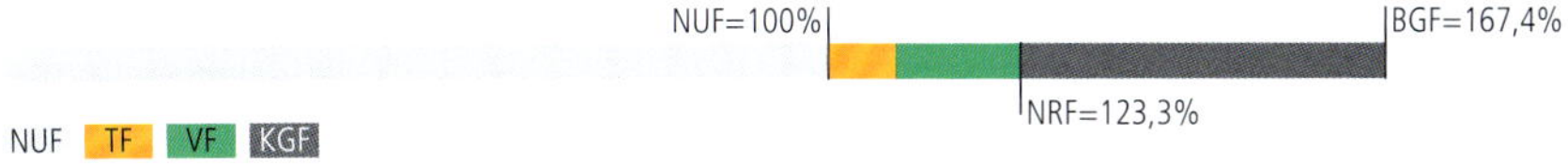

Brutto-Rauminhalt des Bauwerks		Menge Einheit	BRI/NUF (m)	BRI/BGF (m)
BRI	Brutto-Rauminhalt	602,00 m^3	5,12	3,06

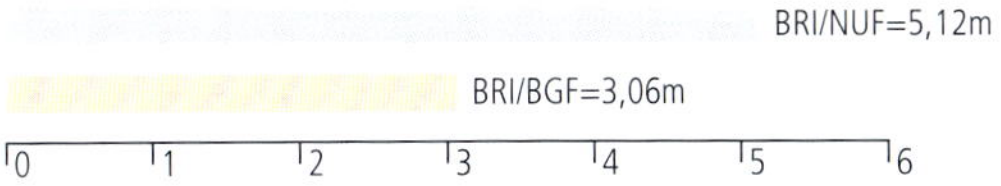

Kostenkennwerte für die Kostengruppen der 1.Ebene DIN 276

KG	Kostengruppen (1.Ebene)	Einheit	Kosten €	€/Einheit	€/m² BGF	€/m³ BRI	% 300+400
100	Grundstück	m² GF	–	–	–	–	–
200	Vorbereitende Maßnahmen	m² GF	–	–	–	–	–
300	Bauwerk – Baukonstruktionen	m² BGF	371.059	1.886,52	1.886,52	616,38	76,8
400	Bauwerk – Technische Anlagen	m² BGF	112.117	570,02	570,02	186,24	23,2
	Bauwerk 300+400	**m² BGF**	**483.176**	**2.456,54**	**2.456,54**	**802,62**	**100,0**
500	Außenanlagen und Freiflächen	m² AF	–	–	–	–	–
600	Ausstattung und Kunstwerke	m² BGF	–	–	–	–	–
700	Baunebenkosten	m² BGF	–	–	–	–	–
800	Finanzierung	m² BGF	–	–	–	–	–

KG	Kostengruppe	Menge Einheit	Kosten €	€/Einheit	%
3+4	**Bauwerk**				**100,0**
300	**Bauwerk – Baukonstruktionen**	196,69 m² BGF	371.059	**1.886,52**	76,8

Baugrubenherstellung, Bodenaushub; Stb-Bodenplatte, Dämmung, Zementestrich mit Trittschalldämmung im UG und EG; Perimeterdämmung, WDVS im UG, Bauwerksabdichtung, Stb-Filigranelementwände UG, EG und OG-Außenwand zweischalige Holzrahmenkonstruktion, Zellulosedämmung, horizontale Lärchenholzbekleidung, Holzaußentüren, Holzfenster mit Dreifachverglasung, Sonnenschutz mit Fassadenmarkisen; GK-Vorwandinstallation, tragende Holzständerinnenwände, beidseitig zweilagig mit GK beplankt, Trockenbauinnenwände, Fliesen; halbgewendelte Holztreppe auf Stahlholm, Stb-Decke ü. UG, Estrich auf Trittschalldämmung, Linoleum, Laminat, Fliesen, Holzbalkendecke ü. EG; Zeltdach als Sparrendach, innenliegende Dämmung, Aufdachdämmung, Dachbelag mit Betondachsteinen auf UK, Dachentwässerung

KG	Kostengruppe	Menge Einheit	Kosten €	€/Einheit	%
400	**Bauwerk – Technische Anlagen**	196,69 m² BGF	112.117	**570,02**	23,2

Gebäudeentwässerung, Wasseranschluss, Sanitärinstallation, bodengleiche Duschen, Sanitärobjekte; Erdgasanschluss, Wärmerzeugungsanlage, Heizkörper und Wärmeverteilnetze, Schornstein; Lüftungsanlage mit Wärmerückgewinnung,Verteilnetz; Elektroinstallation, Telefon, EDV-Verkabelung, Türsprechanlage, Gebäude-Sicherheitsanlage, BUS-fähige HLS-Installation

6100-1018
Einfamilienhaus
Passivhaus

Objektübersicht

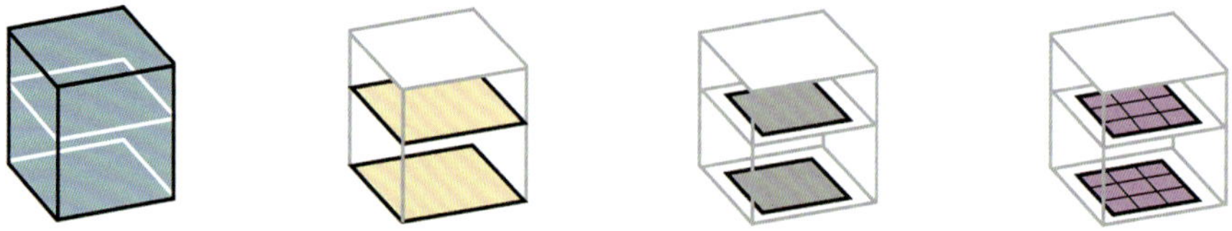

BRI 733 €/m³ | BGF 2.270 €/m² | NUF 3.594 €/m² | NE 3.347 €/NE

NE: Wohnfläche

Objekt:
Kennwerte: 1. Ebene DIN 276
BRI: 741 m³
BGF: 239 m²
NUF: 151 m²
Bauzeit: 39 Wochen
Bauende: 2011
Standard: Durchschnitt
Bundesland: Sachsen
Kreis: Dresden, Stadt

Architekt*in:
architekten dd
Dipl.-Ing. Dietmar Eichelmann
Bischofsweg 26
01099 Dresden

© architekten dd

© architekten dd

© architekten dd

© architekten dd

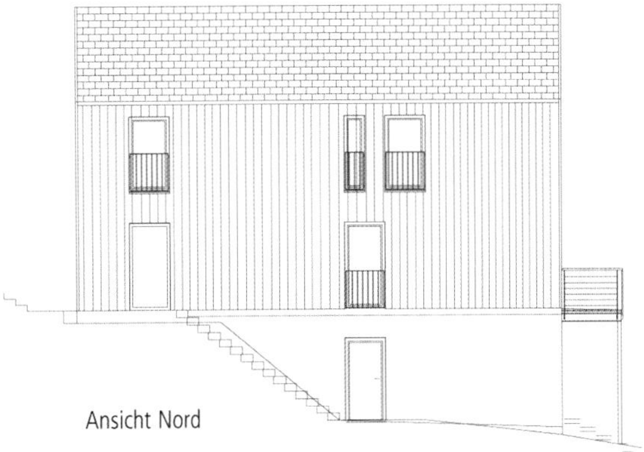

Ansicht Nord

Ansicht Ost

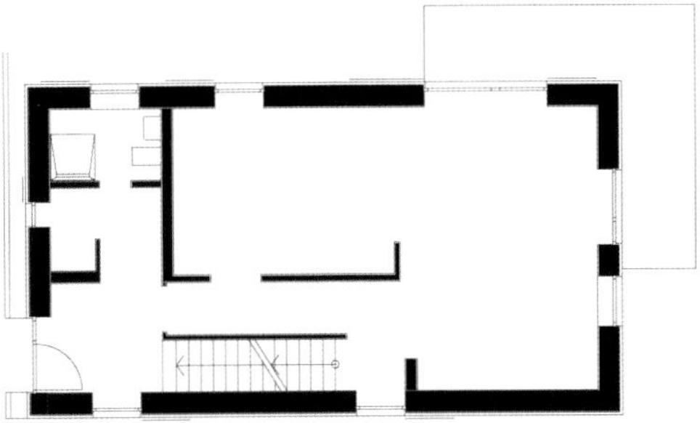

Erdgeschoss

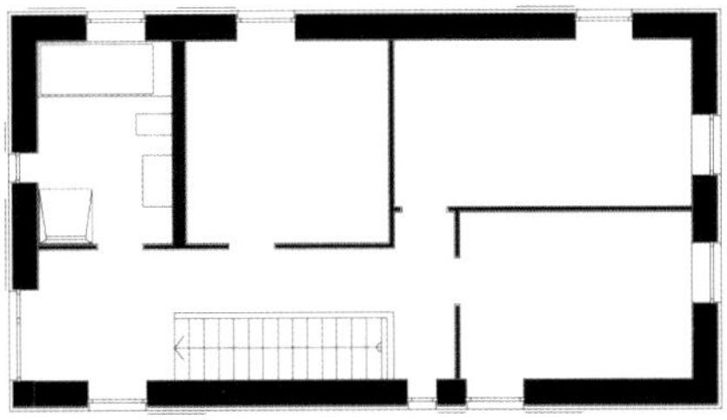

Dachgeschoss

Ansicht Süd

Ansicht West

Objektbeschreibung

Allgemeine Objektinformationen

Das Haus befindet sich auf einem stark nach Norden abfallenden, schmalen Grundstück. Blau beschichtete Fensterrahmen und Hauseingangstüren setzen farbliche Akzente. Im Erdgeschoss des Hauses befindet sich ein großer Wohn- und Essbereich, der aus mehreren Himmelsrichtungen Licht erhält. Im Obergeschoss sind zwei Kinderzimmer, ein Schlafzimmer und ein geräumiges Bad. Ein Technikraum, ein Hauswirtschaftsraum, eine Hobby-Werkstatt und ein Gästezimmer mit Austritt in den Garten sind im Untergeschoss untergebracht.

Nutzung

1 Untergeschoss
Gäste, Hobby, Technik, WC

1 Erdgeschoss
Wohnraum, Küche, DU/WC

1 Obergeschoss
Schlafen, 2 Kinder, Bad

Nutzeinheiten

Wohneinheiten: 1
Wohnfläche: 162 m^2

Grundstück

Bauraum: Beengter Bauraum
Neigung: Hanglage
Bodenklasse: BK 3 bis BK 4

Markt

Hauptvergabezeit: 3.Quartal 2010
Baubeginn: 3.Quartal 2010
Bauende: 2.Quartal 2011
Konjunkturelle Gesamtlage: Durchschnitt
Regionaler Baumarkt: über Durchschnitt

Baukonstruktion

Das Haus wurde in Holzständerbauweise auf einem massiven Untergeschoss aus Stahlbeton errichtet. Die Fassadenverkleidung erfolgte mit Lärchenholzlatten.

Technische Anlagen

Zum ökologischen und technischen Passivhauskonzept gehören die Luft-Wasser-Wärmepumpe und eine Regenwassernutzung für die Sanitäranlagen.

Sonstiges

Bei diesem Bauvorhaben wurden vorwiegend ökologische, nachwachsende und recycelte Baumaterialien verwendet. Die Gebäudeform ist auf eine betonte Flächigkeit ohne Vor- und Rücksprünge sowie ohne Dachüberstände reduziert. Das Haus ist nicht zertifiziert.

Planungskennwerte für Flächen und Rauminhalte nach DIN 277

Flächen des Grundstücks		Menge Einheit	% an GF
BF	Bebaute Fläche	80,00 m²	12,9
UF	Unbebaute Fläche	540,00 m²	87,1
GF	Grundstücksfläche	620,00 m²	100,0

Grundflächen des Bauwerks		Menge Einheit	% an NUF	% an BGF
NUF	Nutzungsfläche	151,00 m²	100,0	63,2
TF	Technikfläche	8,33 m²	5,5	3,5
VF	Verkehrsfläche	25,62 m²	17,0	10,7
NRF	Netto-Raumfläche	184,95 m²	122,5	77,4
KGF	Konstruktions-Grundfläche	54,13 m²	35,8	22,6
BGF	Brutto-Grundfläche	239,08 m²	158,3	100,0

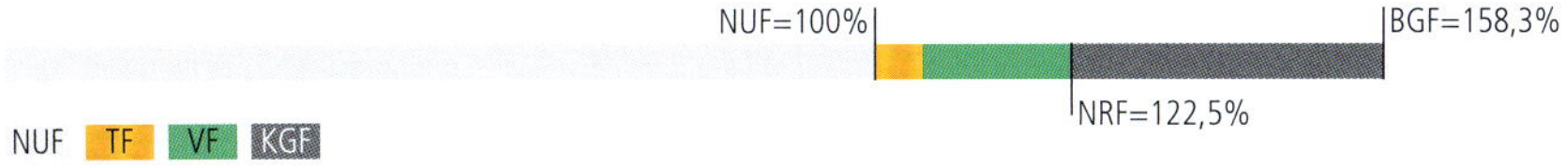

Brutto-Rauminhalt des Bauwerks		Menge Einheit	BRI/NUF (m)	BRI/BGF (m)
BRI	Brutto-Rauminhalt	740,69 m³	4,91	3,10

Kostenkennwerte für die Kostengruppen der 1. Ebene DIN 276

KG	Kostengruppen (1. Ebene)	Einheit	Kosten €	€/Einheit	€/m² BGF	€/m³ BRI	% 300+400
100	Grundstück	m² GF	–	–	–	–	–
200	Vorbereitende Maßnahmen	m² GF	–	–	–	–	–
300	Bauwerk – Baukonstruktionen	m² BGF	457.942	1.915,44	1.915,44	618,26	84,4
400	Bauwerk – Technische Anlagen	m² BGF	84.811	354,74	354,74	114,50	15,6
	Bauwerk 300+400	**m² BGF**	**542.753**	**2.270,17**	**2.270,17**	**732,77**	**100,0**
500	Außenanlagen und Freiflächen	m² AF	–	–	–	–	–
600	Ausstattung und Kunstwerke	m² BGF	–	–	–	–	–
700	Baunebenkosten	m² BGF	–	–	–	–	–
800	Finanzierung	m² BGF	–	–	–	–	–

KG	Kostengruppe	Menge Einheit	Kosten €	€/Einheit	%
3+4	**Bauwerk**				**100,0**
300	**Bauwerk – Baukonstruktionen**	239,08 m² BGF	457.942	**1.915,44**	84,4

Baustellenherstellung, Stb-Bodenplatte, Dämmung, Zementestrich, Trittschalldämmung; Perimeterdämmung, WDVS im UG, Bauwerksabdichtung, Stb-Fertigteilwände im UG, tragende Holzständerkonstruktion, Zellulosedämmung, vertikale Lärchebekleidung, Außentüren, Außenfenster mit Dreifachverglasung; GK-Vorwand, tragende Holzständerinnenwände beidseitig 2-lagig mit GK beplankt, Trockenbauinnenwände, Fliesen; einläufige gerade Stb-Fertigteiltreppe, einläufige gerade Holztreppe EG zum DG, Stb-Decke, Estrich, Trittschalldämmung, Linoleum, Holzdielen, Fliesen; Holzbalkendecke ü. EG; Dach als Sparrendach mit innenliegender Dämmung, Aufdachdämmung, Betondachsteine, Dachentwässerung

KG	Kostengruppe	Menge Einheit	Kosten €	€/Einheit	%
400	**Bauwerk – Technische Anlagen**	239,08 m² BGF	84.811	**354,74**	15,6

Gebäudeentwässerung, Wasseranschluss, Zisterne, Grauwasseranlage, Sanitärinstallation, bodengleiche Duschen, Sanitärobjekte; Luft-Wasser-Wärmepumpe in Außenaufstellung, Heizkörper und Wärmeverteilnetze, Lüftungsanlage mit Wärmerückgewinnung; Elektroinstallation, Telefon

6100-1058
Doppelhaushälfte
Passivhaus

Objektübersicht

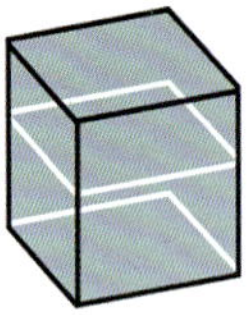

BRI 685 €/m³

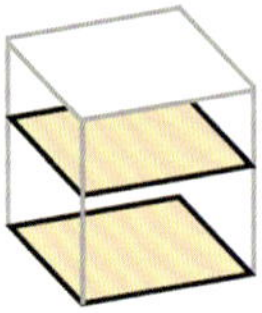

BGF 2.300 €/m²

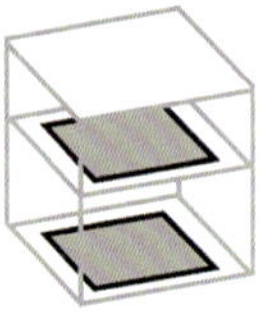

NUF 3.386 €/m²

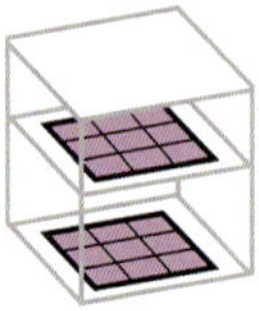

NE 4.328 €/NE

NE: Wohnfläche

Objekt:
Kennwerte: 1. Ebene DIN 276
BRI: 790 m³
BGF: 235 m²
NUF: 160 m²
Bauzeit: 31 Wochen
Bauende: 2012
Standard: Durchschnitt
Bundesland: Nordrhein-Westfalen
Kreis: Aachen, Städteregion

Architekt*in:
Agathos Baukontor
Dipl. Ing. Bernward Sutmann
Hauptstraße 31
52159 Roetgen

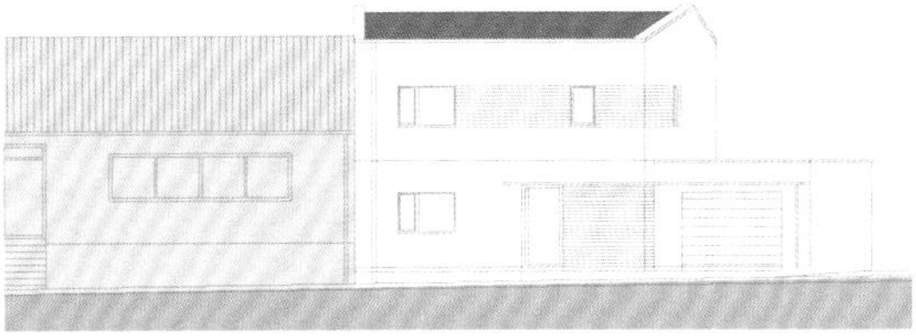

Ansicht Nord-West

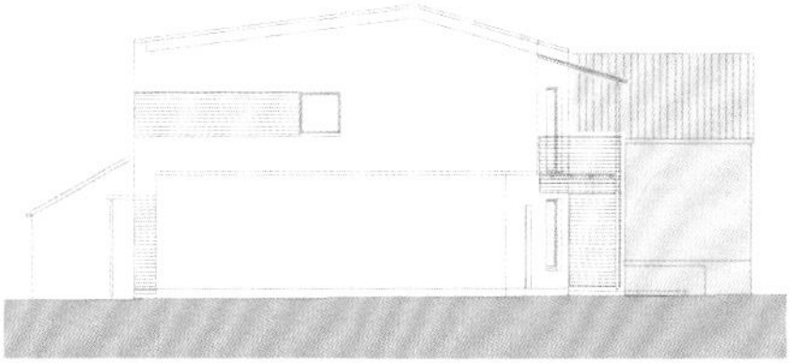

Ansicht Süd-West

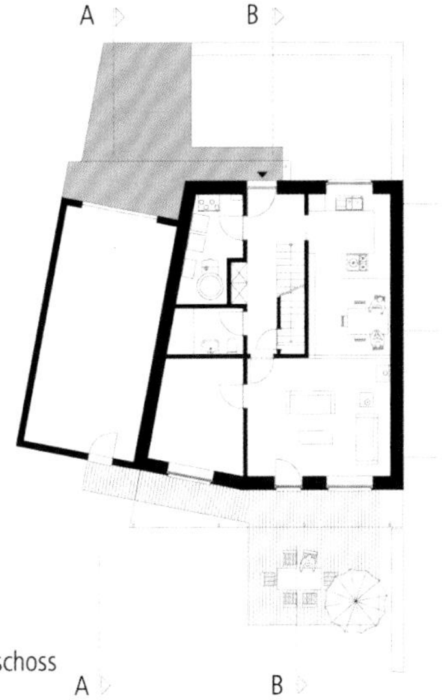

Erdgeschoss

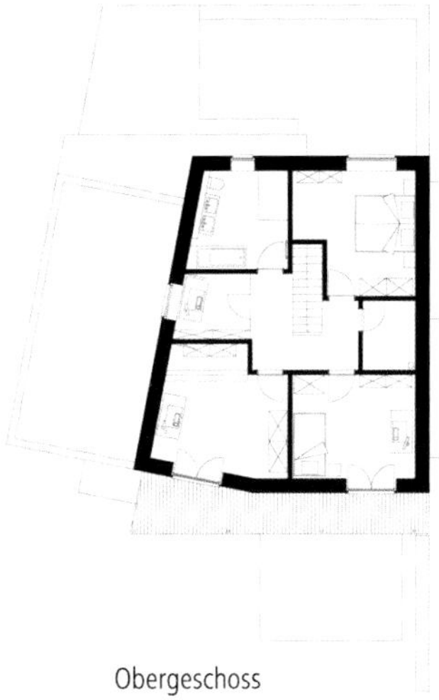

Obergeschoss

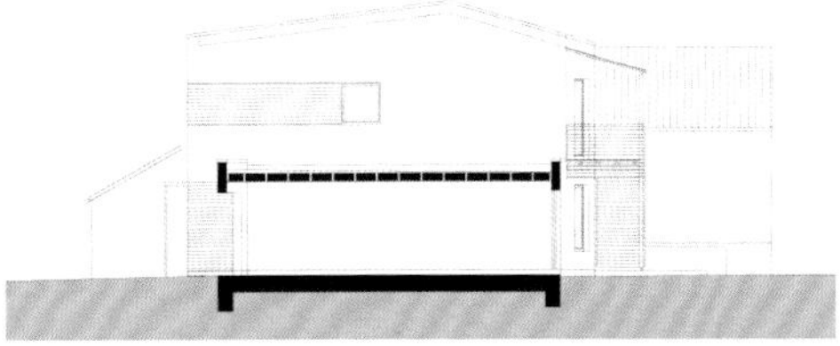

Schnitt A-A

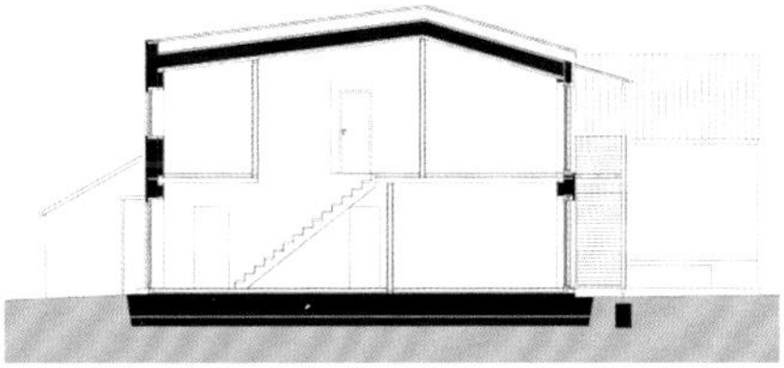

Schnitt B-B

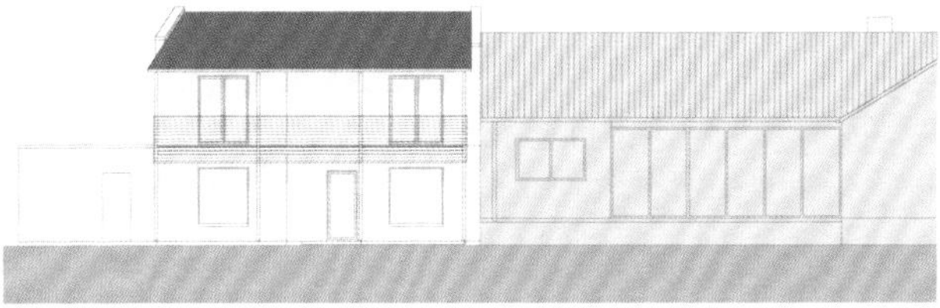

Ansicht Süd-Ost

Objektbeschreibung

Allgemeine Objektinformationen

Durch längere Beschäftigung mit dem Thema "Passivhaus" stand für die Bauherren von Planungsbeginn an fest, ein Passivhaus in Holzbauweise realisieren zu wollen. Durch die Wahl des ideal nach Süden ausgerichteten Grundstücks wurde das Gebäude als Doppelhaushälfte an ein bestehendes Einfamilienhaus der 60er Jahre angebaut.

Nutzung

1 Erdgeschoss
Küche, Essen/Wohnen, Haustechnik

1 Obergeschoss
Schlafzimmer, Kinderzimmer, Bad, Büro

Nutzeinheiten

Wohneinheiten: 1
Wohnfläche: 125 m^2

Grundstück

Bauraum: Freier Bauraum
Neigung: Ebenes Gelände
Bodenklasse: BK 1 bis BK 4

Markt

Hauptvergabezeit: 1. Quartal 2012
Baubeginn: 1. Quartal 2012
Bauende: 4. Quartal 2012
Konjunkturelle Gesamtlage: Durchschnitt
Regionaler Baumarkt: Durchschnitt

Baukonstruktion

Der nicht unterkellerte Baukörper gründet auf einer unterdämmten Bodenplatte. Durch die Vorproduktion der Holzrahmenelemente konnte der gesamte Rohbau an einem Tag aufgestellt und am nächsten Tag durch den Dachdecker mit einer Vordeckung geschlossen werden. Auch die Fenster konnten nach der Verankerung der Holzkonstruktion in der folgenden Woche eingebaut werden. Die eingebaute Zwischendecke als Brettsperrholzdecke minimiert den Deckenaufbau und sorgt für einen guten Schallschutz. Im Dach- und Wandbereich wurden zum optimalen Wärmeschutz Doppelstegträger eingesetzt und mit Zellulose ausgeflockt. Die Innenwände wurden vom Bauherrn in Eigenleistung ausgeführt und mit Lehmputz versehen.

Technische Anlagen

Es wurde eine Splitt-Luft-Wärmepumpe mit Innen- und Außenteil gewählt, da durch den geringen Heizwärmeverbrauch und die Unterstützung durch eine Photovoltaikanlage kaum oder keine Energiekosten entstehen. Die erforderliche Erwärmung des Hauses geschieht über eine Betonkerntemperierung in der Bodenplatte und über eine Fußbodenheizung im Obergeschoss. Eine zentrale Lüftungsanlage mit Wärmerückgewinnung übernimmt den Luftaustausch. Über eine Zisterne wird das Regenwasser für die Toilette und für die Gartenbewässerung genutzt. Das Haus verfügt über eine zentrale Staubsaugeranlage.

Planungskennwerte für Flächen und Rauminhalte nach DIN 277

Flächen des Grundstücks		Menge Einheit	% an GF
BF	Bebaute Fläche	137,20 m²	47,0
UF	Unbebaute Fläche	154,80 m²	53,0
GF	Grundstücksfläche	292,00 m²	100,0

Grundflächen des Bauwerks		Menge Einheit	% an NUF	% an BGF
NUF	Nutzungsfläche	159,78 m²	100,0	67,9
TF	Technikfläche	7,21 m²	4,5	3,1
VF	Verkehrsfläche	17,26 m²	10,8	7,3
NRF	Netto-Raumfläche	184,25 m²	115,3	78,3
KGF	Konstruktions-Grundfläche	50,98 m²	31,9	21,7
BGF	Brutto-Grundfläche	235,23 m²	147,2	100,0

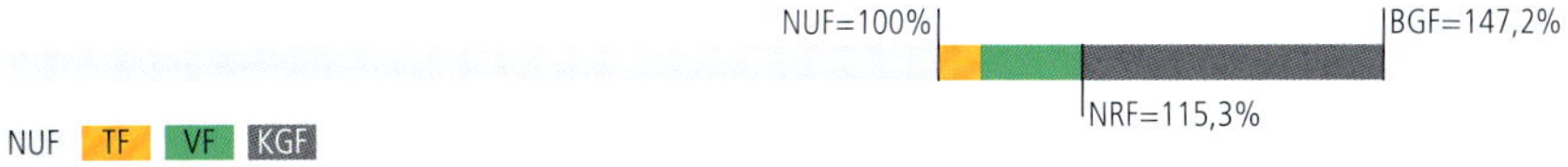

Brutto-Rauminhalt des Bauwerks		Menge Einheit	BRI/NUF (m)	BRI/BGF (m)
BRI	Brutto-Rauminhalt	790,00 m³	4,94	3,36

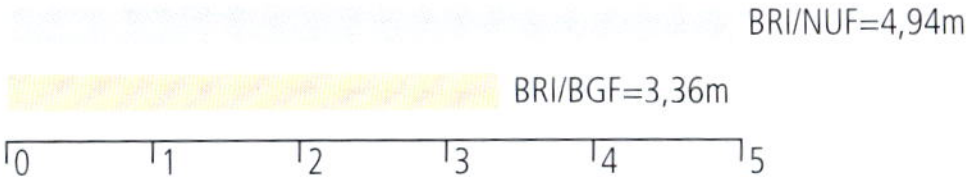

Kostenkennwerte für die Kostengruppen der 1. Ebene DIN 276

KG	Kostengruppen (1. Ebene)	Einheit	Kosten €	€/Einheit	€/m² BGF	€/m³ BRI	% 300+400
100	Grundstück	m² GF	–	–	–	–	–
200	Vorbereitende Maßnahmen	m² GF	–	–	–	–	–
300	Bauwerk – Baukonstruktionen	m² BGF	419.781	1.784,56	1.784,56	531,37	77,6
400	Bauwerk – Technische Anlagen	m² BGF	121.251	515,46	515,46	153,48	22,4
	Bauwerk 300+400	**m² BGF**	**541.032**	**2.300,01**	**2.300,01**	**684,85**	**100,0**
500	Außenanlagen und Freiflächen	m² AF	–	–	–	–	–
600	Ausstattung und Kunstwerke	m² BGF	–	–	–	–	–
700	Baunebenkosten	m² BGF	–	–	–	–	–
800	Finanzierung	m² BGF	–	–	–	–	–

KG	Kostengruppe	Menge Einheit	Kosten €	€/Einheit	%
3+4	**Bauwerk**				**100,0**
300	**Bauwerk – Baukonstruktionen**	235,23 m² BGF	419.781	**1.784,56**	77,6

Dämmung, Bodenplatte, inkl. Betonkernaktivierung (Systembodenplatte); Holzrahmenbau, GK-Platten, OSB-Platten, Dämmung, zertifizierte Passivhausfenster, Dreifachverglasung, Außenputz, Holzfassade, Balkon als Stahlkonstruktion mit Holzbeplankung; Brettsperrholzdecke, Heizestrich, Bodenbelag; hochwärmegedämmte Doppelstegträger, OSB Beplankung, Folienabdichtung, Dachentwässerung

KG	Kostengruppe	Menge Einheit	Kosten €	€/Einheit	%
400	**Bauwerk – Technische Anlagen**	235,23 m² BGF	121.251	**515,46**	22,4

Gebäudeentwässerung, Sanitärinstallation, Regenwassernutzung, Sanitärobjekte; Split-Luft-Wärmepumpe, Betonkerntemperierung; kontrollierte Wohnraumlüftung mit Wärmerückgewinnung; Elektroinstallation, Photovoltaikanlage, zentrale Staubsaugeranlage

6100-1156
Reihenmittelhaus
Passivhaus

Objektübersicht

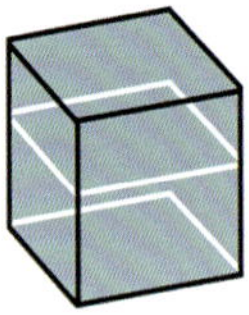

BRI 663 €/m³

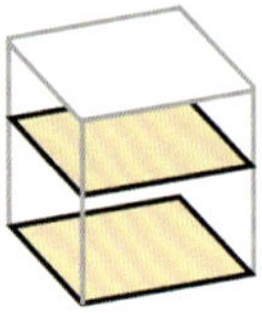

BGF 1.931 €/m²

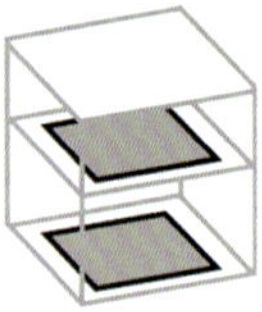

NUF 2.760 €/m²

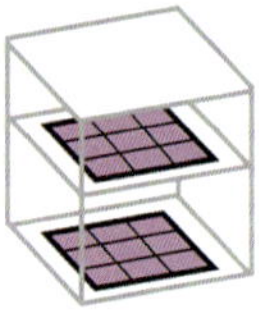

NE 2.811 €/NE

NE: Wohnfläche

Objekt:
Kennwerte: 1. Ebene DIN 276
BRI: 616 m³
BGF: 212 m²
NUF: 148 m²
Bauzeit: 22 Wochen
Bauende: 2014
Standard: Durchschnitt
Bundesland: Schleswig-Holstein
Kreis: Segeberg

Architekt*in:
Architekturbüro
Thyroff-Krause
Kieler Straße 41
24568 Kaltenkirchen

© Architekturbüro Thyroff-Krause

© Architekturbüro Thyroff-Krause

© Architekturbüro Thyroff-Krause

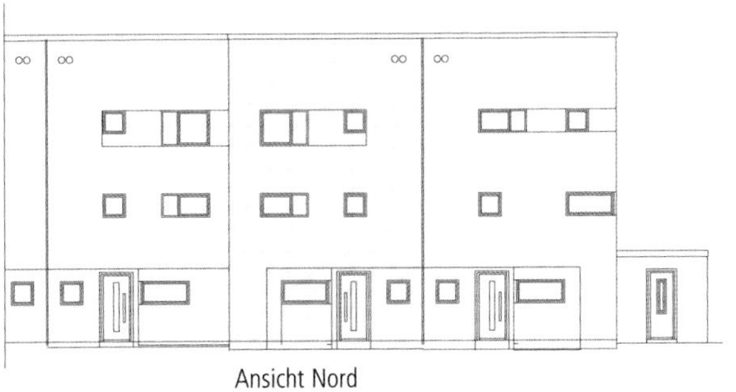

Ansicht Nord

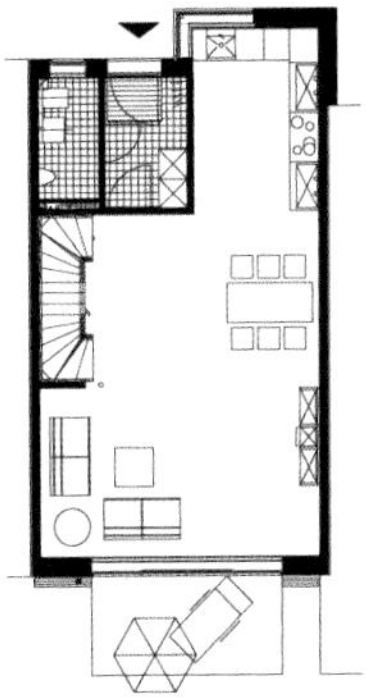

Erdgeschoss

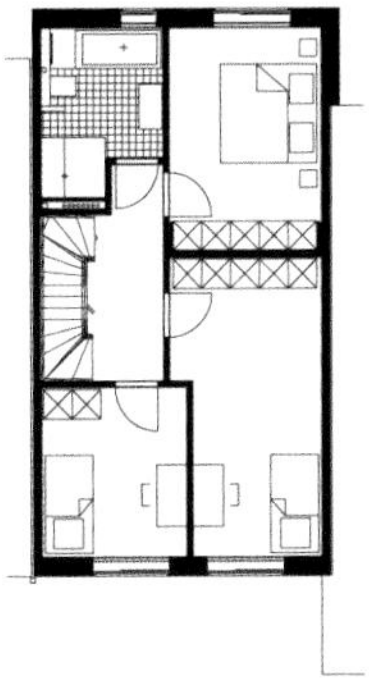

Obergeschoss

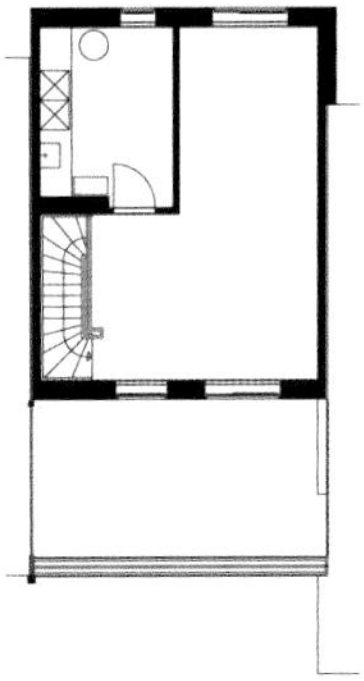

Dachgeschoss

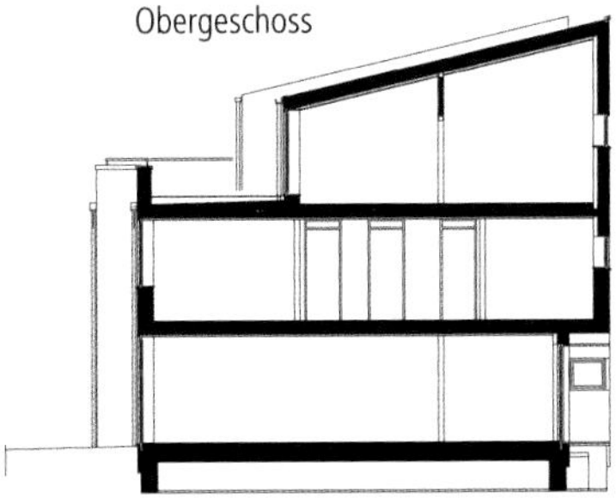

Schnitt

Ansicht Süd

Objektbeschreibung

Allgemeine Objektinformationen

In mehreren Bauabschnitten wurden zwölf Reihenhauseinheiten erstellt. Die Bauherren realisierten die Reihenhauszeile als Bauträger in Passivhausbauweise und verkauften sie nach Fertigstellung. Das hier dokumentierte knapp 150m² große Reihenmittelhaus besitzt zwei Vollgeschosse mit vier Wohnräumen und ein Studio im Dachgeschoss mit einer 20m² großen Dachterrasse.

Nutzung

1 Erdgeschoss
Wohn-Essbereich mit offener Küche, WC, Windfang, Treppe

1 Obergeschoss
Schlafzimmer (3St), Flur, Treppe, Bad

1 Dachgeschoss
Studio, Technik, Dachterrasse

Nutzeinheiten

Wohneinheiten: 1
Wohnfläche: 145 m²

Grundstück

Bauraum: Freier Bauraum
Neigung: Ebenes Gelände
Bodenklasse: BK 3

Markt

Hauptvergabezeit: 1. Quartal 2014
Baubeginn: 1. Quartal 2014
Bauende: 3. Quartal 2014
Konjunkturelle Gesamtlage: Durchschnitt
Regionaler Baumarkt: Durchschnitt

Baukonstruktion

Die Betonsohle ist unterseitig gedämmt. Die Erstellung der Wohneinheit erfolgte in vorgefertigter Holzrahmenbauweise. Die Gebäudehülle besteht aus einem zweischaligem Holzständerwerk. Die Decken sind als massive Stapelholzdecken ausgebildet. Die Fenster sind mit einer Dreifachverglasung hoch schalldämmend ausgebildet. Der kompakte Baukörper ist weiß verputzt und hat farbige Flächen zwischen den Fenstern. Das Reihenmittelhaus hat ein geneigtes Pultdach.

Technische Anlagen

Die Wärmeerzeugung für Heizung und Brauchwasser erfolgt über eine Luft-Wasser-Wärmepumpe. Eingebracht wird die Heizwärme über eine Lüftungsanlage mit Wärmerückgewinnung. Die Luftdichtheit wurde mittels eines Blower-Door-Tests nachgewiesen. Auf dem Pultdach ist eine Photovoltaikanlage zur Eigenstromversorgung installiert. Das Reihenmittelhaus erfüllt sowohl die Passivhausanforderungen wie auch die Anforderungen an ein Effizienzhaus KfW40.

Sonstiges

Die Fenster der Südseite sind raumhoch ohne Sturz ausgebildet und ermöglichen einen optimalen Sonneneinfall.

Planungskennwerte für Flächen und Rauminhalte nach DIN 277

Flächen des Grundstücks		Menge Einheit	% an GF
BF	Bebaute Fläche	68,88 m²	48,5
UF	Unbebaute Fläche	73,12 m²	51,5
GF	Grundstücksfläche	142,00 m²	100,0

Grundflächen des Bauwerks		Menge Einheit	% an NUF	% an BGF
NUF	Nutzungsfläche	148,00 m²	100,0	70,0
TF	Technikfläche	10,10 m²	6,8	4,8
VF	Verkehrsfläche	26,76 m²	18,1	12,6
NRF	Netto-Raumfläche	184,86 m²	124,9	87,4
KGF	Konstruktions-Grundfläche	26,71 m²	18,0	12,6
BGF	Brutto-Grundfläche	211,57 m²	143,0	100,0

Brutto-Rauminhalt des Bauwerks		Menge Einheit	BRI/NUF (m)	BRI/BGF (m)
BRI	Brutto-Rauminhalt	616,37 m³	4,17	2,91

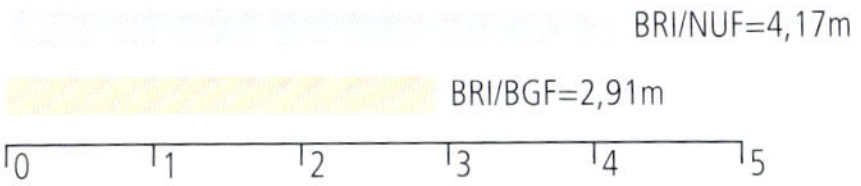

Kostenkennwerte für die Kostengruppen der 1. Ebene DIN 276

KG	Kostengruppen (1. Ebene)	Einheit	Kosten €	€/Einheit	€/m²BGF	€/m³BRI	% 300+400
100	Grundstück	m²GF	–	–	–	–	–
200	Vorbereitende Maßnahmen	m²GF	–	–	–	–	–
300	Bauwerk – Baukonstruktionen	m²BGF	332.273	1.570,51	1.570,51	539,08	81,4
400	Bauwerk – Technische Anlagen	m²BGF	76.174	360,04	360,04	123,59	18,6
	Bauwerk 300+400	**m²BGF**	**408.447**	**1.930,55**	**1.930,55**	**662,66**	**100,0**
500	Außenanlagen und Freiflächen	m²AF	–	–	–	–	–
600	Ausstattung und Kunstwerke	m²BGF	–	–	–	–	–
700	Baunebenkosten	m²BGF	–	–	–	–	–
800	Finanzierung	m²BGF	–	–	–	–	–

KG	Kostengruppe	Menge Einheit	Kosten €	€/Einheit	%
3+4	**Bauwerk**				**100,0**
300	**Bauwerk – Baukonstruktionen**	211,57 m²BGF	332.273	**1.570,51**	81,4

Baugrubenaushub; Stb-Fundamente, Stb-Bodenplatte, Abdichtung, Heizestrich, PVC, Bodenfliesen, Perimeterdämmung; Holzrahmenwände, Kunststofffenster, Dreifachverglasung, Wärmedämmung, Holzweichfaserplatte, Putz, Gipsfaser-Bekleidung; Holzinnenwände, Wandfliesen; Holz-Brettstapeldecken, Holztreppen, Estrich, PVC, Bodenfliesen, GK-Bekleidung, Treppengeländer in Stahl-Holz; Holzbalkendach, Dämmung, Abdichtung, außenliegende Entwässerung, GK-Bekleidung

KG	Kostengruppe	Menge Einheit	Kosten €	€/Einheit	%
400	**Bauwerk – Technische Anlagen**	211,57 m²BGF	76.174	**360,04**	18,6

Gebäudeentwässerung, Kalt- und Warmwasserleitungen, Sanitärobjekte; Luft-Wasser-Wärmepumpe, Fußbodenheizung (EG, Bad); kontrollierte Be- und Entlüftung mit Wärmerückgewinnung; PV-Anlage (24 Module); Elektroinstallation; Telekommunikationsanlage

6100-1169
Reihenendhaus
Passivhaus

Objektübersicht

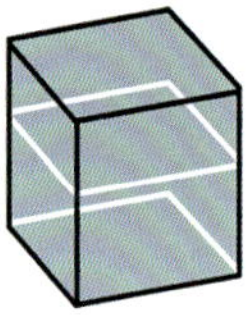

BRI 587 €/m^3

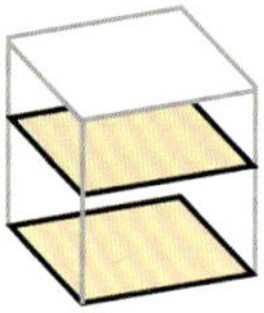

BGF 1.713 €/m^2

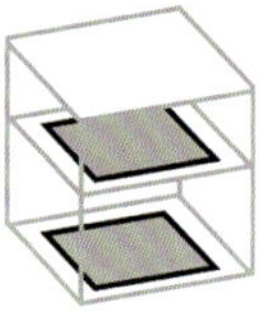

NUF 2.834 €/m^2

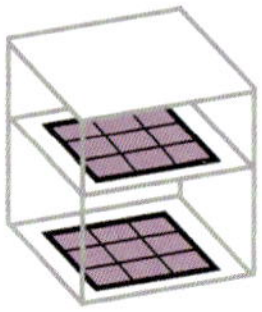

NE 3.261 €/NE

NE: Wohnfläche

Objekt:
Kennwerte: 1. Ebene DIN 276
BRI: 730 m^3
BGF: 250 m^2
NUF: 151 m^2
Bauzeit: 22 Wochen
Bauende: 2014
Standard: Durchschnitt
Bundesland: Schleswig-Holstein
Kreis: Segeberg

Architekt*in:
Architekturbüro
Thyroff-Krause
Kieler Straße 41
24568 Kaltenkirchen

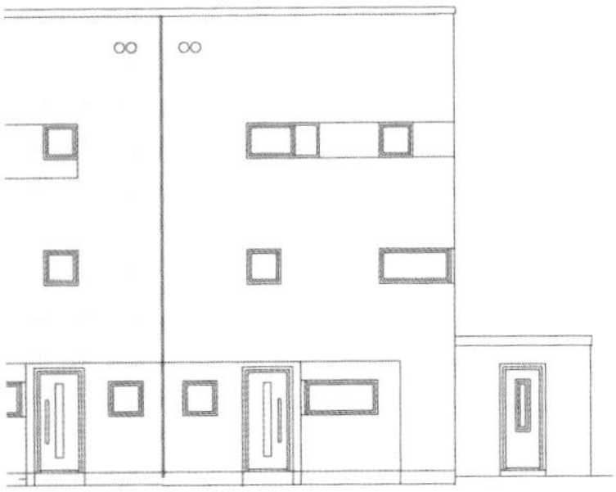

Ansicht Nord

Ansicht Süd

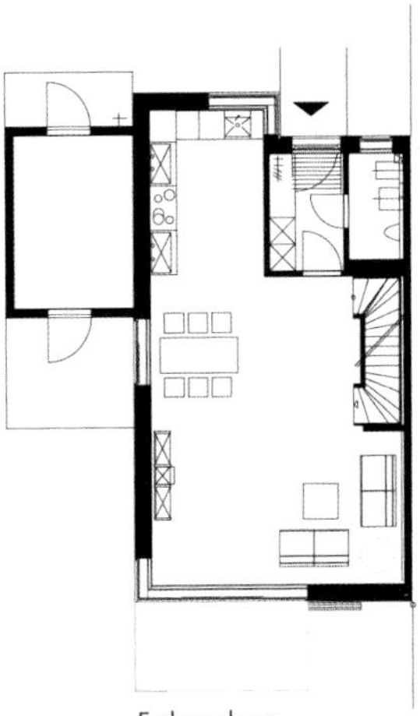

Erdgeschoss

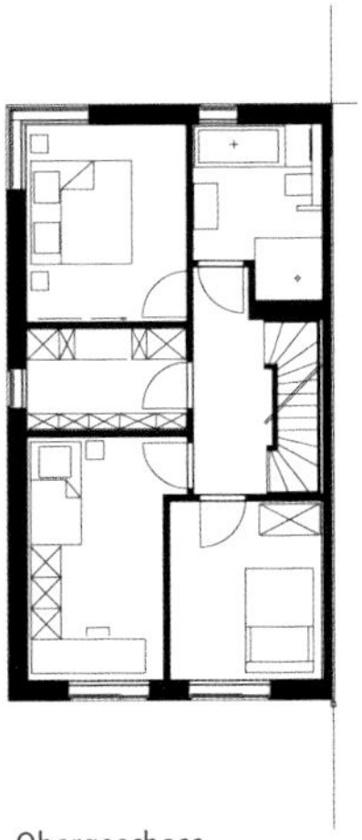

Obergeschoss

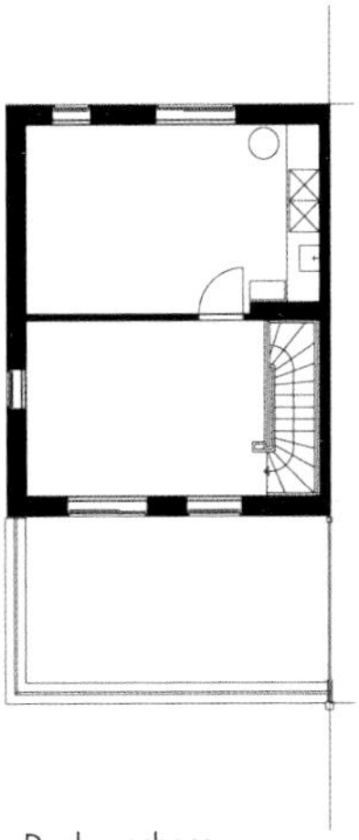

Dachgeschoss

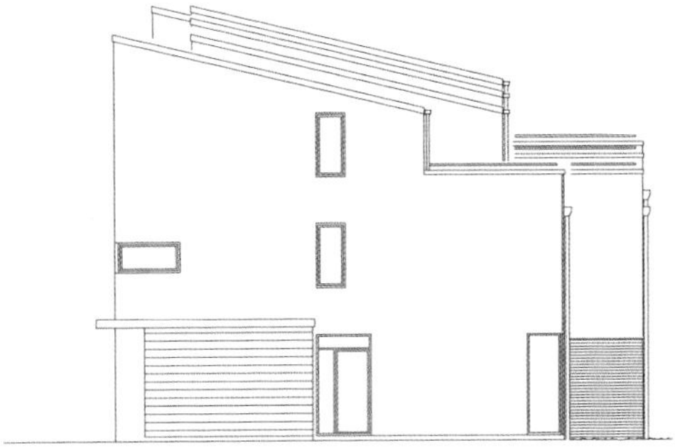

Ansicht West

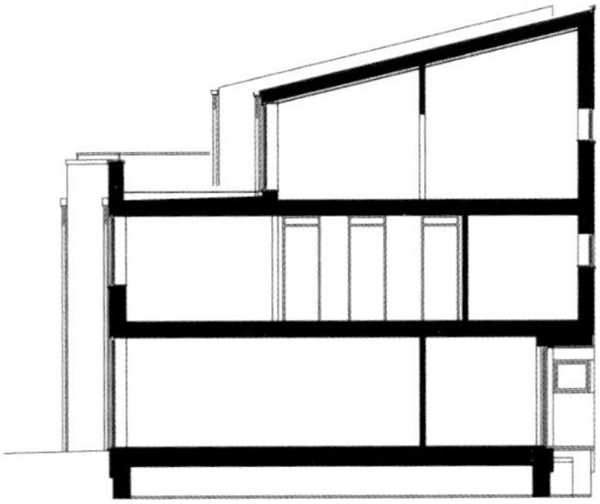

Schnitt

Objektbeschreibung

Allgemeine Objektinformationen

In mehreren Bauabschnitten wurden zwölf Reihenhauseinheiten erstellt. Die Bauherren realisierten die Reihenhauszeile als Bauträger in Passivhausbauweise und verkauften sie nach Fertigstellung. Der Entwurf ist aufgrund der Nord-Südlage des Grundstücks optimal nach Süden ausgerichtet. Das knapp 150m² große Reihenendhaus verfügt über zwei Vollgeschosse mit vier Wohnräumen und einem Studio im Dachgeschoss mit 20m² Dachterrasse.

Nutzung

1 Erdgeschoss
Wohn-Ess-Bereich mit offener Küche, WC, Windfang, Fahrradraum

1 Obergeschoss
Schlafräume (3St), Schrankraum, Flur, Bad

1 Dachgeschoss
Studio, Technik, Dachterrasse

Nutzeinheiten

Wohneinheiten: 1
Wohnfläche: 132 m²

Grundstück

Bauraum: Freier Bauraum
Neigung: Ebenes Gelände
Bodenklasse: BK 3

Markt

Hauptvergabezeit: 1. Quartal 2014
Baubeginn: 1. Quartal 2014
Bauende: 3. Quartal 2014
Konjunkturelle Gesamtlage: Durchschnitt
Regionaler Baumarkt: Durchschnitt

Baukonstruktion

Die Betonsohle des Reihenendhauses ist unterseitig gedämmt. Die Erstellung der Wohneinheit erfolgte in vorgefertigter Holzrahmenbauweise. Die Gebäudehülle besteht aus zweischaligem Holzständerwerk mit geneigtem Pultdach. Die Decken sind massive Stapelholzdecken.

Technische Anlagen

Die Energieversorgung der Wohneinheit erfolgt über eine Gasbrennwerttherme. Das Haus besitzt eine Lüftungsanlage mit Wärmerückgewinnung. Die Luftdichtheit wurde mittels eines Blower-Door-Tests nachgewiesen. Die passivhaustauglichen Fenster mit Dreifachverglasung sind hoch schalldämmend. Auf dem Pultdach ist eine Photovoltaikanlage zur Eigenstromversorgung installiert. Das Reihenendhaus erfüllt mit der eingebauten Technik die Passivhausanforderungen wie auch die für ein Effizienzhaus KfW 55.

Sonstiges

Der kompakte Baukörper mit Pultdach ist weiß verputzt und erhält farbige Flächen zwischen den Fenstern. Das Haus hat eine großzügige Dachterrasse nach Süden. Die Fenster der Südseite sind raumhoch ohne Sturz ausgebildet und ermöglichen optimalen Sonneneinfall. Ein Fahrradschuppen in Holzoptik dient auch als separater Abstellraum.

Planungskennwerte für Flächen und Rauminhalte nach DIN 277

Flächen des Grundstücks		Menge Einheit	% an GF
BF	Bebaute Fläche	90,11 m²	39,2
UF	Unbebaute Fläche	139,89 m²	60,8
GF	Grundstücksfläche	230,00 m²	100,0

Grundflächen des Bauwerks		Menge Einheit	% an NUF	% an BGF
NUF	Nutzungsfläche	151,37 m²	100,0	60,4
TF	Technikfläche	21,20 m²	14,0	8,5
VF	Verkehrsfläche	16,60 m²	11,0	6,6
NRF	Netto-Raumfläche	189,17 m²	125,0	75,5
KGF	Konstruktions-Grundfläche	61,25 m²	40,5	24,5
BGF	Brutto-Grundfläche	250,42 m²	165,4	100,0

Brutto-Rauminhalt des Bauwerks		Menge Einheit	BRI/NUF (m)	BRI/BGF (m)
BRI	Brutto-Rauminhalt	730,41 m³	4,83	2,92

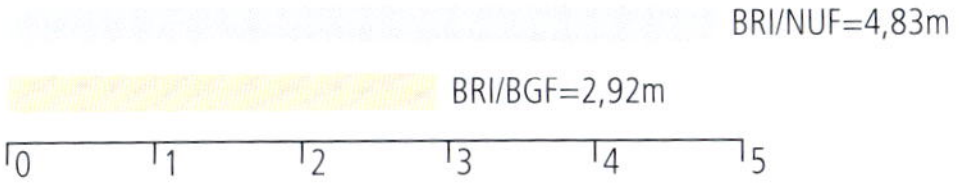

Kostenkennwerte für die Kostengruppen der 1. Ebene DIN 276

KG	Kostengruppen (1. Ebene)	Einheit	Kosten €	€/Einheit	€/m² BGF	€/m³ BRI	% 300+400
100	Grundstück	m² GF	–	–	–	–	–
200	Vorbereitende Maßnahmen	m² GF	–	–	–	–	–
300	Bauwerk – Baukonstruktionen	m² BGF	375.693	1.500,25	1.500,25	514,36	87,6
400	Bauwerk – Technische Anlagen	m² BGF	53.225	212,54	212,54	72,87	12,4
	Bauwerk 300+400	**m² BGF**	**428.918**	**1.712,79**	**1.712,79**	**587,23**	**100,0**
500	Außenanlagen und Freiflächen	m² AF	–	–	–	–	–
600	Ausstattung und Kunstwerke	m² BGF	–	–	–	–	–
700	Baunebenkosten	m² BGF	–	–	–	–	–
800	Finanzierung	m² BGF	–	–	–	–	–

KG	Kostengruppe	Menge Einheit	Kosten €	€/Einheit	%
3+4	**Bauwerk**				**100,0**
300	**Bauwerk – Baukonstruktionen**	250,42 m² BGF	375.693	**1.500,25**	87,6

Stb-Fundamente, Stb-Bodenplatte, Heizestrich, PVC, Bodenfliesen, Abdichtung, Perimeterdämmung; Holzrahmenwände, Kunststofffenster, Dreifachverglasung, Wärmedämmung, Holzweichfaserplatte, Putz, Gipsfaser-Bekleidung; Holzinnenwände, Wandfliesen; Holz-Brettstapeldecke, Holztreppen, Estrich, PVC, Bodenfliesen, GK-Bekleidung, Treppengeländer in Stahl-Holz; Holzbalkendach, Dämmung, Abdichtung, außenliegende Entwässerung, GK-Bekleidung

KG	Kostengruppe	Menge Einheit	Kosten €	€/Einheit	%
400	**Bauwerk – Technische Anlagen**	250,42 m² BGF	53.225	**212,54**	12,4

Gebäudeentwässerung, Kalt- und Warmwasserleitungen, Sanitärobjekte; Gas-Brennwertherme, Fußbodenheizung (EG, Bad); kontrollierte Be- und Entlüftung mit Wärmerückgewinnung; PV-Anlage (24 Module), Elektroinstallation; Telekommunikationsanlage

6100-1177
Einfamilienhaus
Carport
Passivhaus

Objektübersicht

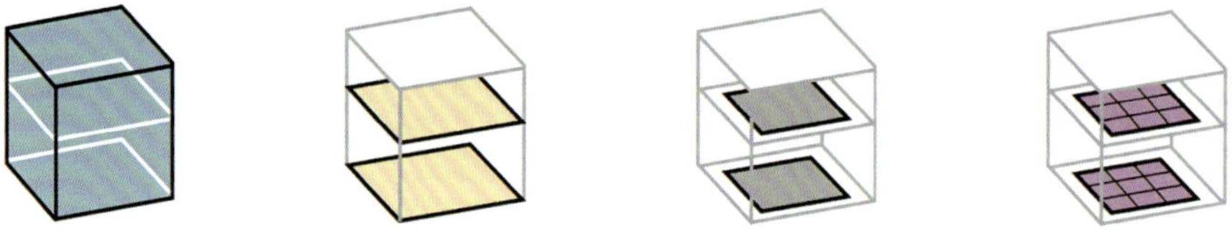

BRI 699 €/m³ | BGF 2.256 €/m² | NUF 3.079 €/m² | NE 2.858 €/NE

NE: Wohnfläche

Objekt:
Kennwerte: 3. Ebene DIN 276
BRI: 634 m³
BGF: 196 m²
NUF: 144 m²
Bauzeit: 22 Wochen
Bauende: 2011
Standard: Durchschnitt
Bundesland: Baden-Württemberg
Kreis: Tübingen

Architekt*in:
Architekt Rainer Graf
Architektur +
Energiekonzepte
Paulinenstraße 22
72131 Ofterdingen

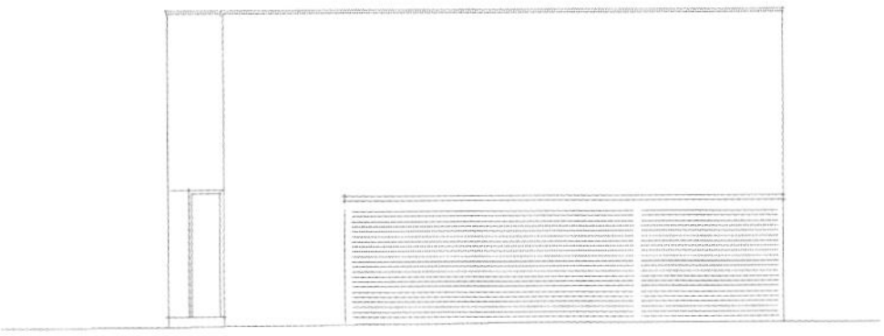

Ansicht Nord

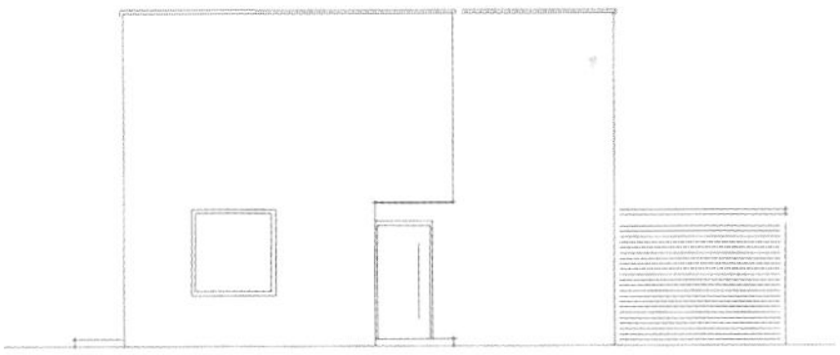

Ansicht Ost

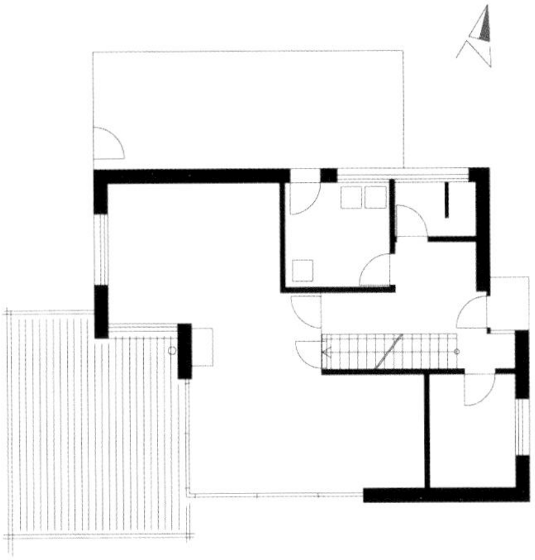

Erdgeschoss

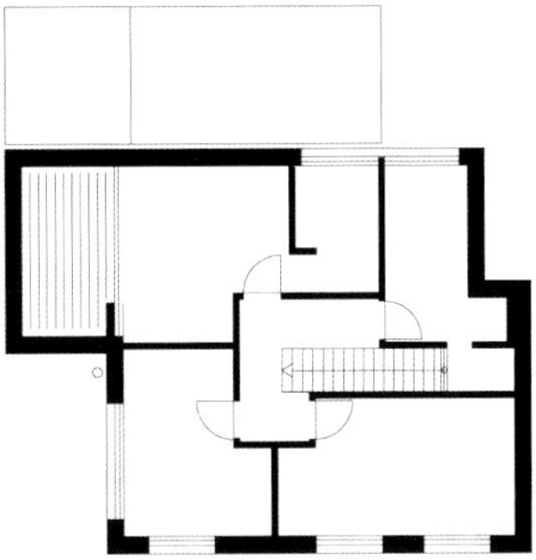

Dachgeschoss

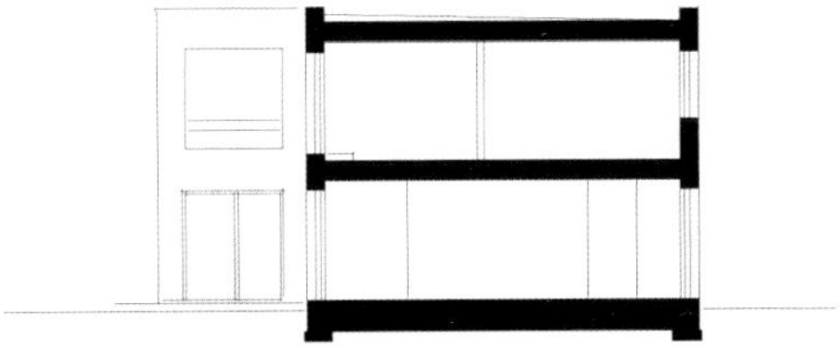

Querschnitt

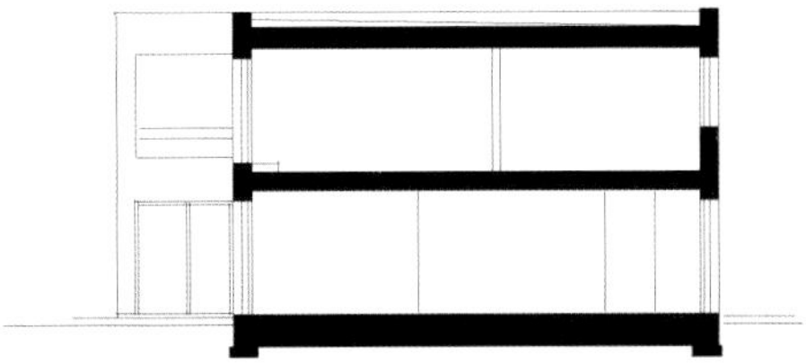

Längsschnitt

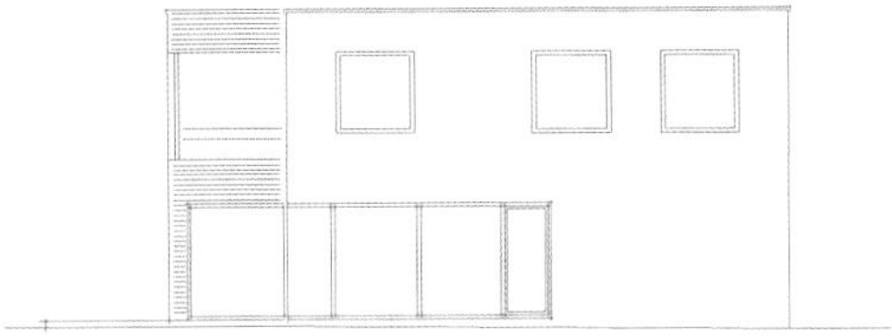

Ansicht Süd

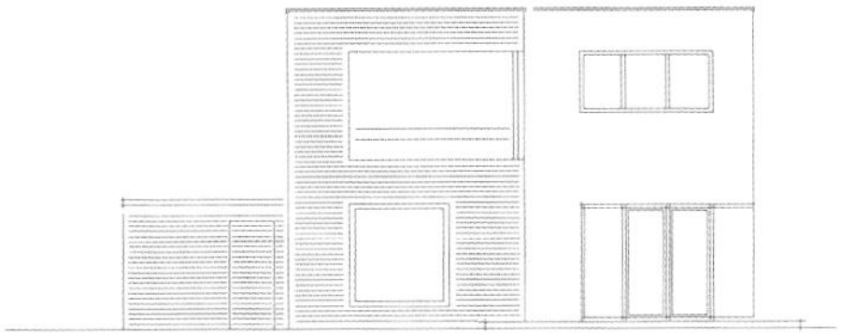

Ansicht West

6100-1177
Einfamilienhaus
Carport
Passivhaus

Objektbeschreibung

Allgemeine Objektinformationen

Das zweigeschossige Passivhaus ist ein kompakter, weiß verputzter Kubus mit begrüntem Flachdach. Es steht auf einem relativ ebenen Gelände und ist nicht unterkellert.

Nutzung

1 Erdgeschoss
Wohnen/Kochen/Essen, Arbeitszimmer, Garderobe, WC, Technikraum, Außenabstellraum, Carport

1 Obergeschoss
Schlafzimmer, Ankleide, zwei Kinderzimmer, Bad/WC, Dachterrasse

Nutzeinheiten

Wohnfläche: 155m²

Grundstück

Bauraum: Freier Bauraum
Neigung: Ebenes Gelände
Bodenklasse: BK 1 bis BK 3

Markt

Hauptvergabezeit: 3. Quartal 2010
Baubeginn: 4. Quartal 2010
Bauende: 1. Quartal 2011
Konjunkturelle Gesamtlage: Durchschnitt
Regionaler Baumarkt: Durchschnitt

Baukonstruktion

Die Stahlbetonbodenplatte ist mit einer Kreuzlage gedämmt. Der aufgehende Baukörper ist in Holzrahmenbauweise erstellt und mit 360mm starken Dämmträgern und 40mm starken Holzfaserplatten ausgeführt. Auch für die Dämmung wurden so weit möglich nachwachsende Rohstoffe verwendet. Die Fassade wurde mit 360mm, das aus Holz konstruierte Dach mit 400mm Zellulose ausgeflockt. Die 320mm starke Kreuzlage auf der Stahlbetonbodenplatte des Erdgeschosses erhielt diese Dämmung ebenfalls. Die Passivhausfenster sind teilweise fest verglast, ihre Rahmen sind durch Aluminiumblenden geschützt.

Technische Anlagen

Den Wärmebedarf stellt ein Kompaktgerät für Warmwasser, Lüftung und Heizung zur Verfügung. Es besitzt einen 200l Warmwasserspeicher, eine Luft-Wasser-Wärmepumpe und einen Wärmetauscher für die Abluft. Bei Spitzenbedarf wird elektrisch nachgeheizt. Zur Wärmeverteilung wurde eine Fußbodenheizung eingebaut. Die Bauherren wünschten im Wohnzimmer zusätzlich noch einen Kaminofen.

Planungskennwerte für Flächen und Rauminhalte nach DIN 277

Flächen des Grundstücks		Menge Einheit	% an GF
BF	Bebaute Fläche	112,50 m²	26,8
UF	Unbebaute Fläche	307,50 m²	73,2
GF	Grundstücksfläche	420,00 m²	100,0

Grundflächen des Bauwerks		Menge Einheit	% an NUF	% an BGF
NUF	Nutzungsfläche	143,90 m²	100,0	73,3
TF	Technikfläche	10,00 m²	6,9	5,1
VF	Verkehrsfläche	18,10 m²	12,6	9,2
NRF	Netto-Raumfläche	172,00 m²	119,5	87,6
KGF	Konstruktions-Grundfläche	24,40 m²	17,0	12,4
BGF	Brutto-Grundfläche	196,40 m²	136,5	100,0

Brutto-Rauminhalt des Bauwerks		Menge Einheit	BRI/NUF (m)	BRI/BGF (m)
BRI	Brutto-Rauminhalt	633,89 m³	4,41	3,23

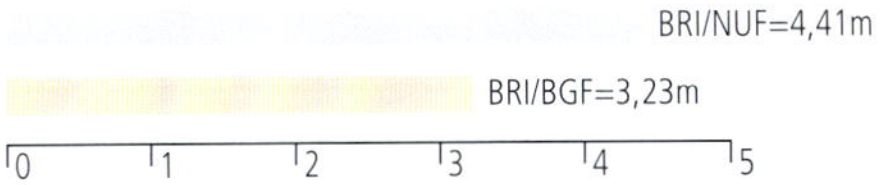

Lufttechnisch behandelte Flächen	Menge Einheit	% an NUF	% an BGF
Entlüftete Fläche	–	–	–
Be- und entlüftete Fläche	–	–	–
Teilklimatisierte Fläche	–	–	–
Klimatisierte Fläche	–	–	–

KG	Kostengruppen (2. Ebene)	Menge Einheit	Menge/NUF	Menge/BGF
310	Baugrube / Erdbau	127,00 m³ BGI	0,88	0,65
320	Gründung, Unterbau	102,01 m² GRF	0,71	0,52
330	Außenwände/Vertikale Baukonstruktionen, außen	287,66 m² AWF	2,00	1,47
340	Innenwände/Vertikale Baukonstruktionen, innen	154,42 m² IWF	1,07	0,79
350	Decken/Horizontale Baukonstruktionen	91,37 m² DEF	0,64	0,47
360	Dächer	120,00 m² DAF	0,83	0,61

Kostenkennwerte für die Kostengruppen der 1. Ebene DIN 276

KG	Kostengruppen (1. Ebene)	Einheit	Kosten €	€/Einheit	€/m² BGF	€/m³ BRI	% 300+400
100	Grundstück	m² GF	–	–	–	–	–
200	Vorbereitende Maßnahmen	m² GF	–	–	–	–	–
300	Bauwerk – Baukonstruktionen	m² BGF	342.157	1.742,14	1.742,14	539,77	77,2
400	Bauwerk – Technische Anlagen	m² BGF	100.955	514,03	514,03	159,26	22,8
	Bauwerk 300+400	**m² BGF**	**443.112**	**2.256,17**	**2.256,17**	**699,04**	**100,0**
500	Außenanlagen und Freiflächen	m² AF	18.252	59,36	92,93	28,79	4,1
600	Ausstattung und Kunstwerke	m² BGF	486	2,48	2,48	0,77	0,1
700	Baunebenkosten	m² BGF	–	–	–	–	–
800	Finanzierung	m² BGF	–	–	–	–	–

KG	Kostengruppe	Menge Einheit	Kosten €	€/Einheit	%
3+4	**Bauwerk**				**100,0**
300	**Bauwerk – Baukonstruktionen**	196,40 m² BGF	342.157	**1.742,14**	77,2

Stb-Bodenplatte, Kreuzlage, Dämmung, OSB-Platten; Holzrahmenwände, Stb-Fertigteilwände, Rundrohrstützen, Haustür, Nebeneingangstür, Fenster, Dämmung, Oberputz, Anstrich, Unterkonstruktion, Holzschalung, Sonnenschutz, Glasvordach; KS-Mauerwerk, Porenbetonwände, Holzrahmenwände, Holztüren, Malervlies, Streichputz, Anstrich; Holzdecke, Brettschichtholz, Deckenschalung, Holztreppe, Estrich, Parkett, Bodenfliesen, Balkonbelag, Dämmung, Abdichtung, Douglasie, GK-Platten, OSB-Platten, Malervlies, Anstrich, Decken, abgehängt; Flachdach, Brettschichtholz, Dachverglasung, Abdichtung, Dämmung, extensive Dachbegrünung, Kiesstreifen, Attikaabdeckung, Notüberläufe, Regenfallrohre

KG	Kostengruppe	Menge Einheit	Kosten €	€/Einheit	%
400	**Bauwerk – Technische Anlagen**	196,40 m² BGF	100.955	**514,03**	22,8

Gebäudeentwässerung, Kalt- und Warmwasserleitungen, Sanitärobjekte; Kompaktgerät für Lüften, Heizen, Warmwasserbereitung, Kupferrohre, Fußbodenheizung, Kaminofen, Edelstahlaußenwandkamin; Elektroinstallation, Beleuchtung, Blitzschutz; Telefonleitung, Klingelanlage, Sat-Anlage, Datenleitung,

KG	Kostengruppe	Menge Einheit	Kosten €	€/Einheit	%
500	**Außenanlagen und Freiflächen**	307,50 m² AF	18.252	**59,36**	4,1

Rohrgräben ausheben, wieder auffüllen, Bodenaushub für Zisterne; Unterkonstruktion, Terrasse aus Douglasie; PVC-Grundleitungen, Regenwasserzisterne

KG	Kostengruppe	Menge Einheit	Kosten €	€/Einheit	%
600	**Ausstattung und Kunstwerke**	196,40 m² BGF	486	**2,48**	0,1

Spiegel

Kostenkennwerte für die Kostengruppen 300 der 2. und 3. Ebene DIN 276 (Übersicht)

KG	Kostengruppe	Menge Einheit	€/Einheit	Kosten €	% an 3+4
300	**Bauwerk – Baukonstruktionen**	**196,40 m² BGF**	**1.742,14**	**342.156,89**	**77,2**
310	**Baugrube / Erdbau**	**127,00 m³ BGI**	**47,49**	**6.030,63**	**1,4**
311	Herstellung	127,00 m³ BGI	47,49	6.030,63	1,4
312	Umschließung	–	–	–	–
313	Wasserhaltung	–	–	–	–
314	Vortrieb	–	–	–	–
319	Sonstiges zur KG 310	–	–	–	–
320	**Gründung, Unterbau**	**102,01 m² GRF**	**417,93**	**42.632,56**	**9,6**
321	Baugrundverbesserung	63,57 m²	67,66	4.300,67	1,0
322	Flachgründungen und Bodenplatten	102,01 m²	96,32	9.825,28	2,2
323	Tiefgründungen	–	–	–	–
324	Gründungsbeläge	83,08 m²	328,78	27.314,06	6,2
325	Abdichtungen und Bekleidungen	102,01 m²	11,69	1.192,55	0,3
326	Dränagen	–	–	–	–
329	Sonstiges zur KG 320	–	–	–	–
330	**Außenwände/Vert. Baukonstrukt., außen**	**287,66 m² AWF**	**508,23**	**146.195,03**	**33,0**
331	Tragende Außenwände	206,02 m²	259,72	53.508,42	12,1
332	Nichttragende Außenwände	21,49 m²	115,03	2.471,64	0,6
333	Außenstützen	3,00 m	111,32	333,97	< 0,1
334	Außenwandöffnungen	60,15 m²	765,20	46.026,08	10,4
335	Außenwandbekleidungen, außen	266,14 m²	96,11	25.579,17	5,8
336	Außenwandbekleidungen, innen	193,00 m²	32,71	6.312,54	1,4
337	Element. Außenwandkonstruktionen	–	–	–	–
338	Lichtschutz zur KG 330	49,79 m²	194,21	9.670,37	2,2
339	Sonstiges zur KG 330	287,66 m² AWF	7,97	2.292,83	0,5
340	**Innenwände/Vert. Baukonstrukt., innen**	**154,42 m² IWF**	**213,71**	**33.001,59**	**7,4**
341	Tragende Innenwände	27,55 m²	114,14	3.144,42	0,7
342	Nichttragende Innenwände	110,48 m²	131,97	14.579,67	3,3
343	Innenstützen	–	–	–	–
344	Innenwandöffnungen	16,40 m²	324,66	5.323,16	1,2
345	Innenwandbekleidungen	226,03 m²	44,04	9.954,34	2,2
346	Elementierte Innenwandkonstruktionen	–	–	–	–
347	Lichtschutz zur KG 340	–	–	–	–
349	Sonstiges zur KG 340	–	–	–	–
350	**Decken/Horizontale Baukonstruktionen**	**91,37 m² DEF**	**562,48**	**51.393,57**	**11,6**
351	Deckenkonstruktionen	91,37 m²	328,30	29.996,63	6,8
352	Deckenöffnungen	–	–	–	–
353	Deckenbeläge	79,94 m²	155,39	12.421,52	2,8
354	Deckenbekleidungen	81,50 m²	72,84	5.936,26	1,3
355	Elementierte Deckenkonstruktionen	–	–	–	–
359	Sonstiges zur KG 350	91,37 m² DEF	33,26	3.039,15	0,7
360	**Dächer**	**120,00 m² DAF**	**439,87**	**52.784,51**	**11,9**
361	Dachkonstruktionen	120,00 m²	191,72	23.006,77	5,2
362	Dachöffnungen	–	–	–	–
363	Dachbeläge	132,65 m²	154,74	20.525,33	4,6
364	Dachbekleidungen	99,60 m²	92,90	9.252,40	2,1
365	Elementierte Dachkonstruktionen	–	–	–	–
366	Lichtschutz zur KG 360	–	–	–	–
369	Sonstiges zur KG 360	–	–	–	–
370	**Infrastrukturanlagen**	**–**	**–**	**–**	**–**
380	**Baukonstruktive Einbauten**	**–**	**–**	**–**	**–**
390	**Sonst. Maßnahmen für Baukonstrukt.**	**196,40 m² BGF**	**51,52**	**10.119,00**	**2,3**

Kostenkennwerte für die Kostengruppen 400 der 2. und 3. Ebene DIN 276 (Übersicht)

KG	Kostengruppe	Menge Einheit	€/Einheit	Kosten €	% an 3+4
400	**Bauwerk – Technische Anlagen**	**196,40 m² BGF**	**514,03**	**100.954,82**	**22,8**
410	**Abwasser-, Wasser-, Gasanlagen**	**196,40 m² BGF**	**112,63**	**22.119,65**	**5,0**
411	Abwasseranlagen	196,40 m² BGF	30,26	5.942,37	1,3
412	Wasseranlagen	196,40 m² BGF	78,48	15.413,96	3,5
413	Gasanlagen	–	–	–	–
419	Sonstiges zur KG 410	196,40 m² BGF	3,89	763,32	0,2
420	**Wärmeversorgungsanlagen**	**196,40 m² BGF**	**294,94**	**57.925,33**	**13,1**
421	Wärmeerzeugungsanlagen	196,40 m² BGF	172,32	33.843,78	7,6
422	Wärmeverteilnetze	196,40 m² BGF	5,67	1.113,24	0,3
423	Raumheizflächen	196,40 m² BGF	60,12	11.806,87	2,7
424	Verkehrsheizflächen	–	–	–	–
429	Sonstiges zur KG 420	196,40 m² BGF	56,83	11.161,41	2,5
430	**Raumlufttechnische Anlagen**	**–**	**–**	**–**	**–**
431	Lüftungsanlagen	–	–	–	–
432	Teilklimaanlagen	–	–	–	–
433	Klimaanlagen	–	–	–	–
434	Kälteanlagen	–	–	–	–
439	Sonstiges zur KG 430	–	–	–	–
440	**Elektrische Anlagen**	**196,40 m² BGF**	**89,53**	**17.583,70**	**4,0**
441	Hoch- und Mittelspannungsanlagen	–	–	–	–
442	Eigenstromversorgungsanlagen	–	–	–	–
443	Niederspannungsschaltanlagen	–	–	–	–
444	Niederspannungsinstallationsanlagen	196,40 m² BGF	74,99	14.728,23	3,3
445	Beleuchtungsanlagen	196,40 m² BGF	12,75	2.504,80	0,6
446	Blitzschutz- und Erdungsanlagen	196,40 m² BGF	1,79	350,67	< 0,1
447	Fahrleitungssysteme	–	–	–	–
449	Sonstiges zur KG 440	–	–	–	–
450	**Kommunikationstechnische Anlagen**	**196,40 m² BGF**	**16,94**	**3.326,14**	**0,8**
451	Telekommunikationsanlagen	196,40 m² BGF	2,26	443,28	0,1
452	Such- und Signalanlagen	196,40 m² BGF	1,95	382,54	< 0,1
453	Zeitdienstanlagen	–	–	–	–
454	Elektroakustische Anlagen	–	–	–	–
455	Audiovisuelle Medien- u. Antennenanl.	196,40 m² BGF	9,33	1.833,32	0,4
456	Gefahrenmelde- und Alarmanlagen	–	–	–	–
457	Datenübertragungsnetze	196,40 m² BGF	3,40	666,98	0,2
458	Verkehrsbeeinflussungsanlagen	–	–	–	–
459	Sonstiges zur KG 450	–	–	–	–
460	**Förderanlagen**	**–**	**–**	**–**	**–**
461	Aufzugsanlagen	–	–	–	–
462	Fahrtreppen, Fahrsteige	–	–	–	–
463	Befahranlagen	–	–	–	–
464	Transportanlagen	–	–	–	–
465	Krananlagen	–	–	–	–
466	Hydraulikanlagen	–	–	–	–
469	Sonstiges zur KG 460	–	–	–	–
470	**Nutzungsspez. u. verfahrenstechn. Anl.**	**–**	**–**	**–**	**–**
480	**Gebäude- und Anlagenautomation**	**–**	**–**	**–**	**–**
490	**Sonst. Maßnahmen für techn. Anlagen**	**–**	**–**	**–**	**–**

Kostenkennwerte für Leistungsbereiche nach STLB (Kosten des Bauwerks nach DIN 276)

LB	Leistungsbereiche	Kosten €	€/m² BGF	€/m³ BRI	% an 3+4
000	Sicherheits-, Baustelleneinrichtungen inkl. 001	9.707	49,40	15,30	2,2
002	Erdarbeiten	8.343	42,50	13,20	1,9
006	Spezialtiefbauarbeiten inkl. 005	–	–	–	–
009	Entwässerungskanalarbeiten inkl. 011	–	–	–	–
010	Drän- und Versickerarbeiten	–	–	–	–
012	Mauerarbeiten	3.285	16,70	5,20	0,7
013	Betonarbeiten	22.986	117,00	36,30	5,2
014	Natur-, Betonwerksteinarbeiten	–	–	–	–
016	Zimmer- und Holzbauarbeiten	119.156	606,70	188,00	26,9
017	Stahlbauarbeiten	–	–	–	–
018	Abdichtungsarbeiten	393	2,00	0,62	< 0,1
019	Kampfmittelräumarbeiten	–	–	–	–
020	Dachdeckungsarbeiten	–	–	–	–
021	Dachabdichtungsarbeiten	15.139	77,10	23,90	3,4
022	Klempnerarbeiten	8.387	42,70	13,20	1,9
	Rohbau	**187.396**	**954,20**	**295,60**	**42,3**
023	Putz- und Stuckarbeiten, Wärmedämmsysteme	18.172	92,50	28,70	4,1
024	Fliesen- und Plattenarbeiten	11.456	58,30	18,10	2,6
025	Estricharbeiten	7.825	39,80	12,30	1,8
026	Fenster, Außentüren inkl. 029, 032	46.438	236,40	73,30	10,5
027	Tischlerarbeiten	19.518	99,40	30,80	4,4
028	Parkettarbeiten, Holzpflasterarbeiten	–	–	–	–
030	Rollladenarbeiten	9.670	49,20	15,30	2,2
031	Metallbauarbeiten inkl. 035	1.828	9,30	2,90	0,4
034	Maler- und Lackiererarbeiten inkl. 037	22.833	116,30	36,00	5,2
036	Bodenbelagarbeiten	11.212	57,10	17,70	2,5
038	Vorgehängte hinterlüftete Fassaden	–	–	–	–
039	Trockenbauarbeiten	7.212	36,70	11,40	1,6
	Ausbau	**156.163**	**795,10**	**246,40**	**35,2**
040	Wärmeversorgungsanl. - Betriebseinr. inkl. 041	57.925	294,90	91,40	13,1
042	Gas- und Wasserinstallation, Leitungen inkl. 043	6.469	32,90	10,20	1,5
044	Abwasseranlagen - Leitungen	4.540	23,10	7,20	1,0
045	GWE-Einrichtungsgegenstände inkl. 046	9.708	49,40	15,30	2,2
047	Dämmarbeiten an betriebstechnischen Anlagen	–	–	–	–
049	Feuerlöschanlagen, Feuerlöschgeräte	–	–	–	–
050	Blitzschutz- und Erdungsanlagen	351	1,80	0,55	< 0,1
053	Niederspannungsanlagen inkl. 052, 054	14.728	75,00	23,20	3,3
055	Sicherheits- u. Ersatzstromversorgungsanl.	–	–	–	–
057	Gebäudesystemtechnik	–	–	–	–
058	Leuchten und Lampen inkl. 059	2.505	12,80	4,00	0,6
060	Sprechanlagen, elektroakust. Anlagen inkl. 064	383	1,90	0,60	< 0,1
061	Kommunikationsnetze inkl. 063	2.944	15,00	4,60	0,7
069	Aufzüge	–	–	–	–
070	Gebäudeautomation	–	–	–	–
075	Raumlufttechnische Anlagen inkl. 078	–	–	–	–
	Gebäudetechnik	**99.552**	**506,90**	**157,00**	**22,5**
084	Abbruch, Rückbau, Schadstoffsanierung	–	–	–	–
	Abbrucharbeiten	**–**	**–**	**–**	**–**
	Sonstige Leistungsbereiche	**–**	**–**	**–**	**–**

6100-1209
Zweifamilienhaus
Garage
Passivhaus

Objektübersicht

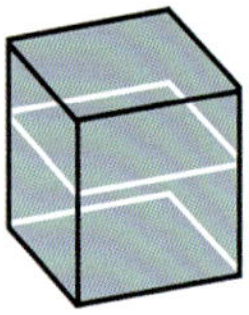

BRI 479 €/m³

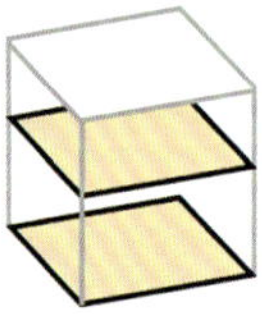

BGF 1.583 €/m²

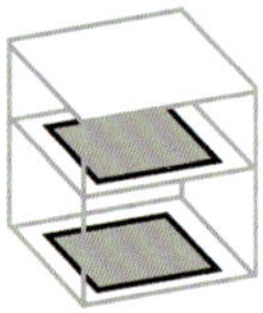

NUF 2.272 €/m²

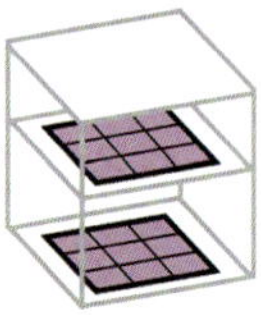

NE 2.873 €/NE

NE: Wohnfläche

Objekt:
Kennwerte: 1. Ebene DIN 276
BRI: 1.464 m³
BGF: 443 m²
NUF: 309 m²
Bauzeit: 61 Wochen
Bauende: 2014
Standard: über Durchschnitt
Bundesland: Baden-Württemberg
Kreis: Enzkreis

Architekt*in:
Sabine Schmidt
freie architektin
Alemannenweg 7
88175 Scheidegg

© Sabine Schmidt freie architektin

© Sabine Schmidt freie architektin

© Sabine Schmidt freie architektin

Ansicht Süd-Ost

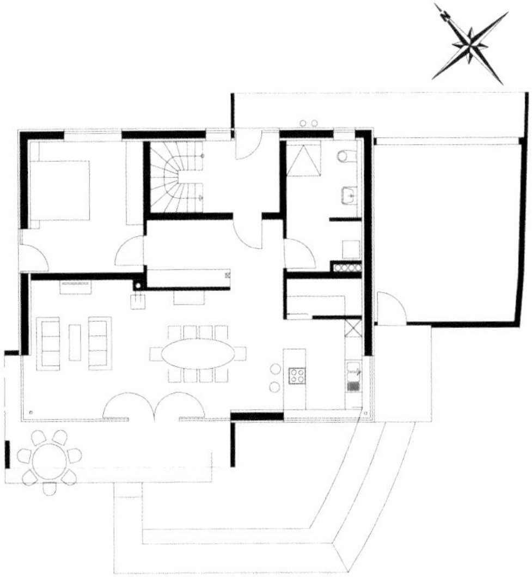

Erdgeschoss

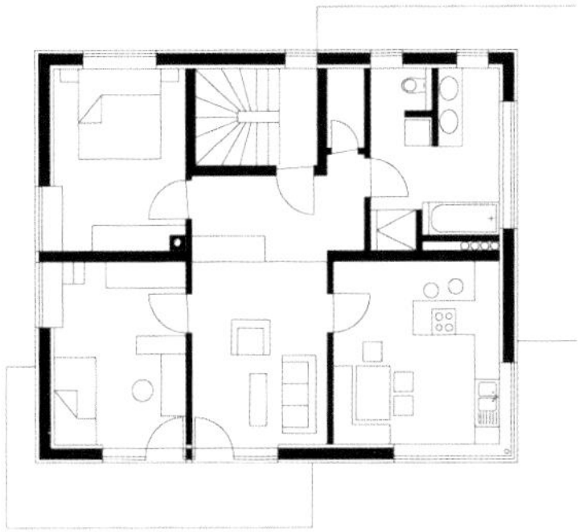

Obergeschoss

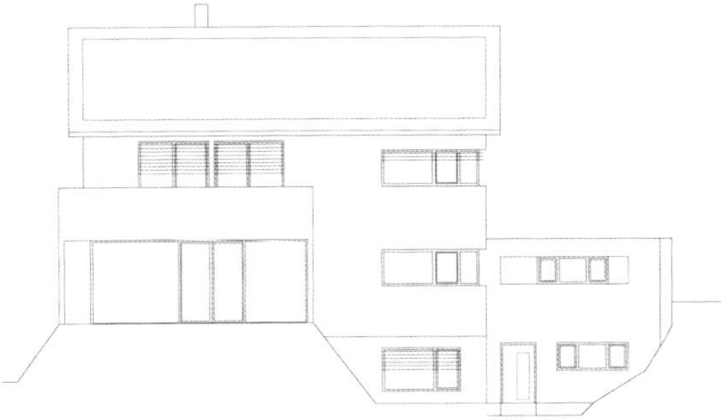

Ansicht Süd-West

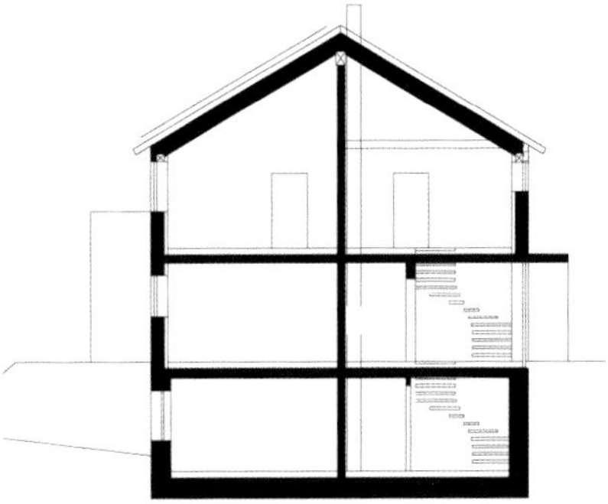

Schnitt

6100-1209
Zweifamilienhaus
Garage
Passivhaus

Objektbeschreibung

Allgemeine Objektinformationen

Dem Bauherrn des Zweifamilienhauses war es wichtig einen Energiestandard zu erreichen, der ihm weitgehende Unabhängigkeit gewährleistet. Somit kam für ihn nur ein Passivhaus in Frage.

Nutzung

1 Untergeschoss
Hobbyraum, Werkstatt, Kellerräume (2St), Technikraum

1 Erdgeschoss
Wohnen/Essen/Kochen, Schlafzimmer, Bad, Speisekammer, Garage

1 Obergeschoss
Wohnzimmer, Schlafzimmer, Kinderzimmer, Küche, Bad

Nutzeinheiten

Wohneinheiten: 2
Wohnfläche: 244 m^2

Grundstück

Bauraum: Beengter Bauraum
Neigung: Hanglage
Bodenklasse: BK 1 bis BK 3

Markt

Hauptvergabezeit: 3. Quartal 2013
Baubeginn: 4. Quartal 2013
Bauende: 4. Quartal 2014
Konjunkturelle Gesamtlage: über Durchschnitt
Regionaler Baumarkt: unter Durchschnitt

Baukonstruktion

Das Untergeschoss des Zweifamilienhauses wurde konventionell in Massivbauweise erstellt, während Erd- und Dachgeschoss in Holzrahmenbauweise errichtet wurden. Die Außenwände im Erd- und Dachgeschoss sind mit Zellulose und Holz- und Hanfdämmung ausschließlich ökologisch gedämmt.

Technische Anlagen

Das Gebäude besitzt eine zentrale Lüftungsanlage mit Wärmerückgewinnung. Die Fußbodenheizung und das Warmwasser werden über eine Luft-Wasser-Wärmepumpe gespeist. Die Südwestfläche des Daches ist mit einer Photovoltaik-Anlage belegt, die vorrangig das Wasser erwärmt und in einen Batteriespeicher einspeist.

Sonstiges

Durch das vorgezogene Flachdach der Garage gelangt man trockenen Fußes zum Hauseingang. Das Garagendach ist extensiv begrünt. Es wurde eine Regenwasserzisterne für die Gartenbewässerung eingebaut.

Planungskennwerte für Flächen und Rauminhalte nach DIN 277

Flächen des Grundstücks		Menge Einheit	% an GF
BF	Bebaute Fläche	159,00 m²	32,9
UF	Unbebaute Fläche	325,00 m²	67,1
GF	Grundstücksfläche	484,00 m²	100,0

Grundflächen des Bauwerks		Menge Einheit	% an NUF	% an BGF
NUF	Nutzungsfläche	308,60 m²	100,0	69,7
TF	Technikfläche	12,35 m²	4,0	2,8
VF	Verkehrsfläche	29,98 m²	9,7	6,8
NRF	Netto-Raumfläche	350,93 m²	113,7	79,2
KGF	Konstruktions-Grundfläche	92,07 m²	29,8	20,8
BGF	Brutto-Grundfläche	443,00 m²	143,6	100,0

Brutto-Rauminhalt des Bauwerks		Menge Einheit	BRI/NUF (m)	BRI/BGF (m)
BRI	Brutto-Rauminhalt	1.464,00 m³	4,74	3,31

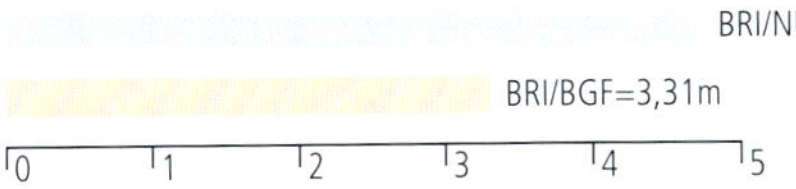

Kostenkennwerte für die Kostengruppen der 1. Ebene DIN 276

KG	Kostengruppen (1. Ebene)	Einheit	Kosten €	€/Einheit	€/m² BGF	€/m³ BRI	% 300+400
100	Grundstück	m² GF	–	–	–	–	–
200	Vorbereitende Maßnahmen	m² GF	–	–	–	–	–
300	Bauwerk – Baukonstruktionen	m² BGF	566.280	1.278,28	1.278,28	386,80	80,8
400	Bauwerk – Technische Anlagen	m² BGF	134.797	304,28	304,28	92,07	19,2
	Bauwerk 300+400	**m² BGF**	**701.077**	**1.582,57**	**1.582,57**	**478,88**	**100,0**
500	Außenanlagen und Freiflächen	m² AF	–	–	–	–	–
600	Ausstattung und Kunstwerke	m² BGF	–	–	–	–	–
700	Baunebenkosten	m² BGF	–	–	–	–	–
800	Finanzierung	m² BGF	–	–	–	–	–

KG	Kostengruppe	Menge Einheit	Kosten €	€/Einheit	%
3+4	**Bauwerk**				**100,0**
300	**Bauwerk – Baukonstruktionen**	443,00 m² BGF	566.280	**1.278,28**	80,8

Baugrubenaushub; Stb-Bodenplatte, Zementestrich, Perimeterdämmung, d=180mm; Stb-Wände (UG), Holzrahmenwände, Zelluloseeinblasdämmung, d=260mm, Passivhausfenster, Holzfaserdämmplatte, d=80mm, Außenputz, Perimeterdämmung (UG), d=260mm; KS-Mauerwerk (Treppenhaus), Trockenbauwände, Hanfdämmung; Stb-Decke, Holzbalkendecke, Hanfdämmung, Stb-Treppe (UG), Holztreppe, Zementestrich; Holz-Sparrendach, Zelluloseeinblasdämmung, d=400mm, Aufdachdämmung, d=80mm, Dachziegel, Dachentwässerung

KG	Kostengruppe	Menge Einheit	Kosten €	€/Einheit	%
400	**Bauwerk – Technische Anlagen**	443,00 m² BGF	134.797	**304,28**	19,2

Gebäudeentwässerung, Regenwasserzisterne, Kalt- und Warmwasserleitungen, Sanitärobjekte; Luft-Wasser-Wärmepumpe 7kW, Wasserspeicher 300l, Fußbodenheizung; Lüftungsanlage mit Wärmerückgewinnung; PV-Anlage mit Batteriespeicher, Elektroinstallation

6100-1326
Einfamilienhaus
Carport
Passivhaus

Objektübersicht

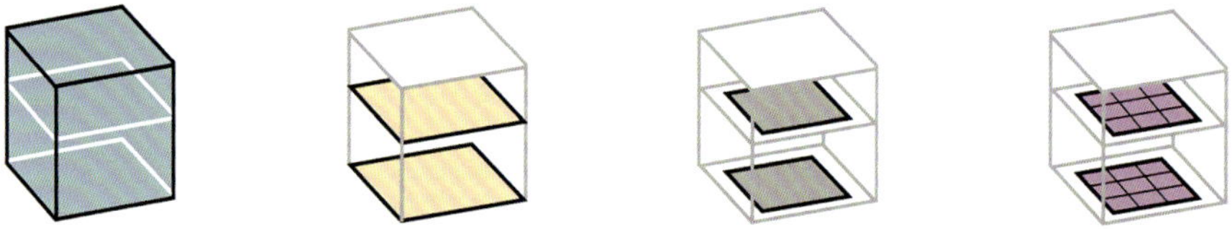

BRI 553 €/m³ | BGF 1.451 €/m² | NUF 2.862 €/m² | NE 3.662 €/NE

NE: Wohnfläche

Objekt:
Kennwerte: 1. Ebene DIN 276
BRI: 958 m³
BGF: 365 m²
NUF: 185 m²
Bauzeit: 26 Wochen
Bauende: 2015
Standard: Durchschnitt
Bundesland: Nordrhein-Westfalen
Kreis: Heinsberg

Architekt*in:
RoA RONGEN ARCHITEKTEN
PartG mbB
Propsteigasse 2
41849 Wassenberg

Ansicht Süd-West

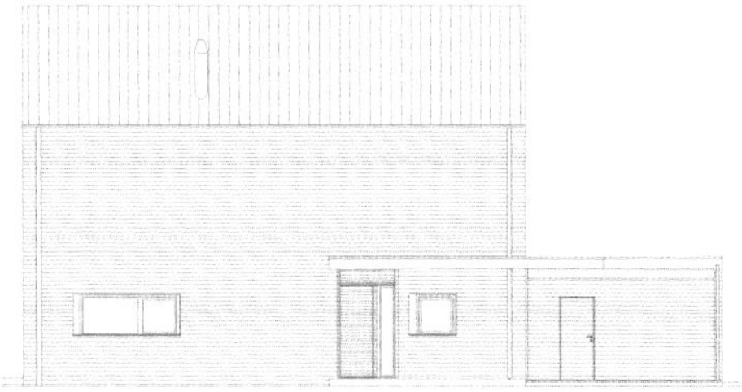

Ansicht Nord-Ost

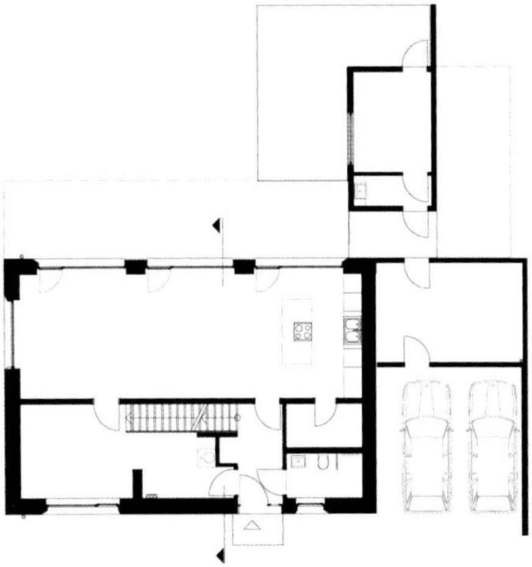

Erdgeschoss

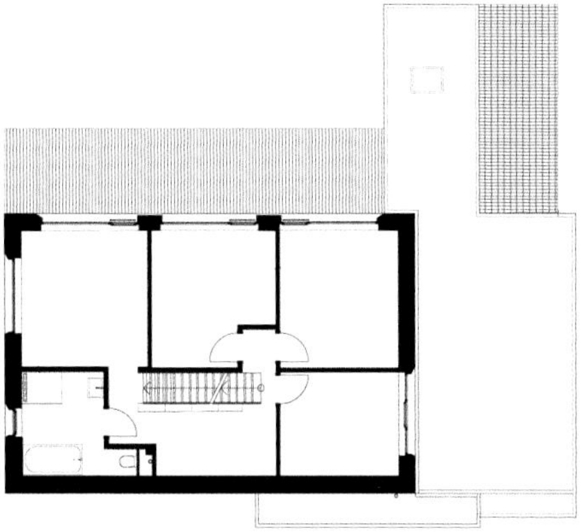

Obergeschoss

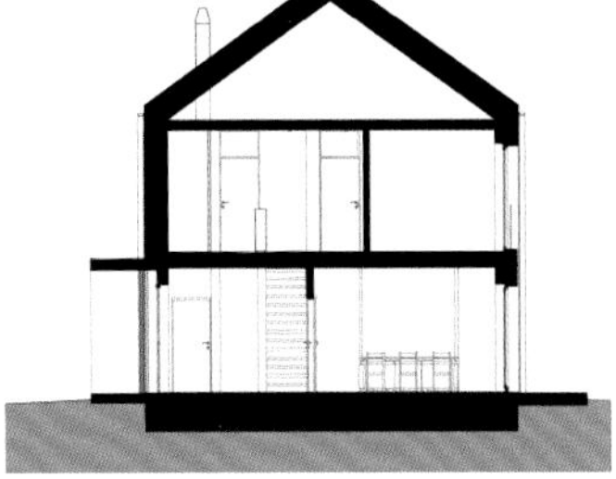

Schnitt

Ansicht Süd-Ost

Objektbeschreibung

Allgemeine Objektinformationen

Das neu errichtete Einfamilienhaus entstand nach ökologischen Gesichtspunkten als ein Passivhaus. Neben der Idee, dass das Haus möglichst wenig Energie, von der Herstellung über die Lebensdauer bis zum Abriss verbrauchen sollte, spielte auch die Raumlufthygiene und gesundes Wohnen eine große Rolle. Das Haus ist traufständig gebaut und zur Straße hin fast geschlossen, während es sich zum Privatbereich hin vollständig öffnet. Das Dach des Carports mit der markanten auberginefarbenen Attika zieht sich bis über die Eingangsüberdachung, sodass die Pkw-Unterstellplätze und das Wohnhaus eine Einheit bilden. Merkmal des Hauses sind die lilafarbenen Farbtupfer der Fensterlaibungen und der Attika im Kontrast zum Holzfarbton der Fassadenbekleidung.

Nutzung

1 Erdgeschoss
Diele, Dusche/WC, Hauswirtschaftsraum, Abstellraum, Arbeitszimmer, Wohnen/Essen/Kochen, Carport, Abstellraum, Schleuse, Vogelhaus

1 Obergeschoss
Galerie, Bad, Garderobe, Schlafzimmer, Kinderzimmer (2St)

1 Dachgeschoss
Technik

Nutzeinheiten

Wohneinheiten: 1
Wohnfläche: 145 m²

Grundstück

Bauraum: Freier Bauraum
Neigung: Ebenes Gelände
Bodenklasse: BK 1 bis BK 3

Markt

Hauptvergabezeit: 1. Quartal 2015
Baubeginn: 2. Quartal 2015
Bauende: 4. Quartal 2015
Konjunkturelle Gesamtlage: Durchschnitt
Regionaler Baumarkt: unter Durchschnitt

Baukonstruktion

Das Haus wurde in Holzrahmenbauweise gebaut und gründet auf einer Stahlbetonplatte ohne Keller. Um die Wärmebrücken zu reduzieren wurden die Außenwände aus Holzrahmen mit Mineralwolldämmeinlage und einer außenliegenden Vorsatzschale, auch mit Mineralwolldämmeinlage, erstellt. Auf der Holzrahmendecke wurde schwimmender Estrich mit Parkett oder Bodenfliesen verlegt. Auch eine Holzrahmendachbodendecke wurde eingezogen, doch der Dachboden wurde nicht ausgebaut. Die Holzfenster wurden als Passivhausfenster eingebaut. Das Satteldach besteht aus Stegträgern mit Zwischensparrendämmung und wurde mit anthrazitfarbenen Tondachziegeln gedeckt. Die Nebengebäude (Carport, Abstellraum und Vogelhaus) haben ein Flachdach mit innen liegender Entwässerung.

Technische Anlagen

Das Herzstück des Hauses ist ein Kaminofen, der für die nötige Heizwärme sorgt. Er speist auch einen Pufferspeicher, der solarunterstützt das Trinkwasser sowie die Badheizkörper erhitzt. Eine Lüftungsanlage mit kontrollierter Wärmerückgewinnung sorgt für frische Luft.

Planungskennwerte für Flächen und Rauminhalte nach DIN 277

Flächen des Grundstücks		Menge Einheit	% an GF
BF	Bebaute Fläche	159,07 m²	16,3
UF	Unbebaute Fläche	819,66 m²	83,7
GF	Grundstücksfläche	978,73 m²	100,0

Grundflächen des Bauwerks		Menge Einheit	% an NUF	% an BGF
NUF	Nutzungsfläche	185,00 m²	100,0	50,7
TF	Technikfläche	21,82 m²	11,8	6,0
VF	Verkehrsfläche	21,21 m²	11,5	5,8
NRF	Netto-Raumfläche	228,03 m²	123,3	62,5
KGF	Konstruktions-Grundfläche	136,89 m²	74,0	37,5
BGF	Brutto-Grundfläche	364,92 m²	197,3	100,0

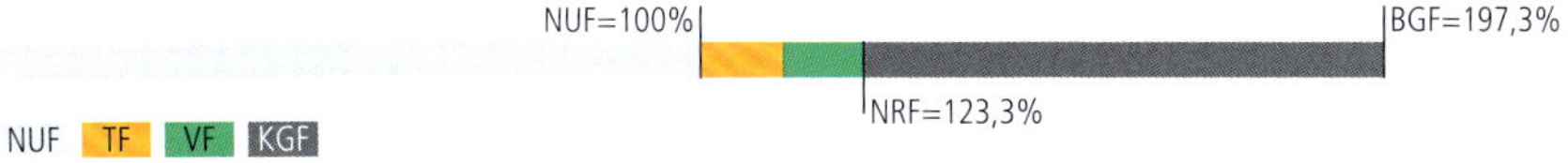

Brutto-Rauminhalt des Bauwerks		Menge Einheit	BRI/NUF (m)	BRI/BGF (m)
BRI	Brutto-Rauminhalt	957,53 m³	5,18	2,62

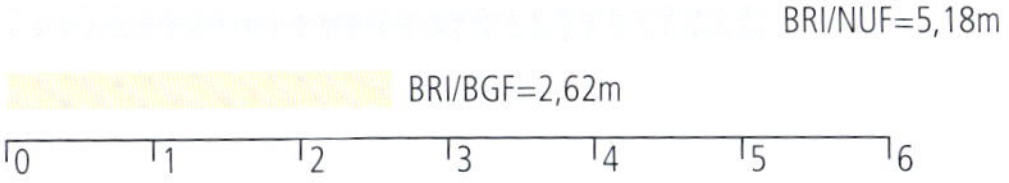

Kostenkennwerte für die Kostengruppen der 1. Ebene DIN 276

KG	Kostengruppen (1. Ebene)	Einheit	Kosten €	€/Einheit	€/m² BGF	€/m³ BRI	% 300+400
100	Grundstück	m² GF	–	–	–	–	–
200	Vorbereitende Maßnahmen	m² GF	9.386	9,59	25,72	9,80	1,8
300	Bauwerk – Baukonstruktionen	m² BGF	424.950	1.164,50	1.164,50	443,80	80,3
400	Bauwerk – Technische Anlagen	m² BGF	104.476	286,30	286,30	109,11	19,7
	Bauwerk 300+400	**m² BGF**	**529.426**	**1.450,80**	**1.450,80**	**552,91**	**100,0**
500	Außenanlagen und Freiflächen	m² AF	32.980	40,24	90,38	34,44	6,2
600	Ausstattung und Kunstwerke	m² BGF	–	–	–	–	–
700	Baunebenkosten	m² BGF	–	–	–	–	–
800	Finanzierung	m² BGF	–	–	–	–	–

KG	Kostengruppe	Menge Einheit	Kosten €	€/Einheit	%
200	**Vorbereitende Maßnahmen**	978,73 m² GF	9.386	**9,59**	1,8

Abwasser-, Wasser- und Stromversorgung, Telekommunikation

KG	Kostengruppe	Menge Einheit	Kosten €	€/Einheit	%
3+4	**Bauwerk**				**100,0**
300	**Bauwerk – Baukonstruktionen**	364,92 m² BGF	424.950	**1.164,50**	80,3

Stb-Fundamentplatte, Bodenabdichtung, Holzrahmenwände, Dämmeinlage, Holz-Vorsatzschale, Dämmeinlage, Holz-Eingangstür, Holzfenster, Stahl-Außentür, Fassadenbekleidung Läche-Sichtschalung, Perimeterdämmung, GK-Bekleidung, Raffstores, Rollladen im Vogelhaus; Mauerwerkswände, Trockenbauwände, Holztüren, Putz, Malervlies, Beschichtung, Wandfliesen; Holzrahmendecken, Holztreppe, Dämmung, Estrich, Parkett, Bodenfliesen, Malervlies, Beschichtung, Stahl-Treppengeländer; Satteldach, Sparren aus Stegträgern, Dämmung, Dachziegel, Dachentwässerung, Holz-Flachdach, Dämmung, Abdichtung

KG	Kostengruppe	Menge Einheit	Kosten €	€/Einheit	%
400	**Bauwerk – Technische Anlagen**	364,92 m² BGF	104.476	**286,30**	19,7

Gebäudeentwässerung, Kalt- und Warmwasserleitungen, Sanitärobjekte; Solaranlage, Pufferspeicher, Badheizkörper, Kaminofen mit Wassertasche, Edelstahl-Schornstein; Lüftungsanlage mit Wärmerückgewinnung; Elektroinstallation; Datenverkabelung

KG	Kostengruppe	Menge Einheit	Kosten €	€/Einheit	%
500	**Außenanlagen und Freiflächen**	819,66 m² AF	32.980	**40,24**	6,2

Geländebearbeitung; Betonpflaster; Kanal; Vogelvoliere

6100-1360
Einfamilienhaus
Garage
Passivhaus

Objektübersicht

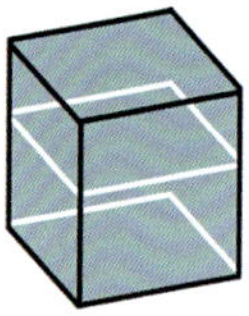

BRI 513 €/m³

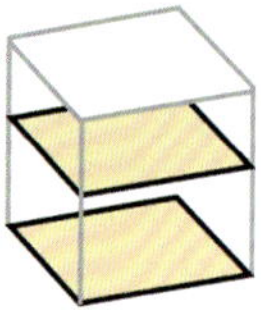

BGF 1.370 €/m²

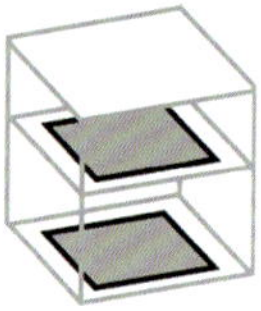

NUF 2.221 €/m²

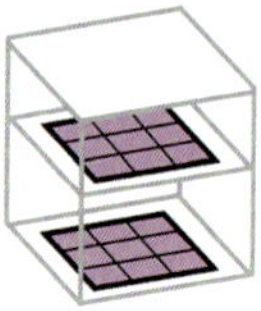

NE 2.357 €/NE

NE: Wohnfläche

Objekt:
Kennwerte: 1. Ebene DIN 276
BRI: 795 m³
BGF: 298 m²
NUF: 184 m²
Bauzeit: 26 Wochen
Bauende: 2017
Standard: Durchschnitt
Bundesland: Nordrhein-Westfalen
Kreis: Wesel

Architekt*in:
bau grün ! gmbh
Architekt Daniel Finocchiaro
Burggrafenstraße 98
41061 Mönchengladbach

Bauherr*in:
Jennifer und Daniel Sauer

© Sebastian Fehlings

© Sebastian Fehlings

© Sebastian Fehlings

Zeichnungen

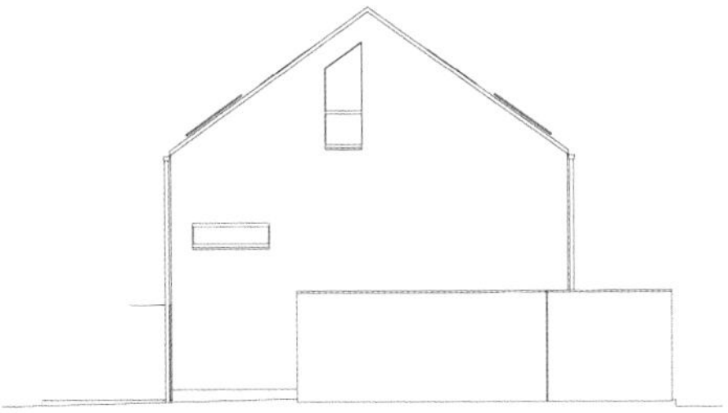

Ansicht Nord

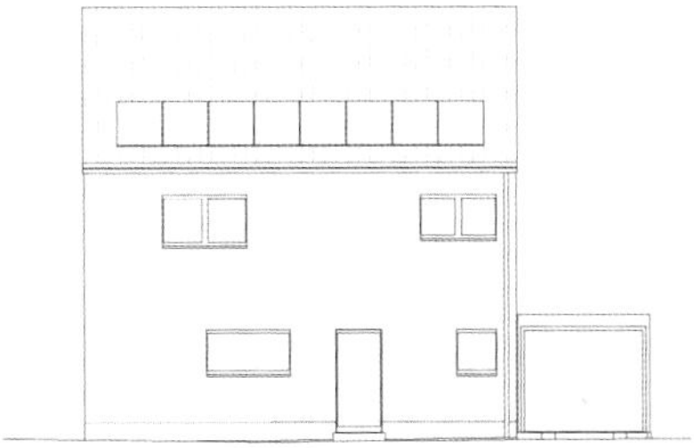

Ansicht Ost

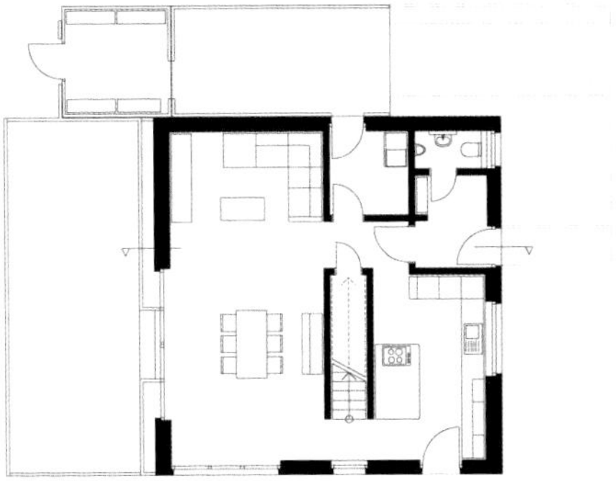

Erdgeschoss

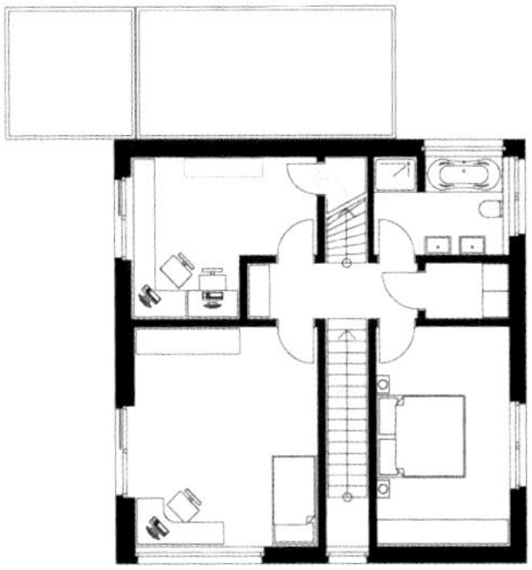

Obergeschoss

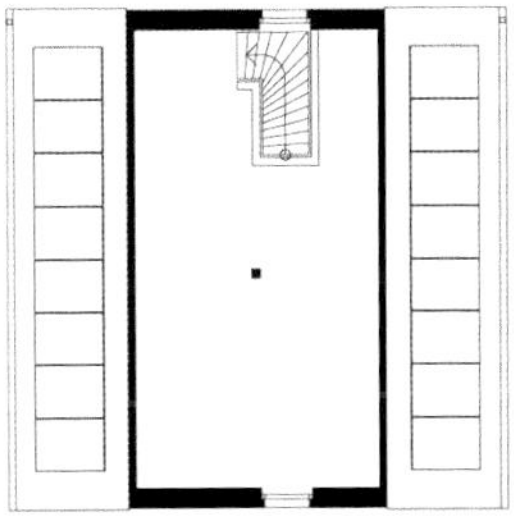

Dachgeschoss

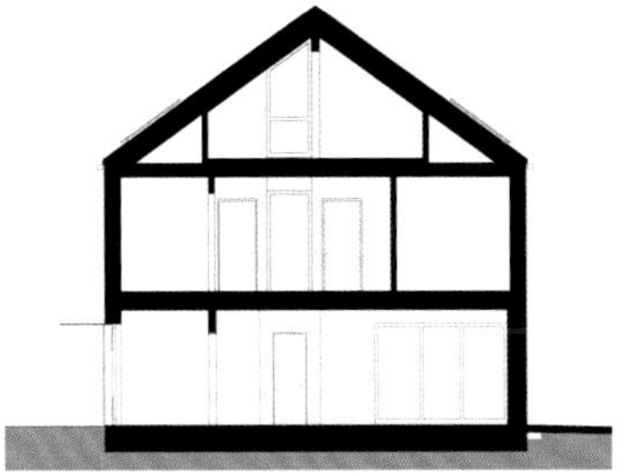

Schnitt

Ansicht Süd

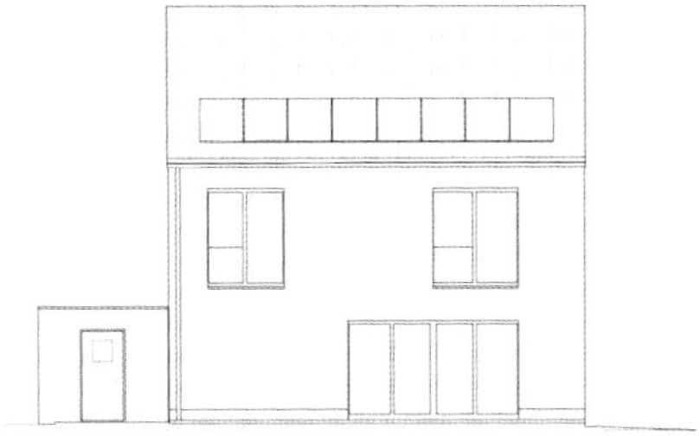

Ansicht West

Objektbeschreibung

Allgemeine Objektinformationen

Um den Wunsch der Bauherren nach einem ökologischen und ökonomischen Gebäude zu realisieren, wurde eine Holztafelbauweise gewählt, die die Wärmeverluste möglichst gering hält. Eine hohe Energieeffizienz wurde durch den Einsatz modernster Technik, sowie erneuerbarer Energien erreicht.

Nutzung

1 Erdgeschoss
Windfang, Gäste-WC, Technikraum, Abstellraum, Küche, Wohn- und Esszimmer, Terrasse, Garage mit Abstellraum

1 Obergeschoss
Schlafzimmer, Bad, Hauswirtschaftsraum, Kinderzimmer, Arbeitszimmer, Abstellraum

1 Dachgeschoss
Studio

Nutzeinheiten

Wohneinheiten: 1
Wohnfläche: 173 m^2

Grundstück

Bauraum: Freier Bauraum
Neigung: Ebenes Gelände
Bodenklasse: BK 1

Markt

Hauptvergabezeit: 3. Quartal 2016
Baubeginn: 3. Quartal 2016
Bauende: 1. Quartal 2017
Konjunkturelle Gesamtlage: Durchschnitt
Regionaler Baumarkt: Durchschnitt

Baukonstruktion

Sämtliche Außen- und Innenwände, sowie die Dachkonstruktion wurden in Holztafelbauweise mit Zellulosedämmung ausgeführt. Die passivhausgeeigneten Holzfenster sind dreifachverglast.

Technische Anlagen

Das Gebäude besitzt ein zentrales Versorgungsgerät für die Wohnraumlüftung, -heizung und -kühlung, sowie für die Warmwasserversorgung. Das Kernstück des zentralen Versorgungsgeräts ist eine Wohnungslüftungseinrichtung mit kontrollierter passiver und aktiver Wärmerückgewinnung.

Sonstiges

Auf dem Satteldach ist beidseitig eine Photovoltaikanlage aus insgesamt 20 Modulen montiert.

Planungskennwerte für Flächen und Rauminhalte nach DIN 277

Flächen des Grundstücks		Menge Einheit	% an GF
BF	Bebaute Fläche	117,25 m²	24,4
UF	Unbebaute Fläche	362,75 m²	75,6
GF	Grundstücksfläche	480,00 m²	100,0

Grundflächen des Bauwerks		Menge Einheit	% an NUF	% an BGF
NUF	Nutzungsfläche	183,68 m²	100,0	61,7
TF	Technikfläche	4,86 m²	2,6	1,6
VF	Verkehrsfläche	19,19 m²	10,4	6,4
NRF	Netto-Raumfläche	207,73 m²	113,1	69,8
KGF	Konstruktions-Grundfläche	90,02 m²	49,0	30,2
BGF	Brutto-Grundfläche	297,75 m²	162,1	100,0

Brutto-Rauminhalt des Bauwerks		Menge Einheit	BRI/NUF (m)	BRI/BGF (m)
BRI	Brutto-Rauminhalt	794,91 m³	4,33	2,67

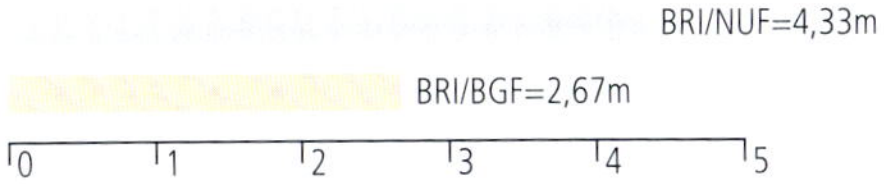

Kostenkennwerte für die Kostengruppen der 1. Ebene DIN 276

KG	Kostengruppen (1. Ebene)	Einheit	Kosten €	€/Einheit	€/m² BGF	€/m³ BRI	% 300+400
100	Grundstück	m² GF	–	–	–	–	–
200	Vorbereitende Maßnahmen	m² GF	8.442	17,59	28,35	10,62	2,1
300	Bauwerk – Baukonstruktionen	m² BGF	323.423	1.086,22	1.086,22	406,87	79,3
400	Bauwerk – Technische Anlagen	m² BGF	84.496	283,78	283,78	106,30	20,7
	Bauwerk 300+400	**m² BGF**	**407.919**	**1.370,01**	**1.370,01**	**513,16**	**100,0**
500	Außenanlagen und Freiflächen	m² AF	13.402	210,55	45,01	16,86	3,3
600	Ausstattung und Kunstwerke	m² BGF	–	–	–	–	–
700	Baunebenkosten	m² BGF	–	–	–	–	–
800	Finanzierung	m² BGF	–	–	–	–	–

KG	Kostengruppe	Menge Einheit	Kosten €	€/Einheit	%
200	**Vorbereitende Maßnahmen**	480,00 m² GF	8.442	**17,59**	2,1
	Erschließung von Abwasser, Wasser, Strom, Telefon, Medien				
3+4	**Bauwerk**				**100,0**
300	**Bauwerk – Baukonstruktionen**	297,75 m² BGF	323.423	**1.086,22**	79,3
	Stb-Bodenplatte; Holztafelwände, Zellulosedämmung, Fertiggarage mit Tor und Tür, Eingangstür, Holzfenster, Dreifachverglasung, Putz, Trockenbau-Vorsatzschalen, Sonnenschutz, Vordach, Cortenstahl; Holztafelwände, Zellulosedämmung, Holztüren, Malervlies, Beschichtung, Wandfliesen; Holzdecken, Zellulosedämmung, Holztreppen, Dämmung, Estrich, Parkett, Bodenfliesen; Satteldach: Holzkonstruktion, Zellulosedämmung, Dachdeckung, GK-Bekleidung, Dachentwässerung				
400	**Bauwerk – Technische Anlagen**	297,75 m² BGF	84.496	**283,78**	20,7
	Gebäudeentwässerung, Kalt- und Warmwasserleitungen, Sanitärobjekte; Sole-Wasser-Wärmepumpe, Fußbodenheizung; kontrollierte Be- und Entlüftung mit Wärmerückgewinnung; Photovoltaikanlage, Elektroinstallation, Blitzschutz; Gegensprechanlage, Übertragungsnetze				
500	**Außenanlagen und Freiflächen**	63,65 m² AF	13.402	**210,55**	3,3
	Betonplatten, Kiesfläche; Stufen, Garage mit Abstellraum; Oberflächenentwässerung				

6100-1474
Einfamilienhaus
Passivhaus

Objektübersicht

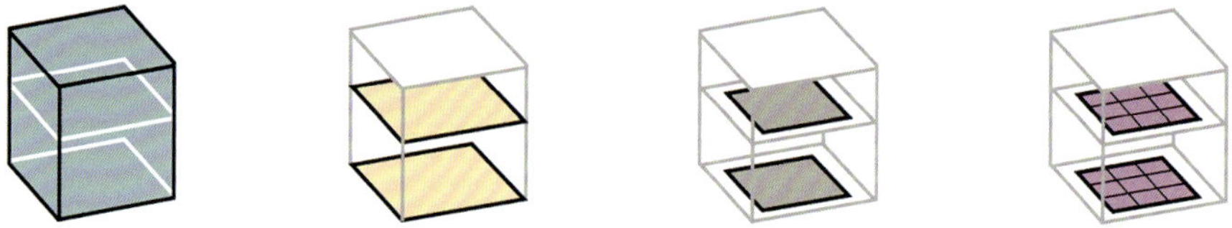

BRI 731 €/m³ | BGF 2.082 €/m² | NUF 3.097 €/m² | NE 3.357 €/NE

NE: Wohnfläche

Objekt:
Kennwerte: 1. Ebene DIN 276
BRI: 904 m³
BGF: 318 m²
NUF: 214 m²
Bauzeit: 35 Wochen
Bauende: 2018
Standard: Durchschnitt
Bundesland: Nordrhein-Westfalen
Kreis: Mönchengladbach, Stadt

Architekt*in:
bau grün ! gmbh
Architekt Daniel Finocchiaro
Burggrafenstraße 98
41061 Mönchengladbach

© Yvonne & Sebastian Fehlings, Medilor

© Yvonne & Sebastian Fehlings, Medilor

© Yvonne & Sebastian Fehlings, Medilor

© Y. & S. Fehlings

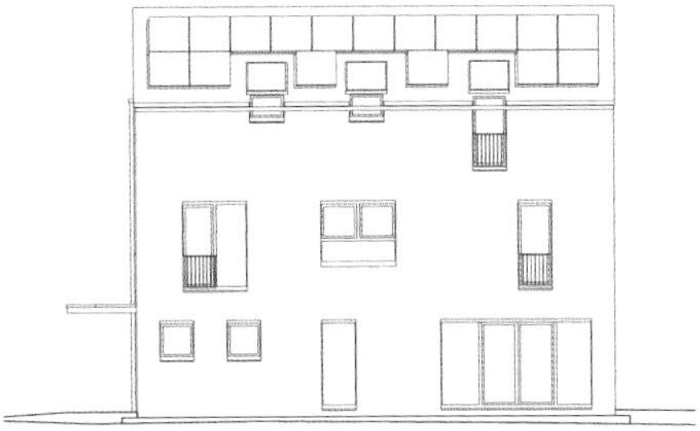

Ansicht Süd

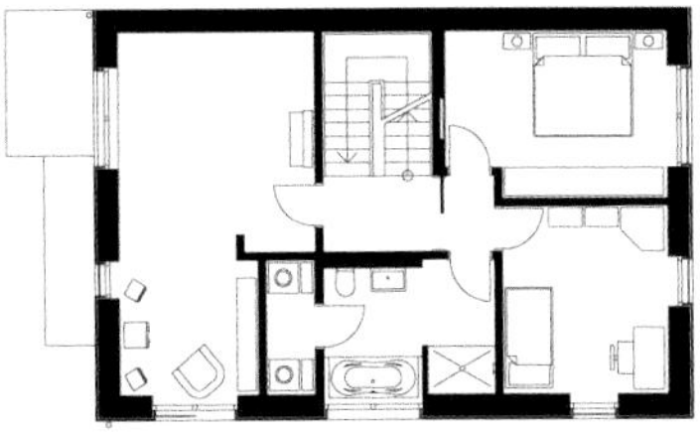

Obergeschoss

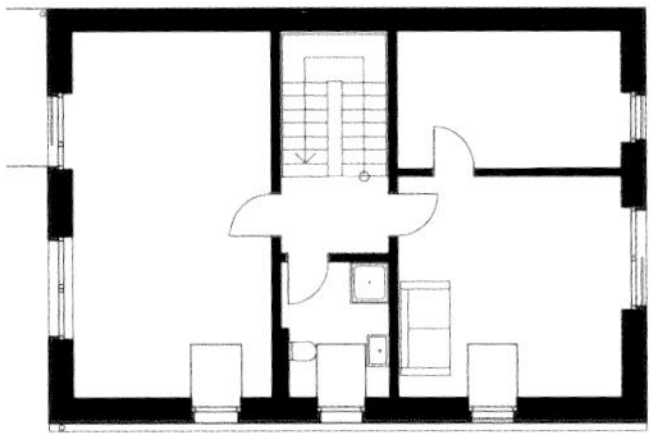

Dachgeschoss

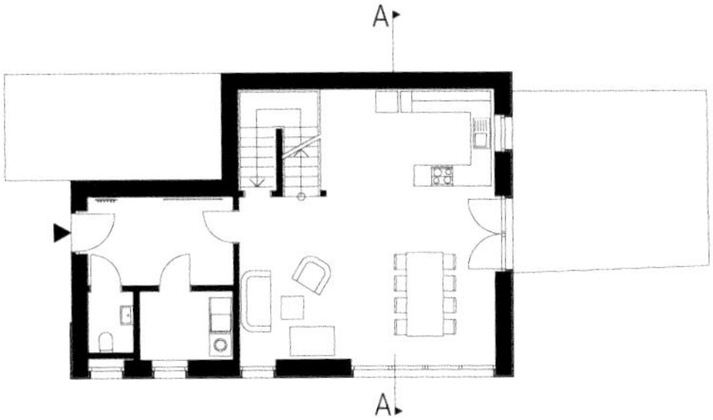

Erdgeschoss

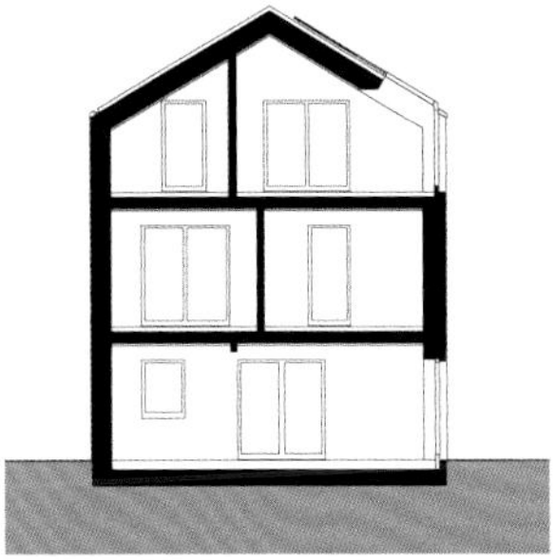

Schnitt A-A

Ansicht West

Ansicht Ost

Objektbeschreibung

Allgemeine Objektinformationen

Der Neubau ist nicht unterkellert und besteht fast ausschließlich aus baubiologisch unbedenklichen Baustoffen. So stammen z.B. das verbaute Nadelholz aus nachhaltiger Forstwirtschaft, die Zellulosedämmung zu 100% aus recyceltem Zeitungspapier und der Lehmputz aus der Umgebung. Neben der Verwendung von nachhaltigen Baustoffen wurde das Haus auch auf minimalen Energieverbrauch und Effizienz optimiert. Das Gebäude ist so offen und hell gestaltet, wie es die Lage zulässt, und die vielen großen bodentiefen Fenster sorgen für ein einladend helles Erscheinungsbild. Aus dem großen Ess-, Koch- und Aufenthaltsbereich im Erdgeschoss führt eine Holztreppe in das erste Obergeschoss, welches den privaten Bereich beheimatet. Im Dachgeschoss findet man dann noch ein geräumiges Gästezimmer mit eigenem Bad, einen großen Abstellraum und das zweite Wohnzimmer.

Nutzung

1 Erdgeschoss
Wohnen/Essen/Kochen, Windfang, WC, Hausanschlussraum

1 Obergeschoss
Schlafzimmer, Kinderzimmer, Arbeitszimmer, Bad, Hauswirtschaftsraum

1 Dachgeschoss
Wohnzimmer, Gästezimmer, Abstellraum, Gästebad

Nutzeinheiten

Stellplätze: 1
Wohneinheiten: 1
Wohnfläche: 197 m^2

Grundstück

Bauraum: Freier Bauraum
Neigung: Ebenes Gelände
Bodenklasse: BK 1 bis BK 3

Markt

Hauptvergabezeit: 1. Quartal 2018
Baubeginn: 1. Quartal 2018
Bauende: 4. Quartal 2018
Konjunkturelle Gesamtlage: über Durchschnitt
Regionaler Baumarkt: Durchschnitt

Baukonstruktion

Gegründet wurde das Gebäude auf einer von außen wärmegedämmten, lastabtragenden Stahlbeton-Bodenplatte mit Sockelaufkantungen. Die Außenwände sind in klassischer Holzrahmenbauweise einseitig offen vorgefertigt. Die Holzbalkendecken sowie der Dachstuhl wurden vor Ort verzimmert. Auf den Außenwänden sind Holzfaserplatten als Fassadenträger und zur Wärmebrückenreduzierung angebracht. Die Gebäudetrennwand und ein Teil des Eingangsbereichs sind von außen mit einem diffusionsoffenen und biozidfreien mineralischen Scheibenputz verputzt; alle anderen Außenwände erhielten eine hinterlüftete Holzfassade. Von Innen wurden die Außenwände mit naturbelassenem Lehmputz verputzt und mit Flachsgewebe armiert. Die Kiefernholzfenster haben Dreifachverglasung mit warmem Glasrandverbund. Alle Fenster verfügen über Raffstores oder Rollläden. Das Satteldach auf der Südseite ist mit Betondachsteinen gedeckt und mit einer Photovoltaikanlage versehen und auf der Nordseite wurde ein Gründach ausgeführt.

Technische Anlagen

Das Nachhaltigkeitshaus verfügt über ein zentrales Versorgungsgerät für die Wohnraumlüftung, -heizung und -kühlung und für die Warmwasserversorgung. Mit der Wohnungslüftungseinrichtung mit kontrollierter, passiver und aktiver Wärmerückgewinnung werden die durch die Grundlüftung entstehenden Lüftungswärmeverluste auf Null reduziert. Wärmerückgewinnungsgrade von über 100% sind mit der Kombination von passiver Wärmerückgewinnung aus der Abluft mit Gegenstromwärmetauscher und aktiver Wärmerückgewinnung aus der bereits abgekühlten Abluft mittels integrierter Wärmepumpe möglich. Die Warmwasseraufbereitung und -speicherung findet direkt im zentralen Versorgungsgerät statt. Für den Sommerfall hält das zentrale Versorgungsgerät eine wirkungsvolle Bypassfunktion zur passiven Nachtauskühlung des Gebäudes und eine aktive Zuluftkühlung mittels Wärmepumpe inklusive Luftentfeuchtung bereit. Der Neubau verfügt über eine Photovoltaikanlage. Diese wurde so dimensioniert, dass über ein Jahr bilanziert das Gebäude keine zusätzliche Energie mehr benötigt und einen leichten Energieüberschuss hat.

Sonstiges

Da die Auftraggeber mit den natürlichen Baustoffen Lehm und Holz umgehen wollten, dominieren diese im Innern des Hauses und wurden an vielen Stellen auch unbehandelt und besonders sichtbar belassen.

Planungskennwerte für Flächen und Rauminhalte nach DIN 277

Flächen des Grundstücks		Menge Einheit	% an GF
BF	Bebaute Fläche	100,90 m²	36,4
UF	Unbebaute Fläche	176,10 m²	63,6
GF	Grundstücksfläche	277,00 m²	100,0

Grundflächen des Bauwerks		Menge Einheit	% an NUF	% an BGF
NUF	Nutzungsfläche	213,50 m²	100,0	67,2
TF	Technikfläche	4,51 m²	2,1	1,4
VF	Verkehrsfläche	29,78 m²	13,9	9,4
NRF	Netto-Raumfläche	247,79 m²	116,1	78,0
KGF	Konstruktions-Grundfläche	69,78 m²	32,7	22,0
BGF	Brutto-Grundfläche	317,57 m²	148,7	100,0

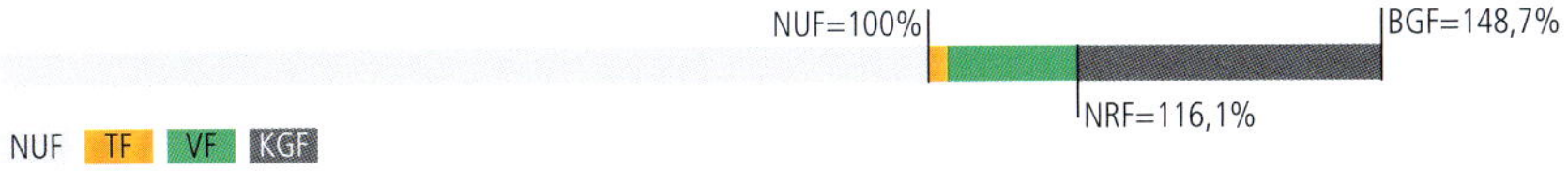

Brutto-Rauminhalt des Bauwerks		Menge Einheit	BRI/NUF (m)	BRI/BGF (m)
BRI	Brutto-Rauminhalt	903,90 m³	4,23	2,85

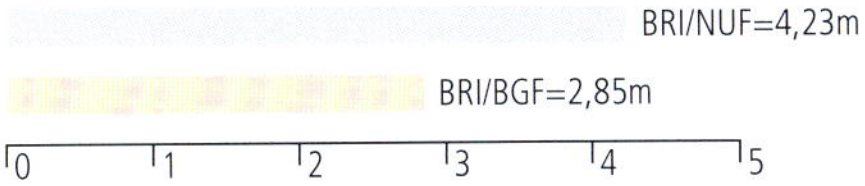

Kostenkennwerte für die Kostengruppen der 1. Ebene DIN 276

KG	Kostengruppen (1. Ebene)	Einheit	Kosten €	€/Einheit	€/m² BGF	€/m³ BRI	% 300+400
100	Grundstück	m² GF	–	–	–	–	–
200	Vorbereitende Maßnahmen	m² GF	16.517	59,63	52,01	18,27	2,5
300	Bauwerk – Baukonstruktionen	m² BGF	522.127	1.644,13	1.644,13	577,64	79,0
400	Bauwerk – Technische Anlagen	m² BGF	139.018	437,75	437,75	153,80	21,0
	Bauwerk 300+400	**m² BGF**	**661.145**	**2.081,89**	**2.081,89**	**731,44**	**100,0**
500	Außenanlagen und Freiflächen	m² AF	9.800	238,03	30,86	10,84	1,5
600	Ausstattung und Kunstwerke	m² BGF	–	–	–	–	–
700	Baunebenkosten	m² BGF	–	–	–	–	–
800	Finanzierung	m² BGF	–	–	–	–	–

KG	Kostengruppe	Menge Einheit	Kosten €	€/Einheit	%
200	**Vorbereitende Maßnahmen**	277,00 m² GF	16.517	**59,63**	2,5
	Öffentliche und private Ver- und Entsorgung, Grundstücksrodung				
3+4	**Bauwerk**				**100,0**
300	**Bauwerk – Baukonstruktionen**	317,57 m² BGF	522.127	**1.644,13**	79,0
	Stb-Bodenplatte, Abdichtung, Wärmedämmung, Zementestrich, Parkett, Bodenfliesen, Perimeterdämmung; Holzrahmenwände, Zellulosedämmung, Holzfenster, Dreifachverglasung, Holzfaserdämmplatten, mineralischer Kratzputz, Holzfassade, Lehmputz, Raffstoreanlagen; Holzrahmenwände, Glastüren, OSB/GK-Bekleidung, Vliestapete, Beschichtung; Holzbalkendecke, Holztreppe, Dämmung; Satteldach als Holzpfettendach, Zwischensparrendämmung, Dachziegel, Dachentwässerung, Doppelstehfalzdeckung Vordach				
400	**Bauwerk – Technische Anlagen**	317,57 m² BGF	139.018	**437,75**	21,0
	Gebäudeentwässerung, Kalt- und Warmwasserleitungen, Sanitärobjekte; Luft-Wasser-Wärmepumpe; kontrollierte Be- und Entlüftung mit Wärmerückgewinnung; Photovoltaikanlage, Elektroinstallation, Beleuchtung; Alarmanlage; Haussteuerung für Raffstoreanlagen und Lüftung				
500	**Außenanlagen und Freiflächen**	41,17 m² AF	9.800	**238,03**	1,5
	Pflasterflächen Eingang, Einfahrt und Terrasse mit gebrauchten Pflastersteinen; Pflanzfläche				

6100-1559
Einfamilienhaus
Praxis
Passivhaus

Objektübersicht

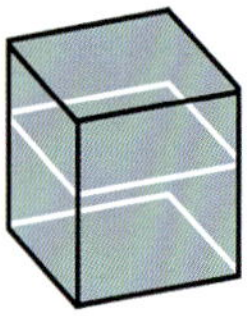

BRI 726 €/m³

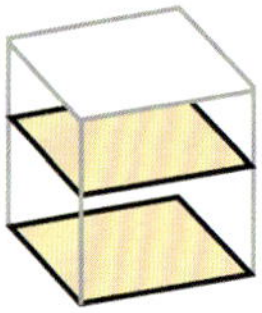

BGF 1.913 €/m²

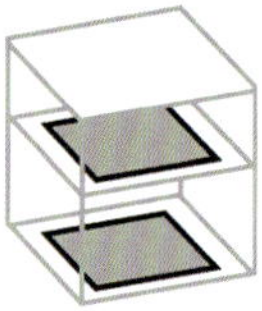

NUF 2.810 €/m²

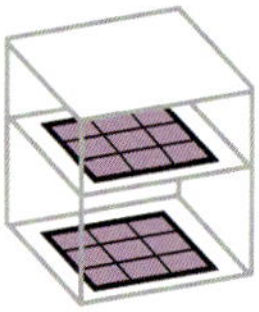

NE 6.165 €/NE

NE: Wohnfläche

Objekt:
Kennwerte: 3. Ebene DIN 276
BRI: 1.605 m³
BGF: 610 m²
NUF: 415 m²
Bauzeit: 52 Wochen
Bauende: 2015
Standard: Durchschnitt
Bundesland: Baden-Württemberg
Kreis: Tuttlingen

Architekt*in:
messmerarchitektur gmbh
Gosheimer Straße 24
78564 Wehingen

© Rolf Messmer

© Rolf Messmer

© Rolf Messmer

© Rolf Messmer

Zeichnungen

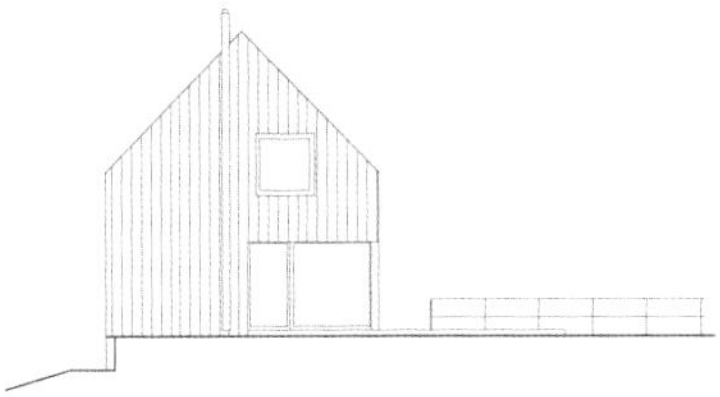

Ansicht Nord-West

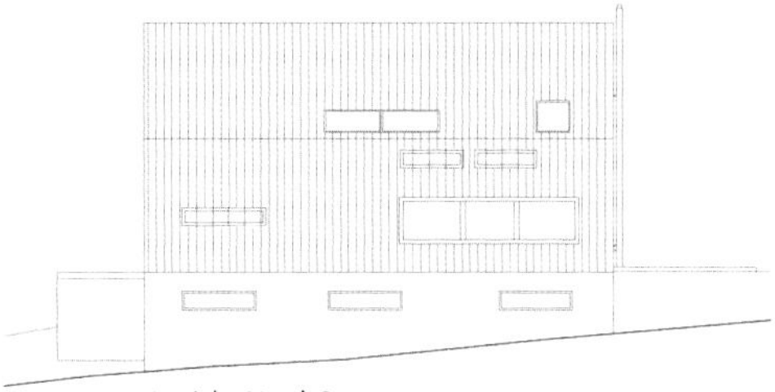

Ansicht Nord-Ost

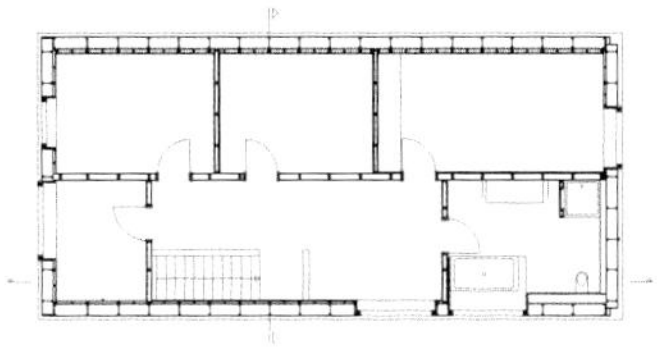

Dachgeschoss

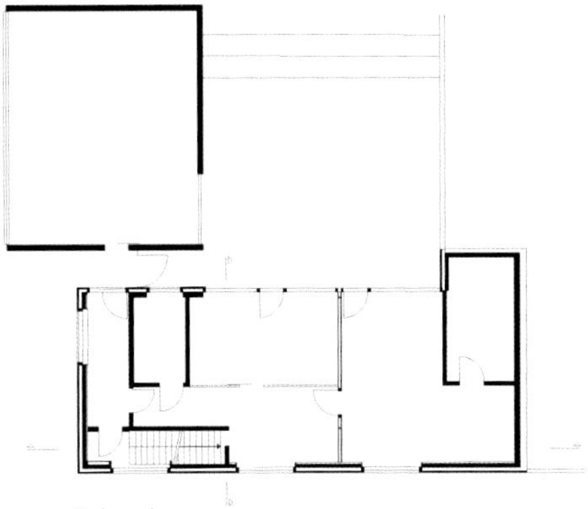

Erdgeschoss

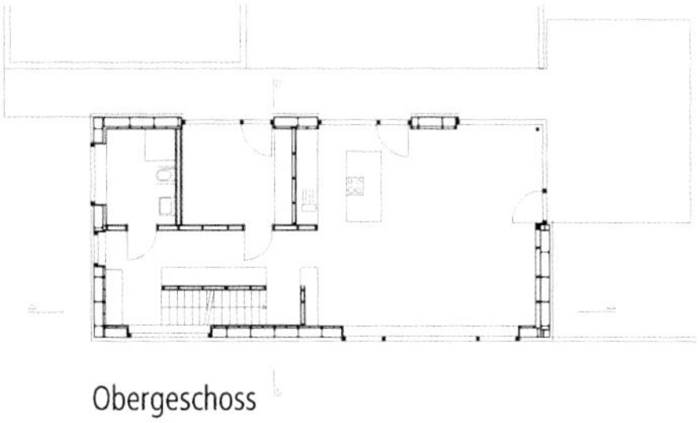

Obergeschoss

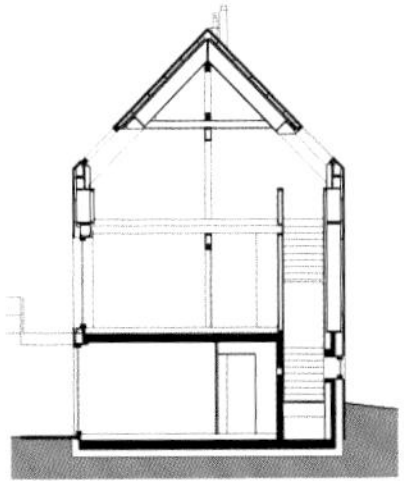

Querschnitt

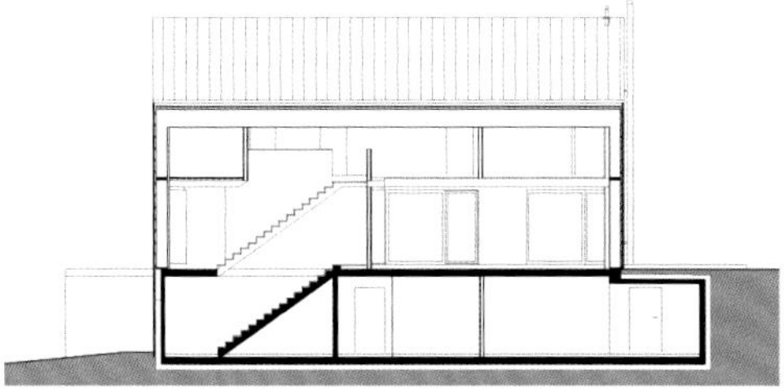

Längsschnitt

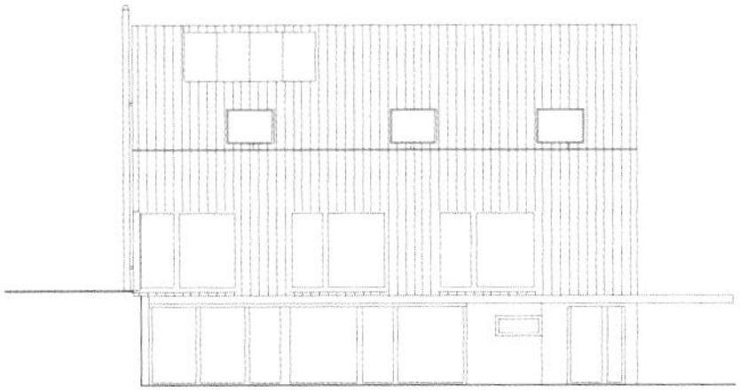

Ansicht Süd-West

Ansicht Süd-Ost

Objektbeschreibung

Allgemeine Objektinformationen

Mit seiner Lage am Ortsrand schafft das neue Wohnhaus mit Praxis einen harmonischen Übergang von der strukturierten Bebauung in die offene Landschaft. Die Einbettung des kompakten Baukörpers mit Satteldach in die Topografie am Hang und die großflächigen Öffnungen zu den angrenzenden Streuobstwiesen verstärken den Bezug ins Grüne. Die allseitigen Holzfassaden an Dach und Wand prägen das homogene Erscheinungsbild. Die beiden Baukörper Wohnhaus und Garage bilden durch ihre Stellung zueinander vor dem Gebäude einen kleinen Zugangshof, auf der privaten Rückseite wird ein geschützter Innenhof geschaffen, der der Praxis zugeordnet ist.

Nutzung

1 Erdgeschoss
Eingangsbereich, Praxis, Büro, Bad, WC, Technik, Garagen

1 Obergeschoss
Wohn-, Ess-, Küchenbereich, Schrankflur, Gast, Bad/WC

1 Dachgeschoss
Hauswirtschaftsraum, Kinderzimmer (2St), Schlafzimmer, Bad, Galerie

Nutzeinheiten

Wohneinheiten: 1
Wohnfläche: 189 m^2

Grundstück

Bauraum: Freier Bauraum
Neigung: Hanglage
Bodenklasse: BK 1 bis BK 5

Markt

Hauptvergabezeit: 2. Quartal 2014
Baubeginn: 2. Quartal 2014
Bauende: 2. Quartal 2015
Konjunkturelle Gesamtlage: Durchschnitt
Regionaler Baumarkt: unter Durchschnitt

Baukonstruktion

Das Wohngebäude wurde in Mischbauweise errichtet. Erdgeschoss und Garage bilden einen Sockel aus Stahlbeton, die oberirdische Kubatur entstand als Holzrahmenbau. Obergeschoss und Dach haben eine Lamellenfassade aus Holz. Die Dachabdichtung des Wohnhauses erfolgte mittels thermoplastischer Kunststoffbahnen. Das Flachdach der Garage ist mit einer extensiven Begrünung ausgeführt. Für die Fenster wurde eine spezielle Verglasung im Passivhausstandard gewählt. Die Fensterrahmen bestehen außen aus Alu-Profilen, innen kam Holz zum Einsatz. Im Obergeschoss sind die Wände in Holzrahmenbauweise errichtet, die Kalksandsteinwände im Erdgeschoss sind verputzt. Der Wohnbereich hat eine Holz-Elementdecke mit Sichtoberfläche. Alle Türen und Türrahmen sowie die Fußböden sind in Echtholz gestaltet.

Technische Anlagen

Die Wärmeversorgung und die Warmwasserbereitung erfolgen über eine Gastherme, unterstützt durch eine thermische Solaranlage. Die Wärme wird über eine Fußbodenheizung in den Räumen verteilt. Im Wohnraum befindet sich zusätzlich ein Kaminofen. Ebenso kam ein Erdwärmetauscher zur Ausführung. Eine kontrollierte Wohnraumlüftung mit Wärmerückgewinnung sorgt für einen energieeffizienten Luftaustausch. Das energetische Konzept wird durch die Fotovoltaikanlage abgerundet.

Sonstiges

Unter dem Aspekt der Nachhaltigkeit und Flexibilität wurden in jedem Geschoss Zugangsbereiche, Türen und Sanitärräume so dimensioniert, dass das gesamte Gebäude bei Bedarf auf sehr einfache Weise barrierefrei gestaltet werden kann.

Planungskennwerte für Flächen und Rauminhalte nach DIN 277

Flächen des Grundstücks		Menge Einheit	% an GF
BF	Bebaute Fläche	264,75 m²	30,7
UF	Unbebaute Fläche	596,25 m²	69,3
GF	Grundstücksfläche	861,00 m²	100,0

Grundflächen des Bauwerks		Menge Einheit	% an NUF	% an BGF
NUF	Nutzungsfläche	414,94 m²	100,0	68,1
TF	Technikfläche	14,55 m²	3,5	2,4
VF	Verkehrsfläche	9,20 m²	2,2	1,5
NRF	Netto-Raumfläche	438,69 m²	105,7	72,0
KGF	Konstruktions-Grundfläche	170,86 m²	41,2	28,0
BGF	Brutto-Grundfläche	609,55 m²	146,9	100,0

Brutto-Rauminhalt des Bauwerks		Menge Einheit	BRI/NUF (m)	BRI/BGF (m)
BRI	Brutto-Rauminhalt	1.605,30 m³	3,87	2,63

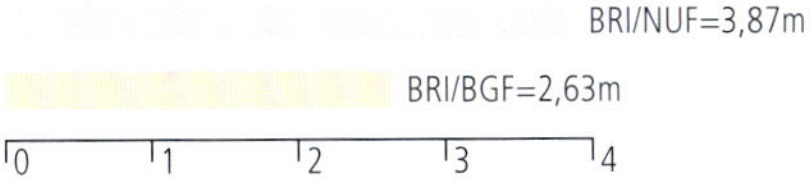

Lufttechnisch behandelte Flächen	Menge Einheit	% an NUF	% an BGF
Entlüftete Fläche	–	–	–
Be- und entlüftete Fläche	–	–	–
Teilklimatisierte Fläche	–	–	–
Klimatisierte Fläche	–	–	–

KG	Kostengruppen (2. Ebene)	Menge Einheit	Menge/NUF	Menge/BGF
310	Baugrube / Erdbau	947,11 m³ BGI	2,28	1,55
320	Gründung, Unterbau	222,76 m² GRF	0,54	0,37
330	Außenwände/Vertikale Baukonstruktionen, außen	509,31 m² AWF	1,23	0,84
340	Innenwände/Vertikale Baukonstruktionen, innen	235,61 m² IWF	0,57	0,39
350	Decken/Horizontale Baukonstruktionen	279,01 m² DEF	0,67	0,46
360	Dächer	294,31 m² DAF	0,71	0,48

Kostenkennwerte für die Kostengruppen der 1. Ebene DIN 276

KG	Kostengruppen (1. Ebene)	Einheit	Kosten €	€/Einheit	€/m² BGF	€/m³ BRI	% 300+400
100	Grundstück	m² GF	–	–	–	–	–
200	Vorbereitende Maßnahmen	m² GF	3.146	3,65	5,16	1,96	0,3
300	Bauwerk – Baukonstruktionen	m² BGF	922.230	1.512,97	1.512,97	574,49	79,1
400	Bauwerk – Technische Anlagen	m² BGF	243.923	400,17	400,17	151,95	20,9
	Bauwerk 300+400	**m² BGF**	**1.166.153**	**1.913,14**	**1.913,14**	**726,44**	**100,0**
500	Außenanlagen und Freiflächen	m² AF	38.722	59,30	63,53	24,12	3,3
600	Ausstattung und Kunstwerke	m² BGF	–	–	–	–	–
700	Baunebenkosten	m² BGF	–	–	–	–	–
800	Finanzierung	m² BGF	–	–	–	–	–

KG	Kostengruppe	Menge Einheit	Kosten €	€/Einheit	%
200	**Vorbereitende Maßnahmen**	861,00 m² GF	3.146	**3,65**	0,3

Oberboden abtragen

KG	Kostengruppe	Menge Einheit	Kosten €	€/Einheit	%
3+4	**Bauwerk**				**100,0**
300	**Bauwerk – Baukonstruktionen**	609,55 m² BGF	922.230	**1.512,97**	79,1

Stb-Flachgründung, Heizestrich, Parkett, Bodenfliesen; Holzrahmenwände, Einblasdämmung, Stb-Elementwände, Kerndämmung, Garagentore, Holz-Alufenster, Glashaustür, Stahltüren, offene Holzleistenschalung, GK-Bekleidung, Tapete, Putz, Wandfliesen; Holzrahmenwände, KS-Mauerwerk, GK-Wände, Holztüren, Wandfliesen; Stb-Elementdecken, Holz-Elementdecke, Stb-Treppe, Kehlbalkendecke, Holzdielen, GK-Decken, Stahlbalkon, Dispersionsbeschichtung, Geländer; Holzdachkonstruktion, Einblasdämmung, Dachflächenfenster, Dachverglasung, offene Holzleistenschalung, Dachbegrünung, Dachentwässerung; Einbauküche, Einbaumöbel

KG	Kostengruppe	Menge Einheit	Kosten €	€/Einheit	%
400	**Bauwerk – Technische Anlagen**	609,55 m² BGF	243.923	**400,17**	20,9

Gebäudeentwässerung, Kalt- und Warmwasserleitungen, Enthärtungsanlage, Sanitärobjekte; Gas-Brennwertkessel mit Solarunterstützung, Kaminofen, Heizungsrohre, Fußbodenheizung, Edelstahlschornstein; Lüftungsgerät mit WRG; Fotovoltaikanlage, Elektroinstallation, Beleuchtung, Erdung; Telefonanlage, Sprechanlage, Alarmanlage, EDV-Verkabelung

KG	Kostengruppe	Menge Einheit	Kosten €	€/Einheit	%
500	**Außenanlagen und Freiflächen**	653,03 m² AF	38.722	**59,30**	3,3

Mineralbetonfundamente; Granitfelsen, Granitsteine, Stb-Stützwand, Stb-Winkelstützelemente; Oberflächenentwässerung, Regenwasserzisterne

Kostenkennwerte für die Kostengruppen 300 der 2. und 3.Ebene DIN 276 (Übersicht)

KG	Kostengruppe	Menge Einheit	€/Einheit	Kosten €	% an 3+4
300	**Bauwerk – Baukonstruktionen**	**609,55 m² BGF**	**1.512,97**	**922.229,81**	**79,1**
310	**Baugrube / Erdbau**	**947,11 m³ BGI**	**33,52**	**31.744,46**	**2,7**
311	Herstellung	947,11 m³ BGI	33,52	31.744,46	2,7
312	Umschließung	–	–	–	–
313	Wasserhaltung	–	–	–	–
314	Vortrieb	–	–	–	–
319	Sonstiges zur KG 310	–	–	–	–
320	**Gründung, Unterbau**	**222,76 m² GRF**	**407,87**	**90.856,07**	**7,8**
321	Baugrundverbesserung	–	–	–	–
322	Flachgründungen und Bodenplatten	222,76 m²	175,21	39.029,89	3,3
323	Tiefgründungen	–	–	–	–
324	Gründungsbeläge	100,94 m²	196,70	19.854,62	1,7
325	Abdichtungen und Bekleidungen	222,79 m²	110,19	24.548,70	2,1
326	Dränagen	222,76 m² GRF	33,32	7.422,88	0,6
329	Sonstiges zur KG 320	–	–	–	–
330	**Außenwände/Vert. Baukonstrukt., außen**	**509,31 m² AWF**	**658,13**	**335.194,28**	**28,7**
331	Tragende Außenwände	387,93 m²	335,29	130.068,48	11,2
332	Nichttragende Außenwände	–	–	–	–
333	Außenstützen	–	–	–	–
334	Außenwandöffnungen	121,38 m²	914,15	110.959,42	9,5
335	Außenwandbekleidungen, außen	389,01 m²	157,75	61.366,39	5,3
336	Außenwandbekleidungen, innen	316,62 m²	76,38	24.185,01	2,1
337	Element. Außenwandkonstruktionen	–	–	–	–
338	Lichtschutz zur KG 330	–	–	8.615,00	0,7
339	Sonstiges zur KG 330	–	–	–	–
340	**Innenwände/Vert. Baukonstrukt., innen**	**235,61 m² IWF**	**361,61**	**85.199,91**	**7,3**
341	Tragende Innenwände	175,06 m²	170,42	29.833,89	2,6
342	Nichttragende Innenwände	35,47 m²	163,80	5.810,02	0,5
343	Innenstützen	–	–	–	–
344	Innenwandöffnungen	25,08 m²	1.071,75	26.879,54	2,3
345	Innenwandbekleidungen	336,19 m²	67,45	22.676,46	1,9
346	Elementierte Innenwandkonstruktionen	–	–	–	–
347	Lichtschutz zur KG 340	–	–	–	–
349	Sonstiges zur KG 340	–	–	–	–
350	**Decken/Horizontale Baukonstruktionen**	**279,01 m² DEF**	**430,02**	**119.979,47**	**10,3**
351	Deckenkonstruktionen	278,03 m²	262,40	72.954,61	6,3
352	Deckenöffnungen	0,98 m²	595,51	583,60	< 0,1
353	Deckenbeläge	213,65 m²	170,69	36.467,41	3,1
354	Deckenbekleidungen	130,13 m²	43,64	5.678,46	0,5
355	Elementierte Deckenkonstruktionen	–	–	–	–
359	Sonstiges zur KG 350	279,01 m² DEF	15,40	4.295,39	0,4
360	**Dächer**	**294,31 m² DAF**	**630,15**	**185.460,56**	**15,9**
361	Dachkonstruktionen	273,73 m²	238,33	65.237,06	5,6
362	Dachöffnungen	13,53 m²	1.794,89	24.284,84	2,1
363	Dachbeläge	280,78 m²	289,70	81.342,49	7,0
364	Dachbekleidungen	128,33 m²	56,81	7.291,06	0,6
365	Elementierte Dachkonstruktionen	–	–	–	–
366	Lichtschutz zur KG 360	9,38 m²	778,80	7.305,13	0,6
369	Sonstiges zur KG 360	–	–	–	–
370	**Infrastrukturanlagen**	**–**	**–**	**–**	**–**
380	**Baukonstruktive Einbauten**	**609,55 m² BGF**	**85,47**	**52.095,50**	**4,5**
390	**Sonst. Maßnahmen für Baukonstrukt.**	**609,55 m² BGF**	**35,60**	**21.699,54**	**1,9**

Kostenkennwerte für die Kostengruppen 400 der 2. und 3. Ebene DIN 276 (Übersicht)

KG	Kostengruppe	Menge Einheit	€/Einheit	Kosten €	% an 3+4
400	**Bauwerk – Technische Anlagen**	**609,55 m² BGF**	**400,17**	**243.922,75**	**20,9**
410	**Abwasser-, Wasser-, Gasanlagen**	**609,55 m² BGF**	**123,08**	**75.022,83**	**6,4**
411	Abwasseranlagen	609,55 m² BGF	39,06	23.811,41	2,0
412	Wasseranlagen	609,55 m² BGF	66,50	40.533,92	3,5
413	Gasanlagen	–	–	–	–
419	Sonstiges zur KG 410	609,55 m² BGF	17,52	10.677,50	0,9
420	**Wärmeversorgungsanlagen**	**609,55 m² BGF**	**100,86**	**61.481,31**	**5,3**
421	Wärmeerzeugungsanlagen	609,55 m² BGF	56,52	34.449,48	3,0
422	Wärmeverteilnetze	609,55 m² BGF	10,56	6.435,55	0,6
423	Raumheizflächen	609,55 m² BGF	24,53	14.951,65	1,3
424	Verkehrsheizflächen	–	–	–	–
429	Sonstiges zur KG 420	609,55 m² BGF	9,26	5.644,65	0,5
430	**Raumlufttechnische Anlagen**	**609,55 m² BGF**	**36,10**	**22.006,80**	**1,9**
431	Lüftungsanlagen	609,55 m² BGF	36,10	22.006,80	1,9
432	Teilklimaanlagen	–	–	–	–
433	Klimaanlagen	–	–	–	–
434	Kälteanlagen	–	–	–	–
439	Sonstiges zur KG 430	–	–	–	–
440	**Elektrische Anlagen**	**609,55 m² BGF**	**117,16**	**71.415,26**	**6,1**
441	Hoch- und Mittelspannungsanlagen	–	–	–	–
442	Eigenstromversorgungsanlagen	609,55 m² BGF	52,79	32.176,48	2,8
443	Niederspannungsschaltanlagen	–	–	–	–
444	Niederspannungsinstallationsanlagen	609,55 m² BGF	54,73	33.361,75	2,9
445	Beleuchtungsanlagen	609,55 m² BGF	9,29	5.663,53	0,5
446	Blitzschutz- und Erdungsanlagen	609,55 m² BGF	0,35	213,49	< 0,1
447	Fahrleitungssysteme	–	–	–	–
449	Sonstiges zur KG 440	–	–	–	–
450	**Kommunikationstechnische Anlagen**	**609,55 m² BGF**	**22,96**	**13.996,53**	**1,2**
451	Telekommunikationsanlagen	609,55 m² BGF	3,17	1.933,21	0,2
452	Such- und Signalanlagen	609,55 m² BGF	1,78	1.087,03	< 0,1
453	Zeitdienstanlagen	–	–	–	–
454	Elektroakustische Anlagen	–	–	–	–
455	Audiovisuelle Medien- u. Antennenanl.	–	–	–	–
456	Gefahrenmelde- und Alarmanlagen	609,55 m² BGF	5,69	3.465,31	0,3
457	Datenübertragungsnetze	609,55 m² BGF	12,32	7.510,98	0,6
458	Verkehrsbeeinflussungsanlagen	–	–	–	–
459	Sonstiges zur KG 450	–	–	–	–
460	**Förderanlagen**	**–**	**–**	**–**	**–**
461	Aufzugsanlagen	–	–	–	–
462	Fahrtreppen, Fahrsteige	–	–	–	–
463	Befahranlagen	–	–	–	–
464	Transportanlagen	–	–	–	–
465	Krananlagen	–	–	–	–
466	Hydraulikanlagen	–	–	–	–
469	Sonstiges zur KG 460	–	–	–	–
470	**Nutzungsspez. u. verfahrenstechn. Anl.**	**–**	**–**	**–**	**–**
480	**Gebäude- und Anlagenautomation**	**–**	**–**	**–**	**–**
490	**Sonst. Maßnahmen für techn. Anlagen**	**–**	**–**	**–**	**–**

Kostenkennwerte für Leistungsbereiche nach STLB (Kosten des Bauwerks nach DIN 276)

LB	Leistungsbereiche	Kosten €	€/m² BGF	€/m³ BRI	% an 3+4
000	Sicherheits-, Baustelleneinrichtungen inkl. 001	21.700	35,60	13,50	1,9
002	Erdarbeiten	37.717	61,90	23,50	3,2
006	Spezialtiefbauarbeiten inkl. 005	–	–	–	–
009	Entwässerungskanalarbeiten inkl. 011	10.318	16,90	6,40	0,9
010	Drän- und Versickerarbeiten	7.423	12,20	4,60	0,6
012	Mauerarbeiten	5.820	9,50	3,60	0,5
013	Betonarbeiten	146.793	240,80	91,40	12,6
014	Natur-, Betonwerksteinarbeiten	–	–	–	–
016	Zimmer- und Holzbauarbeiten	248.525	407,70	154,80	21,3
017	Stahlbauarbeiten	–	–	–	–
018	Abdichtungsarbeiten	17.159	28,20	10,70	1,5
019	Kampfmittelräumarbeiten	–	–	–	–
020	Dachdeckungsarbeiten	–	–	–	–
021	Dachabdichtungsarbeiten	37.589	61,70	23,40	3,2
022	Klempnerarbeiten	11.190	18,40	7,00	1,0
	Rohbau	**544.234**	**892,80**	**339,00**	**46,7**
023	Putz- und Stuckarbeiten, Wärmedämmsysteme	5.806	9,50	3,60	0,5
024	Fliesen- und Plattenarbeiten	17.690	29,00	11,00	1,5
025	Estricharbeiten	7.858	12,90	4,90	0,7
026	Fenster, Außentüren inkl. 029, 032	115.162	188,90	71,70	9,9
027	Tischlerarbeiten	77.544	127,20	48,30	6,6
028	Parkettarbeiten, Holzpflasterarbeiten	32.107	52,70	20,00	2,8
030	Rollladenarbeiten	8.090	13,30	5,00	0,7
031	Metallbauarbeiten inkl. 035	40.694	66,80	25,40	3,5
034	Maler- und Lackiererarbeiten inkl. 037	32.609	53,50	20,30	2,8
036	Bodenbelagarbeiten	–	–	–	–
038	Vorgehängte hinterlüftete Fassaden	–	–	–	–
039	Trockenbauarbeiten	41.581	68,20	25,90	3,6
	Ausbau	**379.141**	**622,00**	**236,20**	**32,5**
040	Wärmeversorgungsanl. - Betriebseinr. inkl. 041	58.762	96,40	36,60	5,0
042	Gas- und Wasserinstallation, Leitungen inkl. 043	23.233	38,10	14,50	2,0
044	Abwasseranlagen - Leitungen	13.920	22,80	8,70	1,2
045	GWE-Einrichtungsgegenstände inkl. 046	27.533	45,20	17,20	2,4
047	Dämmarbeiten an betriebstechnischen Anlagen	6.462	10,60	4,00	0,6
049	Feuerlöschanlagen, Feuerlöschgeräte	–	–	–	–
050	Blitzschutz- und Erdungsanlagen	214	0,35	0,13	< 0,1
053	Niederspannungsanlagen inkl. 052, 054	67.703	111,10	42,20	5,8
055	Sicherheits- u. Ersatzstromversorgungsanl.	–	–	–	–
057	Gebäudesystemtechnik	–	–	–	–
058	Leuchten und Lampen inkl. 059	5.664	9,30	3,50	0,5
060	Sprechanlagen, elektroakust. Anlagen inkl. 064	1.087	1,80	0,68	< 0,1
061	Kommunikationsnetze inkl. 063	12.910	21,20	8,00	1,1
069	Aufzüge	–	–	–	–
070	Gebäudeautomation	–	–	–	–
075	Raumlufttechnische Anlagen inkl. 078	21.186	34,80	13,20	1,8
	Gebäudetechnik	**238.672**	**391,60**	**148,70**	**20,5**
084	Abbruch, Rückbau, Schadstoffsanierung	–	–	–	–
	Abbrucharbeiten	**–**	**–**	**–**	**–**
	Sonstige Leistungsbereiche	**4.106**	**6,70**	**2,60**	**0,4**

6100-1562
Einfamilienhaus
Büro
Passivhaus

Objektübersicht

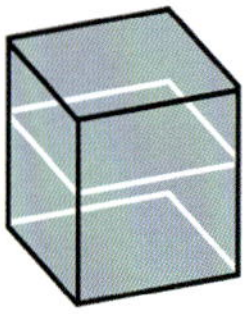

BRI 878 €/m³

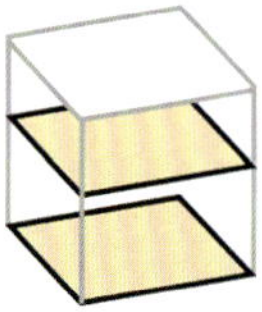

BGF 3.108 €/m²

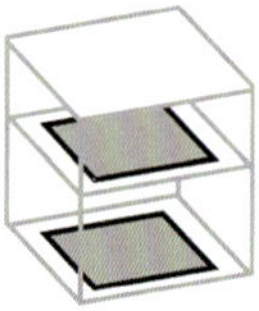

NUF 4.322 €/m²

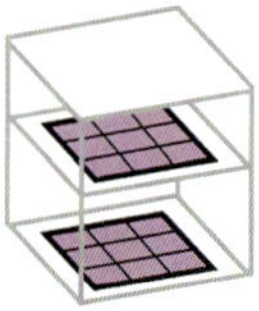

NE 4.804 €/NE

NE: Wohnfläche

Objekt:
Kennwerte: 3. Ebene DIN 276
BRI: 1.253 m³
BGF: 354 m²
NUF: 255 m²
Bauzeit: 148 Wochen
Bauende: 2020
Standard: über Durchschnitt
Bundesland: Baden-Württemberg
Kreis: Schwäbisch Hall

Architekt*in:
Shakti Haus
Fürstengrunderstraße 100c
64732 Bad König

Bauherr*in:
Esther + Markus Schmidt
Geislingerstraße 30
74542 Braunsbach

© spectrum fotostudio

© spectrum fotostudio

© spectrum fotostudio

© spectrum fotostudio

© spectrum fotostudio

Zeichnungen

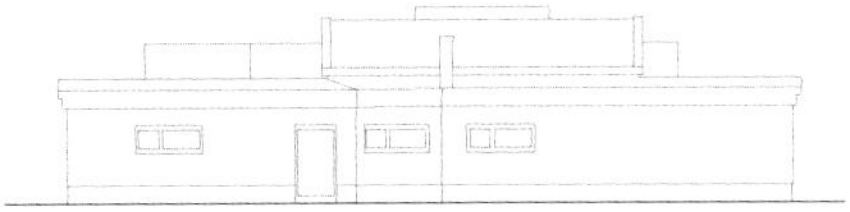

Ansicht Nord

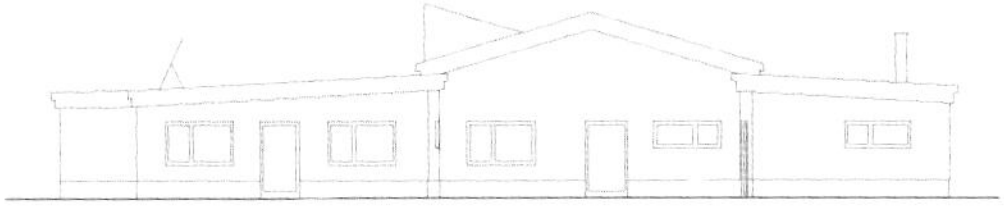

Ansicht Ost

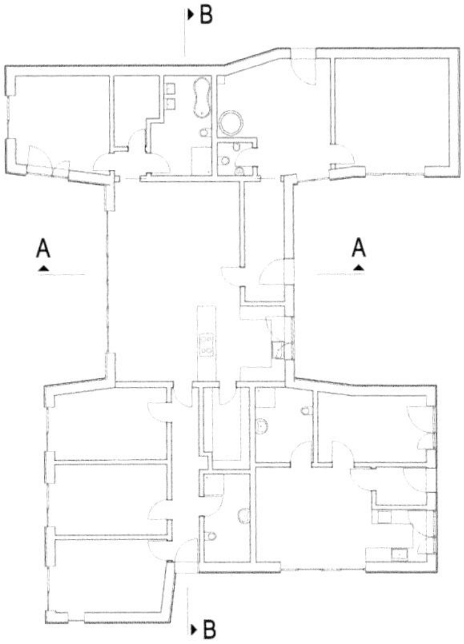

Erdgeschoss

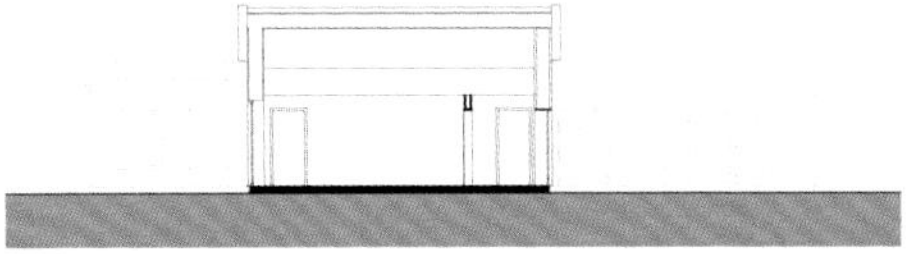

Schnitt A-A

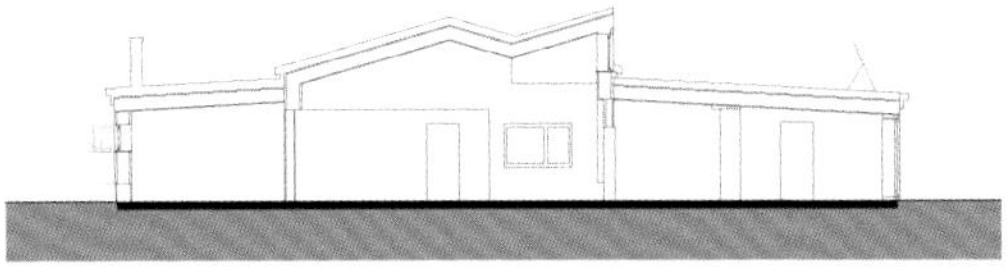

Schnitt B-B

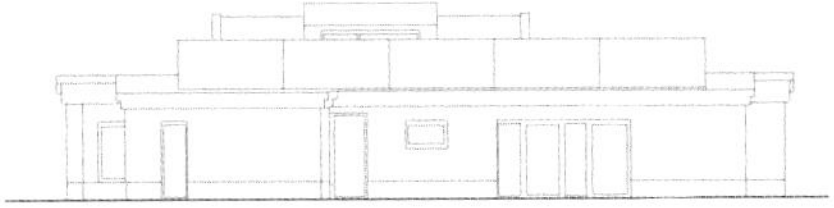

Ansicht Süd

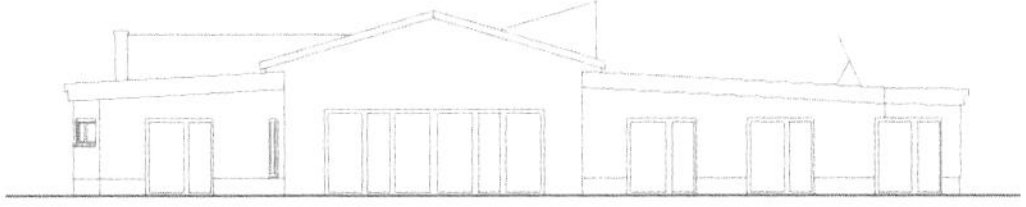

Ansicht West

Objektbeschreibung

Allgemeine Objektinformationen

Das neue Wohnhaus befindet sich am Ortsrand in einem Gewerbemischgebiet und ist nur durch einen Radweg vom nahe gelegenen Flusslauf getrennt. Der eingeschossige Holzbau gliedert sich in drei Baukörper und umfasst die Wohnräume der fünfköpfigen Familie inklusive einer Einliegerwohnung sowie einen Bürobereich mit Ausstellungsraum. Durch die gute räumliche Organisation konnte der Platzbedarf minimiert und die flexible Nutzung einzelner Raumbereiche auf lange Sicht sichergestellt werden.

Nutzung

1 Erdgeschoss
Wohnen/Essen/Kochen, Schlafzimmer, Ankleide, Kinderzimmer (3St), Bäder (2St), WC, Eingang, Vorrat, Flur, Einliegerwohnung, Büros, Ausstellungsraum

Nutzeinheiten

Arbeitsplätze: 3
Bürofläche: 46 m^2
Wohneinheiten: 2
Wohnfläche: 229 m^2

Grundstück

Bauraum: Freier Bauraum
Neigung: Ebenes Gelände
Bodenklasse: BK 1 bis BK 3

Markt

Hauptvergabezeit: 4. Quartal 2016
Baubeginn: 1. Quartal 2017
Bauende: 1. Quartal 2020
Konjunkturelle Gesamtlage: Durchschnitt
Regionaler Baumarkt: unter Durchschnitt

Baukonstruktion

Der nicht unterkellerte Neubau gründet auf einer Stahlbetonplatte und wurde in Holzbauweise errichtet. Für die Außenwände und das Flach- bzw. Satteldach wurde eine Holzrahmenkonstruktion mit einer ausfachenden Strohballendämmung gewählt. Außen wie innen kamen ausschließlich natürliche und nachwachsende Materialien zum Einsatz. Die Fassade des mittleren Gebäudeteils wurde mit Kalkputz beschichtet, die Außenwände der beiden seitlichen Gebäudeteile sind mit einer vertikalen Holzschalung gestaltet. Zudem wurde das Satteldach des mittleren Teils mit Tonziegeln gedeckt, seitlich kamen flach geneigte Pultdächer mit extensiver Begrünung zur Ausführung. Innen sind sämtliche Wände mit Lehmputz versehen. In den Wohnräumen wurden die Fußböden mit Fliesen belegt, die Schlafräume sind mit Echtholzparkett ausgestattet. Als Innentüren wurden Massivholztüren mit verdeckten Zargen eingebaut.

Technische Anlagen

Beheizt werden das Haus und die Gewerbehalle durch einen Pelletofen. Eine Lüftungsanlage mit Erdwärmetauscher sorgt für einen angemessenen Luftwechsel und für eine Raumabkühlung im Sommer. Die solarthermische Anlage mit Flachkollektoren und einer steilen Neigung ermöglicht eine hohe Ausnutzung in der Übergangszeit für die Heizungsunterstützung. Die Photovoltaikanlage auf der Gewerbehalle mit Akku-Speicher erzeugt einen Energie-Überschuss, der eigengenutzt u.a. auch für die E-Autos der Firma eingesetzt wird.

Sonstiges

Das Anbringen von Lehmbauplatten an Wänden und Dach, sowie das Einbauen von Schafwolldämmung in Innenwände erfolgte in Eigenleistung. Diese Lohnkosten sind nicht in der Dokumentation enthalten.

Planungskennwerte für Flächen und Rauminhalte nach DIN 277

Flächen des Grundstücks		Menge Einheit	% an GF
BF	Bebaute Fläche	524,00 m²	19,7
UF	Unbebaute Fläche	2.141,00 m²	80,3
GF	Grundstücksfläche	2.665,00 m²	100,0

Grundflächen des Bauwerks		Menge Einheit	% an NUF	% an BGF
NUF	Nutzungsfläche	254,51 m²	100,0	71,9
TF	Technikfläche	5,50 m²	2,2	1,6
VF	Verkehrsfläche	18,62 m²	7,3	5,3
NRF	Netto-Raumfläche	278,63 m²	109,5	78,7
KGF	Konstruktions-Grundfläche	75,37 m²	29,6	21,3
BGF	Brutto-Grundfläche	354,00 m²	139,1	100,0

Brutto-Rauminhalt des Bauwerks		Menge Einheit	BRI/NUF (m)	BRI/BGF (m)
BRI	Brutto-Rauminhalt	1.253,00 m³	4,92	3,54

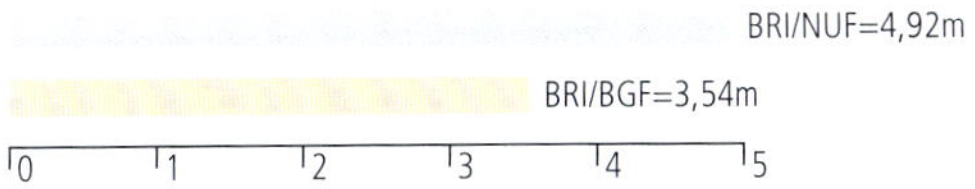

Lufttechnisch behandelte Flächen	Menge Einheit	% an NUF	% an BGF
Entlüftete Fläche	–	–	–
Be- und entlüftete Fläche	–	–	–
Teilklimatisierte Fläche	–	–	–
Klimatisierte Fläche	–	–	–

KG	Kostengruppen (2. Ebene)	Menge Einheit	Menge/NUF	Menge/BGF
310	Baugrube / Erdbau	127,18 m³ BGI	0,50	0,36
320	Gründung, Unterbau	341,64 m² GRF	1,34	0,97
330	Außenwände/Vertikale Baukonstruktionen, außen	398,86 m² AWF	1,57	1,13
340	Innenwände/Vertikale Baukonstruktionen, innen	370,70 m² IWF	1,46	1,05
350	Decken / horizontal	–	–	–
360	Dächer	352,21 m² DAF	1,38	1,00

Kostenkennwerte für die Kostengruppen der 1. Ebene DIN 276

KG	Kostengruppen (1. Ebene)	Einheit	Kosten €	€/Einheit	€/m² BGF	€/m³ BRI	% 300+400
100	Grundstück	m² GF	–	–	–	–	–
200	Vorbereitende Maßnahmen	m² GF	16.779	6,30	47,40	13,39	1,5
300	Bauwerk – Baukonstruktionen	m² BGF	854.078	2.412,65	2.412,65	681,63	77,6
400	Bauwerk – Technische Anlagen	m² BGF	246.002	694,92	694,92	196,33	22,4
	Bauwerk 300+400	**m² BGF**	**1.100.079**	**3.107,57**	**3.107,57**	**877,96**	**100,0**
500	Außenanlagen und Freiflächen	m² AF	97.276	121,60	274,79	77,63	8,8
600	Ausstattung und Kunstwerke	m² BGF	–	–	–	–	–
700	Baunebenkosten	m² BGF	–	–	–	–	–
800	Finanzierung	m² BGF	–	–	–	–	–

KG	Kostengruppe	Menge Einheit	Kosten €	€/Einheit	%
200	**Vorbereitende Maßnahmen**	2.665,00 m² GF	16.779	**6,30**	1,5

Abbruch von Asphaltdecken; Entsorgung, Deponiegebühren

KG	Kostengruppe	Menge Einheit	Kosten €	€/Einheit	%
3+4	**Bauwerk**				**100,0**
300	**Bauwerk – Baukonstruktionen**	354,00 m² BGF	854.078	**2.412,65**	77,6

Stb-Bodenplatte, Abdichtung, Estrich, Parkett, Bodenfliesen, Perimeterdämmung; Holzrahmen-Außenwände, Strohballendämmung, Mauerwerk, Kunststofffenster, Hebeschiebetüren, Haustüren, Holzbekleidung, Titanzinkbekleidung, Putz, Beschichtung, Raffstores; Holzrahmen-Innenwände, Holztüren, Lehmbauplatten, Lehmputz, Wandfliesen; Holzdächer, Dämmung, Dachabdichtung, Gründach, Ziegeldeckung, Dachentwässerung, GF-Bekleidung, Installationsdecken

KG	Kostengruppe	Menge Einheit	Kosten €	€/Einheit	%
400	**Bauwerk – Technische Anlagen**	354,00 m² BGF	246.002	**694,92**	22,4

Gebäudeentwässerung, Kalt-, Warm- und Regenwasserleitungen, Sanitärobjekte; Pelletheizzentrale, Pellet-Sacksilo, Nahwärmeleitung, Fußbodenheizung, Edelstahl-Schornstein; Lüftungsgerät mit WRG, Lüftungsrohre; Photovoltaikanlage auf Nachbargebäude, Elektroinstallation, Erdung; Antennendosen, EDV-Anlage

KG	Kostengruppe	Menge Einheit	Kosten €	€/Einheit	%
500	**Außenanlagen und Freiflächen**	800,00 m² AF	97.276	**121,60**	8,8

Bodenarbeiten; Entwässerung, Zisterne, Erdwärmetauscherrohre, Kabelschutzrohre; Oberboden, Kalkschotter

Kostenkennwerte für die Kostengruppen 300 der 2. und 3. Ebene DIN 276 (Übersicht)

KG	Kostengruppe	Menge Einheit	€/Einheit	Kosten €	% an 3+4
300	**Bauwerk – Baukonstruktionen**	**354,00 m²BGF**	**2.412,65**	**854.077,51**	**77,6**
310	**Baugrube / Erdbau**	**127,18 m³BGI**	**86,69**	**11.024,91**	**1,0**
311	Herstellung	127,18 m³BGI	86,69	11.024,91	1,0
312	Umschließung	–	–	–	–
313	Wasserhaltung	–	–	–	–
314	Vortrieb	–	–	–	–
319	Sonstiges zur KG 310	–	–	–	–
320	**Gründung, Unterbau**	**341,64 m²GRF**	**455,29**	**155.544,48**	**14,1**
321	Baugrundverbesserung	–	–	–	–
322	Flachgründungen und Bodenplatten	341,64 m²	82,00	28.012,94	2,5
323	Tiefgründungen	–	–	–	–
324	Gründungsbeläge	278,60 m²	285,42	79.517,37	7,2
325	Abdichtungen und Bekleidungen	354,60 m²	135,40	48.014,18	4,4
326	Dränagen	–	–	–	–
329	Sonstiges zur KG 320	–	–	–	–
330	**Außenwände/Vert. Baukonstrukt., außen**	**398,86 m²AWF**	**729,36**	**290.914,28**	**26,4**
331	Tragende Außenwände	310,88 m²	178,80	55.585,51	5,1
332	Nichttragende Außenwände	–	–	–	–
333	Außenstützen	–	–	–	–
334	Außenwandöffnungen	87,98 m²	1.110,81	97.729,37	8,9
335	Außenwandbekleidungen, außen	335,75 m²	263,09	88.331,52	8,0
336	Außenwandbekleidungen, innen	241,22 m²	84,12	20.291,76	1,8
337	Element. Außenwandkonstruktionen	–	–	–	–
338	Lichtschutz zur KG 330	94,12 m²	307,86	28.976,12	2,6
339	Sonstiges zur KG 330	–	–	–	–
340	**Innenwände/Vert. Baukonstrukt., innen**	**370,70 m²IWF**	**436,21**	**161.703,16**	**14,7**
341	Tragende Innenwände	337,83 m²	169,57	57.285,61	5,2
342	Nichttragende Innenwände	–	–	–	–
343	Innenstützen	–	–	–	–
344	Innenwandöffnungen	32,87 m²	887,41	29.169,07	2,7
345	Innenwandbekleidungen	538,00 m²	139,87	75.248,50	6,8
346	Elementierte Innenwandkonstruktionen	–	–	–	–
347	Lichtschutz zur KG 340	–	–	–	–
349	Sonstiges zur KG 340	–	–	–	–
350	**Decken/Horizontale Baukonstruktionen**	**–**	**–**	**–**	**–**
351	Deckenkonstruktionen	–	–	–	–
352	Deckenöffnungen	–	–	–	–
353	Deckenbeläge	–	–	–	–
354	Deckenbekleidungen	–	–	–	–
355	Elementierte Deckenkonstruktionen	–	–	–	–
359	Sonstiges zur KG 350	–	–	–	–
360	**Dächer**	**352,21 m²DAF**	**566,65**	**199.580,64**	**18,1**
361	Dachkonstruktionen	316,55 m²	211,00	66.791,31	6,1
362	Dachöffnungen	3,12 m²	807,05	2.517,98	0,2
363	Dachbeläge	349,09 m²	285,31	99.597,91	9,1
364	Dachbekleidungen	316,28 m²	83,05	26.268,14	2,4
365	Elementierte Dachkonstruktionen	–	–	–	–
366	Lichtschutz zur KG 360	3,85 m²	216,17	832,26	< 0,1
369	Sonstiges zur KG 360	352,21 m²DAF	10,14	3.573,04	0,3
370	**Infrastrukturanlagen**	**–**	**–**	**–**	**–**
380	**Baukonstruktive Einbauten**	**–**	**–**	**–**	**–**
390	**Sonst. Maßnahmen für Baukonstrukt.**	**354,00 m²BGF**	**99,75**	**35.310,04**	**3,2**

Kostenkennwerte für die Kostengruppen 400 der 2. und 3. Ebene DIN 276 (Übersicht)

KG	Kostengruppe	Menge Einheit	€/Einheit	Kosten €	% an 3+4
400	**Bauwerk – Technische Anlagen**	**354,00 m²BGF**	**694,92**	**246.001,62**	**22,4**
410	**Abwasser-, Wasser-, Gasanlagen**	**354,00 m²BGF**	**148,61**	**52.608,42**	**4,8**
411	Abwasseranlagen	354,00 m²BGF	45,59	16.137,91	1,5
412	Wasseranlagen	354,00 m²BGF	97,05	34.354,55	3,1
413	Gasanlagen	–	–	–	–
419	Sonstiges zur KG 410	354,00 m²BGF	5,98	2.115,97	0,2
420	**Wärmeversorgungsanlagen**	**354,00 m²BGF**	**281,66**	**99.707,96**	**9,1**
421	Wärmeerzeugungsanlagen	354,00 m²BGF	165,56	58.607,31	5,3
422	Wärmeverteilnetze	354,00 m²BGF	5,25	1.858,32	0,2
423	Raumheizflächen	354,00 m²BGF	99,47	35.210,78	3,2
424	Verkehrsheizflächen	–	–	–	–
429	Sonstiges zur KG 420	354,00 m²BGF	11,39	4.031,55	0,4
430	**Raumlufttechnische Anlagen**	**354,00 m²BGF**	**46,95**	**16.620,83**	**1,5**
431	Lüftungsanlagen	354,00 m²BGF	46,95	16.620,83	1,5
432	Teilklimaanlagen	–	–	–	–
433	Klimaanlagen	–	–	–	–
434	Kälteanlagen	–	–	–	–
439	Sonstiges zur KG 430	–	–	–	–
440	**Elektrische Anlagen**	**354,00 m²BGF**	**192,26**	**68.060,56**	**6,2**
441	Hoch- und Mittelspannungsanlagen	–	–	–	–
442	Eigenstromversorgungsanlagen	354,00 m²BGF	39,10	13.842,24	1,3
443	Niederspannungsschaltanlagen	–	–	–	–
444	Niederspannungsinstallationsanlagen	354,00 m²BGF	138,73	49.110,10	4,5
445	Beleuchtungsanlagen	–	–	–	–
446	Blitzschutz- und Erdungsanlagen	354,00 m²BGF	14,43	5.108,22	0,5
447	Fahrleitungssysteme	–	–	–	–
449	Sonstiges zur KG 440	–	–	–	–
450	**Kommunikationstechnische Anlagen**	**354,00 m²BGF**	**25,43**	**9.003,85**	**0,8**
451	Telekommunikationsanlagen	–	–	–	–
452	Such- und Signalanlagen	–	–	–	–
453	Zeitdienstanlagen	–	–	–	–
454	Elektroakustische Anlagen	–	–	–	–
455	Audiovisuelle Medien- u. Antennenanl.	354,00 m²BGF	8,26	2.925,35	0,3
456	Gefahrenmelde- und Alarmanlagen	–	–	–	–
457	Datenübertragungsnetze	354,00 m²BGF	17,17	6.078,50	0,6
458	Verkehrsbeeinflussungsanlagen	–	–	–	–
459	Sonstiges zur KG 450	–	–	–	–
460	**Förderanlagen**	**–**	**–**	**–**	**–**
461	Aufzugsanlagen	–	–	–	–
462	Fahrtreppen, Fahrsteige	–	–	–	–
463	Befahranlagen	–	–	–	–
464	Transportanlagen	–	–	–	–
465	Krananlagen	–	–	–	–
466	Hydraulikanlagen	–	–	–	–
469	Sonstiges zur KG 460	–	–	–	–
470	**Nutzungsspez. u. verfahrenstechn. Anl.**	**–**	**–**	**–**	**–**
480	**Gebäude- und Anlagenautomation**	**–**	**–**	**–**	**–**
490	**Sonst. Maßnahmen für techn. Anlagen**	**–**	**–**	**–**	**–**

Kostenkennwerte für Leistungsbereiche nach STLB (Kosten des Bauwerks nach DIN 276)

LB	Leistungsbereiche	Kosten €	€/m² BGF	€/m³ BRI	% an 3+4
000	Sicherheits-, Baustelleneinrichtungen inkl. 001	33.839	95,60	27,00	3,1
002	Erdarbeiten	16.423	46,40	13,10	1,5
006	Spezialtiefbauarbeiten inkl. 005	–	–	–	–
009	Entwässerungskanalarbeiten inkl. 011	3.213	9,10	2,60	0,3
010	Drän- und Versickerarbeiten	–	–	–	–
012	Mauerarbeiten	3.139	8,90	2,50	0,3
013	Betonarbeiten	73.706	208,20	58,80	6,7
014	Natur-, Betonwerksteinarbeiten	–	–	–	–
016	Zimmer- und Holzbauarbeiten	268.531	758,60	214,30	24,4
017	Stahlbauarbeiten	–	–	–	–
018	Abdichtungsarbeiten	14.046	39,70	11,20	1,3
019	Kampfmittelräumarbeiten	–	–	–	–
020	Dachdeckungsarbeiten	6.692	18,90	5,30	0,6
021	Dachabdichtungsarbeiten	48.182	136,10	38,50	4,4
022	Klempnerarbeiten	30.782	87,00	24,60	2,8
	Rohbau	**498.554**	**1.408,30**	**397,90**	**45,3**
023	Putz- und Stuckarbeiten, Wärmedämmsysteme	74.189	209,60	59,20	6,7
024	Fliesen- und Plattenarbeiten	35.193	99,40	28,10	3,2
025	Estricharbeiten	22.204	62,70	17,70	2,0
026	Fenster, Außentüren inkl. 029, 032	101.277	286,10	80,80	9,2
027	Tischlerarbeiten	27.885	78,80	22,30	2,5
028	Parkettarbeiten, Holzpflasterarbeiten	14.239	40,20	11,40	1,3
030	Rollladenarbeiten	29.808	84,20	23,80	2,7
031	Metallbauarbeiten inkl. 035	–	–	–	–
034	Maler- und Lackiererarbeiten inkl. 037	942	2,70	0,75	< 0,1
036	Bodenbelagarbeiten	–	–	–	–
038	Vorgehängte hinterlüftete Fassaden	–	–	–	–
039	Trockenbauarbeiten	56.977	161,00	45,50	5,2
	Ausbau	**362.715**	**1.024,60**	**289,50**	**33,0**
040	Wärmeversorgungsanl. - Betriebseinr. inkl. 041	96.020	271,20	76,60	8,7
042	Gas- und Wasserinstallation, Leitungen inkl. 043	19.269	54,40	15,40	1,8
044	Abwasseranlagen - Leitungen	11.853	33,50	9,50	1,1
045	GWE-Einrichtungsgegenstände inkl. 046	16.466	46,50	13,10	1,5
047	Dämmarbeiten an betriebstechnischen Anlagen	1.940	5,50	1,50	0,2
049	Feuerlöschanlagen, Feuerlöschgeräte	–	–	–	–
050	Blitzschutz- und Erdungsanlagen	5.108	14,40	4,10	0,5
053	Niederspannungsanlagen inkl. 052, 054	62.528	176,60	49,90	5,7
055	Sicherheits- u. Ersatzstromversorgungsanl.	–	–	–	–
057	Gebäudesystemtechnik	–	–	–	–
058	Leuchten und Lampen inkl. 059	–	–	–	–
060	Sprechanlagen, elektroakust. Anlagen inkl. 064	2.925	8,30	2,30	0,3
061	Kommunikationsnetze inkl. 063	6.078	17,20	4,90	0,6
069	Aufzüge	–	–	–	–
070	Gebäudeautomation	–	–	–	–
075	Raumlufttechnische Anlagen inkl. 078	16.621	47,00	13,30	1,5
	Gebäudetechnik	**238.810**	**674,60**	**190,60**	**21,7**
084	Abbruch, Rückbau, Schadstoffsanierung	–	–	–	–
	Abbrucharbeiten	**–**	**–**	**–**	**–**
	Sonstige Leistungsbereiche	**–**	**–**	**–**	**–**

Doppel- und Reihenendhäuser

7

Doppel- und Reihenendhäuser

Kostenkennwerte für die Kosten des Bauwerks (Kostengruppen 300+400 nach DIN 276)

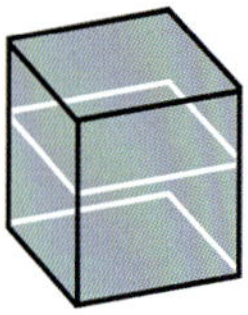

BRI 585 €/m³
von 500 €/m³
bis 925 €/m³

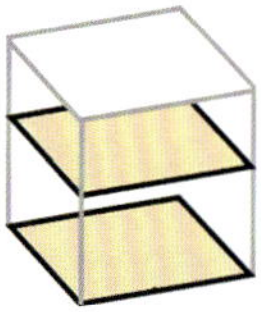

BGF 1.750 €/m²
von 1.445 €/m²
bis 3.045 €/m²

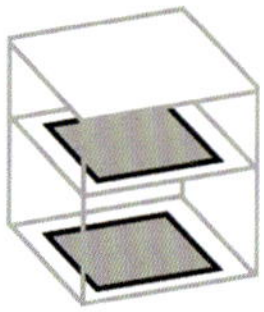

NUF 2.620 €/m²
von 2.140 €/m²
bis 3.780 €/m²

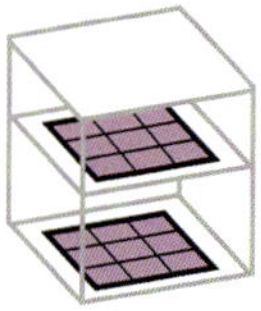

NE 2.825 €/NE
von 2.175 €/NE
bis 3.470 €/NE
NE: Wohnfläche

Kosten:
Stand 3. Quartal 2022
Bundesdurchschnitt
inkl. 19% MwSt.

Objektbeispiele

6100-1048

6100-1586

6100-0663

Kosten der 6 Vergleichsobjekte

Seiten 784 bis 818

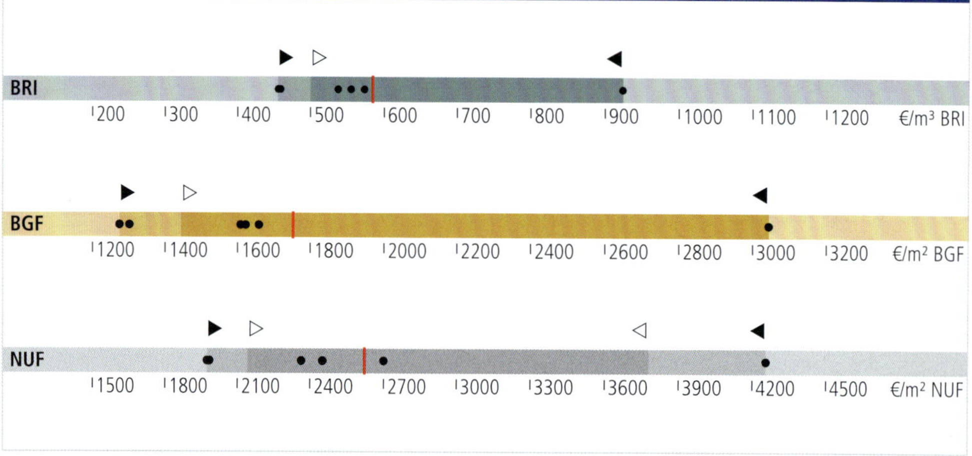

- ● KKW
- ▶ min
- ▷ von
- | Mittelwert
- ◁ bis
- ◀ max

Kostenkennwerte für die Kostengruppen der 1. und 2.Ebene DIN 276

KG	Kostengruppen der 1.Ebene	Einheit	▷	€/Einheit	◁	▷	% an 300+400	◁
100	Grundstück	m2 GF	–	**–**	–	–	**–**	–
200	Vorbereitende Maßnahmen	m2 GF	3	**48**	79	1,4	**4,0**	8,8
300	Bauwerk – Baukonstruktionen	m2 BGF	1.126	**1.416**	2.621	74,7	**79,8**	84,6
400	Bauwerk – Technische Anlagen	m2 BGF	241	**336**	394	15,4	**20,2**	25,3
	Bauwerk 300+400	m2 BGF	1.444	**1.752**	3.044	100,0	**100,0**	100,0
500	Außenanlagen und Freiflächen	m2 AF	49	**71**	114	3,1	**3,6**	4,3
600	Ausstattung und Kunstwerke	m2 BGF	–	**3**	–	0,2	**0,2**	0,2
700	Baunebenkosten*	m2 BGF	432	**482**	532	25,1	**27,9**	30,8 ◁
800	Finanzierung	m2 BGF	–	**–**	–	–	**–**	–

* Auf Grundlage der HOAI 2021 berechnete Werte nach §§ 35, 52, 56. Weitere Informationen siehe Seite 56

KG	Kostengruppen der 2.Ebene	Einheit	▷	€/Einheit	◁	▷	% an 1.Ebene	◁
310	Baugrube / Erdbau	m3 BGI	30	**47**	94	0,6	**1,3**	3,4
320	Gründung, Unterbau	m2 GRF	271	**350**	448	8,1	**10,4**	17,4
330	Außenwände / vertikal außen	m2 AWF	340	**512**	725	37,6	**40,8**	49,7
340	Innenwände / vertikal innen	m2 IWF	164	**250**	322	10,2	**13,7**	17,7
350	Decken / horizontal	m2 DEF	358	**412**	554	11,5	**14,9**	17,6
360	Dächer	m2 DAF	267	**421**	805	11,8	**14,7**	17,7
370	Infrastrukturanlagen		–	**–**	–	–	**–**	–
380	Baukonstruktive Einbauten	m2 BGF	–	**–**	–	–	**–**	–
390	Sonst. Maßnahmen für Baukonst.	m2 BGF	47	**66**	106	3,7	**4,2**	4,7
300	**Bauwerk – Baukonstruktionen**	**m2 BGF**					**100,0**	
410	Abwasser-, Wasser-, Gasanlagen	m2 BGF	75	**99**	159	19,7	**28,9**	37,7
420	Wärmeversorgungsanlagen	m2 BGF	104	**147**	163	38,7	**42,8**	46,9
430	Raumlufttechnische Anlagen	m2 BGF	12	**20**	33	1,0	**4,5**	8,1
440	Elektrische Anlagen	m2 BGF	42	**75**	111	15,5	**21,2**	35,5
450	Kommunikationstechnische Anlagen	m2 BGF	7	**9**	14	2,2	**2,7**	3,9
460	Förderanlagen	m2 BGF	–	**–**	–	–	**–**	–
470	Nutzungsspez. / verfahrenstech. Anl.	m2 BGF	–	**–**	–	–	**–**	–
480	Gebäude- und Anlagenautomation	m2 BGF	–	**–**	–	–	**–**	–
490	Sonst. Maßnahmen f. techn. Anl.	m2 BGF	–	**–**	–	–	**–**	–
400	**Bauwerk – Technische Anlagen**	**m2 BGF**					**100,0**	

Prozentanteile der Kosten 2.Ebene an den Kosten des Bauwerks nach DIN 276 (Von/Mittel/Bis)

KG	Kostengruppe	%
310	Baugrube / Erdbau	1,0
320	Gründung, Unterbau	8,2
330	Außenwände / vertikal außen	33,0
340	Innenwände / vertikal innen	11,1
350	Decken / horizontal	11,9
360	Dächer	11,8
370	Infrastrukturanlagen	
380	Baukonstruktive Einbauten	
390	Sonst. Maßnahmen für Baukonst.	3,4
410	Abwasser-, Wasser-, Gasanlagen	5,2
420	Wärmeversorgungsanlagen	8,5
430	Raumlufttechnische Anlagen	0,8
440	Elektrische Anlagen	4,5
450	Kommunikationstechnische Anlagen	0,5
460	Förderanlagen	
470	Nutzungsspez. / verfahrenstech. Anl.	
480	Gebäude- und Anlagenautomation	
490	Sonst. Maßnahmen f. techn. Anl.	

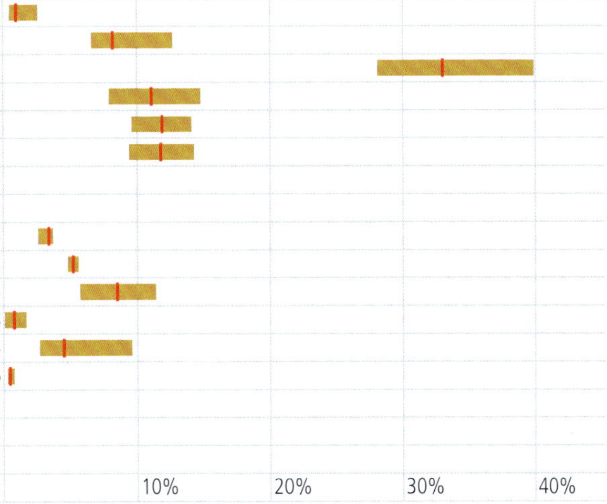

Kosten:
Stand 3. Quartal 2022
Bundesdurchschnitt
inkl. 19% MwSt.

Prozentanteile der Kosten für Leistungsbereiche nach STLB (Kosten Bauwerk nach DIN 276)

LB	Leistungsbereiche	▷	% an 300+400	◁
000	Sicherheits-, Baustelleneinrichtungen inkl. 001	2,8	**3,3**	3,7
002	Erdarbeiten	0,6	**1,2**	1,8
006	Spezialtiefbauarbeiten inkl. 005	–	**–**	–
009	Entwässerungskanalarbeiten inkl. 011	0,0	**0,5**	1,1
010	Drän- und Versickerarbeiten	0,0	**< 0,1**	0,4
012	Mauerarbeiten	1,0	**5,0**	9,0
013	Betonarbeiten	4,5	**8,2**	9,7
014	Natur-, Betonwerksteinarbeiten	–	**–**	–
016	Zimmer- und Holzbauarbeiten	12,2	**24,5**	28,8
017	Stahlbauarbeiten	0,0	**0,4**	1,7
018	Abdichtungsarbeiten	< 0,1	**0,7**	1,4
020	Dachdeckungsarbeiten	0,7	**2,9**	5,2
021	Dachabdichtungsarbeiten	0,0	**0,2**	0,9
022	Klempnerarbeiten	0,9	**2,3**	6,2
	Rohbau	40,7	**49,4**	58,6
023	Putz- und Stuckarbeiten, Wärmedämmsysteme	0,2	**1,5**	4,9
024	Fliesen- und Plattenarbeiten	1,0	**1,6**	3,2
025	Estricharbeiten	< 0,1	**0,7**	1,6
026	Fenster, Außentüren inkl. 029, 032	7,9	**8,7**	10,9
027	Tischlerarbeiten	1,8	**3,5**	5,4
028	Parkettarbeiten, Holzpflasterarbeiten	1,3	**4,7**	8,7
030	Rollladenarbeiten	0,2	**1,3**	2,4
031	Metallbauarbeiten inkl. 035	0,0	**0,4**	1,6
034	Maler- und Lackiererarbeiten inkl. 037	1,3	**2,0**	2,6
036	Bodenbelagarbeiten	0,0	**0,3**	1,3
038	Vorgehängte hinterlüftete Fassaden	0,0	**2,8**	6,6
039	Trockenbauarbeiten	3,0	**4,7**	9,1
	Ausbau	25,3	**32,3**	40,9
040	Wärmeversorgungsanl. - Betriebseinr. inkl. 041	5,4	**7,7**	10,7
042	Gas- und Wasserinstallation, Leitungen inkl. 043	0,9	**1,6**	2,3
044	Abwasseranlagen - Leitungen	0,4	**0,6**	1,1
045	GWE-Einrichtungsgegenstände inkl. 046	1,9	**2,3**	2,8
047	Dämmarbeiten an betriebstechnischen Anlagen	0,0	**0,2**	0,4
049	Feuerlöschanlagen, Feuerlöschgeräte	–	**–**	–
050	Blitzschutz- und Erdungsanlagen	0,2	**0,3**	0,4
052	Mittelspannungsanlagen	0,0	**< 0,1**	< 0,1
053	Niederspannungsanlagen inkl. 054	2,1	**3,9**	9,5
055	Sicherheits- u. Ersatzstromversorgungsanl.	–	**–**	–
057	Gebäudesystemtechnik	–	**–**	–
058	Leuchten und Lampen inkl. 059	0,0	**0,3**	0,8
060	Sprechanlagen, elektroakust. Anlagen inkl. 064	< 0,1	**0,1**	0,3
061	Kommunikationsnetze inkl. 062	< 0,1	**0,4**	0,6
063	Gefahrenmeldeanlagen	–	**–**	–
069	Aufzüge	–	**–**	–
070	Gebäudeautomation	–	**–**	–
075	Raumlufttechnische Anlagen inkl. 078	0,1	**0,8**	1,6
	Gebäudetechnik	14,1	**18,3**	23,6
	Sonstige Leistungsbereiche inkl. 008, 033, 051	–	**–**	–

● KKW
▶ min
▷ von
| Mittelwert
◁ bis
◀ max

Planungskennwerte für Flächen und Rauminhalte nach DIN 277

Grundflächen		▷	Fläche/NUF (%)	◁	▷	Fläche/BGF (%)	◁
NUF	Nutzungsfläche	100,0	**100,0**	100,0	63,6	**66,3**	67,9
TF	Technikfläche	3,6	**4,8**	6,0	2,4	**3,2**	3,8
VF	Verkehrsfläche	13,0	**15,7**	17,5	8,8	**10,4**	11,9
NRF	Netto-Raumfläche	119,8	**120,5**	121,5	78,1	**79,8**	80,9
KGF	Konstruktions-Grundfläche	29,7	**30,8**	35,1	19,1	**20,2**	21,9
BGF	Brutto-Grundfläche	148,0	**151,4**	158,3	100,0	**100,0**	100,0

Brutto-Rauminhalte		▷	BRI/NUF (m)	◁	▷	BRI/BGF (m)	◁
BRI	Brutto-Rauminhalt	4,37	**4,47**	4,60	2,92	**2,96**	3,06

Flächen von Nutzeinheiten	▷	NUF/Einheit (m²)	◁	▷	BGF/Einheit (m²)	◁
Nutzeinheit: Wohnfläche	1,04	**1,10**	1,13	1,57	**1,67**	1,81

Lufttechnisch behandelte Flächen	▷	Fläche/NUF (%)	◁	▷	Fläche/BGF (%)	◁
Entlüftete Fläche	91,0	**91,0**	91,0	61,6	**61,6**	61,6
Be- und entlüftete Fläche	–	–	–	–	–	–
Teilklimatisierte Fläche	–	–	–	–	–	–
Klimatisierte Fläche	–	–	–	–	–	–

KG	Kostengruppen (2. Ebene)	Einheit	▷	Menge/NUF	◁	▷	Menge/BGF	◁
310	Baugrube / Erdbau	m³ BGI	0,67	**0,93**	0,93	0,45	**0,64**	0,64
320	Gründung, Unterbau	m² GRF	0,58	**0,62**	0,62	0,39	**0,42**	0,42
330	Außenwände / vertikal außen	m² AWF	1,80	**1,83**	1,96	1,25	**1,25**	1,40
340	Innenwände / vertikal innen	m² IWF	1,16	**1,20**	1,27	0,78	**0,82**	0,85
350	Decken / horizontal	m² DEF	0,76	**0,77**	0,83	0,52	**0,53**	0,56
360	Dächer	m² DAF	0,81	**0,84**	0,91	0,57	**0,58**	0,60
370	Infrastrukturanlagen		–	–	–	–	–	–
380	Baukonstruktive Einbauten	m² BGF	1,48	**1,51**	1,58	1,00	**1,00**	1,00
390	Sonst. Maßnahmen für Baukonst.	m² BGF	1,48	**1,51**	1,58	1,00	**1,00**	1,00
300	**Bauwerk – Baukonstruktionen**	**m² BGF**	1,48	**1,51**	1,58	1,00	**1,00**	1,00

Planungskennwerte für Bauzeiten

6 Vergleichsobjekte

Bauzeit in Wochen

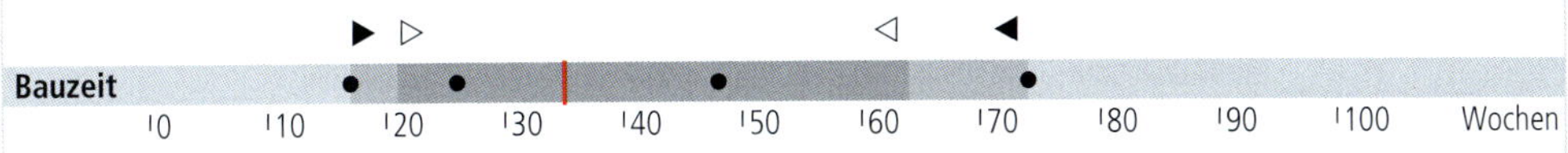

6100-0663
Doppelhaushälfte
KfW 40

Objektübersicht

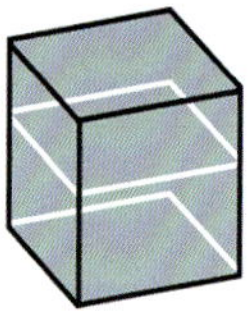

BRI 573 €/m³

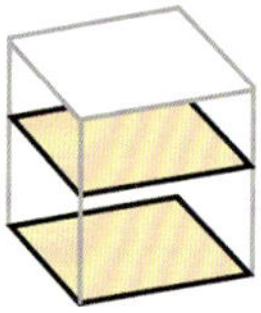

BGF 1.622 €/m²

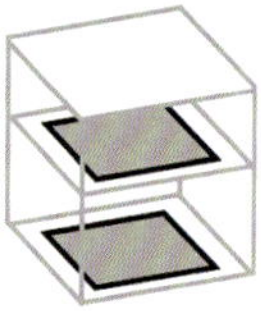

NUF 2.364 €/m²

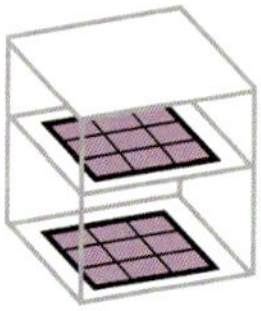

NE 2.910 €/NE

NE: Wohnfläche

Objekt:
Kennwerte: 3. Ebene DIN 276
BRI: 660 m³
BGF: 233 m²
NUF: 160 m²
Bauzeit: 17 Wochen
Bauende: 2007
Standard: über Durchschnitt
Bundesland: Bayern
Kreis: Landsberg am Lech

Architekt*in:
Büro Architekten GrundRiss
Gerhard Ringler,
Dipl.-Ing. Univ.
Am Hasenberg 32
86899 Landsberg am Lech

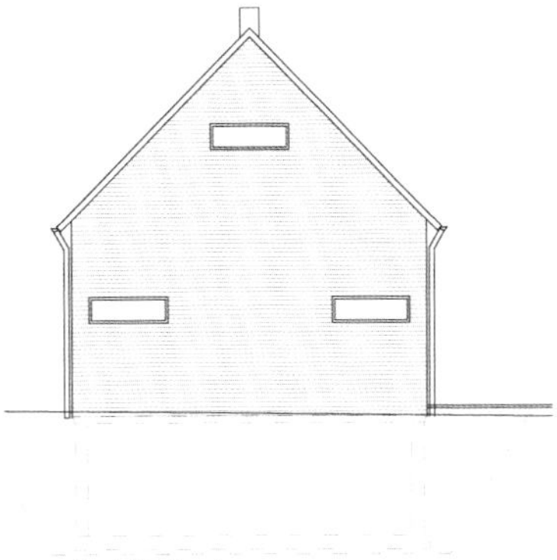

Ansicht Nord

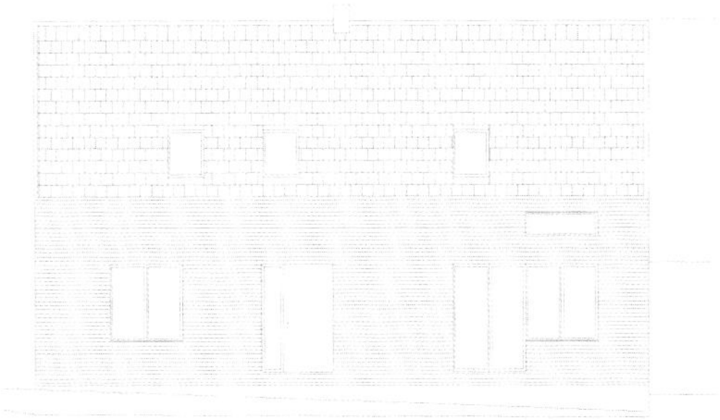

Ansicht West

Ansicht Ost

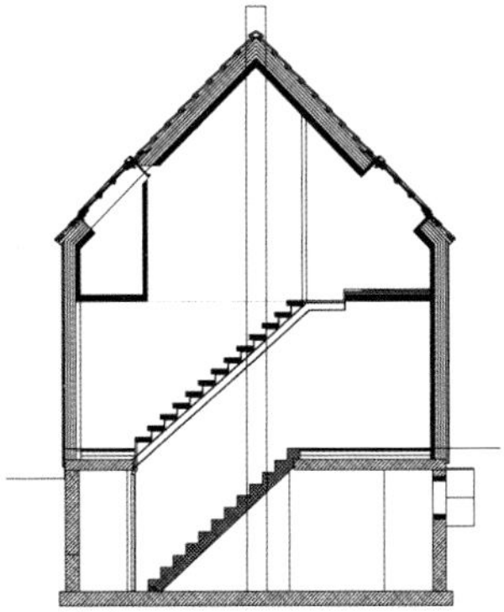

Schnitt

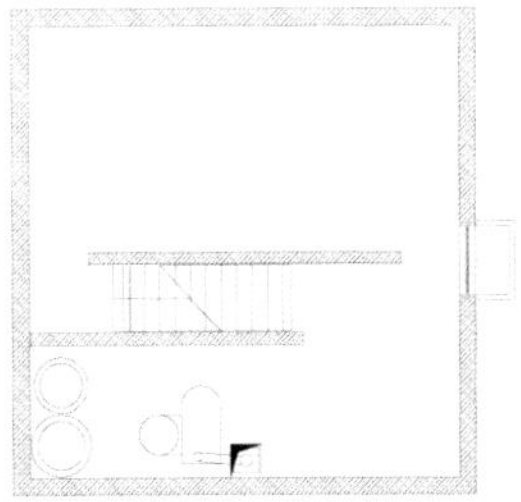

Untergeschoss

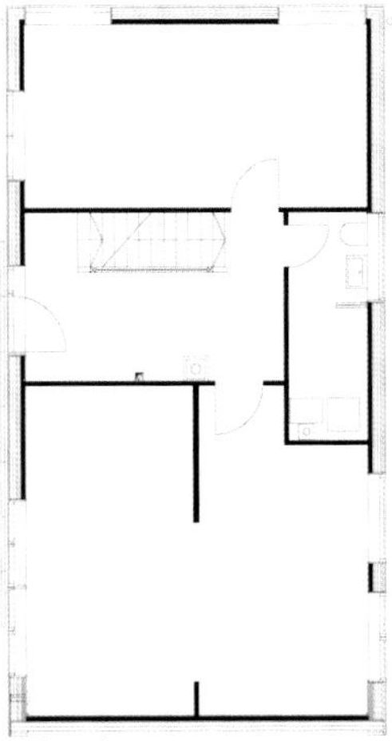

Erdgeschoss

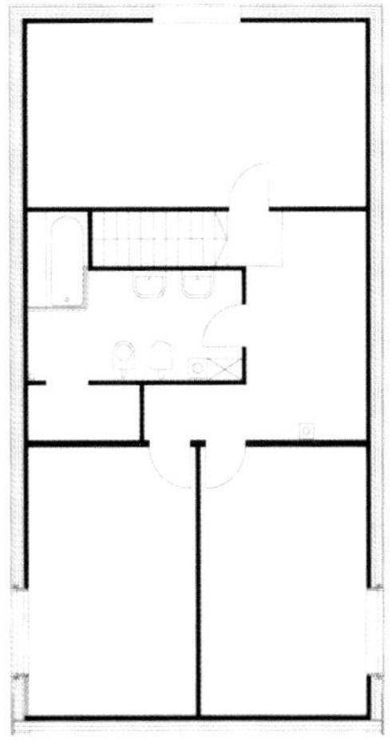

Obergeschoss

Objektbeschreibung

Allgemeine Objektinformationen

Die zweigeschossige Doppelhaushälfte wurde in Holzbauweise errichtet. Durch ein mit flachen Ziegeln gedecktes Satteldach ohne Überstand und eine lindgrüne Holzverschalung hebt sie sich deutlich von den umgebenden Neubauten der Ortsrandlage ab. Das großzügig geschnittene Wohnhaus für vier Personen wird auch als Architekturbüro genutzt und ist teilweise unterkellert.

Nutzung

1 Untergeschoss
Teilunterkellerung, Technik, Pelletlager, Abstellraum

1 Erdgeschoss
Eingang, Diele, Küche, Wohn- Esszimmer, Arbeitszimmer, WC

1 Dachgeschoss
Schlafzimmer, 2 Kinderzimmer, Bad

Nutzeinheiten

Stellplätze: 2
Wohneinheiten: 1
Wohnfläche: 130 m^2

Grundstück

Bauraum: Freier Bauraum
Neigung: Ebenes Gelände
Bodenklasse: BK 3 bis BK 5

Markt

Hauptvergabezeit: 2. Quartal 2007
Baubeginn: 2. Quartal 2007
Bauende: 3. Quartal 2007
Konjunkturelle Gesamtlage: Durchschnitt
Regionaler Baumarkt: Durchschnitt

Baukonstruktion

Der Stahlbetonkeller liegt außerhalb der gedämmten Hülle. Eine wärmegedämmte und luftdichte Tür, sowie eine Dämmung der Unterseite der Fertigteiltreppe und der anschließenden Wände trennen die Bereiche. Die aufgehenden Außen- und Innenwände, Decken und Dachplatte bestehen aus 5-lagig verleimtem Brettsperrholz. Auf die somit luftdichte Fassade wurden die Laibungskästen der Merantifenster (Ug 1,1W/m^2K) geschraubt und mit Dichtband angeschlossen. Auch die doppellagige Holzfaserdämmung wurde geschraubt. Ihre Stöße und Ecken sowie die Laibungskästen wurden mit Dichtband abgeklebt. Das Dach erhielt eine Holzfaserdämmung mit diffusionsfähiger Unterdachbahn. Den sommerlichen Wärmeschutz erfüllen innen liegende Verschattungen und zukünftig eine Markise über dem großen Westfenster.

Technische Anlagen

Die Pelletheizung wurde noch mit einem großen Heizkreislauf und einem 800 Liter Pufferspeicher im Keller realisiert. Warmwasser stellt ein 300 Liter Speicher zur Verfügung. Röhrenradiatoren und Fußbodenheizung in den Nassräumen verteilen die Wärme. Trotz Abluftanlage ohne Wärmerückgewinnung wurde der KfW 40 Standard nach EnEV 2007 leicht realisiert. Die Zuluftöffnungen liegen unsichtbar unter der Verschalung.

Sonstiges

Die Fichtenbretter der Fassadenschalung wurden mit allseits großen Abständen verlegt. Nur ihre Außenseite wurde dickschichtlasiert, so dass sie immer wieder gut trocknen können. Auch die Simse der Fenster und Türen sind aus Meranti. Stirn- und Windbrett am nördlichen Ortgang sind aus Lärche. Im Innern blieben die Holzwände unbehandelt. Die Fichtenböden wurden geölt und gewachst, die Treppe versiegelt, Fenster und Laibungskästen grau lackiert.

Planungskennwerte für Flächen und Rauminhalte nach DIN 277

Flächen des Grundstücks		Menge Einheit	% an GF
BF	Bebaute Fläche	92,86 m²	25,7
UF	Unbebaute Fläche	269,14 m²	74,3
GF	Grundstücksfläche	362,00 m²	100,0

Grundflächen des Bauwerks		Menge Einheit	% an NUF	% an BGF
NUF	Nutzungsfläche	160,00 m²	100,0	68,6
TF	Technikfläche	12,16 m²	7,6	5,2
VF	Verkehrsfläche	24,50 m²	15,3	10,5
NRF	Netto-Raumfläche	196,66 m²	122,9	84,3
KGF	Konstruktions-Grundfläche	36,49 m²	22,8	15,7
BGF	Brutto-Grundfläche	233,15 m²	145,7	100,0

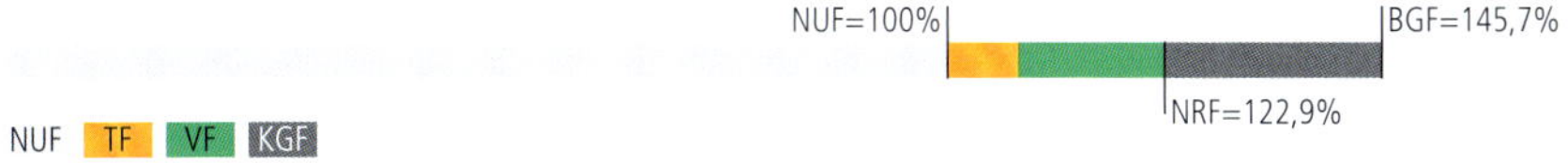

Brutto-Rauminhalt des Bauwerks		Menge Einheit	BRI/NUF (m)	BRI/BGF (m)
BRI	Brutto-Rauminhalt	660,10 m³	4,13	2,83

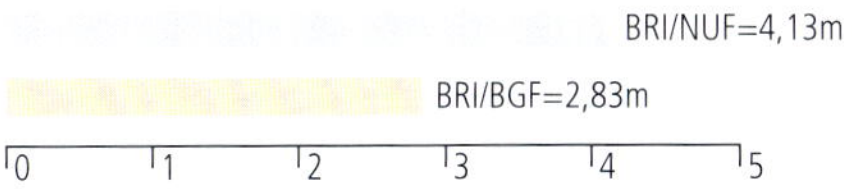

Lufttechnisch behandelte Flächen	Menge Einheit	% an NUF	% an BGF
Entlüftete Fläche	–	–	–
Be- und entlüftete Fläche	–	–	–
Teilklimatisierte Fläche	–	–	–
Klimatisierte Fläche	–	–	–

KG	Kostengruppen (2. Ebene)	Menge Einheit	Menge/NUF	Menge/BGF
310	Baugrube / Erdbau	420,00 m³ BGI	2,63	1,80
320	Gründung, Unterbau	94,00 m² GRF	0,59	0,40
330	Außenwände/Vertikale Baukonstruktionen, außen	244,19 m² AWF	1,53	1,05
340	Innenwände/Vertikale Baukonstruktionen, innen	177,09 m² IWF	1,11	0,76
350	Decken/Horizontale Baukonstruktionen	129,00 m² DEF	0,81	0,55
360	Dächer	140,46 m² DAF	0,88	0,60

Kostenkennwerte für die Kostengruppen der 1. Ebene DIN 276

KG	Kostengruppen (1. Ebene)	Einheit	Kosten €	€/Einheit	€/m² BGF	€/m³ BRI	% 300+400
100	Grundstück	m² GF	–	–	–	–	–
200	Vorbereitende Maßnahmen	m² GF	33.456	92,42	143,49	50,68	8,8
300	Bauwerk – Baukonstruktionen	m² BGF	296.397	1.271,27	1.271,27	449,02	78,4
400	Bauwerk – Technische Anlagen	m² BGF	81.814	350,91	350,91	123,94	21,6
	Bauwerk 300+400	**m² BGF**	**378.212**	**1.622,18**	**1.622,18**	**572,96**	**100,0**
500	Außenanlagen und Freiflächen	m² AF	13.300	49,42	57,04	20,15	3,5
600	Ausstattung und Kunstwerke	m² BGF	621	2,66	2,66	0,94	0,2
700	Baunebenkosten	m² BGF	–	–	–	–	–
800	Finanzierung	m² BGF	–	–	–	–	–

KG	Kostengruppe	Menge Einheit	Kosten €	€/Einheit	%
200	**Vorbereitende Maßnahmen**	362,00 m² GF	33.456	**92,42**	8,8
	Oberbodenabtrag; nichtöffentliche Erschließung				
3+4	**Bauwerk**				**100,0**
300	**Bauwerk – Baukonstruktionen**	233,15 m² BGF	296.397	**1.271,27**	78,4
	Stb-Fundamente, Stb-Bodenplatte, Zellulosedämmung, Holzdielen, Bodenfliesen; Stb-Wände, Brettsperrholz-Massivwände, Holzeingangstür, Holzfenster, Dämmung, Holzschalung, Beschichtung; Brettsperrholz-Massivinnenwände, Holztüren, GK-Trockenputz, Beschichtung, Wandfliesen; Stb-Decke, Brettsperrholz-Deckenelemente, Stb-Treppe, Holztreppe; Brettsperrholz-Dachelemente, Dachflächenfenster, Dämmung, Ziegeldeckung, Dachentwässerung				
400	**Bauwerk – Technische Anlagen**	233,15 m² BGF	81.814	**350,91**	21,6
	Gebäudeentwässerung, Kalt- und Warmwasserleitungen, Sanitärobjekte; Pelletheizung, Pufferspeicher, Heizungsrohre, Fußbodenheizung, Röhrenradiatoren; Wohnraumlüftungsanlage; Elektroinstallation, Beleuchtung, Erdung; Telefonverkabelung, Klingel, Antennenanlage				
500	**Außenanlagen und Freiflächen**	269,14 m² AF	13.300	**49,42**	3,5
	Unterbau, Rasengittersteine, Betonsteinbeläge, Kiestraufstreifen; Oberbodenarbeiten, Pflanzen				
600	**Ausstattung und Kunstwerke**	233,15 m² BGF	621	**2,66**	0,2
	Firmenschild				

Kostenkennwerte für die Kostengruppen 300 der 2. und 3.Ebene DIN 276 (Übersicht)

KG	Kostengruppe	Menge Einheit	€/Einheit	Kosten €	% an 3+4
300	**Bauwerk – Baukonstruktionen**	**233,15 m² BGF**	**1.271,27**	**296.397,34**	**78,4**
310	**Baugrube / Erdbau**	**420,00 m³ BGI**	**23,70**	**9.955,79**	**2,6**
311	Herstellung	420,00 m³ BGI	23,70	9.955,79	2,6
312	Umschließung	–	–	–	–
313	Wasserhaltung	–	–	–	–
314	Vortrieb	–	–	–	–
319	Sonstiges zur KG 310	–	–	–	–
320	**Gründung, Unterbau**	**94,00 m² GRF**	**246,45**	**23.166,14**	**6,1**
321	Baugrundverbesserung	–	–	–	–
322	Flachgründungen und Bodenplatten	94,00 m²	152,92	14.374,77	3,8
323	Tiefgründungen	–	–	–	–
324	Gründungsbeläge	40,00 m²	175,54	7.021,45	1,9
325	Abdichtungen und Bekleidungen	94,00 m²	18,83	1.769,92	0,5
326	Dränagen	–	–	–	–
329	Sonstiges zur KG 320	–	–	–	–
330	**Außenwände/Vert. Baukonstrukt., außen**	**244,19 m² AWF**	**438,77**	**107.144,23**	**28,3**
331	Tragende Außenwände	221,00 m²	182,10	40.243,81	10,6
332	Nichttragende Außenwände	–	–	–	–
333	Außenstützen	–	–	–	–
334	Außenwandöffnungen	23,19 m²	867,33	20.113,42	5,3
335	Außenwandbekleidungen, außen	198,00 m²	203,95	40.382,10	10,7
336	Außenwandbekleidungen, innen	64,00 m²	62,84	4.021,73	1,1
337	Element. Außenwandkonstruktionen	–	–	–	–
338	Lichtschutz zur KG 330	8,58 m²	194,75	1.670,94	0,4
339	Sonstiges zur KG 330	244,19 m² AWF	2,92	712,23	0,2
340	**Innenwände/Vert. Baukonstrukt., innen**	**177,09 m² IWF**	**240,21**	**42.537,14**	**11,2**
341	Tragende Innenwände	139,00 m²	151,57	21.067,76	5,6
342	Nichttragende Innenwände	25,00 m²	187,70	4.692,61	1,2
343	Innenstützen	–	–	–	–
344	Innenwandöffnungen	13,09 m²	619,66	8.108,24	2,1
345	Innenwandbekleidungen	103,00 m²	84,16	8.668,52	2,3
346	Elementierte Innenwandkonstruktionen	–	–	–	–
347	Lichtschutz zur KG 340	–	–	–	–
349	Sonstiges zur KG 340	–	–	–	–
350	**Decken/Horizontale Baukonstruktionen**	**129,00 m² DEF**	**333,01**	**42.958,86**	**11,4**
351	Deckenkonstruktionen	129,00 m²	203,29	26.224,19	6,9
352	Deckenöffnungen	–	–	–	–
353	Deckenbeläge	103,00 m²	155,50	16.016,59	4,2
354	Deckenbekleidungen	–	–	–	–
355	Elementierte Deckenkonstruktionen	–	–	–	–
359	Sonstiges zur KG 350	129,00 m² DEF	5,57	718,06	0,2
360	**Dächer**	**140,46 m² DAF**	**398,58**	**55.984,83**	**14,8**
361	Dachkonstruktionen	119,00 m²	204,03	24.279,62	6,4
362	Dachöffnungen	5,46 m²	1.114,30	6.084,10	1,6
363	Dachbeläge	139,00 m²	184,32	25.621,13	6,8
364	Dachbekleidungen	–	–	–	–
365	Elementierte Dachkonstruktionen	–	–	–	–
366	Lichtschutz zur KG 360	–	–	–	–
369	Sonstiges zur KG 360	–	–	–	–
370	**Infrastrukturanlagen**	**–**	**–**	**–**	**–**
380	**Baukonstruktive Einbauten**	**–**	**–**	**–**	**–**
390	**Sonst. Maßnahmen für Baukonstrukt.**	**233,15 m² BGF**	**62,84**	**14.650,35**	**3,9**

Kostenkennwerte für die Kostengruppen 400 der 2. und 3. Ebene DIN 276 (Übersicht)

KG	Kostengruppe	Menge Einheit	€/Einheit	Kosten €	% an 3+4
400	**Bauwerk – Technische Anlagen**	**233,15 m²BGF**	**350,91**	**81.814,26**	**21,6**
410	**Abwasser-, Wasser-, Gasanlagen**	**233,15 m²BGF**	**79,34**	**18.496,97**	**4,9**
411	Abwasseranlagen	233,15 m²BGF	13,89	3.237,72	0,9
412	Wasseranlagen	233,15 m²BGF	65,45	15.259,24	4,0
413	Gasanlagen	–	–	–	–
419	Sonstiges zur KG 410	–	–	–	–
420	**Wärmeversorgungsanlagen**	**233,15 m²BGF**	**169,40**	**39.495,20**	**10,4**
421	Wärmeerzeugungsanlagen	233,15 m²BGF	91,69	21.376,81	5,7
422	Wärmeverteilnetze	233,15 m²BGF	19,75	4.605,28	1,2
423	Raumheizflächen	233,15 m²BGF	28,23	6.580,91	1,7
424	Verkehrsheizflächen	–	–	–	–
429	Sonstiges zur KG 420	233,15 m²BGF	29,73	6.932,18	1,8
430	**Raumlufttechnische Anlagen**	**233,15 m²BGF**	**32,97**	**7.687,11**	**2,0**
431	Lüftungsanlagen	233,15 m²BGF	32,97	7.687,11	2,0
432	Teilklimaanlagen	–	–	–	–
433	Klimaanlagen	–	–	–	–
434	Kälteanlagen	–	–	–	–
439	Sonstiges zur KG 430	–	–	–	–
440	**Elektrische Anlagen**	**233,15 m²BGF**	**55,55**	**12.952,24**	**3,4**
441	Hoch- und Mittelspannungsanlagen	–	–	–	–
442	Eigenstromversorgungsanlagen	–	–	–	–
443	Niederspannungsschaltanlagen	–	–	–	–
444	Niederspannungsinstallationsanlagen	233,15 m²BGF	35,33	8.236,34	2,2
445	Beleuchtungsanlagen	233,15 m²BGF	15,63	3.644,64	1,0
446	Blitzschutz- und Erdungsanlagen	233,15 m²BGF	4,59	1.071,26	0,3
447	Fahrleitungssysteme	–	–	–	–
449	Sonstiges zur KG 440	–	–	–	–
450	**Kommunikationstechnische Anlagen**	**233,15 m²BGF**	**13,65**	**3.182,75**	**0,8**
451	Telekommunikationsanlagen	233,15 m²BGF	2,17	506,52	0,1
452	Such- und Signalanlagen	233,15 m²BGF	1,79	417,25	0,1
453	Zeitdienstanlagen	–	–	–	–
454	Elektroakustische Anlagen	–	–	–	–
455	Audiovisuelle Medien- u. Antennenanl.	233,15 m²BGF	9,69	2.258,98	0,6
456	Gefahrenmelde- und Alarmanlagen	–	–	–	–
457	Datenübertragungsnetze	–	–	–	–
458	Verkehrsbeeinflussungsanlagen	–	–	–	–
459	Sonstiges zur KG 450	–	–	–	–
460	**Förderanlagen**	**–**	**–**	**–**	**–**
461	Aufzugsanlagen	–	–	–	–
462	Fahrtreppen, Fahrsteige	–	–	–	–
463	Befahranlagen	–	–	–	–
464	Transportanlagen	–	–	–	–
465	Krananlagen	–	–	–	–
466	Hydraulikanlagen	–	–	–	–
469	Sonstiges zur KG 460	–	–	–	–
470	**Nutzungsspez. u. verfahrenstechn. Anl.**	**–**	**–**	**–**	**–**
480	**Gebäude- und Anlagenautomation**	**–**	**–**	**–**	**–**
490	**Sonst. Maßnahmen für techn. Anlagen**	**–**	**–**	**–**	**–**

Kostenkennwerte für Leistungsbereiche nach STLB (Kosten des Bauwerks nach DIN 276)

LB	Leistungsbereiche	Kosten €	€/m² BGF	€/m³ BRI	% an 3+4
000	Sicherheits-, Baustelleneinrichtungen inkl. 001	14.650	62,80	22,20	3,9
002	Erdarbeiten	7.511	32,20	11,40	2,0
006	Spezialtiefbauarbeiten inkl. 005	–	–	–	–
009	Entwässerungskanalarbeiten inkl. 011	3.833	16,40	5,80	1,0
010	Drän- und Versickerarbeiten	–	–	–	–
012	Mauerarbeiten	5.777	24,80	8,80	1,5
013	Betonarbeiten	36.703	157,40	55,60	9,7
014	Natur-, Betonwerksteinarbeiten	–	–	–	–
016	Zimmer- und Holzbauarbeiten	110.886	475,60	168,00	29,3
017	Stahlbauarbeiten	–	–	–	–
018	Abdichtungsarbeiten	–	–	–	–
019	Kampfmittelräumarbeiten	–	–	–	–
020	Dachdeckungsarbeiten	22.803	97,80	34,50	6,0
021	Dachabdichtungsarbeiten	–	–	–	–
022	Klempnerarbeiten	5.424	23,30	8,20	1,4
	Rohbau	**207.587**	**890,40**	**314,50**	**54,9**
023	Putz- und Stuckarbeiten, Wärmedämmsysteme	–	–	–	–
024	Fliesen- und Plattenarbeiten	3.408	14,60	5,20	0,9
025	Estricharbeiten	–	–	–	–
026	Fenster, Außentüren inkl. 029, 032	30.479	130,70	46,20	8,1
027	Tischlerarbeiten	22.599	96,90	34,20	6,0
028	Parkettarbeiten, Holzpflasterarbeiten	18.514	79,40	28,00	4,9
030	Rollladenarbeiten	1.671	7,20	2,50	0,4
031	Metallbauarbeiten inkl. 035	–	–	–	–
034	Maler- und Lackiererarbeiten inkl. 037	6.855	29,40	10,40	1,8
036	Bodenbelagarbeiten	–	–	–	–
038	Vorgehängte hinterlüftete Fassaden	–	–	–	–
039	Trockenbauarbeiten	14.157	60,70	21,40	3,7
	Ausbau	**97.683**	**419,00**	**148,00**	**25,8**
040	Wärmeversorgungsanl. - Betriebseinr. inkl. 041	31.294	134,20	47,40	8,3
042	Gas- und Wasserinstallation, Leitungen inkl. 043	3.379	14,50	5,10	0,9
044	Abwasseranlagen - Leitungen	1.850	7,90	2,80	0,5
045	GWE-Einrichtungsgegenstände inkl. 046	10.016	43,00	15,20	2,6
047	Dämmarbeiten an betriebstechnischen Anlagen	1.843	7,90	2,80	0,5
049	Feuerlöschanlagen, Feuerlöschgeräte	–	–	–	–
050	Blitzschutz- und Erdungsanlagen	1.071	4,60	1,60	0,3
053	Niederspannungsanlagen inkl. 052, 054	9.158	39,30	13,90	2,4
055	Sicherheits- u. Ersatzstromversorgungsanl.	–	–	–	–
057	Gebäudesystemtechnik	–	–	–	–
058	Leuchten und Lampen inkl. 059	3.645	15,60	5,50	1,0
060	Sprechanlagen, elektroakust. Anlagen inkl. 064	417	1,80	0,63	0,1
061	Kommunikationsnetze inkl. 063	2.765	11,90	4,20	0,7
069	Aufzüge	–	–	–	–
070	Gebäudeautomation	–	–	–	–
075	Raumlufttechnische Anlagen inkl. 078	7.503	32,20	11,40	2,0
	Gebäudetechnik	**72.941**	**312,90**	**110,50**	**19,3**
084	Abbruch, Rückbau, Schadstoffsanierung	–	–	–	–
	Abbrucharbeiten	**–**	**–**	**–**	**–**
	Sonstige Leistungsbereiche	**–**	**–**	**–**	**–**

6100-1028
Doppelhaushälfte
Carport
Effizienzhaus 55

Objektübersicht

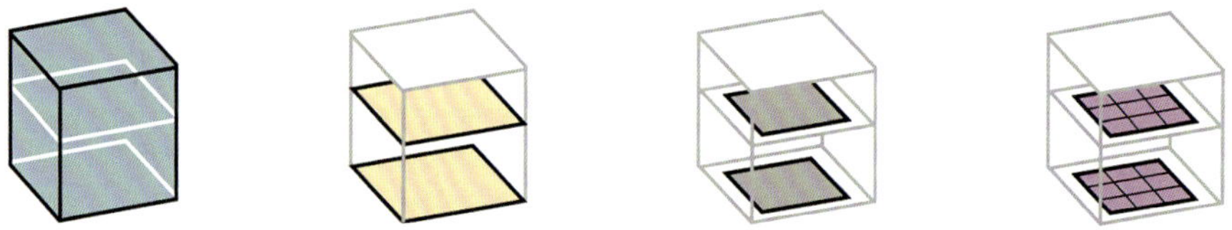

BRI 555 €/m³ | BGF 1.608 €/m² | NUF 2.699 €/m² | NE 3.424 €/NE

NE: Wohnfläche

Objekt:
Kennwerte: 1. Ebene DIN 276
BRI: 1.014 m³
BGF: 350 m²
NUF: 208 m²
Bauzeit: 26 Wochen
Bauende: 2010
Standard: Durchschnitt
Bundesland: Nordrhein-Westfalen
Kreis: Bochum, Stadt

Architekt*in:
Aslaksen-Schürholz
Architektin
Lewackerhof 11
44879 Bochum

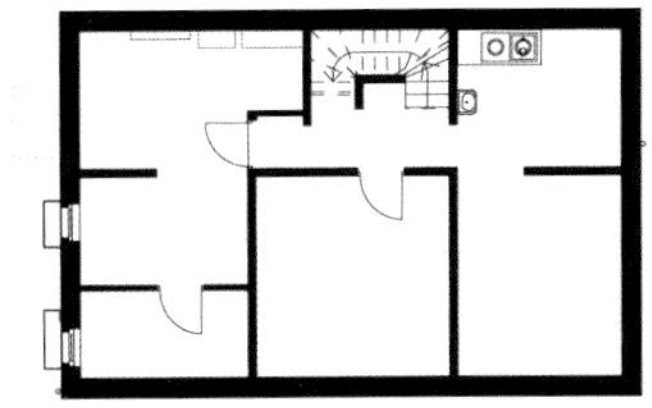

Untergeschoss

Längsschnitt

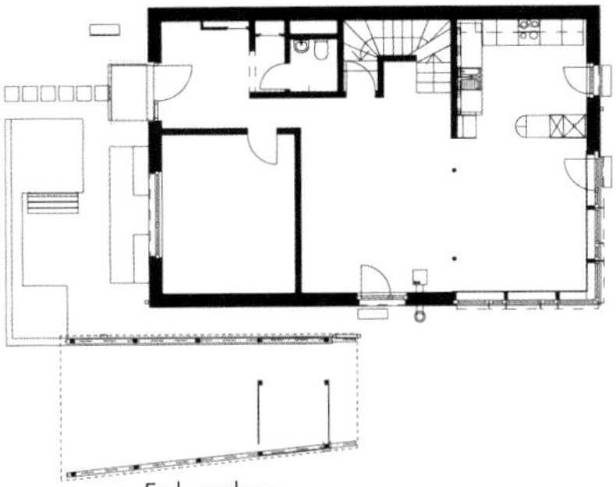

Erdgeschoss

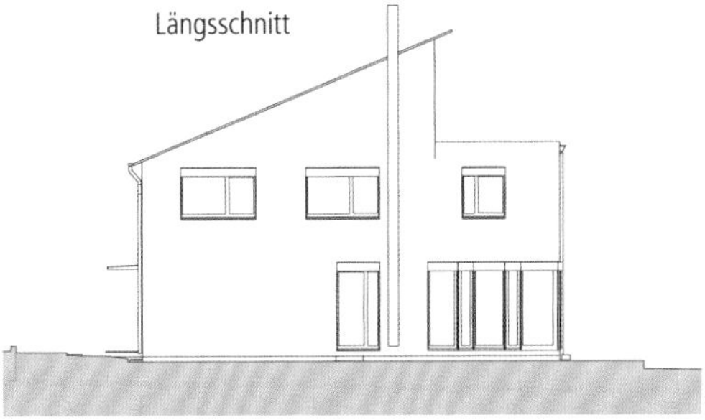

Ansicht Seite

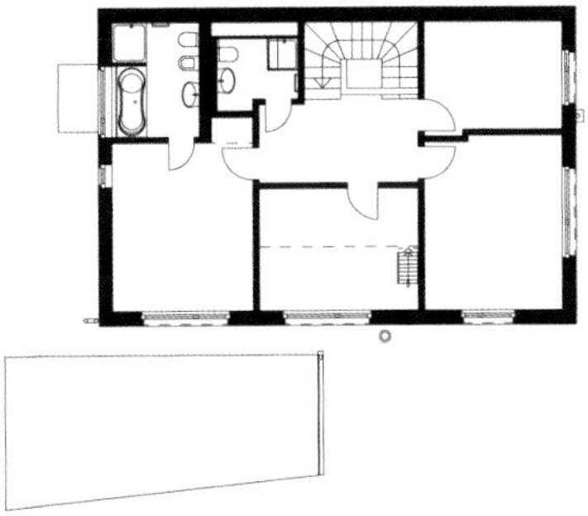

1. Obergeschoss

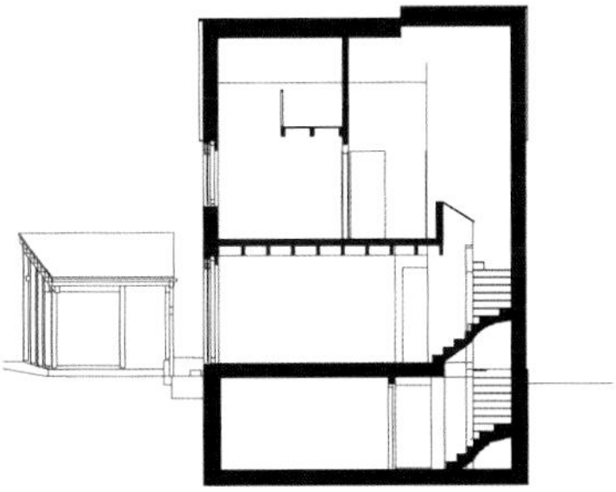

Querschnitt

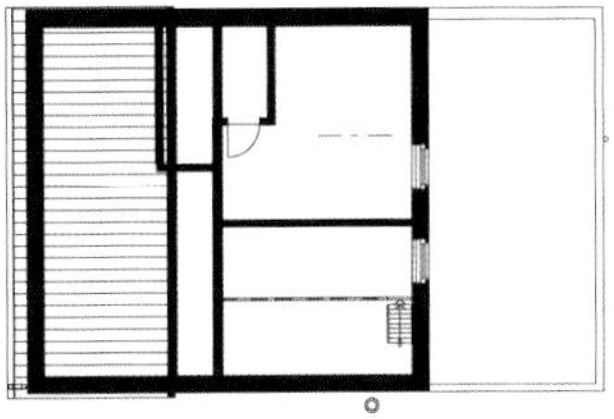

Dachgeschoss

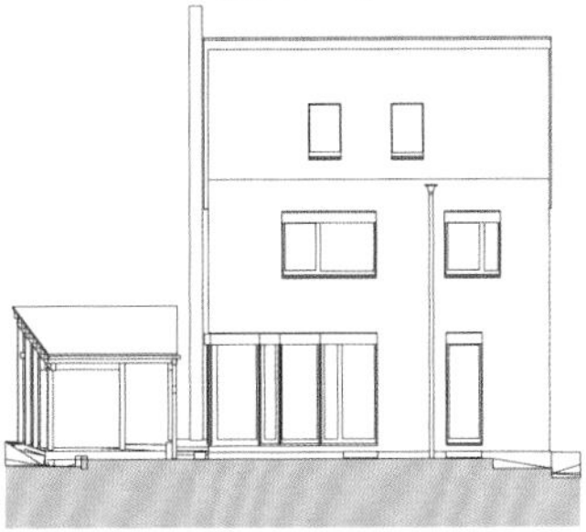

Ansicht Garten

Objektbeschreibung

Allgemeine Objektinformationen

Größere Raumhöhen im Erdgeschoss, eine offene Balkendecke, eine offene Grundrissgestaltung und eine großflächige Verglasung wirken der Kleinteiligkeit eines Einfamilienhauses entgegen. Ein offenes Treppenhaus führt ins Obergeschoss. Hier sind ein Kinderzimmer mit Schlafgalerie, das Schlafzimmer der Eltern und ein Bad untergebracht.

Nutzung

1 Untergeschoss
Technik, Waschküche, Lager- und Vorratsräume

1 Erdgeschoss
Wohnen, Küche, Arbeiten, Diele mit Gäste-WC

1 Obergeschoss
Elternzimmer, 2 Kinderzimmer, Gästezimmer, Bad, Duschbad

1 Dachgeschoss
Schlafgalerie zu Kind 1, kleiner Kriechboden über Duschbad

Nutzeinheiten

Stellplätze: 1
Wohneinheiten: 1
Wohnfläche: 164 m^2

Grundstück

Bauraum: Freier Bauraum
Neigung: Ebenes Gelände
Bodenklasse: BK 1 bis BK 6

Markt

Hauptvergabezeit: 2. Quartal 2010
Baubeginn: 2. Quartal 2010
Bauende: 4. Quartal 2010
Konjunkturelle Gesamtlage: über Durchschnitt
Regionaler Baumarkt: Durchschnitt

Baukonstruktion

Die Konstruktion besteht aus einem Holzrahmenbau auf einem Keller, der als Weisse Wanne ausgeführt wurde. Die Holzbauweise ermöglicht eine gute Dämmung und Handhabung von Wärmebrücken mit relativ schlanken Wanddicken. Die Wände und Dachfelder sind in der Werkstatt vorgefertigt, so dauert das reine Richten des Rohbaus nur zwei Tage. Diese Bauweise bedingt einen hohen Planungsaufwand bezüglich der Konstruktion und der Leitungsführung der Haustechnik, die sich aber durch die Montagefreundlichkeit auszahlt.

Technische Anlagen

Der Kern des Konzeptes dieses Effizienzhauses 55 ist die kontrollierte Wohnraumlüftung mit Wärmerückgewinnung, Enthalpietauscher und einem Luft-Erdwärmetauscher. Die Lüftung liefert die Grundwärme. Ein Kaminofen im Wohnzimmer heizt mit regenerativer Energie, die Wärme verteilt sich über den offenen Grundriss. Um gezielter die gewünschten Temperaturen zu erreichen, bedient die Luft/Wasser-Wärmepumpe, die zur Warmwasserbereitung eingesetzt wird, ebenfalls eine Fußbodenheizung. Eine 2.000l Regenwasserzisterne wird zur Gartenbewässerung benutzt, senkt die Be- und Entwässerungskosten und schont wertvolle Ressourcen.

Sonstiges

Das Gebäude erhielt einen limettengelben Anstrich. Die Aluminiumschale der Fenster und das Vordach sind anthrazitfarben, ebenso die Dachziegel.

Planungskennwerte für Flächen und Rauminhalte nach DIN 277

Flächen des Grundstücks		Menge Einheit	% an GF
BF	Bebaute Fläche	103,00 m²	32,7
UF	Unbebaute Fläche	212,00 m²	67,3
GF	Grundstücksfläche	315,00 m²	100,0

Grundflächen des Bauwerks		Menge Einheit	% an NUF	% an BGF
NUF	Nutzungsfläche	208,39 m²	100,0	59,6
TF	Technikfläche	15,82 m²	7,6	4,5
VF	Verkehrsfläche	35,17 m²	16,9	10,1
NRF	Netto-Raumfläche	259,38 m²	124,5	74,2
KGF	Konstruktions-Grundfläche	90,42 m²	43,4	25,8
BGF	Brutto-Grundfläche	349,80 m²	167,9	100,0

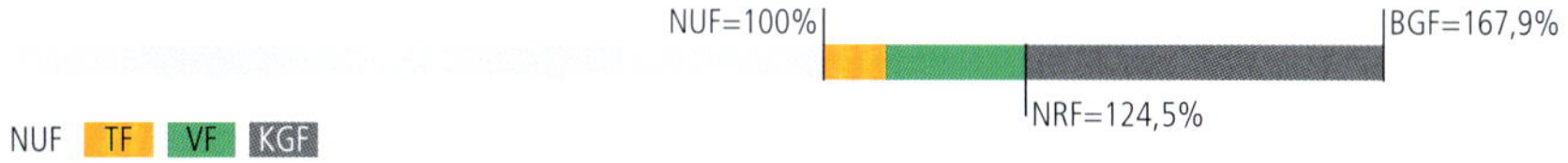

Brutto-Rauminhalt des Bauwerks		Menge Einheit	BRI/NUF (m)	BRI/BGF (m)
BRI	Brutto-Rauminhalt	1.013,58 m³	4,86	2,90

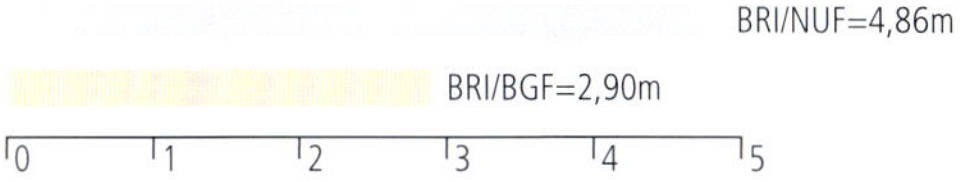

Kostenkennwerte für die Kostengruppen der 1. Ebene DIN 276

KG	Kostengruppen (1. Ebene)	Einheit	Kosten €	€/Einheit	€/m² BGF	€/m³ BRI	% 300+400
100	Grundstück	m² GF	–	–	–	–	–
200	Vorbereitende Maßnahmen	m² GF	15.426	48,97	44,10	15,22	2,7
300	Bauwerk – Baukonstruktionen	m² BGF	419.314	1.198,73	1.198,73	413,70	74,5
400	Bauwerk – Technische Anlagen	m² BGF	143.229	409,46	409,46	141,31	25,5
	Bauwerk 300+400	**m² BGF**	**562.543**	**1.608,19**	**1.608,19**	**555,01**	**100,0**
500	Außenanlagen und Freiflächen	m² AF	24.167	113,99	69,09	23,84	4,3
600	Ausstattung und Kunstwerke	m² BGF	–	–	–	–	–
700	Baunebenkosten	m² BGF	–	–	–	–	–
800	Finanzierung	m² BGF	–	–	–	–	–

KG	Kostengruppe	Menge Einheit	Kosten €	€/Einheit	%
200	**Vorbereitende Maßnahmen**	315,00 m² GF	15.426	**48,97**	2,7

Bäume fällen (2St), Baumstümpfe ausfräsen, Hecken und Sträucher roden, häckseln und auf Grundstück verteilen

KG	Kostengruppe	Menge Einheit	Kosten €	€/Einheit	%
3+4	**Bauwerk**				**100,0**
300	**Bauwerk – Baukonstruktionen**	349,80 m² BGF	419.314	**1.198,73**	74,5

Baugrubenaushub; Sauberkeitsschicht, Dämmung, Stb-Bodenplatte, WU-Beton, Zementestrich, Belag; Stb-Wände (UG), WU-Beton, Perimeterdämmung, Holzrahmenbau ab EG, vorgefertigte Elemente, Zellulose-Einblasdämmung, Holzfaserdämmplatten, Putz, Anstrich, Holz-Alu-Fenster, Dreifachverglasung, Alu-Lamellenraffstore, Installationsebene, GK-Beplankung innen, Glasvordach, Gebäudetrennwand in F30/F90; Holzständerwände, OSB-Beplankung, Trockenbauwände, Holztüren, HPL-Beschichtung; Stb-Decke (über UG), Estrich, Fliesen, Stb-Kellertreppe, Sichtbalkendecke, OSB-Schalung, Estrich, Belag, Holztreppe; Dächer in Holzrahmenbauweise, Zellulosedämmung, Folienabdichtung (Flachdach), Betonziegel (Pultdach), Dachentwässerung

KG	Kostengruppe	Menge Einheit	Kosten €	€/Einheit	%
400	**Bauwerk – Technische Anlagen**	349,80 m² BGF	143.229	**409,46**	25,5

Gebäudeentwässerung, Kalt- und Warmwasserleitungen, Sanitärobjekte, Regenwasserzisterne; Luft/Wasser-Wärmepumpe als Split-Gerät, Warmwasserspeicher, Fußbodenheizung, Badheizkörper, Kaminofen; kontrollierte Wohnraumlüftung mit Wärmerückgewinnung (für Grundwärme), Enthalpie-Tauscher und Luft-Erdwärmetauscher; Elektroinstallation, Sprechanlage, Brandmeldeanlage, Telefon- und Übertragungsnetz, Sat-Anlage, Außenbeleuchtung

KG	Kostengruppe	Menge Einheit	Kosten €	€/Einheit	%
500	**Außenanlagen und Freiflächen**	212,00 m² AF	24.167	**113,99**	4,3

Terrasse (Kies), Trittsteine im Kies als Hauszugang, Kantsteine zur Abgrenzung, L-Steine an der Grenze zu den Nachbarn, Betonstufe zwischen Kies der Terrasse und Rasen, Natursteinmauer zum Gehweg, Erstbepflanzung

6100-1048
Doppelhaushälfte
KfW 60

Objektübersicht

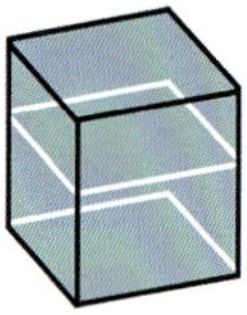

BRI 455 €/m^3

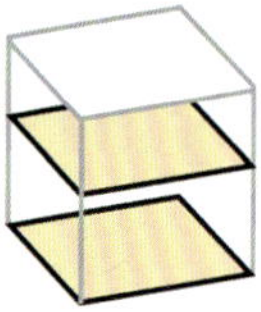

BGF 1.276 €/m^2

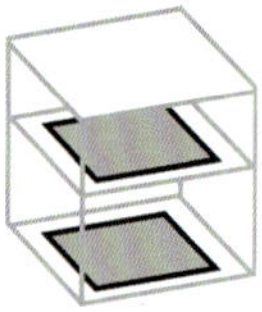

NUF 1.984 €/m^2

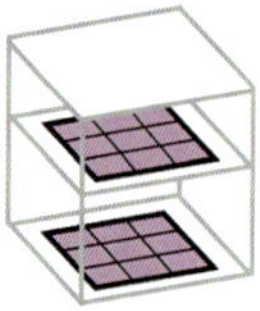

NE 2.575 €/NE

NE: Wohnfläche

Objekt:
Kennwerte: 1. Ebene DIN 276
BRI: 1.843 m^3
BGF: 658 m^2
NUF: 423 m^2
Bauzeit: 48 Wochen
Bauende: 2009
Standard: Durchschnitt
Bundesland: Bayern
Kreis: München, Stadt

Architekt*in:
Hirschhäuser Liedtke
Architekten BDA
Infanteriestraße 15
80797 München

© Hirschhäuser Liedtke Architekten BDA

© Hirschhäuser Liedtke Architekten BDA

© Hirschhäuser Liedtke Architekten BDA

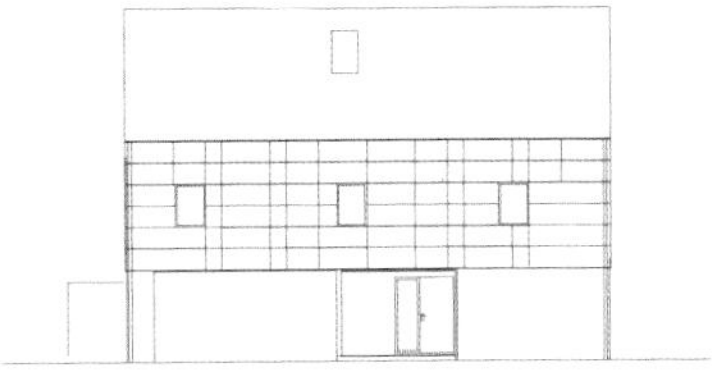

Ansicht Nord

Ansicht Ost

Untergeschoss

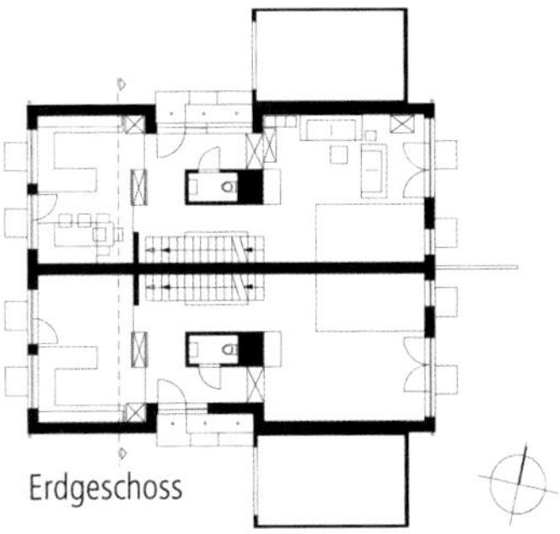

Erdgeschoss

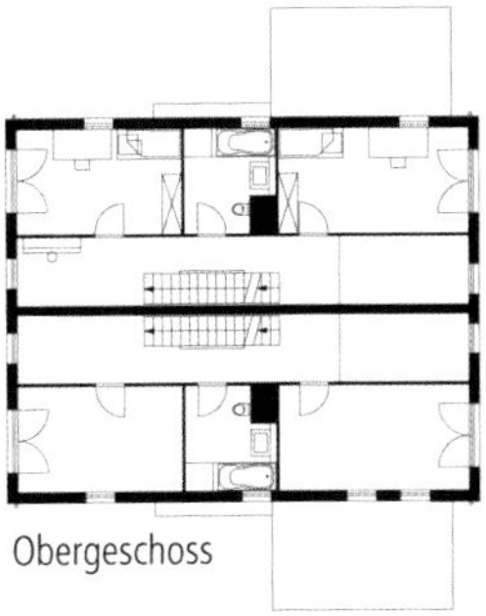

Obergeschoss

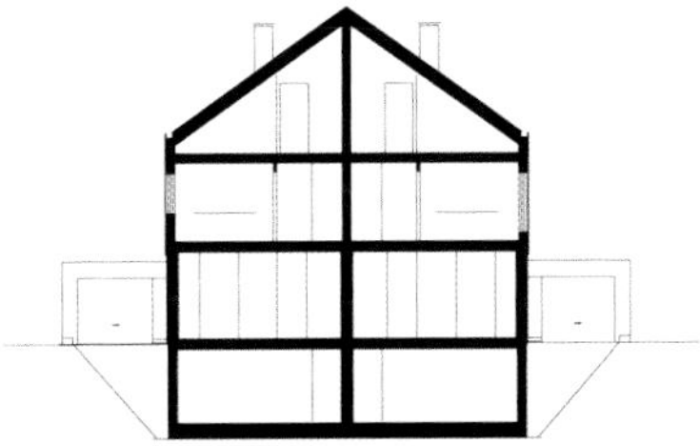

Schnitt

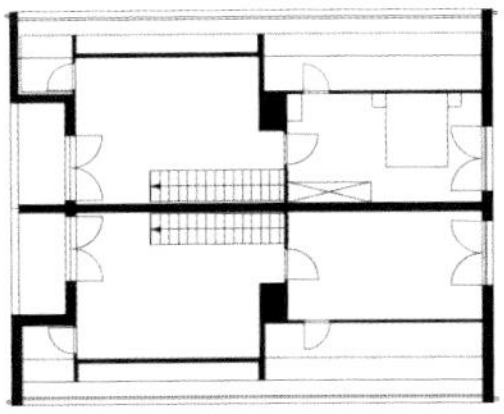

Dachgeschoss

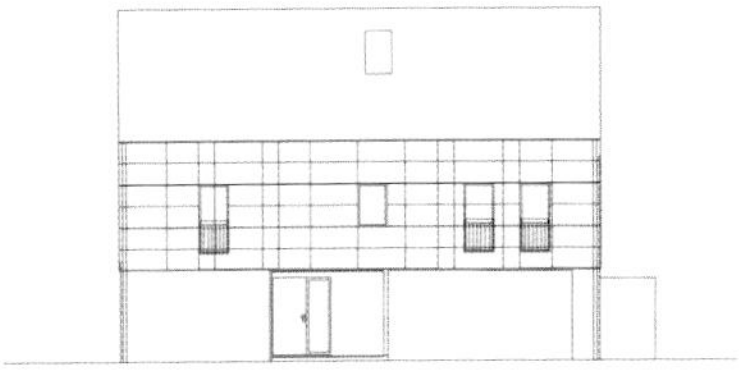

Ansicht Süd

Ansicht West

Objektbeschreibung

Allgemeine Objektinformationen

Ein zuvor unbebautes Grundstück mit ca. 670m² in einer gewachsenen Wohngegend wurde geteilt, um zwei nahezu identische Doppelhaushälften zu schaffen.

Nutzung

1 Untergeschoss
Lagerraum, Bad, Heizung, Hobby, Vorrat, Flur

1 Erdgeschoss
Wohnen, Küche, Essen, Windfang, WC

1 Obergeschoss
Kinderzimmer, Bad, Spielflur

1 Dachgeschoss
Eltern, Arbeiten, Loggia

Nutzeinheiten

Wohneinheiten: 2
Wohnfläche: 326m²

Grundstück

Bauraum: Freier Bauraum
Neigung: Ebenes Gelände
Bodenklasse: BK 1 bis BK 4

Markt

Hauptvergabezeit: 3. Quartal 2008
Baubeginn: 4. Quartal 2008
Bauende: 3. Quartal 2009
Konjunkturelle Gesamtlage: unter Durchschnitt
Regionaler Baumarkt: über Durchschnitt

Baukonstruktion

Das Untergeschoss der Doppelhaushälften ist in Stahlbeton ausgeführt. Das Erdgeschoss ist massiv mit 36,5-42,5cm starkem verputztem Mauerwerk erstellt. Die Decken sind in Stahlbeton errichtet. Das Obergeschoss und das Dach sind in Holzrahmenbauweise mit Holzmassivdecken ausgeführt. Alle Fenster sind in Holz ausgeführt und transparent lackiert. Die Dachneigung beträgt 35°. Das Dach ist mit grauen Tonziegeln gedeckt.

Technische Anlagen

Die Nordhälfte des Gebäudes besitzt eine Heizung die über eine Luft-Wärmepumpe versorgt wird. Die Heizung der Südhälfte wird über eine Gas-Brennwerttherme versorgt. Das Gebäude besitzt eine kontrollierte Wohnraumbelüftung in allen Geschossen mit Zuluft in den Wohnräumen und Abluft im Bad und der Küche.

Sonstiges

Die massive Bauweise im Erdgeschoss wie auch die Holzständerbauweise der Obergeschosse zeichnet sich in der Fassade ab: das Erdgeschoss ist weiß verputzt, das Ober- und das Dachgeschoss sind mit einer grauen Faserzementfassade an den Längsseiten und einer unbehandelten Lärchenholzfassade an den Stirnseiten versehen.

Planungskennwerte für Flächen und Rauminhalte nach DIN 277

Flächen des Grundstücks		Menge Einheit	% an GF
BF	Bebaute Fläche	165,40 m²	24,7
UF	Unbebaute Fläche	504,60 m²	75,3
GF	Grundstücksfläche	670,00 m²	100,0

Grundflächen des Bauwerks		Menge Einheit	% an NUF	% an BGF
NUF	Nutzungsfläche	423,00 m²	100,0	64,3
TF	Technikfläche	18,00 m²	4,3	2,7
VF	Verkehrsfläche	75,00 m²	17,7	11,4
NRF	Netto-Raumfläche	516,00 m²	122,0	78,4
KGF	Konstruktions-Grundfläche	142,00 m²	33,6	21,6
BGF	Brutto-Grundfläche	658,00 m²	155,6	100,0

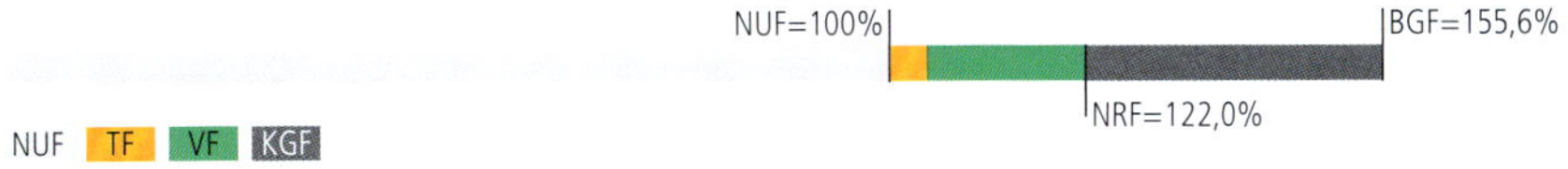

Brutto-Rauminhalt des Bauwerks		Menge Einheit	BRI/NUF (m)	BRI/BGF (m)
BRI	Brutto-Rauminhalt	1.843,00 m³	4,36	2,80

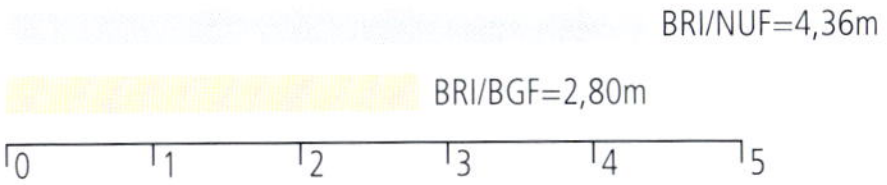

Kostenkennwerte für die Kostengruppen der 1. Ebene DIN 276

KG	Kostengruppen (1. Ebene)	Einheit	Kosten €	€/Einheit	€/m² BGF	€/m³ BRI	% 300+400
100	Grundstück	m² GF	–	–	–	–	–
200	Vorbereitende Maßnahmen	m² GF	–	–	–	–	–
300	Bauwerk – Baukonstruktionen	m² BGF	689.207	1.047,43	1.047,43	373,96	82,1
400	Bauwerk – Technische Anlagen	m² BGF	150.158	228,20	228,20	81,47	17,9
	Bauwerk 300+400	**m² BGF**	**839.364**	**1.275,63**	**1.275,63**	**455,43**	**100,0**
500	Außenanlagen und Freiflächen	m² AF	–	–	–	–	–
600	Ausstattung und Kunstwerke	m² BGF	–	–	–	–	–
700	Baunebenkosten	m² BGF	–	–	–	–	–
800	Finanzierung	m² BGF	–	–	–	–	–

KG	Kostengruppe	Menge Einheit	Kosten €	€/Einheit	%
3+4	**Bauwerk**				**100,0**
300	**Bauwerk – Baukonstruktionen**	658,00 m² BGF	689.207	**1.047,43**	82,1

Stb-Bodenplatte, Dämmung, Estrich; Stb-Kellerwände, Wärmedämmung, d=100mm, Betonfertigteil-Lichtschächte, Holzfenster, Außenwände EG, Mauerwerk, d=36,5-42,5cm, Putz, Rollläden, Außenwände OG-DG, Holzrahmenkonstruktion, Innenbeplankung OSB-Platten, GK-Bekleidung, Zellulosedämmung, Außenbeplankung Holzfaserplatte, Holzschalung Lärche, teilw. Faserzementplatten, Holzfenster, Alu-Lamellenraffstore; Innenwände, Mauerwerk, Gipsputz, Anstrich, Fliesen, Holztüren mit Holzzargen, Holzrahmenständerwände im OG und DG; Stb-Decke, Estrich, Parkett, Fliesen, Linoleum, Decke OG, Massivholzdecke, d=10cm, Innentreppen teilweise Stahlbetonfertigteile, teilw. Holz; Holzdachkonstruktion, Zellulosedämmung, Innenbeplankung GK-Platten, Holzschalung, Tondachziegel, Dachentwässerung

KG	Kostengruppe	Menge Einheit	Kosten €	€/Einheit	%
400	**Bauwerk – Technische Anlagen**	658,00 m² BGF	150.158	**228,20**	17,9

Gebäudeentwässerung, Kalt- und Warmwasserleitungen Edelstahl, Sanitärobjekte, Hebeanlage; Gas-Brennwerttherme, Luft-Wärmepumpe, Pufferspeicher 1.000l, Fußbodenheizung; kontrollierte Lüftungsanlage, Wärmerückgewinnung; Elektroinstallation, Telefonleitungen, Telefonanlage

6100-1199
Doppelhaus
Effizienzhaus 55

Objektübersicht

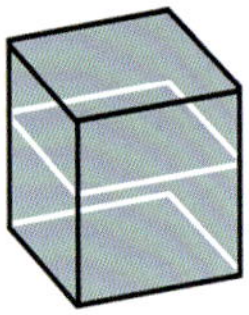

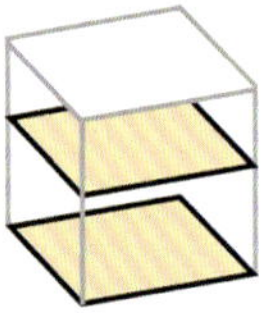

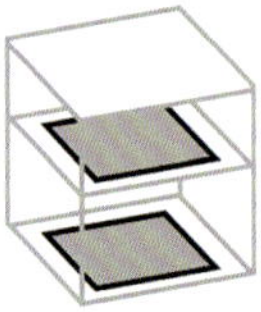

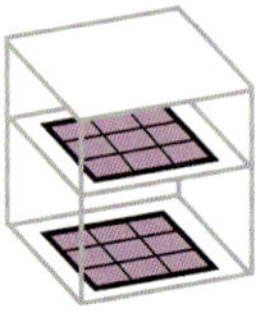

BRI 459€/m³ | BGF 1.303€/m² | NUF 1.974€/m² | NE 1.779€/NE

NE: Wohnfläche

Objekt:
Kennwerte: 3. Ebene DIN 276
BRI: 930 m³
BGF: 328 m²
NUF: 216 m²
Bauzeit: 17 Wochen
Bauende: 2014
Standard: unter Durchschnitt
Bundesland: Hessen
Kreis: Schwalm-Eder-Kreis

Architekt*in:
Planungsbüro Clobes GmbH
Schwalmstraße 12
34590 Wabern

© Planungsbüro Clobes GmbH

© Planungsbüro Clobes GmbH

© Planungsbüro Clobes GmbH

© Planungsbüro Clobes GmbH

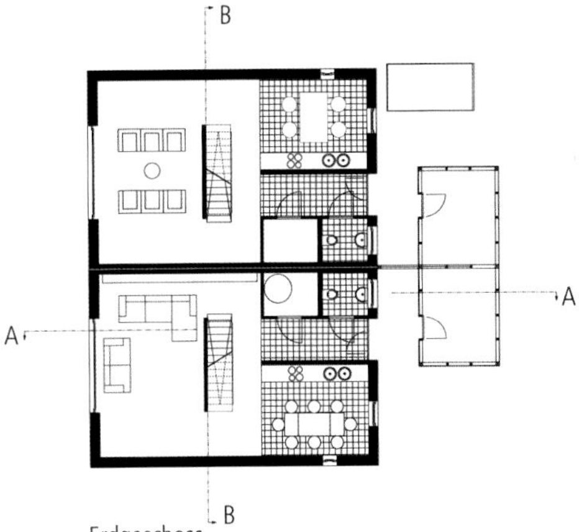

Erdgeschoss

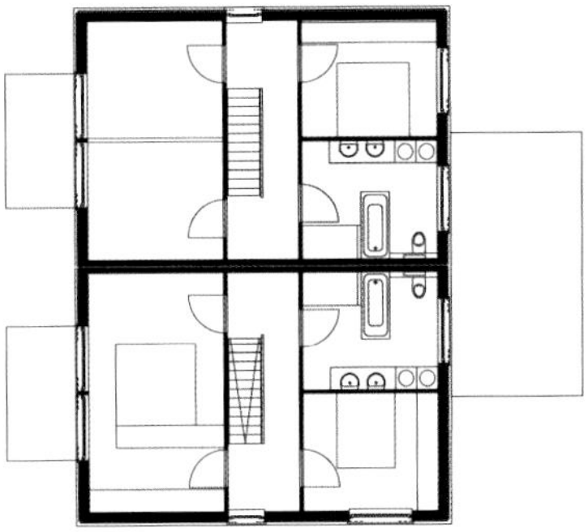

Obergeschoss

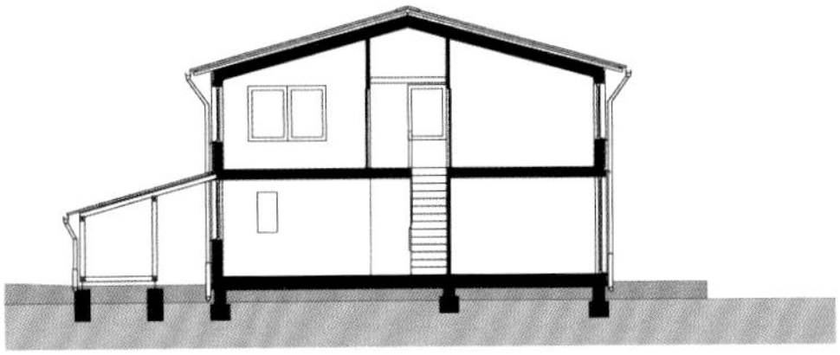

Schnitt A-A

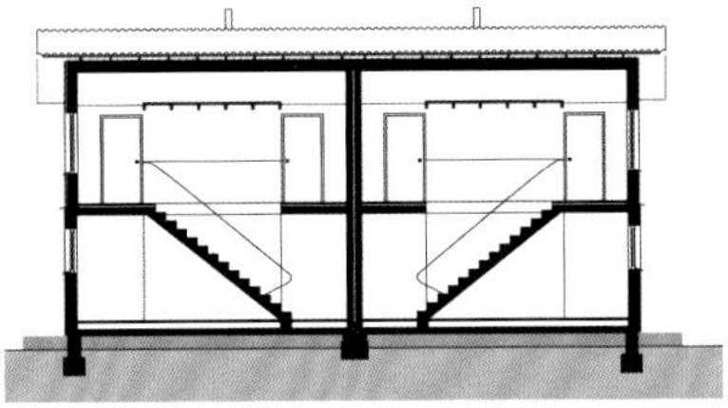

Schnitt B-B

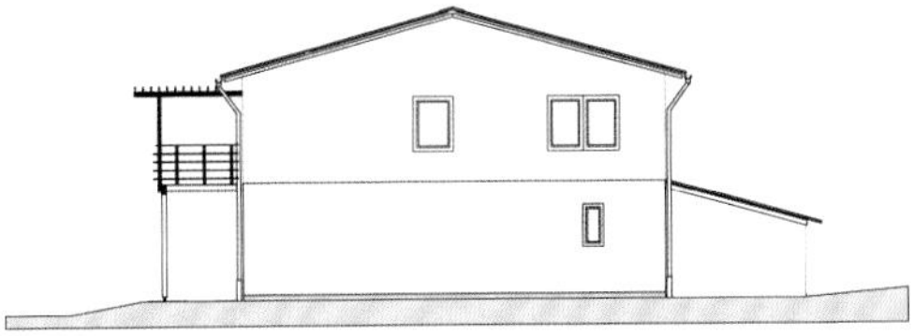

Ansicht Süd

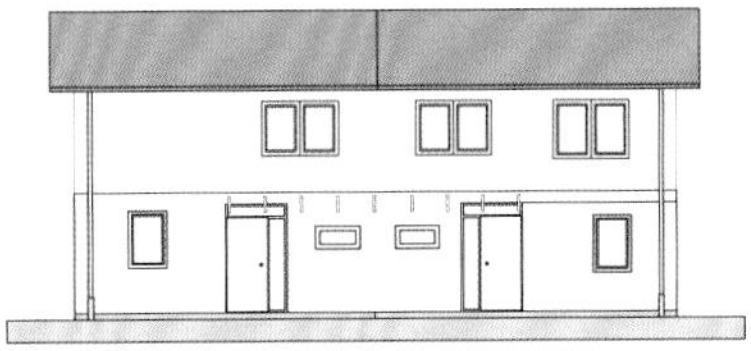

Ansicht Ost

Objektbeschreibung

Allgemeine Objektinformationen

Innerhalb kurzer Bauzeit von fünf Monaten wurden diese beiden Doppelhaushälften errichtet. Die Haushälften verfügen über 118,50m² bzw. 121,50m² Wohnfläche.

Nutzung

1 Erdgeschoss
Wohnen, Küche, WC, Abstellraum/Technik, Geräteschuppen

1 Obergeschoss
Schlafzimmer, Kinderzimmer, Bad, Balkon

Nutzeinheiten

Wohneinheiten: 2
Wohnfläche: 240 m²

Grundstück

Bauraum: Freier Bauraum
Neigung: Ebenes Gelände
Bodenklasse: BK 1 bis BK 3

Markt

Hauptvergabezeit: 3. Quartal 2013
Baubeginn: 3. Quartal 2013
Bauende: 1. Quartal 2014
Konjunkturelle Gesamtlage: Durchschnitt
Regionaler Baumarkt: unter Durchschnitt

Baukonstruktion

Die beiden Doppelhaushälften wurden im Erdgeschoss in massiver Bauweise aus 15cm starken Kalksandsteinwänden mit 200mm Wärmedämmverbundsystem ausgeführt. Das Obergeschoss besteht aus einer Holzrahmenkonstruktion mit 200mm Mineralwolldämmung und ist mit einer hinterlüfteten Lärchenholzschalung bekleidet. In die Dachkonstruktion wurde 240mm Mineralwolle als Zwischensparrendämmung eingebracht.

Technische Anlagen

Beheizung und Warmwasserbereitung erfolgen über eine gemeinsame Luft-Wärmepumpe in Verbindung mit einem 1.000l-Kombispeicher, die Wärmeübergabe erfolgt über eine Fußbodenheizung. Eine Lüftungsanlage wurde nicht eingebaut, die Lüftung erfolgt über das Öffnen der Fenster. Die Photovoltaikanlage mit einer Leistung vom 9,8kW(p) produzierte mit 8.617kW mehr Energie als für Wärmepumpe und Haushaltsstrom verbraucht wird.

Planungskennwerte für Flächen und Rauminhalte nach DIN 277

Flächen des Grundstücks		Menge Einheit	% an GF
BF	Bebaute Fläche	175,00 m²	24,2
UF	Unbebaute Fläche	547,00 m²	75,8
GF	Grundstücksfläche	722,00 m²	100,0

Grundflächen des Bauwerks		Menge Einheit	% an NUF	% an BGF
NUF	Nutzungsfläche	216,26 m²	100,0	66,0
TF	Technikfläche	3,01 m²	1,4	0,9
VF	Verkehrsfläche	31,16 m²	14,4	9,5
NRF	Netto-Raumfläche	250,43 m²	115,8	76,4
KGF	Konstruktions-Grundfläche	77,17 m²	35,7	23,6
BGF	Brutto-Grundfläche	327,60 m²	151,5	100,0

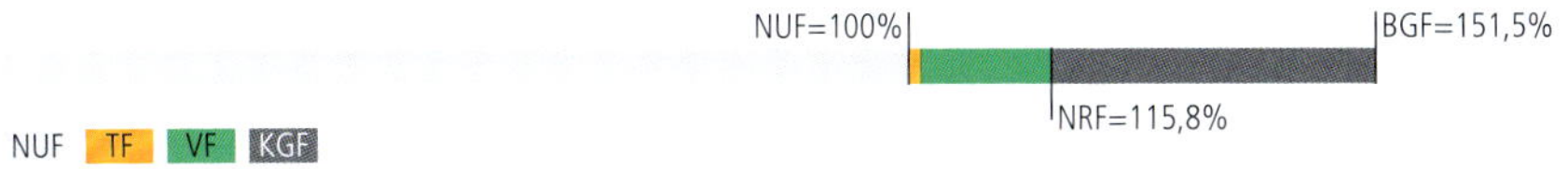

Brutto-Rauminhalt des Bauwerks		Menge Einheit	BRI/NUF (m)	BRI/BGF (m)
BRI	Brutto-Rauminhalt	930,00 m³	4,30	2,84

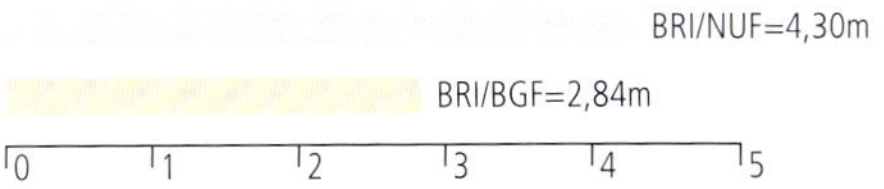

Lufttechnisch behandelte Flächen	Menge Einheit	% an NUF	% an BGF
Entlüftete Fläche	–	–	–
Be- und entlüftete Fläche	–	–	–
Teilklimatisierte Fläche	–	–	–
Klimatisierte Fläche	–	–	–

KG	Kostengruppen (2. Ebene)	Menge Einheit	Menge/NUF	Menge/BGF
310	Baugrube / Erdbau	27,79 m³ BGI	0,13	0,09
320	Gründung, Unterbau	176,14 m² GRF	0,81	0,54
330	Außenwände/Vertikale Baukonstruktionen, außen	425,42 m² AWF	1,97	1,30
340	Innenwände/Vertikale Baukonstruktionen, innen	219,68 m² IWF	1,02	0,67
350	Decken/Horizontale Baukonstruktionen	150,40 m² DEF	0,70	0,46
360	Dächer	216,98 m² DAF	1,00	0,66

Kostenkennwerte für die Kostengruppen der 1. Ebene DIN 276

KG	Kostengruppen (1. Ebene)	Einheit	Kosten €	€/Einheit	€/m² BGF	€/m³ BRI	% 300+400
100	Grundstück	m² GF	–	–	–	–	–
200	Vorbereitende Maßnahmen	m² GF	2.350	3,25	7,17	2,53	0,6
300	Bauwerk – Baukonstruktionen	m² BGF	311.460	950,73	950,73	334,90	73,0
400	Bauwerk – Technische Anlagen	m² BGF	115.422	352,33	352,33	124,11	27,0
	Bauwerk 300+400	**m² BGF**	**426.882**	**1.303,06**	**1.303,06**	**459,01**	**100,0**
500	Außenanlagen und Freiflächen	m² AF	–	–	–	–	–
600	Ausstattung und Kunstwerke	m² BGF	–	–	–	–	–
700	Baunebenkosten	m² BGF	–	–	–	–	–
800	Finanzierung	m² BGF	–	–	–	–	–

KG	Kostengruppe	Menge Einheit	Kosten €	€/Einheit	%
200	**Vorbereitende Maßnahmen**	722,00 m² GF	2.350	**3,25**	0,6
	Abbruch von Betonaufkantungen, Oberboden abtragen, Wurzelstöcke laden				
3+4	**Bauwerk**				**100,0**
300	**Bauwerk – Baukonstruktionen**	327,60 m² BGF	311.460	**950,73**	73,0
	Stb-Fundamente, Stb-Bodenplatte; KS-Mauerwerk, Holzrahmenwände, Stahlstützen, Kunststofffenster, Hauseingangstüren, WDVS, Holzschalung; Holz- und Metallständerwände, Innentüren, Innenputz, Wandfliesen, Tapete, Anstrich; Stb-Decken, Stb-Treppen, Stahlbalkone, Estrich, Bodenfliesen, Laminat; Holzdachkonstruktion, Satteldach, Wärmedämmung, Faserzementplatten, Dachentwässerung				
400	**Bauwerk – Technische Anlagen**	327,60 m² BGF	115.422	**352,33**	27,0
	Gebäudeentwässerung, Kalt- und Warmwasserleitungen, Sanitärobjekte; Luft-Wärmepumpe, Pufferspeicher, Fußbodenheizung, Heizkörper; Photovoltaikanlage, Elektroinstallation; Telefonanschlüsse, Sprechanlagen, Antennenanlage				

Kostenkennwerte für die Kostengruppen 300 der 2. und 3.Ebene DIN 276 (Übersicht)

KG	Kostengruppe	Menge Einheit	€/Einheit	Kosten €	% an 3+4
300	**Bauwerk – Baukonstruktionen**	**327,60 m² BGF**	**950,73**	**311.459,65**	**73,0**
310	**Baugrube / Erdbau**	**27,79 m³ BGI**	**94,06**	**2.613,90**	**0,6**
311	Herstellung	27,79 m³ BGI	94,06	2.613,90	0,6
312	Umschließung	–	–	–	–
313	Wasserhaltung	–	–	–	–
314	Vortrieb	–	–	–	–
319	Sonstiges zur KG 310	–	–	–	–
320	**Gründung, Unterbau**	**176,14 m² GRF**	**308,31**	**54.306,60**	**12,7**
321	Baugrundverbesserung	–	–	–	–
322	Flachgründungen und Bodenplatten	176,14 m²	122,16	21.516,96	5,0
323	Tiefgründungen	–	–	–	–
324	Gründungsbeläge	119,34 m²	166,72	19.895,84	4,7
325	Abdichtungen und Bekleidungen	176,14 m²	73,20	12.893,79	3,0
326	Dränagen	–	–	–	–
329	Sonstiges zur KG 320	–	–	–	–
330	**Außenwände/Vert. Baukonstrukt., außen**	**425,42 m² AWF**	**280,13**	**119.172,13**	**27,9**
331	Tragende Außenwände	373,56 m²	104,56	39.060,18	9,2
332	Nichttragende Außenwände	–	–	–	–
333	Außenstützen	20,20 m	96,25	1.944,22	0,5
334	Außenwandöffnungen	51,86 m²	634,79	32.917,51	7,7
335	Außenwandbekleidungen, außen	345,43 m²	99,07	34.220,72	8,0
336	Außenwandbekleidungen, innen	261,14 m²	42,24	11.029,50	2,6
337	Element. Außenwandkonstruktionen	–	–	–	–
338	Lichtschutz zur KG 330	–	–	–	–
339	Sonstiges zur KG 330	–	–	–	–
340	**Innenwände/Vert. Baukonstrukt., innen**	**219,68 m² IWF**	**129,19**	**28.379,64**	**6,6**
341	Tragende Innenwände	139,28 m²	99,10	13.802,47	3,2
342	Nichttragende Innenwände	57,93 m²	95,73	5.545,90	1,3
343	Innenstützen	–	–	–	–
344	Innenwandöffnungen	22,47 m²	240,67	5.407,94	1,3
345	Innenwandbekleidungen	262,41 m²	13,81	3.623,33	0,8
346	Elementierte Innenwandkonstruktionen	–	–	–	–
347	Lichtschutz zur KG 340	–	–	–	–
349	Sonstiges zur KG 340	–	–	–	–
350	**Decken/Horizontale Baukonstruktionen**	**150,40 m² DEF**	**366,10**	**55.061,84**	**12,9**
351	Deckenkonstruktionen	150,40 m²	174,22	26.202,01	6,1
352	Deckenöffnungen	–	–	–	–
353	Deckenbeläge	121,33 m²	162,45	19.710,80	4,6
354	Deckenbekleidungen	115,00 m²	8,41	966,78	0,2
355	Elementierte Deckenkonstruktionen	–	–	–	–
359	Sonstiges zur KG 350	150,40 m² DEF	54,40	8.182,25	1,9
360	**Dächer**	**216,98 m² DAF**	**188,50**	**40.901,22**	**9,6**
361	Dachkonstruktionen	172,67 m²	102,49	17.696,10	4,1
362	Dachöffnungen	12,95 m²	214,99	2.784,08	0,7
363	Dachbeläge	204,03 m²	78,17	15.949,70	3,7
364	Dachbekleidungen	129,08 m²	34,64	4.471,33	1,0
365	Elementierte Dachkonstruktionen	–	–	–	–
366	Lichtschutz zur KG 360	–	–	–	–
369	Sonstiges zur KG 360	–	–	–	–
370	**Infrastrukturanlagen**	**–**	**–**	**–**	**–**
380	**Baukonstruktive Einbauten**	**–**	**–**	**–**	**–**
390	**Sonst. Maßnahmen für Baukonstrukt.**	**327,60 m² BGF**	**33,65**	**11.024,33**	**2,6**

Kostenkennwerte für die Kostengruppen 400 der 2. und 3. Ebene DIN 276 (Übersicht)

KG	Kostengruppe	Menge Einheit	€/Einheit	Kosten €	% an 3+4
400	**Bauwerk – Technische Anlagen**	**327,60 m² BGF**	**352,33**	**115.422,22**	**27,0**
410	**Abwasser-, Wasser-, Gasanlagen**	**327,60 m² BGF**	**61,60**	**20.179,51**	**4,7**
411	Abwasseranlagen	327,60 m² BGF	20,77	6.803,87	1,6
412	Wasseranlagen	327,60 m² BGF	36,35	11.908,24	2,8
413	Gasanlagen	–	–	–	–
419	Sonstiges zur KG 410	327,60 m² BGF	4,48	1.467,41	0,3
420	**Wärmeversorgungsanlagen**	**327,60 m² BGF**	**157,06**	**51.452,81**	**12,1**
421	Wärmeerzeugungsanlagen	327,60 m² BGF	125,04	40.963,26	9,6
422	Wärmeverteilnetze	–	–	–	–
423	Raumheizflächen	327,60 m² BGF	32,02	10.489,56	2,5
424	Verkehrsheizflächen	–	–	–	–
429	Sonstiges zur KG 420	–	–	–	–
430	**Raumlufttechnische Anlagen**	**–**	**–**	**–**	**–**
431	Lüftungsanlagen	–	–	–	–
432	Teilklimaanlagen	–	–	–	–
433	Klimaanlagen	–	–	–	–
434	Kälteanlagen	–	–	–	–
439	Sonstiges zur KG 430	–	–	–	–
440	**Elektrische Anlagen**	**327,60 m² BGF**	**125,12**	**40.989,80**	**9,6**
441	Hoch- und Mittelspannungsanlagen	–	–	–	–
442	Eigenstromversorgungsanlagen	327,60 m² BGF	76,24	24.977,45	5,9
443	Niederspannungsschaltanlagen	–	–	–	–
444	Niederspannungsinstallationsanlagen	327,60 m² BGF	46,40	15.199,61	3,6
445	Beleuchtungsanlagen	–	–	–	–
446	Blitzschutz- und Erdungsanlagen	327,60 m² BGF	2,48	812,76	0,2
447	Fahrleitungssysteme	–	–	–	–
449	Sonstiges zur KG 440	–	–	–	–
450	**Kommunikationstechnische Anlagen**	**327,60 m² BGF**	**8,55**	**2.800,07**	**0,7**
451	Telekommunikationsanlagen	327,60 m² BGF	0,29	95,72	< 0,1
452	Such- und Signalanlagen	327,60 m² BGF	3,52	1.151,58	0,3
453	Zeitdienstanlagen	–	–	–	–
454	Elektroakustische Anlagen	–	–	–	–
455	Audiovisuelle Medien- u. Antennenanl.	327,60 m² BGF	4,74	1.552,78	0,4
456	Gefahrenmelde- und Alarmanlagen	–	–	–	–
457	Datenübertragungsnetze	–	–	–	–
458	Verkehrsbeeinflussungsanlagen	–	–	–	–
459	Sonstiges zur KG 450	–	–	–	–
460	**Förderanlagen**	**–**	**–**	**–**	**–**
461	Aufzugsanlagen	–	–	–	–
462	Fahrtreppen, Fahrsteige	–	–	–	–
463	Befahranlagen	–	–	–	–
464	Transportanlagen	–	–	–	–
465	Krananlagen	–	–	–	–
466	Hydraulikanlagen	–	–	–	–
469	Sonstiges zur KG 460	–	–	–	–
470	**Nutzungsspez. u. verfahrenstechn. Anl.**	**–**	**–**	**–**	**–**
480	**Gebäude- und Anlagenautomation**	**–**	**–**	**–**	**–**
490	**Sonst. Maßnahmen für techn. Anlagen**	**–**	**–**	**–**	**–**

Kostenkennwerte für Leistungsbereiche nach STLB (Kosten des Bauwerks nach DIN 276)

LB	Leistungsbereiche	Kosten €	€/m² BGF	€/m³ BRI	% an 3+4
000	Sicherheits-, Baustelleneinrichtungen inkl. 001	11.024	33,70	11,90	2,6
002	Erdarbeiten	5.268	16,10	5,70	1,2
006	Spezialtiefbauarbeiten inkl. 005	–	–	–	–
009	Entwässerungskanalarbeiten inkl. 011	4.778	14,60	5,10	1,1
010	Drän- und Versickerarbeiten	–	–	–	–
012	Mauerarbeiten	33.769	103,10	36,30	7,9
013	Betonarbeiten	43.536	132,90	46,80	10,2
014	Natur-, Betonwerksteinarbeiten	–	–	–	–
016	Zimmer- und Holzbauarbeiten	51.898	158,40	55,80	12,2
017	Stahlbauarbeiten	–	–	–	–
018	Abdichtungsarbeiten	3.745	11,40	4,00	0,9
019	Kampfmittelräumarbeiten	–	–	–	–
020	Dachdeckungsarbeiten	16.192	49,40	17,40	3,8
021	Dachabdichtungsarbeiten	–	–	–	–
022	Klempnerarbeiten	1.792	5,50	1,90	0,4
	Rohbau	**172.002**	**525,00**	**184,90**	**40,3**
023	Putz- und Stuckarbeiten, Wärmedämmsysteme	21.091	64,40	22,70	4,9
024	Fliesen- und Plattenarbeiten	13.568	41,40	14,60	3,2
025	Estricharbeiten	8.445	25,80	9,10	2,0
026	Fenster, Außentüren inkl. 029, 032	32.707	99,80	35,20	7,7
027	Tischlerarbeiten	18.733	57,20	20,10	4,4
028	Parkettarbeiten, Holzpflasterarbeiten	15.961	48,70	17,20	3,7
030	Rollladenarbeiten	–	–	–	–
031	Metallbauarbeiten inkl. 035	6.623	20,20	7,10	1,6
034	Maler- und Lackiererarbeiten inkl. 037	4.541	13,90	4,90	1,1
036	Bodenbelagarbeiten	–	–	–	–
038	Vorgehängte hinterlüftete Fassaden	13.657	41,70	14,70	3,2
039	Trockenbauarbeiten	9.474	28,90	10,20	2,2
	Ausbau	**144.799**	**442,00**	**155,70**	**33,9**
040	Wärmeversorgungsanl. - Betriebseinr. inkl. 041	51.041	155,80	54,90	12,0
042	Gas- und Wasserinstallation, Leitungen inkl. 043	4.213	12,90	4,50	1,0
044	Abwasseranlagen - Leitungen	1.462	4,50	1,60	0,3
045	GWE-Einrichtungsgegenstände inkl. 046	7.540	23,00	8,10	1,8
047	Dämmarbeiten an betriebstechnischen Anlagen	1.623	5,00	1,70	0,4
049	Feuerlöschanlagen, Feuerlöschgeräte	–	–	–	–
050	Blitzschutz- und Erdungsanlagen	813	2,50	0,87	0,2
053	Niederspannungsanlagen inkl. 052, 054	40.519	123,70	43,60	9,5
055	Sicherheits- u. Ersatzstromversorgungsanl.	–	–	–	–
057	Gebäudesystemtechnik	–	–	–	–
058	Leuchten und Lampen inkl. 059	–	–	–	–
060	Sprechanlagen, elektroakust. Anlagen inkl. 064	1.152	3,50	1,20	0,3
061	Kommunikationsnetze inkl. 063	1.719	5,20	1,80	0,4
069	Aufzüge	–	–	–	–
070	Gebäudeautomation	–	–	–	–
075	Raumlufttechnische Anlagen inkl. 078	–	–	–	–
	Gebäudetechnik	**110.080**	**336,00**	**118,40**	**25,8**
084	Abbruch, Rückbau, Schadstoffsanierung	–	–	–	–
	Abbrucharbeiten	**–**	**–**	**–**	**–**
	Sonstige Leistungsbereiche	**–**	**–**	**–**	**–**

6100-1586
Doppelhaus
(2 WE)

Objektübersicht

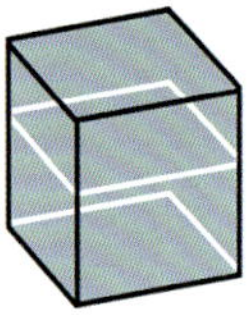

BRI **924 €/m³**

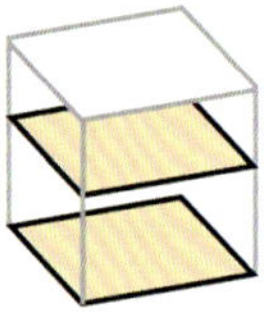

BGF **3.044 €/m²**

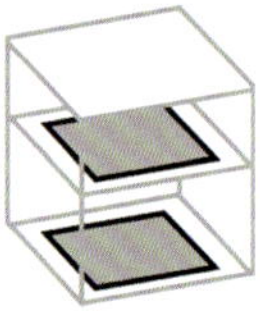

NUF **4.256 €/m²**

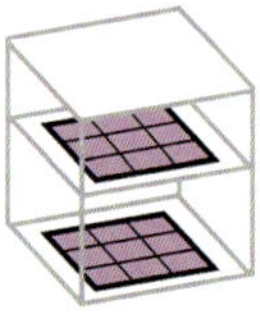

NE **3.766 €/NE**

NE: Wohnfläche

Objekt:
Kennwerte: 3. Ebene DIN 276
BRI: 791 m³
BGF: 240 m²
NUF: 172 m²
Bauzeit: 74 Wochen
Bauende: 2021
Standard: Durchschnitt
Bundesland: Schleswig-Holstein
Kreis: Dithmarschen

Architekt*in:
JEBENS SCHOOF
ARCHITEKTEN BDA
Speichergasse 6
25746 Heide

Bauherr*in:
Familie Schoof und
Familie Schmidt

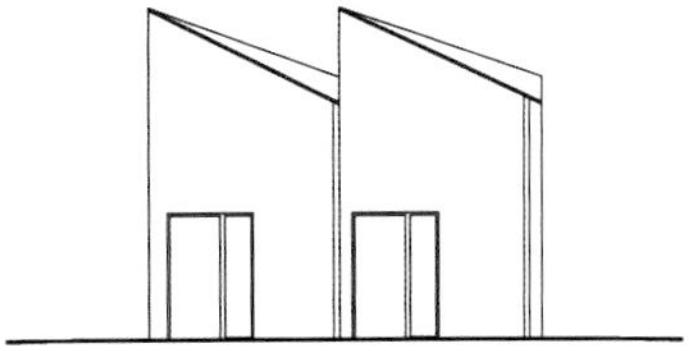

Ansicht Nord

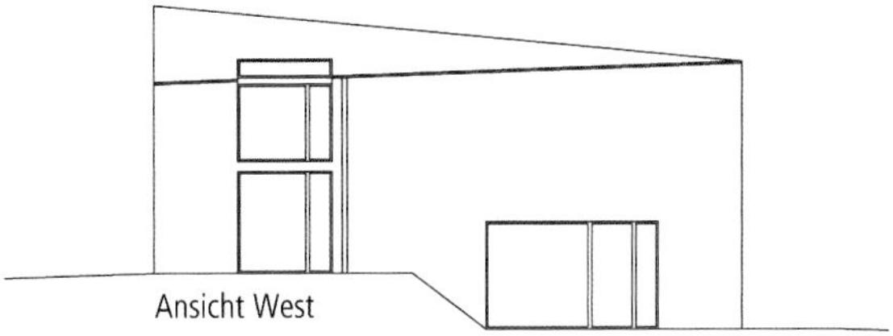

Ansicht West

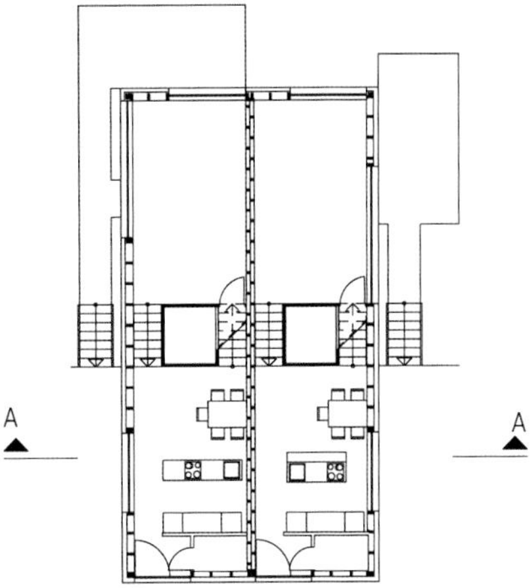

Erdgeschoss

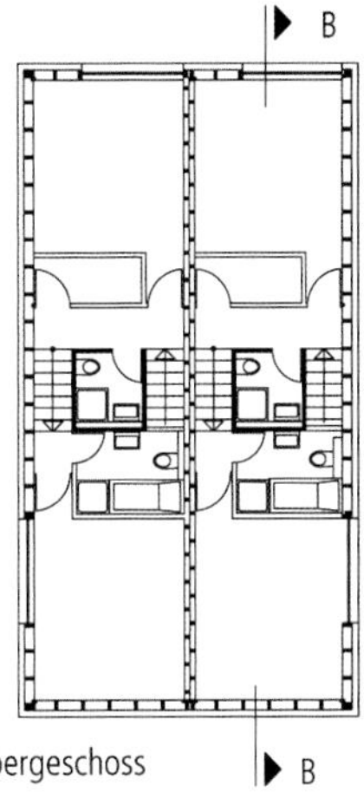

Obergeschoss

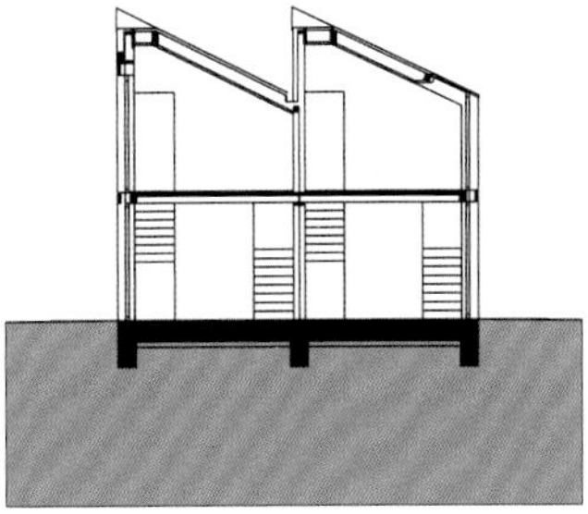

Schnitt A-A

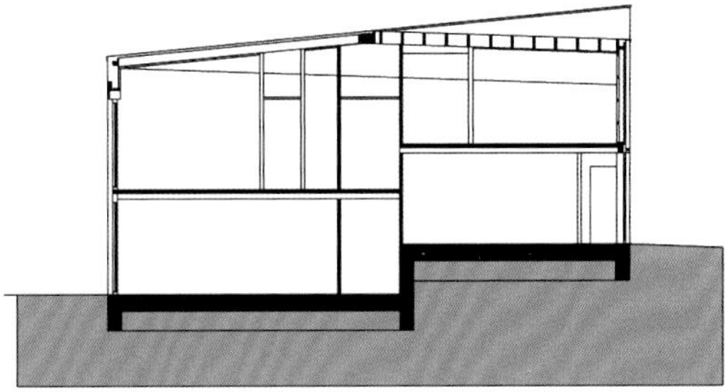

Schnitt B-B

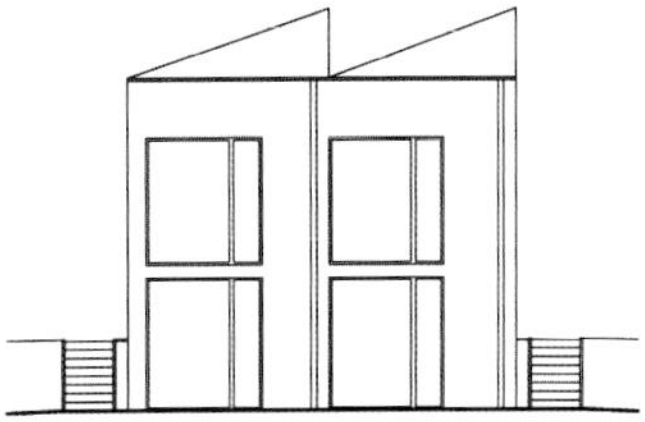

Ansicht Süd

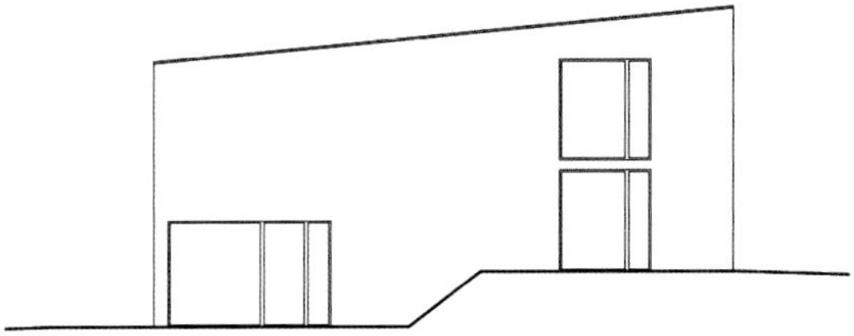

Ansicht Ost

6100-1586
Doppelhaus
(2 WE)

Objektbeschreibung

Allgemeine Objektinformationen

Das Baugrundstück liegt inmitten einer typischen, durchgrünten Stadtrandlage der 50er Jahre mit Siedlungshäusern auf schmalen Flurstücken. Der Neubau ist ein in jeder Hinsicht neuartiges Doppelhaus mit minimaler Breite von 2x4m. Es fügt sich bezüglich Höhenentwicklung, überbauter Fläche sowie Dachform städtebaulich optimal in die Umgebung ein.

Nutzung

1 Erdgeschoss
Split-Level: Wohnen, Technikraum + Kochen/Essen, Flur, Abstellraum

1 Obergeschoss
Split-Level: Kinderzimmer, Bad, Flur, Abstellraum + Schlafzimmer, Bad, Flur

Nutzeinheiten

Wohneinheiten: 2
Wohnfläche: 194 m²

Grundstück

Bauraum: Baulücke
Neigung: Geneigtes Gelände
Bodenklasse: BK 1 bis BK 3

Markt

Hauptvergabezeit: 2. Quartal 2019
Baubeginn: 3. Quartal 2019
Bauende: 1. Quartal 2021
Konjunkturelle Gesamtlage: über Durchschnitt
Regionaler Baumarkt: unter Durchschnitt

Baukonstruktion

Die Doppelhäuser sind nachhaltig als ökologischer Holzbau in Holzständerbauweise für die optimierten Außenwände und Holzmassivbauweise für die tragenden Innenwände des Kerns realisiert. Alle Außenwände und Dachdecken verfügen über Installationsebenen. Dächer- und Außenwände sind konsequent diffusionsoffen aus Holzwerkstoff konstruiert. Die Sichtholzoberflächen und weißen Wände vermitteln Behaglichkeit und Wärme. Alle Wohnräume sind lichtdurchströmt und verfügen über bodengleiche Holz-Aluminiumfenster mit außenliegendem Sonnenschutz. Die Außenwände sind mit roten Ziegel-Verblendsteinen aus der Region bekleidet. Die Dachschrägen wurden so entwickelt, dass man an jedem Punkt aufrecht stehen kann. Für die Türen wurden Nischen geschaffen, sodass diese nicht in die Räume schlagen. Alle Räume sind somit optimal möblier- und bespielbar. Die gesamte Erschließung wurde um den zentralen Kern angeordnet. Verkehrsflächen wurden auf ein Minimum reduziert.

Technische Anlagen

Die Haushälften werden jeweils mit einer Gasbrennwerttherme mit Pufferspeicher beheizt. Die Wärme wird über Fußbodenheizungen in den Räumen verteilt. Sanitärräume werden über Einzelraumlüfter entlüftet. Das Lichtkonzept ist LED-basiert. Mit dem späteren Einbau einer Lüftungsanlage und Wärmepumpe können die Doppelhäuser passivhaustauglich nachgerüstet werden.

Sonstiges

Jebens Schoof Architekten BDA stellen mit dem Gebäude einen Prototyp zur dringend notwendigen Sanierung und Nachverdichtung suburbaner Nachkriegssiedlungen vor. Wo zuvor eine alte Dame wohnte, haben nunmehr zwei junge Familien mit Kindern ein zukunftsfähiges, nachhaltiges und bezahlbares Zuhause gefunden. Die verwendeten Baustoffe lassen sich sortenrein rückbauen und wiederverwenden bzw. recyclen.

Planungskennwerte für Flächen und Rauminhalte nach DIN 277

Flächen des Grundstücks		Menge Einheit	% an GF
BF	Bebaute Fläche	119,00 m²	17,0
UF	Unbebaute Fläche	581,00 m²	83,0
GF	Grundstücksfläche	700,00 m²	100,0

Grundflächen des Bauwerks		Menge Einheit	% an NUF	% an BGF
NUF	Nutzungsfläche	171,74 m²	100,0	71,5
TF	Technikfläche	8,76 m²	5,1	3,6
VF	Verkehrsfläche	15,76 m²	9,2	6,6
NRF	Netto-Raumfläche	196,26 m²	114,3	81,7
KGF	Konstruktions-Grundfläche	43,87 m²	25,5	18,3
BGF	Brutto-Grundfläche	240,13 m²	139,8	100,0

Brutto-Rauminhalt des Bauwerks		Menge Einheit	BRI/NUF (m)	BRI/BGF (m)
BRI	Brutto-Rauminhalt	791,21 m³	4,61	3,30

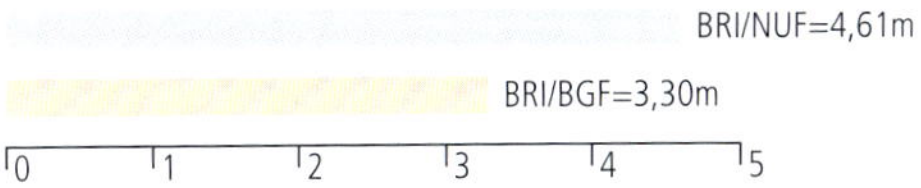

Lufttechnisch behandelte Flächen	Menge Einheit	% an NUF	% an BGF
Entlüftete Fläche	–	–	–
Be- und entlüftete Fläche	–	–	–
Teilklimatisierte Fläche	–	–	–
Klimatisierte Fläche	–	–	–

KG	Kostengruppen (2. Ebene)	Menge Einheit	Menge/NUF	Menge/BGF
310	Baugrube / Erdbau	126,00 m³ BGI	0,73	0,53
320	Gründung, Unterbau	101,19 m² GRF	0,59	0,42
330	Außenwände/Vertikale Baukonstruktionen, außen	384,74 m² AWF	2,24	1,60
340	Innenwände/Vertikale Baukonstruktionen, innen	217,64 m² IWF	1,27	0,91
350	Decken/Horizontale Baukonstruktionen	114,24 m² DEF	0,67	0,48
360	Dächer	123,12 m² DAF	0,72	0,51

Kostenkennwerte für die Kostengruppen der 1. Ebene DIN 276

KG	Kostengruppen (1. Ebene)	Einheit	Kosten €	€/Einheit	€/m² BGF	€/m³ BRI	% 300+400
100	Grundstück	m² GF	–	–	–	–	–
200	Vorbereitende Maßnahmen	m² GF	–	–	–	–	–
300	Bauwerk – Baukonstruktionen	m² BGF	629.467	2.621,36	2.621,36	795,57	86,1
400	Bauwerk – Technische Anlagen	m² BGF	101.420	422,36	422,36	128,18	13,9
	Bauwerk 300+400	**m² BGF**	**730.887**	**3.043,71**	**3.043,71**	**923,76**	**100,0**
500	Außenanlagen und Freiflächen	m² AF	–	–	–	–	–
600	Ausstattung und Kunstwerke	m² BGF	–	–	–	–	–
700	Baunebenkosten	m² BGF	–	–	–	–	–
800	Finanzierung	m² BGF	–	–	–	–	–

KG	Kostengruppe	Menge Einheit	Kosten €	€/Einheit	%
3+4	**Bauwerk**				**100,0**
300	**Bauwerk – Baukonstruktionen**	240,13 m² BGF	629.467	**2.621,36**	86,1

Streifenfundamente, Bodenplatte, Heizestrich, PVC-Belag, Perimeterdämmung; Holzrahmenwände, Stb-Wand, Holz-Alufenster, Alu-Glas-Haustürelement, Klinker-Verblendmauerwerk, Trockenputz, Dispersionsbeschichtung, Raffstoreanlagen; Massivholzwände, GK-Wände, Holztüren, Wandfliesen; Massivholzdecken, Blockstufentreppen, Bodenfliesen, Naturharzöl auf Sichtholzdecken; Sparrendach in Holztafelbauweise, Dämmung, Dachflächenfenster, Doppelstehfalzdeckung, Dachentwässerung innenliegend, GK-Bekleidung

KG	Kostengruppe	Menge Einheit	Kosten €	€/Einheit	%
400	**Bauwerk – Technische Anlagen**	240,13 m² BGF	101.420	**422,36**	13,9

Gebäudeentwässerung, Kalt- und Warmwasserleitungen, Sanitärobjekte; Gas-Brennwertthermen, Pufferspeicher, Heizungsrohre, Fußbodenheizung; Einzelraumlüfter; Elektroinstallation, Beleuchtung, Blitzschutz; Telefonanschlüsse, Klingelanlagen, SAT-Antennenanschlüsse, Datendosen

Kostenkennwerte für die Kostengruppen 300 der 2. und 3. Ebene DIN 276 (Übersicht)

KG	Kostengruppe	Menge Einheit	€/Einheit	Kosten €	% an 3+4
300	**Bauwerk – Baukonstruktionen**	**240,13 m² BGF**	**2.621,36**	**629.466,74**	**86,1**
310	**Baugrube / Erdbau**	**126,00 m³ BGI**	**33,64**	**4.238,44**	**0,6**
311	Herstellung	126,00 m³ BGI	33,64	4.238,44	0,6
312	Umschließung	–	–	–	–
313	Wasserhaltung	–	–	–	–
314	Vortrieb	–	–	–	–
319	Sonstiges zur KG 310	–	–	–	–
320	**Gründung, Unterbau**	**101,19 m² GRF**	**487,77**	**49.357,92**	**6,8**
321	Baugrundverbesserung	182,00 m²	18,31	3.331,62	0,5
322	Flachgründungen und Bodenplatten	101,19 m²	272,76	27.600,19	3,8
323	Tiefgründungen	–	–	–	–
324	Gründungsbeläge	95,00 m²	147,82	14.042,43	1,9
325	Abdichtungen und Bekleidungen	97,05 m²	45,17	4.383,69	0,6
326	Dränagen	–	–	–	–
329	Sonstiges zur KG 320	–	–	–	–
330	**Außenwände/Vert. Baukonstrukt., außen**	**384,74 m² AWF**	**812,63**	**312.652,29**	**42,8**
331	Tragende Außenwände	302,06 m²	317,06	95.769,66	13,1
332	Nichttragende Außenwände	–	–	–	–
333	Außenstützen	–	–	–	–
334	Außenwandöffnungen	82,68 m²	960,62	79.424,39	10,9
335	Außenwandbekleidungen, außen	225,23 m²	466,75	105.126,25	14,4
336	Außenwandbekleidungen, innen	256,75 m²	67,43	17.312,61	2,4
337	Element. Außenwandkonstruktionen	–	–	–	–
338	Lichtschutz zur KG 330	68,81 m²	218,27	15.019,38	2,1
339	Sonstiges zur KG 330	–	–	–	–
340	**Innenwände/Vert. Baukonstrukt., innen**	**217,64 m² IWF**	**346,52**	**75.415,75**	**10,3**
341	Tragende Innenwände	116,13 m²	310,27	36.031,89	4,9
342	Nichttragende Innenwände	72,14 m²	106,53	7.684,73	1,1
343	Innenstützen	–	–	–	–
344	Innenwandöffnungen	29,37 m²	504,48	14.816,64	2,0
345	Innenwandbekleidungen	273,18 m²	61,80	16.882,47	2,3
346	Elementierte Innenwandkonstruktionen	–	–	–	–
347	Lichtschutz zur KG 340	–	–	–	–
349	Sonstiges zur KG 340	–	–	–	–
350	**Decken/Horizontale Baukonstruktionen**	**114,24 m² DEF**	**554,35**	**63.328,46**	**8,7**
351	Deckenkonstruktionen	114,24 m²	426,49	48.722,32	6,7
352	Deckenöffnungen	–	–	–	–
353	Deckenbeläge	103,08 m²	101,49	10.461,30	1,4
354	Deckenbekleidungen	106,61 m²	38,88	4.144,82	0,6
355	Elementierte Deckenkonstruktionen	–	–	–	–
359	Sonstiges zur KG 350	–	–	–	–
360	**Dächer**	**123,12 m² DAF**	**805,11**	**99.125,11**	**13,6**
361	Dachkonstruktionen	121,90 m²	334,04	40.719,25	5,6
362	Dachöffnungen	1,22 m²	3.087,45	3.766,69	0,5
363	Dachbeläge	121,90 m²	382,23	46.593,65	6,4
364	Dachbekleidungen	118,75 m²	67,75	8.045,52	1,1
365	Elementierte Dachkonstruktionen	–	–	–	–
366	Lichtschutz zur KG 360	–	–	–	–
369	Sonstiges zur KG 360	–	–	–	–
370	**Infrastrukturanlagen**	**–**	**–**	**–**	**–**
380	**Baukonstruktive Einbauten**	**–**	**–**	**–**	**–**
390	**Sonst. Maßnahmen für Baukonstrukt.**	**240,13 m² BGF**	**105,56**	**25.348,75**	**3,5**

Kostenkennwerte für die Kostengruppen 400 der 2. und 3. Ebene DIN 276 (Übersicht)

KG	Kostengruppe	Menge Einheit	€/Einheit	Kosten €	% an 3+4
400	**Bauwerk – Technische Anlagen**	**240,13 m²BGF**	**422,36**	**101.420,49**	**13,9**
410	**Abwasser-, Wasser-, Gasanlagen**	**240,13 m²BGF**	**158,87**	**38.149,19**	**5,2**
411	Abwasseranlagen	240,13 m²BGF	26,34	6.324,13	0,9
412	Wasseranlagen	240,13 m²BGF	108,42	26.035,49	3,6
413	Gasanlagen	–	–	–	–
419	Sonstiges zur KG 410	240,13 m²BGF	24,11	5.789,57	0,8
420	**Wärmeversorgungsanlagen**	**240,13 m²BGF**	**157,97**	**37.933,32**	**5,2**
421	Wärmeerzeugungsanlagen	240,13 m²BGF	87,24	20.948,55	2,9
422	Wärmeverteilnetze	240,13 m²BGF	15,90	3.817,25	0,5
423	Raumheizflächen	240,13 m²BGF	54,83	13.167,52	1,8
424	Verkehrsheizflächen	–	–	–	–
429	Sonstiges zur KG 420	–	–	–	–
430	**Raumlufttechnische Anlagen**	**240,13 m²BGF**	**10,31**	**2.475,17**	**0,3**
431	Lüftungsanlagen	240,13 m²BGF	10,31	2.475,17	0,3
432	Teilklimaanlagen	–	–	–	–
433	Klimaanlagen	–	–	–	–
434	Kälteanlagen	–	–	–	–
439	Sonstiges zur KG 430	–	–	–	–
440	**Elektrische Anlagen**	**240,13 m²BGF**	**86,90**	**20.868,11**	**2,9**
441	Hoch- und Mittelspannungsanlagen	–	–	–	–
442	Eigenstromversorgungsanlagen	–	–	–	–
443	Niederspannungsschaltanlagen	–	–	–	–
444	Niederspannungsinstallationsanlagen	240,13 m²BGF	62,47	15.001,73	2,1
445	Beleuchtungsanlagen	240,13 m²BGF	12,65	3.037,88	0,4
446	Blitzschutz- und Erdungsanlagen	240,13 m²BGF	11,78	2.828,48	0,4
447	Fahrleitungssysteme	–	–	–	–
449	Sonstiges zur KG 440	–	–	–	–
450	**Kommunikationstechnische Anlagen**	**240,13 m²BGF**	**8,31**	**1.994,69**	**0,3**
451	Telekommunikationsanlagen	240,13 m²BGF	0,72	173,19	< 0,1
452	Such- und Signalanlagen	240,13 m²BGF	1,37	328,96	< 0,1
453	Zeitdienstanlagen	–	–	–	–
454	Elektroakustische Anlagen	–	–	–	–
455	Audiovisuelle Medien- u. Antennenanl.	240,13 m²BGF	2,60	625,11	< 0,1
456	Gefahrenmelde- und Alarmanlagen	–	–	–	–
457	Datenübertragungsnetze	240,13 m²BGF	3,61	867,40	0,1
458	Verkehrsbeeinflussungsanlagen	–	–	–	–
459	Sonstiges zur KG 450	–	–	–	–
460	**Förderanlagen**	**–**	**–**	**–**	**–**
461	Aufzugsanlagen	–	–	–	–
462	Fahrtreppen, Fahrsteige	–	–	–	–
463	Befahranlagen	–	–	–	–
464	Transportanlagen	–	–	–	–
465	Krananlagen	–	–	–	–
466	Hydraulikanlagen	–	–	–	–
469	Sonstiges zur KG 460	–	–	–	–
470	**Nutzungsspez. u. verfahrenstechn. Anl.**	**–**	**–**	**–**	**–**
480	**Gebäude- und Anlagenautomation**	**–**	**–**	**–**	**–**
490	**Sonst. Maßnahmen für techn. Anlagen**	**–**	**–**	**–**	**–**

Kostenkennwerte für Leistungsbereiche nach STLB (Kosten des Bauwerks nach DIN 276)

LB	Leistungsbereiche	Kosten €	€/m² BGF	€/m³ BRI	% an 3+4
000	Sicherheits-, Baustelleneinrichtungen inkl. 001	24.074	100,30	30,40	3,3
002	Erdarbeiten	9.730	40,50	12,30	1,3
006	Spezialtiefbauarbeiten inkl. 005	–	–	–	–
009	Entwässerungskanalarbeiten inkl. 011	–	–	–	–
010	Drän- und Versickerarbeiten	–	–	–	–
012	Mauerarbeiten	71.438	297,50	90,30	9,8
013	Betonarbeiten	62.429	260,00	78,90	8,5
014	Natur-, Betonwerksteinarbeiten	–	–	–	–
016	Zimmer- und Holzbauarbeiten	216.435	901,30	273,50	29,6
017	Stahlbauarbeiten	–	–	–	–
018	Abdichtungsarbeiten	11.822	49,20	14,90	1,6
019	Kampfmittelräumarbeiten	–	–	–	–
020	Dachdeckungsarbeiten	–	–	–	–
021	Dachabdichtungsarbeiten	6.255	26,00	7,90	0,9
022	Klempnerarbeiten	45.307	188,70	57,30	6,2
	Rohbau	**447.490**	**1.863,50**	**565,60**	**61,2**
023	Putz- und Stuckarbeiten, Wärmedämmsysteme	–	–	–	–
024	Fliesen- und Plattenarbeiten	10.423	43,40	13,20	1,4
025	Estricharbeiten	6.805	28,30	8,60	0,9
026	Fenster, Außentüren inkl. 029, 032	79.424	330,80	100,40	10,9
027	Tischlerarbeiten	14.817	61,70	18,70	2,0
028	Parkettarbeiten, Holzpflasterarbeiten	–	–	–	–
030	Rollladenarbeiten	15.019	62,50	19,00	2,1
031	Metallbauarbeiten inkl. 035	–	–	–	–
034	Maler- und Lackiererarbeiten inkl. 037	19.665	81,90	24,90	2,7
036	Bodenbelagarbeiten	9.226	38,40	11,70	1,3
038	Vorgehängte hinterlüftete Fassaden	–	–	–	–
039	Trockenbauarbeiten	26.598	110,80	33,60	3,6
	Ausbau	**181.977**	**757,80**	**230,00**	**24,9**
040	Wärmeversorgungsanl. - Betriebseinr. inkl. 041	37.933	158,00	47,90	5,2
042	Gas- und Wasserinstallation, Leitungen inkl. 043	12.401	51,60	15,70	1,7
044	Abwasseranlagen - Leitungen	4.431	18,50	5,60	0,6
045	GWE-Einrichtungsgegenstände inkl. 046	21.317	88,80	26,90	2,9
047	Dämmarbeiten an betriebstechnischen Anlagen	–	–	–	–
049	Feuerlöschanlagen, Feuerlöschgeräte	–	–	–	–
050	Blitzschutz- und Erdungsanlagen	2.828	11,80	3,60	0,4
053	Niederspannungsanlagen inkl. 052, 054	15.002	62,50	19,00	2,1
055	Sicherheits- u. Ersatzstromversorgungsanl.	–	–	–	–
057	Gebäudesystemtechnik	–	–	–	–
058	Leuchten und Lampen inkl. 059	3.038	12,70	3,80	0,4
060	Sprechanlagen, elektroakust. Anlagen inkl. 064	–	–	–	–
061	Kommunikationsnetze inkl. 063	1.995	8,30	2,50	0,3
069	Aufzüge	–	–	–	–
070	Gebäudeautomation	–	–	–	–
075	Raumlufttechnische Anlagen inkl. 078	2.475	10,30	3,10	0,3
	Gebäudetechnik	**101.420**	**422,40**	**128,20**	**13,9**
084	Abbruch, Rückbau, Schadstoffsanierung	–	–	–	–
	Abbrucharbeiten	**–**	**–**	**–**	**–**
	Sonstige Leistungsbereiche	**–**	**–**	**–**	**–**

Mehrfamilienhäuser

8

Kostenkennwerte für die Kosten des Bauwerks (Kostengruppen 300+400 nach DIN 276)

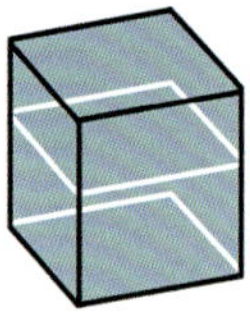

BRI 645 €/m³
von 425 €/m³
bis 715 €/m³

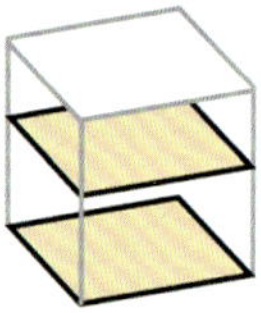

BGF 2.050 €/m²
von 1.400 €/m²
bis 2.265 €/m²

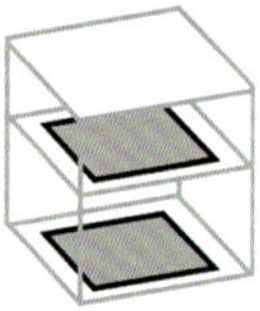

NUF 3.100 €/m²
von 2.300 €/m²
bis 3.640 €/m²

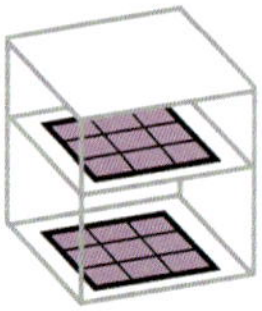

NE 3.215 €/NE
von 2.455 €/NE
bis 3.735 €/NE
NE: Wohnfläche

Objektbeispiele

Kosten:
Stand 3. Quartal 2022
Bundesdurchschnitt
inkl. 19% MwSt.

6100-1573

6100-1560

6100-1186

Kosten der 9 Vergleichsobjekte

Seiten 826 bis 885

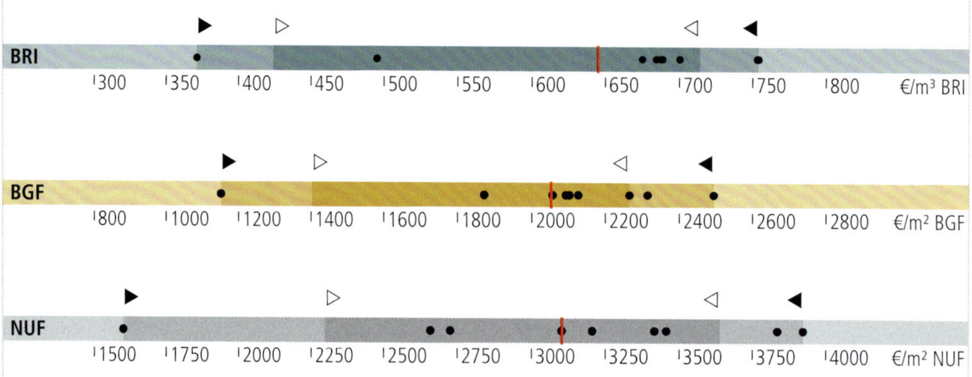

- ● KKW
- ▶ min
- ▷ von
- | Mittelwert
- ◁ bis
- ◀ max

Kostenkennwerte für die Kostengruppen der 1. und 2. Ebene DIN 276

KG	Kostengruppen der 1. Ebene	Einheit	▷	€/Einheit	◁	▷	% an 300+400	◁
100	Grundstück	m²GF	–	**–**	–	–	**–**	–
200	Vorbereitende Maßnahmen	m²GF	39	**58**	89	2,2	**3,6**	5,4
300	Bauwerk – Baukonstruktionen	m²BGF	1.215	**1.630**	1.847	75,8	**79,4**	82,2
400	Bauwerk – Technische Anlagen	m²BGF	310	**422**	504	17,8	**20,6**	24,2
	Bauwerk 300+400	m²BGF	1.402	**2.052**	2.265	100,0	**100,0**	100,0
500	Außenanlagen und Freiflächen	m²AF	59	**123**	227	2,3	**4,6**	7,8
600	Ausstattung und Kunstwerke	m²BGF	2	**6**	11	0,2	**0,3**	0,5
700	Baunebenkosten*	m²BGF	379	**423**	466	18,5	**20,7**	22,8 ◁
800	Finanzierung	m²BGF	–	**–**	–	–	**–**	–

* Auf Grundlage der HOAI 2021 berechnete Werte nach §§ 35, 52, 56. Weitere Informationen siehe Seite 56

KG	Kostengruppen der 2. Ebene	Einheit	▷	€/Einheit	◁	▷	% an 1. Ebene	◁
310	Baugrube / Erdbau	m³BGI	63	**69**	79	1,6	**2,0**	2,5
320	Gründung, Unterbau	m²GRF	391	**475**	605	6,9	**8,4**	10,6
330	Außenwände / vertikal außen	m²AWF	404	**587**	703	25,5	**28,7**	35,1
340	Innenwände / vertikal innen	m²IWF	146	**245**	304	16,8	**18,0**	20,3
350	Decken / horizontal	m²DEF	428	**509**	626	23,2	**25,4**	29,2
360	Dächer	m²DAF	322	**571**	725	7,8	**10,9**	13,1
370	Infrastrukturanlagen		–	**–**	–	–	**–**	–
380	Baukonstruktive Einbauten	m²BGF	3	**24**	45	< 0,1	**1,1**	3,0
390	Sonst. Maßnahmen für Baukonst.	m²BGF	42	**77**	101	4,8	**5,5**	6,7
300	**Bauwerk – Baukonstruktionen**	**m²BGF**					**100,0**	
410	Abwasser-, Wasser-, Gasanlagen	m²BGF	78	**107**	123	24,2	**27,9**	34,9
420	Wärmeversorgungsanlagen	m²BGF	61	**102**	181	9,8	**26,9**	36,6
430	Raumlufttechnische Anlagen	m²BGF	13	**41**	98	3,9	**8,5**	17,7
440	Elektrische Anlagen	m²BGF	77	**130**	210	25,9	**30,1**	38,0
450	Kommunikationstechnische Anlagen	m²BGF	12	**16**	22	3,5	**4,0**	4,8
460	Förderanlagen	m²BGF	–	**39**	–	0,0	**2,3**	7,0
470	Nutzungsspez. / verfahrenstech. Anl.	m²BGF	–	**< 1**	–	0,0	**< 0,1**	0,1
480	Gebäude- und Anlagenautomation	m²BGF	–	**–**	–	–	**–**	–
490	Sonst. Maßnahmen f. techn. Anl.	m²BGF	–	**1**	–	0,0	**0,1**	0,3
400	**Bauwerk – Technische Anlagen**	**m²BGF**					**100,0**	

Prozentanteile der Kosten 2. Ebene an den Kosten des Bauwerks nach DIN 276 (Von/Mittel/Bis)

KG	Kostengruppe	%
310	Baugrube / Erdbau	1,5
320	Gründung, Unterbau	6,5
330	Außenwände / vertikal außen	22,1
340	Innenwände / vertikal innen	14,0
350	Decken / horizontal	19,7
360	Dächer	8,5
370	Infrastrukturanlagen	
380	Baukonstruktive Einbauten	0,8
390	Sonst. Maßnahmen für Baukonst.	4,2
410	Abwasser-, Wasser-, Gasanlagen	6,2
420	Wärmeversorgungsanlagen	5,8
430	Raumlufttechnische Anlagen	2,1
440	Elektrische Anlagen	7,0
450	Kommunikationstechnische Anlagen	0,9
460	Förderanlagen	0,6
470	Nutzungsspez. / verfahrenstech. Anl.	< 0,1
480	Gebäude- und Anlagenautomation	
490	Sonst. Maßnahmen f. techn. Anl.	< 0,1

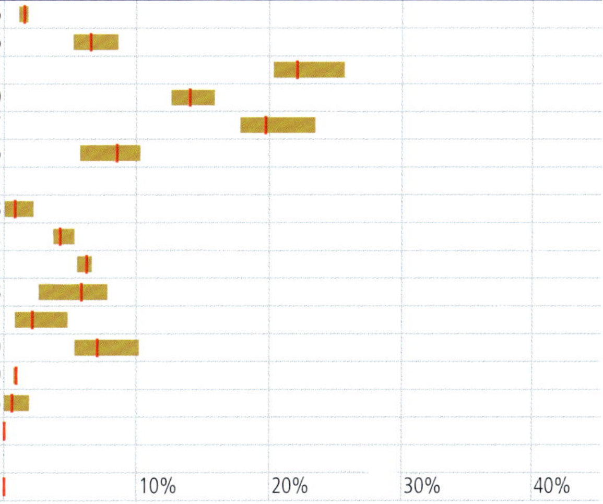

Prozentanteile der Kosten für Leistungsbereiche nach STLB (Kosten Bauwerk nach DIN 276)

LB	Leistungsbereiche	▷	% an 300+400	◁
000	Sicherheits-, Baustelleneinrichtungen inkl. 001	2,3	**3,3**	4,1
002	Erdarbeiten	1,2	**1,6**	1,9
006	Spezialtiefbauarbeiten inkl. 005	0,3	**0,5**	0,8
009	Entwässerungskanalarbeiten inkl. 011	< 0,1	**0,2**	0,5
010	Drän- und Versickerarbeiten	0,0	**0,3**	0,6
012	Mauerarbeiten	0,0	**< 0,1**	0,2
013	Betonarbeiten	7,9	**10,6**	13,2
014	Natur-, Betonwerksteinarbeiten	–	**–**	–
016	Zimmer- und Holzbauarbeiten	7,9	**20,6**	28,2
017	Stahlbauarbeiten	0,0	**0,7**	1,4
018	Abdichtungsarbeiten	< 0,1	**0,9**	1,7
020	Dachdeckungsarbeiten	0,0	**0,2**	0,3
021	Dachabdichtungsarbeiten	3,4	**3,6**	3,8
022	Klempnerarbeiten	0,7	**1,0**	1,3
	Rohbau	32,4	**43,7**	51,2
023	Putz- und Stuckarbeiten, Wärmedämmsysteme	0,1	**0,8**	1,4
024	Fliesen- und Plattenarbeiten	1,6	**2,2**	2,8
025	Estricharbeiten	1,8	**2,2**	2,6
026	Fenster, Außentüren inkl. 029, 032	2,6	**5,0**	8,2
027	Tischlerarbeiten	1,1	**6,1**	9,8
028	Parkettarbeiten, Holzpflasterarbeiten	2,9	**3,1**	3,3
030	Rollladenarbeiten	< 0,1	**0,7**	1,2
031	Metallbauarbeiten inkl. 035	0,7	**1,4**	2,5
034	Maler- und Lackiererarbeiten inkl. 037	1,4	**2,4**	3,0
036	Bodenbelagarbeiten	0,0	**0,2**	0,4
038	Vorgehängte hinterlüftete Fassaden	0,0	**1,2**	2,4
039	Trockenbauarbeiten	5,2	**7,1**	8,4
	Ausbau	27,4	**32,4**	38,2
040	Wärmeversorgungsanl. - Betriebseinr. inkl. 041	3,9	**5,3**	7,8
042	Gas- und Wasserinstallation, Leitungen inkl. 043	2,1	**2,7**	3,2
044	Abwasseranlagen - Leitungen	0,7	**1,0**	1,3
045	GWE-Einrichtungsgegenstände inkl. 046	2,2	**2,4**	2,5
047	Dämmarbeiten an betriebstechnischen Anlagen	0,9	**1,0**	1,1
049	Feuerlöschanlagen, Feuerlöschgeräte	0,0	**< 0,1**	< 0,1
050	Blitzschutz- und Erdungsanlagen	0,1	**0,2**	0,2
052	Mittelspannungsanlagen	–	**–**	–
053	Niederspannungsanlagen inkl. 054	4,8	**6,9**	8,8
055	Sicherheits- u. Ersatzstromversorgungsanl.	–	**–**	–
057	Gebäudesystemtechnik	–	**–**	–
058	Leuchten und Lampen inkl. 059	0,3	**0,5**	0,6
060	Sprechanlagen, elektroakust. Anlagen inkl. 064	0,1	**0,2**	0,3
061	Kommunikationsnetze inkl. 062	< 0,1	**0,4**	0,6
063	Gefahrenmeldeanlagen	< 0,1	**< 0,1**	< 0,1
069	Aufzüge	0,0	**0,6**	1,3
070	Gebäudeautomation	0,0	**< 0,1**	< 0,1
075	Raumlufttechnische Anlagen inkl. 078	0,7	**2,2**	3,5
	Gebäudetechnik	19,1	**23,5**	27,0
	Sonstige Leistungsbereiche inkl. 008, 033, 051	0,2	**0,4**	0,5

Kosten:
Stand 3. Quartal 2022
Bundesdurchschnitt
inkl. 19% MwSt.

● KKW
▶ min
▷ von
| Mittelwert
◁ bis
◀ max

Planungskennwerte für Flächen und Rauminhalte nach DIN 277

Grundflächen		▷	Fläche/NUF (%)	◁	▷	Fläche/BGF (%)	◁
NUF	Nutzungsfläche	100,0	**100,0**	100,0	64,0	**67,0**	70,5
TF	Technikfläche	1,9	**2,3**	2,8	1,3	**1,5**	1,8
VF	Verkehrsfläche	18,8	**23,1**	26,7	12,3	**15,0**	17,0
NRF	Netto-Raumfläche	121,0	**125,4**	129,6	82,4	**83,5**	85,4
KGF	Konstruktions-Grundfläche	21,7	**24,8**	26,7	14,6	**16,5**	17,6
BGF	Brutto-Grundfläche	143,5	**150,2**	157,7	100,0	**100,0**	100,0

Brutto-Rauminhalte		▷	BRI/NUF (m)	◁	▷	BRI/BGF (m)	◁
BRI	Brutto-Rauminhalt	4,60	**4,80**	5,12	3,08	**3,20**	3,40

Flächen von Nutzeinheiten	▷	NUF/Einheit (m²)	◁	▷	BGF/Einheit (m²)	◁
Nutzeinheit: Wohnfläche	1,00	**1,06**	1,20	1,46	**1,58**	1,73

Lufttechnisch behandelte Flächen	▷	Fläche/NUF (%)	◁	▷	Fläche/BGF (%)	◁
Entlüftete Fläche	39,5	**39,5**	39,5	27,8	**27,8**	27,8
Be- und entlüftete Fläche	–	**–**	–	–	**–**	–
Teilklimatisierte Fläche	–	**–**	–	–	**–**	–
Klimatisierte Fläche	–	**–**	–	–	**–**	–

KG	Kostengruppen (2. Ebene)	Einheit	▷	Menge/NUF	◁	▷	Menge/BGF	◁
310	Baugrube / Erdbau	m³ BGI	0,54	**0,54**	0,54	0,36	**0,38**	0,38
320	Gründung, Unterbau	m² GRF	0,34	**0,34**	0,37	0,24	**0,24**	0,25
330	Außenwände / vertikal außen	m² AWF	0,88	**0,93**	0,93	0,66	**0,66**	0,66
340	Innenwände / vertikal innen	m² IWF	1,44	**1,44**	1,46	1,02	**1,02**	1,06
350	Decken / horizontal	m² DEF	0,93	**0,93**	0,94	0,67	**0,67**	0,69
360	Dächer	m² DAF	0,38	**0,38**	0,38	0,27	**0,27**	0,28
370	Infrastrukturanlagen		–	**–**	–	–	**–**	–
380	Baukonstruktive Einbauten	m² BGF	1,43	**1,50**	1,58	1,00	**1,00**	1,00
390	Sonst. Maßnahmen für Baukonst.	m² BGF	1,43	**1,50**	1,58	1,00	**1,00**	1,00
300	**Bauwerk – Baukonstruktionen**	**m² BGF**	1,43	**1,50**	1,58	1,00	**1,00**	1,00

Planungskennwerte für Bauzeiten — 9 Vergleichsobjekte

Bauzeit in Wochen

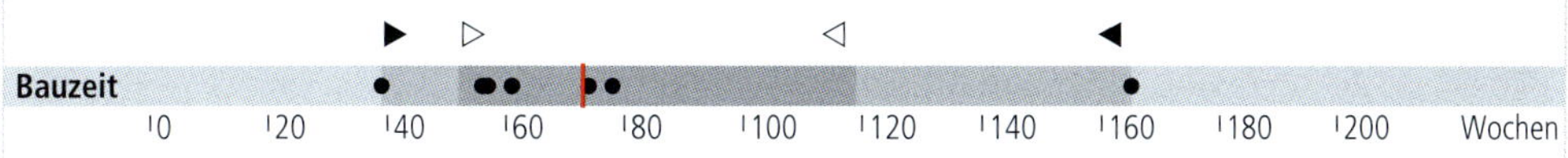

6100-1186
Mehrfamilienhaus
(9 WE)
Effizienzhaus Plus

Objektübersicht

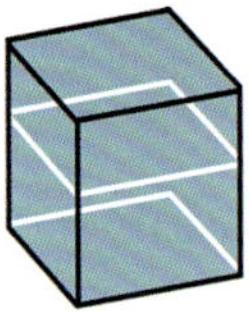

BRI 675 €/m³

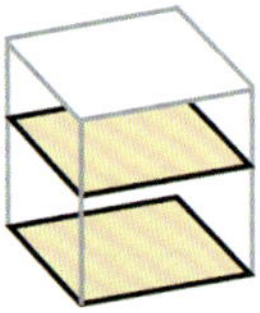

BGF 2.056 €/m²

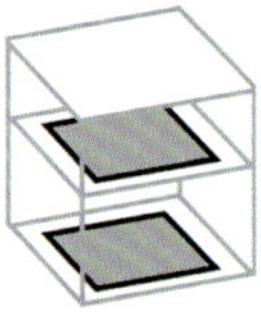

NUF 2.659 €/m²

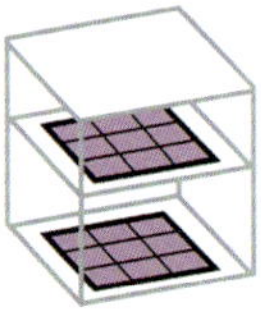

NE 3.254 €/NE

NE: Wohnfläche

Objekt:
Kennwerte: 3. Ebene DIN 276
BRI: 4.610 m³
BGF: 1.514 m²
NUF: 1.170 m²
Bauzeit: 78 Wochen
Bauende: 2013
Standard: Durchschnitt
Bundesland: Baden-Württemberg
Kreis: Tübingen

Architekt*in:
Martin Wamsler
Freier Architekt BDA
Dipl.-Ing. (FH)
Bahnhofstraße 21
88048 Friedrichshafen

Bauherr*in:
Bauherrengemeinschaft
Licht + Luft
72074 Tübingen

Ansicht Nord-West

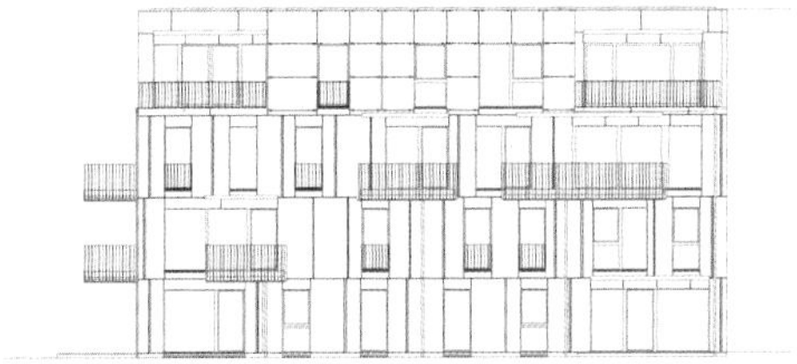

Ansicht Süd-Ost

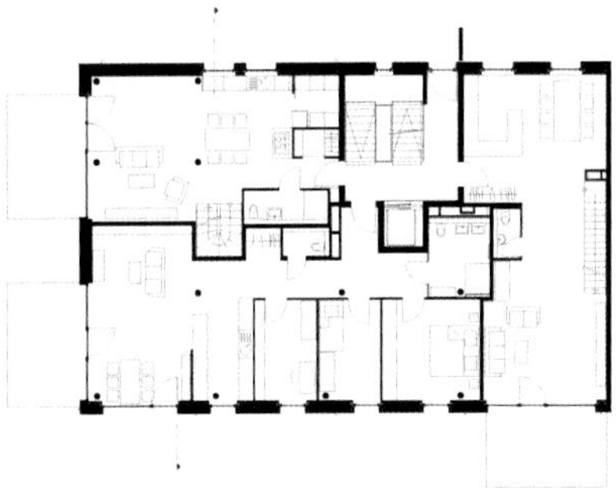

Erdgeschoss

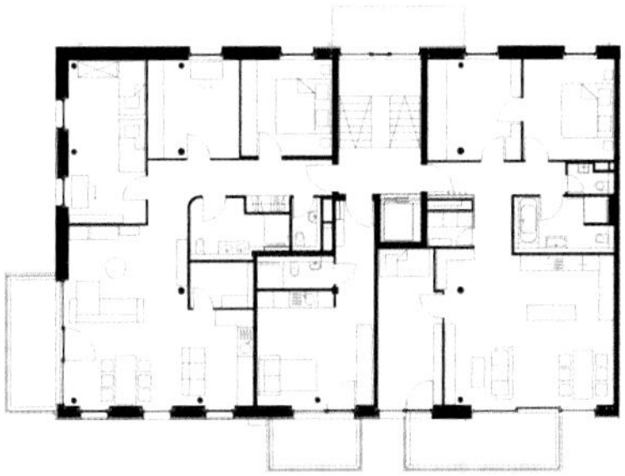

2. Obergeschoss

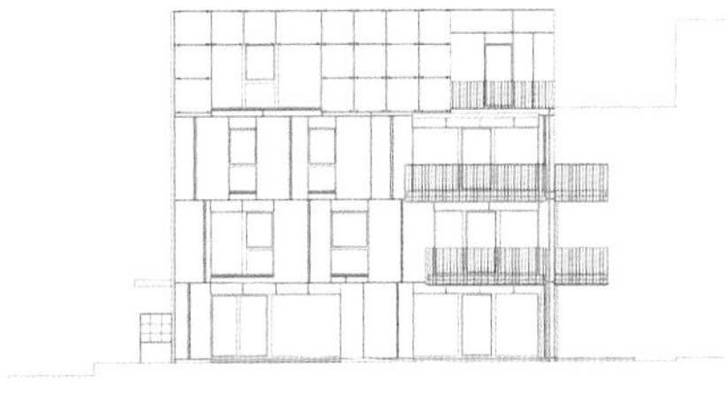

Ansicht Süd-West

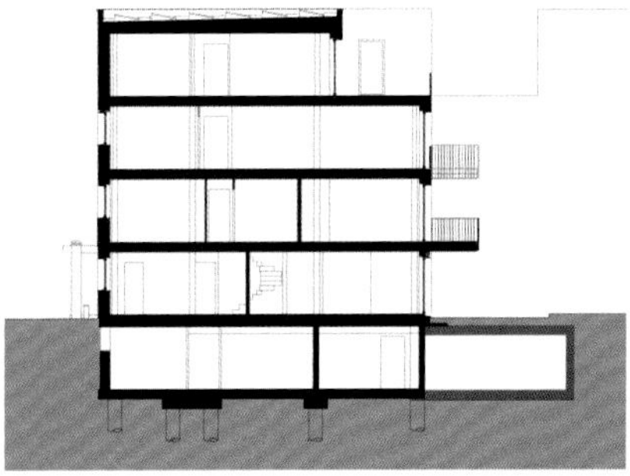

Schnitt Tiefgarage Bestand

6100-1186
Mehrfamilienhaus
(9 WE)
Effizienzhaus Plus

Objektbeschreibung

Allgemeine Objektinformationen

Auf dem Gelände einer alten Weberei in einer zugleich naturnahen wie urbanen Umgebung wurde von einer Baugemeinschaft ein "Plus-Energiehaus" errichtet. Das Gebäude produziert mehr Energie als es selbst benötigt. Der Bauplatz liegt in unmittelbarer Nähe zum Stadtzentrum und verfügt über einen sehr guten Anschluss an den öffentlichen Nahverkehr. In dem viergeschossigen, klar gegliederten Baukörper sind neun Wohneinheiten untergebracht. Auf dem gesamten Gelände wurden Konzepte privat organisierter Baugemeinschaften umgesetzt, die unter anderem auch Anforderungen an soziale Aspekte erfüllen.

Nutzung

1 Untergeschoss
Abstellräume, Fahrradabstellraum, Technik, Waschküche, Müllraum, Zugang zur TG mit 6 Stellplätzen unter dem eigenen Gebäude

1 Erdgeschoss
Wohnen

2 Obergeschosse
Wohnen

1 Dachgeschoss
Wohnen

Nutzeinheiten

Wohneinheiten: 9
Wohnfläche: 956 m^2

Grundstück

Bauraum: Beengter Bauraum
Neigung: Ebenes Gelände
Bodenklasse: BK 1 bis BK 3

Markt

Hauptvergabezeit: 2. Quartal 2012
Baubeginn: 2. Quartal 2012
Bauende: 4. Quartal 2013
Konjunkturelle Gesamtlage: Durchschnitt
Regionaler Baumarkt: Durchschnitt

Baukonstruktion

Der Baugrund forderte eine kostenintensive Gründung, bei der insgesamt 1,5km Pfähle - anteilig für das Gebäude ca. 300m - in der Länge von 6 -12m in den Boden gerammt wurden. Das Untergeschoss wurde in Stahlbeton, teilweise in WU-Qualität erstellt. Die Außenwände der Wohngeschosse bestehen aus vorgefertigtern Holzrahmenwänden, mit einer hinterlüfteten Fassade aus Faserzementtafeln und Photovoltaikmodulen. Die meist bodentiefen Holz-Alufenster sind dreifachverglast. Runde Stahlbeton-Innenstützen übernehmen die Tragfunktion, während die Innenwände in GK-Bauweise ausgeführt wurden. Die Decken, Treppen und das Flachdach sind aus Stahlbeton.

Technische Anlagen

Das Gebäude ist an ein Fernwärmenetz angeschlossen und wird über eine Fußbodenheizung beheizt. Die Belüftung erfolgt über ein sehr großes, gemeinsames Lüftungsgerät mit Wärmerückgewinnung. Zur internen Erschließung steht ein Personenaufzug zur Verfügung. Die Photovoltaikanlage auf dem Dach und in der Fassade erzeugt rund 37.000kWh Strom pro Jahr. Für die Stromeigennutzung kommt ein Stromspeicher mit 40kW zum Einsatz.

Sonstiges

Das Gebäude wurde durch das Passivhaus-Institut (PHI) in Darmstadt sowie durch die Deutsche Energieagentur (DENA) im Programm „EffizienzhausPlus" zertifiziert. Ein Monitoring über drei Jahre wurde inzwischen abgeschlossen. Die energetischen Werte sind durch das Resultat bestätigt.

Planungskennwerte für Flächen und Rauminhalte nach DIN 277

Flächen des Grundstücks		Menge Einheit	% an GF
BF	Bebaute Fläche	308,00 m²	34,4
UF	Unbebaute Fläche	587,00 m²	65,6
GF	Grundstücksfläche	895,00 m²	100,0

Grundflächen des Bauwerks		Menge Einheit	% an NUF	% an BGF
NUF	Nutzungsfläche	1.170,37 m²	100,0	77,3
TF	Technikfläche	18,58 m²	1,6	1,2
VF	Verkehrsfläche	94,13 m²	8,0	6,2
NRF	Netto-Raumfläche	1.283,08 m²	109,6	84,8
KGF	Konstruktions-Grundfläche	230,66 m²	19,7	15,2
BGF	Brutto-Grundfläche	1.513,74 m²	129,3	100,0

Brutto-Rauminhalt des Bauwerks		Menge Einheit	BRI/NUF (m)	BRI/BGF (m)
BRI	Brutto-Rauminhalt	4.610,00 m³	3,94	3,05

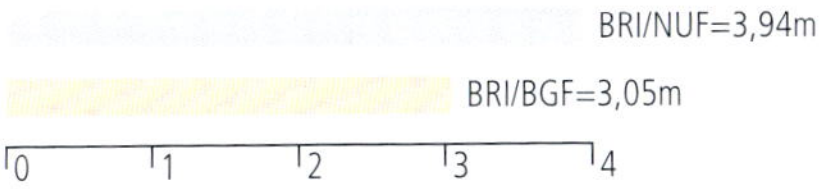

Lufttechnisch behandelte Flächen	Menge Einheit	% an NUF	% an BGF
Entlüftete Fläche	–	–	–
Be- und entlüftete Fläche	–	–	–
Teilklimatisierte Fläche	–	–	–
Klimatisierte Fläche	–	–	–

KG	Kostengruppen (2. Ebene)	Menge Einheit	Menge/NUF	Menge/BGF
310	Baugrube / Erdbau	503,70 m³ BGI	0,43	0,33
320	Gründung, Unterbau	238,63 m² GRF	0,20	0,16
330	Außenwände/Vertikale Baukonstruktionen, außen	1.066,26 m² AWF	0,91	0,70
340	Innenwände/Vertikale Baukonstruktionen, innen	1.427,42 m² IWF	1,22	0,94
350	Decken/Horizontale Baukonstruktionen	1.104,39 m² DEF	0,94	0,73
360	Dächer	292,81 m² DAF	0,25	0,19

Kostenkennwerte für die Kostengruppen der 1. Ebene DIN 276

KG	Kostengruppen (1. Ebene)	Einheit	Kosten €	€/Einheit	€/m² BGF	€/m³ BRI	% 300+400
100	Grundstück	m² GF	–	–	–	–	–
200	Vorbereitende Maßnahmen	m² GF	–	–	–	–	–
300	Bauwerk – Baukonstruktionen	m² BGF	2.274.314	1.502,45	1.502,45	493,34	73,1
400	Bauwerk – Technische Anlagen	m² BGF	837.201	553,07	553,07	181,61	26,9
	Bauwerk 300+400	**m² BGF**	**3.111.515**	**2.055,51**	**2.055,51**	**674,95**	**100,0**
500	Außenanlagen und Freiflächen	m² AF	34.960	59,56	23,10	7,58	1,1
600	Ausstattung und Kunstwerke	m² BGF	16.153	10,67	10,67	3,50	0,5
700	Baunebenkosten	m² BGF	–	–	–	–	–
800	Finanzierung	m² BGF	–	–	–	–	–

KG	Kostengruppe	Menge Einheit	Kosten €	€/Einheit	%
3+4	**Bauwerk**				**100,0**
300	**Bauwerk – Baukonstruktionen**	1.513,74 m² BGF	2.274.314	**1.502,45**	73,1

Stb-Rammpfähle, Bodenplatte WU, Bodenbeschichtung; Stb-Wände, teilweise WU, Holzrahmenwände, Holz-Alufenster, Fenstertüren, hinterlüftete Fassade aus Faserzementtafeln und Photovoltaikmodulen, GK-Aufdopplungen, Putz, Beschichtung, Raffstores, Markisen; Stb-Stützen, GK-Wände, Holztüren, Stahltüren, Wandfliesen, Kellertrennwände; Stb-Decken, Stb-Fertigteilbalkone, Stb-Treppen, Heizestrich, Parkett, Bodenfliesen, Bohlenbelag, GK-Decken, Geländer; Stb-Flachdach, Dachausstieg RWA, Flachdachabdichtung, Kies, Dachentwässerungen; Briefkastenanlage

KG	Kostengruppe	Menge Einheit	Kosten €	€/Einheit	%
400	**Bauwerk – Technische Anlagen**	1.513,74 m² BGF	837.201	**553,07**	26,9

Gebäudeentwässerung, Kalt- und Warmwasserleitungen, Sanitärobjekte; Fernwärmeanschluss, Fußbodenheizung, Heizkörper; Lüftungsanlage mit Wärmerückgewinnung; Photovoltaikanlage, Elektroinstallation, Beleuchtung; Sprechanlagen, Antennenanschlüsse, EDV-Verkabelung, Monitoringanlage, Fernmeldeanschluss; Personenaufzug; Feuerlöscher

KG	Kostengruppe	Menge Einheit	Kosten €	€/Einheit	%
500	**Außenanlagen und Freiflächen**	587,00 m² AF	34.960	**59,56**	1,1

Befestigte Flächen, Vegetationsflächen

KG	Kostengruppe	Menge Einheit	Kosten €	€/Einheit	%
600	**Ausstattung und Kunstwerke**	1.513,74 m² BGF	16.153	**10,67**	0,5

Duschtrennwände, Waschtischunterbauten

Kostenkennwerte für die Kostengruppen 300 der 2. und 3.Ebene DIN 276 (Übersicht)

KG	Kostengruppe	Menge Einheit	€/Einheit	Kosten €	% an 3+4
300	**Bauwerk – Baukonstruktionen**	**1.513,74 m² BGF**	**1.502,45**	**2.274.313,69**	**73,1**
310	**Baugrube / Erdbau**	**503,70 m³ BGI**	**65,43**	**32.954,63**	**1,1**
311	Herstellung	503,70 m³ BGI	65,43	32.954,63	1,1
312	Umschließung	–	–	–	–
313	Wasserhaltung	–	–	–	–
314	Vortrieb	–	–	–	–
319	Sonstiges zur KG 310	–	–	–	–
320	**Gründung, Unterbau**	**238,63 m² GRF**	**604,92**	**144.351,59**	**4,6**
321	Baugrundverbesserung	–	–	–	–
322	Flachgründungen und Bodenplatten	238,63 m²	394,79	94.209,78	3,0
323	Tiefgründungen	238,63 m²	113,53	27.092,03	0,9
324	Gründungsbeläge	196,56 m²	26,46	5.200,06	0,2
325	Abdichtungen und Bekleidungen	238,63 m²	74,80	17.849,72	0,6
326	Dränagen	–	–	–	–
329	Sonstiges zur KG 320	–	–	–	–
330	**Außenwände/Vert. Baukonstrukt., außen**	**1.066,26 m² AWF**	**749,21**	**798.850,26**	**25,7**
331	Tragende Außenwände	305,39 m²	196,87	60.122,24	1,9
332	Nichttragende Außenwände	506,34 m²	255,47	129.356,19	4,2
333	Außenstützen	20,24 m	137,71	2.787,23	< 0,1
334	Außenwandöffnungen	254,53 m²	1.059,15	269.585,58	8,7
335	Außenwandbekleidungen, außen	875,17 m²	271,95	237.998,47	7,6
336	Außenwandbekleidungen, innen	525,90 m²	51,53	27.098,43	0,9
337	Element. Außenwandkonstruktionen	–	–	–	–
338	Lichtschutz zur KG 330	268,53 m²	247,61	66.489,57	2,1
339	Sonstiges zur KG 330	1.066,26 m² AWF	5,08	5.412,57	0,2
340	**Innenwände/Vert. Baukonstrukt., innen**	**1.427,42 m² IWF**	**263,04**	**375.472,61**	**12,1**
341	Tragende Innenwände	290,41 m²	176,47	51.247,41	1,6
342	Nichttragende Innenwände	936,00 m²	104,76	98.056,79	3,2
343	Innenstützen	131,19 m	110,92	14.551,48	0,5
344	Innenwandöffnungen	123,51 m²	651,95	80.522,80	2,6
345	Innenwandbekleidungen	2.388,60 m²	50,76	121.249,33	3,9
346	Elementierte Innenwandkonstruktionen	77,50 m²	78,09	6.052,12	0,2
347	Lichtschutz zur KG 340	–	–	–	–
349	Sonstiges zur KG 340	1.427,42 m² IWF	2,66	3.792,68	0,1
350	**Decken/Horizontale Baukonstruktionen**	**1.104,39 m² DEF**	**506,91**	**559.825,70**	**18,0**
351	Deckenkonstruktionen	1.104,39 m²	198,22	218.912,28	7,0
352	Deckenöffnungen	–	–	–	–
353	Deckenbeläge	1.047,27 m²	226,93	237.657,52	7,6
354	Deckenbekleidungen	1.094,35 m²	59,34	64.935,55	2,1
355	Elementierte Deckenkonstruktionen	–	–	–	–
359	Sonstiges zur KG 350	1.104,39 m² DEF	34,70	38.320,35	1,2
360	**Dächer**	**292,81 m² DAF**	**604,49**	**177.000,96**	**5,7**
361	Dachkonstruktionen	290,31 m²	134,68	39.099,88	1,3
362	Dachöffnungen	2,50 m²	4.024,10	10.060,25	0,3
363	Dachbeläge	313,50 m²	296,78	93.039,25	3,0
364	Dachbekleidungen	267,53 m²	43,42	11.616,71	0,4
365	Elementierte Dachkonstruktionen	–	–	–	–
366	Lichtschutz zur KG 360	–	–	–	–
369	Sonstiges zur KG 360	292,81 m² DAF	79,18	23.184,85	0,7
370	**Infrastrukturanlagen**	**–**	**–**	**–**	**–**
380	**Baukonstruktive Einbauten**	**1.513,74 m² BGF**	**45,43**	**68.763,64**	**2,2**
390	**Sonst. Maßnahmen für Baukonstrukt.**	**1.513,74 m² BGF**	**77,35**	**117.094,31**	**3,8**

Kostenkennwerte für die Kostengruppen 400 der 2. und 3. Ebene DIN 276 (Übersicht)

KG	Kostengruppe	Menge Einheit	€/Einheit	Kosten €	% an 3+4
400	**Bauwerk – Technische Anlagen**	**1.513,74 m² BGF**	**553,07**	**837.201,24**	**26,9**
410	**Abwasser-, Wasser-, Gasanlagen**	**1.513,74 m² BGF**	**128,94**	**195.177,10**	**6,3**
411	Abwasseranlagen	1.513,74 m² BGF	36,40	55.102,49	1,8
412	Wasseranlagen	1.513,74 m² BGF	74,71	113.091,40	3,6
413	Gasanlagen	–	–	–	–
419	Sonstiges zur KG 410	1.513,74 m² BGF	17,83	26.983,21	0,9
420	**Wärmeversorgungsanlagen**	**1.513,74 m² BGF**	**54,33**	**82.248,44**	**2,6**
421	Wärmeerzeugungsanlagen	1.513,74 m² BGF	3,17	4.791,68	0,2
422	Wärmeverteilnetze	1.513,74 m² BGF	20,46	30.964,53	1,0
423	Raumheizflächen	1.513,74 m² BGF	30,71	46.492,24	1,5
424	Verkehrsheizflächen	–	–	–	–
429	Sonstiges zur KG 420	–	–	–	–
430	**Raumlufttechnische Anlagen**	**1.513,74 m² BGF**	**97,72**	**147.928,26**	**4,8**
431	Lüftungsanlagen	1.513,74 m² BGF	97,72	147.928,26	4,8
432	Teilklimaanlagen	–	–	–	–
433	Klimaanlagen	–	–	–	–
434	Kälteanlagen	–	–	–	–
439	Sonstiges zur KG 430	–	–	–	–
440	**Elektrische Anlagen**	**1.513,74 m² BGF**	**210,13**	**318.086,27**	**10,2**
441	Hoch- und Mittelspannungsanlagen	–	–	–	–
442	Eigenstromversorgungsanlagen	1.513,74 m² BGF	106,98	161.937,21	5,2
443	Niederspannungsschaltanlagen	–	–	–	–
444	Niederspannungsinstallationsanlagen	1.513,74 m² BGF	92,52	140.047,46	4,5
445	Beleuchtungsanlagen	1.513,74 m² BGF	8,01	12.119,83	0,4
446	Blitzschutz- und Erdungsanlagen	1.513,74 m² BGF	2,63	3.981,79	0,1
447	Fahrleitungssysteme	–	–	–	–
449	Sonstiges zur KG 440	–	–	–	–
450	**Kommunikationstechnische Anlagen**	**1.513,74 m² BGF**	**22,23**	**33.652,73**	**1,1**
451	Telekommunikationsanlagen	1.513,74 m² BGF	0,67	1.009,49	< 0,1
452	Such- und Signalanlagen	1.513,74 m² BGF	2,64	3.994,98	0,1
453	Zeitdienstanlagen	–	–	–	–
454	Elektroakustische Anlagen	–	–	–	–
455	Audiovisuelle Medien- u. Antennenanl.	1.513,74 m² BGF	3,83	5.798,24	0,2
456	Gefahrenmelde- und Alarmanlagen	1.513,74 m² BGF	1,66	2.508,73	< 0,1
457	Datenübertragungsnetze	1.513,74 m² BGF	13,44	20.341,27	0,7
458	Verkehrsbeeinflussungsanlagen	–	–	–	–
459	Sonstiges zur KG 450	–	–	–	–
460	**Förderanlagen**	**1.513,74 m² BGF**	**38,92**	**58.907,97**	**1,9**
461	Aufzugsanlagen	1.513,74 m² BGF	38,92	58.907,97	1,9
462	Fahrtreppen, Fahrsteige	–	–	–	–
463	Befahranlagen	–	–	–	–
464	Transportanlagen	–	–	–	–
465	Krananlagen	–	–	–	–
466	Hydraulikanlagen	–	–	–	–
469	Sonstiges zur KG 460	–	–	–	–
470	**Nutzungsspez. u. verfahrenstechn. Anl.**	**1.513,74 m² BGF**	**0,79**	**1.200,48**	**< 0,1**
480	**Gebäude- und Anlagenautomation**	**–**	**–**	**–**	**–**
490	**Sonst. Maßnahmen für techn. Anlagen**	**–**	**–**	**–**	**–**

Kostenkennwerte für Leistungsbereiche nach STLB (Kosten des Bauwerks nach DIN 276)

LB	Leistungsbereiche	Kosten €	€/m² BGF	€/m³ BRI	% an 3+4
000	Sicherheits-, Baustelleneinrichtungen inkl. 001	95.009	62,80	20,60	3,1
002	Erdarbeiten	36.166	23,90	7,80	1,2
006	Spezialtiefbauarbeiten inkl. 005	27.092	17,90	5,90	0,9
009	Entwässerungskanalarbeiten inkl. 011	341	0,23	0,07	< 0,1
010	Drän- und Versickerarbeiten	–	–	–	–
012	Mauerarbeiten	–	–	–	–
013	Betonarbeiten	493.436	326,00	107,00	15,9
014	Natur-, Betonwerksteinarbeiten	–	–	–	–
016	Zimmer- und Holzbauarbeiten	177.369	117,20	38,50	5,7
017	Stahlbauarbeiten	–	–	–	–
018	Abdichtungsarbeiten	–	–	–	–
019	Kampfmittelräumarbeiten	–	–	–	–
020	Dachdeckungsarbeiten	–	–	–	–
021	Dachabdichtungsarbeiten	105.997	70,00	23,00	3,4
022	Klempnerarbeiten	14.185	9,40	3,10	0,5
	Rohbau	**949.594**	**627,30**	**206,00**	**30,5**
023	Putz- und Stuckarbeiten, Wärmedämmsysteme	61.996	41,00	13,40	2,0
024	Fliesen- und Plattenarbeiten	107.236	70,80	23,30	3,4
025	Estricharbeiten	52.365	34,60	11,40	1,7
026	Fenster, Außentüren inkl. 029, 032	272.240	179,80	59,10	8,7
027	Tischlerarbeiten	133.984	88,50	29,10	4,3
028	Parkettarbeiten, Holzpflasterarbeiten	99.798	65,90	21,60	3,2
030	Rollladenarbeiten	56.291	37,20	12,20	1,8
031	Metallbauarbeiten inkl. 035	84.172	55,60	18,30	2,7
034	Maler- und Lackiererarbeiten inkl. 037	74.801	49,40	16,20	2,4
036	Bodenbelagarbeiten	–	–	–	–
038	Vorgehängte hinterlüftete Fassaden	110.075	72,70	23,90	3,5
039	Trockenbauarbeiten	153.260	101,20	33,20	4,9
	Ausbau	**1.206.219**	**796,80**	**261,70**	**38,8**
040	Wärmeversorgungsanl. - Betriebseinr. inkl. 041	75.123	49,60	16,30	2,4
042	Gas- und Wasserinstallation, Leitungen inkl. 043	117.747	77,80	25,50	3,8
044	Abwasseranlagen - Leitungen	47.601	31,40	10,30	1,5
045	GWE-Einrichtungsgegenstände inkl. 046	82.447	54,50	17,90	2,6
047	Dämmarbeiten an betriebstechnischen Anlagen	32.387	21,40	7,00	1,0
049	Feuerlöschanlagen, Feuerlöschgeräte	1.200	0,79	0,26	< 0,1
050	Blitzschutz- und Erdungsanlagen	4.219	2,80	0,92	0,1
053	Niederspannungsanlagen inkl. 052, 054	330.772	218,50	71,80	10,6
055	Sicherheits- u. Ersatzstromversorgungsanl.	–	–	–	–
057	Gebäudesystemtechnik	–	–	–	–
058	Leuchten und Lampen inkl. 059	12.120	8,00	2,60	0,4
060	Sprechanlagen, elektroakust. Anlagen inkl. 064	3.995	2,60	0,87	0,1
061	Kommunikationsnetze inkl. 063	29.658	19,60	6,40	1,0
069	Aufzüge	58.908	38,90	12,80	1,9
070	Gebäudeautomation	–	–	–	–
075	Raumlufttechnische Anlagen inkl. 078	151.167	99,90	32,80	4,9
	Gebäudetechnik	**947.345**	**625,80**	**205,50**	**30,4**
084	Abbruch, Rückbau, Schadstoffsanierung	–	–	–	–
	Abbrucharbeiten	**–**	**–**	**–**	**–**
	Sonstige Leistungsbereiche	**8.358**	**5,50**	**1,80**	**0,3**

6100-1241
Mehrfamilienhaus
(6 WE)
TG (12 STP)
Effizienzhaus 85

Objektübersicht

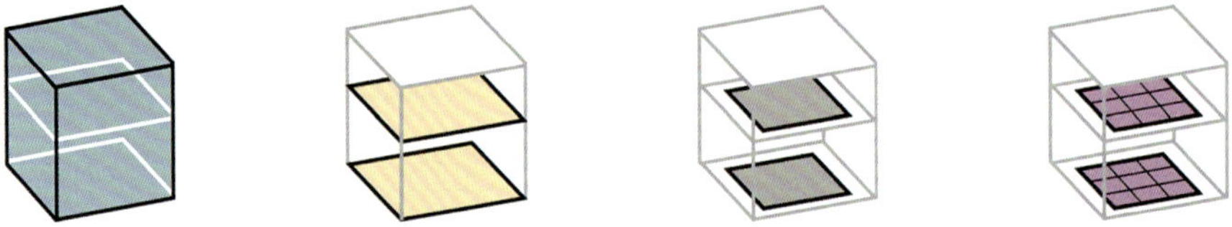

BRI 684 €/m³ | BGF 2.314 €/m² | NUF 3.922 €/m² | NE 4.156 €/NE

NE: Wohnfläche

Objekt:
Kennwerte: 1. Ebene DIN 276
BRI: 4.311 m³
BGF: 1.275 m²
NUF: 752 m²
Bauzeit: 56 Wochen
Bauende: 2015
Standard: über Durchschnitt
Bundesland: Berlin
Kreis: Berlin, Stadt

Architekt*in:
Roswag Architekten GvAmbH
Schlesische Straße 26
10997 Berlin

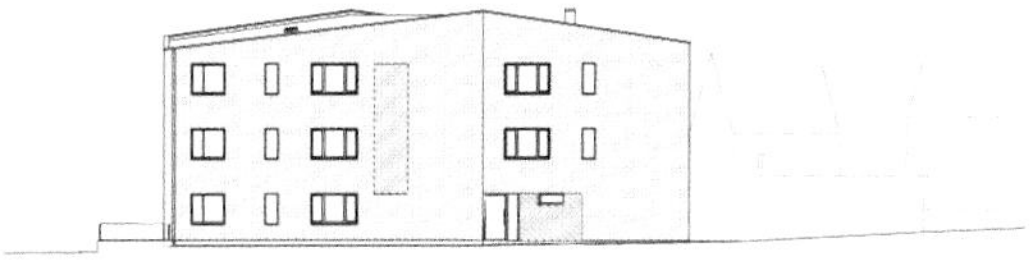

Ansicht Nord

Ansicht Ost

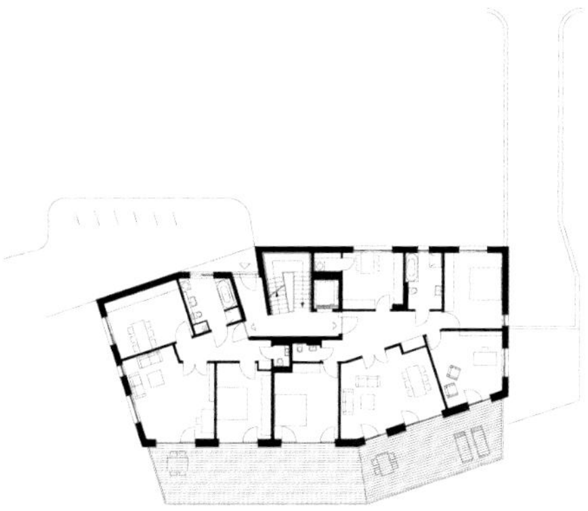

Erdgeschoss

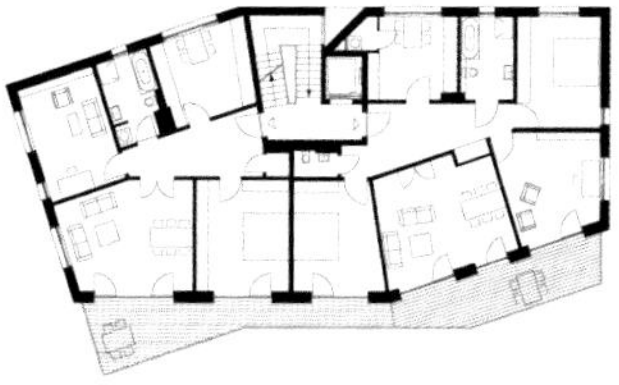

1. Obergeschoss

Ansicht Süd

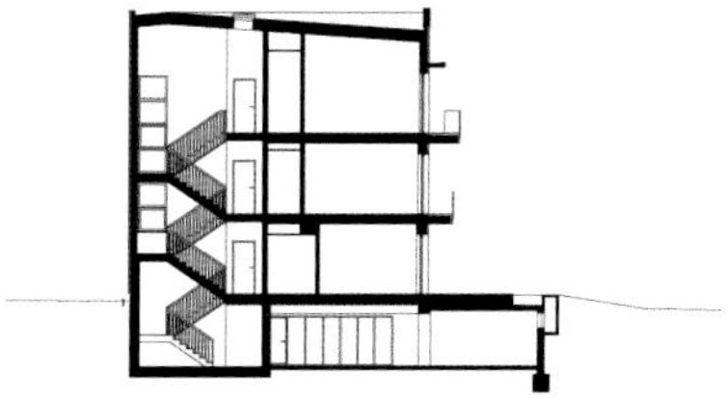

Schnitt

6100-1241
Mehrfamilienhaus
(6 WE)
TG (12 STP)
Effizienzhaus 85

Objektbeschreibung

Allgemeine Objektinformationen

Das langgestreckte Seegrundstück wurde 2013 von einer Eigentümergemeinschaft erworben. Eine Villa im seeseitigen Teil war zu sanieren und im nördlichen Teil durch den Neubau mit sechs Wohneinheiten à 90-140m² und einer Tiefgarage mit zwölf Stellplätzen zu ergänzen. Alle Wohnungen werden barrierefrei erschlossen und haben einen direkten Seezugang.

Nutzung

1 Untergeschoss
Tiefgarage, Keller, Technikraum

1 Erdgeschoss
4-Zimmer-Wohnung, 2-Zimmer-Wohnung

2 Obergeschosse
1. OG: 4-Zimmer-Wohnung, 3-Zimmer-Wohnung
2. OG: 3-Zimmer-Wohnung (2St)

Nutzeinheiten

Stellplätze: 12
Wohneinheiten: 6
Wohnfläche: 710 m²

Grundstück

Bauraum: Freier Bauraum
Neigung: Ebenes Gelände
Bodenklasse: BK 1 bis BK 3

Markt

Hauptvergabezeit: 2. Quartal 2014
Baubeginn: 2. Quartal 2014
Bauende: 2. Quartal 2015
Konjunkturelle Gesamtlage: über Durchschnitt
Regionaler Baumarkt: über Durchschnitt

Baukonstruktion

Eine hochdämmende, diffusionsoffene Gebäudehülle aus Naturbaustoffen umschließt den Baukörper und minimiert die Wärmeverluste. Mit Ausnahme von Tiefgarage und Aufzugschacht wurden alle Bauteile in vorgefertigter Holzbauweise hergestellt. Für die Außenwände wurden Holzrahmenbauelemente mit einer 240mm starken Zellulosedämmung eingesetzt. Die Decken bestehen aus massivem Brettsperrholz und kragen als Balkonbänder bis zu 3,00m weit aus. Die Treppenhauswände und Treppenläufe bestehen ebenfalls aus Brettsperrholz. Die Tragstruktur verzichtet auf statische Wandscheiben innerhalb der Wohnungen und ermöglicht so offene Grundrisse.

Technische Anlagen

Die schadstofffreie, diffusionsoffene Bauweise im Zusammenspiel mit den sorptionsfähigen Raumoberflächen und freier Fensterlüftung sorgen für eine natürliche Regulierung des Raumklimas. So konnte trotz luftdichter Ausführung der Gebäudehülle auf eine kontrollierte Wohnraumlüftung verzichtet werden. Eine dachintegrierte 14m² große Solarthermieanlage unterstützt die Warmwasserbereitung und Wärmeversorgung über ein Gas-Brennwertgerät.

Sonstiges

Der polygonale Baukörper des Neubaus nimmt Bezug auf die vorhandenen Fluchten von Grundstücks- und Baugrenze sowie auf die Ausrichtung der Bestandsvilla. Präzise Einschnitte in das Gebäudevolumen erzeugen den Eingangsbereich bzw. dienen der Belichtung des Treppenraumes. Die Nord-, West- und Ostfassade wurden als Lochfassaden geplant, während die Südfassade großzügige Öffnungen aufweist.

Planungskennwerte für Flächen und Rauminhalte nach DIN 277

Flächen des Grundstücks		Menge Einheit	% an GF
BF	Bebaute Fläche	428,00 m²	27,0
UF	Unbebaute Fläche	1.155,00 m²	73,0
GF	Grundstücksfläche	1.583,00 m²	100,0

Grundflächen des Bauwerks		Menge Einheit	% an NUF	% an BGF
NUF	Nutzungsfläche	752,31 m²	100,0	59,0
TF	Technikfläche	28,25 m²	3,8	2,2
VF	Verkehrsfläche	310,97 m²	41,3	24,4
NRF	Netto-Raumfläche	1.091,53 m²	145,1	85,6
KGF	Konstruktions-Grundfläche	183,47 m²	24,4	14,4
BGF	Brutto-Grundfläche	1.275,00 m²	169,5	100,0

Brutto-Rauminhalt des Bauwerks		Menge Einheit	BRI/NUF (m)	BRI/BGF (m)
BRI	Brutto-Rauminhalt	4.311,00 m³	5,73	3,38

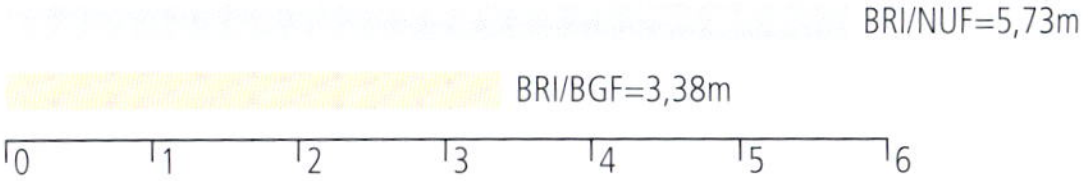

6100-1241
Mehrfamilienhaus
(6 WE)
TG (12 STP)
Effizienzhaus 85

Kostenkennwerte für die Kostengruppen der 1. Ebene DIN 276

KG	Kostengruppen (1. Ebene)	Einheit	Kosten €	€/Einheit	€/m² BGF	€/m³ BRI	% 300+400
100	Grundstück	m² GF	–	–	–	–	–
200	Vorbereitende Maßnahmen	m² GF	43.693	27,60	34,27	10,14	1,5
300	Bauwerk – Baukonstruktionen	m² BGF	2.361.089	1.851,83	1.851,83	547,69	80,0
400	Bauwerk – Technische Anlagen	m² BGF	589.369	462,25	462,25	136,71	20,0
	Bauwerk 300+400	**m² BGF**	**2.950.458**	**2.314,08**	**2.314,08**	**684,40**	**100,0**
500	Außenanlagen und Freiflächen	m² AF	146.938	127,22	115,25	34,08	5,0
600	Ausstattung und Kunstwerke	m² BGF	–	–	–	–	–
700	Baunebenkosten	m² BGF	–	–	–	–	–
800	Finanzierung	m² BGF	–	–	–	–	–

KG	Kostengruppe	Menge Einheit	Kosten €	€/Einheit	%
200	**Vorbereitende Maßnahmen**	1.583,00 m² GF	43.693	**27,60**	1,5
	Medienanschlüsse, Baumfällungen, Baufeldberäumung				
3+4	**Bauwerk**				**100,0**
300	**Bauwerk – Baukonstruktionen**	1.275,00 m² BGF	2.361.089	**1.851,83**	80,0
	Stb-Bodenplatte, Betonpflaster (TG); WU-Betonwände (TG), Holzrahmenbauelemente, Zellulosedämmung, zweischalige Brettsperrholzwände, Stb-Wände, KS-Mauerwerk, Holz-Alu-Fenster, Dreifachverglasung, hinterlüftete Schieferfassade, OSB-Platten, GF-Bekleidung, Stahlgeländer; Holzrahmenbauelemente, Holzfaserdämmung, Gipsfaserplatten, Stahlstützen, Anstrich; Stb-Decke, Massivholzdecken, teilw. unterseitig sichtbar, Furnierschichtholzunterzüge, Estrich, Parkett, Balkonbänder mit Holzdecks; Brettsperrholzdach, Aufdachdämmung, Abdichtung, extensive Dachbegrünung, GF-Platten, Anstrich				
400	**Bauwerk – Technische Anlagen**	1.275,00 m² BGF	589.369	**462,25**	20,0
	Gebäudeentwässerung, Kalt- und Warmwasserleitungen, Sanitärobjekte; Solarthermieanlage, Gas-Brennwertkessel, Fußbodenheizung; Einzelraumlüfter; Personenaufzug				
500	**Außenanlagen und Freiflächen**	1.155,00 m² AF	146.938	**127,22**	5,0
	Wassergebundene Decke, Kleinpflasterflächen, Schotterrasen; Einfriedung, Tor- und Briefkastenanlage; Fahrradständer; Pflanzflächen, extensive Begrünung TG-Überdachung				

6100-1336
Mehrfamilienhäuser
(37 WE)
Effizienzhaus ~38%

Objektübersicht

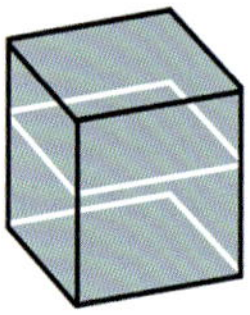

BRI 371 €/m³

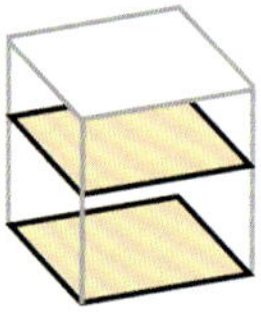

BGF 1.151 €/m²

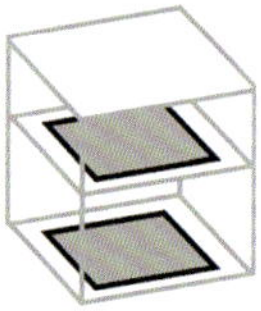

NUF 1.602 €/m²

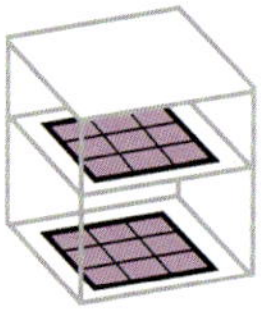

NE 2.267 €/NE

NE: Wohnfläche

Objekt:
Kennwerte: 3. Ebene DIN 276
BRI: 13.069 m³
BGF: 4.214 m²
NUF: 3.028 m²
Bauzeit: 74 Wochen
Bauende: 2013
Standard: unter Durchschnitt
Bundesland: Bayern
Kreis: Ansbach, Stadt

Architekt*in:
Deppisch Architekten GmbH
Obere Hauptstraße 26
85354 Freising

Bauherr*in:
Joseph-Stiftung
Hans-Birkmayr-Straße 65
96050 Bamberg

© Sebastian Schels

© Sebastian Schels

© Sebastian Schels

© Sebastian Schels

Zeichnungen

Ansicht Nord

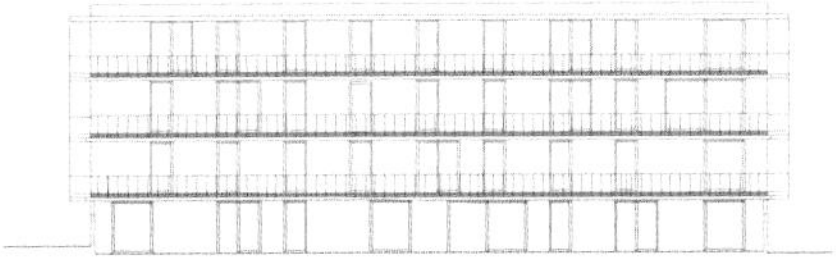

Ansicht Ost

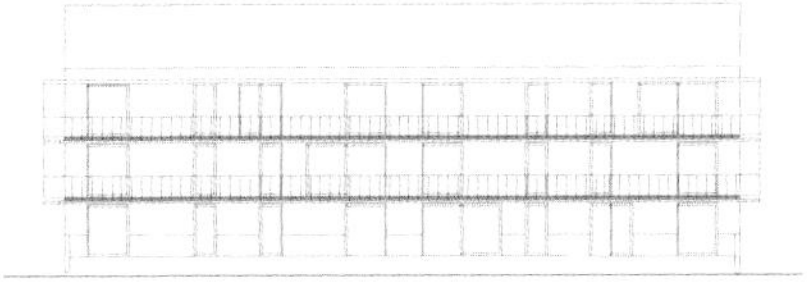

Ansicht West

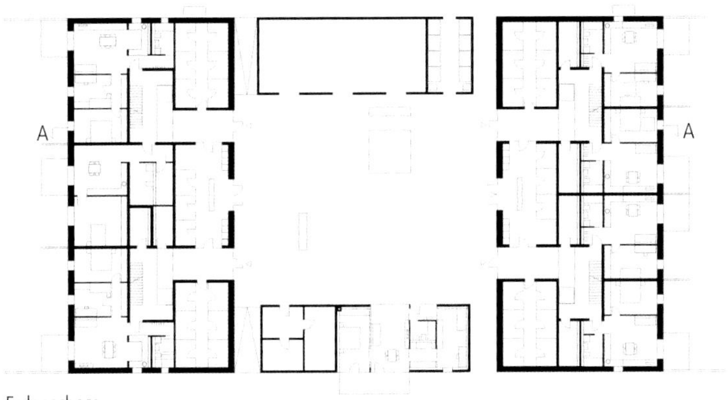

Erdgeschoss

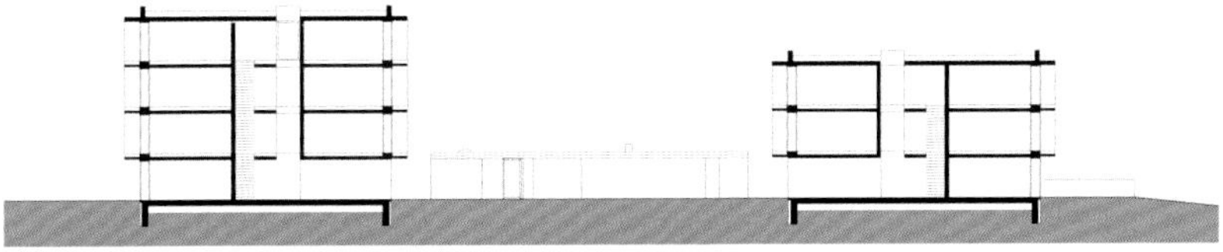

Schnitt A-A

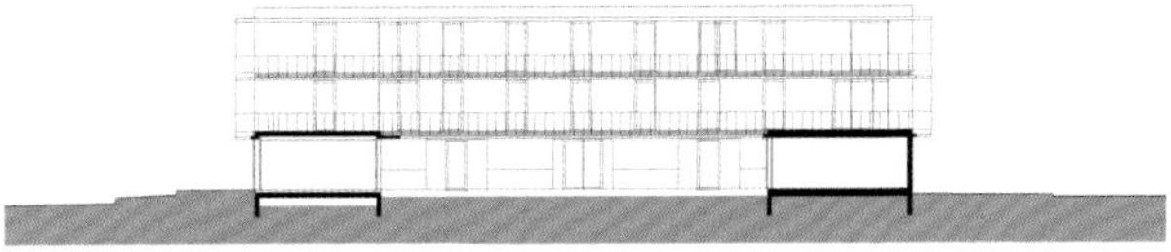

Schnitt-Ansicht Ost

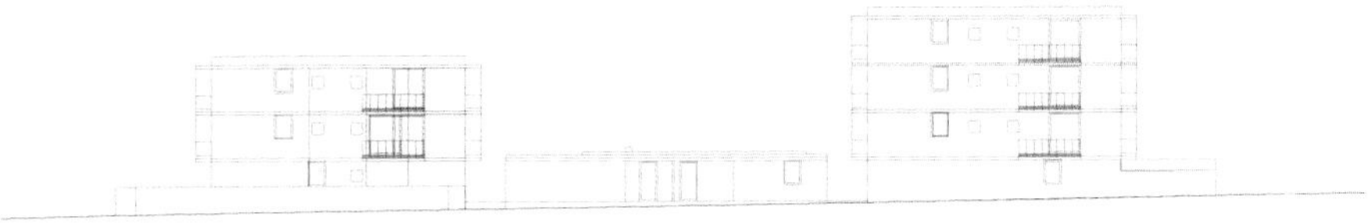

Ansicht Süd

Objektbeschreibung

Allgemeine Objektinformationen

Im Rahmen eines Modellprojekts der Obersten Baubehörde des Landes entstanden zwei neue drei- und viergeschossige Wohngebäude mit insgesamt 37 Wohnungen. Als eingeschossige Bindeglieder zwischen den Wohngebäuden umschließen Technik- und Fahrradräume einen beruhigten Innenhof, der als geschützter Raum für die Bewohner und als Veranstaltungsort dient. Die offenen Parkplätze befinden sich im Außenraum direkt an die Straße angrenzend.

Nutzung

1 Erdgeschoss
Wohnungen mit Terrassen (7 WE), Abstellräume, Waschräume; zwei Nebengebäude: Fahrradraum, Müllraum, Technikräume

3 Obergeschosse
Wohnungen mit Balkonen (30 WE)

Nutzeinheiten

Wohneinheiten: 37
Wohnfläche: 2.139 m^2

Grundstück

Bauraum: Freier Bauraum
Neigung: Ebenes Gelände
Bodenklasse: BK 4

Besonderer Kosteneinfluss Grundstück
Freies Gelände nach Abbruch von Bestandsbauten

Markt

Hauptvergabezeit: 3. Quartal 2011
Baubeginn: 1. Quartal 2012
Bauende: 3. Quartal 2013
Konjunkturelle Gesamtlage: Durchschnitt
Regionaler Baumarkt: Durchschnitt

Baukonstruktion

Die beiden Wohngebäude sind nicht unterkellert und gründen auf einer Bodenplatte aus Stahlbeton. Als Tragwerk wurde eine Mischung aus Holzrahmenkonstruktion und Massivholzbau umgesetzt. Die Holzrahmen-Außenwände mit Mineralwolldämmung sind mit einer hinterlüfteten Holzschalung aus Weißtanne bekleidet. Die Innenwände zum Treppenraum bestehen aus Brettsperrholztafeln. Sämtliche Fenster haben Holzrahmen und eine Dreifachverglasung erhalten. Die durchlaufenden Balkone vor den Fassaden dienen gleichzeitig als Sonnenschutz. Das Flachdach ist mit Elastomerdachbahnen abgedichtet. Innen sind die Erschließungsflächen mit sichtbar belassenem Zementestrich ausgeführt. Die Innentreppen und Wohnräume wurden mit Industrieparkett belegt. Alle Fichtenholzdecken sind sichtbar. Holztüren und Sitzbänke aus Weißtanne vervollständigen das ganzheitliche Entwurfskonzept.

Technische Anlagen

Für die Beheizung und Warmwasserbereitung der beiden Wohngebäude wurde eine Holzpelletanlage eingebaut. Die Wohnraumlüftung erfolgt in den Bädern und Küchen über eine Abluftanlage ohne Wärmerückgewinnung. Bei reduziertem Luftwechsel ist Zuluft über eine Fensterspaltlüftung möglich.

Sonstiges

Für die Planung wurde ein Architektenwettbewerb ausgelobt, dessen Siegerentwurf mit geringen Überarbeitungen realisiert werden konnte. Das Entwurfsziel einer hohen Nachhaltigkeit wurde durch die weitgehende Verwendung nachwachsender Rohstoffe für die Konstruktion, Fassaden und Fußböden erreicht.

Planungskennwerte für Flächen und Rauminhalte nach DIN 277

Flächen des Grundstücks		Menge Einheit	% an GF
BF	Bebaute Fläche	1.340,12 m²	37,0
UF	Unbebaute Fläche	2.279,88 m²	63,0
GF	Grundstücksfläche	3.620,00 m²	100,0

Grundflächen des Bauwerks		Menge Einheit	% an NUF	% an BGF
NUF	Nutzungsfläche	3.027,68 m²	100,0	71,8
TF	Technikfläche	60,70 m²	2,0	1,4
VF	Verkehrsfläche	554,36 m²	18,3	13,2
NRF	Netto-Raumfläche	3.642,74 m²	120,3	86,4
KGF	Konstruktions-Grundfläche	571,51 m²	18,9	13,6
BGF	Brutto-Grundfläche	4.214,25 m²	139,2	100,0

Brutto-Rauminhalt des Bauwerks		Menge Einheit	BRI/NUF (m)	BRI/BGF (m)
BRI	Brutto-Rauminhalt	13.069,08 m³	4,32	3,10

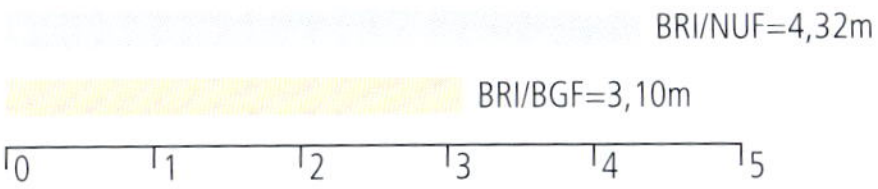

Lufttechnisch behandelte Flächen	Menge Einheit	% an NUF	% an BGF
Entlüftete Fläche	2.139,29 m²	70,7	50,8
Be- und entlüftete Fläche	–	–	–
Teilklimatisierte Fläche	–	–	–
Klimatisierte Fläche	–	–	–

KG	Kostengruppen (2. Ebene)	Menge Einheit	Menge/NUF	Menge/BGF
310	Baugrube / Erdbau	1.247,38 m³ BGI	0,41	0,30
320	Gründung, Unterbau	1.166,22 m² GRF	0,39	0,28
330	Außenwände/Vertikale Baukonstruktionen, außen	2.439,33 m² AWF	0,81	0,58
340	Innenwände/Vertikale Baukonstruktionen, innen	4.622,68 m² IWF	1,53	1,10
350	Decken/Horizontale Baukonstruktionen	2.898,56 m² DEF	0,96	0,69
360	Dächer	1.339,57 m² DAF	0,44	0,32

Kostenkennwerte für die Kostengruppen der 1.Ebene DIN 276

KG	Kostengruppen (1.Ebene)	Einheit	Kosten €	€/Einheit	€/m² BGF	€/m³ BRI	% 300+400
100	Grundstück	m² GF	–	–	–	–	–
200	Vorbereitende Maßnahmen	m² GF	172.084	47,54	40,83	13,17	3,5
300	Bauwerk – Baukonstruktionen	m² BGF	3.903.969	926,37	926,37	298,72	80,5
400	Bauwerk – Technische Anlagen	m² BGF	945.559	224,37	224,37	72,35	19,5
	Bauwerk 300+400	**m² BGF**	**4.849.528**	**1.150,75**	**1.150,75**	**371,07**	**100,0**
500	Außenanlagen und Freiflächen	m² AF	76.379	33,50	18,12	5,84	1,6
600	Ausstattung und Kunstwerke	m² BGF	8.284	1,97	1,97	0,63	0,2
700	Baunebenkosten	m² BGF	–	–	–	–	–
800	Finanzierung	m² BGF	–	–	–	–	–

KG	Kostengruppe	Menge Einheit	Kosten €	€/Einheit	%
200	**Vorbereitende Maßnahmen**	3.620,00 m² GF	172.084	**47,54**	3,5
	Abbruch von Bestandsgebäuden; Öffentliche Erschließung Abwasser, Verkehrserschließung				
3+4	**Bauwerk**				**100,0**
300	**Bauwerk – Baukonstruktionen**	4.214,25 m² BGF	3.903.969	**926,37**	80,5
	Stb-Flachgründung, Installationskanal, Heiz-/Zementestrich, Parkett, Bodenfliesen; Stb-FT-Wandelemente, Holzrahmenelemente, Holzbekleidung, Holzfenster, Türelemente; Brettsperrholzwände, GK-Wände, Holzinnentüren, GK-Bekleidung/Vorsatzschalen, Wandfliesen, Silikatbeschichtung; Massivholzdecken, Holztreppen, Geländer, Balkon-Holzroste, Balkon-Trennwände; Massivholz-Flachdach, Stb-Flachdach, Abdichtung Lichtkuppeln, Dachentwässerung				
400	**Bauwerk – Technische Anlagen**	4.214,25 m² BGF	945.559	**224,37**	19,5
	Gebäudeentwässerung, Kalt- und Warmwasserleitungen, Sanitärobjekte; Pellet-Brennwertkessel, Heizungsrohre, Fußbodenheizung; Lüftungsgeräte, Lüftungsleitungen, Kleinlüfter; Elektroinstallation, Beleuchtung, Erdung; Telefon-Verkabelung, Sprechanlagen, Medien-Verkabelung, Rauchmelder, EDV-Verkabelung				
500	**Außenanlagen und Freiflächen**	2.279,88 m² AF	76.379	**33,50**	1,6
	Bodenarbeiten; Fundamente; Asphaltschicht; Stb-Wände, Nebengebäude: Stb-Flachdach, Zugangstüren, Lichtkuppeln; Versorgungsleitungen ans öffentliche Netz				
600	**Ausstattung und Kunstwerke**	4.214,25 m² BGF	8.284	**1,97**	0,2
	Sanitärausstattungen				

Kostenkennwerte für die Kostengruppen 300 der 2. und 3.Ebene DIN 276 (Übersicht)

KG	Kostengruppe	Menge Einheit	€/Einheit	Kosten €	% an 3+4
300	**Bauwerk – Baukonstruktionen**	**4.214,25 m2 BGF**	**926,37**	**3.903.968,76**	**80,5**
310	**Baugrube / Erdbau**	**1.247,38 m3 BGI**	**61,15**	**76.273,54**	**1,6**
311	Herstellung	1.247,38 m3 BGI	61,15	76.273,54	1,6
312	Umschließung	–	–	–	–
313	Wasserhaltung	–	–	–	–
314	Vortrieb	–	–	–	–
319	Sonstiges zur KG 310	–	–	–	–
320	**Gründung, Unterbau**	**1.166,22 m2 GRF**	**356,40**	**415.642,00**	**8,6**
321	Baugrundverbesserung	–	–	–	–
322	Flachgründungen und Bodenplatten	1.166,22 m2	178,93	208.669,53	4,3
323	Tiefgründungen	–	–	–	–
324	Gründungsbeläge	1.037,97 m2	111,14	115.358,31	2,4
325	Abdichtungen und Bekleidungen	1.139,10 m2	80,43	91.614,16	1,9
326	Dränagen	–	–	–	–
329	Sonstiges zur KG 320	–	–	–	–
330	**Außenwände/Vert. Baukonstrukt., außen**	**2.439,33 m2 AWF**	**404,20**	**985.967,22**	**20,3**
331	Tragende Außenwände	1.956,95 m2	166,08	325.004,50	6,7
332	Nichttragende Außenwände	–	–	–	–
333	Außenstützen	–	–	–	–
334	Außenwandöffnungen	482,37 m2	591,56	285.352,47	5,9
335	Außenwandbekleidungen, außen	1.647,82 m2	157,92	260.228,82	5,4
336	Außenwandbekleidungen, innen	1.342,55 m2	85,94	115.381,42	2,4
337	Element. Außenwandkonstruktionen	–	–	–	–
338	Lichtschutz zur KG 330	–	–	–	–
339	Sonstiges zur KG 330	–	–	–	–
340	**Innenwände/Vert. Baukonstrukt., innen**	**4.622,68 m2 IWF**	**145,95**	**674.689,17**	**13,9**
341	Tragende Innenwände	2.274,53 m2	108,96	247.821,91	5,1
342	Nichttragende Innenwände	1.784,10 m2	60,59	108.103,20	2,2
343	Innenstützen	–	–	–	–
344	Innenwandöffnungen	322,07 m2	449,73	144.844,90	3,0
345	Innenwandbekleidungen	6.228,47 m2	25,48	158.726,46	3,3
346	Elementierte Innenwandkonstruktionen	241,98 m2	47,91	11.592,50	0,2
347	Lichtschutz zur KG 340	14,40 m2	250,01	3.600,21	< 0,1
349	Sonstiges zur KG 340	–	–	–	–
350	**Decken/Horizontale Baukonstruktionen**	**2.898,56 m2 DEF**	**393,93**	**1.141.822,95**	**23,5**
351	Deckenkonstruktionen	2.898,56 m2	204,96	594.098,17	12,3
352	Deckenöffnungen	–	–	–	–
353	Deckenbeläge	2.371,19 m2	142,98	339.022,11	7,0
354	Deckenbekleidungen	231,14 m2	68,69	15.877,39	0,3
355	Elementierte Deckenkonstruktionen	–	–	–	–
359	Sonstiges zur KG 350	2.898,56 m2 DEF	66,52	192.825,30	4,0
360	**Dächer**	**1.339,57 m2 DAF**	**322,36**	**431.826,13**	**8,9**
361	Dachkonstruktionen	1.308,97 m2	176,13	230.548,22	4,8
362	Dachöffnungen	30,60 m2	886,32	27.121,48	0,6
363	Dachbeläge	1.287,21 m2	129,86	167.161,91	3,4
364	Dachbekleidungen	92,50 m2	75,62	6.994,52	0,1
365	Elementierte Dachkonstruktionen	–	–	–	–
366	Lichtschutz zur KG 360	–	–	–	–
369	Sonstiges zur KG 360	–	–	–	–
370	**Infrastrukturanlagen**	**–**	**–**	**–**	**–**
380	**Baukonstruktive Einbauten**	**–**	**–**	**–**	**–**
390	**Sonst. Maßnahmen für Baukonstrukt.**	**4.214,25 m2 BGF**	**42,18**	**177.747,77**	**3,7**

Kostenkennwerte für die Kostengruppen 400 der 2. und 3. Ebene DIN 276 (Übersicht)

KG	Kostengruppe	Menge Einheit	€/Einheit	Kosten €	% an 3+4
400	**Bauwerk – Technische Anlagen**	**4.214,25 m² BGF**	**224,37**	**945.559,39**	**19,5**
410	**Abwasser-, Wasser-, Gasanlagen**	**4.214,25 m² BGF**	**78,41**	**330.440,34**	**6,8**
411	Abwasseranlagen	4.214,25 m² BGF	21,42	90.267,48	1,9
412	Wasseranlagen	4.214,25 m² BGF	50,74	213.817,93	4,4
413	Gasanlagen	–	–	–	–
419	Sonstiges zur KG 410	4.214,25 m² BGF	6,25	26.354,93	0,5
420	**Wärmeversorgungsanlagen**	**4.214,25 m² BGF**	**69,23**	**291.735,88**	**6,0**
421	Wärmeerzeugungsanlagen	4.214,25 m² BGF	19,45	81.979,68	1,7
422	Wärmeverteilnetze	4.214,25 m² BGF	27,30	115.062,58	2,4
423	Raumheizflächen	4.214,25 m² BGF	17,90	75.422,32	1,6
424	Verkehrsheizflächen	–	–	–	–
429	Sonstiges zur KG 420	4.214,25 m² BGF	4,57	19.271,29	0,4
430	**Raumlufttechnische Anlagen**	**4.214,25 m² BGF**	**10,60**	**44.650,26**	**0,9**
431	Lüftungsanlagen	4.214,25 m² BGF	10,60	44.650,26	0,9
432	Teilklimaanlagen	–	–	–	–
433	Klimaanlagen	–	–	–	–
434	Kälteanlagen	–	–	–	–
439	Sonstiges zur KG 430	–	–	–	–
440	**Elektrische Anlagen**	**4.214,25 m² BGF**	**55,39**	**233.415,71**	**4,8**
441	Hoch- und Mittelspannungsanlagen	–	–	–	–
442	Eigenstromversorgungsanlagen	–	–	–	–
443	Niederspannungsschaltanlagen	–	–	–	–
444	Niederspannungsinstallationsanlagen	4.214,25 m² BGF	44,61	188.004,43	3,9
445	Beleuchtungsanlagen	4.214,25 m² BGF	7,98	33.635,92	0,7
446	Blitzschutz- und Erdungsanlagen	4.214,25 m² BGF	2,79	11.775,36	0,2
447	Fahrleitungssysteme	–	–	–	–
449	Sonstiges zur KG 440	–	–	–	–
450	**Kommunikationstechnische Anlagen**	**4.214,25 m² BGF**	**10,75**	**45.317,20**	**0,9**
451	Telekommunikationsanlagen	4.214,25 m² BGF	1,68	7.089,49	0,1
452	Such- und Signalanlagen	4.214,25 m² BGF	1,49	6.295,30	0,1
453	Zeitdienstanlagen	–	–	–	–
454	Elektroakustische Anlagen	–	–	–	–
455	Audiovisuelle Medien- u. Antennenanl.	4.214,25 m² BGF	1,86	7.858,91	0,2
456	Gefahrenmelde- und Alarmanlagen	4.214,25 m² BGF	2,61	10.986,69	0,2
457	Datenübertragungsnetze	4.214,25 m² BGF	3,11	13.086,81	0,3
458	Verkehrsbeeinflussungsanlagen	–	–	–	–
459	Sonstiges zur KG 450	–	–	–	–
460	**Förderanlagen**	**–**	**–**	**–**	**–**
461	Aufzugsanlagen	–	–	–	–
462	Fahrtreppen, Fahrsteige	–	–	–	–
463	Befahranlagen	–	–	–	–
464	Transportanlagen	–	–	–	–
465	Krananlagen	–	–	–	–
466	Hydraulikanlagen	–	–	–	–
469	Sonstiges zur KG 460	–	–	–	–
470	**Nutzungsspez. u. verfahrenstechn. Anl.**	**–**	**–**	**–**	**–**
480	**Gebäude- und Anlagenautomation**	**–**	**–**	**–**	**–**
490	**Sonst. Maßnahmen für techn. Anlagen**	**–**	**–**	**–**	**–**

Kostenkennwerte für Leistungsbereiche nach STLB (Kosten des Bauwerks nach DIN 276)

LB	Leistungsbereiche	Kosten €	€/m² BGF	€/m³ BRI	% an 3+4
000	Sicherheits-, Baustelleneinrichtungen inkl. 001	101.560	24,10	7,80	2,1
002	Erdarbeiten	102.300	24,30	7,80	2,1
006	Spezialtiefbauarbeiten inkl. 005	269	0,06	0,02	< 0,1
009	Entwässerungskanalarbeiten inkl. 011	31.827	7,60	2,40	0,7
010	Drän- und Versickerarbeiten	–	–	–	–
012	Mauerarbeiten	–	–	–	–
013	Betonarbeiten	392.692	93,20	30,00	8,1
014	Natur-, Betonwerksteinarbeiten	–	–	–	–
016	Zimmer- und Holzbauarbeiten	1.735.526	411,80	132,80	35,8
017	Stahlbauarbeiten	103.628	24,60	7,90	2,1
018	Abdichtungsarbeiten	123.618	29,30	9,50	2,5
019	Kampfmittelräumarbeiten	–	–	–	–
020	Dachdeckungsarbeiten	23.599	5,60	1,80	0,5
021	Dachabdichtungsarbeiten	172.024	40,80	13,20	3,5
022	Klempnerarbeiten	54.306	12,90	4,20	1,1
	Rohbau	**2.841.348**	**674,20**	**217,40**	**58,6**
023	Putz- und Stuckarbeiten, Wärmedämmsysteme	12.814	3,00	0,98	0,3
024	Fliesen- und Plattenarbeiten	72.600	17,20	5,60	1,5
025	Estricharbeiten	140.098	33,20	10,70	2,9
026	Fenster, Außentüren inkl. 029, 032	286.792	68,10	21,90	5,9
027	Tischlerarbeiten	18.938	4,50	1,40	0,4
028	Parkettarbeiten, Holzpflasterarbeiten	158.283	37,60	12,10	3,3
030	Rollladenarbeiten	–	–	–	–
031	Metallbauarbeiten inkl. 035	–	–	–	–
034	Maler- und Lackiererarbeiten inkl. 037	60.594	14,40	4,60	1,2
036	Bodenbelagarbeiten	–	–	–	–
038	Vorgehängte hinterlüftete Fassaden	–	–	–	–
039	Trockenbauarbeiten	330.796	78,50	25,30	6,8
	Ausbau	**1.080.915**	**256,50**	**82,70**	**22,3**
040	Wärmeversorgungsanl. - Betriebseinr. inkl. 041	261.608	62,10	20,00	5,4
042	Gas- und Wasserinstallation, Leitungen inkl. 043	110.728	26,30	8,50	2,3
044	Abwasseranlagen - Leitungen	48.488	11,50	3,70	1,0
045	GWE-Einrichtungsgegenstände inkl. 046	109.126	25,90	8,30	2,3
047	Dämmarbeiten an betriebstechnischen Anlagen	41.158	9,80	3,10	0,8
049	Feuerlöschanlagen, Feuerlöschgeräte	–	–	–	–
050	Blitzschutz- und Erdungsanlagen	11.775	2,80	0,90	0,2
053	Niederspannungsanlagen inkl. 052, 054	222.485	52,80	17,00	4,6
055	Sicherheits- u. Ersatzstromversorgungsanl.	–	–	–	–
057	Gebäudesystemtechnik	–	–	–	–
058	Leuchten und Lampen inkl. 059	33.636	8,00	2,60	0,7
060	Sprechanlagen, elektroakust. Anlagen inkl. 064	6.295	1,50	0,48	0,1
061	Kommunikationsnetze inkl. 063	3.410	0,81	0,26	< 0,1
069	Aufzüge	–	–	–	–
070	Gebäudeautomation	2.824	0,67	0,22	< 0,1
075	Raumlufttechnische Anlagen inkl. 078	44.853	10,60	3,40	0,9
	Gebäudetechnik	**896.385**	**212,70**	**68,60**	**18,5**
084	Abbruch, Rückbau, Schadstoffsanierung	–	–	–	–
	Abbrucharbeiten	**–**	**–**	**–**	**–**
	Sonstige Leistungsbereiche	**30.880**	**7,30**	**2,40**	**0,6**

6100-1484
Mehrfamilienhaus
(3 WE)

Objektübersicht

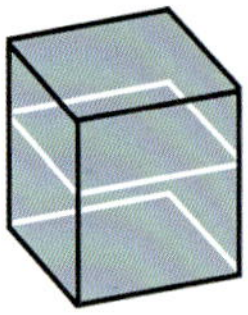

BRI 495 €/m³

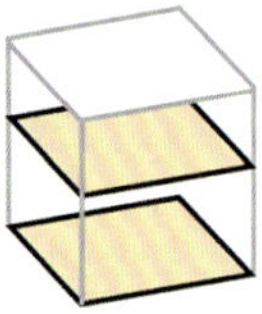

BGF 1.872 €/m²

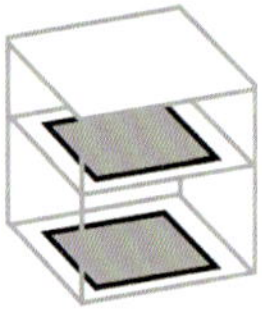

NUF 2.726 €/m²

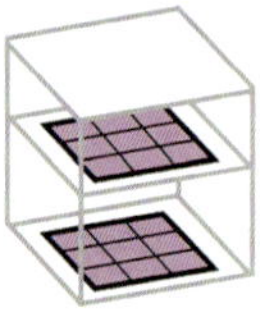

NE 2.389 €/NE

NE: Wohnfläche

Objekt:
Kennwerte: 1. Ebene DIN 276
BRI: 797 m³
BGF: 211 m²
NUF: 145 m²
Bauzeit: 39 Wochen
Bauende: 2017
Standard: Durchschnitt
Bundesland: Schleswig-Holstein
Kreis: Nordfriesland

Architekt*in:
Inke von Dobro-Wolski
Dipl. Ing. Architektin
B 5 No 8
25920 Stedesand

© Inke von Dobro-Wolski

© Inke von Dobro-Wolski

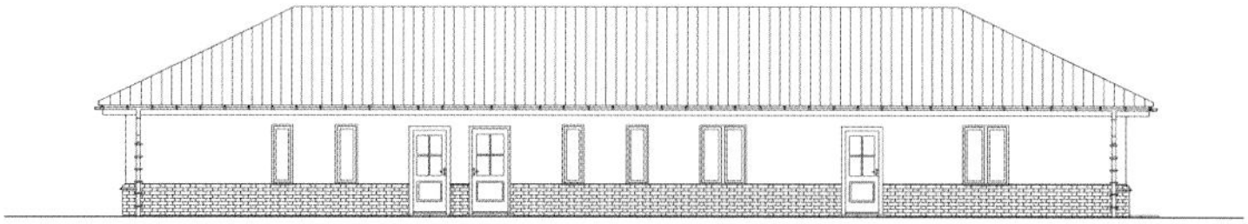

Ansicht Ost

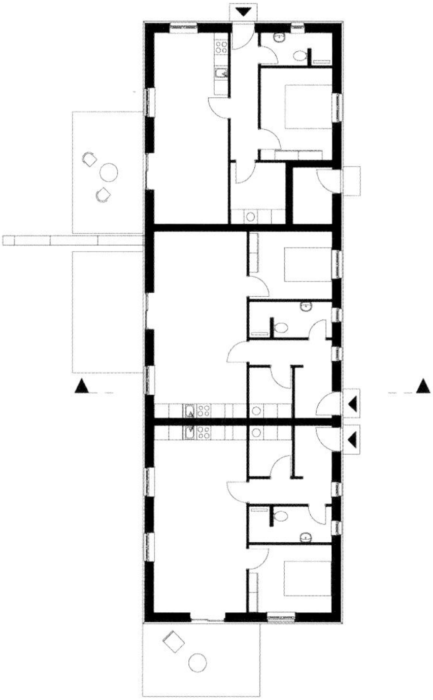

Erdgeschoss

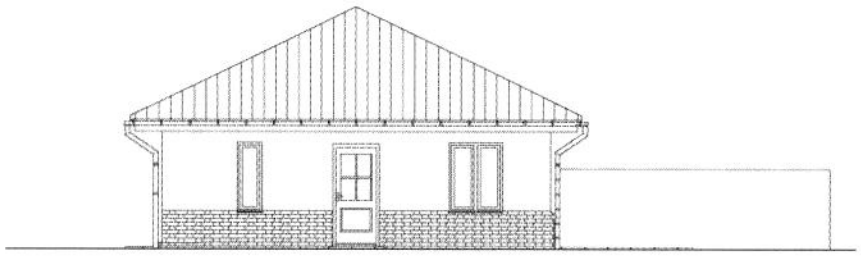

Ansicht Nord

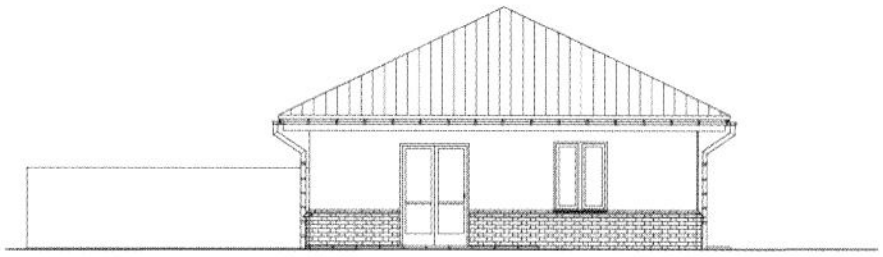

Ansicht Süd

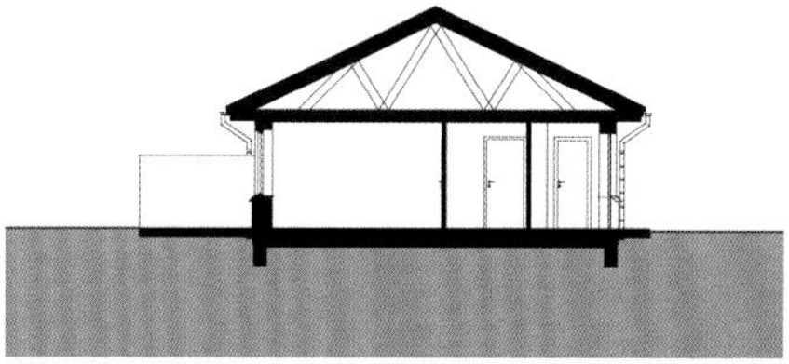

Querschnitt

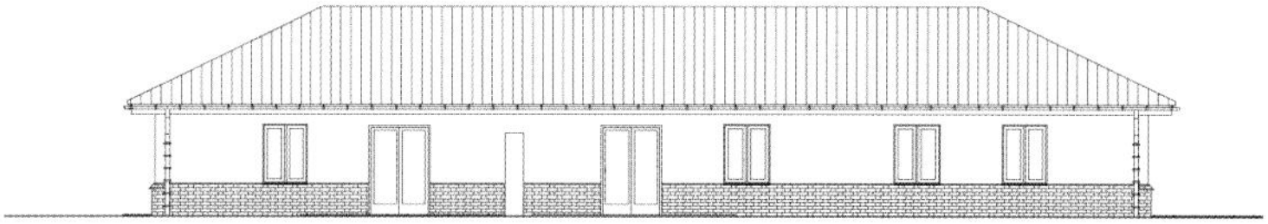

Ansicht West

Objektbeschreibung

Allgemeine Objektinformationen

In dem neuen Gemeindehaus sind ebenerdig nebeneinander drei Sozialwohnungen auf einem Eckgrundstück angeordnet. Die schwellenfrei erschlossenen Wohnungen bestehen aus einer großzügigen Wohnküche, einem Schlafraum, einem Duschbad sowie einem Abstell- bzw. Hauswirtschaftsraum. Ziel der Planung war es, an der Stelle des ehemaligen "Armenhauses" preisgünstig neu zu bauen, um an allein lebende bedürftige Gemeindemitglieder vermieten zu können.

Nutzung

1 Erdgeschoss
Wohnküchen, Schlafräume, Duschbäder, Abstell- und Hauswirtschaftsräume

Nutzeinheiten

Wohneinheiten: 3
Wohnfläche: 165 m²

Grundstück

Bauraum: Freier Bauraum
Neigung: Ebenes Gelände
Bodenklasse: BK 1 bis BK 4

Markt

Hauptvergabezeit: 2. Quartal 2016
Baubeginn: 3. Quartal 2016
Bauende: 2. Quartal 2017
Konjunkturelle Gesamtlage: über Durchschnitt
Regionaler Baumarkt: unter Durchschnitt

Baukonstruktion

Das eingeschossige Mehrfamilienhaus gründet auf einer wärmegedämmten Stahlbetonsohle und wurde in Holzrahmenbauweise mit anteiliger Rotsteinverblendung erstellt. Teilweise erhielt die Fassade eine Verschalung mit Faserzementelementen. Das Walmdach besteht aus einer Brettbinderkonstruktion mit Betondachsteindeckung. Der nicht ausgebaute Dachboden dient als Abstellraum und ist über eine Einschubleiter zugänglich. Alle Terrassen sind über schwellenfreie Schiebetüren zu erreichen. Den Wohnungen sind offene Stellplätze mit Betonpflaster zugeordnet.

Technische Anlagen

Das Wohngebäude wird mit biogasbetriebener Fernwärme aus dem dorfeigenen Wärmenetz beheizt. Mittels Übergabestation erfolgt die Wärmeverteilung über einen schwimmend verlegten Heizestrich. Eine Lüftungsanlage mit kontrollierter Be- und Entlüftung und Wärmerückgewinnung wurde eingebaut.

Sonstiges

Alle drei Wohnungen sind barrierefrei ausgeführt.

Planungskennwerte für Flächen und Rauminhalte nach DIN 277

Flächen des Grundstücks		Menge Einheit	% an GF
BF	Bebaute Fläche	–	–
UF	Unbebaute Fläche	–	–
GF	Grundstücksfläche	–	–

Grundflächen des Bauwerks		Menge Einheit	% an NUF	% an BGF
NUF	Nutzungsfläche	144,80 m²	100,0	68,7
TF	Technikfläche	3,89 m²	2,7	1,8
VF	Verkehrsfläche	20,40 m²	14,1	9,7
NRF	Netto-Raumfläche	169,09 m²	116,8	80,2
KGF	Konstruktions-Grundfläche	41,80 m²	28,9	19,8
BGF	Brutto-Grundfläche	210,89 m²	145,6	100,0

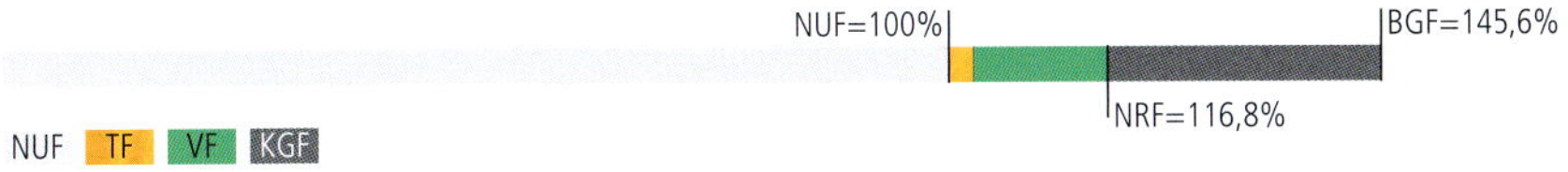

Brutto-Rauminhalt des Bauwerks		Menge Einheit	BRI/NUF (m)	BRI/BGF (m)
BRI	Brutto-Rauminhalt	797,13 m³	5,51	3,78

Kostenkennwerte für die Kostengruppen der 1. Ebene DIN 276

KG	Kostengruppen (1. Ebene)	Einheit	Kosten €	€/Einheit	€/m² BGF	€/m³ BRI	% 300+400
100	Grundstück	m² GF	–	–	–	–	–
200	Vorbereitende Maßnahmen	m² GF	–	–	–	–	–
300	Bauwerk – Baukonstruktionen	m² BGF	327.060	1.550,85	1.550,85	410,30	82,9
400	Bauwerk – Technische Anlagen	m² BGF	67.679	320,92	320,92	84,90	17,1
	Bauwerk 300+400	**m² BGF**	**394.739**	**1.871,78**	**1.871,78**	**495,20**	**100,0**
500	Außenanlagen und Freiflächen	m² AF	–	–	–	–	–
600	Ausstattung und Kunstwerke	m² BGF	–	–	–	–	–
700	Baunebenkosten	m² BGF	–	–	–	–	–
800	Finanzierung	m² BGF	–	–	–	–	–

KG	Kostengruppe	Menge Einheit	Kosten €	€/Einheit	%
3+4	**Bauwerk**				**100,0**
300	**Bauwerk – Baukonstruktionen**	210,89 m² BGF	327.060	**1.550,85**	82,9

Baugrubenaushub; Stb-Fundamente, Stb-Bodenplatte, Heizestrich, Vinyl-Design-Belag, Bodenfliesen, Abdichtung, Perimeterdämmung; KS-Mauerwerk, Holzrahmenwände, Kunststofffenster, Eingangstüren, Wärmedämmung, Ziegelfassade, Faserzement-Fassade, Kalk-Zement-Innenputz; Holzrahmen-Innenwände, GK-Wände, Wandfliesen; Holzbalkendecke aus Untergurt der Brettbinder-Dachkonstruktion, Einschubtreppe, Dämmung, Holzschalung als Laufsteg, GK-Decke; Brettbinder-Dachkonstruktion, Betondachsteindeckung, außenliegende Dachentwässerung

KG	Kostengruppe	Menge Einheit	Kosten €	€/Einheit	%
400	**Bauwerk – Technische Anlagen**	210,89 m² BGF	67.679	**320,92**	17,1

Gebäudeentwässerung, Kalt- und Warmwasserleitungen, Sanitärobjekte; Fernwärmeversorgung über biogasbetriebenes dorfeigenes Wärmenetz, Fußbodenheizung, Badheizkörper; kontrollierte Be- und Entlüftung mit Wärmerückgewinnung; Elektroinstallation; Fernseh- und Antennenanlagen, Rauchmelder

6100-1532
Mehrfamilienhäuser
(23 WE)

Objektübersicht

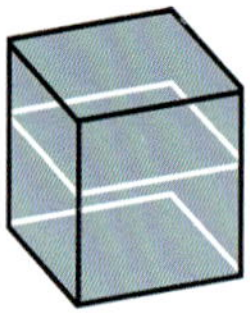

BRI 687 €/m^3

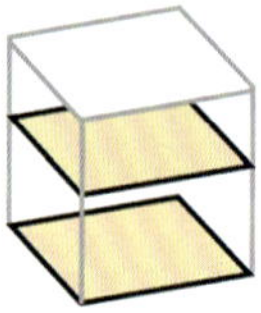

BGF 2.125 €/m^2

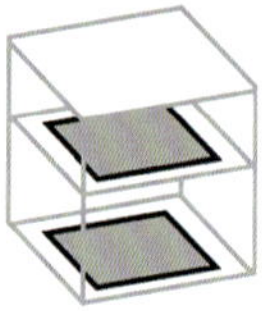

NUF 3.101 €/m^2

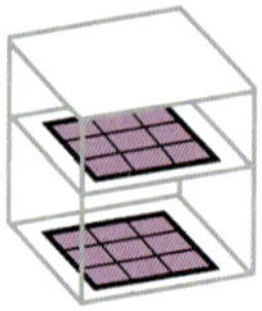

NE 2.824 €/NE
NE: Wohnfläche

Objekt:
Kennwerte: 1. Ebene DIN 276
BRI: 7.389 m^3
BGF: 2.390 m^2
NUF: 1.638 m^2
Bauzeit: 74 Wochen
Bauende: 2020
Standard: Durchschnitt
Bundesland: Brandenburg
Kreis: Ostprignitz-Ruppin

Architekt*in:
Praeger Richter
Architekten BDA
Florastraße 86 A
13187 Berlin

Bauherr*in:
Ausbauhaus
Neuruppin GbR

© Andreas Friedel

© Andreas Friedel

© Praeger Richter Architekten

© Andreas Friedel

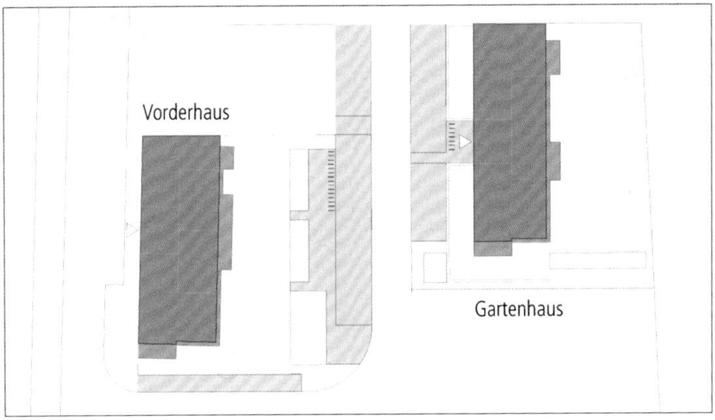

Lageplan

1.-3. Obergeschoss Vorderhaus

1.-2. Obergeschoss Gartenhaus

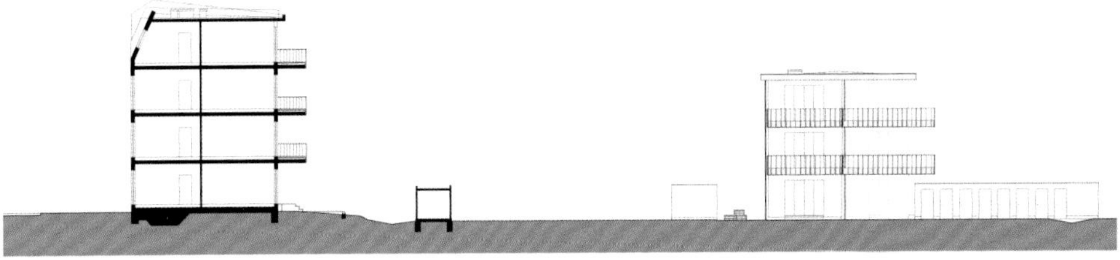

Schnitt

Objektbeschreibung

Allgemeine Objektinformationen

Das viergeschossige Vorder- und das dreigeschossige Gartenhaus mit insgesamt 23 Wohneinheiten entstanden am Rand der Altstadt. Großzügige Wohnräume mit bodentiefen Fenstern prägen die Gestaltung der Wohnungen. Die umlaufende Galerie mit Balkonen erweitert den Wohnraum in den Außenbereich. Die Fassade wurde mit monochromen Ziegeln gestaltet und verfremdet damit ein lokales Element: die typischen regionalen Stadthäuser sind mit Putzfassade und Ziegeldach, zumeist Biberschwanz ausgebildet.

Nutzung

1 Erdgeschoss
Vorderhaus: Wohnungen (4 WE), Aufzug
Gartenhaus: Wohnungen (3 WE), Aufzug

2 Obergeschosse
Vorderhaus: Wohnungen (je 4 WE), Aufzug
Gartenhaus: Wohnungen (je 3 WE), Aufzug

1 Dachgeschoss
Vorderhaus: Wohnungen (2 WE), Aufzug

Nutzeinheiten

Wohneinheiten: 23
Wohnfläche: 1.799 m^2

Grundstück

Bauraum: Freier Bauraum
Neigung: Ebenes Gelände
Bodenklasse: BK 4

Markt

Hauptvergabezeit: 1. Quartal 2019
Baubeginn: 4. Quartal 2018
Bauende: 2. Quartal 2020
Konjunkturelle Gesamtlage: über Durchschnitt
Regionaler Baumarkt: Durchschnitt

Baukonstruktion

Die Neubauten gründen auf Stahlbetonbodenplatten. Alle tragenden Rohbauelemente, abgesehen von Betontreppen und Aufzugsschächten, sind in vorgefertigten Massivholzfertigteilen aus Brettsperrholz hergestellt. Beide Wohnhäuser sind mit einer Dämmung aus Mineralwolle ummantelt. Die Fassaden wurden mit naturrotem Biberschwanzziegel auf Lattung bekleidet. Sämtliche Fenster bestehen aus Holz. Die holzsichtigen Wände und Decken haben weiß lasierte Beschichtungen erhalten. Als Bodenbeläge kam Massivholzparkett zum Einbau.

Technische Anlagen

Die Gebäude werden über Fernwärme mit Energie versorgt. Mittels Fußbodenheizung wird die Wärme in den Räumen verteilt. Die Warmwasserbereitung erfolgt zentral. Es wurde eine Netzwerkverkabelung mit zwei Verteilerstandorten installiert. Ein Personenaufzug je Wohnhaus verbindet die Geschosse.

Sonstiges

In beiden Wohngebäuden sind ökologische Baustoffe verwendet worden, die sich wiederverwerten lassen. Es wurde weitgehend auf den Einsatz von Verbundwerkstoffen und das Verkleben oder Verspachteln von Materialschichten verzichtet und nur ökologisch abbaubare Farben und Lasuren verwendet. Der ökologische Wandaufbau (Holzkonstruktion+Mineralwolle+Ziegeln) erzeugt keine Mehrkosten im Vergleich zum Wärmedämmverbundsystem. Die Hofgebäude für Haustechnik und Abstellflächen wurden aus dem angefallenen Verschnitt von Fenster- und Türöffnungen der Brettsperrholzplatten errichtet.

Planungskennwerte für Flächen und Rauminhalte nach DIN 277

Flächen des Grundstücks		Menge Einheit	% an GF
BF	Bebaute Fläche	702,50 m²	26,3
UF	Unbebaute Fläche	1.972,50 m²	73,7
GF	Grundstücksfläche	2.675,00 m²	100,0

Grundflächen des Bauwerks		Menge Einheit	% an NUF	% an BGF
NUF	Nutzungsfläche	1.638,10 m²	100,0	68,5
TF	Technikfläche	16,60 m²	1,0	0,7
VF	Verkehrsfläche	302,70 m²	18,5	12,7
NRF	Netto-Raumfläche	1.957,40 m²	119,5	81,9
KGF	Konstruktions-Grundfläche	432,60 m²	26,4	18,1
BGF	Brutto-Grundfläche	2.390,00 m²	145,9	100,0

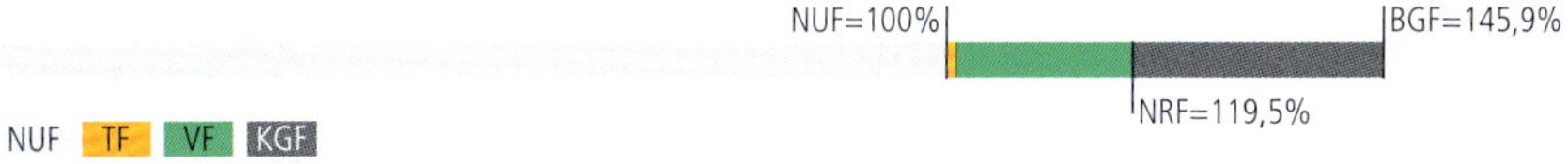

Brutto-Rauminhalt des Bauwerks		Menge Einheit	BRI/NUF (m)	BRI/BGF (m)
BRI	Brutto-Rauminhalt	7.389,00 m³	4,51	3,09

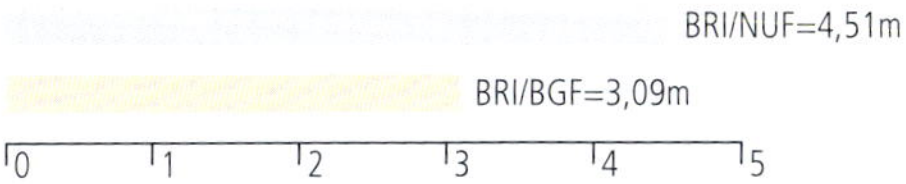

Kostenkennwerte für die Kostengruppen der 1.Ebene DIN 276

KG	Kostengruppen (1.Ebene)	Einheit	Kosten €	€/Einheit	€/m² BGF	€/m³ BRI	% 300+400
100	Grundstück	m² GF	–	–	–	–	–
200	Vorbereitende Maßnahmen	m² GF	–	–	–	–	–
300	Bauwerk – Baukonstruktionen	m² BGF	4.133.521	1.729,51	1.729,51	559,42	81,4
400	Bauwerk – Technische Anlagen	m² BGF	946.092	395,85	395,85	128,04	18,6
	Bauwerk 300+400	**m² BGF**	**5.079.614**	**2.125,36**	**2.125,36**	**687,46**	**100,0**
500	Außenanlagen und Freiflächen	m² AF	210.672	106,80	88,15	28,51	4,1
600	Ausstattung und Kunstwerke	m² BGF	–	–	–	–	–
700	Baunebenkosten	m² BGF	–	–	–	–	–
800	Finanzierung	m² BGF	–	–	–	–	–

KG	Kostengruppe	Menge Einheit	Kosten €	€/Einheit	%
3+4	**Bauwerk**				**100,0**
300	**Bauwerk – Baukonstruktionen**	2.390,00 m² BGF	4.133.521	**1.729,51**	81,4

Stb-Bodenplatten, Dämmung; Brettsperrholz-Außenwände, bodentiefe Holzfenster, Abdichtung, Lattung, Mineralwolldämmung, Biberschwanzziegel-Fassade; KS-Aufzugsschachtwände, BSP-Innenwände, Holztüren, Lasur, Wandfliesen; Stb-Treppen, BSP-Decken, TSD-Splitschüttung, Zementestrich, Massivparkett, Bodenfliesen, Lasur; BSP-Dächer, Dachflächenfenster, Biberschwanzziegel, Flachdachabdichtung, Dämmung, Dachentwässerung, Titanzink-Attika

KG	Kostengruppe	Menge Einheit	Kosten €	€/Einheit	%
400	**Bauwerk – Technische Anlagen**	2.390,00 m² BGF	946.092	**395,85**	18,6

Gebäudeentwässerung, Kalt- und Warmwasserleitungen, Sanitärobjekte; Fernwärme, Fußbodenheizung; Elektroinstallation, Beleuchtung; Netzwerkverkabelung mit zwei Verteilerstandorten; Aufzug

KG	Kostengruppe	Menge Einheit	Kosten €	€/Einheit	%
500	**Außenanlagen und Freiflächen**	1.972,50 m² AF	210.672	**106,80**	4,1

Stellplätze; Gartenhaus; Bepflanzung

6100-1560
Mehrfamilienhaus
(16 WE)

Objektübersicht

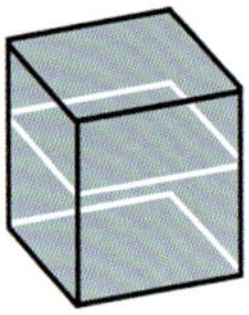

BRI 700 €/m³

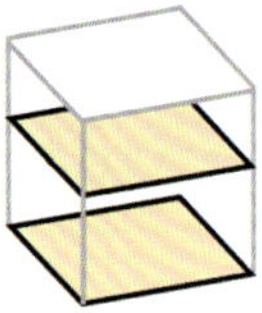

BGF 2.092 €/m²

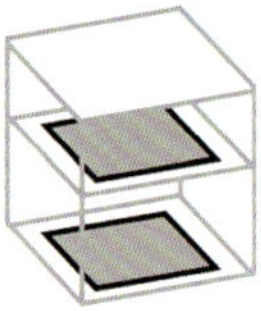

NUF 3.456 €/m²

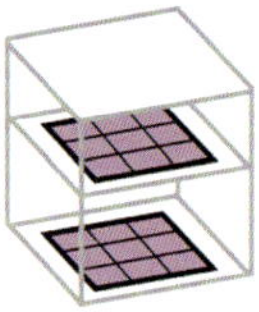

NE 3.292 €/NE

NE: Wohnfläche

Objekt:
Kennwerte: 1. Ebene DIN 276
BRI: 5.119 m³
BGF: 1.714 m²
NUF: 1.037 m²
Bauzeit: 57 Wochen
Bauende: 2020
Standard: Durchschnitt
Bundesland: Bayern
Kreis: Nürnberg

Architekt*in:
wbg Nürnberg GmbH
Immobilienunternehmen
Glogauer Straße 70
90473 Nürnberg

Bauherr*in:
wbg Nürnberg GmbH
Immobilienunternehmen
Glogauer Straße 70
90473 Nürnberg

© Erich Malter

© Erich Malter

© Erich Malter

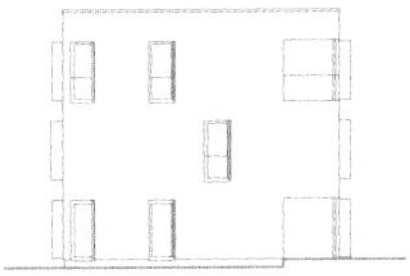

Ansicht Nord-West

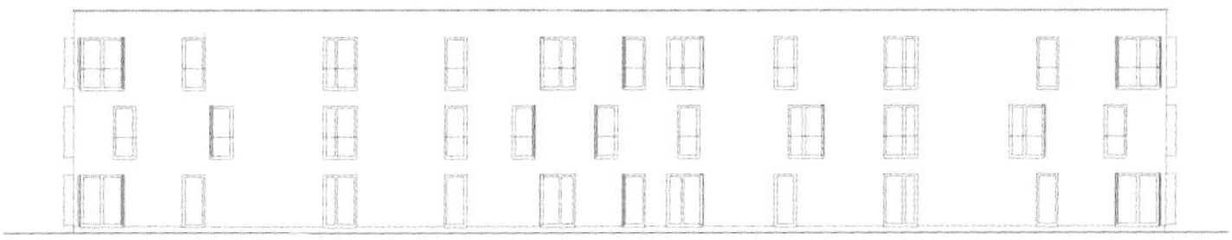

Ansicht Nord-Ost

Erdgeschoss

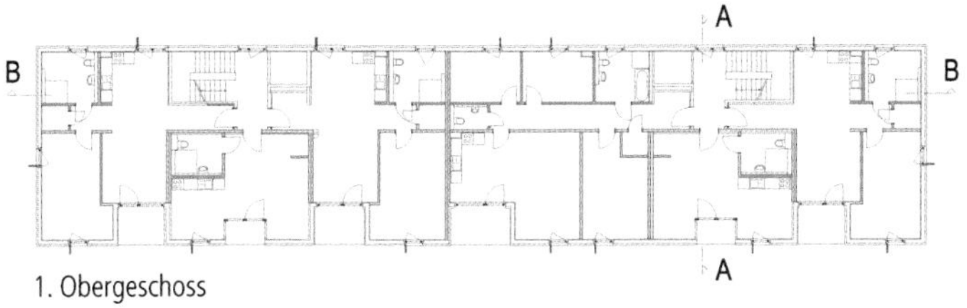

1. Obergeschoss

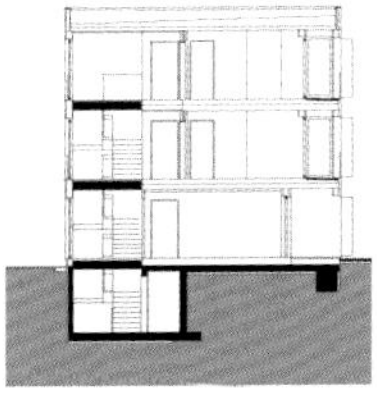

Schnitt A-A

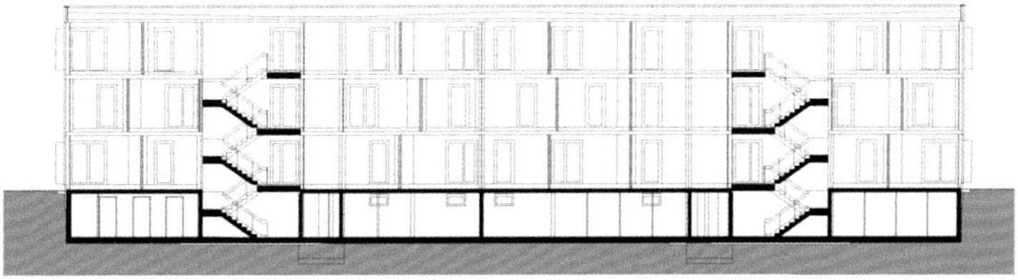

Schnitt B-B

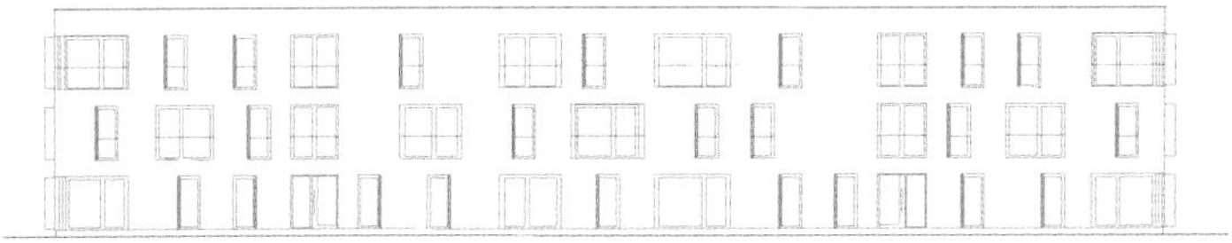

Ansicht Süd-West

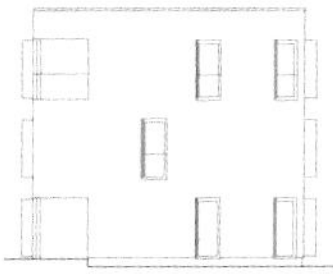

Ansicht Süd-Ost

Objektbeschreibung

Allgemeine Objektinformationen

Als Ergänzung der Mustersiedlung der „Deutschen Bauausstellung" von 1949 wurde ein Mehrfamilienhaus in Holzbauweise errichtet, welches die aktuelle Entwicklungen im Wohnungsbau widerspiegelt. Es wird der KfW EH 55-Standard erfüllt. Der langgestreckte Kubus mit Flachdach beherbergt auf drei Vollgeschossen insgesamt 16 Wohneinheiten, die über zwei Treppenhäuser erschlossen werden.

Nutzung

1 Untergeschoss
Kellerräume, Technik, Heizraum

1 Erdgeschoss
4 Wohnungen: Kochen/Essen/Wohnen, Schlafen, Kind, Bad, Abstellraum, Terrasse

2 Obergeschosse
1. OG
6 Wohnungen: Kochen/Essen/Wohnen, Schlafen, Kind, Bad, Abstellraum Loggia
2. OG
6 Wohnungen: Kochen/Essen/Wohnen, Schlafen, Kind, Bad, Abstellraum, Loggia

Nutzeinheiten

Stellplätze: 8
Wohneinheiten: 16
Wohnfläche: 1.089 m^2

Grundstück

Bauraum: Beengter Bauraum
Neigung: Ebenes Gelände
Bodenklasse: BK 3 bis BK 7

Markt

Hauptvergabezeit: 2. Quartal 2019
Baubeginn: 3. Quartal 2019
Bauende: 3. Quartal 2020
Konjunkturelle Gesamtlage: über Durchschnitt
Regionaler Baumarkt: über Durchschnitt

Baukonstruktion

Das Untergeschoss des teilunterkellerten Neubaus ist in Massivbauweise mit Halbfertigteilen ausgeführt. Die aufgehenden Außenwände wurden in Holztafelbauweise mit einer Holzfaser-Kerndämmung errichtet. Sie kamen vorgefertigt inklusive der Fenster sowie innerer und äußerer Wandbekleidung zum Einbau. Außen sind die Wände mit einem Wärmedämmverbundsystem aus Holzfaserdämmplatten und einem mineralischen Oberputz beschichtet. Die Fassaden sind mit raumhohen Kunststofffenstern mit dreifacher Isolierverglasung und Alu-Schiebeläden gestaltet. Geländer mit Streckmetallfüllungen dienen als Absturzsicherung. Die Decken und das Dach sind Massivholzdecken aus Brettschicht- und Brettsperrholz mit einer Auflast aus gebundener Splitschüttung. Die Treppenläufe aus Sichtbeton verbinden die Geschosse. Das Flachdach wurde als Foliendach hergestellt und bekiest. Die Innenwände im Eingangsbereich und Treppenhaus mit Aufzugsschacht wurden als Brettsperrholzwände eingebaut. Wände innerhalb der Wohnungen entstanden in Trockenbauweise. In den Wohnungen sind die Fußböden mit Eiche-Industrieparkett belegt, die Loggien besitzen Holzbeläge in Thermokiefer.

Technische Anlagen

Die Wärmeversorgung des Gebäudes erfolgt über Geothermie mit Tiefenbohrungen und einer Sole-Wasser-Wärmepumpe. Zur Wärmeübertragung dient eine Fußbodenheizung. Warmwasser wird dezentral mittels Elektrodurchlauferhitzern bereitet. Alle Wohneinheiten verfügen über eine zentrale Abluftanlage.

Planungskennwerte für Flächen und Rauminhalte nach DIN 277

Flächen des Grundstücks		Menge Einheit	% an GF
BF	Bebaute Fläche	499,69 m²	29,0
UF	Unbebaute Fläche	1.221,31 m²	71,0
GF	Grundstücksfläche	1.721,00 m²	100,0

Grundflächen des Bauwerks		Menge Einheit	% an NUF	% an BGF
NUF	Nutzungsfläche	1.037,24 m²	100,0	60,5
TF	Technikfläche	28,22 m²	2,7	1,6
VF	Verkehrsfläche	336,69 m²	32,5	19,6
NRF	Netto-Raumfläche	1.402,15 m²	135,2	81,8
KGF	Konstruktions-Grundfläche	311,91 m²	30,1	18,2
BGF	Brutto-Grundfläche	1.714,06 m²	165,3	100,0

Brutto-Rauminhalt des Bauwerks		Menge Einheit	BRI/NUF (m)	BRI/BGF (m)
BRI	Brutto-Rauminhalt	5.119,15 m³	4,94	2,99

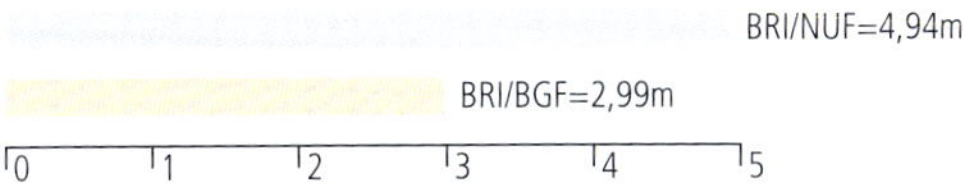

Kostenkennwerte für die Kostengruppen der 1. Ebene DIN 276

KG	Kostengruppen (1. Ebene)	Einheit	Kosten €	€/Einheit	€/m² BGF	€/m³ BRI	% 300+400
100	Grundstück	m² GF	–	–	–	–	–
200	Vorbereitende Maßnahmen	m² GF	175.469	101,96	102,37	34,28	4,9
300	Bauwerk – Baukonstruktionen	m² BGF	2.810.423	1.639,63	1.639,63	549,00	78,4
400	Bauwerk – Technische Anlagen	m² BGF	774.557	451,88	451,88	151,31	21,6
	Bauwerk 300+400	**m² BGF**	**3.584.980**	**2.091,51**	**2.091,51**	**700,31**	**100,0**
500	Außenanlagen und Freiflächen	m² AF	359.136	294,06	209,52	70,16	10,0
600	Ausstattung und Kunstwerke	m² BGF	–	–	–	–	–
700	Baunebenkosten	m² BGF	–	–	–	–	–
800	Finanzierung	m² BGF	–	–	–	–	–

KG	Kostengruppe	Menge Einheit	Kosten €	€/Einheit	%
200	**Vorbereitende Maßnahmen**	1.721,00 m² GF	175.469	**101,96**	4,9

Abbruch und Rückbau Garagenhof; Gebühren Erschließung

KG	Kostengruppe	Menge Einheit	Kosten €	€/Einheit	%
3+4	**Bauwerk**				**100,0**
300	**Bauwerk – Baukonstruktionen**	1.714,06 m² BGF	2.810.423	**1.639,63**	78,4

Stb-Bodenplatte, Bodenbeschichtung; Stb-Elementwände, Holztafelwände mit Holzfaser-Kerndämmung, Kunststofffenster, Dreifachverglasung, WDVS, Alu-Schiebeläden; Brettsperrholzwände, Stb-Wände, Mauerwerk, Trockenbauwände, Holztüren mit Stahlzargen, Beschichtung, Wandfliesen; Massivholzdecken, Splitschüttung, Sichtbetontreppen mit mineralischer Beschichtung, Estrich, Parkett, Loggien mit Holzbelag, Umwehrungen mit Streckmetallfüllungen; Massivholz-Flachdach, Splitschüttung, Kunststoffabdichtung, Kies, Dachentwässerung

KG	Kostengruppe	Menge Einheit	Kosten €	€/Einheit	%
400	**Bauwerk – Technische Anlagen**	1.714,06 m² BGF	774.557	**451,88**	21,6

Gebäudeentwässerung, Kalt- und Warmwasserleitungen, Sanitärobjekte, barrierefreie Duschen, dezentrale Warmwasserbereitung mit Elektrodurchlauferhitzern; Geothermie mit Tiefenbohrungen, Sole-Wasser-Wärmepumpe, Fußbodenheizung; zentrale Abluftanlage; Elektroinstallation, Brandschutzschalter; MSR-Technik für Heizungssteuerung und Störungsüberwachung gesamte TGA

KG	Kostengruppe	Menge Einheit	Kosten €	€/Einheit	%
500	**Außenanlagen und Freiflächen**	1.221,31 m² AF	359.136	**294,06**	10,0

Betonpflaster, Längsrasenfugensteine, Parkplatz für 8 Pkw, Holzhäcksel; Einfriedungen; Rigolenversickerung; Fahrradstellplätze, Ausstattung für Kinderspielplatz; Rasenflächen, Bepflanzung

6100-1561
Mehrfamilienhaus
(7 WE)
Effizienzhaus ~21%

Objektübersicht

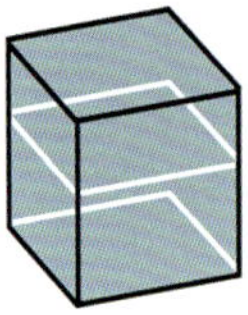

BRI 689 €/m³

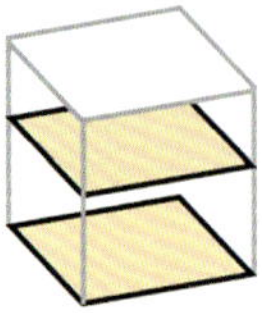

BGF 2.265 €/m²

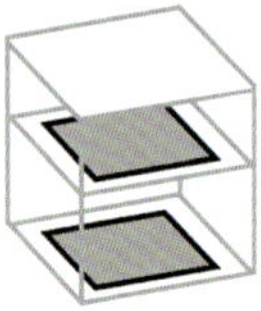

NUF 3.417 €/m²

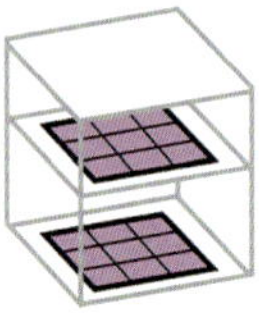

NE 3.388 €/NE

NE: Wohnfläche

Objekt:
Kennwerte: 1. Ebene DIN 276
BRI: 2.664 m³
BGF: 810 m²
NUF: 537 m²
Bauzeit: 61 Wochen
Bauende: 2019
Standard: Durchschnitt
Bundesland: Thüringen
Kreis: Saalfeld-Rudolstadt

Architekt*in:
Architekturbüro
Constanze Prause-Bergner
Altengesees 15b
07368 Remptendorf

Bauherr*in:
Constanze Prause-Bergner
Daniel Bergner
Altengesees 15b
07368 Remptendorf

© Constanze Prause-Bergner

© Constanze Prause-Bergner

© Constanze Prause-Bergner

© Constanze Prause-Bergner

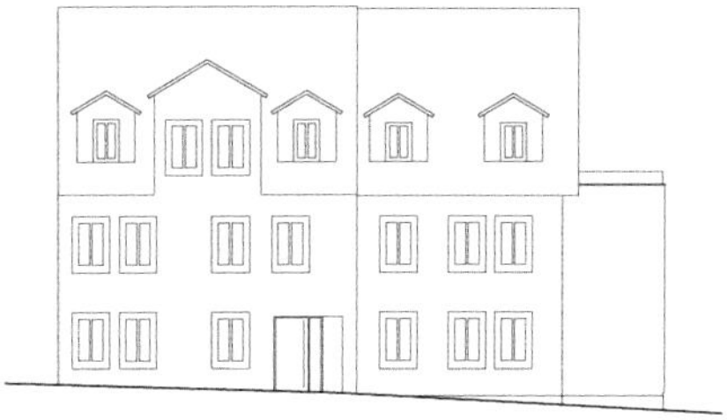

Ansicht Nord

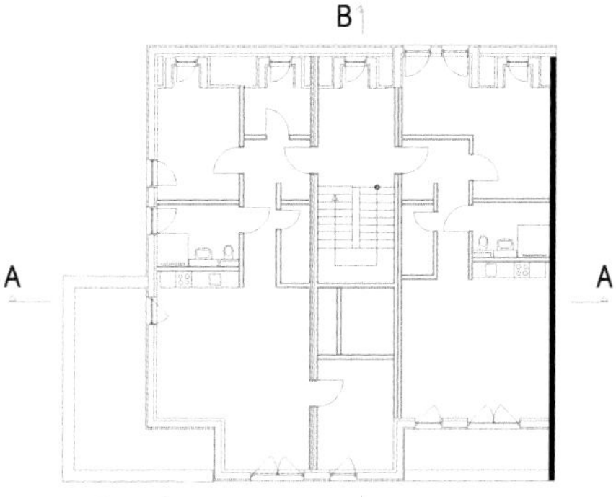

Dachgeschoss

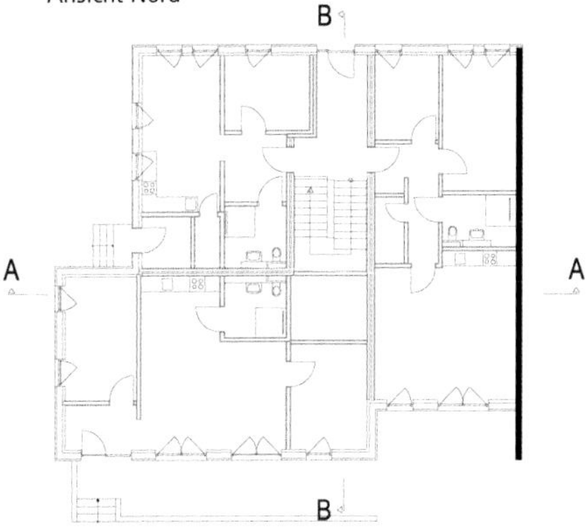

Erdgeschoss

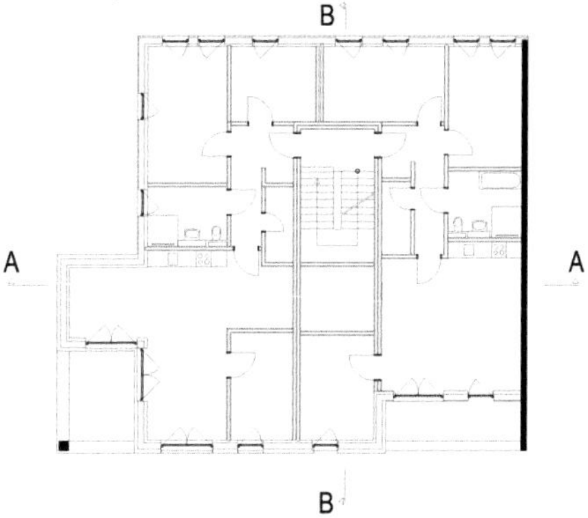

Obergeschoss

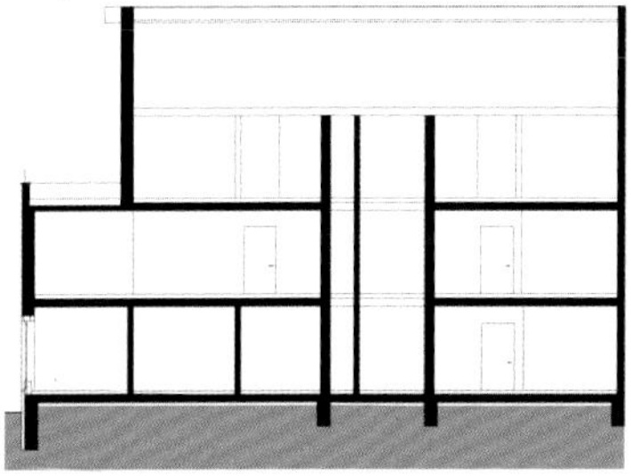

Schnitt A-A

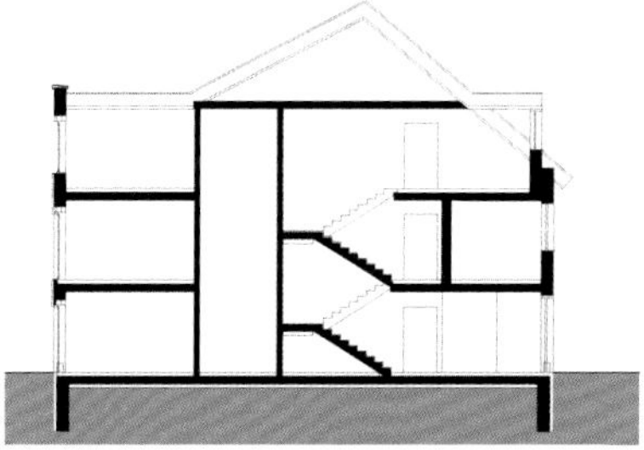

Schnitt B-B

Ansicht Süd

Ansicht West

6100-1561
Mehrfamilienhaus
(7 WE)
Effizienzhaus ~21%

Objektbeschreibung

Allgemeine Objektinformationen

Der Neubau wurde nach dem Abbruch von drei Vorgängerbauten als Ersatzneubau in einem innerstädtischen Denkmalschutzgebiet errichtet. Mit optimierter, kompakter Kubatur fügt sich das Gebäude zur Straßenseite hin in das historische Stadtbild ein. In Anlehnung an den abgebrochenen Bestand und in Abstimmung mit der Denkmalschutzbehörde wurde die Marktseite im Fassaden- und Dachbereich optisch so unterteilt, dass der Neubau wie zwei getrennte Objekte wirkt. Fenstergrößen und -anordnung mussten sich an der angrenzenden Bebauung orientieren. Die gartenseitige Ansicht ist moderner gestaltet. Der farbig abgesetzte Kubus schiebt sich in die schlicht gestaltete Rückseite mit großzügiger Flachdachgaube. Fast alle Wohnungen verfügen im Süden über einen Freisitz.

Nutzung

1 Erdgeschoss
3 Wohnungen: Kochen/Essen/Wohnen, Schlafen, Kind, Bad, Terrasse

1 Obergeschoss
2 Wohnungen: Kochen/Essen/Wohnen, Schlafen, Kinderzimmer, Bad, Abstellraum Loggia

1 Dachgeschoss
2 Wohnungen: Kochen/Essen/Wohnen, Schlafen, Kind, Bad, Abstellraum, Loggia/Dachterrasse

Nutzeinheiten

Stellplätze: 7
Wohneinheiten: 7
Wohnfläche: 541 m²

Grundstück

Bauraum: Beengter Bauraum
Neigung: Ebenes Gelände
Bodenklasse: BK 2 bis BK 3

Markt

Hauptvergabezeit: 3. Quartal 2018
Baubeginn: 4. Quartal 2018
Bauende: 4. Quartal 2019
Konjunkturelle Gesamtlage: über Durchschnitt
Regionaler Baumarkt: unter Durchschnitt

Baukonstruktion

Das Wohngebäude wurde als Holzbau errichtet. Auf der gedämmten Stahlbetonbodenplatte wurden die in Holzrahmenbauweise vorgefertigten Wände montiert. Für die Geschossdecken wurden Brettsperrholz-Rippenelemente verwendet, deren Holzuntersichten sichtbar bleiben. Die Außenwände schließen mit verputzten Holzfaserplatten ab. Die rückwärtige Fassade wurde mit Fassadenplatten gestaltet. Sämtliche Fenster sind dreifachverglast. Alle südlich gelegenen Fenster verfügen über einen außenliegenden Sonnenschutz. Das Satteldach sowie die Dachgauben haben eine Deckung aus Tonziegeln erhalten, die vertikalen Außenflächen der Gauben sind mit verzinkter Metallfassade ausgeführt. Innen kamen Holzrahmenwände und Holztüren zum Einbau. Alle Wände sind verspachtelt und weiß gestrichen. Die Fußböden in den Wohnräumen wurden mit Echtholzparkett belegt.

Technische Anlagen

Solarpaneele in Kombination mit Gas sichern die Wärmeversorgung. Zentral im Gebäude wurde ein Pufferspeicher montiert, der durch eine großflächige Solarthermie gespeist wird. In allen Wohnungen wurde eine dezentrale Lüftungsanlage mit Wärmerückgewinnung eingebaut. Die Wohneinheiten im Ober- und Dachgeschoss werden durch einen platzsparenden Plattformlift barrierefrei erreicht.

Planungskennwerte für Flächen und Rauminhalte nach DIN 277

Flächen des Grundstücks		Menge Einheit	% an GF
BF	Bebaute Fläche	274,72 m²	15,9
UF	Unbebaute Fläche	1.450,28 m²	84,1
GF	Grundstücksfläche	1.725,00 m²	100,0

Grundflächen des Bauwerks		Menge Einheit	% an NUF	% an BGF
NUF	Nutzungsfläche	536,89 m²	100,0	66,3
TF	Technikfläche	11,04 m²	2,1	1,4
VF	Verkehrsfläche	114,17 m²	21,3	14,1
NRF	Netto-Raumfläche	662,10 m²	123,3	81,8
KGF	Konstruktions-Grundfläche	147,56 m²	27,5	18,2
BGF	Brutto-Grundfläche	809,66 m²	150,8	100,0

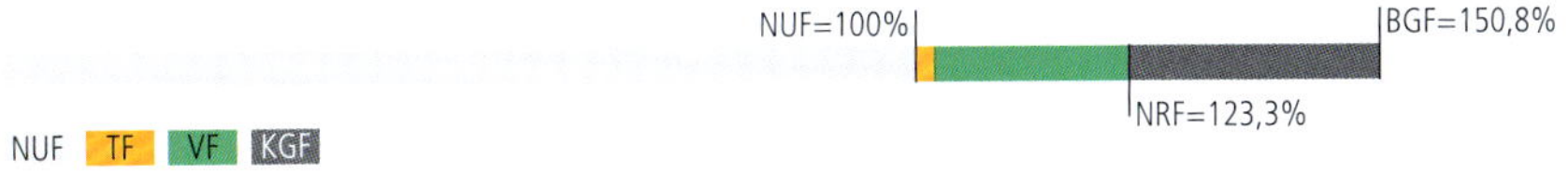

Brutto-Rauminhalt des Bauwerks		Menge Einheit	BRI/NUF (m)	BRI/BGF (m)
BRI	Brutto-Rauminhalt	2.664,00 m³	4,96	3,29

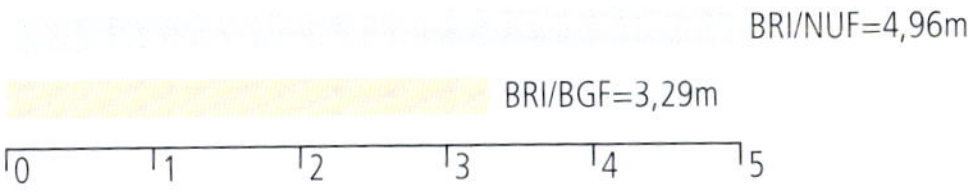

Kostenkennwerte für die Kostengruppen der 1.Ebene DIN 276

KG	Kostengruppen (1.Ebene)	Einheit	Kosten €	€/Einheit	€/m² BGF	€/m³ BRI	% 300+400
100	Grundstück	m² GF	–	–	–	–	–
200	Vorbereitende Maßnahmen	m² GF	104.993	60,87	129,68	39,41	5,7
300	Bauwerk – Baukonstruktionen	m² BGF	1.400.047	1.729,18	1.729,18	525,54	76,3
400	Bauwerk – Technische Anlagen	m² BGF	434.238	536,32	536,32	163,00	23,7
	Bauwerk 300+400	**m² BGF**	**1.834.285**	**2.265,50**	**2.265,50**	**688,55**	**100,0**
500	Außenanlagen und Freiflächen	m² AF	84.062	57,96	103,82	31,55	4,6
600	Ausstattung und Kunstwerke	m² BGF	–	–	–	–	–
700	Baunebenkosten	m² BGF	–	–	–	–	–
800	Finanzierung	m² BGF	–	–	–	–	–

KG	Kostengruppe	Menge Einheit	Kosten €	€/Einheit	%
200	**Vorbereitende Maßnahmen**	1.725,00 m² GF	104.993	**60,87**	5,7

Abbruch von Bestandsgebäuden

KG	Kostengruppe	Menge Einheit	Kosten €	€/Einheit	%
3+4	**Bauwerk**				**100,0**
300	**Bauwerk – Baukonstruktionen**	809,66 m² BGF	1.400.047	**1.729,18**	76,3

Stb-Bodenplatte, Abdichtung, Dämmung; Holzrahmenwände mit Holzfaser-Putzträgerplatten, Kunststofffenster, Dreifachverglasung, Außenputz, Fassadenplatten, tlw. außenliegender Sonnenschutz als elektrische Jalousie mit Alulamellen; Holzrahmenwände, Brandwand aus Planziegel, Vollspantüren mit CPL, GK-Bekleidung, Spachtelung Q3/Q4, Beschichtung, Wandfliesen; Decken aus Brettsperrholz-Rippenelementen, sichtbare Holzuntersicht, BSH-Treppen, Fertigparkett, Feinsteinzeug, Bodenfliesen, Loggien mit Bitumenabdichtung, Holzdielen, Absturzsicherungen/Geländer; Satteldach aus vorgefertigten Dachkassetten, Untersicht aus GK-Platten, Tonziegeln, Gaubenwände mit verzinkter Metallfassade, Dachterrasse mit Bitumenabdichtung, Holzdielen, Dachentwässerung

KG	Kostengruppe	Menge Einheit	Kosten €	€/Einheit	%
400	**Bauwerk – Technische Anlagen**	809,66 m² BGF	434.238	**536,32**	23,7

Gebäudeentwässerung, Kalt- und Warmwasserleitungen, Sanitärobjekte; Solarpaneele in Kombination mit Gas, Pufferspeicher 16.000l, Fußbodenheizung; dezentrale Lüftungsanlage mit Wärmerückgewinnung; Photovoltaikanlage, Elektroinstallation; Plattformlift

KG	Kostengruppe	Menge Einheit	Kosten €	€/Einheit	%
500	**Außenanlagen und Freiflächen**	1.450,28 m² AF	84.062	**57,96**	4,6

Bodenarbeiten; Rampe mit Betonpflaster, Terrassen aus Steinplatten, Pkw-Stellplätze; Einfriedung, Treppen, Bepflanzung, Rasen

6100-1573
Wohnanlage
(96 WE)
TG (77 STP)

Objektübersicht

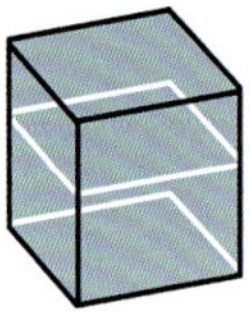

BRI 754 €/m³

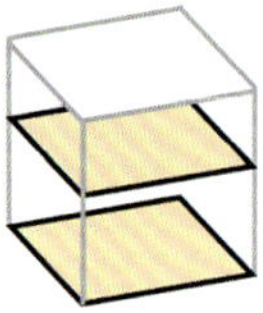

BGF 2.494 €/m²

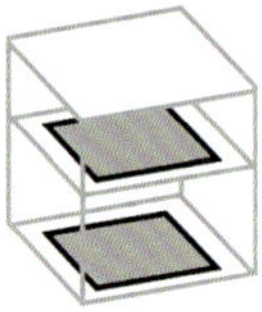

NUF 3.835 €/m²

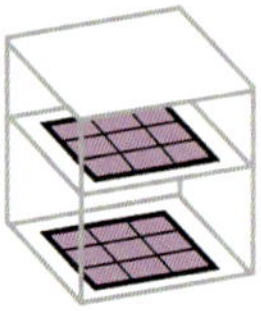

NE 4.057 €/NE

NE: Wohnfläche

Objekt:
Kennwerte: 1. Ebene DIN 276
BRI: 42.760 m³
BGF: 12.933 m²
NUF: 8.410 m²
Bauzeit: 165 Wochen
Bauende: 2021
Standard: Durchschnitt
Bundesland: Sachsen-Anhalt
Kreis: Halle (Saale), Stadt

Architekt*in:
dietzsch & weber
architekten bda
Pfälzer Ufer 6
06108 Halle (Saale)

Bauherr*in:
Wohnungsgenossenschaft
Gesundbrunnen Halle eG
Straße der Republik 138
06128 Halle (Saale)

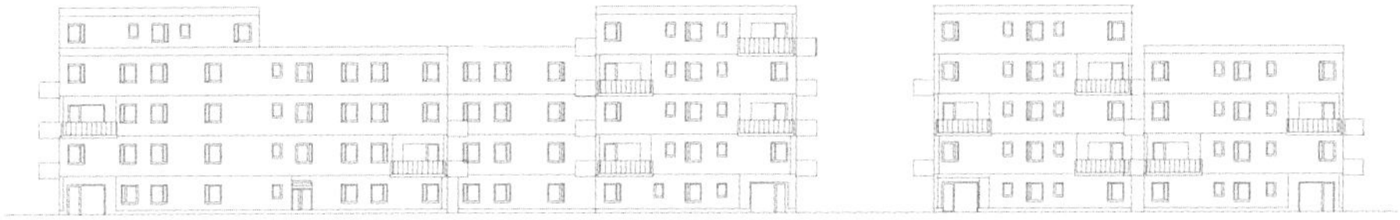

Ansicht Nord

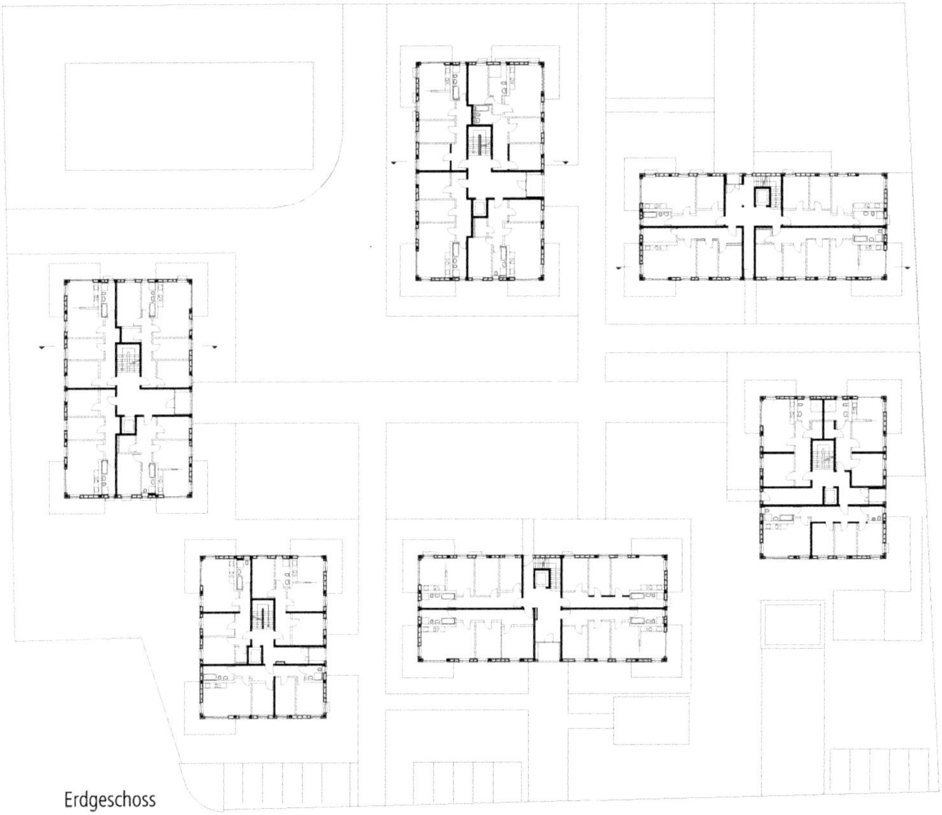

Erdgeschoss

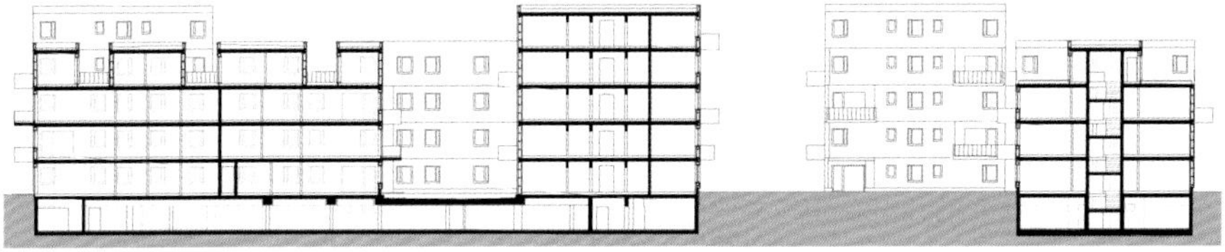

Schnitt

Objektbeschreibung

Allgemeine Objektinformationen

Die neue Wohnanlage besteht aus sechs Gebäuden, die um einen rechteckigen Innenhof gruppiert sind. Durch die unterschiedliche Zusammenstellung verschiedener Wohnungs-Grundtypen entstanden drei unterschiedliche Gebäudekörper. Ausgeführt wurden 96 Wohneinheiten, überwiegend als barrierefreie Drei- und Vier-Zimmerwohnungen für Familien in vier- und fünfgeschossigen Gebäuden. Eine zentrale Tiefgarage ermöglicht den weitestgehenden Verzicht auf oberirdische Stellplätze.

Nutzung

1 Untergeschoss
Stellplätze, Kellerräume, Technikräume

1 Erdgeschoss
Wohnen/Essen, Küche, Bad, Schlafzimmer

3 Obergeschosse
Wohnen/Essen, Küche, Bad, Schlafzimmer, Balkon/Dachterrasse

Nutzeinheiten

Stellplätze: 77
Wohneinheiten: 96
Wohnfläche: 7.950 m²

Grundstück

Bauraum: Freier Bauraum
Neigung: Ebenes Gelände
Bodenklasse: BK 1 bis BK 4

Markt

Hauptvergabezeit: 3. Quartal 2018
Baubeginn: 3. Quartal 2018
Bauende: 4. Quartal 2021
Konjunkturelle Gesamtlage: über Durchschnitt
Regionaler Baumarkt: über Durchschnitt

Baukonstruktion

Die Anlage ist in Holzhybridbauweise realisiert. Die Tiefgarage, sämtliche Geschossdecken, der Treppenhaus- und Aufzugskern sowie die Außenwandstützen sind aus Stahlbeton hergestellt. Die vorgefertigten Außenwände wurden als Holzrahmenkonstruktion mit Holzfaserdämmung und Lärchenholzschalung errichtet. Die Holzfassaden haben eine mineralische Beschichtung erhalten. Innen bestehen die Wände aus Ziegelmauerwerk oder sind in Trockenbauweise ausgeführt. Alle Innenwände sind tapeziert und beschichtet. Die Balkone wurden als Stahlbetonfertigteile angebaut. Die Fußböden sind mit Fliesen oder Vinyl belegt.

Technische Anlagen

Die Wärme- und Warmwasserversorgung der Wohnungen erfolgt über Fernwärme. Mittels Fußbodenheizung wird die Wärme in den Räumen verteilt. Für die Entlüftung der Bäder und Küchen wurden Lüftungsanlagen eingebaut. In allen Gebäuden sind Aufzüge eingebaut. Das Regenwasser wird in einer großen Zisterne im Hofbereich gesammelt und für die Bewässerung und Kühlung der Hofflächen genutzt.

Sonstiges

Die einzelnen Gebäude der Wohnanlage wurden in den Großbaumbestand unter Erhalt möglichst vieler Bäume integriert. Sie nehmen in ihrer Stellung Bezug auf die umgebenden Bebauungen und schaffen mit dem geschützten Hofraum eine Mitte für die Wohngemeinschaft.

Planungskennwerte für Flächen und Rauminhalte nach DIN 277

Flächen des Grundstücks		Menge Einheit	% an GF
BF	Bebaute Fläche	2.870,00 m²	30,4
UF	Unbebaute Fläche	6.580,00 m²	69,6
GF	Grundstücksfläche	9.450,00 m²	100,0

Grundflächen des Bauwerks		Menge Einheit	% an NUF	% an BGF
NUF	Nutzungsfläche	8.410,00 m²	100,0	65,0
TF	Technikfläche	170,00 m²	2,0	1,3
VF	Verkehrsfläche	3.030,00 m²	36,0	23,4
NRF	Netto-Raumfläche	11.610,00 m²	138,0	89,8
KGF	Konstruktions-Grundfläche	1.323,00 m²	15,7	10,2
BGF	Brutto-Grundfläche	12.933,00 m²	153,8	100,0

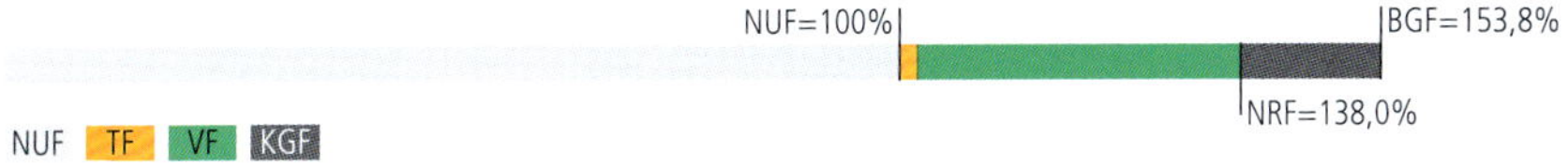

Brutto-Rauminhalt des Bauwerks		Menge Einheit	BRI/NUF (m)	BRI/BGF (m)
BRI	Brutto-Rauminhalt	42.760,00 m³	5,08	3,31

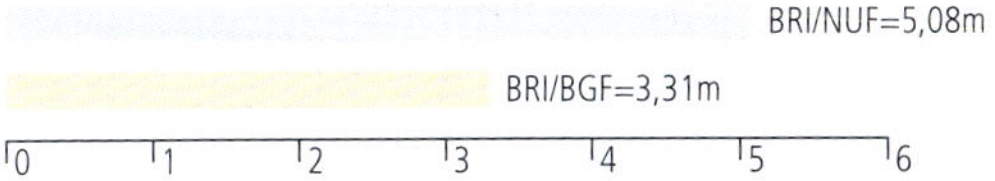

Kostenkennwerte für die Kostengruppen der 1. Ebene DIN 276

KG	Kostengruppen (1. Ebene)	Einheit	Kosten €	€/Einheit	€/m² BGF	€/m³ BRI	% 300+400
100	Grundstück	m² GF	–	–	–	–	–
200	Vorbereitende Maßnahmen	m² GF	–	–	–	–	–
300	Bauwerk – Baukonstruktionen	m² BGF	27.065.423	2.092,74	2.092,74	632,96	83,9
400	Bauwerk – Technische Anlagen	m² BGF	5.185.313	400,94	400,94	121,27	16,1
	Bauwerk 300+400	**m² BGF**	**32.250.737**	**2.493,68**	**2.493,68**	**754,23**	**100,0**
500	Außenanlagen und Freiflächen	m² AF	–	–	–	–	–
600	Ausstattung und Kunstwerke	m² BGF	–	–	–	–	–
700	Baunebenkosten	m² BGF	–	–	–	–	–
800	Finanzierung	m² BGF	–	–	–	–	–

KG	Kostengruppe	Menge Einheit	Kosten €	€/Einheit	%
3+4	**Bauwerk**				**100,0**
300	**Bauwerk – Baukonstruktionen**	12.933,00 m² BGF	27.065.423	**2.092,74**	83,9

Stb-Bodenplatten, Gussasphalt, Beschichtung; Stb-Wände im UG, Holzrahmenwände, Holzfaserdämmung, Kunststofffenster, Lärchenholzschalung, OSB-Bekleidung innen, GK-Installationsschalen, Rollläden; Stb-Aufzugsschächte, Ziegelmauerwerk, GK-Wände, Holztüren, Putz, Tapete, Beschichtung, Wandfliesen; Stb-Elementdecken, Stb-Fertigteiltreppen, Estrich, Bodenfliesen, Vinylbelag, Betonwerkstein; Stb-Elementdächer, Lichtkuppeln, Mineralwolldämmung, Bitumenabdichtung, Holz-Terrassendielen, Flachdachentwässerung

KG	Kostengruppe	Menge Einheit	Kosten €	€/Einheit	%
400	**Bauwerk – Technische Anlagen**	12.933,00 m² BGF	5.185.313	**400,94**	16,1

Gebäudeentwässerung, Regenwasserzisterne, Kalt- und Warmwasserleitungen, Sanitärobjekte; Fernwärmeanschluss, Heizungsrohre, Fußbodenheizung; Einzelraumentlüftung; Elektroinstallation; Telefonanschlüsse, Sprechanlagen, Fernsehanschlüsse, Datenübertragungsnetze; Aufzüge

6100-1587
Mehrfamilienhaus
(9 WE)

Objektübersicht

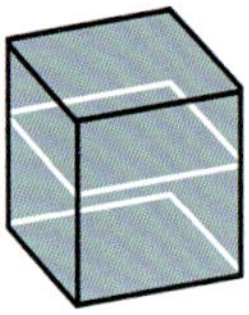

BRI 753 €/m³

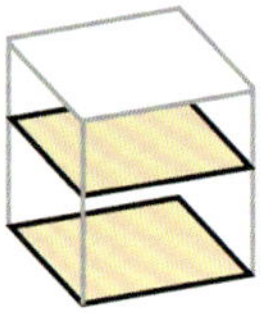

BGF 2.101 €/m²

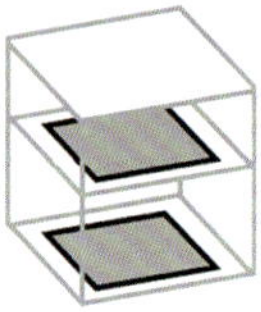

NUF 3.205 €/m²

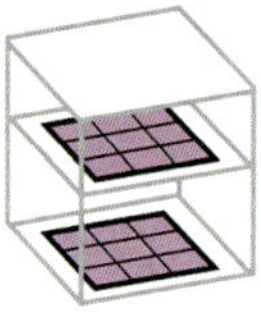

NE 3.295 €/NE

NE: Wohnfläche

Objekt:
Kennwerte: 3. Ebene DIN 276
BRI: 2.836 m³
BGF: 1.017 m²
NUF: 667 m²
Bauzeit: 56 Wochen
Bauende: 2021
Standard: Durchschnitt
Bundesland: Hamburg
Kreis: Hamburg, Stadt

Architekt*in:
Plan-R-Architektenbüro
Martin Brüdigam
Helenenstraße 14
22765 Hamburg

Bauherr*in:
Planungsgemeinschaft B48
GbR
WEG Brehmweg 48

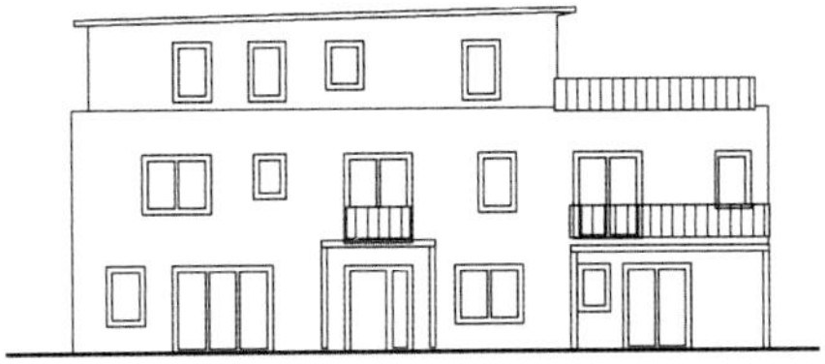

Ansicht Nord

Ansicht Ost

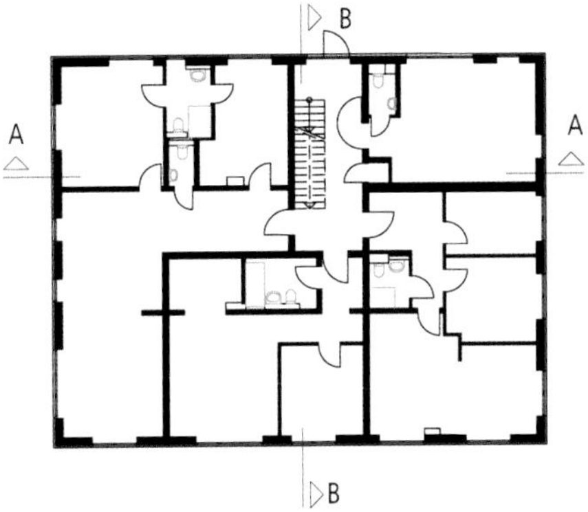

Erdgeschoss

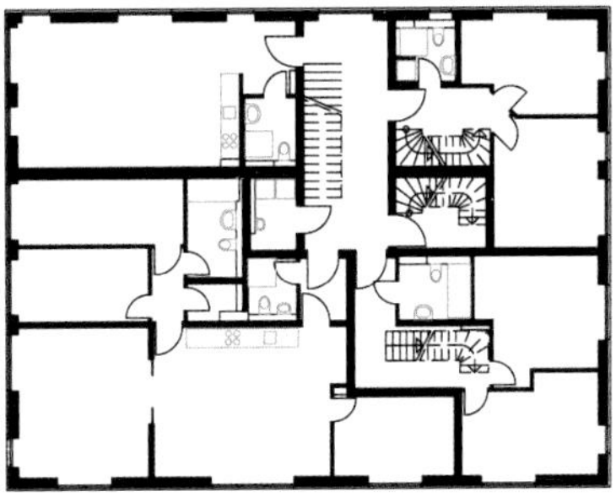

Obergeschoss

Schnitt A-A

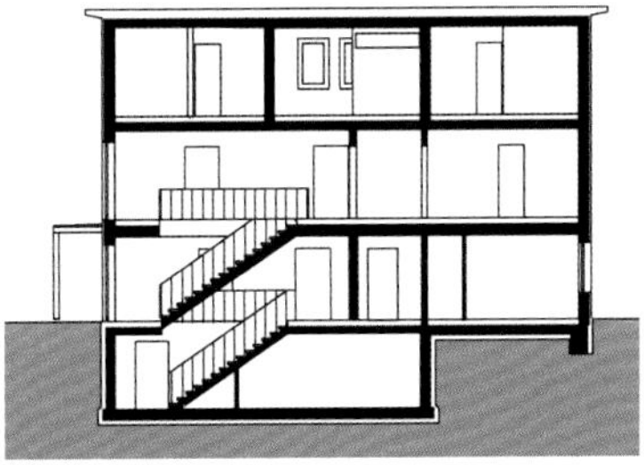

Schnitt B-B

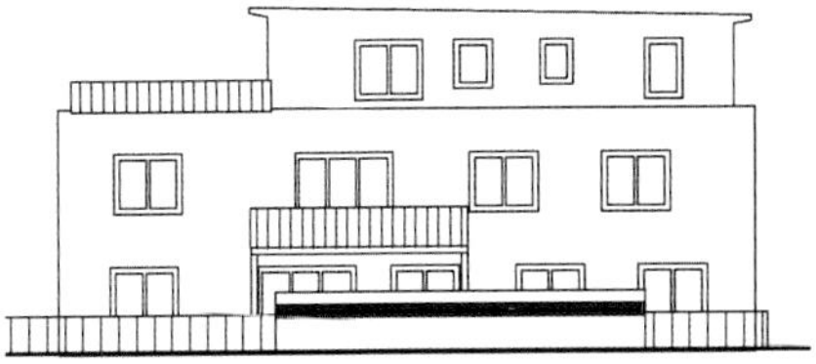

Ansicht Süd

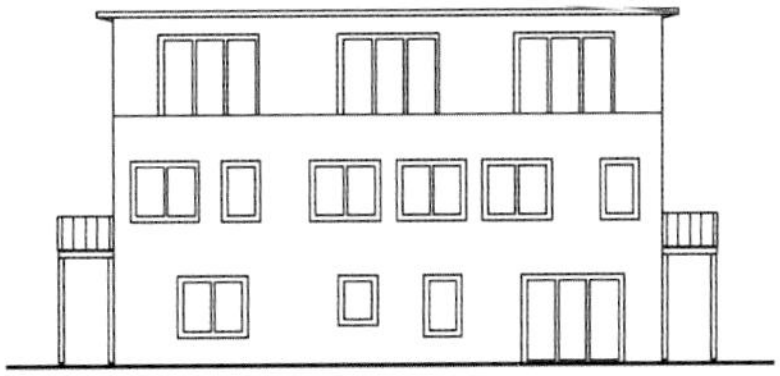

Ansicht West

Objektbeschreibung

Allgemeine Objektinformationen

Bei dem Neubau handelt es sich um einen Holzbau, der aus ökologischen Baustoffen besteht und überwiegend mit Holz realisiert ist. Für die Energieerzeugung wurde auf fossile Brennstoffe vollständig verzichtet.

Nutzung

1 Untergeschoss
Kellerräume, Werkstatt/Trockenraum, Technikraum

1 Erdgeschoss
Vier Wohnungen

2 Obergeschosse
1.OG: zwei Etagenwohnungen, drei Maisonettewohnungen
2.OG: drei Maisonettewohnungen

Besonderer Kosteneinfluss Nutzung
Ökologische Bauweise mit nachwachsenden Rohstoffen.

Nutzeinheiten

Wohneinheiten: 9
Wohnfläche: 648 m^2

Grundstück

Bauraum: Freier Bauraum
Neigung: Ebenes Gelände
Bodenklasse: BK 1 bis BK 4

Besonderer Kosteneinfluss Grundstück
Teilweise Bodenaustausch

Markt

Hauptvergabezeit: 2.Quartal 2020
Baubeginn: 2.Quartal 2020
Bauende: 3.Quartal 2021
Konjunkturelle Gesamtlage: über Durchschnitt
Regionaler Baumarkt: über Durchschnitt

Baukonstruktion

Der Teilkeller wurde aus WU-Beton hergestellt. Alle Wände oberhalb der EG-Sohle sind in Holzrahmenbauweise mit Holzfaserdämmung, Holzfenstern und hinterlüfteter Holzfassade errichtet. Die Außenwände wurden bis auf die innere Vorsatzschale vorgefertigt und mittels Mobilkran errichtet. Die Fensterlaibungen sind mit farbenfroh beschichtetem Metall bekleidet. Im Innenbereich wurden die Holzbalkendecken teilweise holzsichtig belassen und lasiert. Die Fußböden sind überwiegend mit Parkett belegt. Auf den Balkonen und der Dachterrasse liegen Holzdielen.

Technische Anlagen

Für den Betrieb des Gebäudes werden ausschließlich erneuerbare Energien verwendet. Sechs ca. 100m tiefe Erdsonden liefern über eine Sole-Wasser-Wärmepumpe Wärme und Warmwasser. Sie wird durch eine Photovoltaikanlage auf dem Dach und einen Ökostromanschluss unterstützt. Die Wärme wird über Fußbodenheizungen in den Räumen verteilt. In den Sanitärräumen sind Badheizkörper eingebaut. Badentlüfter mit Feuchteregulierung und Fensterfalzöffnungen sorgen für Luftaustausch in den Wohnungen.

Sonstiges

Die drei Erdgeschosswohnungen sind barrierefrei ausgeführt.

Planungskennwerte für Flächen und Rauminhalte nach DIN 277

Flächen des Grundstücks		Menge Einheit	% an GF
BF	Bebaute Fläche	309,90 m²	31,0
UF	Unbebaute Fläche	690,10 m²	69,0
GF	Grundstücksfläche	1.000,00 m²	100,0

Grundflächen des Bauwerks		Menge Einheit	% an NUF	% an BGF
NUF	Nutzungsfläche	666,55 m²	100,0	65,5
TF	Technikfläche	21,36 m²	3,2	2,1
VF	Verkehrsfläche	117,67 m²	17,7	11,6
NRF	Netto-Raumfläche	805,58 m²	120,9	79,2
KGF	Konstruktions-Grundfläche	211,39 m²	31,7	20,8
BGF	Brutto-Grundfläche	1.016,97 m²	152,6	100,0

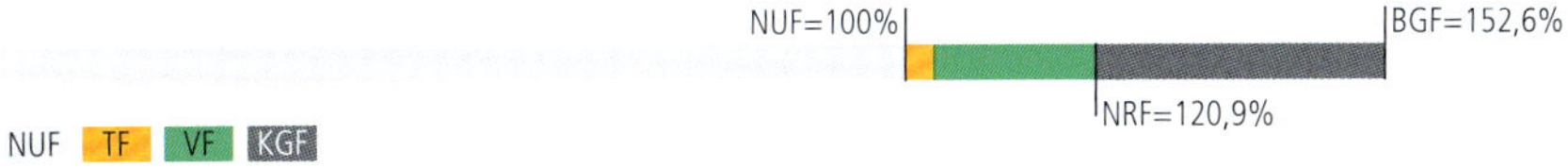

Brutto-Rauminhalt des Bauwerks		Menge Einheit	BRI/NUF (m)	BRI/BGF (m)
BRI	Brutto-Rauminhalt	2.836,36 m³	4,26	2,79

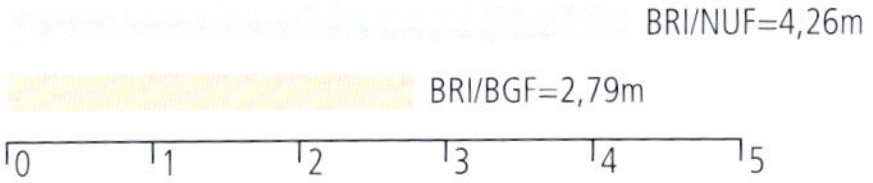

Lufttechnisch behandelte Flächen	Menge Einheit	% an NUF	% an BGF
Entlüftete Fläche	–	–	–
Be- und entlüftete Fläche	–	–	–
Teilklimatisierte Fläche	–	–	–
Klimatisierte Fläche	–	–	–

KG	Kostengruppen (2. Ebene)	Menge Einheit	Menge/NUF	Menge/BGF
310	Baugrube / Erdbau	526,81 m³ BGI	0,79	0,52
320	Gründung, Unterbau	296,09 m² GRF	0,44	0,29
330	Außenwände/Vertikale Baukonstruktionen, außen	711,72 m² AWF	1,07	0,70
340	Innenwände/Vertikale Baukonstruktionen, innen	1.042,72 m² IWF	1,56	1,03
350	Decken/Horizontale Baukonstruktionen	600,34 m² DEF	0,90	0,59
360	Dächer	297,80 m² DAF	0,45	0,29

Kostenkennwerte für die Kostengruppen der 1. Ebene DIN 276

KG	Kostengruppen (1. Ebene)	Einheit	Kosten €	€/Einheit	€/m² BGF	€/m³ BRI	% 300+400
100	Grundstück	m² GF	–	–	–	–	–
200	Vorbereitende Maßnahmen	m² GF	50.934	50,93	50,08	17,96	2,4
300	Bauwerk – Baukonstruktionen	m² BGF	1.677.010	1.649,03	1.649,03	591,25	78,5
400	Bauwerk – Technische Anlagen	m² BGF	459.263	451,60	451,60	161,92	21,5
	Bauwerk 300+400	**m² BGF**	**2.136.272**	**2.100,62**	**2.100,62**	**753,17**	**100,0**
500	Außenanlagen und Freiflächen	m² AF	126.416	178,68	124,31	44,57	5,9
600	Ausstattung und Kunstwerke	m² BGF	–	–	–	–	–
700	Baunebenkosten	m² BGF	–	–	–	–	–
800	Finanzierung	m² BGF	–	–	–	–	–

KG	Kostengruppe	Menge Einheit	Kosten €	€/Einheit	%
200	**Vorbereitende Maßnahmen**	1.000,00 m² GF	50.934	**50,93**	2,4

Suchschachtungen, Abbruch von Gebäude, Schadstoffsanierung, Oberboden abtragen, Boden umsetzen in Kampfmittelverdachtsflächen; Hausanschluss Wasser

KG	Kostengruppe	Menge Einheit	Kosten €	€/Einheit	%
3+4	**Bauwerk**				**100,0**
300	**Bauwerk – Baukonstruktionen**	1.016,97 m² BGF	1.677.010	**1.649,03**	78,5

Stb-Bodenplatte, Fundamente, Estrich, Parkett Bodenbeschichtung, Bodenfliesen, Linoleum; Holzrahmenwände, Stb-Wände, Holzfenster, Holzfassade, Installationsebene, Innenputz, Silikatbeschichtung, Lehmfarbe, Wandfliesen, Wabenplissees; KS-Mauerwerk, Holztüren, Innenfenster, Holz-Lattenverschläge; Holzbalkendecken, Weitspannträgersystem, Holzbalkone, Stb-Decke, Glasboden, Holzwangentreppen; Holzbalkendach, Oberlichter, Abdichtung, Extensivbegrünung, Holzterrasse, Dachentwässerung, Holzlasur, Stahlgeländer; Standbriefkasten

KG	Kostengruppe	Menge Einheit	Kosten €	€/Einheit	%
400	**Bauwerk – Technische Anlagen**	1.016,97 m² BGF	459.263	**451,60**	21,5

Gebäudeentwässerung, Kalt- und Warmwasserleitungen, Sanitärobjekte; Sole-Wasser-Wärmepumpe, Pufferspeicher, Kühlstation, Heizungsrohre, Fußbodenheizung, Badheizkörper; Badentlüfter, Kleinraumventilator; Photovoltaikanlage, Elektroinstallation, Beleuchtung, Blitzschutz; Türsprechanlage, Lautsprecherverkabelung, Antennenanschlüsse, Rauchwarnmelder, Datenverkabelung

KG	Kostengruppe	Menge Einheit	Kosten €	€/Einheit	%
500	**Außenanlagen und Freiflächen**	707,50 m² AF	126.416	**178,68**	5,9

Bodenarbeiten; Holzterrasse; KG-Rohre, Kontrollschächte, Retentionszisterne, Erdsondenanlage, Außenbeleuchtung

Kostenkennwerte für die Kostengruppen 300 der 2. und 3. Ebene DIN 276 (Übersicht)

KG	Kostengruppe	Menge Einheit	€/Einheit	Kosten €	% an 3+4
300	**Bauwerk – Baukonstruktionen**	**1.016,97 m² BGF**	**1.649,03**	**1.677.009,50**	**78,5**
310	**Baugrube / Erdbau**	**526,81 m³ BGI**	**79,01**	**41.625,06**	**1,9**
311	Herstellung	526,81 m³ BGI	51,05	26.895,21	1,3
312	Umschließung	53,79 m²	273,84	14.729,85	0,7
313	Wasserhaltung	–	–	–	–
314	Vortrieb	–	–	–	–
319	Sonstiges zur KG 310	–	–	–	–
320	**Gründung, Unterbau**	**296,09 m² GRF**	**462,30**	**136.881,14**	**6,4**
321	Baugrundverbesserung	636,50 m²	7,57	4.817,89	0,2
322	Flachgründungen und Bodenplatten	296,09 m²	212,25	62.843,97	2,9
323	Tiefgründungen	–	–	–	–
324	Gründungsbeläge	265,12 m²	111,86	29.657,45	1,4
325	Abdichtungen und Bekleidungen	306,78 m²	67,76	20.788,19	1,0
326	Dränagen	296,09 m² GRF	63,41	18.773,63	0,9
329	Sonstiges zur KG 320	–	–	–	–
330	**Außenwände/Vert. Baukonstrukt., außen**	**711,72 m² AWF**	**608,20**	**432.869,02**	**20,3**
331	Tragende Außenwände	558,76 m²	200,62	112.097,37	5,2
332	Nichttragende Außenwände	–	–	–	–
333	Außenstützen	–	–	–	–
334	Außenwandöffnungen	152,96 m²	954,62	146.018,04	6,8
335	Außenwandbekleidungen, außen	584,68 m²	180,44	105.499,20	4,9
336	Außenwandbekleidungen, innen	477,58 m²	126,59	60.457,97	2,8
337	Element. Außenwandkonstruktionen	–	–	–	–
338	Lichtschutz zur KG 330	17,52 m²	230,42	4.036,97	0,2
339	Sonstiges zur KG 330	711,72 m² AWF	6,69	4.759,48	0,2
340	**Innenwände/Vert. Baukonstrukt., innen**	**1.042,72 m² IWF**	**326,28**	**340.214,83**	**15,9**
341	Tragende Innenwände	264,00 m²	235,39	62.144,15	2,9
342	Nichttragende Innenwände	622,50 m²	189,00	117.650,39	5,5
343	Innenstützen	–	–	–	–
344	Innenwandöffnungen	99,66 m²	855,54	85.262,67	4,0
345	Innenwandbekleidungen	1.418,40 m²	49,25	69.857,91	3,3
346	Elementierte Innenwandkonstruktionen	56,56 m²	93,70	5.299,69	0,2
347	Lichtschutz zur KG 340	–	–	–	–
349	Sonstiges zur KG 340	–	–	–	–
350	**Decken/Horizontale Baukonstruktionen**	**600,34 m² DEF**	**626,07**	**375.857,22**	**17,6**
351	Deckenkonstruktionen	579,63 m²	235,62	136.570,71	6,4
352	Deckenöffnungen	0,64 m²	5.010,98	3.207,02	0,2
353	Deckenbeläge	508,53 m²	241,06	122.585,14	5,7
354	Deckenbekleidungen	505,66 m²	111,89	56.578,05	2,6
355	Elementierte Deckenkonstruktionen	20,07 m²	2.131,94	42.788,11	2,0
359	Sonstiges zur KG 350	600,34 m² DEF	23,53	14.128,20	0,7
360	**Dächer**	**297,80 m² DAF**	**785,82**	**234.017,71**	**11,0**
361	Dachkonstruktionen	295,24 m²	185,68	54.820,08	2,6
362	Dachöffnungen	2,56 m²	3.409,18	8.727,49	0,4
363	Dachbeläge	301,41 m²	377,63	113.822,70	5,3
364	Dachbekleidungen	236,00 m²	142,31	33.585,10	1,6
365	Elementierte Dachkonstruktionen	–	–	–	–
366	Lichtschutz zur KG 360	–	–	–	–
369	Sonstiges zur KG 360	297,80 m² DAF	77,44	23.062,35	1,1
370	**Infrastrukturanlagen**	**–**	**–**	**–**	**–**
380	**Baukonstruktive Einbauten**	**1.016,97 m² BGF**	**2,64**	**2.680,58**	**0,1**
390	**Sonst. Maßnahmen für Baukonstrukt.**	**1.016,97 m² BGF**	**110,98**	**112.863,93**	**5,3**

Kostenkennwerte für die Kostengruppen 400 der 2. und 3. Ebene DIN 276 (Übersicht)

KG	Kostengruppe	Menge Einheit	€/Einheit	Kosten €	% an 3+4
400	**Bauwerk – Technische Anlagen**	**1.016,97 m²BGF**	**451,60**	**459.262,99**	**21,5**
410	**Abwasser-, Wasser-, Gasanlagen**	**1.016,97 m²BGF**	**114,70**	**116.643,43**	**5,5**
411	Abwasseranlagen	1.016,97 m²BGF	16,63	16.913,68	0,8
412	Wasseranlagen	1.016,97 m²BGF	92,84	94.414,85	4,4
413	Gasanlagen	–	–	–	–
419	Sonstiges zur KG 410	1.016,97 m²BGF	5,23	5.314,89	0,2
420	**Wärmeversorgungsanlagen**	**1.016,97 m²BGF**	**181,10**	**184.173,81**	**8,6**
421	Wärmeerzeugungsanlagen	1.016,97 m²BGF	88,09	89.580,83	4,2
422	Wärmeverteilnetze	1.016,97 m²BGF	23,70	24.105,03	1,1
423	Raumheizflächen	1.016,97 m²BGF	69,31	70.487,93	3,3
424	Verkehrsheizflächen	–	–	–	–
429	Sonstiges zur KG 420	–	–	–	–
430	**Raumlufttechnische Anlagen**	**1.016,97 m²BGF**	**14,67**	**14.921,88**	**0,7**
431	Lüftungsanlagen	1.016,97 m²BGF	14,67	14.921,88	0,7
432	Teilklimaanlagen	–	–	–	–
433	Klimaanlagen	–	–	–	–
434	Kälteanlagen	–	–	–	–
439	Sonstiges zur KG 430	–	–	–	–
440	**Elektrische Anlagen**	**1.016,97 m²BGF**	**124,89**	**127.014,18**	**5,9**
441	Hoch- und Mittelspannungsanlagen	–	–	–	–
442	Eigenstromversorgungsanlagen	1.016,97 m²BGF	23,95	24.352,42	1,1
443	Niederspannungsschaltanlagen	–	–	–	–
444	Niederspannungsinstallationsanlagen	1.016,97 m²BGF	90,35	91.886,99	4,3
445	Beleuchtungsanlagen	1.016,97 m²BGF	6,69	6.803,89	0,3
446	Blitzschutz- und Erdungsanlagen	1.016,97 m²BGF	3,90	3.970,87	0,2
447	Fahrleitungssysteme	–	–	–	–
449	Sonstiges zur KG 440	–	–	–	–
450	**Kommunikationstechnische Anlagen**	**1.016,97 m²BGF**	**14,80**	**15.048,88**	**0,7**
451	Telekommunikationsanlagen	–	–	–	–
452	Such- und Signalanlagen	1.016,97 m²BGF	4,69	4.765,74	0,2
453	Zeitdienstanlagen	–	–	–	–
454	Elektroakustische Anlagen	1.016,97 m²BGF	0,84	851,08	< 0,1
455	Audiovisuelle Medien- u. Antennenanl.	1.016,97 m²BGF	3,77	3.832,63	0,2
456	Gefahrenmelde- und Alarmanlagen	1.016,97 m²BGF	1,65	1.677,90	< 0,1
457	Datenübertragungsnetze	1.016,97 m²BGF	3,86	3.921,55	0,2
458	Verkehrsbeeinflussungsanlagen	–	–	–	–
459	Sonstiges zur KG 450	–	–	–	–
460	**Förderanlagen**	**–**	**–**	**–**	**–**
461	Aufzugsanlagen	–	–	–	–
462	Fahrtreppen, Fahrsteige	–	–	–	–
463	Befahranlagen	–	–	–	–
464	Transportanlagen	–	–	–	–
465	Krananlagen	–	–	–	–
466	Hydraulikanlagen	–	–	–	–
469	Sonstiges zur KG 460	–	–	–	–
470	**Nutzungsspez. u. verfahrenstechn. Anl.**	**–**	**–**	**–**	**–**
480	**Gebäude- und Anlagenautomation**	**–**	**–**	**–**	**–**
490	**Sonst. Maßnahmen für techn. Anlagen**	**1.016,97 m²BGF**	**1,44**	**1.460,82**	**< 0,1**

Kostenkennwerte für Leistungsbereiche nach STLB (Kosten des Bauwerks nach DIN 276)

LB	Leistungsbereiche	Kosten €	€/m² BGF	€/m³ BRI	% an 3+4
000	Sicherheits-, Baustelleneinrichtungen inkl. 001	104.702	103,00	36,90	4,9
002	Erdarbeiten	32.324	31,80	11,40	1,5
006	Spezialtiefbauarbeiten inkl. 005	14.730	14,50	5,20	0,7
009	Entwässerungskanalarbeiten inkl. 011	1.461	1,40	0,52	< 0,1
010	Drän- und Versickerarbeiten	18.774	18,50	6,60	0,9
012	Mauerarbeiten	6.045	5,90	2,10	0,3
013	Betonarbeiten	167.596	164,80	59,10	7,8
014	Natur-, Betonwerksteinarbeiten	–	–	–	–
016	Zimmer- und Holzbauarbeiten	436.452	429,20	153,90	20,4
017	Stahlbauarbeiten	–	–	–	–
018	Abdichtungsarbeiten	3.519	3,50	1,20	0,2
019	Kampfmittelräumarbeiten	–	–	–	–
020	Dachdeckungsarbeiten	–	–	–	–
021	Dachabdichtungsarbeiten	85.120	83,70	30,00	4,0
022	Klempnerarbeiten	29.156	28,70	10,30	1,4
	Rohbau	**899.880**	**884,90**	**317,30**	**42,1**
023	Putz- und Stuckarbeiten, Wärmedämmsysteme	1.901	1,90	0,67	< 0,1
024	Fliesen- und Plattenarbeiten	37.326	36,70	13,20	1,7
025	Estricharbeiten	46.258	45,50	16,30	2,2
026	Fenster, Außentüren inkl. 029, 032	6.417	6,30	2,30	0,3
027	Tischlerarbeiten	288.083	283,30	101,60	13,5
028	Parkettarbeiten, Holzpflasterarbeiten	58.913	57,90	20,80	2,8
030	Rollladenarbeiten	4.037	4,00	1,40	0,2
031	Metallbauarbeiten inkl. 035	34.948	34,40	12,30	1,6
034	Maler- und Lackiererarbeiten inkl. 037	77.929	76,60	27,50	3,6
036	Bodenbelagarbeiten	11.267	11,10	4,00	0,5
038	Vorgehängte hinterlüftete Fassaden	–	–	–	–
039	Trockenbauarbeiten	206.989	203,50	73,00	9,7
	Ausbau	**774.068**	**761,20**	**272,90**	**36,2**
040	Wärmeversorgungsanl. - Betriebseinr. inkl. 041	174.678	171,80	61,60	8,2
042	Gas- und Wasserinstallation, Leitungen inkl. 043	42.803	42,10	15,10	2,0
044	Abwasseranlagen - Leitungen	13.164	12,90	4,60	0,6
045	GWE-Einrichtungsgegenstände inkl. 046	47.570	46,80	16,80	2,2
047	Dämmarbeiten an betriebstechnischen Anlagen	23.740	23,30	8,40	1,1
049	Feuerlöschanlagen, Feuerlöschgeräte	–	–	–	–
050	Blitzschutz- und Erdungsanlagen	3.971	3,90	1,40	0,2
053	Niederspannungsanlagen inkl. 052, 054	115.315	113,40	40,70	5,4
055	Sicherheits- u. Ersatzstromversorgungsanl.	–	–	–	–
057	Gebäudesystemtechnik	–	–	–	–
058	Leuchten und Lampen inkl. 059	6.804	6,70	2,40	0,3
060	Sprechanlagen, elektroakust. Anlagen inkl. 064	9.057	8,90	3,20	0,4
061	Kommunikationsnetze inkl. 063	5.992	5,90	2,10	0,3
069	Aufzüge	–	–	–	–
070	Gebäudeautomation	–	–	–	–
075	Raumlufttechnische Anlagen inkl. 078	14.826	14,60	5,20	0,7
	Gebäudetechnik	**457.919**	**450,30**	**161,40**	**21,4**
084	Abbruch, Rückbau, Schadstoffsanierung	–	–	–	–
	Abbrucharbeiten	**–**	**–**	**–**	**–**
	Sonstige Leistungsbereiche	**4.406**	**4,30**	**1,60**	**0,2**

Gemeindezentren

9

Kostenkennwerte für die Kosten des Bauwerks (Kostengruppen 300+400 nach DIN 276)

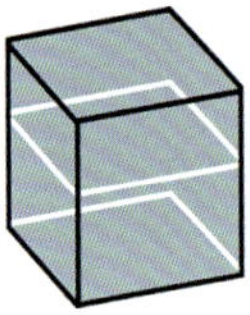

BRI 585 €/m³
von 475 €/m³
bis 730 €/m³

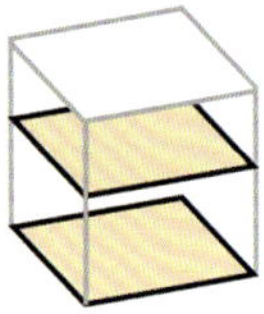

BGF 2.615 €/m²
von 2.040 €/m²
bis 3.140 €/m²

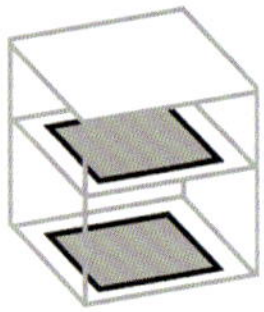

NUF 3.760 €/m²
von 2.960 €/m²
bis 4.500 €/m²

Kosten:
Stand 3. Quartal 2022
Bundesdurchschnitt
inkl. 19% MwSt.

Objektbeispiele

6400-0078

6400-0096

6400-0112

Kosten der 11 Vergleichsobjekte

Seiten 892 bis 962

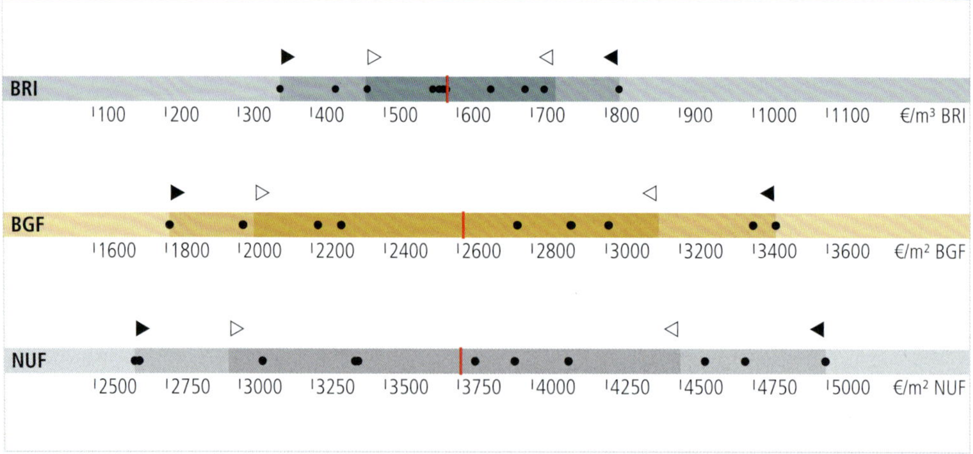

- ● KKW
- ▶ min
- ▷ von
- | Mittelwert
- ◁ bis
- ◀ max

Kostenkennwerte für die Kostengruppen der 1. und 2. Ebene DIN 276

KG	Kostengruppen der 1. Ebene	Einheit	▷	€/Einheit	◁	▷	% an 300+400	◁
100	Grundstück	m² GF	–	**–**	–	–	**–**	–
200	Vorbereitende Maßnahmen	m² GF	4	**16**	25	1,2	**3,0**	6,8
300	Bauwerk – Baukonstruktionen	m² BGF	1.526	**2.032**	2.451	71,9	**77,5**	81,4
400	Bauwerk – Technische Anlagen	m² BGF	478	**583**	820	18,6	**22,5**	28,1
	Bauwerk 300+400	m² BGF	2.041	**2.615**	3.142	100,0	**100,0**	100,0
500	Außenanlagen und Freiflächen	m² AF	45	**135**	289	2,7	**9,3**	19,5
600	Ausstattung und Kunstwerke	m² BGF	26	**64**	104	1,0	**2,8**	4,3
700	Baunebenkosten*	m² BGF	664	**713**	761	25,6	**27,5**	29,3 ◁
800	Finanzierung	m² BGF	–	**–**	–	–	**–**	–

* Auf Grundlage der HOAI 2021 berechnete Werte nach §§ 35, 52, 56. Weitere Informationen siehe Seite 56

KG	Kostengruppen der 2. Ebene	Einheit	▷	€/Einheit	◁	▷	% an 1. Ebene	◁
310	Baugrube / Erdbau	m³ BGI	63	**102**	162	0,7	**1,5**	2,6
320	Gründung, Unterbau	m² GRF	372	**408**	477	13,6	**16,1**	17,7
330	Außenwände / vertikal außen	m² AWF	722	**826**	881	32,5	**36,6**	39,3
340	Innenwände / vertikal innen	m² IWF	400	**462**	579	9,3	**13,4**	15,4
350	Decken / horizontal	m² DEF	380	**457**	611	1,2	**4,2**	10,2
360	Dächer	m² DAF	348	**373**	387	18,7	**21,4**	23,2
370	Infrastrukturanlagen		–	**–**	–	–	**–**	–
380	Baukonstruktive Einbauten	m² BGF	45	**65**	98	1,5	**2,7**	3,6
390	Sonst. Maßnahmen für Baukonst.	m² BGF	77	**96**	133	3,3	**4,0**	5,3
300	**Bauwerk – Baukonstruktionen**	**m² BGF**					**100,0**	
410	Abwasser-, Wasser-, Gasanlagen	m² BGF	75	**91**	119	13,1	**18,2**	20,7
420	Wärmeversorgungsanlagen	m² BGF	81	**127**	150	20,2	**24,8**	27,5
430	Raumlufttechnische Anlagen	m² BGF	4	**17**	42	0,8	**3,3**	7,9
440	Elektrische Anlagen	m² BGF	195	**219**	260	39,3	**43,6**	45,8
450	Kommunikationstechnische Anlagen	m² BGF	7	**33**	52	3,1	**6,2**	11,0
460	Förderanlagen	m² BGF	–	**–**	–	–	**–**	–
470	Nutzungsspez. / verfahrenstech. Anl.	m² BGF	< 1	**19**	37	< 0,1	**3,1**	9,2
480	Gebäude- und Anlagenautomation	m² BGF	–	**13**	–	0,0	**0,7**	2,2
490	Sonst. Maßnahmen f. techn. Anl.	m² BGF	–	**2**	–	0,0	**0,1**	0,3
400	**Bauwerk – Technische Anlagen**	**m² BGF**					**100,0**	

Prozentanteile der Kosten 2. Ebene an den Kosten des Bauwerks nach DIN 276 (Von/Mittel/Bis)

KG	Kostengruppe	%
310	Baugrube / Erdbau	1,2
320	Gründung, Unterbau	13,3
330	Außenwände / vertikal außen	30,3
340	Innenwände / vertikal innen	11,0
350	Decken / horizontal	3,5
360	Dächer	17,7
370	Infrastrukturanlagen	
380	Baukonstruktive Einbauten	2,3
390	Sonst. Maßnahmen für Baukonst.	3,3
410	Abwasser-, Wasser-, Gasanlagen	3,2
420	Wärmeversorgungsanlagen	4,4
430	Raumlufttechnische Anlagen	0,6
440	Elektrische Anlagen	7,6
450	Kommunikationstechnische Anlagen	1,1
460	Förderanlagen	
470	Nutzungsspez. / verfahrenstech. Anl.	0,4
480	Gebäude- und Anlagenautomation	0,2
490	Sonst. Maßnahmen f. techn. Anl.	< 0,1

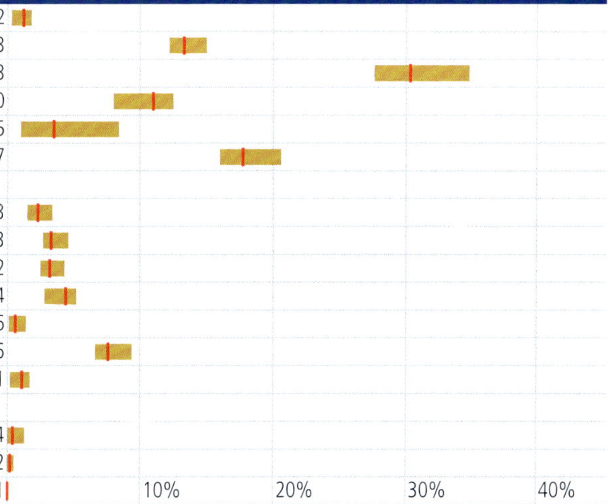

Prozentanteile der Kosten für Leistungsbereiche nach STLB (Kosten Bauwerk nach DIN 276)

Kosten:
Stand 3.Quartal 2022
Bundesdurchschnitt
inkl. 19% MwSt.

LB	Leistungsbereiche	▷	% an 300+400	◁
000	Sicherheits-, Baustelleneinrichtungen inkl. 001	1,9	**2,9**	3,8
002	Erdarbeiten	1,4	**1,7**	2,2
006	Spezialtiefbauarbeiten inkl. 005	–	**–**	–
009	Entwässerungskanalarbeiten inkl. 011	< 0,1	**0,4**	0,7
010	Drän- und Versickerarbeiten	–	**–**	–
012	Mauerarbeiten	0,0	**< 0,1**	0,1
013	Betonarbeiten	4,0	**6,3**	7,9
014	Natur-, Betonwerksteinarbeiten	0,0	**1,3**	2,5
016	Zimmer- und Holzbauarbeiten	16,9	**23,3**	30,7
017	Stahlbauarbeiten	0,8	**1,6**	2,5
018	Abdichtungsarbeiten	0,7	**1,6**	2,2
020	Dachdeckungsarbeiten	1,3	**2,6**	4,5
021	Dachabdichtungsarbeiten	2,3	**3,2**	4,5
022	Klempnerarbeiten	1,0	**1,5**	1,9
	Rohbau	40,3	**46,6**	53,3
023	Putz- und Stuckarbeiten, Wärmedämmsysteme	0,2	**2,3**	4,2
024	Fliesen- und Plattenarbeiten	1,2	**2,2**	2,9
025	Estricharbeiten	1,4	**1,7**	2,0
026	Fenster, Außentüren inkl. 029, 032	10,0	**11,8**	13,5
027	Tischlerarbeiten	5,3	**8,4**	11,1
028	Parkettarbeiten, Holzpflasterarbeiten	0,0	**1,1**	2,2
030	Rollladenarbeiten	0,1	**1,0**	1,6
031	Metallbauarbeiten inkl. 035	0,0	**0,1**	0,3
034	Maler- und Lackiererarbeiten inkl. 037	0,7	**1,2**	1,7
036	Bodenbelagarbeiten	< 0,1	**0,6**	1,1
038	Vorgehängte hinterlüftete Fassaden	0,0	**1,8**	3,5
039	Trockenbauarbeiten	2,8	**3,9**	5,8
	Ausbau	30,7	**36,1**	39,9
040	Wärmeversorgungsanl. - Betriebseinr. inkl. 041	3,5	**4,2**	5,0
042	Gas- und Wasserinstallation, Leitungen inkl. 043	0,5	**0,7**	0,8
044	Abwasseranlagen - Leitungen	0,4	**0,6**	0,8
045	GWE-Einrichtungsgegenstände inkl. 046	1,1	**1,5**	1,9
047	Dämmarbeiten an betriebstechnischen Anlagen	0,1	**0,3**	0,4
049	Feuerlöschanlagen, Feuerlöschgeräte	0,0	**< 0,1**	< 0,1
050	Blitzschutz- und Erdungsanlagen	0,3	**0,4**	0,4
052	Mittelspannungsanlagen	–	**–**	–
053	Niederspannungsanlagen inkl. 054	3,1	**3,7**	4,5
055	Sicherheits- u. Ersatzstromversorgungsanl.	–	**–**	–
057	Gebäudesystemtechnik	0,0	**< 0,1**	< 0,1
058	Leuchten und Lampen inkl. 059	2,8	**3,5**	3,9
060	Sprechanlagen, elektroakust. Anlagen inkl. 064	< 0,1	**0,1**	0,2
061	Kommunikationsnetze inkl. 062	0,3	**0,9**	1,3
063	Gefahrenmeldeanlagen	0,0	**< 0,1**	0,2
069	Aufzüge	–	**–**	–
070	Gebäudeautomation	0,0	**0,2**	0,3
075	Raumlufttechnische Anlagen inkl. 078	< 0,1	**0,5**	0,9
	Gebäudetechnik	14,1	**16,6**	19,8
	Sonstige Leistungsbereiche inkl. 008, 033, 051	< 0,1	**0,7**	1,3

- ● KKW
- ▶ min
- ▷ von
- | Mittelwert
- ◁ bis
- ◀ max

Planungskennwerte für Flächen und Rauminhalte nach DIN 277

Grundflächen		▷	Fläche/NUF (%)	◁	▷	Fläche/BGF (%)	◁
NUF	Nutzungsfläche	100,0	**100,0**	100,0	65,5	**69,8**	73,1
TF	Technikfläche	3,0	**3,6**	5,6	1,9	**2,5**	3,4
VF	Verkehrsfläche	14,4	**17,5**	20,0	9,9	**11,9**	12,8
NRF	Netto-Raumfläche	117,6	**121,2**	125,2	82,0	**84,2**	85,4
KGF	Konstruktions-Grundfläche	21,2	**23,5**	29,0	14,6	**15,8**	18,0
BGF	Brutto-Grundfläche	139,0	**144,7**	155,7	100,0	**100,0**	100,0

Brutto-Rauminhalte		▷	BRI/NUF (m)	◁	▷	BRI/BGF (m)	◁
BRI	Brutto-Rauminhalt	6,12	**6,52**	7,04	4,26	**4,53**	5,13

Flächen von Nutzeinheiten	▷	NUF/Einheit (m²)	◁	▷	BGF/Einheit (m²)	◁
Nutzeinheit:	–	–	–	–	–	–

Lufttechnisch behandelte Flächen	▷	Fläche/NUF (%)	◁	▷	Fläche/BGF (%)	◁
Entlüftete Fläche	16,4	**16,4**	16,4	11,6	**11,6**	11,6
Be- und entlüftete Fläche	–	–	–	–	–	–
Teilklimatisierte Fläche	–	–	–	–	–	–
Klimatisierte Fläche	–	–	–	–	–	–

KG	Kostengruppen (2. Ebene)	Einheit	▷	Menge/NUF	◁	▷	Menge/BGF	◁
310	Baugrube / Erdbau	m³ BGI	0,46	**0,76**	0,76	0,40	**0,56**	0,56
320	Gründung, Unterbau	m² GRF	1,32	**1,33**	1,33	0,94	**0,94**	0,96
330	Außenwände / vertikal außen	m² AWF	1,57	**1,58**	1,58	1,06	**1,08**	1,08
340	Innenwände / vertikal innen	m² IWF	0,92	**0,97**	0,97	0,64	**0,70**	0,70
350	Decken / horizontal	m² DEF	0,30	**0,35**	0,35	0,23	**0,26**	0,26
360	Dächer	m² DAF	1,87	**1,97**	1,97	1,33	**1,37**	1,37
370	Infrastrukturanlagen		–	–	–	–	–	–
380	Baukonstruktive Einbauten	m² BGF	1,39	**1,45**	1,56	1,00	**1,00**	1,00
390	Sonst. Maßnahmen für Baukonst.	m² BGF	1,39	**1,45**	1,56	1,00	**1,00**	1,00
300	**Bauwerk – Baukonstruktionen**	**m² BGF**	1,39	**1,45**	1,56	1,00	**1,00**	1,00

Planungskennwerte für Bauzeiten — 11 Vergleichsobjekte

Bauzeit in Wochen

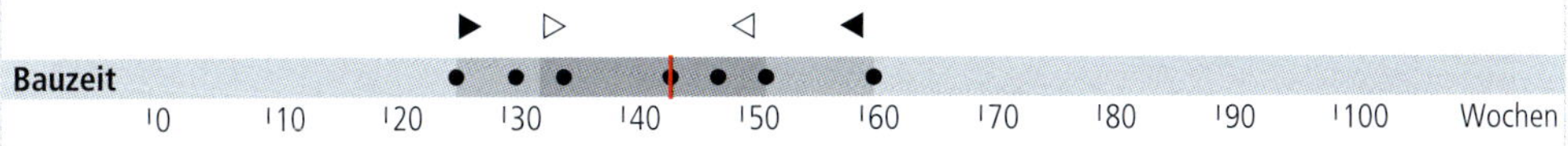

6400-0063
Begegnungszentrum

Objektübersicht

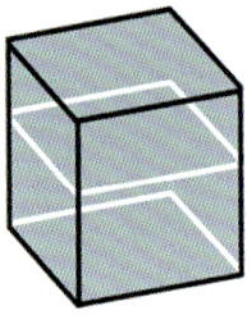

BRI 645 €/m³

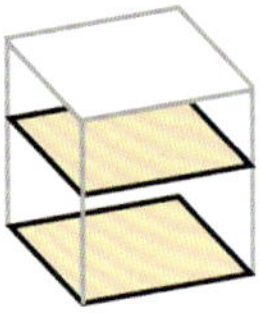

BGF 2.760 €/m²

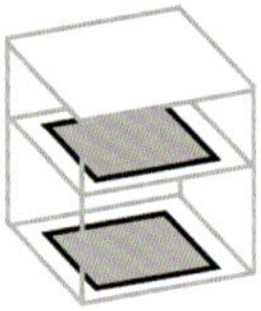

NUF 3.408 €/m²

Objekt:
Kennwerte: 3. Ebene DIN 276
BRI: 1.995 m³
BGF: 466 m²
NUF: 378 m²
Bauzeit: 48 Wochen
Bauende: 2010
Standard: Durchschnitt
Bundesland: Niedersachsen
Kreis: Braunschweig, Stadt

Architekt*in:
maurer - ARCHITEKTUR
Kunterstraße 1
38159 Vechelde

Bauherr*in:
Stadt Braunschweig
Fachbereich Gebäude-
management

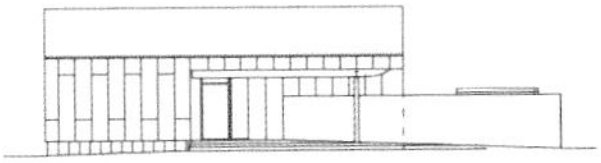

Ansicht Nord

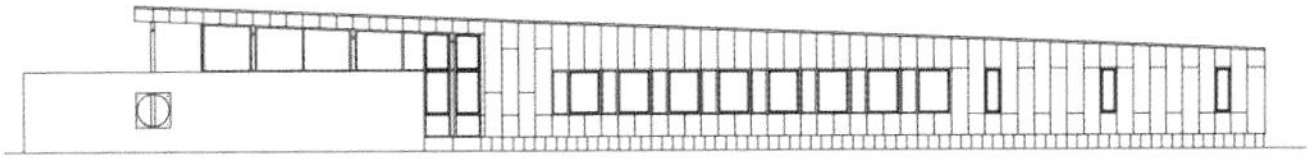

Ansicht Ost

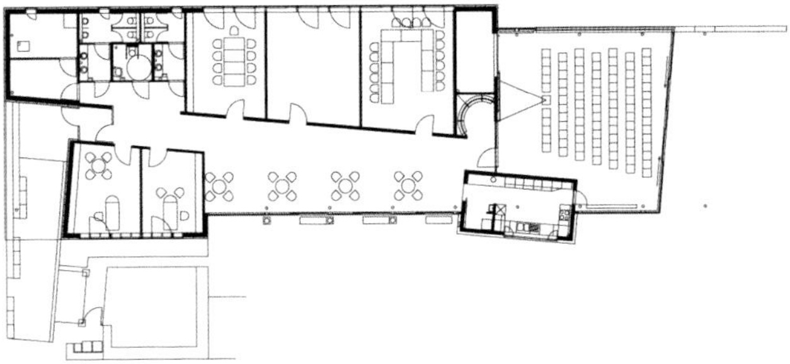

Erdgeschoss

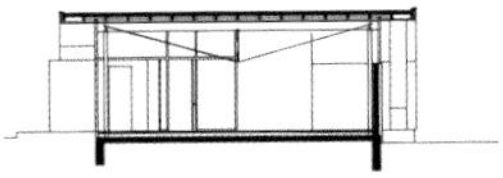

Querschnitt Saal

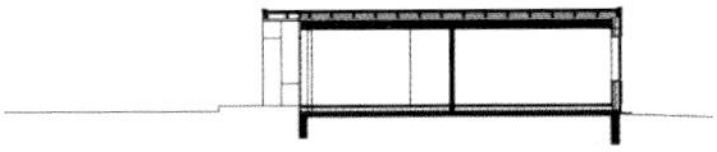

Querschnitt Gruppenraum

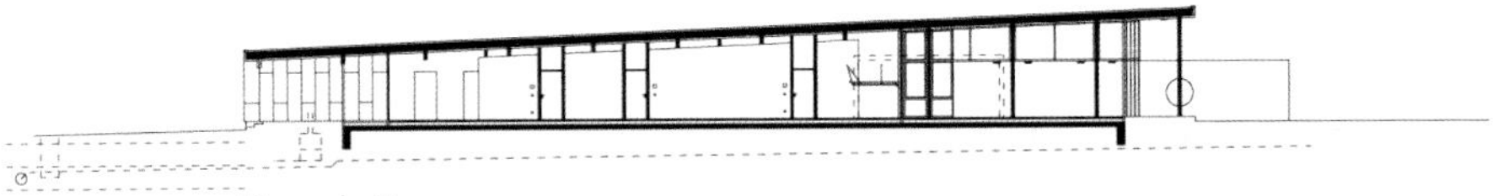

Längsschnitt

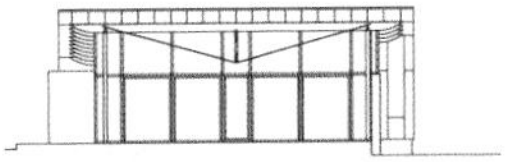

Ansicht Süd

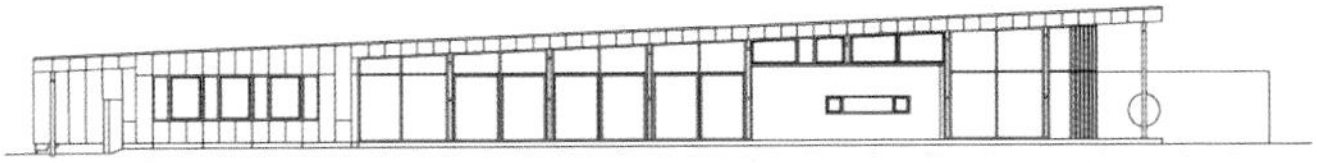

Ansicht West

Objektbeschreibung

Allgemeine Objektinformationen

Das schmale Grundstück erlaubte den Neubau eines langgestreckten Gebäudes. Dieses wird genutzt als Treffpunkt für Vorträge, Kurse, Spiele und Gymnastikangebote. Große Dachüberstände bieten funktionsgerechte Übergänge von drinnen nach draußen und sorgen für einen konstruktiven Sonnen- und Witterungsschutz. Die bodentiefen Fenster schaffen großzügige Übergänge zum Außenbereich.

Nutzung

1 Erdgeschoss
Foyer, drei Gruppenräume, Saal, Beratungszimmer, Büro, Küche, Stuhllager, Abstellraum, Sanitärräume, Technik

Nutzeinheiten

Sitzplätze: 150

Grundstück

Bauraum: Beengter Bauraum
Neigung: Ebenes Gelände
Bodenklasse: BK 1 bis BK 4

Markt

Hauptvergabezeit: 3. Quartal 2009
Baubeginn: 3. Quartal 2009
Bauende: 3. Quartal 2010
Konjunkturelle Gesamtlage: unter Durchschnitt
Regionaler Baumarkt: Durchschnitt

Baukonstruktion

Die Wände wurden in Holzrahmenbauweise errichtet. Diese gewährleistet ein schnelles Aufheizen der Räume und kommt damit der zeitlich begrenzten Nutzung entgegen. Die Fassade ist mit unterschiedlich farbigen Fassadenplatten ausgebildet. Die Dachkonstruktion besteht aus querlaufenden Leimholzbindern, die auf Stützen oder tragenden Wänden aufliegen. Sie werden innerhalb des Feldes jeweils einmal unterstützt und können daher mit geringem Querschnitt auskommen. Lediglich im Mehrzwecksaal entfällt eine mittige Unterstützung. Hier können mit Hilfe von Unterspannungen die gleichen Holzquerschnitte verwendet werden. Das flach geneigte Dach bietet den unterschiedlich großen Räumen jeweils angemessene Proportionen und Raumhöhen. In den Räumen ist durchgehend Parkettboden verlegt. Es kamen Oberlichter und verglaste Wände zum Einbau. Die Statik des Dachs ist so ausgelegt, dass es für das Betreiben von Photovoltaikelementen genutzt werden kann.

Technische Anlagen

Das Gebäude wird über eine Gas-Brennwerttherme mit Wärme versorgt. Die Räume besitzen eine Fußbodenheizung. Es kamen zudem zwei Konvektoren zum Einbau. Die Räume besitzen je einen Raumtemperaturregler.

Sonstiges

Das Gebäude wird als Begegnungszentrum, insbesondere als Altentagesstätte, genutzt. In der Regel ist das Haus in den Nachmittags- und Abendstunden für den allgemeinen Aufenthalt geöffnet. Es ist eine gleichzeitige Nutzung von maximal 90 Personen möglich. Durch die eingeschossige Bauweise sowie eine Rampe im Bereich des Eingangs ist eine barrierefreie Nutzung für Rollstuhlfahrer gegeben. Außerdem ist ein behindertengerechtes WC ausgeführt.

Planungskennwerte für Flächen und Rauminhalte nach DIN 277

Flächen des Grundstücks		Menge Einheit	% an GF
BF	Bebaute Fläche	466,00 m²	23,7
UF	Unbebaute Fläche	1.502,00 m²	76,3
GF	Grundstücksfläche	1.968,00 m²	100,0

Grundflächen des Bauwerks		Menge Einheit	% an NUF	% an BGF
NUF	Nutzungsfläche	377,60 m²	100,0	81,0
TF	Technikfläche	10,31 m²	2,7	2,2
VF	Verkehrsfläche	28,45 m²	7,5	6,1
NRF	Netto-Raumfläche	416,36 m²	110,3	89,3
KGF	Konstruktions-Grundfläche	49,85 m²	13,2	10,7
BGF	Brutto-Grundfläche	466,21 m²	123,5	100,0

Brutto-Rauminhalt des Bauwerks		Menge Einheit	BRI/NUF (m)	BRI/BGF (m)
BRI	Brutto-Rauminhalt	1.995,38 m³	5,28	4,28

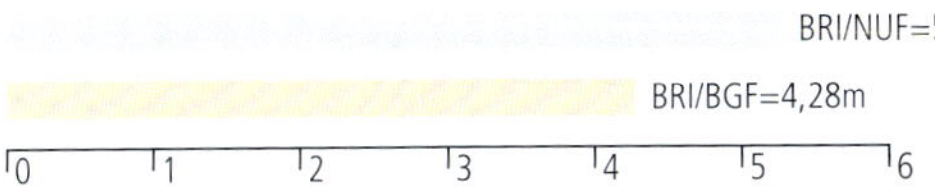

Lufttechnisch behandelte Flächen	Menge Einheit	% an NUF	% an BGF
Entlüftete Fläche	–	–	–
Be- und entlüftete Fläche	–	–	–
Teilklimatisierte Fläche	–	–	–
Klimatisierte Fläche	–	–	–

KG	Kostengruppen (2. Ebene)	Menge Einheit	Menge/NUF	Menge/BGF
310	Baugrube / Erdbau	571,65 m³ BGI	1,51	1,23
320	Gründung, Unterbau	458,56 m² GRF	1,21	0,98
330	Außenwände/Vertikale Baukonstruktionen, außen	436,25 m² AWF	1,16	0,94
340	Innenwände/Vertikale Baukonstruktionen, innen	409,02 m² IWF	1,08	0,88
350	Decken/Horizontale Baukonstruktionen	15,00 m² DEF	0,04	0,03
360	Dächer	581,61 m² DAF	1,54	1,25

Kostenkennwerte für die Kostengruppen der 1. Ebene DIN 276

KG	Kostengruppen (1. Ebene)	Einheit	Kosten €	€/Einheit	€/m² BGF	€/m³ BRI	% 300+400
100	Grundstück	m² GF	–	–	–	–	–
200	Vorbereitende Maßnahmen	m² GF	49.104	24,95	105,33	24,61	3,8
300	Bauwerk – Baukonstruktionen	m² BGF	1.018.310	2.184,23	2.184,23	510,33	79,1
400	Bauwerk – Technische Anlagen	m² BGF	268.491	575,90	575,90	134,56	20,9
	Bauwerk 300+400	**m² BGF**	**1.286.801**	**2.760,13**	**2.760,13**	**644,89**	**100,0**
500	Außenanlagen und Freiflächen	m² AF	17.949	11,95	38,50	9,00	1,4
600	Ausstattung und Kunstwerke	m² BGF	58.117	124,66	124,66	29,13	4,5
700	Baunebenkosten	m² BGF	–	–	–	–	–
800	Finanzierung	m² BGF	–	–	–	–	–

KG	Kostengruppe	Menge Einheit	Kosten €	€/Einheit	%
200	**Vorbereitende Maßnahmen**	1.968,00 m² GF	49.104	**24,95**	3,8

Suchschachtungen, Abbruch von Carport-Flachdach, Betonsteinpflaster, Maschendrahtzaun, Busch- und Wurzelwerk roden, Bäume fällen, Oberboden abschieben, Gelände auffüllen, Grobplanum

KG	Kostengruppe	Menge Einheit	Kosten €	€/Einheit	%
3+4	**Bauwerk**				**100,0**
300	**Bauwerk – Baukonstruktionen**	466,21 m² BGF	1.018.310	**2.184,23**	79,1

Bodenplatte, Stb-Fundamente, Estrich, Parkett, Fliesen; Holzrahmenwände, Stb-Wände, Stahlstützen, Fassadenverglasung, Holzfenster, hinterlüftete Fassade, WDVS, Anstrich, Sonnenschutz; Metallständerwände, Holztüren, Wandfliesen, WC-Trennwände; Stb-Decke; BSH-Träger, Holz-Flachdach, Dämmung, Dachabdichtung, Dachentwässerung, Akustikdecke, GK-Decke, Anstrich; Garderobe, Einbauküche

KG	Kostengruppe	Menge Einheit	Kosten €	€/Einheit	%
400	**Bauwerk – Technische Anlagen**	466,21 m² BGF	268.491	**575,90**	20,9

Gebäudeentwässerung, Kalt- und Warmwasserleitungen, Sanitärobjekte; Gas-Brennwerttherme, Fußbodenheizung, Konvektoren; Elektroinstallation, Beleuchtung, Blitzschutzanlage; Personen-Rufanlage, Antennenkabel, Rauchmelder, EDV-Verkabelung, Fernmeldeleitungen, Netzwerkkameras; Feuerlöscher; Gebäudeautomation Sonnenschutzanlage

KG	Kostengruppe	Menge Einheit	Kosten €	€/Einheit	%
500	**Außenanlagen und Freiflächen**	1.502,00 m² AF	17.949	**11,95**	1,4

KG-Rohre, Kontrollschächte

KG	Kostengruppe	Menge Einheit	Kosten €	€/Einheit	%
600	**Ausstattung und Kunstwerke**	466,21 m² BGF	58.117	**124,66**	4,5

Tische, Stühle, Schränke, Tafeln, Schaukasten, Rednerpulte, Standgarderoben, Bilderleisten, Sanitärausstattung, Fassadenbeschriftung

Kostenkennwerte für die Kostengruppen 300 der 2. und 3. Ebene DIN 276 (Übersicht)

KG	Kostengruppe	Menge Einheit	€/Einheit	Kosten €	% an 3+4
300	**Bauwerk – Baukonstruktionen**	**466,21 m² BGF**	**2.184,23**	**1.018.309,74**	**79,1**
310	**Baugrube / Erdbau**	**571,65 m³ BGI**	**46,89**	**26.807,62**	**2,1**
311	Herstellung	571,65 m³ BGI	46,89	26.807,62	2,1
312	Umschließung	–	–	–	–
313	Wasserhaltung	–	–	–	–
314	Vortrieb	–	–	–	–
319	Sonstiges zur KG 310	–	–	–	–
320	**Gründung, Unterbau**	**458,56 m² GRF**	**364,32**	**167.064,00**	**13,0**
321	Baugrundverbesserung	–	–	–	–
322	Flachgründungen und Bodenplatten	458,56 m²	146,14	67.014,64	5,2
323	Tiefgründungen	–	–	–	–
324	Gründungsbeläge	421,52 m²	205,65	86.686,08	6,7
325	Abdichtungen und Bekleidungen	398,41 m²	33,54	13.363,28	1,0
326	Dränagen	–	–	–	–
329	Sonstiges zur KG 320	–	–	–	–
330	**Außenwände/Vert. Baukonstrukt., außen**	**436,25 m² AWF**	**862,25**	**376.151,73**	**29,2**
331	Tragende Außenwände	174,30 m²	251,77	43.884,06	3,4
332	Nichttragende Außenwände	59,55 m²	485,02	28.880,81	2,2
333	Außenstützen	52,12 m	461,89	24.073,95	1,9
334	Außenwandöffnungen	202,40 m²	833,50	168.701,59	13,1
335	Außenwandbekleidungen, außen	315,02 m²	247,55	77.983,37	6,1
336	Außenwandbekleidungen, innen	131,20 m²	21,54	2.825,59	0,2
337	Element. Außenwandkonstruktionen	–	–	–	–
338	Lichtschutz zur KG 330	149,00 m²	200,02	29.802,38	2,3
339	Sonstiges zur KG 330	–	–	–	–
340	**Innenwände/Vert. Baukonstrukt., innen**	**409,02 m² IWF**	**385,04**	**157.489,94**	**12,2**
341	Tragende Innenwände	111,25 m²	255,08	28.376,86	2,2
342	Nichttragende Innenwände	218,33 m²	104,70	22.859,92	1,8
343	Innenstützen	–	–	–	–
344	Innenwandöffnungen	66,52 m²	1.072,61	71.344,88	5,5
345	Innenwandbekleidungen	533,91 m²	47,40	25.308,75	2,0
346	Elementierte Innenwandkonstruktionen	12,93 m²	605,47	7.828,75	0,6
347	Lichtschutz zur KG 340	–	–	–	–
349	Sonstiges zur KG 340	409,02 m² IWF	4,33	1.770,78	0,1
350	**Decken/Horizontale Baukonstruktionen**	**15,00 m² DEF**	**377,73**	**5.665,94**	**0,4**
351	Deckenkonstruktionen	15,00 m²	350,85	5.262,73	0,4
352	Deckenöffnungen	–	–	–	–
353	Deckenbeläge	–	–	–	–
354	Deckenbekleidungen	12,58 m²	32,05	403,23	< 0,1
355	Elementierte Deckenkonstruktionen	–	–	–	–
359	Sonstiges zur KG 350	–	–	–	–
360	**Dächer**	**581,61 m² DAF**	**377,79**	**219.726,97**	**17,1**
361	Dachkonstruktionen	572,59 m²	140,04	80.187,54	6,2
362	Dachöffnungen	–	–	–	–
363	Dachbeläge	581,61 m²	123,34	71.737,67	5,6
364	Dachbekleidungen	534,62 m²	126,82	67.801,77	5,3
365	Elementierte Dachkonstruktionen	–	–	–	–
366	Lichtschutz zur KG 360	–	–	–	–
369	Sonstiges zur KG 360	–	–	–	–
370	**Infrastrukturanlagen**	**–**	**–**	**–**	**–**
380	**Baukonstruktive Einbauten**	**466,21 m² BGF**	**59,59**	**27.781,56**	**2,2**
390	**Sonst. Maßnahmen für Baukonstrukt.**	**466,21 m² BGF**	**80,70**	**37.621,95**	**2,9**

Kostenkennwerte für die Kostengruppen 400 der 2. und 3. Ebene DIN 276 (Übersicht)

KG	Kostengruppe	Menge Einheit	€/Einheit	Kosten €	% an 3+4
400	**Bauwerk – Technische Anlagen**	**466,21 m² BGF**	**575,90**	**268.491,26**	**20,9**
410	**Abwasser-, Wasser-, Gasanlagen**	**466,21 m² BGF**	**119,35**	**55.640,12**	**4,3**
411	Abwasseranlagen	466,21 m² BGF	34,83	16.238,05	1,3
412	Wasseranlagen	466,21 m² BGF	74,17	34.580,98	2,7
413	Gasanlagen	–	–	–	–
419	Sonstiges zur KG 410	466,21 m² BGF	10,34	4.821,10	0,4
420	**Wärmeversorgungsanlagen**	**466,21 m² BGF**	**146,70**	**68.391,65**	**5,3**
421	Wärmeerzeugungsanlagen	466,21 m² BGF	33,90	15.806,69	1,2
422	Wärmeverteilnetze	466,21 m² BGF	38,21	17.812,71	1,4
423	Raumheizflächen	466,21 m² BGF	73,16	34.108,81	2,7
424	Verkehrsheizflächen	–	–	–	–
429	Sonstiges zur KG 420	466,21 m² BGF	1,42	663,44	< 0,1
430	**Raumlufttechnische Anlagen**	**466,21 m² BGF**	**0,89**	**412,82**	**< 0,1**
431	Lüftungsanlagen	–	–	–	–
432	Teilklimaanlagen	–	–	–	–
433	Klimaanlagen	–	–	–	–
434	Kälteanlagen	–	–	–	–
439	Sonstiges zur KG 430	466,21 m² BGF	0,89	412,82	< 0,1
440	**Elektrische Anlagen**	**466,21 m² BGF**	**260,06**	**121.240,30**	**9,4**
441	Hoch- und Mittelspannungsanlagen	–	–	–	–
442	Eigenstromversorgungsanlagen	–	–	–	–
443	Niederspannungsschaltanlagen	–	–	–	–
444	Niederspannungsinstallationsanlagen	466,21 m² BGF	134,30	62.612,95	4,9
445	Beleuchtungsanlagen	466,21 m² BGF	118,54	55.266,16	4,3
446	Blitzschutz- und Erdungsanlagen	466,21 m² BGF	7,21	3.361,19	0,3
447	Fahrleitungssysteme	–	–	–	–
449	Sonstiges zur KG 440	–	–	–	–
450	**Kommunikationstechnische Anlagen**	**466,21 m² BGF**	**33,53**	**15.630,45**	**1,2**
451	Telekommunikationsanlagen	–	–	–	–
452	Such- und Signalanlagen	466,21 m² BGF	3,72	1.735,11	0,1
453	Zeitdienstanlagen	–	–	–	–
454	Elektroakustische Anlagen	466,21 m² BGF	2,29	1.066,83	< 0,1
455	Audiovisuelle Medien- u. Antennenanl.	466,21 m² BGF	0,63	294,58	< 0,1
456	Gefahrenmelde- und Alarmanlagen	466,21 m² BGF	6,51	3.032,95	0,2
457	Datenübertragungsnetze	466,21 m² BGF	20,38	9.500,98	0,7
458	Verkehrsbeeinflussungsanlagen	–	–	–	–
459	Sonstiges zur KG 450	–	–	–	–
460	**Förderanlagen**	**–**	**–**	**–**	**–**
461	Aufzugsanlagen	–	–	–	–
462	Fahrtreppen, Fahrsteige	–	–	–	–
463	Befahranlagen	–	–	–	–
464	Transportanlagen	–	–	–	–
465	Krananlagen	–	–	–	–
466	Hydraulikanlagen	–	–	–	–
469	Sonstiges zur KG 460	–	–	–	–
470	**Nutzungsspez. u. verfahrenstechn. Anl.**	**466,21 m² BGF**	**0,79**	**368,06**	**< 0,1**
480	**Gebäude- und Anlagenautomation**	**466,21 m² BGF**	**12,83**	**5.979,69**	**0,5**
490	**Sonst. Maßnahmen für techn. Anlagen**	**466,21 m² BGF**	**1,78**	**828,16**	**< 0,1**

Kostenkennwerte für Leistungsbereiche nach STLB (Kosten des Bauwerks nach DIN 276)

LB	Leistungsbereiche	Kosten €	€/m² BGF	€/m³ BRI	% an 3+4
000	Sicherheits-, Baustelleneinrichtungen inkl. 001	22.145	47,50	11,10	1,7
002	Erdarbeiten	28.537	61,20	14,30	2,2
006	Spezialtiefbauarbeiten inkl. 005	–	–	–	–
009	Entwässerungskanalarbeiten inkl. 011	4.420	9,50	2,20	0,3
010	Drän- und Versickerarbeiten	–	–	–	–
012	Mauerarbeiten	–	–	–	–
013	Betonarbeiten	120.901	259,30	60,60	9,4
014	Natur-, Betonwerksteinarbeiten	–	–	–	–
016	Zimmer- und Holzbauarbeiten	136.059	291,80	68,20	10,6
017	Stahlbauarbeiten	33.561	72,00	16,80	2,6
018	Abdichtungsarbeiten	19.291	41,40	9,70	1,5
019	Kampfmittelräumarbeiten	–	–	–	–
020	Dachdeckungsarbeiten	–	–	–	–
021	Dachabdichtungsarbeiten	60.229	129,20	30,20	4,7
022	Klempnerarbeiten	12.133	26,00	6,10	0,9
	Rohbau	**437.277**	**937,90**	**219,10**	**34,0**
023	Putz- und Stuckarbeiten, Wärmedämmsysteme	8.474	18,20	4,20	0,7
024	Fliesen- und Plattenarbeiten	25.822	55,40	12,90	2,0
025	Estricharbeiten	21.461	46,00	10,80	1,7
026	Fenster, Außentüren inkl. 029, 032	195.386	419,10	97,90	15,2
027	Tischlerarbeiten	64.691	138,80	32,40	5,0
028	Parkettarbeiten, Holzpflasterarbeiten	42.978	92,20	21,50	3,3
030	Rollladenarbeiten	29.802	63,90	14,90	2,3
031	Metallbauarbeiten inkl. 035	5.191	11,10	2,60	0,4
034	Maler- und Lackiererarbeiten inkl. 037	22.468	48,20	11,30	1,7
036	Bodenbelagarbeiten	419	0,90	0,21	< 0,1
038	Vorgehängte hinterlüftete Fassaden	68.255	146,40	34,20	5,3
039	Trockenbauarbeiten	78.143	167,60	39,20	6,1
	Ausbau	**563.090**	**1.207,80**	**282,20**	**43,8**
040	Wärmeversorgungsanl. - Betriebseinr. inkl. 041	65.024	139,50	32,60	5,1
042	Gas- und Wasserinstallation, Leitungen inkl. 043	10.844	23,30	5,40	0,8
044	Abwasseranlagen - Leitungen	10.714	23,00	5,40	0,8
045	GWE-Einrichtungsgegenstände inkl. 046	28.601	61,30	14,30	2,2
047	Dämmarbeiten an betriebstechnischen Anlagen	5.534	11,90	2,80	0,4
049	Feuerlöschanlagen, Feuerlöschgeräte	368	0,79	0,18	< 0,1
050	Blitzschutz- und Erdungsanlagen	3.361	7,20	1,70	0,3
053	Niederspannungsanlagen inkl. 052, 054	59.428	127,50	29,80	4,6
055	Sicherheits- u. Ersatzstromversorgungsanl.	–	–	–	–
057	Gebäudesystemtechnik	–	–	–	–
058	Leuchten und Lampen inkl. 059	55.266	118,50	27,70	4,3
060	Sprechanlagen, elektroakust. Anlagen inkl. 064	2.802	6,00	1,40	0,2
061	Kommunikationsnetze inkl. 063	12.829	27,50	6,40	1,0
069	Aufzüge	–	–	–	–
070	Gebäudeautomation	5.980	12,80	3,00	0,5
075	Raumlufttechnische Anlagen inkl. 078	413	0,89	0,21	< 0,1
	Gebäudetechnik	**261.162**	**560,20**	**130,90**	**20,3**
084	Abbruch, Rückbau, Schadstoffsanierung	–	–	–	–
	Abbrucharbeiten	**–**	**–**	**–**	**–**
	Sonstige Leistungsbereiche	**25.272**	**54,20**	**12,70**	**2,0**

6400-0078
Gemeindehaus

Objektübersicht

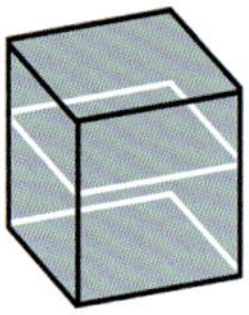

BRI 585 €/m³

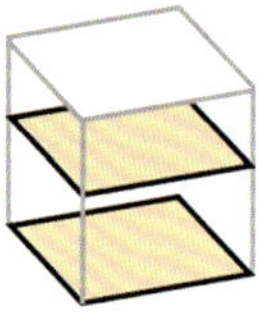

BGF 2.217 €/m²

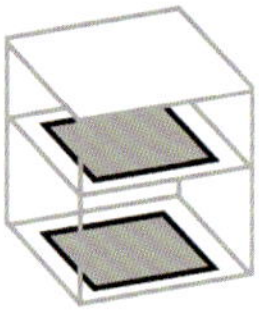

NUF 3.808 €/m²

Objekt:
Kennwerte: 1. Ebene DIN 276
BRI: 2.185 m³
BGF: 576 m²
NUF: 336 m²
Bauzeit: 52 Wochen
Bauende: 2011
Standard: Durchschnitt
Bundesland: Schleswig-Holstein
Kreis: Segeberg

Architekt*in:
Stoy-Architekten
Seekamp 27
24536 Neumünster

Bauherr*in:
Ev. Luth. Kirchengemeinde Henstedt-Ulzburg

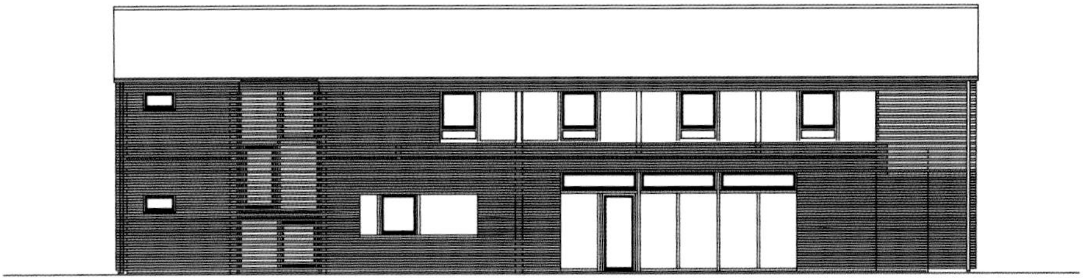

Ansicht West

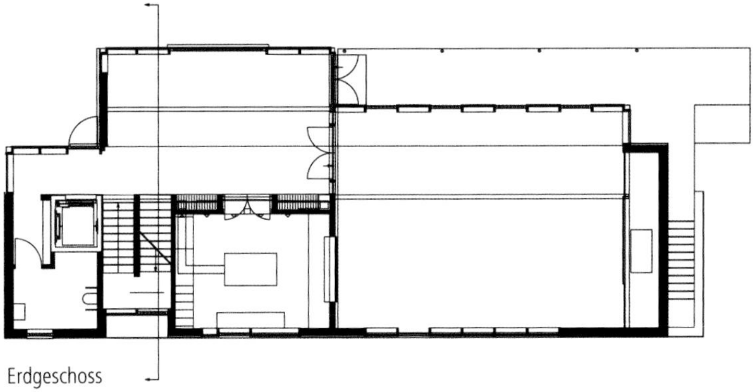

Erdgeschoss

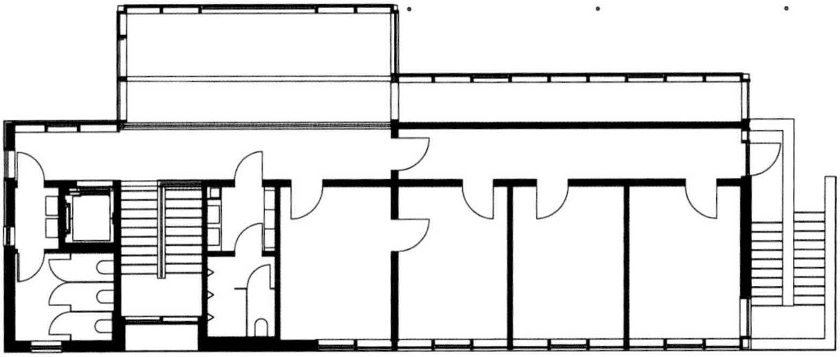

Dachgeschoss

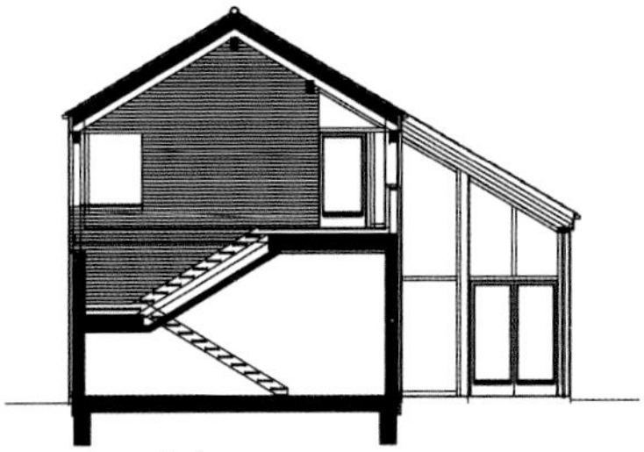

Querschnitt

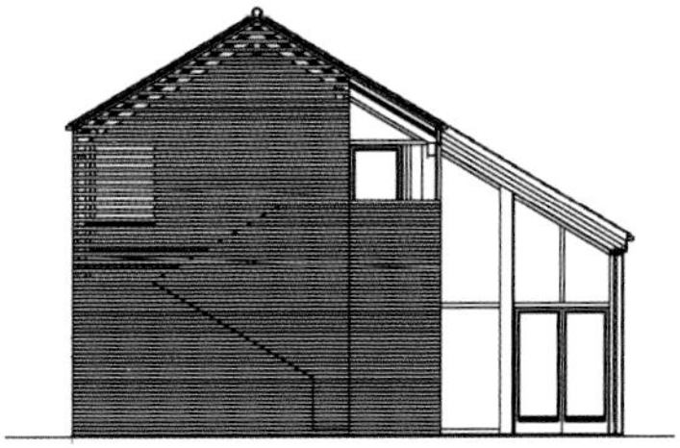

Ansicht Süd

Objektbeschreibung

Allgemeine Objektinformationen

Das Gebäude wurde als 1. Bauabschnitt eines neuen Kirchenzentrums errichtet. Es besitzt ein offenes Raumkonzept im Erdgeschoss mit einem 2-geschossigen Foyer und einer Galerie. Der Saal zur Kirche ist 2-geschossig verglast.

Nutzung

1 Untergeschoss
Abstellraum, Technikraum

1 Erdgeschoss
Gemeindetreffpunkt mit Saal, Küche

1 Dachgeschoss
Jugendgemeindebereich

Nutzeinheiten

Sitzplätze: 158

Grundstück

Bauraum: Freier Bauraum
Neigung: Ebenes Gelände
Bodenklasse: BK 1 bis BK 4

Markt

Hauptvergabezeit: 4. Quartal 2010
Baubeginn: 4. Quartal 2010
Bauende: 4. Quartal 2011
Konjunkturelle Gesamtlage: Durchschnitt
Regionaler Baumarkt: Durchschnitt

Baukonstruktion

Das Gemeindehaus ist in individuell vorgefertigter Holzbauweise aufgebaut. Die Fenster mit 3-fach- Verglasung wurden parallel gefertigt. Die freie Grundrisskonstruktion im Erdgeschoss erforderte eine aufwendige Abhängung von einem 12m freitragenden Stahlträger. Die Fassade ist mit Horizontal-Lärchenholzverschalung versehen. Das Dach besitzt eine Aufsparrendämmung.

Technische Anlagen

Der Neubau wird über eine Wärmepumpe mit 3 Tiefensonden und Fußbodenheizung versorgt. Für die gelegentliche Gemeindeversorgung wurde nachträglich eine professionelle Kücheneinrichtung eingebaut. Die Küche wird kontrolliert ohne Wärmerückgewinnung gelüftet. Für die kurzzeitige Wärmepufferung gibt es einen zusätzlichen Pufferspeicher. Das Gebäude wird über Fensterlüftung quergelüftet. Der sommerliche Wärmeschutz ist durch die Gebäudestellung und gezielte Ausrichtung der Glasflächen gewährleistet.

Sonstiges

Der eingeplante Aufzug wird in dem 2. Bauabschnitt nachgerüstet und ist in den Kosten nicht enthalten. Die Fenster besitzen eine zusätzliche Einbruchsicherung.

Planungskennwerte für Flächen und Rauminhalte nach DIN 277

Flächen des Grundstücks		Menge Einheit	% an GF
BF	Bebaute Fläche	–	–
UF	Unbebaute Fläche	–	–
GF	Grundstücksfläche	–	–

Grundflächen des Bauwerks		Menge Einheit	% an NUF	% an BGF
NUF	Nutzungsfläche	335,60 m²	100,0	58,2
TF	Technikfläche	14,10 m²	4,2	2,4
VF	Verkehrsfläche	84,70 m²	25,2	14,7
NRF	Netto-Raumfläche	434,40 m²	129,4	75,4
KGF	Konstruktions-Grundfläche	142,00 m²	42,3	24,6
BGF	Brutto-Grundfläche	576,40 m²	171,8	100,0

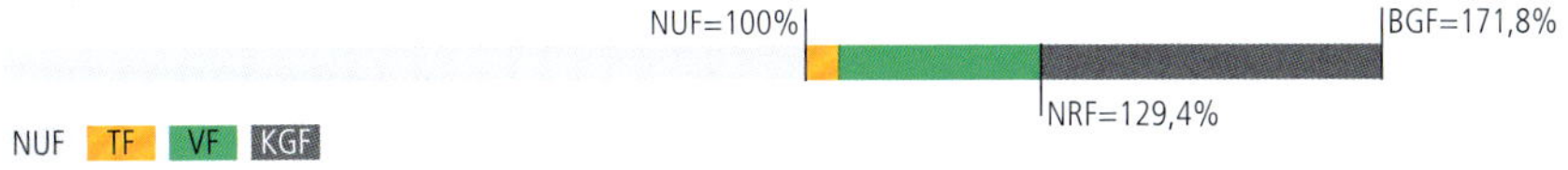

Brutto-Rauminhalt des Bauwerks		Menge Einheit	BRI/NUF (m)	BRI/BGF (m)
BRI	Brutto-Rauminhalt	2.184,64 m³	6,51	3,79

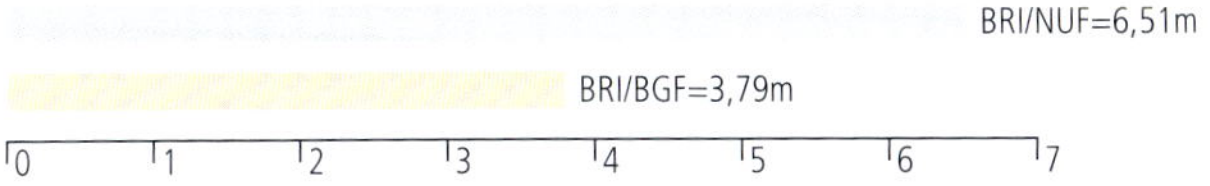

Kostenkennwerte für die Kostengruppen der 1. Ebene DIN 276

KG	Kostengruppen (1. Ebene)	Einheit	Kosten €	€/Einheit	€/m² BGF	€/m³ BRI	% 300+400
100	Grundstück	m² GF	–	–	–	–	–
200	Vorbereitende Maßnahmen	m² GF	–	–	–	–	–
300	Bauwerk – Baukonstruktionen	m² BGF	1.014.057	1.759,29	1.759,29	464,18	79,3
400	Bauwerk – Technische Anlagen	m² BGF	263.930	457,89	457,89	120,81	20,7
	Bauwerk 300+400	**m² BGF**	**1.277.987**	**2.217,19**	**2.217,19**	**584,99**	**100,0**
500	Außenanlagen und Freiflächen	m² AF	20.107	77,34	34,88	9,20	1,6
600	Ausstattung und Kunstwerke	m² BGF	55.070	95,54	95,54	25,21	4,3
700	Baunebenkosten	m² BGF	–	–	–	–	–
800	Finanzierung	m² BGF	–	–	–	–	–

KG	Kostengruppe	Menge Einheit	Kosten €	€/Einheit	%
3+4	**Bauwerk**				**100,0**
300	**Bauwerk – Baukonstruktionen**	576,40 m² BGF	1.014.057	**1.759,29**	79,3

Stb-Flachgründung; Holzrahmenwände, horizontale Lärchenholzverschalung, Leimholz-Sichtkonstruktion mit Dreifachverglasung, Fenster mit Einbruchsicherung (WK2), großflächiges Faltelement zum Gemeindehof; Brettstapeldecken, Heizestrich, Belag; Holz-Dachkonstruktion sichtbar, Aufsparrendämmung, Akustik-Holzlamellen, Dachdeckung, Dachentwässerung

KG	Kostengruppe	Menge Einheit	Kosten €	€/Einheit	%
400	**Bauwerk – Technische Anlagen**	576,40 m² BGF	263.930	**457,89**	20,7

Gebäudeentwässerung, Sanitärinstallation, Sanitärobjekte; Wärmepumpe mit 3 Tiefensonden, Fußbodenheizung; kontrollierte Lüftungsanlage (Küche), Küchenabluft ohne Wärmerückgewinnung, Pufferspeicher zur Absicherung der Lüftungsspitzen und Vermeidung von elektrischer Nachheizung; Elektroinstallation

KG	Kostengruppe	Menge Einheit	Kosten €	€/Einheit	%
500	**Außenanlagen und Freiflächen**	260,00 m² AF	20.107	**77,34**	1,6

Wege, Erdarbeiten, Traufstreifen, Kies

KG	Kostengruppe	Menge Einheit	Kosten €	€/Einheit	%
600	**Ausstattung und Kunstwerke**	576,40 m² BGF	55.070	**95,54**	4,3

Küchenausstattung

6400-0082
Gemeindehaus

Objektübersicht

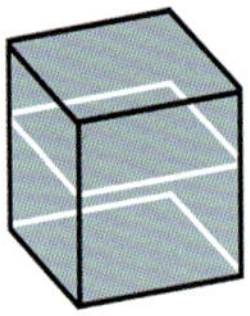

BRI 691 €/m³

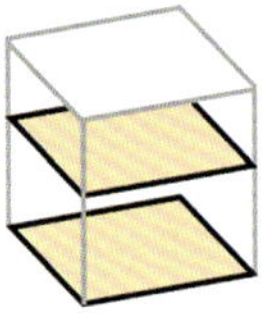

BGF 2.904 €/m²

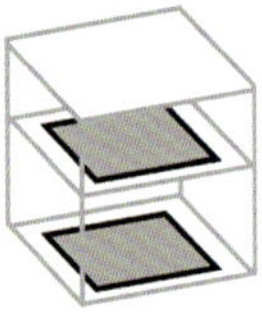

NUF 4.122 €/m²

Objekt:
Kennwerte: 1. Ebene DIN 276
BRI: 1.118 m³
BGF: 266 m²
NUF: 187 m²
Bauzeit: 35 Wochen
Bauende: 2013
Standard: Durchschnitt
Bundesland: Schleswig-Holstein
Kreis: Pinneberg

Architekt*in:
hage.felshart.griesenberg
Architekten BDA
Hagener Allee 31
22926 Ahrensburg

Bauherr*in:
Ev.-Luth. St. Johannes-Kirchengemeinde Appen
Opn Bouhlen 47
25482 Appen

© hage.felshart.griesenberg Architekten

© hage.felshart.griesenberg Architekten

© hage.felshart.griesenberg Architekten

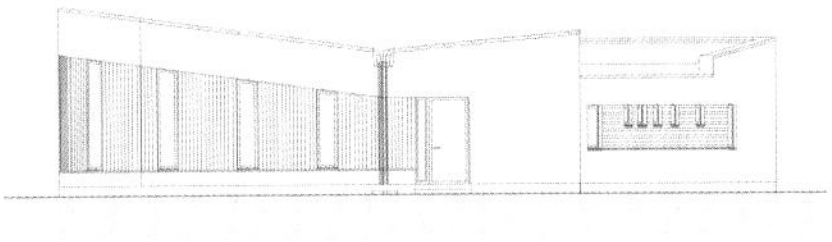

Ansicht Nord

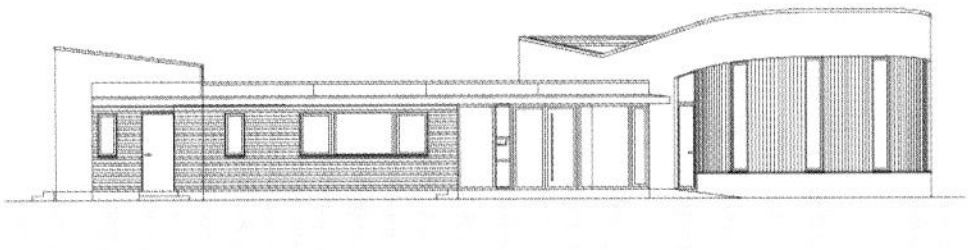

Ansicht Ost

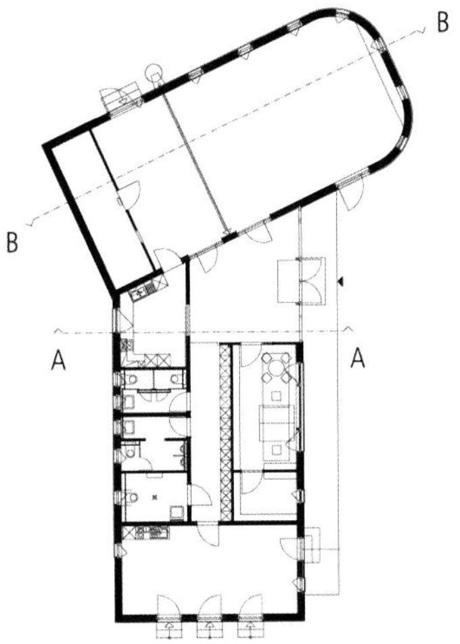

Erdgeschoss

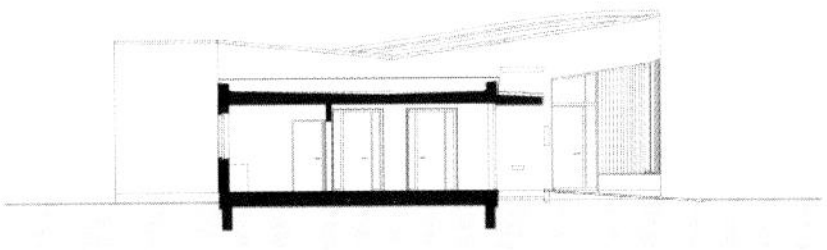

Schnitt A-A

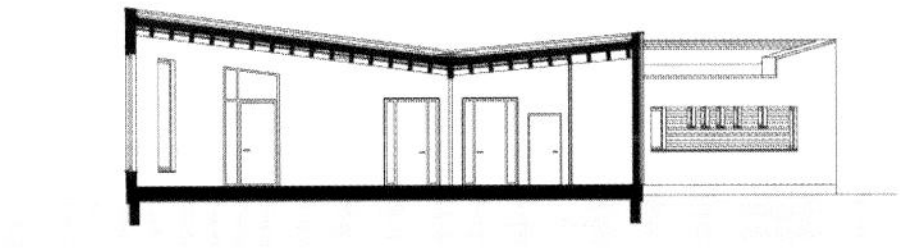

Schnitt B-B

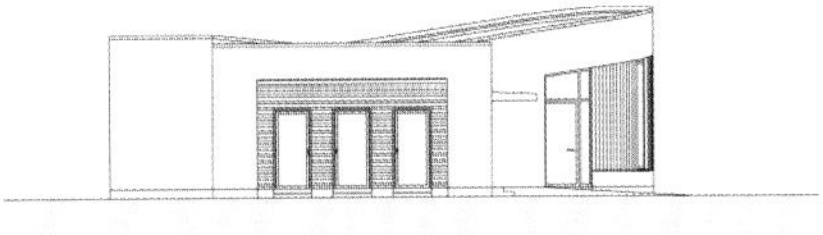

Ansicht Süd

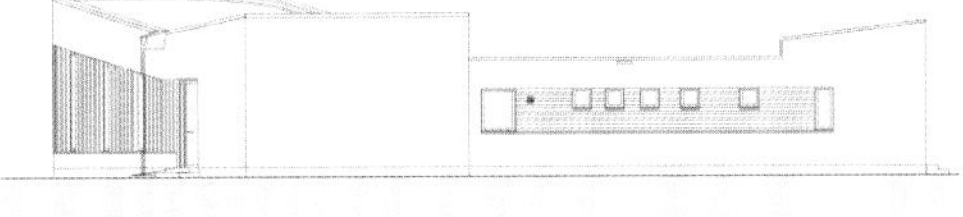

Ansicht West

Objektbeschreibung

Allgemeine Objektinformationen

Als Zentrum für ihre vielfältigen Aktivitäten benötigte die wachsende Kirchengemeinde dringend ein neues Gemeindehaus. Aus dem zu diesem Zweck 2011 durchgeführten Wettbewerb ging der hier veröffentlichte Entwurf als Sieger hervor.

Nutzung

1 Erdgeschoss
Gemeindesaal (teilbar), Jugendraum, Gemeindebüro, Foyer, Küche, Sanitäranlagen, Archiv

Nutzeinheiten

Sitzplätze: 80

Grundstück

Bauraum: Freier Bauraum
Neigung: Ebenes Gelände
Bodenklasse: BK 1 bis BK 3

Markt

Hauptvergabezeit: 1. Quartal 2013
Baubeginn: 2. Quartal 2013
Bauende: 4. Quartal 2013
Konjunkturelle Gesamtlage: Durchschnitt
Regionaler Baumarkt: Durchschnitt

Baukonstruktion

Das Gebäude gründet auf einer Stahlbetonsohle. Die Außen- und tragenden Wände sind in vorgefertigter Holzrahmenbauweise ausgeführt. Die Fassaden sind mit Holzfaserdämmung und Putz versehen. In Teilbereichen besitzen sie eine hinterlüftete Holzleistenverkleidung. Die Außenfenster und -türen sind aus Holz. Das Dach im Saal ist als Holzbalkendecke mit aufliegendem Warmdachaufbau ausgeführt. Alle anderen Dachbereiche sind Massivholzdecken. Die nichttragenden Innenwände sind in Trockenbaukonstruktion errichtet.

Technische Anlagen

Die Beheizung des Neubaus erfolgt mittels Luftwärmepumpe. Die Anforderungen der EnEV werden um 30% unterschritten. In den Sanitärräumen und der Küche erfolgt die Abluft mechanisch. Das Gebäude besitzt eine Fußbodenheizung.

Sonstiges

Das neue Gemeindehaus liegt zwischen Pastorat und Kindergarten und schließt das Gelände rückseitig ab. Zwischen den Gebäuden entstand ein Platz mit hoher Aufenthaltsqualität. Der Saalbaukörper dreht sich zur Straße auf. Der Jugendraum orientiert sich zur Landschaft. Der separate Eingang und die kleine Teeküche ermöglichen den Jugendlichen eine gewisse Unabhängigkeit. Jugendraum und Saal werden durch einen Flachbau verbunden, der das Gemeindebüro, Nebenräume sowie das großzügig verglaste Foyer aufnimmt.
Der Neubau des Gemeindehauses wurde gefördert auf Initiative des Ministeriums für Energiewende, Landwirtschaft, Umwelt und ländliche Räume durch den Europäischen Landwirtschaftsfonds für die Entwicklung des ländlichen Raums (ELER).

Planungskennwerte für Flächen und Rauminhalte nach DIN 277

Flächen des Grundstücks		Menge Einheit	% an GF
BF	Bebaute Fläche	1.496,00 m²	29,9
UF	Unbebaute Fläche	3.504,00 m²	70,1
GF	Grundstücksfläche	5.000,00 m²	100,0

Grundflächen des Bauwerks		Menge Einheit	% an NUF	% an BGF
NUF	Nutzungsfläche	187,40 m²	100,0	70,5
TF	Technikfläche	9,00 m²	4,8	3,4
VF	Verkehrsfläche	34,70 m²	18,5	13,0
NRF	Netto-Raumfläche	231,10 m²	123,3	86,9
KGF	Konstruktions-Grundfläche	34,90 m²	18,6	13,1
BGF	Brutto-Grundfläche	266,00 m²	141,9	100,0

Brutto-Rauminhalt des Bauwerks		Menge Einheit	BRI/NUF (m)	BRI/BGF (m)
BRI	Brutto-Rauminhalt	1.118,00 m³	5,97	4,20

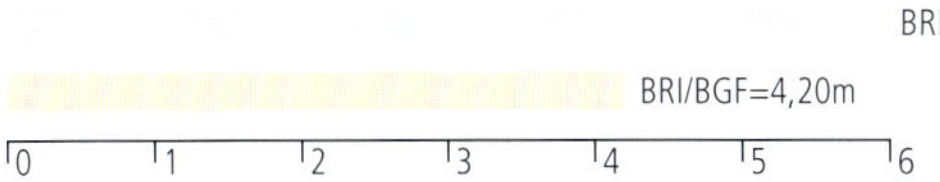

Kostenkennwerte für die Kostengruppen der 1. Ebene DIN 276

KG	Kostengruppen (1. Ebene)	Einheit	Kosten €	€/Einheit	€/m² BGF	€/m³ BRI	% 300+400
100	Grundstück	m² GF	–	–	–	–	–
200	Vorbereitende Maßnahmen	m² GF	–	–	–	–	–
300	Bauwerk – Baukonstruktionen	m² BGF	614.594	2.310,50	2.310,50	549,73	79,6
400	Bauwerk – Technische Anlagen	m² BGF	157.914	593,66	593,66	141,25	20,4
	Bauwerk 300+400	**m² BGF**	**772.508**	**2.904,16**	**2.904,16**	**690,97**	**100,0**
500	Außenanlagen und Freiflächen	m² AF	–	–	–	–	–
600	Ausstattung und Kunstwerke	m² BGF	–	–	–	–	–
700	Baunebenkosten	m² BGF	–	–	–	–	–
800	Finanzierung	m² BGF	–	–	–	–	–

KG	Kostengruppe	Menge Einheit	Kosten €	€/Einheit	%
3+4	**Bauwerk**				**100,0**
300	**Bauwerk – Baukonstruktionen**	266,00 m² BGF	614.594	**2.310,50**	79,6

Streifenfundamente, Stb-Bodenplatte, Parkett, Linoleum, Bodenfliesen, Wärmedämmung; Holzrahmenbau (vorgefertigt), Holztüren, Holzfenster, Holzfaserdämmung, Putz, Holzleistenverkleidung (hinterlüftet), Anstrich; Holzrahmenbau (vorgefertigt), Trockenbaukonstruktion; Holzbalkendecke, Massivholzdecke, Warmdachaufbau, Innenentwässerung

KG	Kostengruppe	Menge Einheit	Kosten €	€/Einheit	%
400	**Bauwerk – Technische Anlagen**	266,00 m² BGF	157.914	**593,66**	20,4

Gebäudentwässerung, Kalt- und Warmwasserleitungen, Sanitärobjekte; Luftwärmepumpe, Fußbodenheizung; mechanische Entlüftung von Sanitärräumen und Küche, Zuluft Fensterfalzlüfter; Elektroinstallation

6400-0094
Spielhaus
Jugendtreff
Effizienzhaus ~62%

Objektübersicht

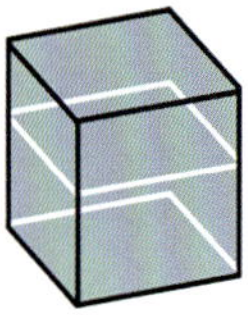

BRI 566 €/m³

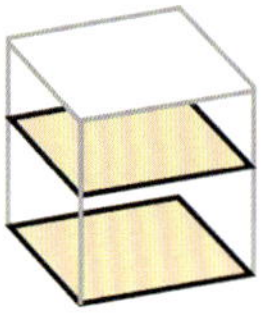

BGF 2.011 €/m²

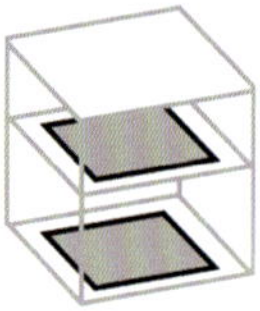

NUF 3.080 €/m²

Objekt:
Kennwerte: 1. Ebene DIN 276
BRI: 1.705 m³
BGF: 480 m²
NUF: 313 m²
Bauzeit: 31 Wochen
Bauende: 2015
Standard: Durchschnitt
Bundesland: Bremen
Kreis: Bremen, Stadt

Architekt*in:
Püffel Architekten
Kohlhökerstraße 53
28203 Bremen

Bauherr*in:
Deutsches Rotes Kreuz
KV Bremen e.V.

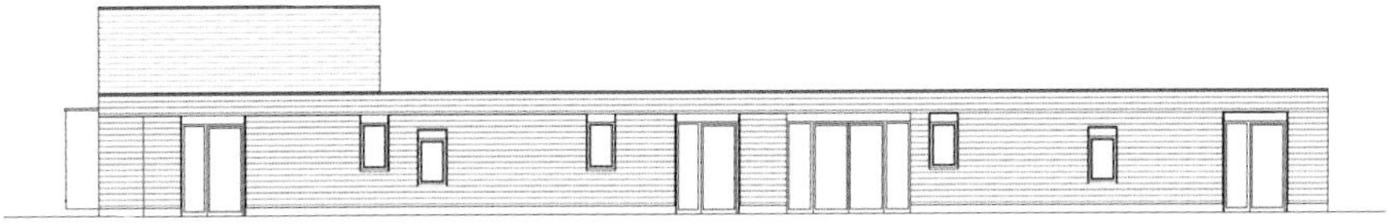

Ansicht Nord-West

Erdgeschoss

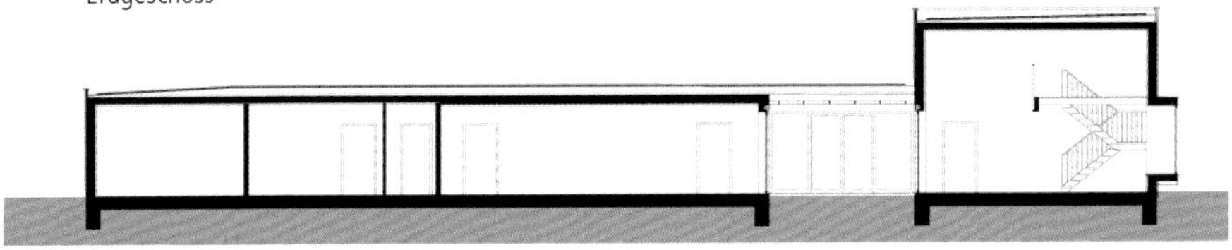

Längsschnitt

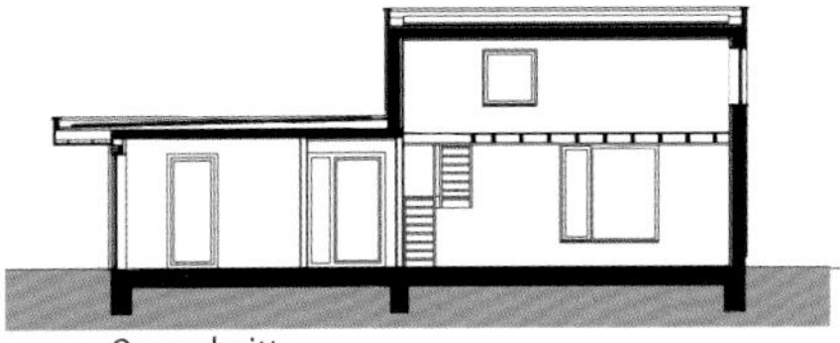

Querschnitt

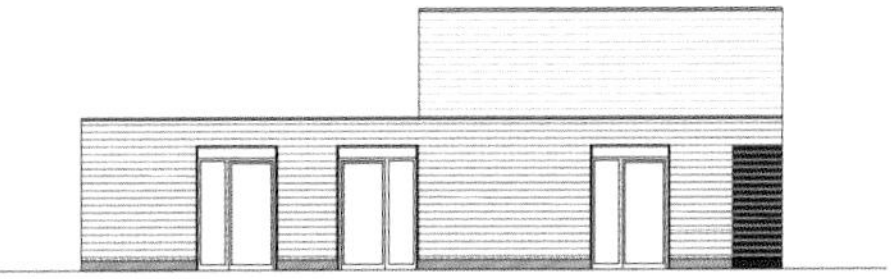

Ansicht Süd-West

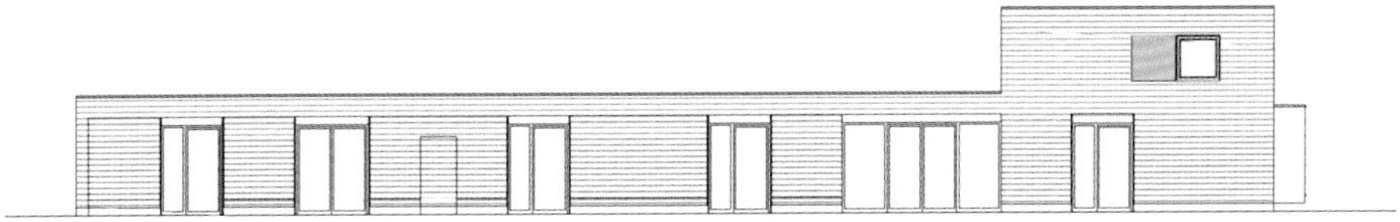

Ansicht Süd-Ost

6400-0094
Spielhaus
Jugendtreff
Effizienzhaus ~62%

Objektbeschreibung

Allgemeine Objektinformationen

Das neu errichtete Gebäude ist ein Spielhaus und Jugendtreff zugleich. Es dient Kindern und Jugendlichen als Freizeitstätte und gilt als offene soziale Einrichtung. Bauherr ist das Land Bremen, betreut und verwaltet wird es durch das Deutsche Rote Kreuz. Ein zentraler Entwurfsaspekt ist einerseits die räumliche Trennung der Bereiche für Kinder und Jugendliche. Ebenso gibt es aber synergetische Doppelnutzungen zwischen den beiden Funktionsbereichen.

Nutzung

1 Erdgeschoss
Gruppenräume, Wohn- und Aufenthaltsräume, Computerraum, Büro, Sanitärräume, behindertengerechtes WC, Dusche, Abstellräume

1 Obergeschoss
Galerie

Grundstück

Bauraum: Freier Bauraum
Neigung: Ebenes Gelände
Bodenklasse: BK 1 bis BK 3

Markt

Hauptvergabezeit: 2. Quartal 2014
Baubeginn: 3. Quartal 2014
Bauende: 1. Quartal 2015
Konjunkturelle Gesamtlage: über Durchschnitt
Regionaler Baumarkt: über Durchschnitt

Baukonstruktion

Der Neubau ist flach auf Streifenfundamenten gegründet und ruht auf einer 20cm starken Bodenplatte aus Stahlbeton. Er wurde als Holzrahmenbau mit vorgefertigten Wänden und Fenstern ausgeführt. Dadurch ergibt sich eine geringe Bauzeit. Der kubische Baukörper erhielt eine horizontale Holzschalung aus Douglasie mit hellgrauen Anstrich. Rücksprünge bzw. Einschnitte des Baukörpers wurden nur imprägniert. Der Außenwandaufbau ist mit einer Holzfaserdämmung und einer Innenbekleidung aus Grobspanplatten vervollständigt, die gleichzeitig zur Aussteifung und als Dampfbremse dient. Die breiten Fensterlaibungen erhalten farbige HPL-Platten. Es kamen Kunststofffenster mit Zweifachverglasung als Sicherheitsglas zum Einsatz. Die eingebauten Alu-Rollläden geben Sonnen- und Einbruchschutz. Die Innenwände aus Holzständerwerk sind beidseitig mit Grobspanplatten und Gipskarton bekleidet und gestrichen. Die Holzbalkendecke besitzt einen Linoleumbelag und an der Unterseite eine Verblendung mit Akustikplatten. Das belüftete Flachdach mit Oberlicht besteht aus einer Holzbalkenlage mit Zellulosedämmung und einer zweilagigen Bitumenabdichtung.

Technische Anlagen

Die Beheizung erfolgt über eine Gas-Brennwerttherme mit Flachdachröhrenkollektoren zur solarer Heizungsunterstützung. Ein 400l Pufferspeicher versorgt die Fußbodenheizung und die Warmwasseranlage. Die Warmwasserleitung wird von einer Zirkulationsanlage unterstützt. Als elektrische Anlagen wurden neben der Standardausstattung für Schalter und Steckdosen zusätzliche Netzwerkdosen für PCs eingebaut. Eine elektrisch und zentral gesteuerte Sonnenschutzanlage, Einbruchmelder und eine Blitzschutzanlage wurden installiert.

Sonstiges

Der zulässige Primärenergiebedarf wurde um 38% unterschritten.

Planungskennwerte für Flächen und Rauminhalte nach DIN 277

Flächen des Grundstücks		Menge Einheit	% an GF
BF	Bebaute Fläche	417,00 m²	13,6
UF	Unbebaute Fläche	2.640,00 m²	86,4
GF	Grundstücksfläche	3.057,00 m²	100,0

Grundflächen des Bauwerks		Menge Einheit	% an NUF	% an BGF
NUF	Nutzungsfläche	313,48 m²	100,0	65,3
TF	Technikfläche	3,20 m²	1,0	0,7
VF	Verkehrsfläche	73,32 m²	23,4	15,3
NRF	Netto-Raumfläche	390,00 m²	124,4	81,3
KGF	Konstruktions-Grundfläche	90,00 m²	28,7	18,8
BGF	Brutto-Grundfläche	480,00 m²	153,1	100,0

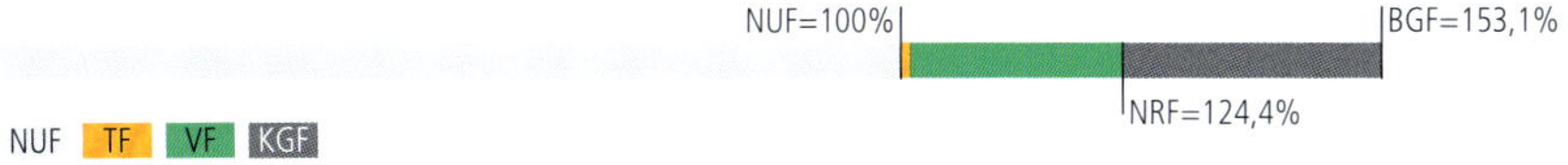

Brutto-Rauminhalt des Bauwerks		Menge Einheit	BRI/NUF (m)	BRI/BGF (m)
BRI	Brutto-Rauminhalt	1.705,00 m³	5,44	3,55

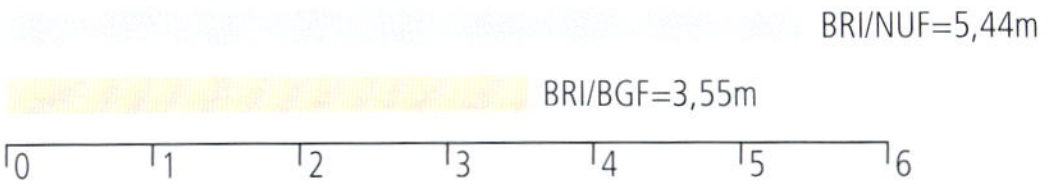

Kostenkennwerte für die Kostengruppen der 1. Ebene DIN 276

KG	Kostengruppen (1. Ebene)	Einheit	Kosten €	€/Einheit	€/m² BGF	€/m³ BRI	% 300+400
100	Grundstück	m² GF	–	–	–	–	–
200	Vorbereitende Maßnahmen	m² GF	79.493	26,00	165,61	46,62	8,2
300	Bauwerk – Baukonstruktionen	m² BGF	739.186	1.539,97	1.539,97	433,54	76,6
400	Bauwerk – Technische Anlagen	m² BGF	226.178	471,20	471,20	132,66	23,4
	Bauwerk 300+400	**m² BGF**	**965.364**	**2.011,17**	**2.011,17**	**566,20**	**100,0**
500	Außenanlagen und Freiflächen	m² AF	47.612	396,77	99,19	27,92	4,9
600	Ausstattung und Kunstwerke	m² BGF	–	–	–	–	–
700	Baunebenkosten	m² BGF	–	–	–	–	–
800	Finanzierung	m² BGF	–	–	–	–	–

KG	Kostengruppe	Menge Einheit	Kosten €	€/Einheit	%
200	**Vorbereitende Maßnahmen**	3.057,00 m² GF	79.493	**26,00**	8,2
	Abbruch von Bestandsgebäude, Baumfällungen (3St); Versorgungsleitungen anpassen; Grundleitungsanschlüsse; Entsorgung, Deponiegebühren				
3+4	**Bauwerk**				**100,0**
300	**Bauwerk – Baukonstruktionen**	480,00 m² BGF	739.186	**1.539,97**	76,6
	Baugrubenaushub; Bodenaustausch bis 0,50m unter OK Gelände, Stb-Fundamente, Stb-Bodenplatte, Heizestrich, Linoleum, Bodenfliesen, Dämmung; Holzrahmen-Außenwände, KVH, Mineralwolldämmung, OSB-Platten, Holzweichfaserplatten, Kunststofffenster, im EG mit integrierten Alu-Rollläden, im OG mit Schiebeläden, HPL-Fassade, Douglasie-Holzfassade; Holzrahmen-Innenwände, Holzweichfaserplatte, KVH, Zellulosedämmung, GK-Bekleidung, OSB-Beplankung, Wandfliesen; Holzbalkendecke, Holztreppe, OSB-Platten, Linoleum, Schallschutzdecke, Holzgeländer, Treppengeländer; Holzbalkendach, Oberlicht, Dämmung, Abdichtung, Entwässerung, Schallschutzdecke, Eingangsüberdachung				
400	**Bauwerk – Technische Anlagen**	480,00 m² BGF	226.178	**471,20**	23,4
	Gebäudeentwässerung, Kalt- und Warmwasserleitungen, Sanitärobjekte; Gas-Brennwertkessel, Solaranlage zur Heizungsunterstützung und Warmwasserbereitung, Fußbodenheizung; Einzelraumlüfter; Elektroinstallation, Beleuchtung, Sicherheitsleuchten, Steuerung Sonnenschutzanlage, Blitzschutzanlage; Telekommunikationsanlage, Rauchmelder, einfache Einbruchmeldeanlage, Datenübertragungsnetz; Einbauküche				
500	**Außenanlagen und Freiflächen**	120,00 m² AF	47.612	**396,77**	4,9
	Terrassen; Entwässerung				

6400-0096
Gemeindezentrum

Objektübersicht

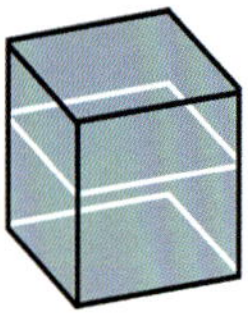

BRI 357 €/m³

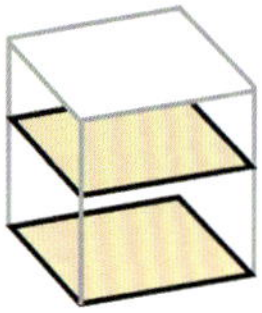

BGF 1.809 €/m²

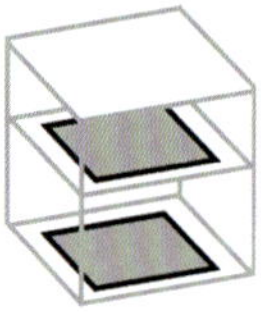

NUF 2.656 €/m²

Objekt:
Kennwerte: 1. Ebene DIN 276
BRI: 5.487 m³
BGF: 1.084 m²
NUF: 738 m²
Bauzeit: 48 Wochen
Bauende: 2016
Standard: unter Durchschnitt
Bundesland: Niedersachsen
Kreis: Harburg

Architekt*in:
Studio b2
Bahnhofstraße 21
21438 Brackel

Bauherr*in:
Stiftung Freie evangelische
Gemeinde in Norddeutschland
Bondenwald 56
22459 Hamburg

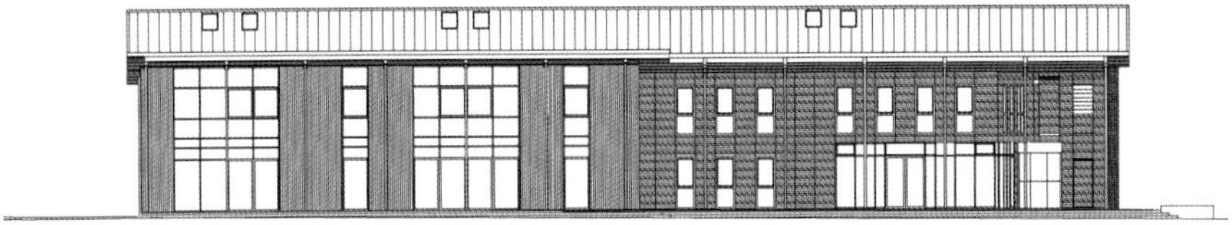

Ansicht Süd

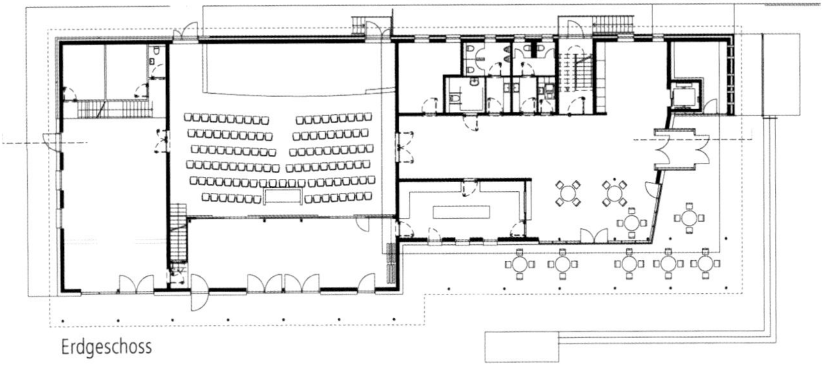

Erdgeschoss

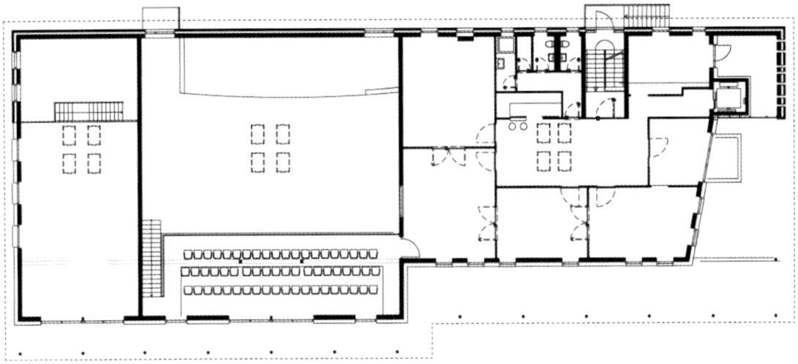

Obergeschoss

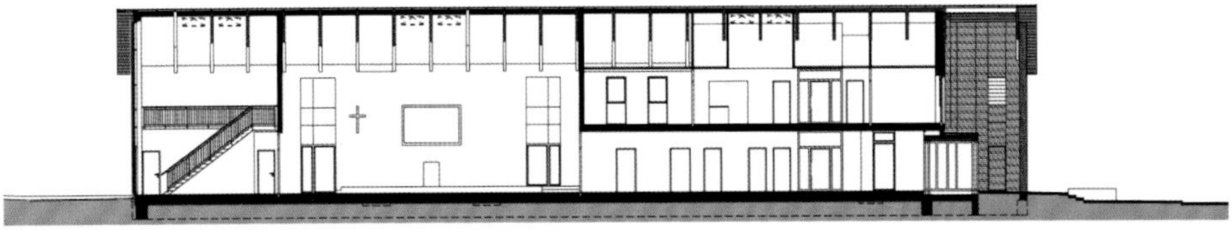

Schnitt

Ansicht West

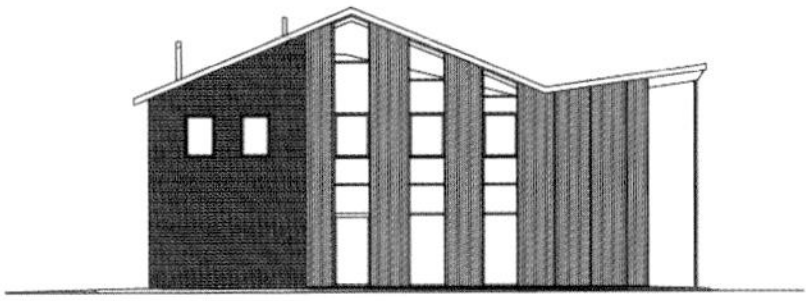

Ansicht Ost

Objektbeschreibung

Allgemeine Objektinformationen

Die Realisierung des Gemeindezentrums für die Freie evangelische Gemeinde ging aus dem Siegerentwurf eines beschränkten Wettbewerbs hervor. Der massive Baukörper bietet einerseits Orte der Geborgenheit, des Rückzugs und der Andacht, anderseits schafft die großzügig geöffnete Fassade Bezüge zwischen Innen und Außen mit Plätzen der Offenheit, der Kommunikation und der Aktion. Dies wird durch den Materialwechsel zwischen dem nach Ortsgestaltungssatzung geforderten Klinker der Nordansicht und der warmen, haptisch angenehmen Holzbekleidung der zurückgesetzten Fassaden unterstrichen. Die Innenräume sind flexibel gehalten und können in Teilbereichen durch Zuschalten von Nachbarräumen vergrößert werden.

Nutzung

1 Erdgeschoss
Foyer, Gottesdienstraum, Freizeitraum, Bibliothek, Seminarraum, Teeküche, Sanitärräume, Stuhllager, Abstellraum, Technikraum

1 Obergeschoss
Freizeitraum, Gruppenräume (4St), Raum der Stille, Büro, Gottesdienstgalerie, Teeküche, Sanitärräume, Lager, Balkon

Nutzeinheiten

Sitzplätze: 198

Grundstück

Bauraum: Freier Bauraum
Neigung: Ebenes Gelände
Bodenklasse: BK 1

Markt

Hauptvergabezeit: 2.Quartal 2015
Baubeginn: 2.Quartal 2015
Bauende: 2.Quartal 2016
Konjunkturelle Gesamtlage: über Durchschnitt
Regionaler Baumarkt: unter Durchschnitt

Baukonstruktion

Der Neubau wurde in Holzbauweise realisiert und auf Streifen- und Punktfundamenten aus Stahlbeton gegründet. Die Außenwände erhielten eine Vorsatzschale aus rotem Klinker und aus Holz. Es wurden Metall- und Kunststofffenster eingebaut.

Technische Anlagen

Durch den Einsatz von Deckenheizstrahlern konnte eine schlanke Gas-Brennwerttherme installiert werden. Photovoltaikmodule wurden auf der nach Süden orientierten Dachfläche installiert.

Sonstiges

Durch einen hohen Grad der Vorfertigung konnten die Bauzeit verkürzt und die Baukosten niedrig gehalten werden.

Planungskennwerte für Flächen und Rauminhalte nach DIN 277

Flächen des Grundstücks		Menge Einheit	% an GF
BF	Bebaute Fläche	673,25 m²	18,6
UF	Unbebaute Fläche	2.943,75 m²	81,4
GF	Grundstücksfläche	3.617,00 m²	100,0

Grundflächen des Bauwerks		Menge Einheit	% an NUF	% an BGF
NUF	Nutzungsfläche	738,06 m²	100,0	68,1
TF	Technikfläche	16,60 m²	2,2	1,5
VF	Verkehrsfläche	172,06 m²	23,3	15,9
NRF	Netto-Raumfläche	926,72 m²	125,6	85,5
KGF	Konstruktions-Grundfläche	156,95 m²	21,3	14,5
BGF	Brutto-Grundfläche	1.083,67 m²	146,8	100,0

Brutto-Rauminhalt des Bauwerks		Menge Einheit	BRI/NUF (m)	BRI/BGF (m)
BRI	Brutto-Rauminhalt	5.486,80 m³	7,43	5,06

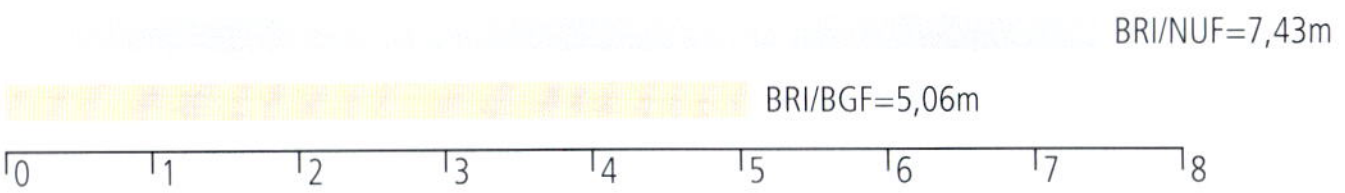

Kostenkennwerte für die Kostengruppen der 1. Ebene DIN 276

KG	Kostengruppen (1. Ebene)	Einheit	Kosten €	€/Einheit	€/m² BGF	€/m³ BRI	% 300+400
100	Grundstück	m² GF	–	–	–	–	–
200	Vorbereitende Maßnahmen	m² GF	–	–	–	–	–
300	Bauwerk – Baukonstruktionen	m² BGF	1.415.089	1.305,83	1.305,83	257,91	72,2
400	Bauwerk – Technische Anlagen	m² BGF	545.363	503,26	503,26	99,40	27,8
	Bauwerk 300+400	**m² BGF**	**1.960.452**	**1.809,09**	**1.809,09**	**357,30**	**100,0**
500	Außenanlagen und Freiflächen	m² AF	68.414	23,24	63,13	12,47	3,5
600	Ausstattung und Kunstwerke	m² BGF	–	–	–	–	–
700	Baunebenkosten	m² BGF	–	–	–	–	–
800	Finanzierung	m² BGF	–	–	–	–	–

KG	Kostengruppe	Menge Einheit	Kosten €	€/Einheit	%
3+4	**Bauwerk**				**100,0**
300	**Bauwerk – Baukonstruktionen**	1.083,67 m² BGF	1.415.089	**1.305,83**	72,2

Baugrubenaushub; Stb-Fundamente, Stb-Bodenplatte, Estrich, PVC-Belag, Linoleum, Teppich, Bodenfliesen; Holzrahmen-Außenwände, Stahlstützen, Metalltüren, Kunststofffenster, teilw. Sonnenschutzverglasung, Wärmedämmung, hinterlüftete Ziegel-, Holzfassade, GF-Bekleidung; Innenmauerwerk, Holzrahmen-Innenwände, GK-Wände, Holzstützen, Wandfliesen, mobile Trennwand; Holzbalkendecken, Stb-Treppen, Stahltreppen, Stahlaußentreppen, Estrich, PVC-Belag, Linoleum, Teppich, Bodenfliesen, GK-Decken, Glas-Stahlgeländer, Treppengeländer; flachgeneigtes Dach, BSH-Binder, Oberlichter, Dämmung, Abdichtung, Dachentwässerung, GK-Bekleidung; Teeküchen

KG	Kostengruppe	Menge Einheit	Kosten €	€/Einheit	%
400	**Bauwerk – Technische Anlagen**	1.083,67 m² BGF	545.363	**503,26**	27,8

Gebäudeentwässerung, Kalt- und Warmwasserleitungen, Sanitärobjekte; Gas-Brennwerttherme, Plattenheizkörper, Deckenheizplatten (Gottesdienstraum); Einzelraumlüfter, RWA-Anlage; PV-Anlage (32 m²), Elektroinstallation, Beleuchtung; Telekommunikationsanlage, Fernseh- und Antennenanlagen, Rauchmelder; Personenaufzug

KG	Kostengruppe	Menge Einheit	Kosten €	€/Einheit	%
500	**Außenanlagen und Freiflächen**	2.943,75 m² AF	68.414	**23,24**	3,5

Bodenarbeiten; Wege, Betonpflastersteine, Parkplätze; Winkelstützmauern, Stufen; Oberbodenarbeiten, Stauden, Bäume

6400-0105
Bürgerhaus

Objektübersicht

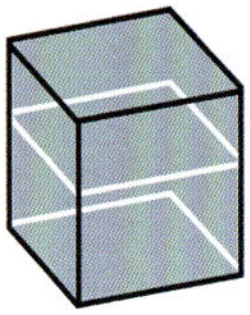

BRI 717 €/m³

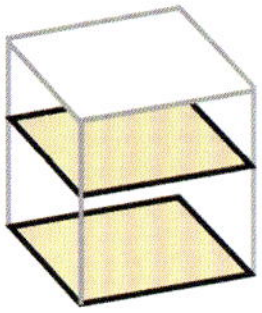

BGF 3.398 €/m²

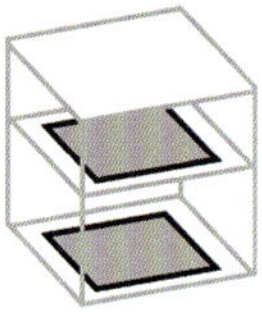

NUF 4.584 €/m²

Objekt:
Kennwerte: 1. Ebene DIN 276
BRI: 4.840 m³
BGF: 1.021 m²
NUF: 757 m²
Bauzeit: 48 Wochen
Bauende: 2016
Standard: Durchschnitt
Bundesland: Hessen
Kreis: Lahn-Dill-Kreis

Architekt*in:
STUDIOBORNHEIM
Unger Ritter Architekten
PartG mbB
Nibelungenallee 21
60318 Frankfurt am Main

Bauherr*in:
Magistrat der Stadt Herborn
Hauptstraße 39
35745 Herborn

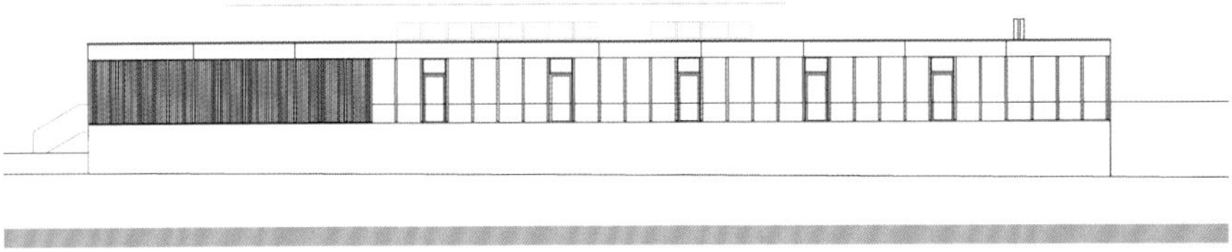

Ansicht West

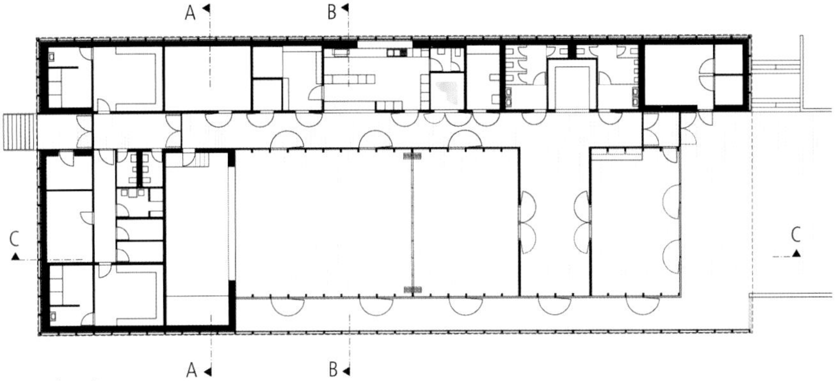

Erdgeschoss

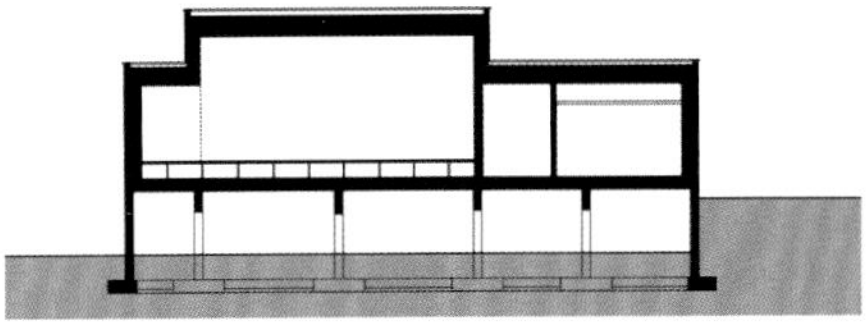

Schnitt A-A

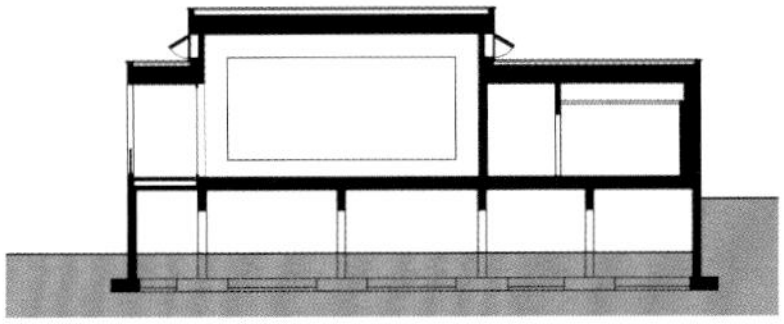

Schnitt B-B

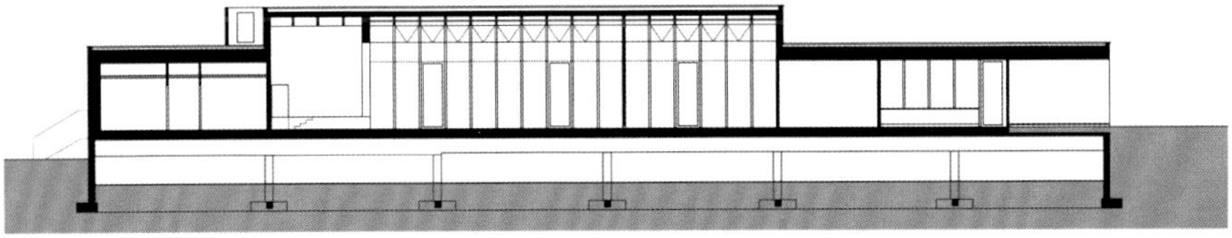

Schnitt C-C

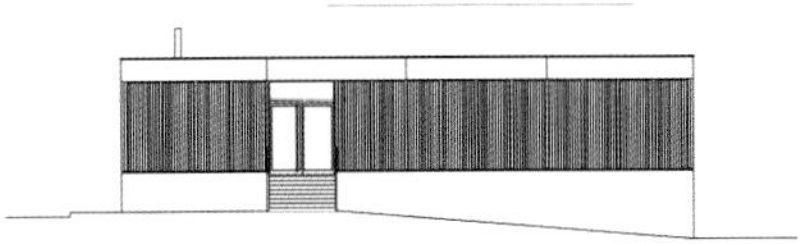

Ansicht Nord

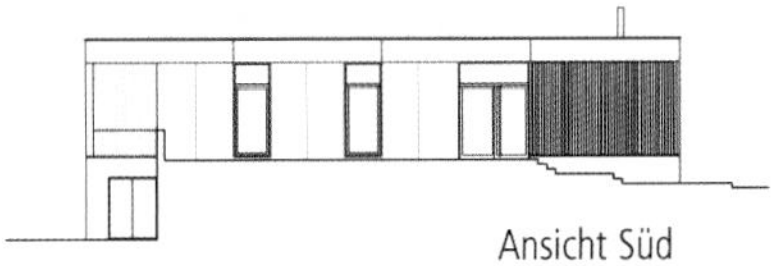

Ansicht Süd

Objektbeschreibung

Allgemeine Objektinformationen

Das neue Bürgerhaus mit Saal und Vereinszimmer in Kombination mit Sportlerumkleiden befindet sich zwischen einer Eisenbahnlinie im Osten und einem Fluss im Westen. Der Neubau liegt höhenlinienparallel an der Geländekante zur Flussaue. Durch die kompakte und schmale Bauform wird ein Minimum an Grundfläche überbaut. Der Haupteingang ist mit seinem Vordach dem Ort zugewandt. Der Saal ist durch eine mobile Trennwand unterteilbar. Die vorgelagerte Loggia dient als Fluchtweg aus dem Saal und bietet eine Raumergänzung im Sommer. Der Flutkeller unterhalb des Gebäudes dient als Retentionsraum bei Hochwasser.

Nutzung

1 Untergeschoss
Flutkeller

1 Erdgeschoss
Foyer, Saal (teilbar), Bühne, Vereinszimmer, Küche, Umkleiden und Duschen für Sportler

Nutzeinheiten

Sitzplätze: 250

Grundstück

Bauraum: Freier Bauraum
Neigung: Hanglage
Bodenklasse: BK 3 bis BK 4

Markt

Hauptvergabezeit: 1. Quartal 2015
Baubeginn: 2. Quartal 2015
Bauende: 2. Quartal 2016
Konjunkturelle Gesamtlage: Durchschnitt
Regionaler Baumarkt: Durchschnitt

Baukonstruktion

Das Gebäude wurde als eingeschossiger Holzskelettbau errichtet. Die Gründung erfolgt über Streifen- sowie Punktfundamente. Der Flutkeller entstand in Stahlbetonbauweise mit punktgestützter Decke und Unterzügen. Die opaken Außenwände wurden mehrschalig in Holzbauweise mit vorgehängter hinterlüfteter Fassade aus senkrechten Holzlamellen auf Fuge ausgeführt. Alle bewitterten Holzoberflächen im Außenbereich wurden mit einer Vergrauungslasur vorbehandelt. Die Glasfassaden bestehen aus hochwärmegedämmten Holzfensterkonstruktionen mit Dreifachverglasung. Im Saal und Vereinszimmer wurde ein Parkettboden mit robuster und langlebiger UV-Versiegelung ausgeführt.

Technische Anlagen

Die Beheizung erfolgt mittels einer Gas-Brennwerttherme in Kombination mit einer Luft-Wasser-Wärmepumpe. Über eine Fußbodenheizung wird die Wärme an die Räume weitergeleitet. Eine natürliche Querlüftung für den Saal wird über motorisch betriebene Oberlichtklappen gewährleistet. Im gesamten Gebäude wurden LED-Leuchten installiert.

Planungskennwerte für Flächen und Rauminhalte nach DIN 277

Flächen des Grundstücks		Menge Einheit	% an GF
BF	Bebaute Fläche	1.021,09 m²	30,5
UF	Unbebaute Fläche	2.328,91 m²	69,5
GF	Grundstücksfläche	3.350,00 m²	100,0

Grundflächen des Bauwerks		Menge Einheit	% an NUF	% an BGF
NUF	Nutzungsfläche	756,92 m²	100,0	74,1
TF	Technikfläche	28,02 m²	3,7	2,7
VF	Verkehrsfläche	119,31 m²	15,8	11,7
NRF	Netto-Raumfläche	904,25 m²	119,5	88,6
KGF	Konstruktions-Grundfläche	116,84 m²	15,4	11,4
BGF	Brutto-Grundfläche	1.021,09 m²	134,9	100,0

Brutto-Rauminhalt des Bauwerks		Menge Einheit	BRI/NUF (m)	BRI/BGF (m)
BRI	Brutto-Rauminhalt	4.840,19 m³	6,40	4,74

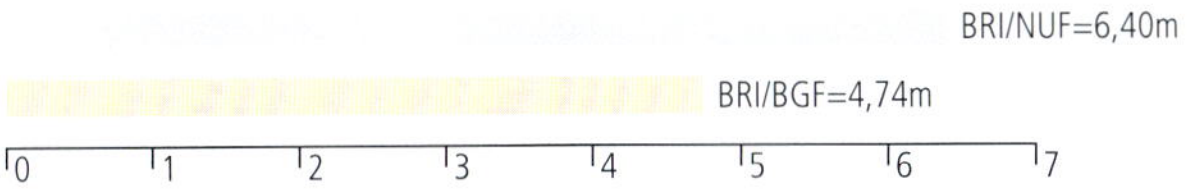

Kostenkennwerte für die Kostengruppen der 1. Ebene DIN 276

KG	Kostengruppen (1. Ebene)	Einheit	Kosten €	€/Einheit	€/m² BGF	€/m³ BRI	% 300+400
100	Grundstück	m² GF	–	–	–	–	–
200	Vorbereitende Maßnahmen	m² GF	–	–	–	–	–
300	Bauwerk – Baukonstruktionen	m² BGF	2.699.498	2.643,74	2.643,74	557,73	77,8
400	Bauwerk – Technische Anlagen	m² BGF	770.327	754,42	754,42	159,15	22,2
	Bauwerk 300+400	**m² BGF**	**3.469.825**	**3.398,16**	**3.398,16**	**716,88**	**100,0**
500	Außenanlagen und Freiflächen	m² AF	–	–	–	–	–
600	Ausstattung und Kunstwerke	m² BGF	–	–	–	–	–
700	Baunebenkosten	m² BGF	–	–	–	–	–
800	Finanzierung	m² BGF	–	–	–	–	–

KG	Kostengruppe	Menge Einheit	Kosten €	€/Einheit	%
3+4	**Bauwerk**				**100,0**
300	**Bauwerk – Baukonstruktionen**	1.021,09 m² BGF	2.699.498	**2.643,74**	77,8

Stb-Streifenfundamente, Stb-Punktfundamente; Stb-Wände (Flutkeller), Holzrahmenwände, Stb-Stützen (Flutkeller), Holzstützen, Holzfenster, Dreifachverglasung, hinterlüftete Holzfassade, Außenmarkisen; Innenwände mit Weißtanne-Dreischichtplatten (Saal, Foyer), GK-Innenwände, Holztüren, mobile Trennwand; Stb-Decke, Stb-Unterzüge, außenliegende Stahl-Fluchttreppe, EPS-Dämmung, Heizestrich, Parkett, Bodenfliesen, Weißtanne-Akustikdecken (Saal, Foyer), abgehängte GK-Decken (Nebenräumen); Brettschichtholzdächer, Gefälledämmung, Bitumenabdichtung, Edelstahlseilnetz-Geländer

KG	Kostengruppe	Menge Einheit	Kosten €	€/Einheit	%
400	**Bauwerk – Technische Anlagen**	1.021,09 m² BGF	770.327	**754,42**	22,2

Gebäudeentwässerung, Kalt- und Warmwasserleitungen, Sanitärobjekte; Gas-Brennwerttherme, Luft-Wasser-Wärmepumpe, zentrale Warmwasserbereitung, Fußbodenheizung; Elektroinstallation, LED-Beleuchtung; RWA-Anlage, Netzwerkverkabelung

Objektübersicht

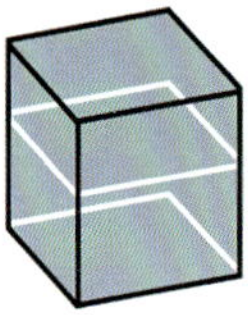

BRI 434 €/m³

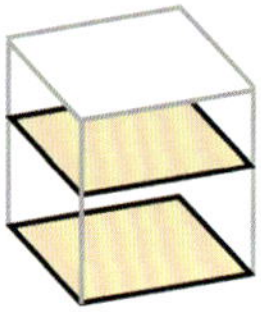

BGF 2.010 €/m²

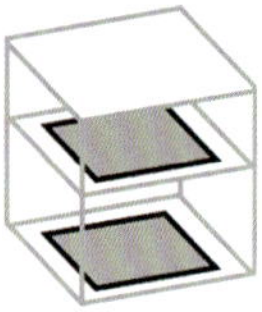

NUF 2.640 €/m²

Objekt:
Kennwerte: 1. Ebene DIN 276
BRI: 1.762 m³
BGF: 380 m²
NUF: 289 m²
Bauzeit: 48 Wochen
Bauende: 2016
Standard: Durchschnitt
Bundesland: Baden-Württemberg
Kreis: Heilbronn

Architekt*in:
MATTES//EPPMANN
ARCHITEKTEN GbR
Im Lämmerberg 26
74232 Abstatt

Bauherr*in:
Gemeinde Neckarwestheim
Marktplatz 1
74382 Neckarwestheim

© Victor S. Brigola

© Victor S. Brigola

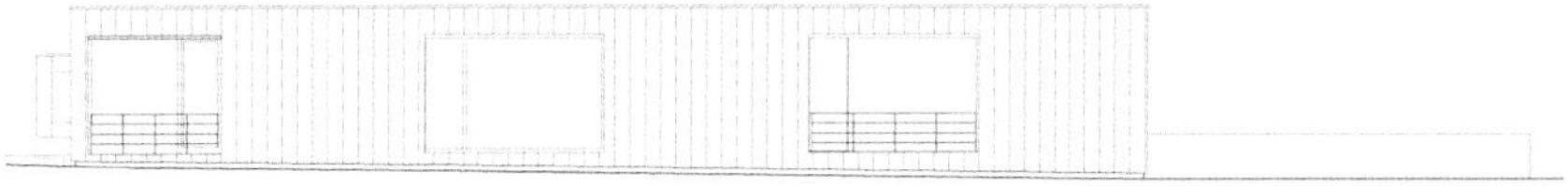

Ansicht Ost

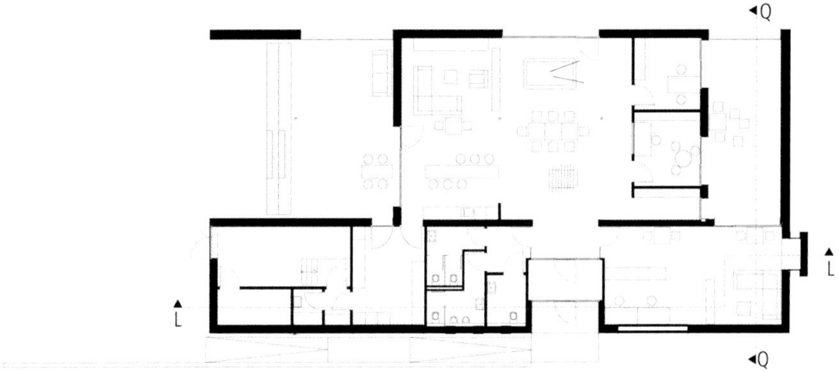

Erdgeschoss

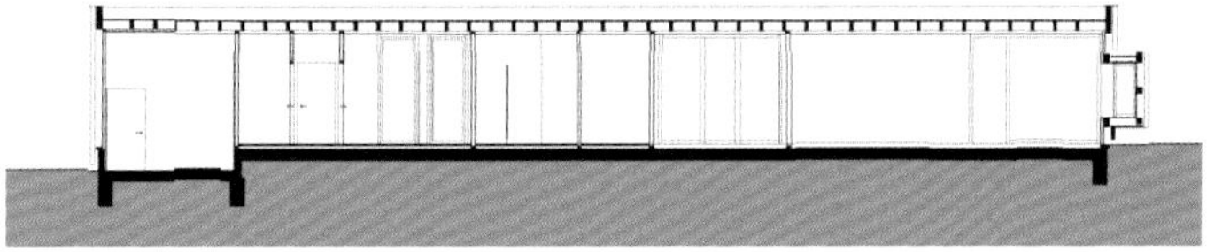

Längsschnitt

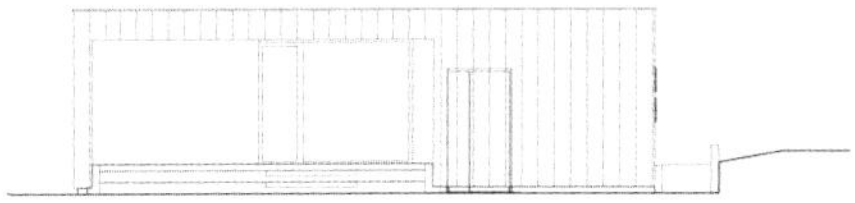

Ansicht Nord

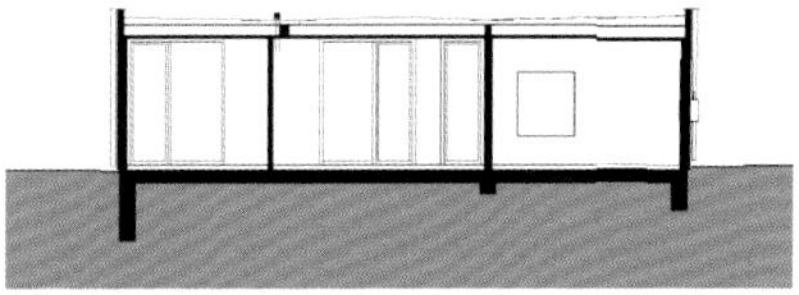

Querschnitt

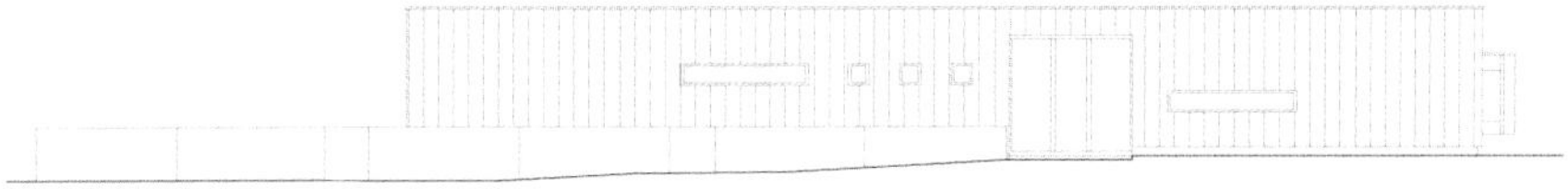

Ansicht West

Objektbeschreibung

Allgemeine Objektinformationen

Das neue Jugendhaus resultiert aus einem Mehrfachbeauftragung dreier Architekturbüros. Eine klare und einfache ebenerdige Grundrissstruktur unterstreicht die Einfachheit und Zweckmäßigkeit des Neubaus. Zum nahe gelegenen Wohngebiet hin erscheint das Gebäude geschlossen. Einschnitte im Grundriss bilden geschützte Außenterrassen. Eine weitläufige Außentreppe orientiert sich zum Half-Pipe- und Bolzplatz und bildet dort als Sitzarena einen Kommunikationsbereich. Teil des Konzepts war ein einfacher Standard sowie die Mitarbeit der Jugendlichen.

Nutzung

1 Erdgeschoss
Eingangsbereich, Aufenthaltsraum, Lounge, Projektküche, Sanitärräume, Lager, Büro, Lichthof, Terrasse

Grundstück

Bauraum: Freier Bauraum
Neigung: Ebenes Gelände
Bodenklasse: BK 1

Markt

Hauptvergabezeit: 4. Quartal 2015
Baubeginn: 1. Quartal 2016
Bauende: 4. Quartal 2016
Konjunkturelle Gesamtlage: Durchschnitt
Regionaler Baumarkt: unter Durchschnitt

Baukonstruktion

Es wurde Holzrahmenbauweise gewählt, um auf Trocknungszeiten verzichten zu können. Die Fenster konnten somit auf Maß vorproduziert werden. Es kamen großformatige bodentiefe Holzfenster mit Dreifachverglasung zum Einbau. Die Fassade besteht aus sägerauer Schalung und ist in dunkelbraun gehalten. Farbige Fensterlaibungen setzen Akzente. Der Boden ist mit Industrielamellenparkett bzw. Fliesen belegt. Ein Holzsparrenflachdach mit Aufsparrendämmung bildet den oberen Abschluss des Gebäudes.

Technische Anlagen

Die Beheizung des Jugendhauses erfolgt mittels einer Luft-Wasser-Wärmepumpe. In sämtlichen Räumen wurden Heizkörper eingebaut. Die Belüftung der Sanitärräume erfolgt über die Raumlüftungsanlage.

Sonstiges

Eine Außenrampe ermöglicht einen barrierefreien Zugang.

Planungskennwerte für Flächen und Rauminhalte nach DIN 277

Flächen des Grundstücks		Menge Einheit	% an GF
BF	Bebaute Fläche	463,59 m²	24,4
UF	Unbebaute Fläche	1.436,41 m²	75,6
GF	Grundstücksfläche	1.900,00 m²	100,0

Grundflächen des Bauwerks		Menge Einheit	% an NUF	% an BGF
NUF	Nutzungsfläche	289,37 m²	100,0	76,1
TF	Technikfläche	6,13 m²	2,1	1,6
VF	Verkehrsfläche	33,42 m²	11,5	8,8
NRF	Netto-Raumfläche	328,92 m²	113,7	86,5
KGF	Konstruktions-Grundfläche	51,18 m²	17,7	13,5
BGF	Brutto-Grundfläche	380,10 m²	131,4	100,0

Brutto-Rauminhalt des Bauwerks		Menge Einheit	BRI/NUF (m)	BRI/BGF (m)
BRI	Brutto-Rauminhalt	1.761,64 m³	6,09	4,64

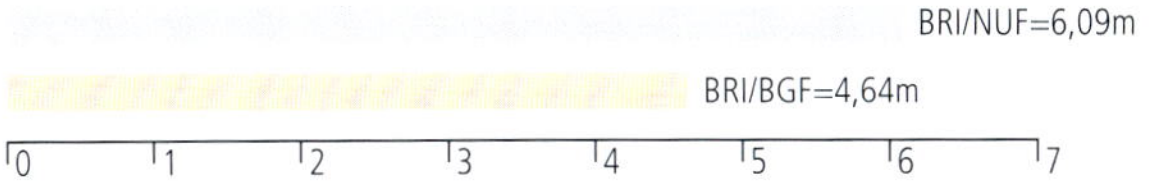

Kostenkennwerte für die Kostengruppen der 1. Ebene DIN 276

KG	Kostengruppen (1. Ebene)	Einheit	Kosten €	€/Einheit	€/m² BGF	€/m³ BRI	% 300+400
100	Grundstück	m² GF	–	–	–	–	–
200	Vorbereitende Maßnahmen	m² GF	–	–	–	–	–
300	Bauwerk – Baukonstruktionen	m² BGF	540.186	1.421,17	1.421,17	306,64	70,7
400	Bauwerk – Technische Anlagen	m² BGF	223.802	588,80	588,80	127,04	29,3
	Bauwerk 300+400	**m² BGF**	**763.988**	**2.009,97**	**2.009,97**	**433,68**	**100,0**
500	Außenanlagen und Freiflächen	m² AF	–	–	–	–	–
600	Ausstattung und Kunstwerke	m² BGF	–	–	–	–	–
700	Baunebenkosten	m² BGF	–	–	–	–	–
800	Finanzierung	m² BGF	–	–	–	–	–

KG	Kostengruppe	Menge Einheit	Kosten €	€/Einheit	%
3+4	**Bauwerk**				**100,0**
300	**Bauwerk – Baukonstruktionen**	380,10 m² BGF	540.186	**1.421,17**	70,7

Stb-Fundamente, Stb-Bodenplatte, Stb-Fertigteiltreppe, Rollstuhlrampe, Holztreppe, Treppenstufen als Sitzstufen aus Lärchendielen, Abdichtung, Dämmung, Zementestrich, Bodenfliesen, Industrielamellenparkett, Lärchendielen als Terrassenbelag, Dämmung; Holzrahmenwände, Holzfenster, Dreifachverglasung, Fensterlaibung als Sitznische, Türen, GK-Bekleidung, Dämmung, hinterlüftete Holzfassade, lasiert, HPL-Platten als Laibungsbekleidung, Lamellen-Außenjalousien, Stahlgeländer; Holzrahmenwände, GK-Innenwände, Innentüren, GK-Bekleidung; Holzsparren-Flachdach, Aufsparrendämmung, Abdichtung, Kiesschüttung, GK-Akustikdecken, Dachentwässerung; Einbauküche

KG	Kostengruppe	Menge Einheit	Kosten €	€/Einheit	%
400	**Bauwerk – Technische Anlagen**	380,10 m² BGF	223.802	**588,80**	29,3

Gebäudeentwässerung, Kalt- und Warmwasserleitungen, Sanitärobjekte, Durchlauferhitzer; Luft-Wasser-Wärmepumpe, Heizkörper, Plattenheizkörper; Raumlüftungsanlage in den Sanitärräumen; Elektroinstallation, Innen- und Außenbeleuchtung; Telekommunikationsanlage, Gegensprechanlage, Rauchmeldeanlage

6400-0112
Evang.-Luth.
Gemeindezentrum
(80 Sitzplätze)
Effizienzhaus ~37%

Objektübersicht

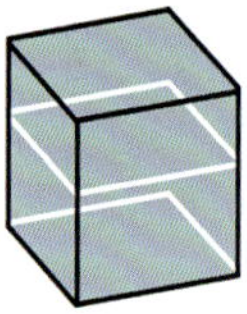

BRI 476 €/m³

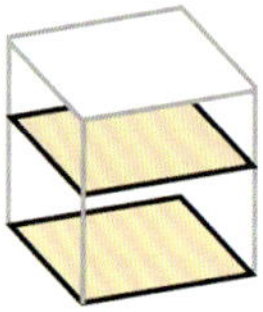

BGF 3.006 €/m²

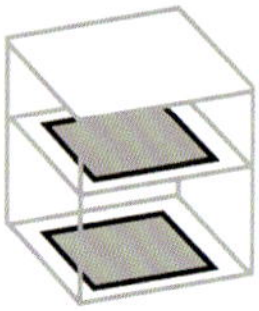

NUF 3.941 €/m²

Objekt:
Kennwerte: 3. Ebene DIN 276
BRI: 2.480 m³
BGF: 393 m²
NUF: 300 m²
Bauzeit: 44 Wochen
Bauende: 2016
Standard: über Durchschnitt
Bundesland: Bayern
Kreis: Regensburg

Architekt*in:
Architekturbüro
Thiemann
Kirchgasse 20
91217 Hersbruck

Bauherr*in:
Evang.-Luth. Kirchen-
gemeinde
Regenstauf

© Sebastian Thiemann

© Sebastian Thiemann

© Sebastian Thiemann

© Sebastian Thiemann

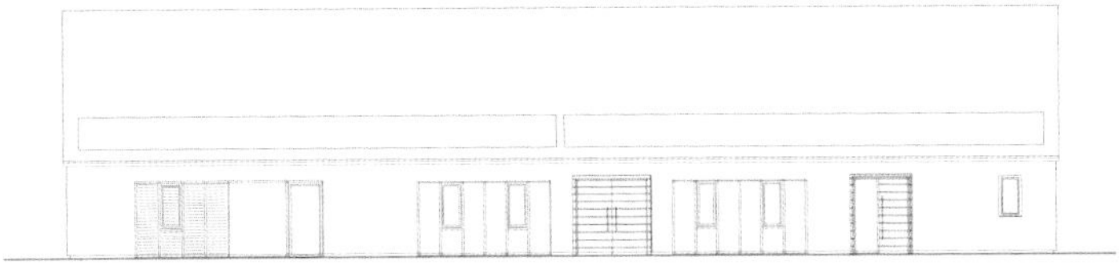

Ansicht Ost

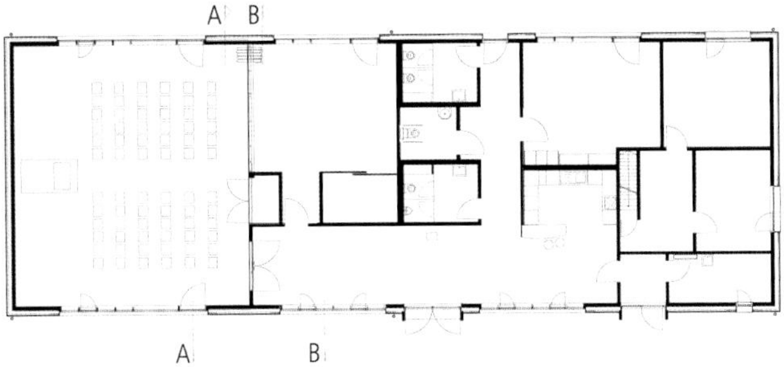

Erdgeschoss

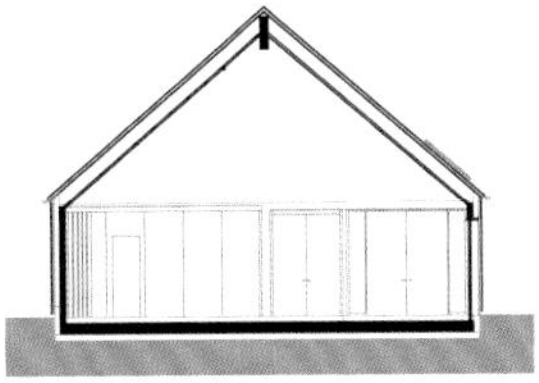

Schnitt A-A

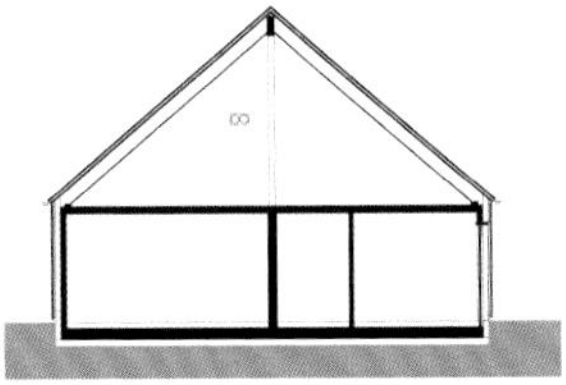

Schnitt B-B

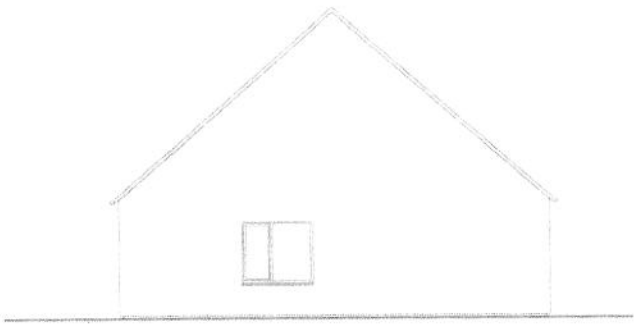

Ansicht West

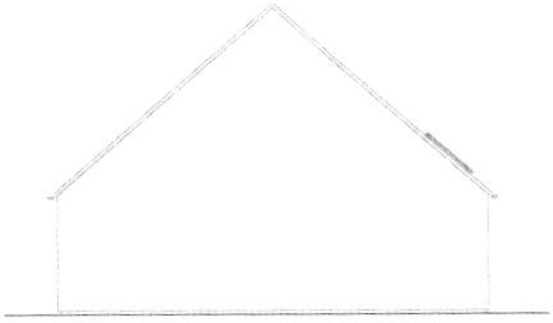

Ansicht Süd

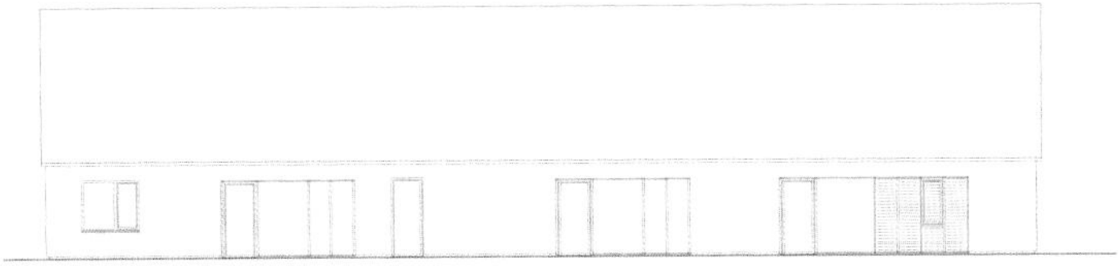

Ansicht Nord

6400-0112
Evang.-Luth.
Gemeindezentrum
(80 Sitzplätze)
Effizienzhaus ~37%

Objektbeschreibung

Allgemeine Objektinformationen

Realisiert wurde ein baubiologisch einwandfreies und nachhaltiges Gemeindehaus einschließlich Pfarrbüro sowie einen Bereich für die Jugendarbeit. Herzstück des Gemeindehauses ist die Saalkirche. Dieser sakrale Raum dient in erster Linie der Feier von Gottesdiensten, ist jedoch so angelegt, dass auch eine Gemeindenutzung möglich ist. Ein unverrückbarer Altar aus Stampflehm stellt die Bedeutung des Raumes in den Vordergrund und zeigt auch bei Konzerten, Lesungen oder anderen Veranstaltungen die sakrale Bedeutung des Gebäudes.

Nutzung

1 Erdgeschoss
Saalkirche, Gemeinderaum, Gruppenraum, Pfarrbüro, Teeküche, WC-Räume

1 Dachgeschoss
Dachraum

Nutzeinheiten

Arbeitsplätze: 2
Sitzplätze: 80
Stellplätze: 3

Grundstück

Bauraum: Freier Bauraum
Neigung: Geneigtes Gelände
Bodenklasse: BK 1 bis BK 3

Markt

Hauptvergabezeit: 4. Quartal 2015
Baubeginn: 3. Quartal 2015
Bauende: 2. Quartal 2016
Konjunkturelle Gesamtlage: Durchschnitt
Regionaler Baumarkt: unter Durchschnitt

Baukonstruktion

Das Gebäude wurde so errichtet, dass sowohl die dämmende Gebäudehülle als auch die Luftdichtigkeitsebene komplett um das Gebäude gezogen wurden. Unter der Stahlbetonbodenplatte befindet sich eine Dämmebene. Die Brettstapelwände wurden in leimfreier Bauweise errichtet und sind innenseitig auf Sicht gearbeitet. Eine außen aufgebrachte Diagonalschalung gewährleistet statische Scheibenwirkung. Die vollflächig durchgehende Dampfbremse sichert die notwendige Luftdichtigkeit des Gebäudes. Die Dämmebene aus Holzwerkstoffplatten wurde außen aufgebracht, sie bildet eine homogene Schicht. Ein mineralischer Anstrich aus Vergrauungslasur lässt die großen Flächen der hinterlüfteten Fassadenkonstruktion einheitlich erscheinen.

Technische Anlagen

Das Gemeindehaus ist mit einer Sole-Wärmepumpe mit Pufferspeicher zur Versorgung der Fußbodenheizung ausgerüstet. Ein Großteil des Strombedarfs wird durch eine Photovoltaikanlage erzeugt. Eine zentrale Lüftungsanlage mit Wärmerückgewinnung sorgt für den Luftaustausch. Die Warmwasserversorgung erfolgt über energieeffiziente Durchlauferhitzer.

Sonstiges

Zurückhaltung und Natürlichkeit in der Materialität ziehen sich durch das gesamte Gebäude. Im Kirchenraum treffen wir auf Holz, Naturstein und Lehm. Auch die Farbigkeit bleibt überwiegend sanft und bescheiden mit Naturholz- und Weißtönungen.

Planungskennwerte für Flächen und Rauminhalte nach DIN 277

Flächen des Grundstücks		Menge Einheit	% an GF
BF	Bebaute Fläche	393,00 m^2	18,2
UF	Unbebaute Fläche	1.772,00 m^2	81,8
GF	Grundstücksfläche	2.165,00 m^2	100,0

Grundflächen des Bauwerks		Menge Einheit	% an NUF	% an BGF
NUF	Nutzungsfläche	299,80 m^2	100,0	76,3
TF	Technikfläche	8,70 m^2	2,9	2,2
VF	Verkehrsfläche	33,20 m^2	11,1	8,4
NRF	Netto-Raumfläche	341,70 m^2	114,0	86,9
KGF	Konstruktions-Grundfläche	51,30 m^2	17,1	13,1
BGF	Brutto-Grundfläche	393,00 m^2	131,1	100,0

Brutto-Rauminhalt des Bauwerks		Menge Einheit	BRI/NUF (m)	BRI/BGF (m)
BRI	Brutto-Rauminhalt	2.479,68 m^3	8,27	6,31

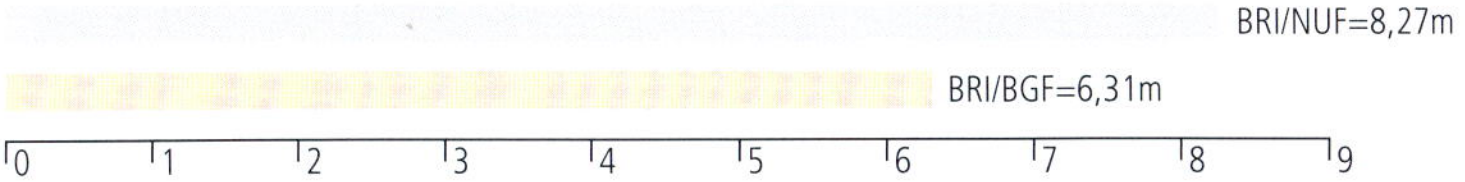

Lufttechnisch behandelte Flächen	Menge Einheit	% an NUF	% an BGF
Entlüftete Fläche	–	–	–
Be- und entlüftete Fläche	–	–	–
Teilklimatisierte Fläche	–	–	–
Klimatisierte Fläche	–	–	–

KG	Kostengruppen (2. Ebene)	Menge Einheit	Menge/NUF	Menge/BGF
310	Baugrube / Erdbau	25,39 m^3 BGI	0,09	0,07
320	Gründung, Unterbau	372,58 m^2 GRF	1,24	0,95
330	Außenwände/Vertikale Baukonstruktionen, außen	352,52 m^2 AWF	1,18	0,90
340	Innenwände/Vertikale Baukonstruktionen, innen	258,56 m^2 IWF	0,86	0,66
350	Decken/Horizontale Baukonstruktionen	258,99 m^2 DEF	0,86	0,66
360	Dächer	522,00 m^2 DAF	1,74	1,33

6400-0112
Evang.-Luth.
Gemeindezentrum
(80 Sitzplätze)
Effizienzhaus ~37%

Kostenkennwerte für die Kostengruppen der 1. Ebene DIN 276

KG	Kostengruppen (1. Ebene)	Einheit	Kosten €	€/Einheit	€/m² BGF	€/m³ BRI	% 300+400
100	Grundstück	m² GF	–	–	–	–	–
200	Vorbereitende Maßnahmen	m² GF	–	–	–	–	–
300	Bauwerk – Baukonstruktionen	m² BGF	971.034	2.470,83	2.470,83	391,60	82,2
400	Bauwerk – Technische Anlagen	m² BGF	210.471	535,55	535,55	84,88	17,8
	Bauwerk 300+400	**m² BGF**	**1.181.505**	**3.006,37**	**3.006,37**	**476,47**	**100,0**
500	Außenanlagen und Freiflächen	m² AF	166.186	93,78	422,86	67,02	14,1
600	Ausstattung und Kunstwerke	m² BGF	3.306	8,41	8,41	1,33	0,3
700	Baunebenkosten	m² BGF	–	–	–	–	–
800	Finanzierung	m² BGF	–	–	–	–	–

KG	Kostengruppe	Menge Einheit	Kosten €	€/Einheit	%
3+4	**Bauwerk**				**100,0**
300	**Bauwerk – Baukonstruktionen**	393,00 m² BGF	971.034	**2.470,83**	82,2

Bodenverbesserung, Stb-Bodenplatte, Abdichtung, Estrich, Naturstein, Linoleum, Bodenfliesen; Brettstapelwände, Stahlstützen, Holzstütze, Holz-Eingangselemente, Holzfenster, Holzschalung, Silikatbeschichtung, Holz-Pfosten-Riegel-Fassaden; Brettstapelwände, GK-Wände, Holztüren, Wandfliesen, Trennwand; Brettschichtholz-Elementdecken, Brettstapeldecken, Holzwangentreppe, Akustikdecken; Holz-Satteldach, Ziegeldeckung, Dachentwässerung; Einbauküche, Einbauschränke, Holzbank

KG	Kostengruppe	Menge Einheit	Kosten €	€/Einheit	%
400	**Bauwerk – Technische Anlagen**	393,00 m² BGF	210.471	**535,55**	17,8

Gebäudeentwässerung, Kalt- und Warmwasserleitungen, Sanitärobjekte; Sole-Wasser-Wärmepumpe, Erdsonden, Heizungsrohre, Fußbodenheizung; Zu-/Abluftgerät mit WRG, Lüftungsleitungen; Photovoltaikanlage, Elektroinstallation, Beleuchtung, Erdung; Sprechanlage, Beschallungsanlage, EDV-Verkabelung

KG	Kostengruppe	Menge Einheit	Kosten €	€/Einheit	%
500	**Außenanlagen und Freiflächen**	1.772,00 m² AF	166.186	**93,78**	14,1

Bodenarbeiten; Bodenverbesserung; Betonpflaster, Sitzstufen; Oberflächenentwässerung, Erdsonden; Außenmöblierung; Oberbodenarbeiten, Rasen

KG	Kostengruppe	Menge Einheit	Kosten €	€/Einheit	%
600	**Ausstattung und Kunstwerke**	393,00 m² BGF	3.306	**8,41**	0,3

Sanitärausstattungen

Kostenkennwerte für die Kostengruppen 300 der 2. und 3. Ebene DIN 276 (Übersicht)

KG	Kostengruppe	Menge Einheit	€/Einheit	Kosten €	% an 3+4
300	**Bauwerk – Baukonstruktionen**	**393,00 m² BGF**	**2.470,83**	**971.034,46**	**82,2**
310	**Baugrube / Erdbau**	**25,39 m³ BGI**	**162,26**	**4.119,67**	**0,3**
311	Herstellung	25,39 m³ BGI	162,26	4.119,67	0,3
312	Umschließung	–	–	–	–
313	Wasserhaltung	–	–	–	–
314	Vortrieb	–	–	–	–
319	Sonstiges zur KG 310	–	–	–	–
320	**Gründung, Unterbau**	**372,58 m² GRF**	**476,82**	**177.653,12**	**15,0**
321	Baugrundverbesserung	–	–	495,14	< 0,1
322	Flachgründungen und Bodenplatten	372,58 m²	113,43	42.263,46	3,6
323	Tiefgründungen	–	–	–	–
324	Gründungsbeläge	354,04 m²	273,32	96.766,95	8,2
325	Abdichtungen und Bekleidungen	427,51 m²	89,19	38.127,60	3,2
326	Dränagen	–	–	–	–
329	Sonstiges zur KG 320	–	–	–	–
330	**Außenwände/Vert. Baukonstrukt., außen**	**352,52 m² AWF**	**894,15**	**315.205,47**	**26,7**
331	Tragende Außenwände	250,00 m²	435,44	108.859,34	9,2
332	Nichttragende Außenwände	–	–	–	–
333	Außenstützen	21,56 m	23,19	499,87	< 0,1
334	Außenwandöffnungen	22,14 m²	1.348,31	29.851,69	2,5
335	Außenwandbekleidungen, außen	250,00 m²	321,62	80.405,33	6,8
336	Außenwandbekleidungen, innen	40,00 m²	52,31	2.092,21	0,2
337	Element. Außenwandkonstruktionen	80,38 m²	1.074,48	86.366,42	7,3
338	Lichtschutz zur KG 330	45,77 m²	155,79	7.130,57	0,6
339	Sonstiges zur KG 330	–	–	–	–
340	**Innenwände/Vert. Baukonstrukt., innen**	**258,56 m² IWF**	**578,95**	**149.693,26**	**12,7**
341	Tragende Innenwände	164,00 m²	389,17	63.823,31	5,4
342	Nichttragende Innenwände	24,98 m²	246,07	6.146,95	0,5
343	Innenstützen	51,00 m	32,46	1.655,53	0,1
344	Innenwandöffnungen	46,14 m²	847,69	39.112,52	3,3
345	Innenwandbekleidungen	241,88 m²	76,89	18.597,14	1,6
346	Elementierte Innenwandkonstruktionen	23,44 m²	868,51	20.357,84	1,7
347	Lichtschutz zur KG 340	–	–	–	–
349	Sonstiges zur KG 340	–	–	–	–
350	**Decken/Horizontale Baukonstruktionen**	**258,99 m² DEF**	**382,50**	**99.064,78**	**8,4**
351	Deckenkonstruktionen	258,99 m²	326,12	84.462,34	7,1
352	Deckenöffnungen	–	–	–	–
353	Deckenbeläge	255,00 m²	29,81	7.601,95	0,6
354	Deckenbekleidungen	35,00 m²	172,42	6.034,67	0,5
355	Elementierte Deckenkonstruktionen	–	–	–	–
359	Sonstiges zur KG 350	258,99 m² DEF	3,73	965,80	< 0,1
360	**Dächer**	**522,00 m² DAF**	**348,05**	**181.680,64**	**15,4**
361	Dachkonstruktionen	522,00 m²	123,79	64.617,77	5,5
362	Dachöffnungen	–	–	–	–
363	Dachbeläge	525,05 m²	106,39	55.861,54	4,7
364	Dachbekleidungen	476,00 m²	118,16	56.246,17	4,8
365	Elementierte Dachkonstruktionen	–	–	–	–
366	Lichtschutz zur KG 360	–	–	–	–
369	Sonstiges zur KG 360	522,00 m² DAF	9,49	4.955,16	0,4
370	**Infrastrukturanlagen**	**–**	**–**	**–**	**–**
380	**Baukonstruktive Einbauten**	**393,00 m² BGF**	**36,60**	**14.384,24**	**1,2**
390	**Sonst. Maßnahmen für Baukonstrukt.**	**393,00 m² BGF**	**74,38**	**29.233,27**	**2,5**

Kostenkennwerte für die Kostengruppen 400 der 2. und 3. Ebene DIN 276 (Übersicht)

KG	Kostengruppe	Menge Einheit	€/Einheit	Kosten €	% an 3+4
400	**Bauwerk – Technische Anlagen**	**393,00 m² BGF**	**535,55**	**210.470,79**	**17,8**
410	**Abwasser-, Wasser-, Gasanlagen**	**393,00 m² BGF**	**70,35**	**27.646,63**	**2,3**
411	Abwasseranlagen	393,00 m² BGF	19,96	7.844,97	0,7
412	Wasseranlagen	393,00 m² BGF	43,84	17.229,21	1,5
413	Gasanlagen	–	–	–	–
419	Sonstiges zur KG 410	393,00 m² BGF	6,55	2.572,45	0,2
420	**Wärmeversorgungsanlagen**	**393,00 m² BGF**	**153,36**	**60.272,25**	**5,1**
421	Wärmeerzeugungsanlagen	393,00 m² BGF	60,57	23.804,99	2,0
422	Wärmeverteilnetze	393,00 m² BGF	29,66	11.657,40	1,0
423	Raumheizflächen	393,00 m² BGF	63,13	24.809,86	2,1
424	Verkehrsheizflächen	–	–	–	–
429	Sonstiges zur KG 420	–	–	–	–
430	**Raumlufttechnische Anlagen**	**393,00 m² BGF**	**42,45**	**16.681,33**	**1,4**
431	Lüftungsanlagen	393,00 m² BGF	42,45	16.681,33	1,4
432	Teilklimaanlagen	–	–	–	–
433	Klimaanlagen	–	–	–	–
434	Kälteanlagen	–	–	–	–
439	Sonstiges zur KG 430	–	–	–	–
440	**Elektrische Anlagen**	**393,00 m² BGF**	**210,22**	**82.616,79**	**7,0**
441	Hoch- und Mittelspannungsanlagen	–	–	–	–
442	Eigenstromversorgungsanlagen	393,00 m² BGF	62,37	24.511,33	2,1
443	Niederspannungsschaltanlagen	–	–	–	–
444	Niederspannungsinstallationsanlagen	393,00 m² BGF	55,24	21.711,10	1,8
445	Beleuchtungsanlagen	393,00 m² BGF	80,33	31.567,77	2,7
446	Blitzschutz- und Erdungsanlagen	393,00 m² BGF	12,28	4.826,60	0,4
447	Fahrleitungssysteme	–	–	–	–
449	Sonstiges zur KG 440	–	–	–	–
450	**Kommunikationstechnische Anlagen**	**393,00 m² BGF**	**59,17**	**23.253,79**	**2,0**
451	Telekommunikationsanlagen	393,00 m² BGF	0,20	80,19	< 0,1
452	Such- und Signalanlagen	393,00 m² BGF	1,84	722,61	< 0,1
453	Zeitdienstanlagen	–	–	–	–
454	Elektroakustische Anlagen	393,00 m² BGF	47,20	18.549,86	1,6
455	Audiovisuelle Medien- u. Antennenanl.	–	–	–	–
456	Gefahrenmelde- und Alarmanlagen	393,00 m² BGF	4,66	1.831,39	0,2
457	Datenübertragungsnetze	393,00 m² BGF	5,27	2.069,73	0,2
458	Verkehrsbeeinflussungsanlagen	–	–	–	–
459	Sonstiges zur KG 450	–	–	–	–
460	**Förderanlagen**	**–**	**–**	**–**	**–**
461	Aufzugsanlagen	–	–	–	–
462	Fahrtreppen, Fahrsteige	–	–	–	–
463	Befahranlagen	–	–	–	–
464	Transportanlagen	–	–	–	–
465	Krananlagen	–	–	–	–
466	Hydraulikanlagen	–	–	–	–
469	Sonstiges zur KG 460	–	–	–	–
470	**Nutzungsspez. u. verfahrenstechn. Anl.**	**–**	**–**	**–**	**–**
480	**Gebäude- und Anlagenautomation**	**–**	**–**	**–**	**–**
490	**Sonst. Maßnahmen für techn. Anlagen**	**–**	**–**	**–**	**–**

Kostenkennwerte für Leistungsbereiche nach STLB (Kosten des Bauwerks nach DIN 276)

LB	Leistungsbereiche	Kosten €	€/m² BGF	€/m³ BRI	% an 3+4
000	Sicherheits-, Baustelleneinrichtungen inkl. 001	28.583	72,70	11,50	2,4
002	Erdarbeiten	11.482	29,20	4,60	1,0
006	Spezialtiefbauarbeiten inkl. 005	–	–	–	–
009	Entwässerungskanalarbeiten inkl. 011	–	–	–	–
010	Drän- und Versickerarbeiten	–	–	–	–
012	Mauerarbeiten	–	–	–	–
013	Betonarbeiten	42.253	107,50	17,00	3,6
014	Natur-, Betonwerksteinarbeiten	44.485	113,20	17,90	3,8
016	Zimmer- und Holzbauarbeiten	371.045	944,10	149,60	31,4
017	Stahlbauarbeiten	–	–	–	–
018	Abdichtungsarbeiten	33.526	85,30	13,50	2,8
019	Kampfmittelräumarbeiten	–	–	–	–
020	Dachdeckungsarbeiten	56.014	142,50	22,60	4,7
021	Dachabdichtungsarbeiten	16.969	43,20	6,80	1,4
022	Klempnerarbeiten	13.602	34,60	5,50	1,2
	Rohbau	**617.959**	**1.572,40**	**249,20**	**52,3**
023	Putz- und Stuckarbeiten, Wärmedämmsysteme	72.393	184,20	29,20	6,1
024	Fliesen- und Plattenarbeiten	12.511	31,80	5,00	1,1
025	Estricharbeiten	25.889	65,90	10,40	2,2
026	Fenster, Außentüren inkl. 029, 032	117.452	298,90	47,40	9,9
027	Tischlerarbeiten	76.174	193,80	30,70	6,4
028	Parkettarbeiten, Holzpflasterarbeiten	–	–	–	–
030	Rollladenarbeiten	7.131	18,10	2,90	0,6
031	Metallbauarbeiten inkl. 035	–	–	–	–
034	Maler- und Lackiererarbeiten inkl. 037	1.987	5,10	0,80	0,2
036	Bodenbelagarbeiten	19.918	50,70	8,00	1,7
038	Vorgehängte hinterlüftete Fassaden	–	–	–	–
039	Trockenbauarbeiten	18.971	48,30	7,70	1,6
	Ausbau	**352.425**	**896,80**	**142,10**	**29,8**
040	Wärmeversorgungsanl. - Betriebseinr. inkl. 041	59.071	150,30	23,80	5,0
042	Gas- und Wasserinstallation, Leitungen inkl. 043	4.383	11,20	1,80	0,4
044	Abwasseranlagen - Leitungen	7.655	19,50	3,10	0,6
045	GWE-Einrichtungsgegenstände inkl. 046	14.436	36,70	5,80	1,2
047	Dämmarbeiten an betriebstechnischen Anlagen	3.435	8,70	1,40	0,3
049	Feuerlöschanlagen, Feuerlöschgeräte	–	–	–	–
050	Blitzschutz- und Erdungsanlagen	4.827	12,30	1,90	0,4
053	Niederspannungsanlagen inkl. 052, 054	48.242	122,80	19,50	4,1
055	Sicherheits- u. Ersatzstromversorgungsanl.	–	–	–	–
057	Gebäudesystemtechnik	848	2,20	0,34	< 0,1
058	Leuchten und Lampen inkl. 059	31.568	80,30	12,70	2,7
060	Sprechanlagen, elektroakust. Anlagen inkl. 064	1.453	3,70	0,59	0,1
061	Kommunikationsnetze inkl. 063	1.419	3,60	0,57	0,1
069	Aufzüge	–	–	–	–
070	Gebäudeautomation	–	–	–	–
075	Raumlufttechnische Anlagen inkl. 078	14.771	37,60	6,00	1,3
	Gebäudetechnik	**192.109**	**488,80**	**77,50**	**16,3**
084	Abbruch, Rückbau, Schadstoffsanierung	104	0,26	0,04	< 0,1
	Abbrucharbeiten	**104**	**0,26**	**0,04**	**< 0,1**
	Sonstige Leistungsbereiche	**18.908**	**48,10**	**7,60**	**1,6**

6400-0113
Bildungscampus
Effizienzhaus ~87%

Objektübersicht

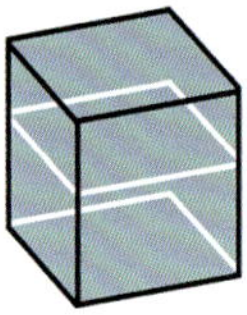

BRI 818 €/m³

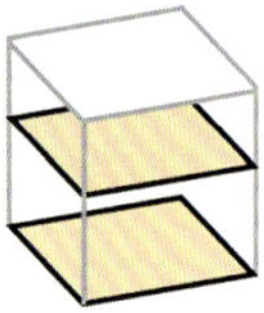

BGF 3.460 €/m²

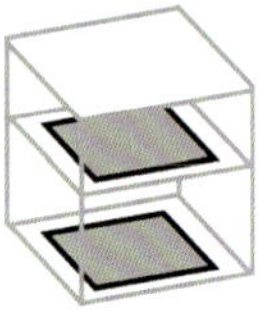

NUF 4.720 €/m²

Objekt:
Kennwerte: 1. Ebene DIN 276
BRI: 4.707 m³
BGF: 1.113 m²
NUF: 815 m²
Bauzeit: 61 Wochen
Bauende: 2018
Standard: Durchschnitt
Bundesland: Schleswig-Holstein
Kreis: Schleswig-Flensburg

Architekt*in:
heinobrodersen architekt
Helenenallee 2
24937 Flensburg

Bauherr*in:
Gemeinde Wanderup
im Amt Eggebek

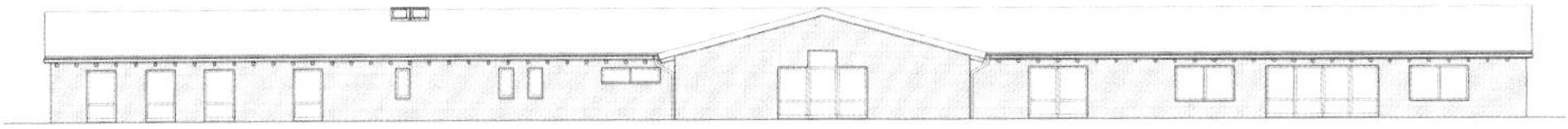

Ansicht Nord

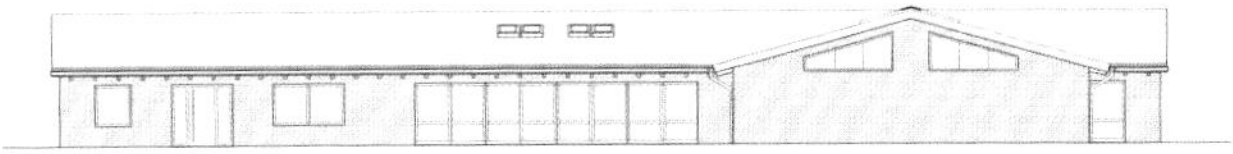

Ansicht Ost

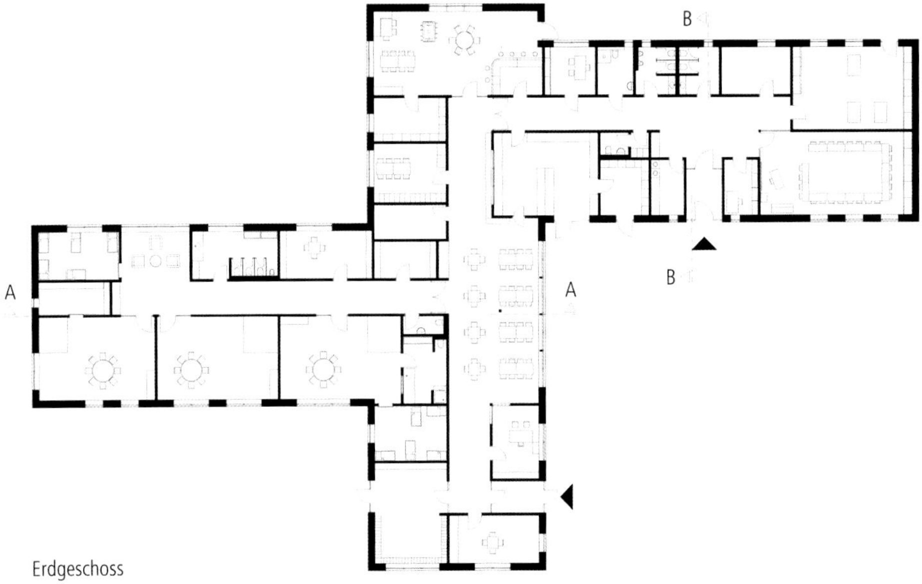

Erdgeschoss

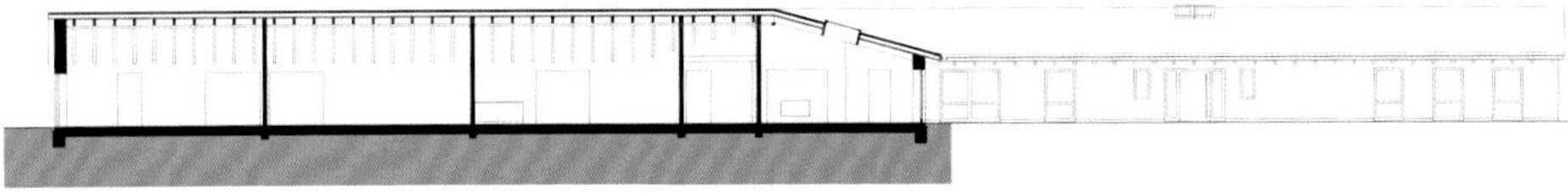

Schnitt A-A

Ansicht West

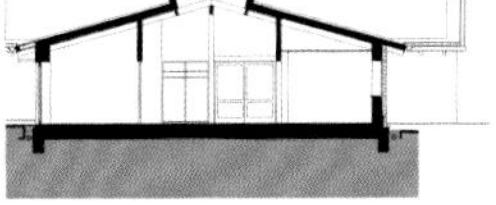

Schnitt B-B

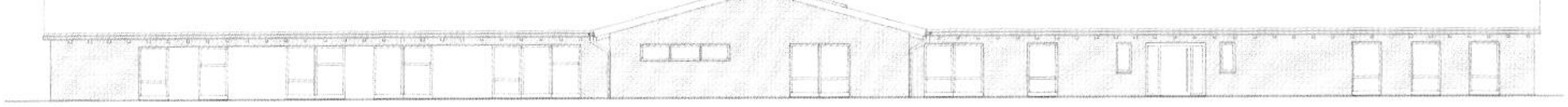

Ansicht Süd

Objektbeschreibung

Allgemeine Objektinformationen

Der zur Förderung der dörflichen Attraktivität neu erbaute Bildungscampus befindet sich auf dem rückwärtigen Grundstück einer Grundschule und bildet durch seine Grundrissfigur gemeinsam mit dieser eine geschützte, multifunktional nutzbare Platzsituation im Außenbereich. Der Neubau ist in drei Gebäuderiegel gegliedert und beherbergt ein Jugendzentrum, einen Kreativ- und einen Musikraum, eine Mensa mit angeschlossener Vollküche und einen Dreigruppenkindergarten einschließlich der Personal-, Büro- und Nebenräume. Sämtliche Räumlichkeiten sind im Sinne der "Campusidee" flexibel konzipiert. Dadurch können sie sowohl von der Schule, dem Jugendzentrum, dem Kindergarten als auch von örtlichen Vereinen und Verbänden und der freiwilligen Feuerwehr genutzt werden.

Nutzung

1 Erdgeschoss
Foyer, Mensa, Kitaräume, Jugendtreff, Aktionsflur, Küche, Büros, Personalräume, Musik- und Mehrzweckraum, Kreativraum, Technikräume, Garderoben, Lagerräume, Bäder, WCs, behindertengerechtes WC

Nutzeinheiten

Gruppen: 3
Kinder: 45
Klassen: 2
Schüler: 50

Grundstück

Bauraum: Freier Bauraum
Neigung: Ebenes Gelände
Bodenklasse: BK 4

Markt

Hauptvergabezeit: 4. Quartal 2017
Baubeginn: 4. Quartal 2017
Bauende: 4. Quartal 2018
Konjunkturelle Gesamtlage: Durchschnitt
Regionaler Baumarkt: unter Durchschnitt

Baukonstruktion

Der Neubau gründet auf einer 22cm dicken tragenden Stahlbetonsohle mit Unterflurdämmung und umlaufender Frostschürze, die außenseitig gedämmt ist. Das Gebäude ist in Holzrahmenbauweise mit vorgefertigten Wandelementen erstellt und hat ein flach geneigtes Satteldach mit extensivem Gründachaufbau. Die Räume sind überwiegend bis unter das Dach ausgebaut, wobei die Dachsparren sichtbar geblieben sind. Als schallabsorbierende Maßnahme wurden in die Sparrenzwischenräume Akustikplatten eingebaut. Die Fassade besteht größtenteils aus hinterlüftetem Verblendziegelmauerwerk. Im Bereich der Kita sind Teile der Fassade mit einer Rombusschalung aus geölter Lärche bekleidet. Alle verglasten Elemente bestehen aus thermisch getrennten Aluprofilen mit Dreifachverglasung. Die Innenwände sind als Holzrahmenkonstruktion mit OSB- und Gipskartonbeplankung und Anstrich bzw. Wandfliesen ausgeführt. Als Innentüren kamen glatte beschichtete Türen mit Stahlumfassungszargen zum Einbau, für die Flurabschlüsse wurden verglaste Alu-Rahmentüren gewählt. Die Fußböden bestehen aus Heizestrich und Kautschukbelägen bzw. Keramik in den Nassräumen.

Technische Anlagen

Die Wärmeversorgung erfolgt über erdverlegte Fernwärmeleitungen, die an die vorhandene Pelletheizung des benachbarten Schulgebäudes angeschlossen sind. Teilbereiche des Gebäudes, der Mensa- und der Küchenbereich, sind mit einer Lüftungsanlage mit Wärmerückgewinnung ausgestattet. Mittels einer vollflächigen Fußbodenheizung werden die Räume beheizt. Die Wärmeerzeugung hierfür erfolgt über eine Luft-Wasser-Wärmepumpe. Die Luftdichtheit des Gebäudes hat ein Blower-Door-Test positiv bestätigt. Alle Zapfstellen im Gebäude sind mit dezentralen Durchlauferhitzern oder Warmwasserspeichern ausgestattet, die elektrisch betrieben werden. Eine interne Hausalarmanlage mit vernetzten Rauchwarnmeldern sowie eine Einbruchmeldeanlage mit Kameraüberwachung wurden installiert.

Sonstiges

Der Primärenergiebedarf des Gebäudes liegt bei 174kWh(m^{2}a) und somit ca. 12,5% unter dem Anforderungswert für Neubauten.

Planungskennwerte für Flächen und Rauminhalte nach DIN 277

Flächen des Grundstücks		Menge Einheit	% an GF
BF	Bebaute Fläche	1.112,51 m²	6,5
UF	Unbebaute Fläche	15.883,49 m²	93,5
GF	Grundstücksfläche	16.996,00 m²	100,0

Grundflächen des Bauwerks		Menge Einheit	% an NUF	% an BGF
NUF	Nutzungsfläche	815,40 m²	100,0	73,3
TF	Technikfläche	36,60 m²	4,5	3,3
VF	Verkehrsfläche	124,89 m²	15,3	11,2
NRF	Netto-Raumfläche	976,89 m²	119,8	87,8
KGF	Konstruktions-Grundfläche	135,62 m²	16,6	12,2
BGF	Brutto-Grundfläche	1.112,51 m²	136,4	100,0

Brutto-Rauminhalt des Bauwerks		Menge Einheit	BRI/NUF (m)	BRI/BGF (m)
BRI	Brutto-Rauminhalt	4.706,90 m³	5,77	4,23

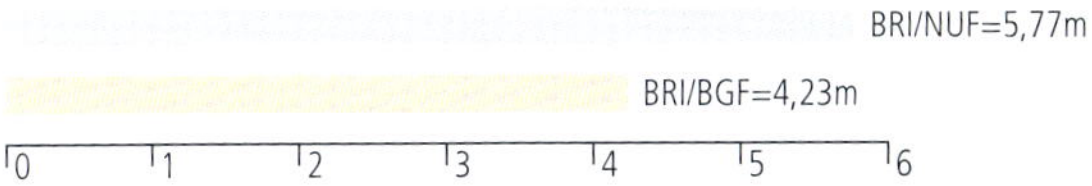

Kostenkennwerte für die Kostengruppen der 1. Ebene DIN 276

KG	Kostengruppen (1. Ebene)	Einheit	Kosten €	€/Einheit	€/m² BGF	€/m³ BRI	% 300+400
100	Grundstück	m² GF	–	–	–	–	–
200	Vorbereitende Maßnahmen	m² GF	93.396	5,50	83,95	19,84	2,4
300	Bauwerk – Baukonstruktionen	m² BGF	2.709.221	2.435,23	2.435,23	575,59	70,4
400	Bauwerk – Technische Anlagen	m² BGF	1.139.784	1.024,52	1.024,52	242,15	29,6
	Bauwerk 300+400	**m² BGF**	**3.849.006**	**3.459,75**	**3.459,75**	**817,74**	**100,0**
500	Außenanlagen und Freiflächen	m² AF	987.448	179,54	887,59	209,79	25,7
600	Ausstattung und Kunstwerke	m² BGF	–	–	–	–	–
700	Baunebenkosten	m² BGF	–	–	–	–	–
800	Finanzierung	m² BGF	–	–	–	–	–

KG	Kostengruppe	Menge Einheit	Kosten €	€/Einheit	%
200	**Vorbereitende Maßnahmen**	16.996,00 m² GF	93.396	**5,50**	2,4

Abbruch von zwei Nebengebäuden, Herrichten der Geländeoberfläche, Baufeldfreimachung; Stromanschluss

KG	Kostengruppe	Menge Einheit	Kosten €	€/Einheit	%
3+4	**Bauwerk**				**100,0**
300	**Bauwerk – Baukonstruktionen**	1.112,51 m² BGF	2.709.221	**2.435,23**	70,4

Baugrubenaushub; Bodenaustausch, Frostschürze, Stb-Bodenplatte, Heizestrich, Kautschuk-Bodenbelag, Bodenfliesen, Abdichtung, Perimeterdämmung; Holzrahmenwände, Aluminiumfenster, Dreifachverglasung, Wärmedämmung, hinterlüftete Ziegelfassade, hinterlüftete geölte Lärchenholzfassade, OSB-Beplankung, GK-Bekleidung; Holzrahmenwände, Alurahmentüren, Wandfliesen, WC-Trennwände; Holzbalkendach, Dämmung, Oberlichter, Abdichtung, extensive Dachbegrünung, außenliegende Entwässerung, abgehängte Rasterdecke, teilw. Schallschutzdecke

KG	Kostengruppe	Menge Einheit	Kosten €	€/Einheit	%
400	**Bauwerk – Technische Anlagen**	1.112,51 m² BGF	1.139.784	**1.024,52**	29,6

Gebäudeentwässerung, Kaltwasserleitungen, Sanitärobjekte; Anschluss an bestehende Pelletheizung, Luft-Wasser-Wärmepumpe, dezentrale Durchlauferhitzer, Fußbodenheizung; kontrollierte Be- und Entlüftung mit Wärmerückgewinnung in Mensa und Küche; Elektroinstallation, Beleuchtung, Sicherheitsleuchten; Netzwerkverkabelung mit Server, interne Hausalarmanlage mit vernetzten Rauchwarnmeldern, Einbruchmeldeanlage mit Kameraüberwachung; Gewerbeküche mit Kühlanlagen

KG	Kostengruppe	Menge Einheit	Kosten €	€/Einheit	%
500	**Außenanlagen und Freiflächen**	5.500,00 m² AF	987.448	**179,54**	25,7

Oberbodenarbeiten; gepflasterte Wege und Plätze, Holzsteg, Bolzplatz mit Kunststofffläche und Umzäunung; Stabgitterzaun bei Kita-Spielplatz, Winkelstützmauern, Gitterroste; Außenbeleuchtung; Betonblock-Sitzelemente, Fahrradständer, Abfallbehälter, Sport- und Spielgeräte, Klettereinrichtungen; Mutterbodenauftrag, Gehölze, Rasen

6400-0114
Kirchliches
Gemeindezentrum

Objektübersicht

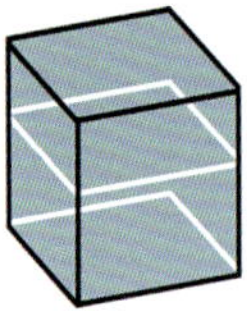

BRI 575 €/m³

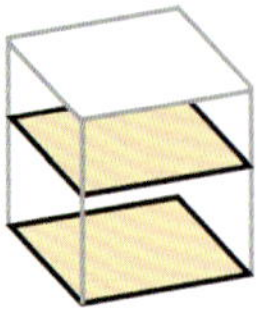

BGF 2.906 €/m²

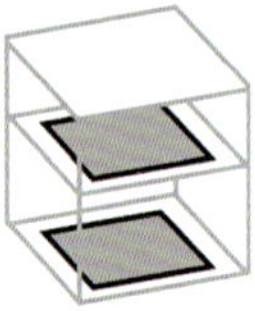

NUF 4.993 €/m²

Objekt:
Kennwerte: 3. Ebene DIN 276
BRI: 1.437 m³
BGF: 284 m²
NUF: 166 m²
Bauzeit: 26 Wochen
Bauende: 2017
Standard: über Durchschnitt
Bundesland: Schleswig-Holstein
Kreis: Pinneberg

Architekt*in:
MMST Architekten GmbH
Isestraße 27
20144 Hamburg

Bauherr*in:
Ev.-Luth. Kirchengemeinde
Quickborn-Hasloh
Ellerauer Straße 2
25451 Quickborn

Ansicht Nord

Ansicht Ost

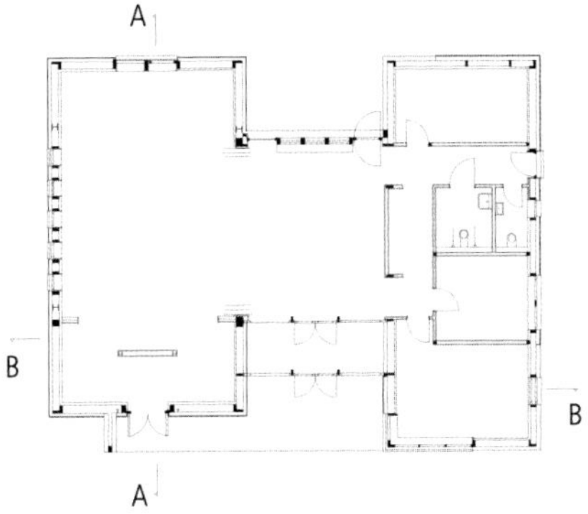

Erdgeschoss

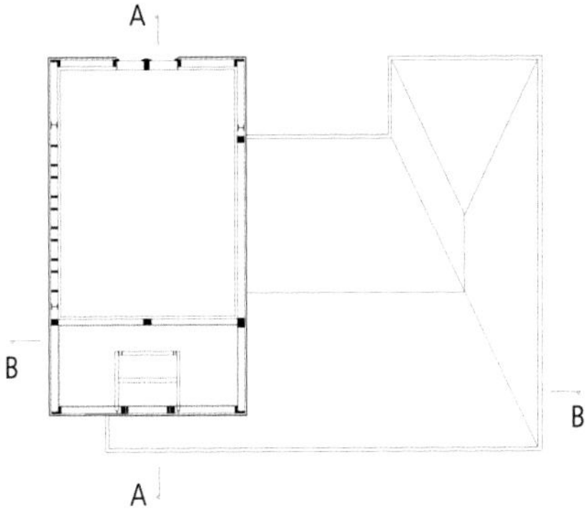

Obergeschoss

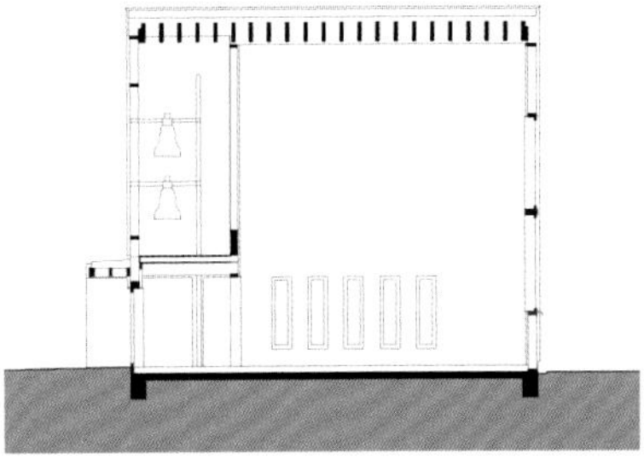

Schnitt A-A

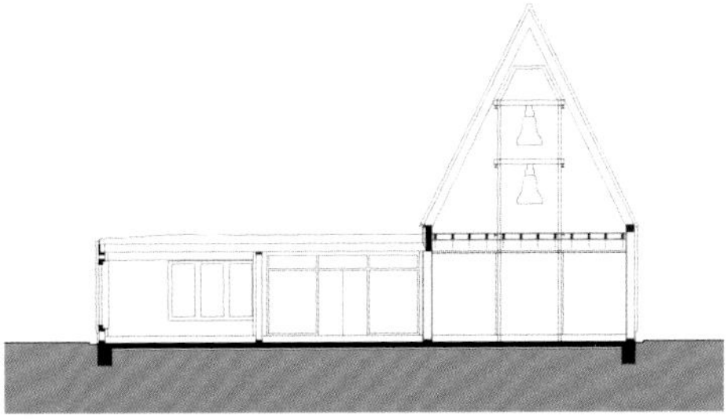

Schnitt B-B

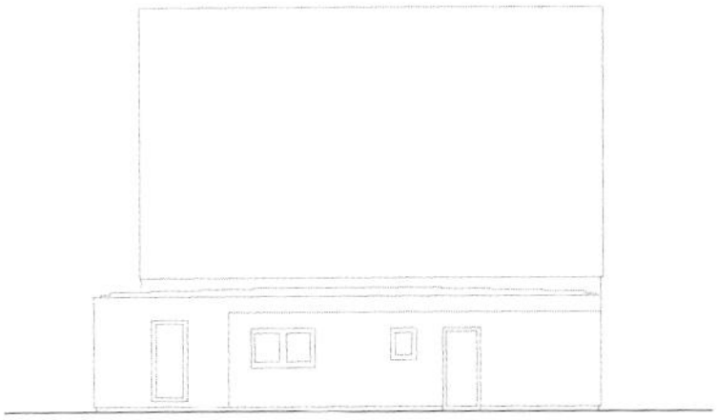

Ansicht Süd

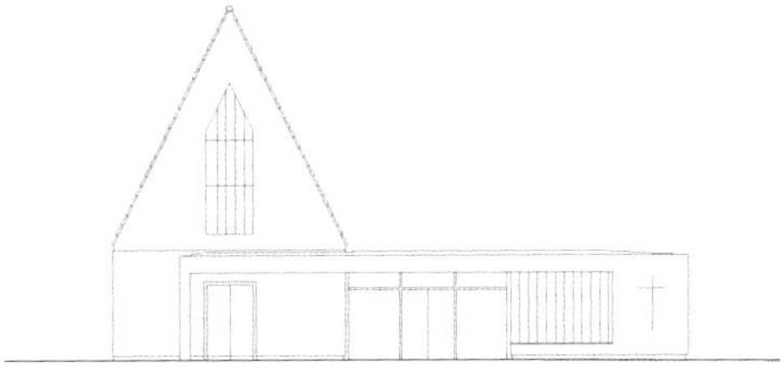

Ansicht West

Objektbeschreibung

Allgemeine Objektinformationen

Das neue kirchliche Gemeindezentrum entstand in modularer Holzbauweise. Der Neubau verbindet natürliche Materialien mit einer durchdachten Raumwirkung. Für die Funktionen "Kirche" und "Gemeindehaus" wurden zwei unterscheidbare Gebäudeteile gewählt. Der flache Gebäudeteil ist ein schlichter, weiß geputzter Baukörper, entgegen der hoch aufragenden Kirchenkonstruktion aus Holz. Der introvertierte Kirchenraum ist mit einer klassischen Dachform von außen und innen erkennbar. Er kann separat oder in Kombination mit dem Erweiterungsraum genutzt werden. Die vorhandene Orgel konnte wieder verwendet werden und ist in der Mitte hinter den Reihen platziert. Der multifunktionale Erweiterungsraum ist zum Vorplatz und zum Garten großzügig verglast. Ein historisches Kirchenfenster wird in diesem Raum wiederverwendet. Ebenso kommen die Glocken und die Bestuhlung aus dem alten Gemeindehaus wieder zum Einsatz.

Nutzung

1 Erdgeschoss
Gottesdienstraum, Multifunktionsraum, Amtszimmer, Küche, WCs, Hausanschlussraum/Lager

1 Obergeschoss
Glockenstube

Nutzeinheiten

Sitzplätze: 55
Stellplätze: 2

Grundstück

Bauraum: Freier Bauraum
Neigung: Ebenes Gelände
Bodenklasse: BK 3 bis BK 4

Markt

Hauptvergabezeit: 2. Quartal 2017
Baubeginn: 2. Quartal 2017
Bauende: 4. Quartal 2017
Konjunkturelle Gesamtlage: über Durchschnitt
Regionaler Baumarkt: Durchschnitt

Baukonstruktion

Das Gebäude wurde mit einer Flachgründung und Streifenfundamenten hergestellt sowie mit Köcherfundamenten für die Aussteifungsstützen. Als Grundkonstruktion wurde eine gedämmte Holzrahmenkonstruktion in Modulbauweise gewählt. In die vorgefertigten Elemente ist bereits eine hölzerne Dämmebene integriert. Der Glockenturm besteht aus einer in die Holzrahmenkonstruktion eingestellten Stahlkonstruktion und trägt die beiden Glocken. Die dreifach verglasten Fensterelemente haben Holzrahmen erhalten. Flach- und Steildach sind als Holzkonstruktionen ausgeführt. Innen- und Außenbekleidungen sind teilweise in Holz bzw. Putz auf einer hinterlüfteten Trägerplatte sowie Gipskartonbekleidung in Teilen des Innenbereichs montiert worden. Sämtliche Innenwände wurden mit Vlies und einer Silikatbeschichtung versehen. Es kamen Innentüren aus Holz mit Stahlzargen zum Einbau. Die Fußböden sind mit Bodenfliesen aus Feinsteinzeug belegt

Technische Anlagen

Die Beheizung erfolgt mit einem Gasbrennwertkessel. Über eine Fußbodenheizung wird die Wärme im Gebäude verteilt. Die Räume werden mechanisch belüftet, lediglich die Küche und die WCs sind mit Einzelraumlüftern ausgestattet.

Sonstiges

Der Entwurf für das neue Gemeindezentrum ging aus einem Wettbewerb hervor, bei dem das Architekturbüro den ersten Platz belegte.

Planungskennwerte für Flächen und Rauminhalte nach DIN 277

Flächen des Grundstücks		Menge Einheit	% an GF
BF	Bebaute Fläche	262,89 m²	26,6
UF	Unbebaute Fläche	724,11 m²	73,4
GF	Grundstücksfläche	987,00 m²	100,0

Grundflächen des Bauwerks		Menge Einheit	% an NUF	% an BGF
NUF	Nutzungsfläche	165,50 m²	100,0	58,2
TF	Technikfläche	15,20 m²	9,2	5,3
VF	Verkehrsfläche	41,80 m²	25,3	14,7
NRF	Netto-Raumfläche	222,50 m²	134,4	78,2
KGF	Konstruktions-Grundfläche	61,85 m²	37,4	21,8
BGF	Brutto-Grundfläche	284,35 m²	171,8	100,0

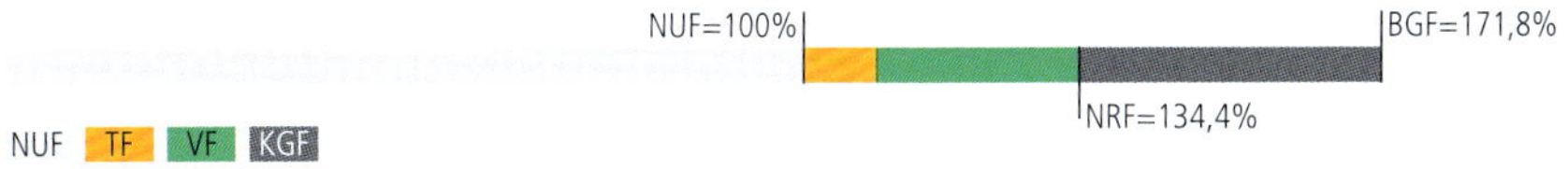

Brutto-Rauminhalt des Bauwerks		Menge Einheit	BRI/NUF (m)	BRI/BGF (m)
BRI	Brutto-Rauminhalt	1.437,42 m³	8,69	5,06

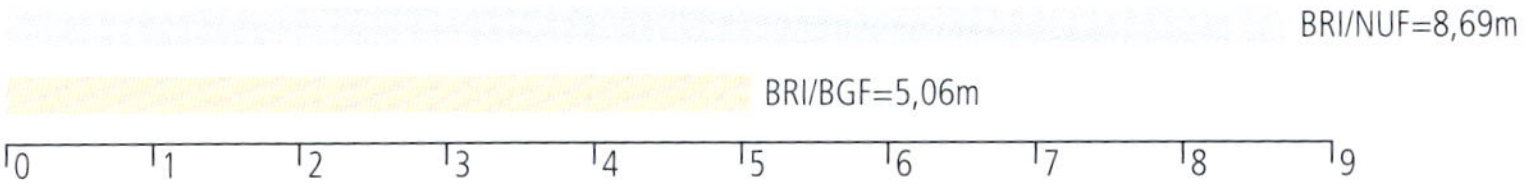

Lufttechnisch behandelte Flächen	Menge Einheit	% an NUF	% an BGF
Entlüftete Fläche	–	–	–
Be- und entlüftete Fläche	–	–	–
Teilklimatisierte Fläche	–	–	–
Klimatisierte Fläche	–	–	–

KG	Kostengruppen (2. Ebene)	Menge Einheit	Menge/NUF	Menge/BGF
310	Baugrube / Erdbau	111,39 m³ BGI	0,67	0,39
320	Gründung, Unterbau	253,83 m² GRF	1,53	0,89
330	Außenwände/Vertikale Baukonstruktionen, außen	399,06 m² AWF	2,41	1,40
340	Innenwände/Vertikale Baukonstruktionen, innen	157,46 m² IWF	0,95	0,55
350	Decken/Horizontale Baukonstruktionen	22,20 m² DEF	0,13	0,08
360	Dächer	435,41 m² DAF	2,63	1,53

Kostenkennwerte für die Kostengruppen der 1.Ebene DIN 276

KG	Kostengruppen (1.Ebene)	Einheit	Kosten €	€/Einheit	€/m² BGF	€/m³ BRI	% 300+400
100	Grundstück	m² GF	–	–	–	–	–
200	Vorbereitende Maßnahmen	m² GF	23.203	23,51	81,60	16,14	2,8
300	Bauwerk – Baukonstruktionen	m² BGF	712.138	2.504,44	2.504,44	495,43	86,2
400	Bauwerk – Technische Anlagen	m² BGF	114.126	401,36	401,36	79,40	13,8
	Bauwerk 300+400	**m² BGF**	**826.264**	**2.905,80**	**2.905,80**	**574,82**	**100,0**
500	Außenanlagen und Freiflächen	m² AF	115.939	160,11	407,74	80,66	14,0
600	Ausstattung und Kunstwerke	m² BGF	10.199	35,87	35,87	7,10	1,2
700	Baunebenkosten	m² BGF	–	–	–	–	–
800	Finanzierung	m² BGF	–	–	–	–	–

KG	Kostengruppe	Menge Einheit	Kosten €	€/Einheit	%
200	**Vorbereitende Maßnahmen**	987,00 m² GF	23.203	**23,51**	2,8

Abräumen von Pflanzbewuchs, Oberbodenarbeiten; Anschlusskosten Schmutzwasser, Trinkwasser, Gas, Strom

KG	Kostengruppe	Menge Einheit	Kosten €	€/Einheit	%
3+4	**Bauwerk**				**100,0**
300	**Bauwerk – Baukonstruktionen**	284,35 m² BGF	712.138	**2.504,44**	86,2

Stb-Flachgründung, Zementestrich, Bodenfliesen; Holzrahmen-Elementwände, Stahlstützen, Holzfenster, Eingang, Glastüren, Holzfassade, Putz; Holzrahmenwände, GK-Wände, Windfang, Holzinnentüren, GK-Bekleidung/Vorsatzschalen, Holzpaneele, Wandfliesen, Silikatbeschichtung, mobile Trennwand; Holzdeckenkonstruktion, Schalung, Silikatbeschichtung; Holz-Satteldach, Holz-Flachdach, Dämmung, Ziegeldeckung, Dachentwässerung, Akustikdecke; Glockenturm, Stahlstützen

KG	Kostengruppe	Menge Einheit	Kosten €	€/Einheit	%
400	**Bauwerk – Technische Anlagen**	284,35 m² BGF	114.126	**401,36**	13,8

Gebäudeentwässerung, Kalt- und Warmwasserleitungen, Sanitärobjekte; Gas-Brennwertkessel, Heizungsrohre, Fußbodenheizung; Elektroinstallation, Beleuchtung, Erdung; Datenverkabelung; Kirchenorgel sanieren

KG	Kostengruppe	Menge Einheit	Kosten €	€/Einheit	%
500	**Außenanlagen und Freiflächen**	724,11 m² AF	115.939	**160,11**	14,0

Bodenarbeiten; Schottertragschichten; Betonpflaster; Blockstufen; Oberflächenentwässerung, Außenbeleuchtung; Außenmöblierung; Oberbodenarbeiten, Bäume, Hecken, Pflanzen, Rasen

KG	Kostengruppe	Menge Einheit	Kosten €	€/Einheit	%
600	**Ausstattung und Kunstwerke**	284,35 m² BGF	10.199	**35,87**	1,2

Holzsitzbank, Garderobenschränke, Sanitärausstattungen

Kostenkennwerte für die Kostengruppen 300 der 2. und 3. Ebene DIN 276 (Übersicht)

KG	Kostengruppe	Menge Einheit	€/Einheit	Kosten €	% an 3+4
300	**Bauwerk – Baukonstruktionen**	**284,35 m² BGF**	**2.504,44**	**712.138,12**	**86,2**
310	**Baugrube / Erdbau**	**111,39 m³ BGI**	**96,88**	**10.791,19**	**1,3**
311	Herstellung	111,39 m³ BGI	96,88	10.791,19	1,3
312	Umschließung	–	–	–	–
313	Wasserhaltung	–	–	–	–
314	Vortrieb	–	–	–	–
319	Sonstiges zur KG 310	–	–	–	–
320	**Gründung, Unterbau**	**253,83 m² GRF**	**382,47**	**97.081,71**	**11,7**
321	Baugrundverbesserung	322,89 m²	19,04	6.148,02	0,7
322	Flachgründungen und Bodenplatten	253,83 m²	171,67	43.574,94	5,3
323	Tiefgründungen	–	–	–	–
324	Gründungsbeläge	221,72 m²	197,00	43.679,37	5,3
325	Abdichtungen und Bekleidungen	258,63 m²	14,23	3.679,36	0,4
326	Dränagen	–	–	–	–
329	Sonstiges zur KG 320	–	–	–	–
330	**Außenwände/Vert. Baukonstrukt., außen**	**399,06 m² AWF**	**721,57**	**287.947,28**	**34,8**
331	Tragende Außenwände	307,95 m²	284,87	87.725,95	10,6
332	Nichttragende Außenwände	–	–	–	–
333	Außenstützen	–	–	–	–
334	Außenwandöffnungen	91,11 m²	997,34	90.864,83	11,0
335	Außenwandbekleidungen, außen	315,69 m²	226,92	71.637,86	8,7
336	Außenwandbekleidungen, innen	265,89 m²	141,86	37.718,65	4,6
337	Element. Außenwandkonstruktionen	–	–	–	–
338	Lichtschutz zur KG 330	–	–	–	–
339	Sonstiges zur KG 330	–	–	–	–
340	**Innenwände/Vert. Baukonstrukt., innen**	**157,46 m² IWF**	**421,44**	**66.357,82**	**8,0**
341	Tragende Innenwände	63,67 m²	199,08	12.675,15	1,5
342	Nichttragende Innenwände	41,09 m²	134,04	5.507,82	0,7
343	Innenstützen	–	–	–	–
344	Innenwandöffnungen	33,19 m²	566,86	18.813,66	2,3
345	Innenwandbekleidungen	201,22 m²	65,36	13.152,04	1,6
346	Elementierte Innenwandkonstruktionen	19,51 m²	830,94	16.209,16	2,0
347	Lichtschutz zur KG 340	–	–	–	–
349	Sonstiges zur KG 340	–	–	–	–
350	**Decken/Horizontale Baukonstruktionen**	**22,20 m² DEF**	**611,26**	**13.569,87**	**1,6**
351	Deckenkonstruktionen	22,20 m²	277,04	6.150,21	0,7
352	Deckenöffnungen	1,28 m²	3.583,35	4.586,69	0,6
353	Deckenbeläge	–	–	–	–
354	Deckenbekleidungen	22,18 m²	127,73	2.832,99	0,3
355	Elementierte Deckenkonstruktionen	–	–	–	–
359	Sonstiges zur KG 350	–	–	–	–
360	**Dächer**	**435,41 m² DAF**	**391,84**	**170.612,31**	**20,6**
361	Dachkonstruktionen	409,85 m²	126,52	51.856,16	6,3
362	Dachöffnungen	–	–	–	–
363	Dachbeläge	435,41 m²	166,42	72.459,51	8,8
364	Dachbekleidungen	333,17 m²	135,53	45.156,07	5,5
365	Elementierte Dachkonstruktionen	–	–	–	–
366	Lichtschutz zur KG 360	–	–	–	–
369	Sonstiges zur KG 360	435,41 m² DAF	2,62	1.140,56	0,1
370	**Infrastrukturanlagen**	**–**	**–**	**–**	**–**
380	**Baukonstruktive Einbauten**	**284,35 m² BGF**	**98,06**	**27.883,81**	**3,4**
390	**Sonst. Maßnahmen für Baukonstrukt.**	**284,35 m² BGF**	**133,27**	**37.894,14**	**4,6**

Kostenkennwerte für die Kostengruppen 400 der 2. und 3. Ebene DIN 276 (Übersicht)

KG	Kostengruppe	Menge Einheit	€/Einheit	Kosten €	% an 3+4
400	**Bauwerk – Technische Anlagen**	**284,35 m² BGF**	**401,36**	**114.126,00**	**13,8**
410	**Abwasser-, Wasser-, Gasanlagen**	**284,35 m² BGF**	**83,17**	**23.648,86**	**2,9**
411	Abwasseranlagen	284,35 m² BGF	31,09	8.840,61	1,1
412	Wasseranlagen	284,35 m² BGF	45,77	13.014,10	1,6
413	Gasanlagen	–	–	–	–
419	Sonstiges zur KG 410	284,35 m² BGF	6,31	1.794,15	0,2
420	**Wärmeversorgungsanlagen**	**284,35 m² BGF**	**81,07**	**23.052,40**	**2,8**
421	Wärmeerzeugungsanlagen	284,35 m² BGF	41,42	11.777,55	1,4
422	Wärmeverteilnetze	284,35 m² BGF	10,08	2.865,60	0,3
423	Raumheizflächen	284,35 m² BGF	29,57	8.409,27	1,0
424	Verkehrsheizflächen	–	–	–	–
429	Sonstiges zur KG 420	–	–	–	–
430	**Raumlufttechnische Anlagen**	**284,35 m² BGF**	**7,39**	**2.101,65**	**0,3**
431	Lüftungsanlagen	284,35 m² BGF	7,39	2.101,65	0,3
432	Teilklimaanlagen	–	–	–	–
433	Klimaanlagen	–	–	–	–
434	Kälteanlagen	–	–	–	–
439	Sonstiges zur KG 430	–	–	–	–
440	**Elektrische Anlagen**	**284,35 m² BGF**	**185,61**	**52.777,35**	**6,4**
441	Hoch- und Mittelspannungsanlagen	–	–	–	–
442	Eigenstromversorgungsanlagen	–	–	–	–
443	Niederspannungsschaltanlagen	–	–	–	–
444	Niederspannungsinstallationsanlagen	284,35 m² BGF	72,59	20.641,11	2,5
445	Beleuchtungsanlagen	284,35 m² BGF	99,90	28.405,34	3,4
446	Blitzschutz- und Erdungsanlagen	284,35 m² BGF	13,12	3.730,90	0,5
447	Fahrleitungssysteme	–	–	–	–
449	Sonstiges zur KG 440	–	–	–	–
450	**Kommunikationstechnische Anlagen**	**284,35 m² BGF**	**7,21**	**2.049,15**	**0,2**
451	Telekommunikationsanlagen	–	–	–	–
452	Such- und Signalanlagen	284,35 m² BGF	2,05	581,84	< 0,1
453	Zeitdienstanlagen	–	–	–	–
454	Elektroakustische Anlagen	–	–	–	–
455	Audiovisuelle Medien- u. Antennenanl.	–	–	–	–
456	Gefahrenmelde- und Alarmanlagen	–	–	–	–
457	Datenübertragungsnetze	284,35 m² BGF	5,16	1.467,32	0,2
458	Verkehrsbeeinflussungsanlagen	–	–	–	–
459	Sonstiges zur KG 450	–	–	–	–
460	**Förderanlagen**	**–**	**–**	**–**	**–**
461	Aufzugsanlagen	–	–	–	–
462	Fahrtreppen, Fahrsteige	–	–	–	–
463	Befahranlagen	–	–	–	–
464	Transportanlagen	–	–	–	–
465	Krananlagen	–	–	–	–
466	Hydraulikanlagen	–	–	–	–
469	Sonstiges zur KG 460	–	–	–	–
470	**Nutzungsspez. u. verfahrenstechn. Anl.**	**284,35 m² BGF**	**36,91**	**10.496,56**	**1,3**
480	**Gebäude- und Anlagenautomation**	**–**	**–**	**–**	**–**
490	**Sonst. Maßnahmen für techn. Anlagen**	**–**	**–**	**–**	**–**

Kostenkennwerte für Leistungsbereiche nach STLB (Kosten des Bauwerks nach DIN 276)

LB	Leistungsbereiche	Kosten €	€/m² BGF	€/m³ BRI	% an 3+4
000	Sicherheits-, Baustelleneinrichtungen inkl. 001	38.626	135,80	26,90	4,7
002	Erdarbeiten	16.939	59,60	11,80	2,1
006	Spezialtiefbauarbeiten inkl. 005	–	–	–	–
009	Entwässerungskanalarbeiten inkl. 011	7.565	26,60	5,30	0,9
010	Drän- und Versickerarbeiten	–	–	–	–
012	Mauerarbeiten	1.829	6,40	1,30	0,2
013	Betonarbeiten	49.356	173,60	34,30	6,0
014	Natur-, Betonwerksteinarbeiten	–	–	–	–
016	Zimmer- und Holzbauarbeiten	231.210	813,10	160,90	28,0
017	Stahlbauarbeiten	18.767	66,00	13,10	2,3
018	Abdichtungsarbeiten	4.510	15,90	3,10	0,5
019	Kampfmittelräumarbeiten	–	–	–	–
020	Dachdeckungsarbeiten	26.196	92,10	18,20	3,2
021	Dachabdichtungsarbeiten	28.505	100,20	19,80	3,4
022	Klempnerarbeiten	19.681	69,20	13,70	2,4
	Rohbau	**443.184**	**1.558,60**	**308,30**	**53,6**
023	Putz- und Stuckarbeiten, Wärmedämmsysteme	–	–	–	–
024	Fliesen- und Plattenarbeiten	29.348	103,20	20,40	3,6
025	Estricharbeiten	10.699	37,60	7,40	1,3
026	Fenster, Außentüren inkl. 029, 032	84.728	298,00	58,90	10,3
027	Tischlerarbeiten	113.998	400,90	79,30	13,8
028	Parkettarbeiten, Holzpflasterarbeiten	–	–	–	–
030	Rollladenarbeiten	–	–	–	–
031	Metallbauarbeiten inkl. 035	–	–	–	–
034	Maler- und Lackiererarbeiten inkl. 037	13.562	47,70	9,40	1,6
036	Bodenbelagarbeiten	–	–	–	–
038	Vorgehängte hinterlüftete Fassaden	–	–	–	–
039	Trockenbauarbeiten	34.002	119,60	23,70	4,1
	Ausbau	**286.338**	**1.007,00**	**199,20**	**34,7**
040	Wärmeversorgungsanl. - Betriebseinr. inkl. 041	22.167	78,00	15,40	2,7
042	Gas- und Wasserinstallation, Leitungen inkl. 043	6.568	23,10	4,60	0,8
044	Abwasseranlagen - Leitungen	1.466	5,20	1,00	0,2
045	GWE-Einrichtungsgegenstände inkl. 046	8.922	31,40	6,20	1,1
047	Dämmarbeiten an betriebstechnischen Anlagen	346	1,20	0,24	< 0,1
049	Feuerlöschanlagen, Feuerlöschgeräte	–	–	–	–
050	Blitzschutz- und Erdungsanlagen	3.731	13,10	2,60	0,5
053	Niederspannungsanlagen inkl. 052, 054	20.971	73,80	14,60	2,5
055	Sicherheits- u. Ersatzstromversorgungsanl.	–	–	–	–
057	Gebäudesystemtechnik	–	–	–	–
058	Leuchten und Lampen inkl. 059	28.075	98,70	19,50	3,4
060	Sprechanlagen, elektroakust. Anlagen inkl. 064	582	2,00	0,40	< 0,1
061	Kommunikationsnetze inkl. 063	1.467	5,20	1,00	0,2
069	Aufzüge	–	–	–	–
070	Gebäudeautomation	–	–	–	–
075	Raumlufttechnische Anlagen inkl. 078	2.102	7,40	1,50	0,3
	Gebäudetechnik	**96.396**	**339,00**	**67,10**	**11,7**
084	Abbruch, Rückbau, Schadstoffsanierung	–	–	–	–
	Abbrucharbeiten	**–**	**–**	**–**	**–**
	Sonstige Leistungsbereiche	**346**	**1,20**	**0,24**	**< 0,1**

6400-0116
Dorfgemeinschaftshaus
Effizienzhaus ~42%

Objektübersicht

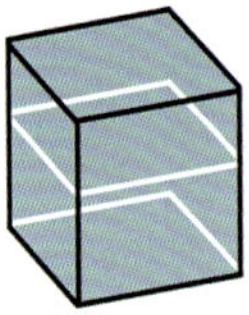

BRI 581 €/m³

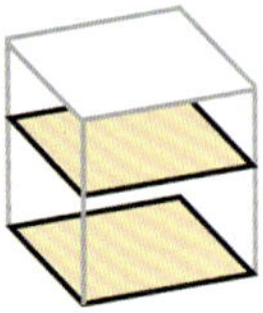

BGF 2.282 €/m²

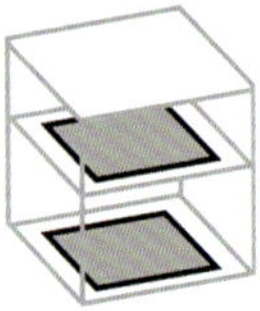

NUF 3.398 €/m²

Objekt:
Kennwerte: 1. Ebene DIN 276
BRI: 2.350 m³
BGF: 598 m²
NUF: 402 m²
Bauzeit: 44 Wochen
Bauende: 2020
Standard: über Durchschnitt
Bundesland: Niedersachsen
Kreis: Harburg

Architekt*in:
jup. architektur
Hamburger Straße 16
21423 Winsen/Luhe

Bauherr*in:
Gemeinde Wenzendorf
Zum Sportplatz 7
21279 Wenzendorf

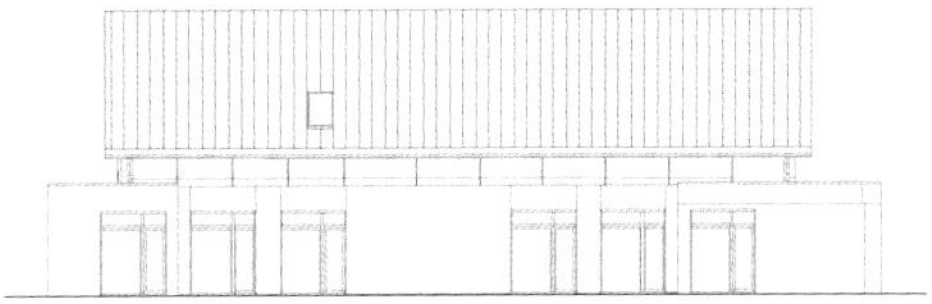

Ansicht Nord

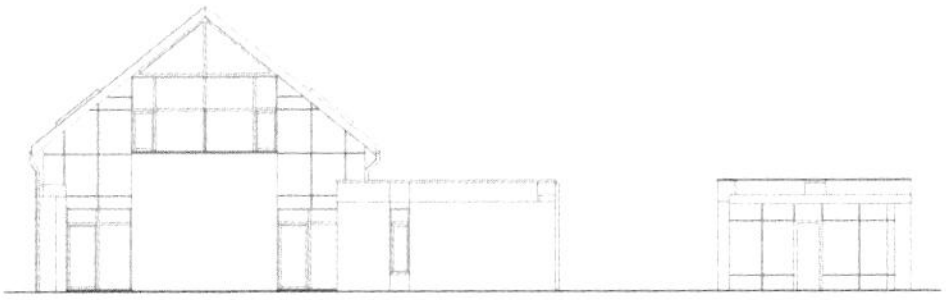

Ansicht Ost

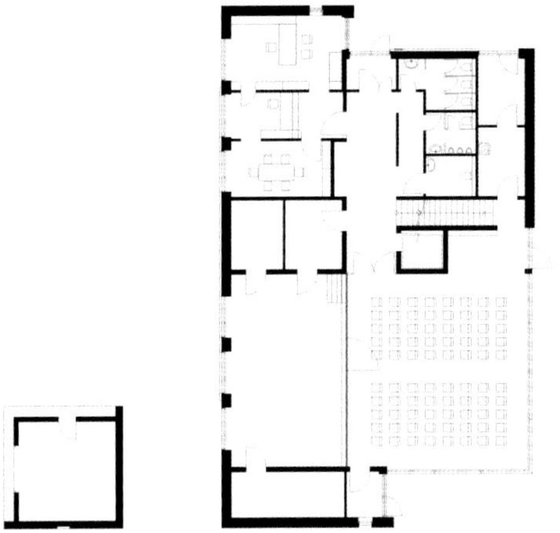

Erdgeschoss

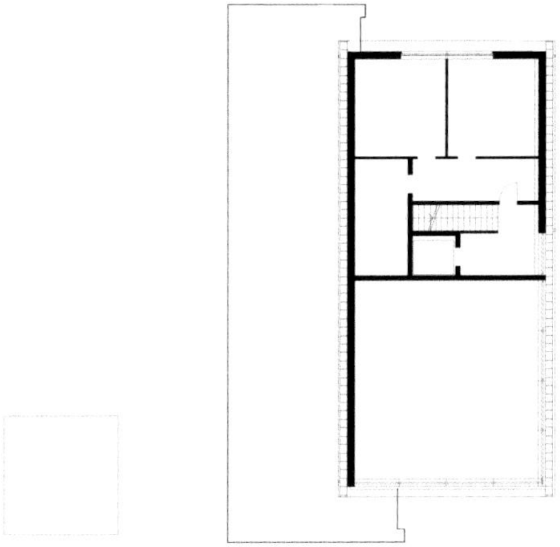

Obergeschoss

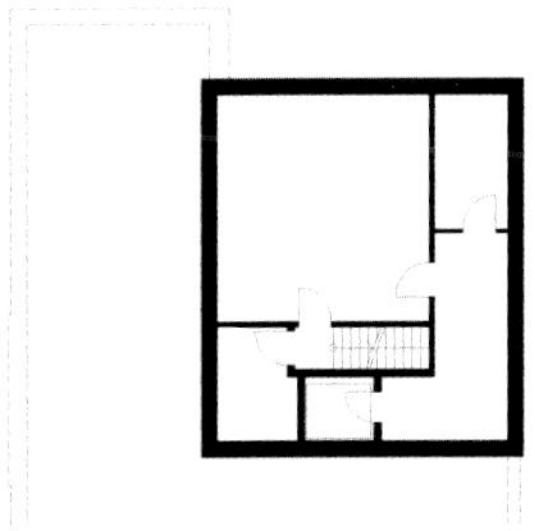

Untergeschoss

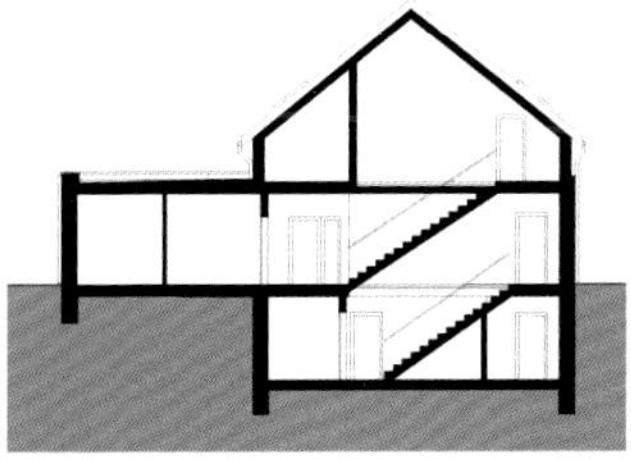

Querschnitt

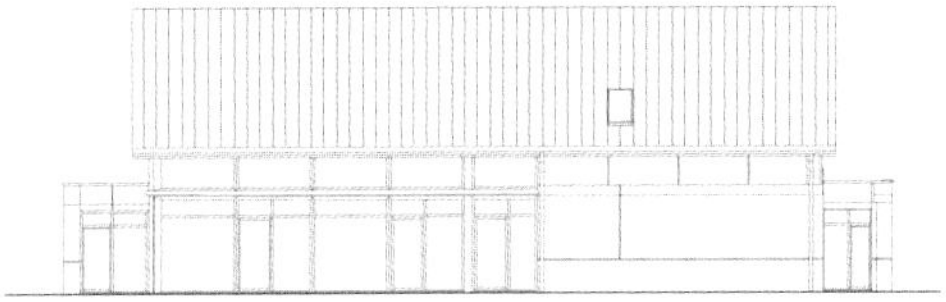

Ansicht Süd

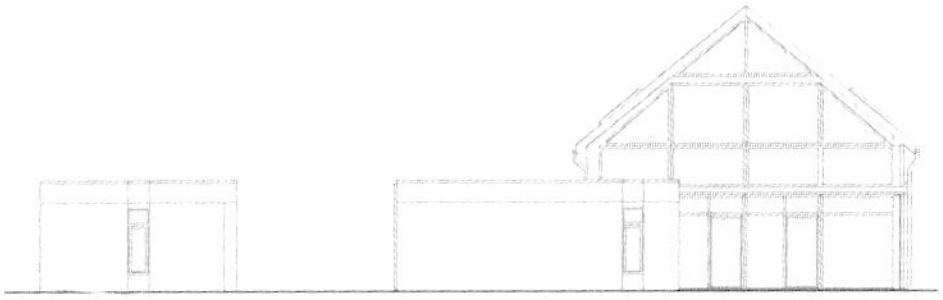

Ansicht West

Objektbeschreibung

Allgemeine Objektinformationen

Der Neubau zitiert den traditionellen norddeutschen Baustil in modernisierter Form. Details und Materialien beruhen auf hergebrachten Motiven und traditionellen Stilelementen. Genutzt wird das Gebäude sowohl als Verwaltungs- als auch als multifunktionaler Versammlungs- und Veranstaltungsbau.

Nutzung

1 Untergeschoss
Archiv, Abstellräume, Technikraum

1 Erdgeschoss
Bürgermeisterraum, Empfang, Besprechungsraum, Saal, Bewegungsraum, Umkleideraum, WCs, Küche, Stuhllager, Abstellräume

1 Obergeschoss
Aufenthaltsräume, Abstellräume

Nutzeinheiten

Sitzplätze: 80

Grundstück

Bauraum: Freier Bauraum
Neigung: Ebenes Gelände
Bodenklasse: BK 1 bis BK 4

Markt

Hauptvergabezeit: 2. Quartal 2019
Baubeginn: 1. Quartal 2019
Bauende: 1. Quartal 2020
Konjunkturelle Gesamtlage: über Durchschnitt
Regionaler Baumarkt: unter Durchschnitt

Baukonstruktion

Das in Holzrahmenbauweise erstellte Gebäude steht auf einer Stahlbetonsohlplatte und besitzt eine Teilunterkellerung. Die Decke über dem eingeschossigen Gebäudeteil sowie die Zwischendecke wurden als sichtbare Massivholzdecken erstellt. Der Stuhl des Satteldachs ist eine konventionelle Holzpfettenkonstruktion. Eine Sichtbetonwand, die bis unter den First führt, dient zur Aussteifung des hölzernen Tragwerks und trennt das Gebäude funktional in zwei Brandschutzbereiche. Sämtliche Fensterrahmen sowie die Pfosten-Riegelfassade bestehen aus europäischem Lärchenholz. Die Fassade ist teilweise als Verblendsteinfassade, in den übrigen Bereichen als hinterlüftete Vorhangfassade hergestellt. Als Dacheindeckung kam neben der Tonziegeldeckung des Hauptdachs eine Dachbegrünung im eingeschossigen Gebäudeteil zur Ausführung.

Technische Anlagen

Die Anlagentechnik des Dorfgemeinschaftshauses besteht aus einer Luft-Wasser-Wärmepumpe mit einer angeschlossenen Fußbodenheizung. Eine Lüftungsanlage mit Wärmerückgewinnung sowie eine Photovoltaikanlage sind als Nachrüstoptionen vorgesehen, ebenso ein Aufzug.

Planungskennwerte für Flächen und Rauminhalte nach DIN 277

Flächen des Grundstücks		Menge Einheit	% an GF
BF	Bebaute Fläche	365,98 m²	3,0
UF	Unbebaute Fläche	11.688,56 m²	97,0
GF	Grundstücksfläche	12.054,54 m²	100,0

Grundflächen des Bauwerks		Menge Einheit	% an NUF	% an BGF
NUF	Nutzungsfläche	401,57 m²	100,0	67,1
TF	Technikfläche	9,02 m²	2,2	1,5
VF	Verkehrsfläche	64,64 m²	16,1	10,8
NRF	Netto-Raumfläche	475,23 m²	118,3	79,5
KGF	Konstruktions-Grundfläche	122,89 m²	30,6	20,5
BGF	Brutto-Grundfläche	598,12 m²	148,9	100,0

Brutto-Rauminhalt des Bauwerks		Menge Einheit	BRI/NUF (m)	BRI/BGF (m)
BRI	Brutto-Rauminhalt	2.350,28 m³	5,85	3,93

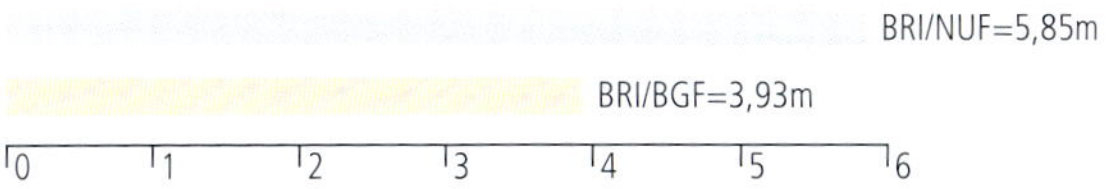

Kostenkennwerte für die Kostengruppen der 1. Ebene DIN 276

KG	Kostengruppen (1. Ebene)	Einheit	Kosten €	€/Einheit	€/m² BGF	€/m³ BRI	% 300+400
100	Grundstück	m² GF	–	–	–	–	–
200	Vorbereitende Maßnahmen	m² GF	–	–	–	–	–
300	Bauwerk – Baukonstruktionen	m² BGF	1.064.453	1.779,66	1.779,66	452,90	78,0
400	Bauwerk – Technische Anlagen	m² BGF	300.214	501,93	501,93	127,74	22,0
	Bauwerk 300+400	**m² BGF**	**1.364.667**	**2.281,59**	**2.281,59**	**580,64**	**100,0**
500	Außenanlagen und Freiflächen	m² AF	–	–	–	–	–
600	Ausstattung und Kunstwerke	m² BGF	–	–	–	–	–
700	Baunebenkosten	m² BGF	–	–	–	–	–
800	Finanzierung	m² BGF	–	–	–	–	–

KG	Kostengruppe	Menge Einheit	Kosten €	€/Einheit	%
3+4	**Bauwerk**				**100,0**
300	**Bauwerk – Baukonstruktionen**	598,12 m² BGF	1.064.453	**1.779,66**	78,0

Baugrubenaushub, Wasserhaltung; Stb-Fundamente, Stb-Bodenplatte, WU-Beton, Heizestrich, Bodenbeschichtung, Linoleum, Bodenfliesen, Eichenparkett, Teppichboden, Abdichtung, Perimeterdämmung; Stb-Wände WU-Beton (KG), Holzrahmenwände, Holzfenster, Holz-Pfosten-Riegel-Fassade, Dreifachverglasung, teilw. Sonnenschutzverglasung, Wärmedämmung, hinterlüftete Ziegelfassade, Faserzementfassade, hinterlüftete Lärchenholzfassade, GK-Bekleidung, Alu-Sonnenschutzlamellen; Stb-Wände, teilw. Sichtbeton, Mauerwerkswände (KG), Holzrahmenwände, GK-Wände, Wandfliesen, WC-Trennwände, mobile Trennwand, Geländer, Handläufe; Holz-Brettstapeldecken, Stb-Decke (KG), Stb-Treppen, Heizestrich, Bodenfliesen, abgehängte GK-Decken (WC, Küche), Treppengeländer; Holz-Brettstapeldecken, Holzbalkendach, Dachfenster, Dämmung, Dachziegel, Abdichtung, Attika, extensive Dachbegrünung, Entwässerung, GK-Bekleidung, Schallschutzdecke (Saal); Einbauküche

KG	Kostengruppe	Menge Einheit	Kosten €	€/Einheit	%
400	**Bauwerk – Technische Anlagen**	598,12 m² BGF	300.214	**501,93**	22,0

Gebäudeentwässerung, Kalt- und Warmwasserleitungen, Sanitärobjekte; Luftwärmepumpe, Radiavektoren, Fußbodenheizung; Elektroinstallation, Beleuchtung, Sicherheitsleuchten, Blitzschutzanlage; Datenübertragungsanlage, Such- und Signalanlagen, Beschallungsanlagen, Fernseh- und Antennenanlagen, Alarmanlage

10 Sonstige Gebäude

2200-0060
Forschungs-
und Laborgebäude
(275 AP)

Objektübersicht

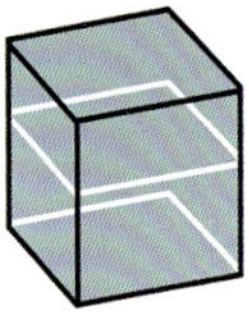

BRI 763 €/m³

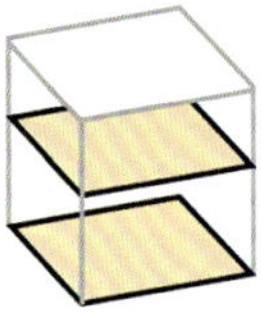

BGF 4.648 €/m²

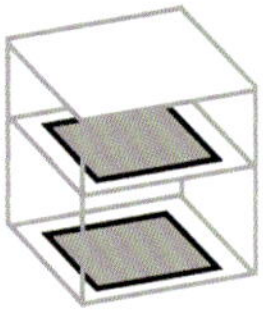

NUF 9.393 €/m²

Objekt:
Kennwerte: 1. Ebene DIN 276
BRI: 91.551 m³
BGF: 15.024 m²
NUF: 7.435 m²
Bauzeit: 200 Wochen
Bauende: 2020
Standard: über Durchschnitt
Bundesland: Sachsen
Kreis: Leipzig, Stadt

Architekt*in:
Schulz und Schulz
Architekten GmbH
Ferdinand-Rhode-Straße 20
04107 Leipzig

Bauherr*in:
Staatsbetrieb Sächsisches
Immobilien- und
Baumanagement
NL Leipzig I
Schongauerstraße 7
04328 Leipzig

© Gustav Williet

© Gustav Williet

© Gustav Williet

© Gustav Williet

© Gustav Williet

© Gustav Williet

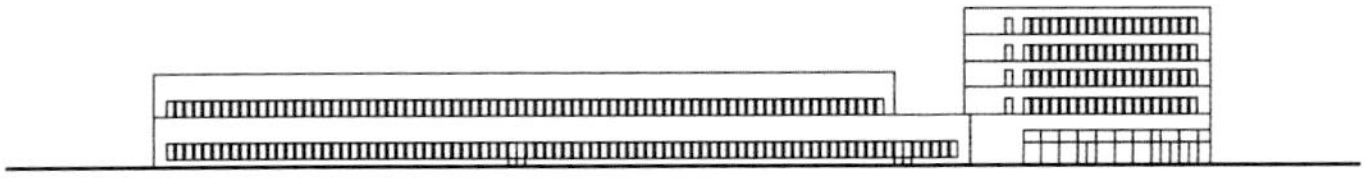

Ansicht Nord-Ost

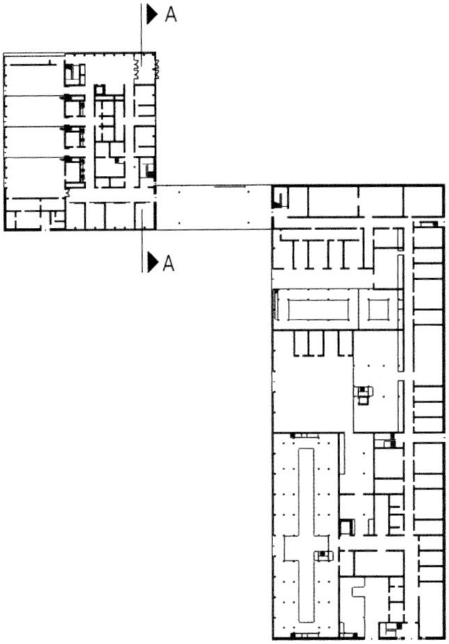

Erdgeschoss

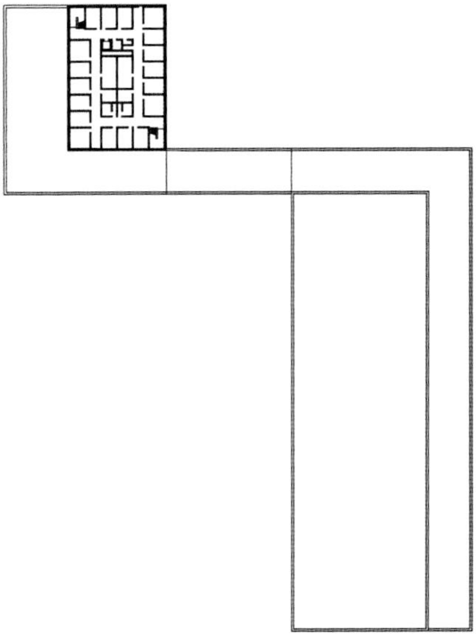

Regelgeschoss

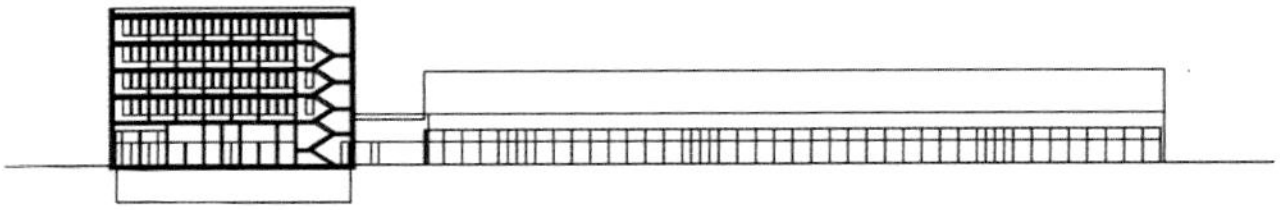

Schnitt A-A

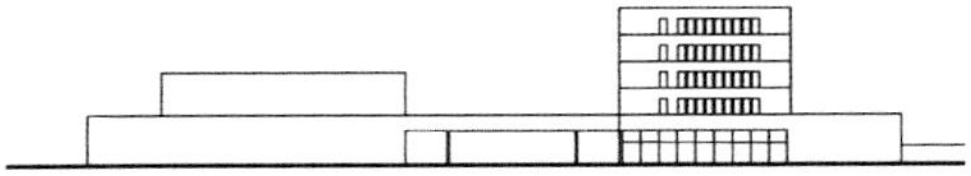

Ansicht Nord-West

Objektbeschreibung

Allgemeine Objektinformationen

Das DBFZ ist ein wichtiger Baustein der Vorreiterrolle Deutschlands bei der Entwicklung und Nutzung erneuerbarer Energien. Der Gebäudekomplex besteht aus einem Verwaltungsbau mit Archiven, Büro- und Besprechungsräumen und einem Veranstaltungsraum mit Cafeteria sowie einem Forschungsbau. Mit dem Neubau wurde der bislang provisorische Charakter des DBFZ überwunden und die bauliche Präsenz deutlich aufgewertet.

Nutzung

1 Untergeschoss
Umkleideräume, Waschräume, WCs, Lagerräume, Brandmeldezentrale, Einbruchmeldezentrale, Gaslöschanlage, Datenraum, Traforaum, Batterieraum, Druckluftraum, raumlufttechnische Anlagenräume, Hackschnitzellagerräume, Heizkesselraum, Heizzentrale, Zisternenraum, Hausanschlussräume

1 Erdgeschoss
Foyer, Büroräume, Besprechungsräume, Seminarräume, Dolmetscherraum, Medientechnikraum, Laborräume, Technikumshalle, Werkstatt, Exponatenraum, Cafeteria mit Essensausgabe, Spülküche, Sozialraum, Raum des Betriebsrats, Erste-Hilfe-Raum, Teeküche, Garderoben, Pförtnerraum, WCs, Umkleideräume, Abstell-/Lagerräume, Serverraum, Technikraum

4 Obergeschosse
Büroräume, Laborräume, Besprechungsraum, Teeküchen, WCs, Notduschen, Abstell-/Lagerräume, Technikräume

Nutzeinheiten

Arbeitsplätze: 275

Grundstück

Bauraum: Freier Bauraum
Neigung: Ebenes Gelände
Bodenklasse: BK 1 bis BK 5

Markt

Hauptvergabezeit: 3. Quartal 2016
Baubeginn: 3. Quartal 2016
Bauende: 3. Quartal 2020
Konjunkturelle Gesamtlage: über Durchschnitt
Regionaler Baumarkt: über Durchschnitt

Baukonstruktion

Die tragenden Wände der Obergeschosse des Bürogebäudes sind in Holzständerbauweise, die Decken als Holz-Beton-Verbund-Konstruktionen mit holzsichtigen Deckenunterseiten hergestellt. Betonkerne für die vertikale Erschließung dienen der Aussteifung. Das Technikum ist in Massivbauweise erstellt. Um große Spannweiten und Volumina zu ermöglichen, ist das Dach als Massivholzkonstruktion mit Leimholzbindern, Querpfetten und Brettsperrholzelementen erstellt, die Dachuntersicht bleibt auch hier holzsichtig. Beide Gebäude sind mit einer hinterlüfteten Holzschalung versehen. Horizontal umlaufende Brandsperren aus Metall gliedern die Fassade zusätzlich. Durch die bodentiefen, nahezu umlaufenden Pfosten-Riegel-Fassaden im Erdgeschoss, werden die Hauptfassaden an beiden Gebäuden gestärkt und versorgen alle angrenzenden Bereiche mit Tageslicht. Sichtbare Holzoberflächen von Türen, Wand- und Deckenbekleidung generieren einen warmen Raumeindruck. Im gesamten Erdgeschoss des Bürogebäudes ist Thüringer Travertin, in den Obergeschossen Teppichbelag verlegt. In den Laborhallen wurden zum Teil mehrgeschossige Bühnen als verzinkte Stahlkonstruktionen mit reversiblen Einlegeböden aus Gitterrosten eingebaut.

Technische Anlagen

Das Energiekonzept sieht Grauwassernutzung, eine PV-Anlage zur Eigenstromgewinnung, Solarthermie, eine Hackschnitzelheizungsanlage in Verbindung mit einem BHKW und Windkraft als eingesetzte Energieträger vor. Die Wärmeversorgung wird vor allem über die Kesselanlagen (Gas- und Hackschnitzel-Kessel) im Untergeschoss des Technikums realisiert. Ein Hackschnitzellager mit Förderanlage dient der Einspeisung. Die Wärme aus den jeweiligen Forschungsanlagen sowie der Solarthermieanlage wird ebenfalls genutzt. Zur Stromerzeugung ist eine Photovoltaikanlage auf dem Dach des Technikums errichtet. Seminar- und Laborräume werden über eine Lüftungsanlage mit Wärmerückgewinnung mechanisch be- und entlüftet.

Sonstiges

Durch Akzentuierung des abstrahierten Baukörpers mit einer kraftvollen schwarzen Farbgebung entzieht sich der Neubau jeglicher Öko-Assoziation. Im Gegensatz zur Gestaltung der Fassade in sattem Schwarz wandelt sich der Ausdruck im Innenraum. Holz als wiederkehrendes Material zeigt sich im Inneren des Gebäudes in seiner natürlichen Farbe und Maserung.

Planungskennwerte für Flächen und Rauminhalte nach DIN 277

Flächen des Grundstücks		Menge Einheit	% an GF
BF	Bebaute Fläche	14.710,00 m²	42,0
UF	Unbebaute Fläche	20.278,00 m²	58,0
GF	Grundstücksfläche	34.988,00 m²	100,0

Grundflächen des Bauwerks		Menge Einheit	% an NUF	% an BGF
NUF	Nutzungsfläche	7.435,00 m²	100,0	49,5
TF	Technikfläche	3.014,00 m²	40,5	20,1
VF	Verkehrsfläche	2.560,00 m²	34,4	17,0
NRF	Netto-Raumfläche	13.009,00 m²	175,0	86,6
KGF	Konstruktions-Grundfläche	2.015,00 m²	27,1	13,4
BGF	Brutto-Grundfläche	15.024,00 m²	202,1	100,0

Brutto-Rauminhalt des Bauwerks		Menge Einheit	BRI/NUF (m)	BRI/BGF (m)
BRI	Brutto-Rauminhalt	91.551,00 m³	12,31	6,09

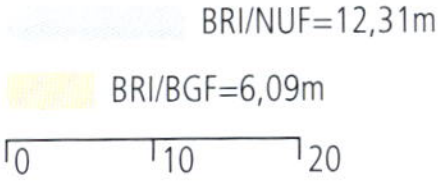

Kostenkennwerte für die Kostengruppen der 1. Ebene DIN 276

KG	Kostengruppen (1. Ebene)	Einheit	Kosten €	€/Einheit	€/m² BGF	€/m³ BRI	% 300+400
100	Grundstück	m² GF	–	–	–	–	–
200	Vorbereitende Maßnahmen	m² GF	4.747.517	135,69	316,00	51,86	6,8
300	Bauwerk – Baukonstruktionen	m² BGF	35.233.804	2.345,17	2.345,17	384,85	50,5
400	Bauwerk – Technische Anlagen	m² BGF	34.604.045	2.303,25	2.303,25	377,98	49,5
	Bauwerk 300+400	**m² BGF**	**69.837.849**	**4.648,42**	**4.648,42**	**762,83**	**100,0**
500	Außenanlagen und Freiflächen	m² AF	12.703.918	941,03	845,57	138,76	18,2
600	Ausstattung und Kunstwerke	m² BGF	650.326	43,29	43,29	7,10	0,9
700	Baunebenkosten	m² BGF	–	–	–	–	–
800	Finanzierung	m² BGF	–	–	–	–	–

KG	Kostengruppe	Menge Einheit	Kosten €	€/Einheit	%
200	**Vorbereitende Maßnahmen**	34.988,00 m² GF	4.747.517	**135,69**	6,8

Abbruch Bestandsgebäude, Altlastenbeseitigung, Sicherungsmaßnahmen, Herrichten der Geländeoberfläche; Erschließung Gasversorgung, Telekommunikation, Verkehrserschließung

KG	Kostengruppe	Menge Einheit	Kosten €	€/Einheit	%
3+4	**Bauwerk**				**100,0**
300	**Bauwerk – Baukonstruktionen**	15.024,00 m² BGF	35.233.804	**2.345,17**	50,5

Baugrubenaushub, Baugrubenverbau, Wasserhaltung; Baugrundverbesserung, Stb-Fundamentplatte, Stb-Fundamente, Stb-Bodenplatte, Estrich, Heizestrich, Hohlraumboden, Anstrich, Epoxidharzbeschichtung, Linoleum, Natursteinbelag, Teppichboden, Bodenfliesen, flügelgeglättete Stb-Sohle und Estrich, Abdichtung, Kiesfilter, Perimeterdämmung, Sauberkeitsschicht; Stb-Wände, Mauerwerkswände, Holzrahmenwände, Stb-Stützen, Holzstützen, Holz-Pfosten-Riegel-Fassade mit Alu-Deckschalen, Alufenster, Holz-Alu-Fenster, Alu-Faltschiebetore, Dreifachverglasung, Sonnenschutzverglasung, Wärmedämmung, Holzfassade, Gipsfaser-Bekleidung, Alu-Raffstores; GK-Wände, Holz-Glaswände, Stahl-Glaswände, Holz-Faltschiebewand, Holz-Innenfenster, Wandfliesen, Holzbekleidung, Schallabsorber-Paneele, WC-Trennwände, mobile Trennwände; Stb-Decken, Holz-Beton-Verbunddecken, Stb-Treppen, abgehängte GK-Decken, Holzlamellen-Abhangdecke, Treppengeländer; Stb-Dach, Holzbinder-Dach, Holz-Beton-Verbunddach, Oberlichter, Dämmung, Abdichtung, Attika, extensive Dachbegrünung, Kies, Beton-Bodenplatten auf druckfester Dämmung, innenliegende Entwässerung; Teeküchen, Empfangstresen, Garderoben, Briefkastenanlage, Einbau von 2. und 3. Stahlbau-Ebenen in den Technikumshallen als demontierbare Arbeitsbühnen mit Stahltreppen und Geländern, Gitterzäune

KG	Kostengruppe	Menge Einheit	Kosten €	€/Einheit	%
400	**Bauwerk – Technische Anlagen**	15.024,00 m² BGF	34.604.045	**2.303,25**	49,5

Gebäudeentwässerung, Hebeanlagen, Sinkstoffabscheider, Vollentsalzer-Wasseraufbereitungsanlage, Kalt- und Warmwasserleitungen, Regenwassernutzung (WCs), Sanitärobjekte; zwei Hackschnitzelkessel 99 und 300kW, zwei Gas-Brennwertkessel 300 und 500kW (auch zur Versorgung Bestandsgebäude), Solaranlage (91m²), Pufferspeicher für Solarthermie und Abwärme aus den Forschungsanlagen (40m³), Wärmetauscher-Warmwasserstationen, Durchlauferhitzer, Planheizkörper, Deckenstrahlplatten, Deckenlüfter, Bodenkonvektoren, Fußbodenheizung, Schornsteine; zentrale Lüftungsanlage mit WRG (Erwärmung, Luftfilterung F5/F7, zugfrei), dezentrale Lüftungsanlagen für Arbeitsplatzabsaugungen, zentrale Abluftanlagen zur Abführung von Feuchtigkeit und Wärmeentwicklung, Abluftanlage zur Schadstoffabführung, Teilklimaanlagen mit Einzel- und Arbeitsplatzabsaugen sowie Absaugen von Gefahrstoffschränken, Umluftkühlanlagen, Kompressionskältemaschinen, RWA-Anlagen; Trafostation, Dieselaggregat als Netzersatzanlage 400kVA, Sicherheitsbeleuchtungsanlage als Zentralbatterieanlage, USV-Anlage, Elektroinstallation, PV-Anlage (433m²), Beleuchtung, Sicherheitsleuchten, Blitzschutzanlage; LWL- und Cat7-Datenübertragungsanlage, zentrale Zeiterfassungsanlage, Zutrittskontrollanlage, Gaswarnanlage, elektroakustische Anlagen, Brandmeldeanlage, Einbruchmeldeanlage; Personenaufzüge, Lastenaufzug, versenkbares Bühnenpodest; labortechnische Einrichtung mit Laborspülen, Kühlgeräten, Abzügen, Laborglasreinigungsautomaten etc., Anlagen zur Entnahme von technischen Gasen (O_2, N_2, H_2, He, synthetische Luft) und Druckluft, Drucklufterzeuger, zentrale Staubabsaugung, Feuerlöscher; zentraler Daten- und Applikationsserver, Verbrauchswerterfassung, Wetterstationen, diverse Überwachungseinrichtungen, Regeleinrichtungen

500	**Außenanlagen und Freiflächen**	13.500,00 m² AF	12.703.918	**941,03**	18,2

Oberbodenarbeiten, Bodenarbeiten; Fundamente; Wege, Straßen, Höfe, Stellplätze; Zäune, Tore, Treppen, Rampen, Überdachungen; Abwasser, Wasserversorgungsleitungen, Gasleitungen, Wärmeversorgungsleitungen, lufttechnische Anlagen; Oberbodenauftrag, Gehölze, Stauden, Bäume, Rasen; Wasserflächen

600	**Ausstattung und Kunstwerke**	15.024,00 m² BGF	650.326	**43,29**	0,9

Beschilderung, Kunst am Bau

3100-0033
Arztpraxis
Oralchirurgie
Kinderzahnheilkunde

Objektübersicht

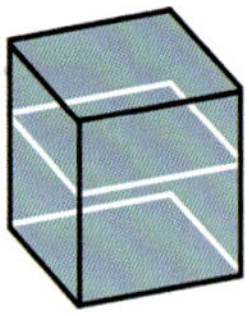
BRI 1.030€/m3

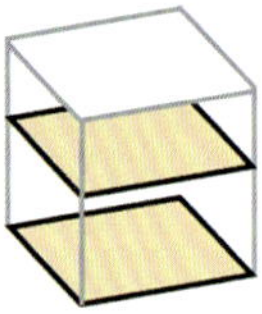
BGF 3.960€/m2

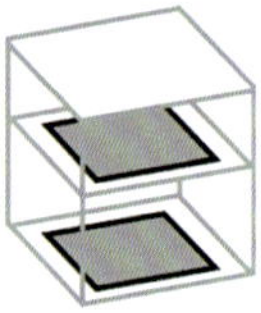
NUF 7.304€/m2

Objekt:
Kennwerte: 1. Ebene DIN 276
BRI: 1.537 m3
BGF: 400 m2
NUF: 217 m2
Bauzeit: 39 Wochen
Bauende: 2020
Standard: Durchschnitt
Bundesland: Bayern
Kreis: Donau-Ries

Architekt*in:
PURE GRUPPE
Architektengesellschaft mbH
Watmarkt 5
93047 Regensburg

© Herbert Stolz

© Herbert Stolz

© Herbert Stolz

© Herbert Stolz

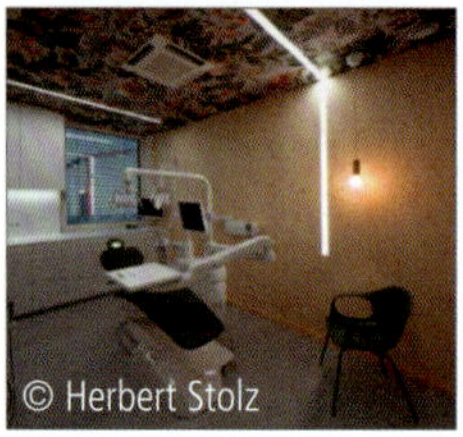
© Herbert Stolz

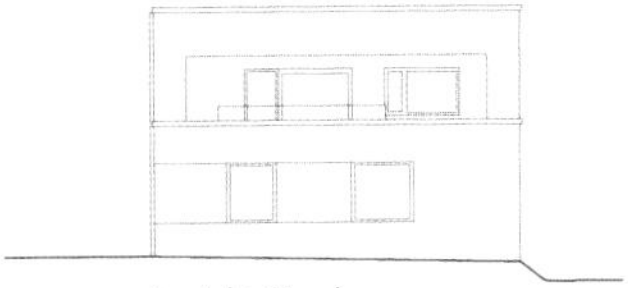
Ansicht Nord

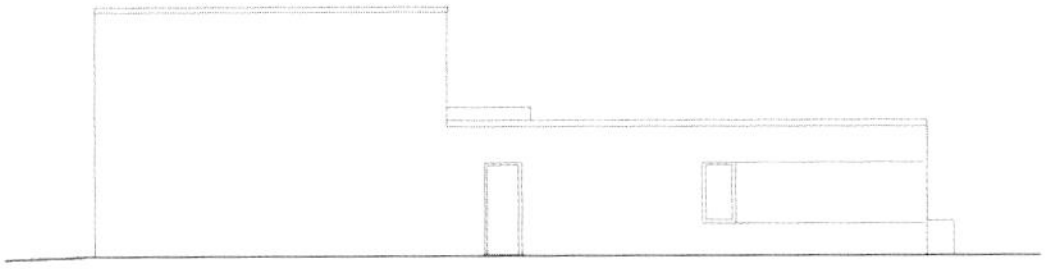
Ansicht Ost

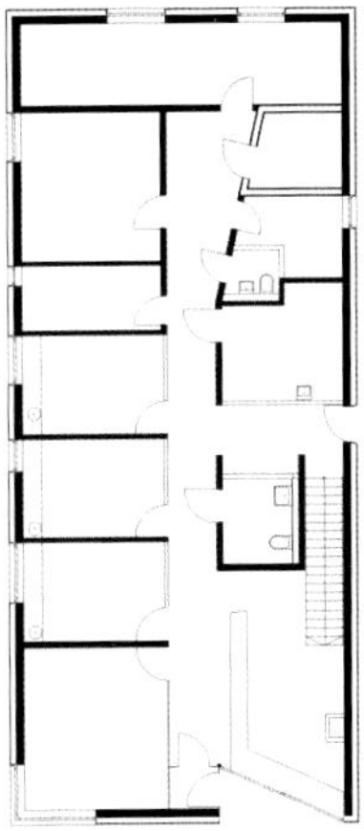
Erdgeschoss

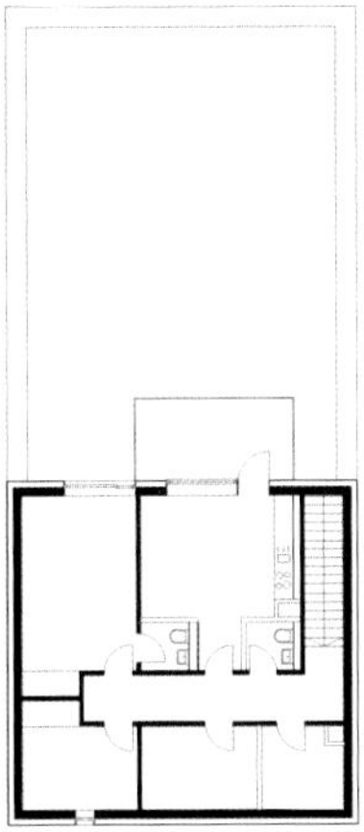
Obergeschoss

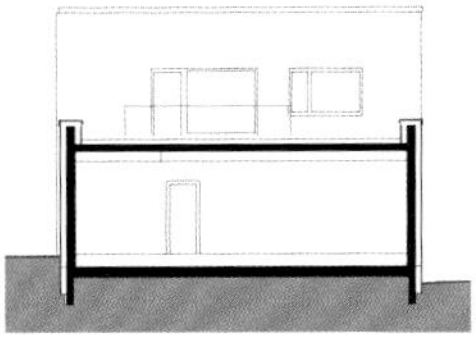
Querschnitt 1

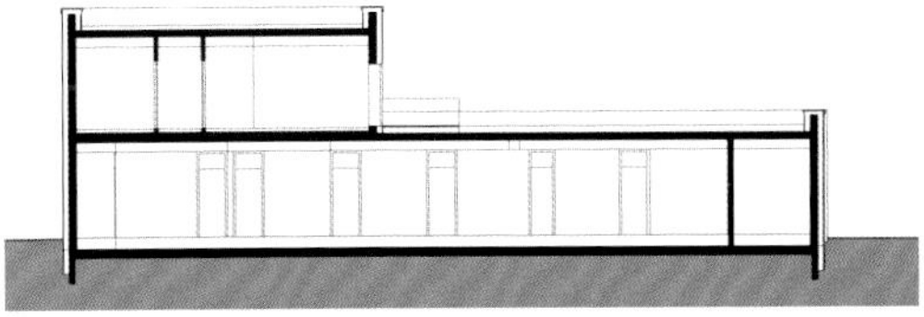
Längsschnitt

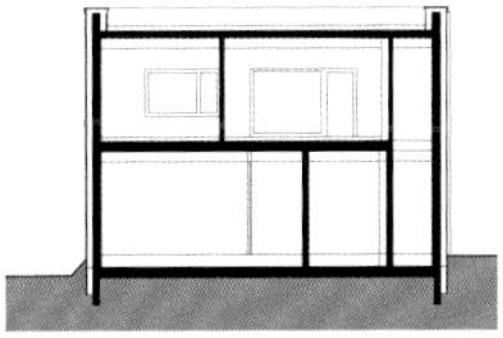
Querschnitt 2

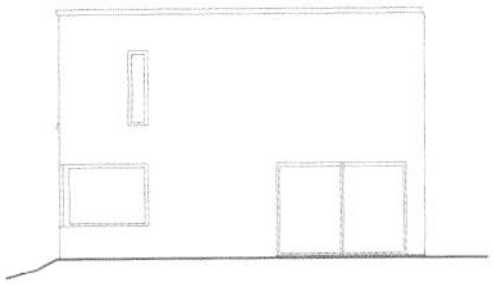
Ansicht Süd

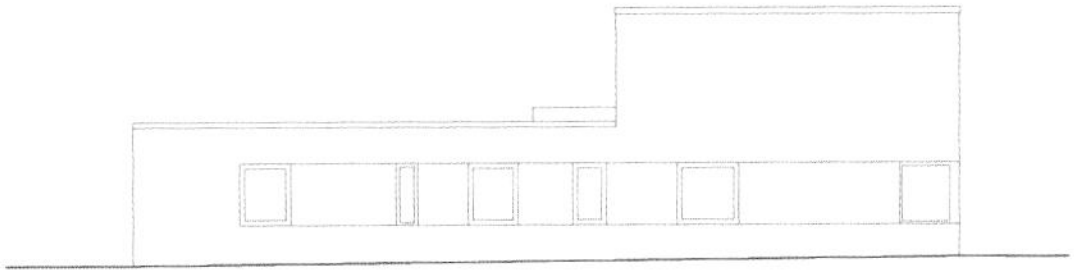
Ansicht West

Objektbeschreibung

Allgemeine Objektinformationen

Die oralchirurgische Praxis entstand als funktionaler Praxisneubau mit modernster Ausstattung und gleichzeitigem Wohlfühlambiente. Warme und griffige Materialien sorgen für ein stimmiges Gesamtkonzept. Der kubische Baukörper in Holzbauweise mit bekiestem Flachdach und Dachterrasse zeigt sich in klassischer Schwarz-Weiß-Optik. Durchbrochen wird der haptische Besenstrich-Putz durch glatte Fensterbänder, welche der Fassade Struktur verleihen.

Nutzung

1 Erdgeschoss
Empfang, Warten, Behandlung, OP, Aufwachraum, Instrumentenaufbereitung, Technik

1 Obergeschoss
Sozialraum, Büro, Nebenräume

Grundstück

Bauraum: Freier Bauraum
Neigung: Ebenes Gelände
Bodenklasse: BK 1 bis BK 3

Besonderer Kosteneinfluss Grundstück
Aufschüttung des Gesamtgeländes um ca. 70cm, um die Rückstauebene zu überschreiten.

Markt

Hauptvergabezeit: 3. Quartal 2019
Baubeginn: 4. Quartal 2019
Bauende: 3. Quartal 2020
Konjunkturelle Gesamtlage: Durchschnitt
Regionaler Baumarkt: Durchschnitt

Baukonstruktion

Der Neubau gründet auf Reibungspfeilern und Streifenfundamenten. Die Bodenplatte ist in Ortbeton ausgeführt. Sämtliche aufgehenden Wände sind in Holzständerbauweise errichtet und mit Holzwolle- und Zellulose-Einblasdämmung isoliert. Die Fassade ist mit einem mineralischen Außenputz ausgeführt. Es kamen Kunststoff-Alufenster mit Sonnenschutz-Raffstores zum Einbau. Eine Holztreppe verbindet die Geschosse. Das Flachdach wurde bekiest und über dem eingeschossigen Baukörper teilweise als Dachterrasse ausgebildet. Alle Attikableche bestehen aus weiß beschichtetem Titanzink. Innen sind die Wände als Massivholzwände sichtbar belassen, mit Naturholz bekleidet oder beschichtet. Abgehängte Decken wurden mit einem Gipsinnenputz und Anstrich versehen. Wände und Decken sind partiell mit Tapeten gestaltet. Die Innentüren sind weiß beschichtet bzw. als Glastüren ausgeführt. Als Fußbodenbeläge wurden Industrieparkett, Kautschuk und Fliesen gewählt.

Technische Anlagen

Die Wärmeerzeugung erfolgt mittels einer hocheffizienten Luft-Wärmepumpe. Eine ganzheitliche Klimaanlage mit Kühlung und Heizung über Deckenkassetten sowie Wandgeräte in Form von Lüftern wurden installiert. Für die medizinische Einrichtung dienen zwei Wasserkreisläufe. Es wurden medizin- und labortechnische Anlagen eingebaut.

Sonstiges

Bei der Gebäudekonstruktion galt die Aufmerksamkeit vor allem dem Einsatz von erneuerbaren Energien, sommerlichem Wärmeschutz und Einbringung von nachwachsenden Dämmstoffen.

Planungskennwerte für Flächen und Rauminhalte nach DIN 277

Flächen des Grundstücks		Menge Einheit	% an GF
BF	Bebaute Fläche	274,43 m²	20,5
UF	Unbebaute Fläche	1.066,77 m²	79,5
GF	Grundstücksfläche	1.341,20 m²	100,0

Grundflächen des Bauwerks		Menge Einheit	% an NUF	% an BGF
NUF	Nutzungsfläche	216,73 m²	100,0	54,2
TF	Technikfläche	12,09 m²	5,6	3,0
VF	Verkehrsfläche	63,97 m²	29,5	16,0
NRF	Netto-Raumfläche	292,79 m²	135,1	73,2
KGF	Konstruktions-Grundfläche	106,99 m²	49,4	26,8
BGF	Brutto-Grundfläche	399,78 m²	184,5	100,0

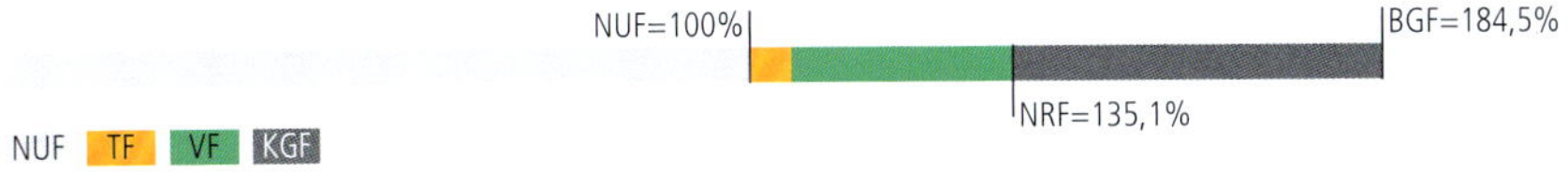

Brutto-Rauminhalt des Bauwerks		Menge Einheit	BRI/NUF (m)	BRI/BGF (m)
BRI	Brutto-Rauminhalt	1.537,10 m³	7,09	3,85

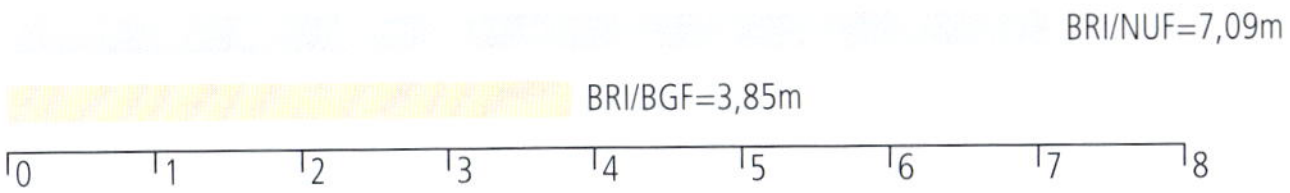

Kostenkennwerte für die Kostengruppen der 1.Ebene DIN 276

KG	Kostengruppen (1.Ebene)	Einheit	Kosten €	€/Einheit	€/m² BGF	€/m³ BRI	% 300+400
100	Grundstück	m² GF	–	–	–	–	–
200	Vorbereitende Maßnahmen	m² GF	52.639	39,25	131,67	34,25	3,3
300	Bauwerk – Baukonstruktionen	m² BGF	958.422	2.397,37	2.397,37	623,53	60,5
400	Bauwerk – Technische Anlagen	m² BGF	624.654	1.562,49	1.562,49	406,38	39,5
	Bauwerk 300+400	**m² BGF**	**1.583.076**	**3.959,87**	**3.959,87**	**1.029,91**	**100,0**
500	Außenanlagen und Freiflächen	m² AF	35.020	32,83	87,60	22,78	2,2
600	Ausstattung und Kunstwerke	m² BGF	232.831	582,40	582,40	151,47	14,7
700	Baunebenkosten	m² BGF	–	–	–	–	–
800	Finanzierung	m² BGF	–	–	–	–	–

KG	Kostengruppe	Menge Einheit	Kosten €	€/Einheit	%
200	**Vorbereitende Maßnahmen**	1.341,20 m² GF	52.639	**39,25**	3,3

Erschließung, Stromversorgung, Wasser/Abwasser, Telekommunikation

KG	Kostengruppe	Menge Einheit	Kosten €	€/Einheit	%
3+4	**Bauwerk**				**100,0**
300	**Bauwerk – Baukonstruktionen**	399,78 m² BGF	958.422	**2.397,37**	60,5

Geländeaufschüttung; Tiefgründung mit Reibungspfeilern, Streifenfundamente, Ortbeton-Bodenplatte, Dämmung, Zementestrich, Sauberlaufzone Kokosmatte, Industrieparkett, Kautschukbodenbelag; Holzständerwände, Kunststoff-Alu-Fenster, zweilagiger mineralischer Außenputz (Besenstrich, zwischen Fenstern glatt), Gipsinnenputz, Beschichtungen, Dekor-Tapeten, Abdichtung Nasszellen, Wandfliesen, Holzverkleidung Naturholz, Raffstoreanlagen; Holzmassivbauwände, teilweise als Sichtholzwände, Holz-Innentüren, weiß beschichtet, Strahlenschutztüren, Glastrennwände mit Türen; Ortbeton-Decke, Holztreppe, abgehängte Decke, Dekor-Tapeten, Beschichtungen; Ortbeton-Flachdach, Dämmung, Bekiesung, Dachbegrünung, Dachterrasse, Attikableche Titanzink weiß, Dachentwässerung

KG	Kostengruppe	Menge Einheit	Kosten €	€/Einheit	%
400	**Bauwerk – Technische Anlagen**	399,78 m² BGF	624.654	**1.562,49**	39,5

Gebäudeentwässerung, Kalt- und Warmwasserleitungen, Sanitärobjekte; Luft-Wärmepumpe; ganzheitliche Klimaanlage mit Kühlung und Heizung über Deckenkassetten oder Wandgeräte als Lüfter; Elektroinstallation, Beleuchtung; Fernmelde- und informationstechnische Anlagen, Wasserleitungen steril, Druckluftleitungen, Vakuumleitungen, Medizin- und labortechnische Anlagen

KG	Kostengruppe	Menge Einheit	Kosten €	€/Einheit	%
500	**Außenanlagen und Freiflächen**	1.066,77 m² AF	35.020	**32,83**	2,2

Bodenarbeiten, Wege, Stellplätze, sonstige befestigte Flächen, Stützmauer aus L-Steinen an Grundstücksgrenze, Abwasseranlagen, Außenbeleuchtung, Bäume, Hecke, Rasen

KG	Kostengruppe	Menge Einheit	Kosten €	€/Einheit	%
600	**Ausstattung und Kunstwerke**	399,78 m² BGF	232.831	**582,40**	14,7

Empfangstresen mit Backoffice, Sitzbänke Wartezimmer, Einbauschränke, Arbeitszeilen, Wandverkleidung, Küchenzeile, lose Möblierung (Garderobe, Bestuhlung, Folierung Glastrennwände, Sanitärausstattungen), Bilder/Leinwände

5100-0131
Sporthalle
(Einfeldhalle)
Effizienzhaus ~31%

Objektübersicht

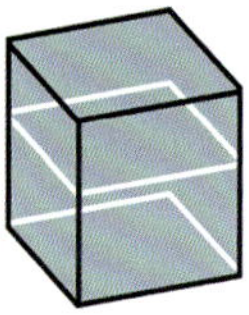

BRI 504 €/m³

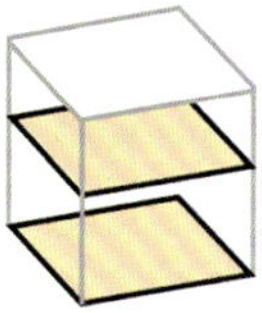

BGF 3.497 €/m²

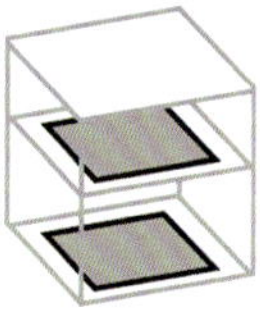

NUF 4.986 €/m²

Objekt:
Kennwerte: 1. Ebene DIN 276
BRI: 5.854 m³
BGF: 845 m²
NUF: 592 m²
Bauzeit: 57 Wochen
Bauende: 2018
Standard: über Durchschnitt
Bundesland: Bayern
Kreis: Dingolfing-Landau

Architekt*in:
Wagner Architekten
Lederergasse 16
84130 Dingolfing

Bauherr*in:
Landkreis Dingolfing-Landau
Obere Stadt 1
84130 Dingolfing

© Uli Klinger-Barta

© Uli Klinger-Barta

© Uli Klinger-Barta

© Uli Klinger-Barta

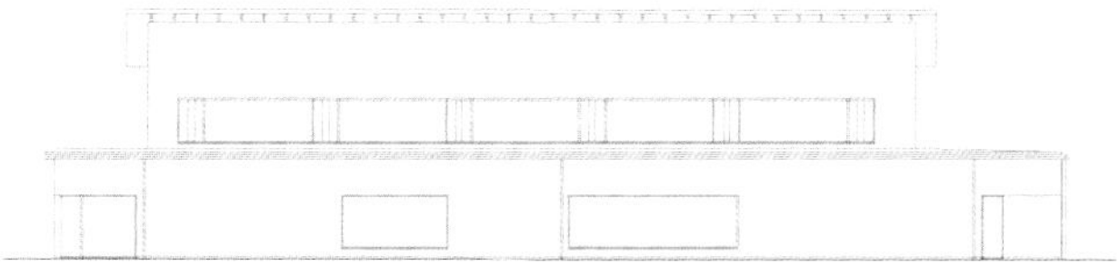

Ansicht West

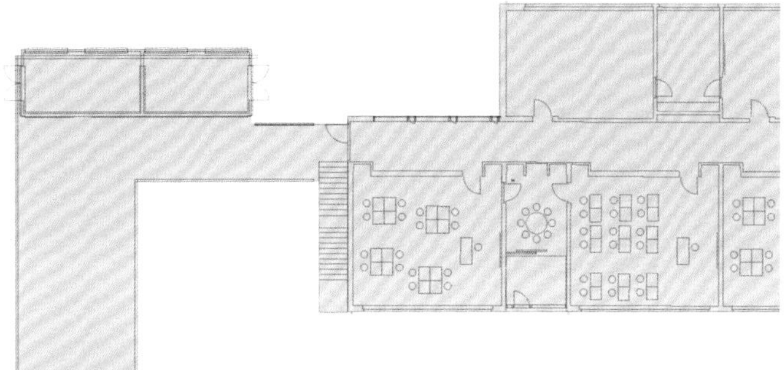
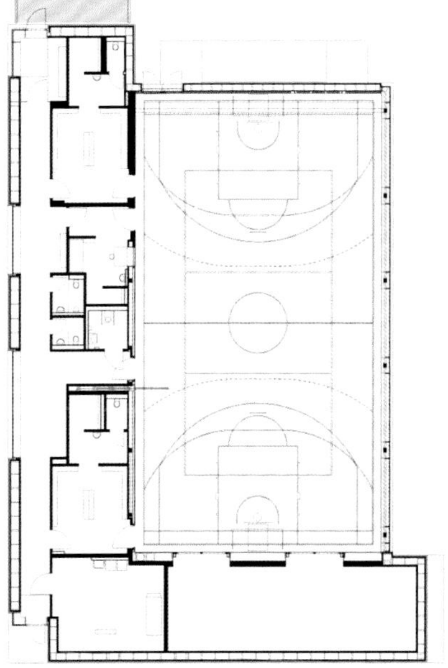

Erdgeschoss

Ansicht Nord

Ansicht Süd

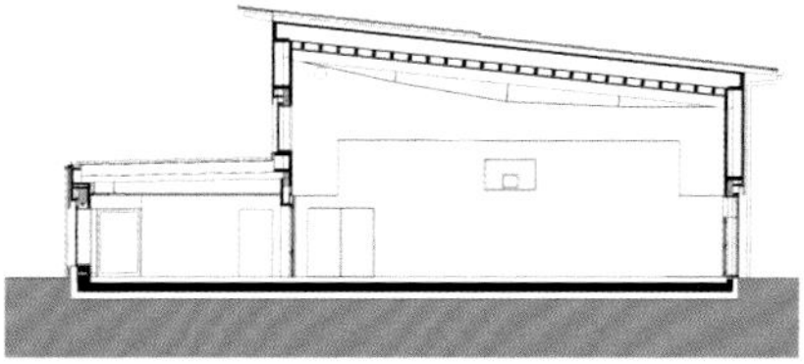

Schnitt

Ansicht Ost

Objektbeschreibung

Allgemeine Objektinformationen

Der Neubau der Einfeldhalle dient als Erweiterung einer bestehenden Schule. Die Halle definiert mit dem Schulgebäude einen Hof und ist in Form einer durchgehenden Überdachung mit dem Bestand verbunden. Die Fassadengestaltung orientiert sich ebenfalls am Bestandsbaukörper, sodass die beiden Gebäude optisch eine Einheit bilden.

Nutzung

1 Erdgeschoss
Sporthalle, Umkleideräume, WCs, Duschen, Technikraum

Nutzeinheiten

Hallenfelder: 1
Hallenfläche: 405 m^2

Grundstück

Bauraum: Freier Bauraum
Neigung: Ebenes Gelände
Bodenklasse: BK 1 bis BK 4

Markt

Hauptvergabezeit: 3. Quartal 2017
Baubeginn: 3. Quartal 2017
Bauende: 3. Quartal 2018
Konjunkturelle Gesamtlage: über Durchschnitt
Regionaler Baumarkt: unter Durchschnitt

Baukonstruktion

Die eingeschossige Sporthalle gründet auf einer Stahlbetonbodenplatte und ist in vorgefertigter Holzbauweise hergestellt. Vor Ort wurden die Bauteile mit Zellulosedämmung ausgeflockt. Die Fassade der Halle ist verputzt, die Nebenräume sind mit einer Lärchenholzschalung bekleidet. Die innenliegenden Holzständerwände sind beschichtet und teilweise mit Fliesen belegt. Sämtliche Verglasungen sind Pfosten-Riegel-Festverglasungen. Das Hauptdach der Halle wurde als flachgeneigtes Pultdach mit Edelstahl- Stehfalzdeckung ausgeführt. Für den Anbau mit Nebenräumen wurde ein Flachdach mit extensiver Begrünung gewählt. In der Halle wurde ein flächenelastischer Sportboden eingebaut und mit Linoleum belegt, die Nebenräume sind mit Fliesenbelag auf Trockenestrich ausgestattet.

Technische Anlagen

Über das städtische Fernwärmenetz wird die Turnhalle durch ein nahegelegenes Kraftwerk versorgt. Der Hallenboden ist nicht beheizbar, in den Nebenräumen wurde eine Fußbodenheizung eingebaut. Der Strombedarf wird über eine eigene Photovoltaikanlage gedeckt. Sämtliche Räume sind mit LED-Beleuchtung und Bewegungsmeldern ausgestattet. Für die Warmwasserbereitung wurden dezentrale Frischwasserstationen in den Duschen installiert. Im Sommer wird die Turnhalle durch Nachtauskühlung temperiert. Die Belüftung erfolgt mechanisch.

Planungskennwerte für Flächen und Rauminhalte nach DIN 277

Flächen des Grundstücks		Menge Einheit	% an GF
BF	Bebaute Fläche	844,67 m²	14,9
UF	Unbebaute Fläche	4.842,36 m²	85,1
GF	Grundstücksfläche	5.687,03 m²	100,0

Grundflächen des Bauwerks		Menge Einheit	% an NUF	% an BGF
NUF	Nutzungsfläche	592,38 m²	100,0	70,1
TF	Technikfläche	36,97 m²	6,2	4,4
VF	Verkehrsfläche	91,70 m²	15,5	10,9
NRF	Netto-Raumfläche	721,05 m²	121,7	85,4
KGF	Konstruktions-Grundfläche	123,62 m²	20,9	14,6
BGF	Brutto-Grundfläche	844,67 m²	142,6	100,0

Brutto-Rauminhalt des Bauwerks		Menge Einheit	BRI/NUF (m)	BRI/BGF (m)
BRI	Brutto-Rauminhalt	5.854,41 m³	9,88	6,93

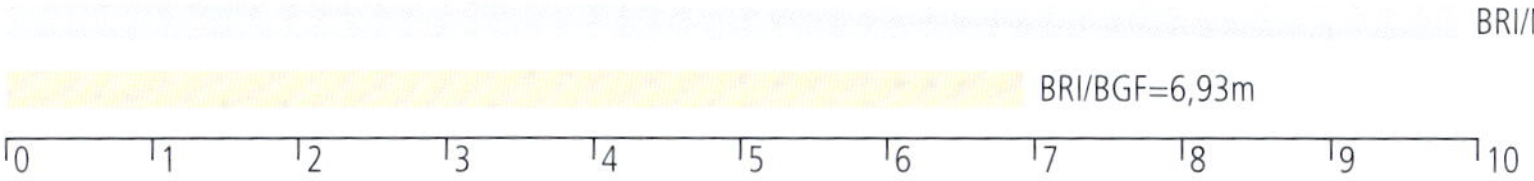

Kostenkennwerte für die Kostengruppen der 1. Ebene DIN 276

KG	Kostengruppen (1. Ebene)	Einheit	Kosten €	€/Einheit	€/m² BGF	€/m³ BRI	% 300+400
100	Grundstück	m² GF	–	–	–	–	–
200	Vorbereitende Maßnahmen	m² GF	190.688	33,53	225,75	32,57	6,5
300	Bauwerk – Baukonstruktionen	m² BGF	2.049.955	2.426,93	2.426,93	350,16	69,4
400	Bauwerk – Technische Anlagen	m² BGF	903.577	1.069,74	1.069,74	154,34	30,6
	Bauwerk 300+400	**m² BGF**	**2.953.532**	**3.496,67**	**3.496,67**	**504,50**	**100,0**
500	Außenanlagen und Freiflächen	m² AF	850.035	177,70	1.006,35	145,20	28,8
600	Ausstattung und Kunstwerke	m² BGF	149.507	177,00	177,00	25,54	5,1
700	Baunebenkosten	m² BGF	–	–	–	–	–
800	Finanzierung	m² BGF	–	–	–	–	–

KG	Kostengruppe	Menge Einheit	Kosten €	€/Einheit	%
200	**Vorbereitende Maßnahmen**	5.687,03 m² GF	190.688	**33,53**	6,5

Abbruch alter Sportgeräte und Zaunanlagen, Bodenaustausch, Vorbereitung Parkplatz und Allwettersportplatz; Anschlüsse Abwasser, Trinkwasser, Fernwärme, Elektro

KG	Kostengruppe	Menge Einheit	Kosten €	€/Einheit	%
3+4	**Bauwerk**				**100,0**
300	**Bauwerk – Baukonstruktionen**	844,67 m² BGF	2.049.955	**2.426,93**	69,4

Stb-Fundamentplatte, Trockenestrich, Kalziumsilikat-Dämmplatten, flächenelastischer Sportboden, Linoleum, Bodenfliesen, XPS-Dämmung, Sauberkeitsschicht, Dampfsperre; vorgefertigte Holzständerwände, Pfosten-Riegel-Fassade, Außentüren, Zelluloseflockung vor Ort, Holzvertäfelung, Holzfaserdämmung, teilw. Lärchenverschalung, Putz (Halle), Lärchenholzbekleidung (Anbau), Holzfaserdämmung, GK-Bekleidung, Dispersionsbeschichtung; Holzständerwände, Innentüren, Dispersionsbeschichtung, Wandfliesen; vorgefertigte Dachelemente, massive Brettstapeldecke, Zelluloseflockung, Aufdachdämmung, Abdichtung, hinterlüftete Edelstahl-Stehfalzdeckung (Halle), extensive Dachbegrünung mit Leckageortung (Anbau), Dachentwässerung, Akustikdecke, Holzwolleplatten, Dämmung zur Schallabsorption

KG	Kostengruppe	Menge Einheit	Kosten €	€/Einheit	%
400	**Bauwerk – Technische Anlagen**	844,67 m² BGF	903.577	**1.069,74**	30,6

Gebäudeentwässerung, Kalt- und Warmwasserleitungen, Frischwasser-Stationen, Sanitärobjekte; Fernwärme, dezentrale Warmwasserbereitung, Deckenstrahler, Fußbodenheizung; Belüftung mit Nachtauskühlung; Photovoltaikanlage, Elektroinstallation, Bewegungsmelder, LED-Beleuchtung, Außenbeleuchtung, Blitzschutzanlage

KG	Kostengruppe	Menge Einheit	Kosten €	€/Einheit	%
500	**Außenanlagen und Freiflächen**	4.783,51 m² AF	850.035	**177,70**	28,8

Wege, Asphalt (Fahrgasse), Pflasterbeläge (Stellplätze), Polytan-Hartplatz (Außensportplatz); Zaunanlagen; Rigolen; Bäume, Sträucher, Rasen

KG	Kostengruppe	Menge Einheit	Kosten €	€/Einheit	%
600	**Ausstattung und Kunstwerke**	844,67 m² BGF	149.507	**177,00**	5,1

Umkleiden, Sportgeräte (Innen und Außen), Boulderwand (Nordfassade); Wandgestaltung mit Piktogrammen (Flur)

5300-0019
Flussbad,
Eingangsgebäude,
Brücke

Objektübersicht

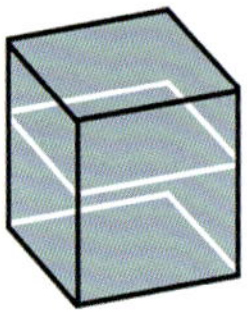

BRI 1.332 €/m³

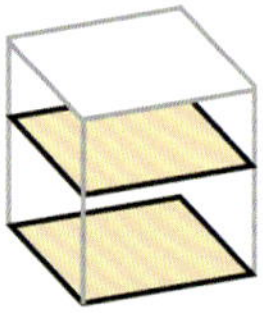

BGF 5.496 €/m²

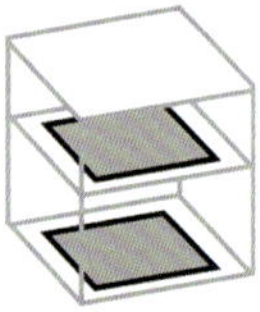

NUF 9.504 €/m²

Objekt:
Kennwerte: 1. Ebene DIN 276
BRI: 718 m³
BGF: 174 m²
NUF: 101 m²
Bauzeit: 39 Wochen
Bauende: 2020
Standard: Durchschnitt
Bundesland: Bayern
Kreis: Donau-Ries

Architekt*in:
JORDAN BALZER SCHUBERT
Architekten PartG mbB
Liststraße 10
01127 Dresden

Bauherr*in:
Stadt Oettingen i. Bay.

© Sebastian Weingart

© Sebastian Weingart

© Sebastian Weingart

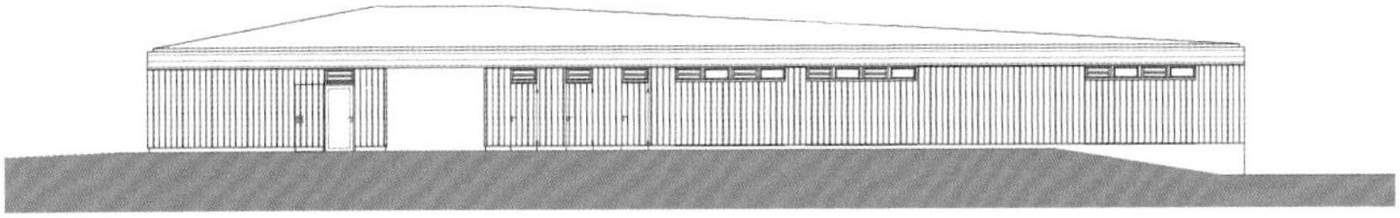

Ansicht Süd-West

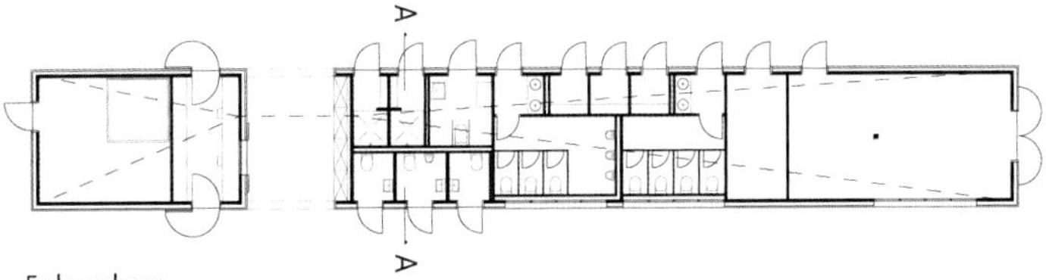

Erdgeschoss

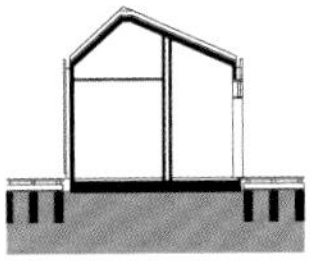

Schnitt A-A

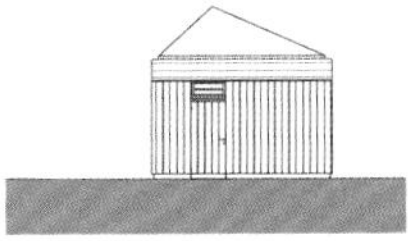

Ansicht Nord-West

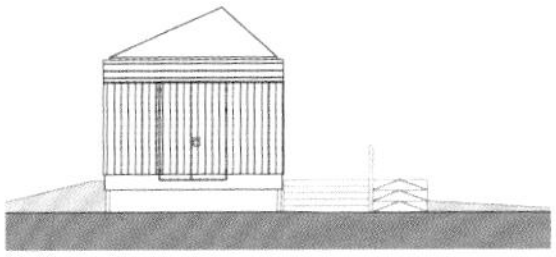

Ansicht Süd-Ost

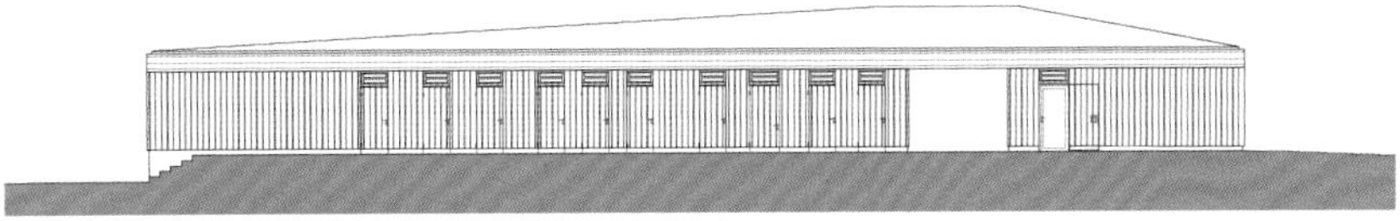

Ansicht Nord-Ost

5300-0019
Flussbad,
Eingangsgebäude,
Brücke

Objektbeschreibung

Allgemeine Objektinformationen

Um dem Flussbad eine adäquate Eingangssituation zu geben, wurde ein 35 Meter langes und nur 5 Meter breites Eingangsgebäude errichtet. Dieses empfängt mit seiner Längsseite den Besucher und leitet ihn hindurch in das dahinterliegende Badeareal. Der Neubau steht mit seiner scharfen Kontur wie ein Möbelstück inmitten großer alter Bäume und bettet sich mit seinem unaufgeregten Äußeren in die vorhandene Landschaft ein. Die klare Eingangssituation wird durch einen markanten Einschnitt ausgebildet, welcher durch den Hochpunkt des unregelmäßigen Daches in Szene gesetzt wird. Die dynamische Dachform und die langgestreckte Gestalt des Baukörpers spiegeln dabei den stetig fließenden Strom des Flusses wider.

Nutzung

1 Erdgeschoss
Wirtschaftsräume (Kassenraum, Toiletten, Duschen, Umkleiden, Lagerräume)

Grundstück

Bauraum: Freier Bauraum
Neigung: Ebenes Gelände
Bodenklasse: BK 1 bis BK 4

Besonderer Kosteneinfluss Grundstück
Bauen im festgesetzten Überschwemmungsgebiet; Eingeschränkter Grundstückszugang – Insel nur über breiten- und lastbeschränkte Brücke zugänglich

Markt

Hauptvergabezeit: 2. Quartal 2019
Baubeginn: 3. Quartal 2019
Bauende: 2. Quartal 2020
Konjunkturelle Gesamtlage: über Durchschnitt
Regionaler Baumarkt: Durchschnitt

Baukonstruktion

Die gesamte statische Konstruktion als auch die Fassade wurde mit unbehandelten Holzwerkstoffen errichtet. So sind die wesentlichen Teile der Außenwände und des Daches aus 10 bzw. 12 cm dicken fünflagigen Brettsperrholzplatten hergestellt und bilden zusammen mit einigen Innenwänden eine räumliche, in sich geschlossene Tragstruktur. Die umlaufend hinterlüftete Vorhangfassade wurde aus unbehandelten Lärchenholz in einer offenen Schalung ausgeführt. Die einzelnen Eingänge werden durch Glaslamellenfenster oberhalb der T üren markiert, welche neben der Belichtung auch die Gebäudequerlüftung sicherstellen. Auch die Außentüren wurden mit Lärchenschalung im gleichen Stil wie die Wandbekleidung versehen. Die beiden Glastüren des Kassenplatzes wurden mit speziellen Klappläden konzipiert, um im geöffneten Zustand weitreichende Ausblicke für das Personal zu erzeugen. Im Inneren dominiert das Wechselspiel zwischen hellem unbehandelten Holz und dunklen Fliesen. Das Dach hat eine Stehfalz- bzw. Leistendeckung aus Titanzink erhalten.

Technische Anlagen

Die Warmwasserduschen werden elektrisch über Durchlauferhitzer betrieben und die Beheizung des Kinderplanschbeckens stellt eine Luft-Wärmepumpe mit Pufferspeicher und Wärmetauscher sicher. Ein wirtschaftlicher saisonaler Betrieb ist so gewährleistet.

Sonstiges

Das Nichtwohngebäude wird nur saisonal von Mai bis September betrieben. Von daher wurde das Gebäude nur mit einem Mindestwärmeschutz ausgestattet, um in erster Linie eine Überhitzung in den Sommermonaten zu vermeiden.

Planungskennwerte für Flächen und Rauminhalte nach DIN 277

Flächen des Grundstücks		Menge Einheit	% an GF
BF	Bebaute Fläche	174,00 m²	0,5
UF	Unbebaute Fläche	34.826,00 m²	99,5
GF	Grundstücksfläche	35.000,00 m²	100,0

Grundflächen des Bauwerks		Menge Einheit	% an NUF	% an BGF
NUF	Nutzungsfläche	100,63 m²	100,0	57,8
TF	Technikfläche	9,08 m²	9,0	5,2
VF	Verkehrsfläche	33,22 m²	33,0	19,1
NRF	Netto-Raumfläche	142,93 m²	142,0	82,1
KGF	Konstruktions-Grundfläche	31,07 m²	30,9	17,9
BGF	Brutto-Grundfläche	174,00 m²	172,9	100,0

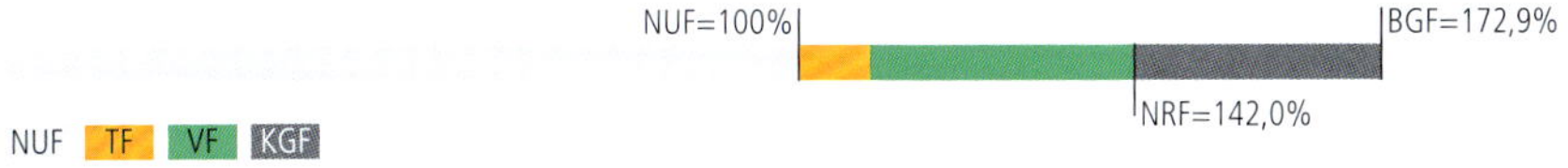

Brutto-Rauminhalt des Bauwerks		Menge Einheit	BRI/NUF (m)	BRI/BGF (m)
BRI	Brutto-Rauminhalt	718,00 m³	7,14	4,13

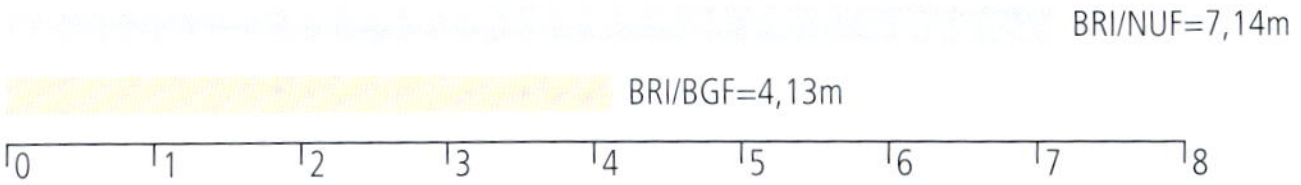

Kostenkennwerte für die Kostengruppen der 1. Ebene DIN 276

KG	Kostengruppen (1. Ebene)	Einheit	Kosten €	€/Einheit	€/m²BGF	€/m³BRI	% 300+400
100	Grundstück	m²GF	–	–	–	–	–
200	Vorbereitende Maßnahmen	m²GF	28.096	0,80	161,47	39,13	2,9
300	Bauwerk – Baukonstruktionen	m²BGF	763.764	4.389,45	4.389,45	1.063,74	79,9
400	Bauwerk – Technische Anlagen	m²BGF	192.583	1.106,80	1.106,80	268,22	20,1
	Bauwerk 300+400	**m²BGF**	**956.347**	**5.496,25**	**5.496,25**	**1.331,96**	**100,0**
500	Außenanlagen und Freiflächen	m²AF	899.747	378,68	5.170,96	1.253,13	94,1
600	Ausstattung und Kunstwerke	m²BGF	–	–	–	–	–
700	Baunebenkosten	m²BGF	–	–	–	–	–
800	Finanzierung	m²BGF	–	–	–	–	–

KG	Kostengruppe	Menge Einheit	Kosten €	€/Einheit	%
200	**Vorbereitende Maßnahmen**	35.000,00 m²GF	28.096	**0,80**	2,9
	Abbruch von Bestand, Entsorgung, Deponiegebühren; Anschluss Stromversorgung				
3+4	**Bauwerk**				**100,0**
300	**Bauwerk – Baukonstruktionen**	174,00 m²BGF	763.764	**4.389,45**	79,9
	Stb-Bodenplatte, Estrich, Bodenfliesen; Brettsperrholzwände, d=10cm, Außentüren mit Lärchenschalung, Glastüren, Holzfenster und -türen, hinterlüftete Vorhangfassade, Lärchenholz in offener Schalung, Klappläden; Brettsperrholz-Innenwände, d=10cm, Wandbekleidung mit Lärchenschalung, Wandfliesen, WC-Trennwände; Brettsperrholzdach, d=12cm, Titanzinkdeckung; Schließfächer				
400	**Bauwerk – Technische Anlagen**	174,00 m²BGF	192.583	**1.106,80**	20,1
	Entwässerung, Kalt- und Warmwasserleitungen, Durchlauferhitzer, Sanitärobjekte; Beheizung von Kinderplanschbecken mit Luft-Wärmepumpe, Pufferspeicher, Wärmetauscher; Elektroinstallation, Beleuchtung; Blitzschutz, Erdung				
500	**Außenanlagen und Freiflächen**	2.376,00 m²AF	899.747	**378,68**	94,1
	Freiflächen mit Holzdeck; Brücke; Bepflanzung				

6100-1512
Wohn- und
Geschäftshaus
(4 WE)
Effizienzhaus ~54%

Objektübersicht

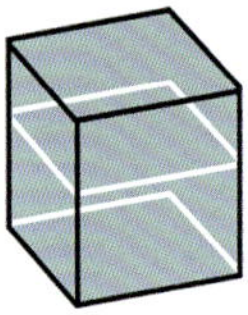

BRI 682 €/m³

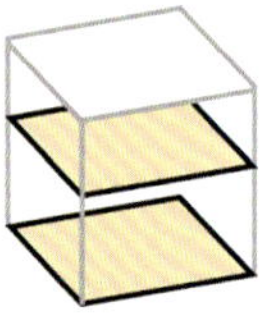

BGF 2.495 €/m²

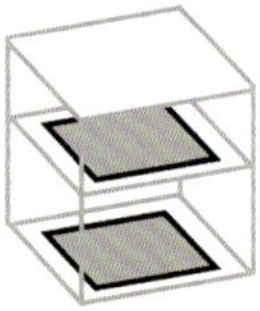

NUF 4.004 €/m²

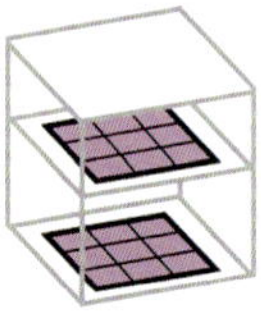

NE 5.806 €/NE

NE: Wohnfläche

Objekt:
Kennwerte: 1. Ebene DIN 276
BRI: 5.654 m³
BGF: 1.546 m²
NUF: 963 m²
Bauzeit: 83 Wochen
Bauende: 2018
Standard: über Durchschnitt
Bundesland: Sachsen
Kreis: Leipzig, Stadt

Architekt*in:
ASUNA
Dipl.Ing.(FH) Architekt
Dirk Stenzel
Felsenkellerstraße 1
04177 Leipzig

Bauherr*in:
Baugemeinschaft Z8 GbR
Felsenkellerstraße 1
04177 Leipzig

© Peter Eichler Fotografie

© Peter Eichler Fotografie

© Peter Eichler Fotografie

Kostenstand: 3. Quartal 2022, Bundesdurchschnitt, **inkl. 19% MwSt.**

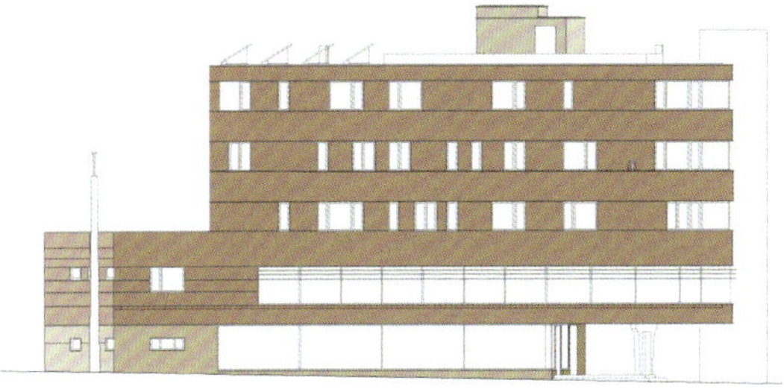

Ansicht Ost

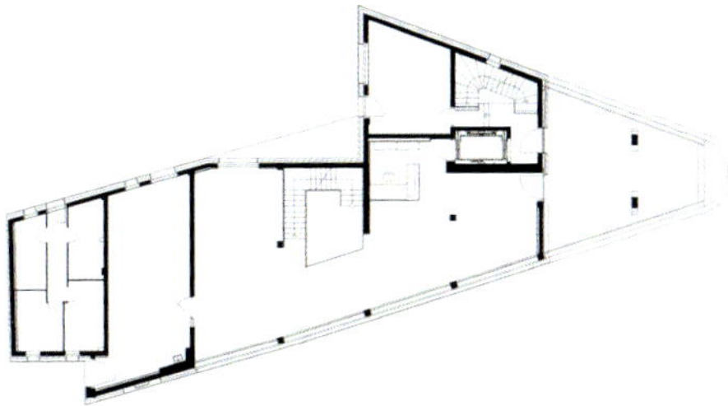

Erdgeschoss

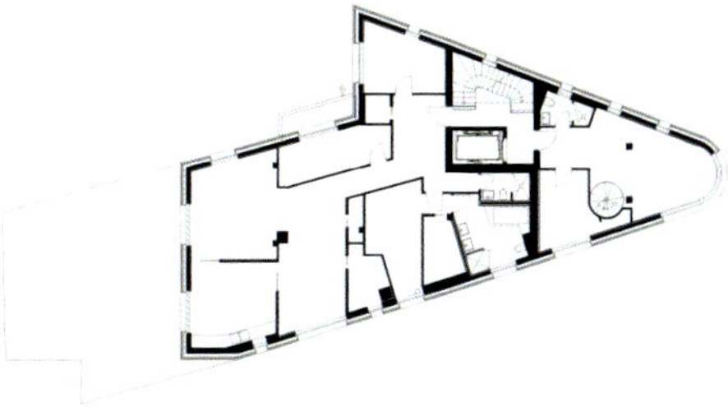

4. Obergeschoss

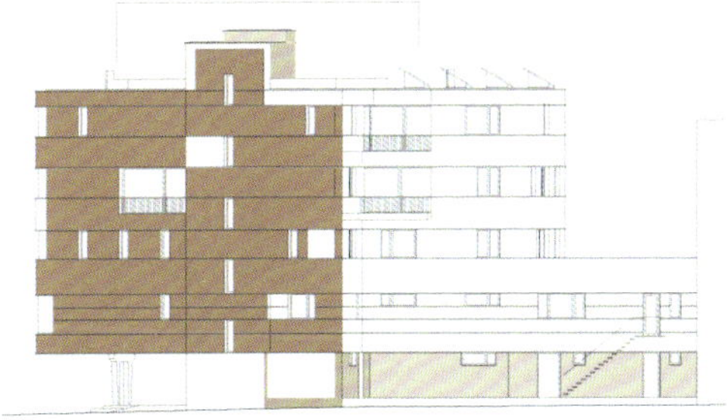

Ansicht West

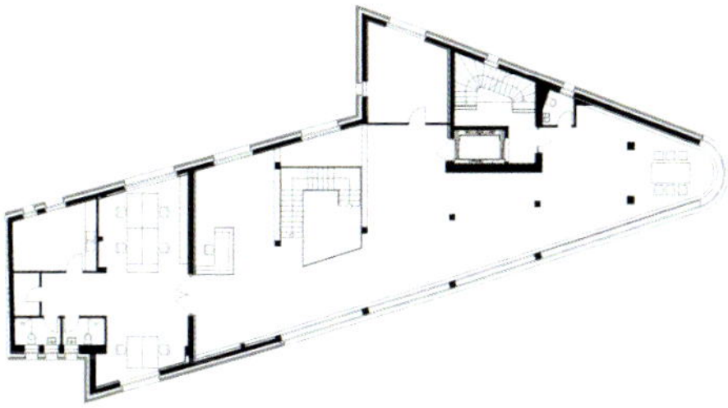

1. Obergeschoss

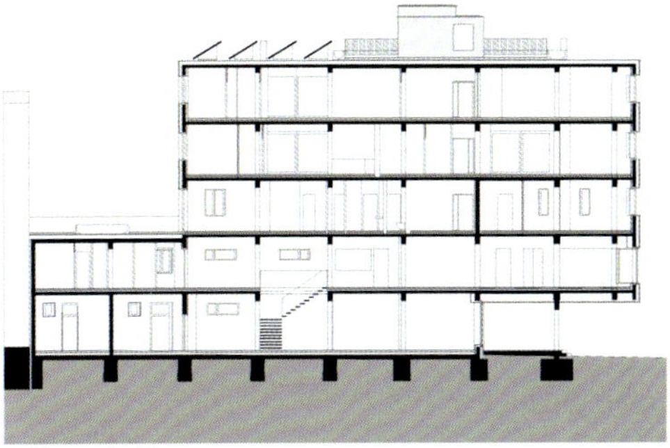

Längsschnitt

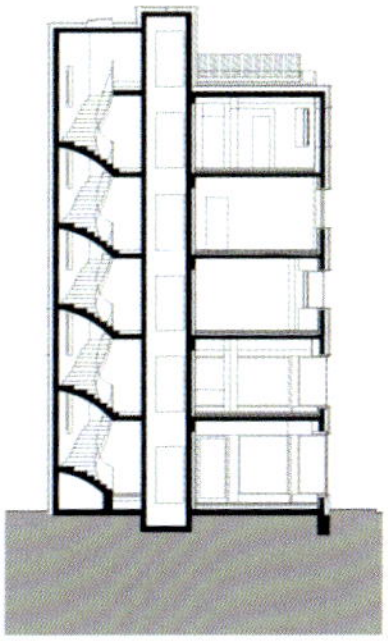

Querschnitt

6100-1512
Wohn- und
Geschäftshaus
(4 WE)
Effizienzhaus ~54%

Objektbeschreibung

Allgemeine Objektinformationen

Der Neubau des Wohn- und Geschäftshauses mit vier Wohnungen und einer großen Gewerbeeinheit ist als fünfgeschossiges Bauwerk mit Flachdach und ohne Unterkellerung konzipiert. Das Gebäude passt sich in die Form des spitz zulaufenden Eckgrundstücks ein und bildet mit seiner außergewöhnlichen Erscheinung einen Blickfang.

Nutzung

1 Erdgeschoss
Gewerberäume, Technikraum, Abstellräume

4 Obergeschosse
1.OG: Gewerberäume
2.-4.OG: Wohneinheiten

1 Dachgeschoss
Dachausgang, Dachterrasse

Nutzeinheiten

Verkaufsfläche: 429 m²
Wohneinheiten: 4
Wohnfläche: 664 m²

Grundstück

Bauraum: Beengter Bauraum
Neigung: Ebenes Gelände
Bodenklasse: BK 4

Markt

Hauptvergabezeit: 2. Quartal 2016
Baubeginn: 3. Quartal 2016
Bauende: 1. Quartal 2018
Konjunkturelle Gesamtlage: Durchschnitt
Regionaler Baumarkt: über Durchschnitt

Baukonstruktion

Der Baukörper wurde in Massivholzbauweise mit Flachdach errichtet. Nur der Treppenhauskern und die Gründung sind als Stahlbetonkonstruktion ausgeführt. Die Außenwand- und Deckenkonstruktionen wurden aus Brettsperrholzelementen angefertigt. Für die innere Stützen-Riegel-Konstruktion kam Brettschichtholz zum Einsatz. In die mit Aluminiumbändern und vorvergrautem Lärchenholz bekleidete hinterlüftete Fassade wurden Alufenster sowie gelaserte Alu-Schiebeläden eingebaut. Auf dem Flachdach ist ein gemeinschaftlich genutzter Dachgarten angelegt.

Technische Anlagen

Das Gebäude wird mittels Geothermie-Wärmepumpe und Luft-Wasser-Wärmepumpe beheizt und passiv bzw. aktiv gekühlt. Diese Anlage wird durch 20m² Solarkollektoren und drei wassergeführte Kamine unterstützt. Die Wärmeverteilung erfolgt über eine Fußbodenheizung. Die Wohnungen sind mit einer bedarfsgeführten Lüftungsanlage ausgestattet. Ein Aufzug verbindet die Geschosse.

Sonstiges

Das Gebäude wurde mit dem Architekturpreis „zur Förderung der Baukultur 2019" ausgezeichnet. Die Malerarbeiten und die Bodenbelagarbeiten wurden in Eigenleistung ausgeführt.

Planungskennwerte für Flächen und Rauminhalte nach DIN 277

Flächen des Grundstücks		Menge Einheit	% an GF
BF	Bebaute Fläche	362,82 m²	60,9
UF	Unbebaute Fläche	233,18 m²	39,1
GF	Grundstücksfläche	596,00 m²	100,0

Grundflächen des Bauwerks		Menge Einheit	% an NUF	% an BGF
NUF	Nutzungsfläche	963,31 m²	100,0	62,3
TF	Technikfläche	21,50 m²	2,2	1,4
VF	Verkehrsfläche	191,78 m²	19,9	12,4
NRF	Netto-Raumfläche	1.176,59 m²	122,1	76,1
KGF	Konstruktions-Grundfläche	369,08 m²	38,3	23,9
BGF	Brutto-Grundfläche	1.545,67 m²	160,5	100,0

Brutto-Rauminhalt des Bauwerks		Menge Einheit	BRI/NUF (m)	BRI/BGF (m)
BRI	Brutto-Rauminhalt	5.653,90 m³	5,87	3,66

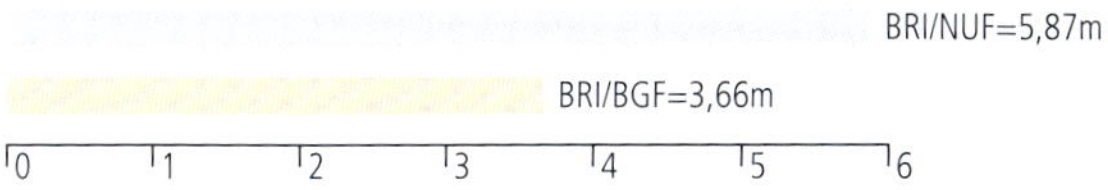

Kostenkennwerte für die Kostengruppen der 1. Ebene DIN 276

KG	Kostengruppen (1. Ebene)	Einheit	Kosten €	€/Einheit	€/m² BGF	€/m³ BRI	% 300+400
100	Grundstück	m² GF	–	–	–	–	–
200	Vorbereitende Maßnahmen	m² GF	107.954	181,13	69,84	19,09	2,8
300	Bauwerk – Baukonstruktionen	m² BGF	3.121.325	2.019,40	2.019,40	552,07	80,9
400	Bauwerk – Technische Anlagen	m² BGF	735.880	476,09	476,09	130,15	19,1
	Bauwerk 300+400	**m² BGF**	**3.857.205**	**2.495,49**	**2.495,49**	**682,22**	**100,0**
500	Außenanlagen und Freiflächen	m² AF	119.907	514,23	77,58	21,21	3,1
600	Ausstattung und Kunstwerke	m² BGF	–	–	–	–	–
700	Baunebenkosten	m² BGF	–	–	–	–	–
800	Finanzierung	m² BGF	–	–	–	–	–

KG	Kostengruppe	Menge Einheit	Kosten €	€/Einheit	%
200	**Vorbereitende Maßnahmen**	596,00 m² GF	107.954	**181,13**	2,8

Beräumung und Altlastenbeseitigung; Erschließung vom Grundstück

KG	Kostengruppe	Menge Einheit	Kosten €	€/Einheit	%
3+4	**Bauwerk**				**100,0**
300	**Bauwerk – Baukonstruktionen**	1.545,67 m² BGF	3.121.325	**2.019,40**	80,9

Stb-Fundamente, Stb-Bodenplatte, Abdichtung, Dämmung, Zementestrich, Bodenfliesen, Parkett; Stb-Wände, Stb-Stützen, Brettsperrholz-Elementwände, BSH-Stützen-Riegelkonstruktion, Alufenster, Dreifachverglasung, teilw. gebogene Verglasung, Holz-Alu-Eingangstür, vorvergraute hinterlüftete Lärchenholzfassade mit Aluminiumbändern, Klinker-Verblendmauerwerk, GK-Bekleidung, gelaserte Aluschiebeläden; Stb-Wände, Brettsperrholz-Elementwände, GK-Wände, BSH-Stützen, Innentüren, GK-Bekleidung, Beschichtung, Handläufe; Stb-Treppen, Stb-Decken, Brettsperrholz-Elementdecken, teilw. unterseitig sichtbar, Heizestrich, Bodenfliesen, Parkett, Alugeländer; Brettsperrholz-Flachdach, RWA-Lichtkuppel, Dämmung, Dachabdichtung, Beton-/Natursteinbelag, Dachentwässerung, Terrassen-Geländer

KG	Kostengruppe	Menge Einheit	Kosten €	€/Einheit	%
400	**Bauwerk – Technische Anlagen**	1.545,67 m² BGF	735.880	**476,09**	19,1

Gebäudeentwässerung, Kalt- und Warmwasserleitungen, Sanitärobjekte, Zisterne für Regenwasser-nutzung; Luft-Wasser-Wärmepumpe, Geothermie, Solarkollektoren, Fußbodenheizung, wassergeführte Kamine; Elektroinstallation, LED-Beleuchtung; Aufzug

KG	Kostengruppe	Menge Einheit	Kosten €	€/Einheit	%
500	**Außenanlagen und Freiflächen**	233,18 m² AF	119.907	**514,23**	3,1

Pflasterbeläge für Hof und Eingangsbereich; Einfriedung mit Rolltor; Bäume

6100-1541
Einfamilienhäuser
(6 WE)
Effizienzhaus ~31%

Objektübersicht

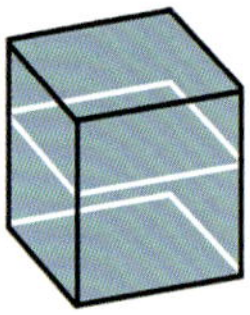

BRI 688 €/m^3

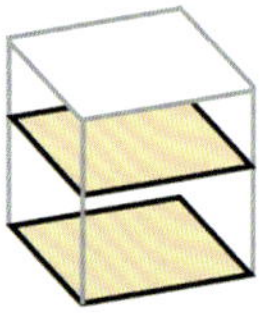

BGF 2.068 €/m^2

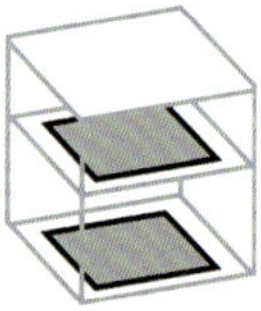

NUF 3.389 €/m^2

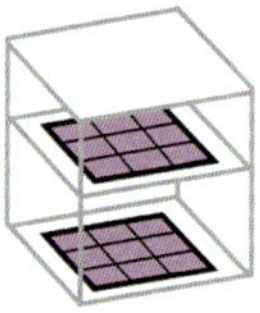

NE 3.366 €/NE

NE: Wohnfläche

Objekt:
Kennwerte: 1. Ebene DIN 276
BRI: 4.939 m^3
BGF: 1.642 m^2
NUF: 1.002 m^2
Bauzeit: 52 Wochen
Bauende: 2019
Standard: über Durchschnitt
Bundesland: Baden-Württemberg
Kreis: Esslingen

Architekt*in:
ASs Flassak & Tehrani
Freie Architekten und Stadtplaner
Silberburgstraße 123a
70176 Stuttgart

Ansicht Nord Haus 1

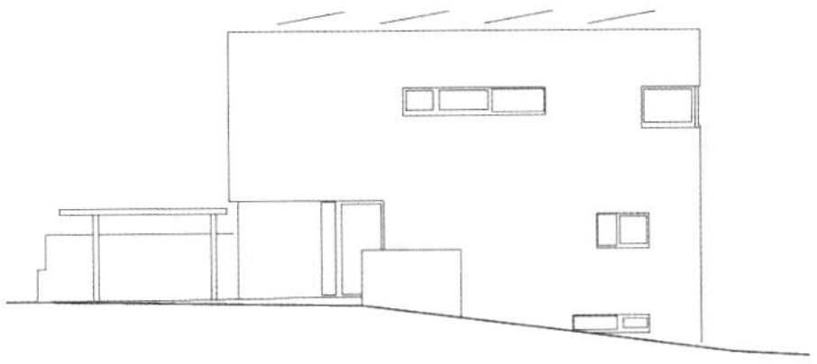

Ansicht Ost Haus 1

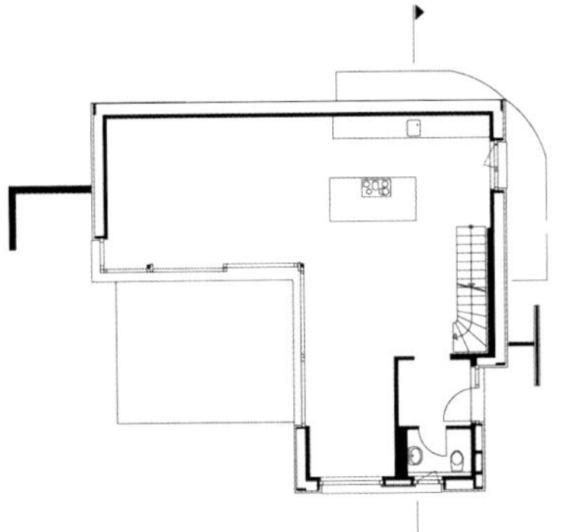

Erdgeschoss Haus 1

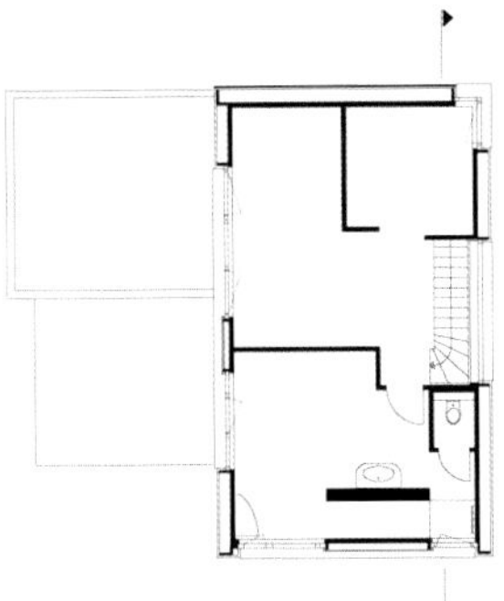

Obergeschoss Haus 1

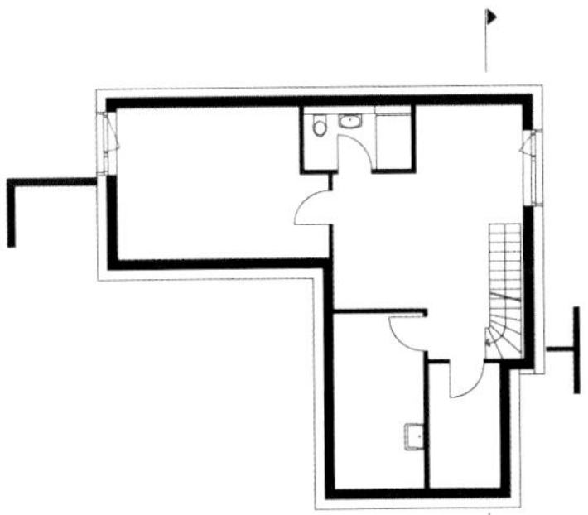

Untergeschoss Haus 1

Schnitt Haus 1

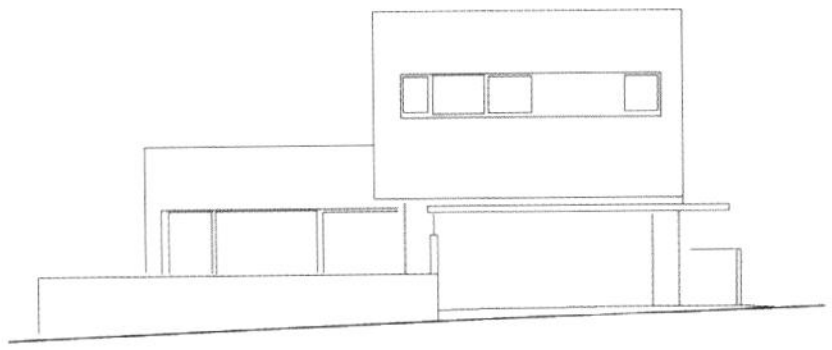

Ansicht Süd Haus 1

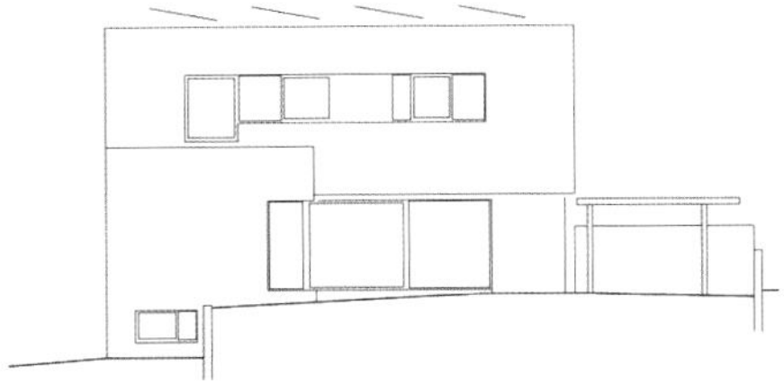

Ansicht West Haus 1

Objektbeschreibung

Allgemeine Objektinformationen

Die Gebäude befinden sich in Halbhöhenlage am Nordhang und sind so gestaffelt, dass sich je ein im Winkel zur Sonne orientiertes Süd- und Nordhaus ergibt. Alle Häuser werden von Süden erschlossen und sind nach Süden orientiert. Die Nordhäuser verfügen über ein Geh- und Fahrrecht über eine Rampe, die jeweils an den Südhäusern vorbeiführt.

Nutzung

1 Untergeschoss
Technik, Keller, Hobbyraum, Bad

1 Erdgeschoss
Diele, Küche, Essen, Wohnen, WC

1 Obergeschoss
Schlafzimmer, Kinderzimmer, Bad, Dachterrasse

Nutzeinheiten

Wohneinheiten: 6
Wohnfläche: 1.009 m²

Grundstück

Bauraum: Freier Bauraum
Neigung: Hanglage
Bodenklasse: BK 1 bis BK 4

Besonderer Kosteneinfluss Grundstück
Hangsituation mit geschosshoher Abfangung Nordseite; Baugrund: Lößlehme und Tone - es waren Magerbetonblomben bzw. Bodenverbesserungen notwendig

Markt

Hauptvergabezeit: 2. Quartal 2018
Baubeginn: 3. Quartal 2018
Bauende: 3. Quartal 2019
Konjunkturelle Gesamtlage: Durchschnitt
Regionaler Baumarkt: Durchschnitt

Baukonstruktion

Die Neubauten sind vollunterkellert. Bodenplatte und Untergeschoss bestehen aus Stahlbeton, erdberührende Wände wurden in WU-Beton hergestellt. Alle Außenwandbauteile sind in hochgedämmter Holztafelbauweise ausgeführt worden. Sämtliche Fensterelemente sind dreifachverglast und besitzen Holz-Alurahmen. Als Sonnenschutz dienen außenliegende Alulamellen. Die Decke über dem Untergeschoss wurde in Stahlbeton erstellt. Die Decke über dem Erdgeschoss kam als Brettstapeldecke zur Ausführung. Für das extensiv begrünte Flachdach wurde eine Holzkonstruktion mit zweischichtiger Dämmung gewählt. Die Dachterrassen sind mit witterungsbeständigen Holzwerkstoffdielen belegt.

Technische Anlagen

Jedes Haus verfügt über eine eigene Sole-Wasser-Wärmepumpe, die sich aus unter dem Garten platzierten Grabenkollektoren speist. Die Photovoltaikanlage auf dem Dach versorgt die Wärmepumpe mit Strom, somit wird sowohl die Heizwärmeerzeugung als auch die Warmwasserbereitung unterstützt. Außerdem kann der Photovoltaikstrom auch im Haushalt genutzt werden. Der Wärmeeintrag erfolgt ausschließlich über die Fußbodenheizung, getrennt von der Lüftungsanlage, um trockene Luft zu vermeiden. Im Untergeschoss ist jeweils ein zentrales Lüftungsgerät mit Wärmerückgewinnung installiert, dem ein separater Außenluftfilter vorgeschaltet ist.

Planungskennwerte für Flächen und Rauminhalte nach DIN 277

Flächen des Grundstücks		Menge Einheit	% an GF
BF	Bebaute Fläche	597,06 m^2	34,6
UF	Unbebaute Fläche	1.130,94 m^2	65,4
GF	Grundstücksfläche	1.728,00 m^2	100,0

Grundflächen des Bauwerks		Menge Einheit	% an NUF	% an BGF
NUF	Nutzungsfläche	1.002,15 m^2	100,0	61,0
TF	Technikfläche	34,62 m^2	3,5	2,1
VF	Verkehrsfläche	148,05 m^2	14,8	9,0
NRF	Netto-Raumfläche	1.184,82 m^2	118,2	72,1
KGF	Konstruktions-Grundfläche	457,62 m^2	45,7	27,9
BGF	Brutto-Grundfläche	1.642,44 m^2	163,9	100,0

Brutto-Rauminhalt des Bauwerks		Menge Einheit	BRI/NUF (m)	BRI/BGF (m)
BRI	Brutto-Rauminhalt	4.939,47 m^3	4,93	3,01

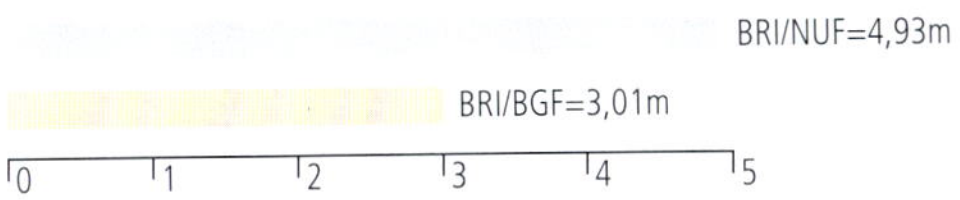

Kostenkennwerte für die Kostengruppen der 1. Ebene DIN 276

KG	Kostengruppen (1. Ebene)	Einheit	Kosten €	€/Einheit	€/m² BGF	€/m³ BRI	% 300+400
100	Grundstück	m² GF	–	–	–	–	–
200	Vorbereitende Maßnahmen	m² GF	–	–	–	–	–
300	Bauwerk – Baukonstruktionen	m² BGF	2.714.463	1.652,70	1.652,70	549,55	79,9
400	Bauwerk – Technische Anlagen	m² BGF	681.676	415,04	415,04	138,01	20,1
	Bauwerk 300+400	**m² BGF**	**3.396.139**	**2.067,74**	**2.067,74**	**687,55**	**100,0**
500	Außenanlagen und Freiflächen	m² AF	–	–	–	–	–
600	Ausstattung und Kunstwerke	m² BGF	–	–	–	–	–
700	Baunebenkosten	m² BGF	–	–	–	–	–
800	Finanzierung	m² BGF	–	–	–	–	–

KG	Kostengruppe	Menge Einheit	Kosten €	€/Einheit	%
3+4	**Bauwerk**				**100,0**
300	**Bauwerk – Baukonstruktionen**	1.642,44 m² BGF	2.714.463	**1.652,70**	79,9

Magerbeton-Auffüllungen, Bodenverbesserung; Stb-Bodenplatten, Stb-Wände, WU-Beton (UG), Holztafelwände, Dämmung, Holz-Alufenster, Putz, Beschichtung, Lamellenstores; KS-Mauerwerk, GK-Wände, Holztüren, Putz, Tapete, Beschichtung, Wandfliesen; Stb-Decken über UG, BSH-Decken, Stahltreppen mit Holzstufen, Dämmung, Estrich, Parkett, Bodenfliesen, GK-Decken, Tapete, Beschichtung; Flachdächer mit KVH-Trägern, Oberlichter, Dämmung, Abdichtung, Extensivbegrünung, Terrassendielen, Dachentwässerung

KG	Kostengruppe	Menge Einheit	Kosten €	€/Einheit	%
400	**Bauwerk – Technische Anlagen**	1.642,44 m² BGF	681.676	**415,04**	20,1

Gebäudeentwässerung, Kalt- und Warmwasserleitungen, Hebeanlage, Sanitärobjekte; Sole-Wasser-Wärmepumpen, Grabenkollektoren, Fußbodenheizung; kontrollierte Be- und Entlüftung mit Wärmerückgewinnung; PV-Anlagen, Elektroinstallation

6200-0115
Hospiz
(10 Betten)

Objektübersicht

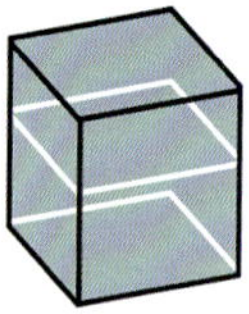

BRI 977 €/m³

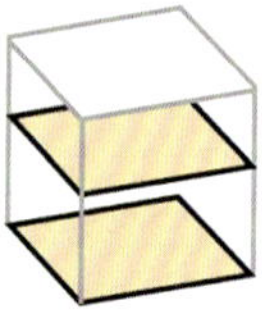

BGF 3.494 €/m²

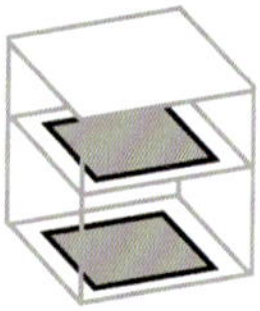

NUF 6.093 €/m²

Objekt:
Kennwerte: 3. Ebene DIN 276
BRI: 4.861 m³
BGF: 1.359 m²
NUF: 779 m²
Bauzeit: 131 Wochen
Bauende: 2020
Standard: über Durchschnitt
Bundesland: Bayern
Kreis: Rosenheim

Architekt*in:
Sweco GmbH
Elsenheimerstraße 67
80687 München

Zusammenarbeit mit:
HSP Projektmanagement
und Beratung GmbH
Werkstraße 12
84513 Töging

Bauherr*in:
Chiemseehospiz gKU
Baumannstraße 56
83233 Bernau am Chiemsee

© Daniel Schvarcz

© Daniel Schvarcz

© Daniel Schvarcz

© Daniel Schvarcz

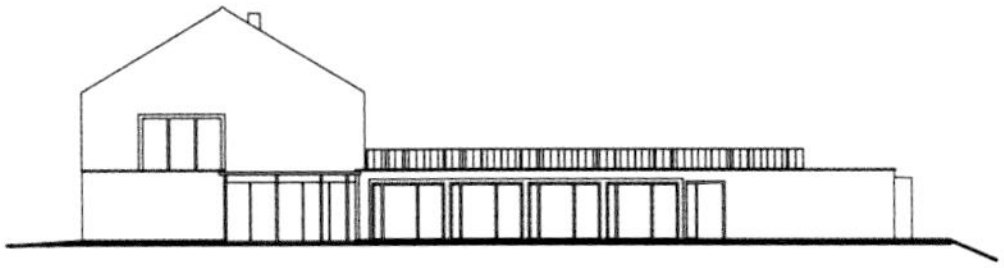

Ansicht West

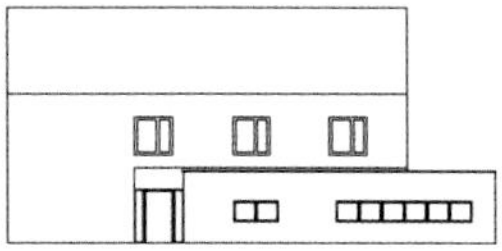

Ansicht Nord

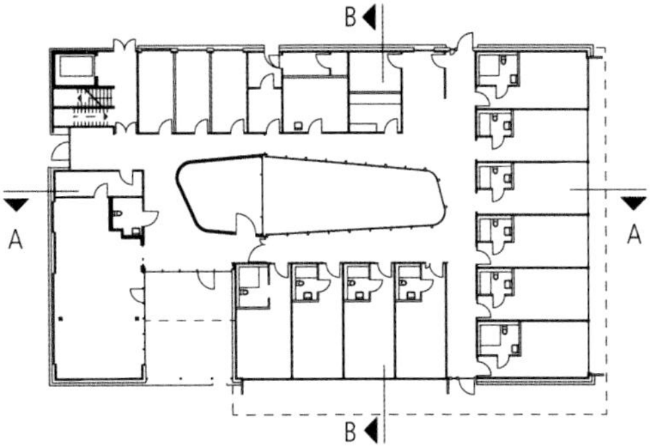

Erdgeschoss

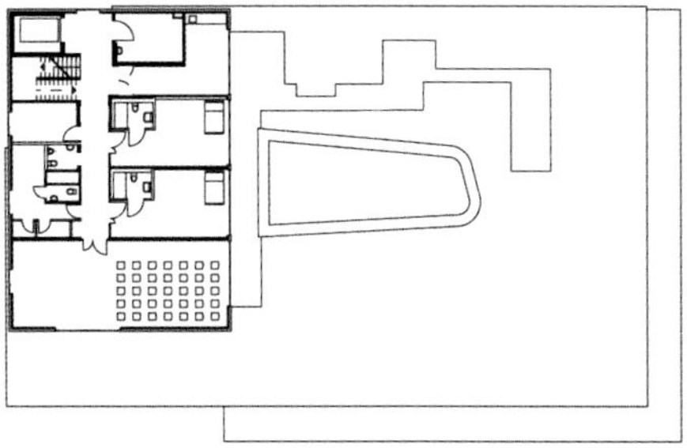

Obergeschoss

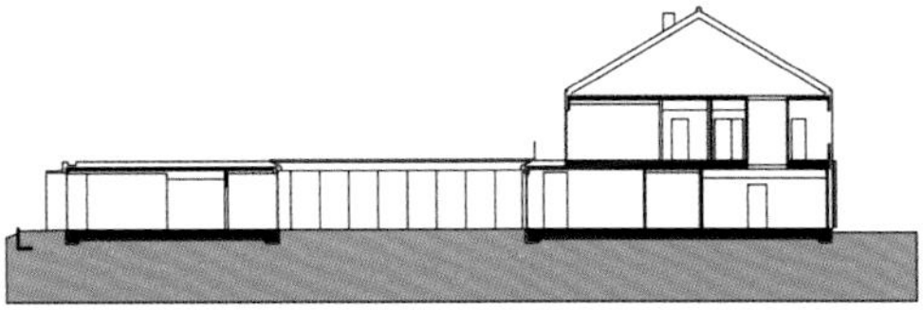

Schnitt A-A

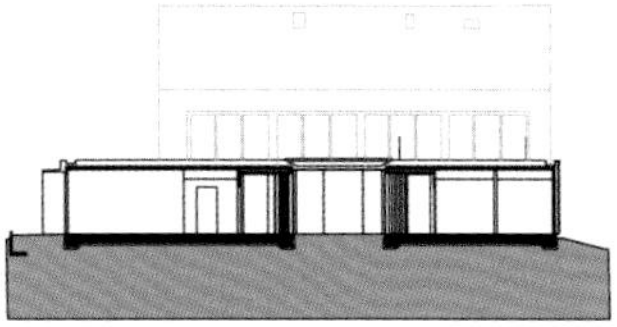

Schnitt B-B

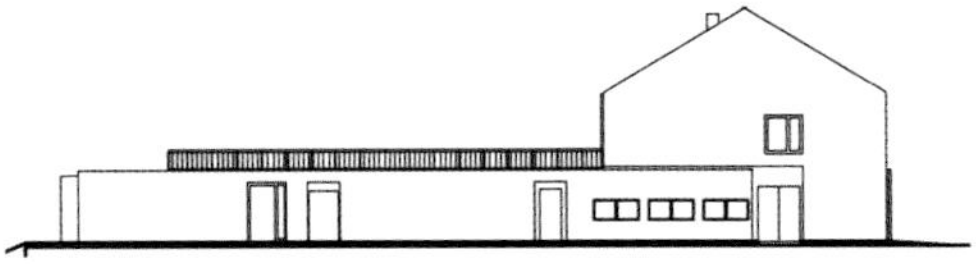

Ansicht Ost

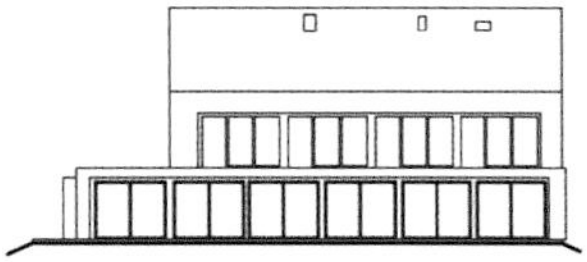

Ansicht Süd

Objektbeschreibung

Allgemeine Objektinformationen

Mit dem Chiemseehospiz in Bernau ist ein vertrauensvoller Ort entstanden, der zehn Bewohnern Lebensraum und zwei Zimmer den Besuchern, bietet. Der Neubau fügt sich behutsam in seine Umgebung ein, greift die Formsprache der benachbarten Bebauung auf und interpretiert diese neu. Zur Straße hin präsentiert sich das Gebäude als zweigeschossiger, verputzter Baukörper mit einem Satteldach. Daran schließt ein flacher eingeschossiger Gebäuderiegel an, dessen Fassade mit Holzlamellen bekleidet ist. Alle zehn Einbettzimmer befinden sich im Erdgeschoss und sind nach Süden oder Westen hin ausgerichtet, so dass die Räume optimal belichtet werden können.

Nutzung

1 Erdgeschoss
Einbettzimmer (10St) mit je einer Terrasse, Pflegebad, Pflegeartikelraum, Stützpunkt, Personalbüro, Innenhof, Raum der Stille, Aufenthaltsraum

1 Obergeschoss
Besucherzimmer (2St), Versammlungsraum, Dachterrasse, Umkleideraum, Hausmeisterraum, Teeküche, Aufbahrungsraum für die Verstorbenen

1 Dachgeschoss
Technik

Nutzeinheiten

Betten: 10
Wohnfläche: 362 m²
Zimmer: 10

Grundstück

Bauraum: Freier Bauraum
Neigung: Ebenes Gelände
Bodenklasse: BK 1 bis BK 5

Markt

Hauptvergabezeit: 1. Quartal 2018
Baubeginn: 2. Quartal 2018
Bauende: 4. Quartal 2020
Konjunkturelle Gesamtlage: über Durchschnitt
Regionaler Baumarkt: unter Durchschnitt

Baukonstruktion

Der Neubau wurde auf einer Pfahlgründung mit Bodenplatte errichtet. Die Außen- und Innenwände sind aus Massivholz. Der Werkstoff kam nicht nur konstruktiv, sondern auch als Sichtholz zum Einsatz. Bei den Decken kamen Massivholzplatten zum Einsatz. Den oberen Gebäudeabschluss bilden ein Massivholz-Flachdach mit extensiver Begrünung und ein Satteldach mit Alubekleidung.

Technische Anlagen

Die Temperierung des Hospizes erfolgt über eine Fußbodenheizung sowie Heiz- und Kühldecken. Erzeugt werden sowohl Wärme als auch Kälte über eine Luft-Wasser-Wärmepumpe. Darüber hinaus trägt die auf der geneigten Dachfläche mit Südausrichtung angebrachte Photovoltaikanlage zur nachhaltigen Erzeugung von Energie bei.

Sonstiges

Ein Aufzug verbindet die Ebenen barrierefrei.

Planungskennwerte für Flächen und Rauminhalte nach DIN 277

Flächen des Grundstücks		Menge Einheit	% an GF
BF	Bebaute Fläche	908,00 m²	39,7
UF	Unbebaute Fläche	1.382,00 m²	60,3
GF	Grundstücksfläche	2.290,00 m²	100,0

Grundflächen des Bauwerks		Menge Einheit	% an NUF	% an BGF
NUF	Nutzungsfläche	779,28 m²	100,0	57,3
TF	Technikfläche	71,54 m²	9,2	5,3
VF	Verkehrsfläche	265,13 m²	34,0	19,5
NRF	Netto-Raumfläche	1.115,95 m²	143,2	82,1
KGF	Konstruktions-Grundfläche	242,93 m²	31,2	17,9
BGF	Brutto-Grundfläche	1.358,88 m²	174,4	100,0

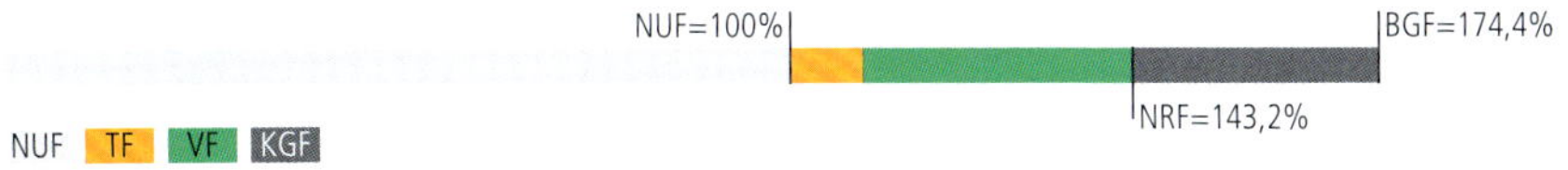

Brutto-Rauminhalt des Bauwerks		Menge Einheit	BRI/NUF (m)	BRI/BGF (m)
BRI	Brutto-Rauminhalt	4.861,09 m³	6,24	3,58

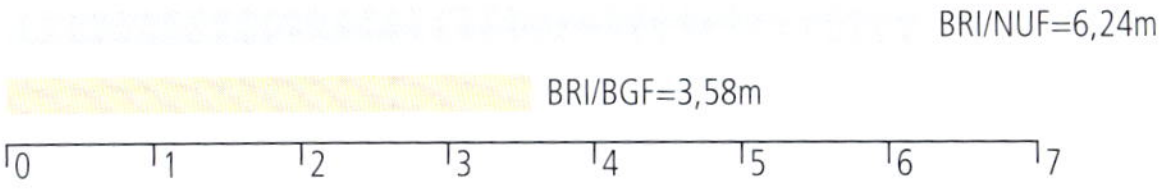

Lufttechnisch behandelte Flächen	Menge Einheit	% an NUF	% an BGF
Entlüftete Fläche	–	–	–
Be- und entlüftete Fläche	–	–	–
Teilklimatisierte Fläche	–	–	–
Klimatisierte Fläche	–	–	–

KG	Kostengruppen (2. Ebene)	Menge Einheit	Menge/NUF	Menge/BGF
310	Baugrube / Erdbau	308,94 m³ BGI	0,40	0,23
320	Gründung, Unterbau	878,00 m² GRF	1,13	0,65
330	Außenwände/Vertikale Baukonstruktionen, außen	1.055,71 m² AWF	1,36	0,78
340	Innenwände/Vertikale Baukonstruktionen, innen	1.631,11 m² IWF	2,09	1,20
350	Decken/Horizontale Baukonstruktionen	480,88 m² DEF	0,62	0,35
360	Dächer	1.091,94 m² DAF	1,40	0,80

Kostenkennwerte für die Kostengruppen der 1. Ebene DIN 276

KG	Kostengruppen (1. Ebene)	Einheit	Kosten €	€/Einheit	€/m² BGF	€/m³ BRI	% 300+400
100	Grundstück	m² GF	–	–	–	–	–
200	Vorbereitende Maßnahmen	m² GF	–	–	–	–	–
300	Bauwerk – Baukonstruktionen	m² BGF	3.436.832	2.529,17	2.529,17	707,01	72,4
400	Bauwerk – Technische Anlagen	m² BGF	1.310.997	964,76	964,76	269,69	27,6
	Bauwerk 300+400	**m² BGF**	**4.747.829**	**3.493,93**	**3.493,93**	**976,70**	**100,0**
500	Außenanlagen und Freiflächen	m² AF	382.099	276,48	281,19	78,60	8,0
600	Ausstattung und Kunstwerke	m² BGF	345.289	254,10	254,10	71,03	7,3
700	Baunebenkosten	m² BGF	–	–	–	–	–
800	Finanzierung	m² BGF	–	–	–	–	–

KG	Kostengruppe	Menge Einheit	Kosten €	€/Einheit	%
3+4	**Bauwerk**				**100,0**
300	**Bauwerk – Baukonstruktionen**	1.358,88 m² BGF	3.436.832	**2.529,17**	72,4

Pfahlgründung, Stb-Bodenplatten, Estrich, Linoleum, Massivholzparkett, Beschichtung, Bodenfliesen; Massivholzwände, Stb-Wände, Stützen, Holz-Alufenster, WDVS, BSH-Lamellen, Alu-Wandbekleidung, Pfosten-Riegelfassade, Senkrechtmarkisen; GK-Wände, Holztüren, Beschichtung, Wandfliesen, Holz-Akustikelemente; Massivholzdecken, Treppen, GK-Decken; Massivholz-Flachdach, Satteldach, RWA-Lichtkuppeln, Dämmung, Abdichtung, extensive Dachbegrünung, Betonplatten, Alu-Dachdeckung, Dachentwässerung; Einbaumöbel

KG	Kostengruppe	Menge Einheit	Kosten €	€/Einheit	%
400	**Bauwerk – Technische Anlagen**	1.358,88 m² BGF	1.310.997	**964,76**	27,6

Gebäudeentwässerung, Kalt- und Warmwasserleitungen, Sanitärobjekte; Luft-Wasser-Wärmepumpe, Vakuumentgasungsanlage, Fußbodenheizung, Elektroheizungen; Kompaktlüftungsgerät mit Wärmerückgewinnung, GK-Heiz- und Kühldecken; PV-Anlage, Elektroinstallation, Beleuchtung, Erdung; Telefonanschluss, Lichtrufanlage, Personenrufanlage, SAT-Anlage, Brandmeldeanlage, Datenübertragung; Personen- und Bettenaufzug; Gebäudeautomation

KG	Kostengruppe	Menge Einheit	Kosten €	€/Einheit	%
500	**Außenanlagen und Freiflächen**	1.382,00 m² AF	382.099	**276,48**	8,0

Bodenarbeiten; Asphalt, Betonpflaster, Betonplatten; Winkelstützelemente, Blockstufen, Carport; Abwasseranlagen, Quellstein, Pollerleuchten, Anschlusssäule, Standsäule, Sprechstellen; Einbauten; Oberbodenarbeiten, Geotextil, Bepflanzung, Rasen

KG	Kostengruppe	Menge Einheit	Kosten €	€/Einheit	%
600	**Ausstattung und Kunstwerke**	1.358,88 m² BGF	345.289	**254,10**	7,3

Möblierung der Bewohner- und Besucherzimmer, Aufenthaltsräume, Küchen, WC-Ausstattung; Möblierung der Arbeitsplätze; Türschilder

Kostenkennwerte für die Kostengruppen 300 der 2. und 3. Ebene DIN 276 (Übersicht)

KG	Kostengruppe	Menge Einheit	€/Einheit	Kosten €	% an 3+4
300	**Bauwerk – Baukonstruktionen**	**1.358,88 m² BGF**	**2.529,17**	**3.436.831,86**	**72,4**
310	**Baugrube / Erdbau**	**308,94 m³ BGI**	**122,78**	**37.930,47**	**0,8**
311	Herstellung	308,94 m³ BGI	122,78	37.930,47	0,8
312	Umschließung	–	–	–	–
313	Wasserhaltung	–	–	–	–
314	Vortrieb	–	–	–	–
319	Sonstiges zur KG 310	–	–	–	–
320	**Gründung, Unterbau**	**878,00 m² GRF**	**449,60**	**394.751,09**	**8,3**
321	Baugrundverbesserung	–	–	–	–
322	Flachgründungen und Bodenplatten	878,00 m²	118,40	103.951,47	2,2
323	Tiefgründungen	878,00 m²	100,24	88.007,73	1,9
324	Gründungsbeläge	767,70 m²	162,71	124.913,44	2,6
325	Abdichtungen und Bekleidungen	864,00 m²	90,14	77.878,45	1,6
326	Dränagen	–	–	–	–
329	Sonstiges zur KG 320	–	–	–	–
330	**Außenwände/Vert. Baukonstrukt., außen**	**1.055,71 m² AWF**	**976,21**	**1.030.590,75**	**21,7**
331	Tragende Außenwände	682,57 m²	185,53	126.635,51	2,7
332	Nichttragende Außenwände	–	–	–	–
333	Außenstützen	47,94 m	83,37	3.996,59	< 0,1
334	Außenwandöffnungen	64,47 m²	1.135,65	73.215,50	1,5
335	Außenwandbekleidungen, außen	652,53 m²	483,75	315.661,04	6,6
336	Außenwandbekleidungen, innen	98,00 m²	239,36	23.457,06	0,5
337	Element. Außenwandkonstruktionen	308,67 m²	1.414,62	436.650,08	9,2
338	Lichtschutz zur KG 330	142,36 m²	358,07	50.974,94	1,1
339	Sonstiges zur KG 330	–	–	–	–
340	**Innenwände/Vert. Baukonstrukt., innen**	**1.631,11 m² IWF**	**411,87**	**671.812,48**	**14,1**
341	Tragende Innenwände	37,91 m²	435,16	16.496,90	0,3
342	Nichttragende Innenwände	1.424,50 m²	145,68	207.517,96	4,4
343	Innenstützen	13,04 m	14,80	192,98	< 0,1
344	Innenwandöffnungen	158,52 m²	1.252,44	198.536,95	4,2
345	Innenwandbekleidungen	2.213,19 m²	107,53	237.987,81	5,0
346	Elementierte Innenwandkonstruktionen	10,18 m²	399,74	4.069,38	< 0,1
347	Lichtschutz zur KG 340	–	–	–	–
349	Sonstiges zur KG 340	1.631,11 m² IWF	4,30	7.010,51	0,1
350	**Decken/Horizontale Baukonstruktionen**	**480,88 m² DEF**	**565,95**	**272.155,99**	**5,7**
351	Deckenkonstruktionen	480,88 m²	344,32	165.578,02	3,5
352	Deckenöffnungen	–	–	–	–
353	Deckenbeläge	386,03 m²	196,26	75.761,37	1,6
354	Deckenbekleidungen	313,62 m²	98,26	30.816,60	0,6
355	Elementierte Deckenkonstruktionen	–	–	–	–
359	Sonstiges zur KG 350	–	–	–	–
360	**Dächer**	**1.091,94 m² DAF**	**594,89**	**649.579,37**	**13,7**
361	Dachkonstruktionen	1.088,00 m²	150,17	163.381,11	3,4
362	Dachöffnungen	3,94 m²	4.365,19	17.198,83	0,4
363	Dachbeläge	1.063,82 m²	308,91	328.622,78	6,9
364	Dachbekleidungen	521,66 m²	108,72	56.714,35	1,2
365	Elementierte Dachkonstruktionen	–	–	–	–
366	Lichtschutz zur KG 360	–	–	–	–
369	Sonstiges zur KG 360	1.091,94 m² DAF	76,62	83.662,28	1,8
370	**Infrastrukturanlagen**	**–**	**–**	**–**	**–**
380	**Baukonstruktive Einbauten**	**1.358,88 m² BGF**	**72,30**	**98.247,10**	**2,1**
390	**Sonst. Maßnahmen für Baukonstrukt.**	**1.358,88 m² BGF**	**207,35**	**281.764,61**	**5,9**

Kostenkennwerte für die Kostengruppen 400 der 2. und 3. Ebene DIN 276 (Übersicht)

KG	Kostengruppe	Menge Einheit	€/Einheit	Kosten €	% an 3+4
400	**Bauwerk – Technische Anlagen**	**1.358,88 m² BGF**	**964,76**	**1.310.996,73**	**27,6**
410	**Abwasser-, Wasser-, Gasanlagen**	**1.358,88 m² BGF**	**171,57**	**233.140,58**	**4,9**
411	Abwasseranlagen	1.358,88 m² BGF	34,05	46.270,28	1,0
412	Wasseranlagen	1.358,88 m² BGF	123,33	167.590,77	3,5
413	Gasanlagen	–	–	–	–
419	Sonstiges zur KG 410	1.358,88 m² BGF	14,19	19.279,54	0,4
420	**Wärmeversorgungsanlagen**	**1.358,88 m² BGF**	**148,52**	**201.821,00**	**4,3**
421	Wärmeerzeugungsanlagen	1.358,88 m² BGF	57,44	78.054,04	1,6
422	Wärmeverteilnetze	1.358,88 m² BGF	54,03	73.426,73	1,5
423	Raumheizflächen	1.358,88 m² BGF	37,05	50.340,24	1,1
424	Verkehrsheizflächen	–	–	–	–
429	Sonstiges zur KG 420	–	–	–	–
430	**Raumlufttechnische Anlagen**	**1.358,88 m² BGF**	**208,68**	**283.577,41**	**6,0**
431	Lüftungsanlagen	–	–	–	–
432	Teilklimaanlagen	1.358,88 m² BGF	101,91	138.485,66	2,9
433	Klimaanlagen	–	–	–	–
434	Kälteanlagen	–	–	–	–
439	Sonstiges zur KG 430	1.358,88 m² BGF	106,77	145.091,75	3,1
440	**Elektrische Anlagen**	**1.358,88 m² BGF**	**262,16**	**356.250,03**	**7,5**
441	Hoch- und Mittelspannungsanlagen	–	–	–	–
442	Eigenstromversorgungsanlagen	1.358,88 m² BGF	11,64	15.820,44	0,3
443	Niederspannungsschaltanlagen	1.358,88 m² BGF	6,09	8.279,68	0,2
444	Niederspannungsinstallationsanlagen	1.358,88 m² BGF	122,89	166.988,64	3,5
445	Beleuchtungsanlagen	1.358,88 m² BGF	89,28	121.323,48	2,6
446	Blitzschutz- und Erdungsanlagen	1.358,88 m² BGF	32,26	43.837,78	0,9
447	Fahrleitungssysteme	–	–	–	–
449	Sonstiges zur KG 440	–	–	–	–
450	**Kommunikationstechnische Anlagen**	**1.358,88 m² BGF**	**106,01**	**144.058,84**	**3,0**
451	Telekommunikationsanlagen	1.358,88 m² BGF	0,28	379,89	< 0,1
452	Such- und Signalanlagen	1.358,88 m² BGF	24,34	33.079,27	0,7
453	Zeitdienstanlagen	–	–	–	–
454	Elektroakustische Anlagen	–	–	–	–
455	Audiovisuelle Medien- u. Antennenanl.	1.358,88 m² BGF	2,84	3.852,92	< 0,1
456	Gefahrenmelde- und Alarmanlagen	1.358,88 m² BGF	54,16	73.596,50	1,6
457	Datenübertragungsnetze	1.358,88 m² BGF	24,40	33.150,25	0,7
458	Verkehrsbeeinflussungsanlagen	–	–	–	–
459	Sonstiges zur KG 450	–	–	–	–
460	**Förderanlagen**	**1.358,88 m² BGF**	**55,71**	**75.701,63**	**1,6**
461	Aufzugsanlagen	1.358,88 m² BGF	55,71	75.701,63	1,6
462	Fahrtreppen, Fahrsteige	–	–	–	–
463	Befahranlagen	–	–	–	–
464	Transportanlagen	–	–	–	–
465	Krananlagen	–	–	–	–
466	Hydraulikanlagen	–	–	–	–
469	Sonstiges zur KG 460	–	–	–	–
470	**Nutzungsspez. u. verfahrenstechn. Anl.**	**–**	**–**	**–**	**–**
480	**Gebäude- und Anlagenautomation**	**1.358,88 m² BGF**	**9,20**	**12.507,68**	**0,3**
490	**Sonst. Maßnahmen für techn. Anlagen**	**1.358,88 m² BGF**	**2,90**	**3.939,56**	**< 0,1**

Kostenkennwerte für Leistungsbereiche nach STLB (Kosten des Bauwerks nach DIN 276)

LB	Leistungsbereiche	Kosten €	€/m² BGF	€/m³ BRI	% an 3+4
000	Sicherheits-, Baustelleneinrichtungen inkl. 001	245.282	180,50	50,50	5,2
002	Erdarbeiten	13.911	10,20	2,90	0,3
006	Spezialtiefbauarbeiten inkl. 005	–	–	–	–
009	Entwässerungskanalarbeiten inkl. 011	–	–	–	–
010	Drän- und Versickerarbeiten	–	–	–	–
012	Mauerarbeiten	–	–	–	–
013	Betonarbeiten	319.186	234,90	65,70	6,7
014	Natur-, Betonwerksteinarbeiten	–	–	–	–
016	Zimmer- und Holzbauarbeiten	741.061	545,30	152,40	15,6
017	Stahlbauarbeiten	–	–	–	–
018	Abdichtungsarbeiten	85.496	62,90	17,60	1,8
019	Kampfmittelräumarbeiten	–	–	–	–
020	Dachdeckungsarbeiten	69.060	50,80	14,20	1,5
021	Dachabdichtungsarbeiten	169.676	124,90	34,90	3,6
022	Klempnerarbeiten	158.027	116,30	32,50	3,3
	Rohbau	**1.801.699**	**1.325,90**	**370,60**	**37,9**
023	Putz- und Stuckarbeiten, Wärmedämmsysteme	72.596	53,40	14,90	1,5
024	Fliesen- und Plattenarbeiten	73.503	54,10	15,10	1,5
025	Estricharbeiten	75.695	55,70	15,60	1,6
026	Fenster, Außentüren inkl. 029, 032	537.191	395,30	110,50	11,3
027	Tischlerarbeiten	395.023	290,70	81,30	8,3
028	Parkettarbeiten, Holzpflasterarbeiten	4.491	3,30	0,92	< 0,1
030	Rollladenarbeiten	34.185	25,20	7,00	0,7
031	Metallbauarbeiten inkl. 035	86.760	63,80	17,80	1,8
034	Maler- und Lackiererarbeiten inkl. 037	37.627	27,70	7,70	0,8
036	Bodenbelagarbeiten	64.193	47,20	13,20	1,4
038	Vorgehängte hinterlüftete Fassaden	–	–	–	–
039	Trockenbauarbeiten	189.117	139,20	38,90	4,0
	Ausbau	**1.570.380**	**1.155,60**	**323,10**	**33,1**
040	Wärmeversorgungsanl. - Betriebseinr. inkl. 041	188.232	138,50	38,70	4,0
042	Gas- und Wasserinstallation, Leitungen inkl. 043	69.882	51,40	14,40	1,5
044	Abwasseranlagen - Leitungen	42.062	31,00	8,70	0,9
045	GWE-Einrichtungsgegenstände inkl. 046	107.101	78,80	22,00	2,3
047	Dämmarbeiten an betriebstechnischen Anlagen	39.460	29,00	8,10	0,8
049	Feuerlöschanlagen, Feuerlöschgeräte	–	–	–	–
050	Blitzschutz- und Erdungsanlagen	43.838	32,30	9,00	0,9
053	Niederspannungsanlagen inkl. 052, 054	187.106	137,70	38,50	3,9
055	Sicherheits- u. Ersatzstromversorgungsanl.	–	–	–	–
057	Gebäudesystemtechnik	–	–	–	–
058	Leuchten und Lampen inkl. 059	121.323	89,30	25,00	2,6
060	Sprechanlagen, elektroakust. Anlagen inkl. 064	36.932	27,20	7,60	0,8
061	Kommunikationsnetze inkl. 063	106.630	78,50	21,90	2,2
069	Aufzüge	75.275	55,40	15,50	1,6
070	Gebäudeautomation	12.508	9,20	2,60	0,3
075	Raumlufttechnische Anlagen inkl. 078	270.044	198,70	55,60	5,7
	Gebäudetechnik	**1.300.392**	**957,00**	**267,50**	**27,4**
084	Abbruch, Rückbau, Schadstoffsanierung	–	–	–	–
	Abbrucharbeiten	**–**	**–**	**–**	**–**
	Sonstige Leistungsbereiche	**75.358**	**55,50**	**15,50**	**1,6**

6200-0118
Begegnungsstätte
Tagespflege
(18 Plätze)
Sozialstation (35 AP)
Wohnheim (15 WE)

Objektübersicht

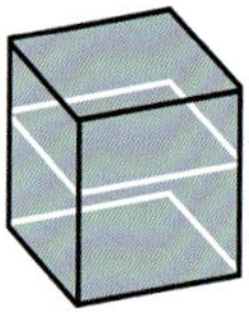

BRI 867 €/m³

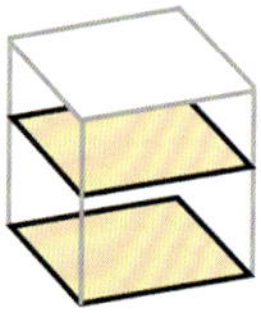

BGF 2.751 €/m²

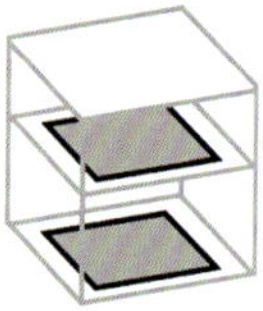

NUF 4.381 €/m²

Objekt:
Kennwerte: 1. Ebene DIN 276
BRI: 9.199 m³
BGF: 2.899 m²
NUF: 1.820 m²
Bauzeit: 57 Wochen
Bauende: 2019
Standard: über Durchschnitt
Bundesland: Nordrhein-Westfalen
Kreis: Minden-Lübbecke

Architekt*in:
Architekten Bökamp
Ravensberger Straße 16
32547 Bad Oeynhausen

Bauherr*in:
Johanniter-Unfall-Hilfe e.V.
Vlothoer Straße 193
32547 Bad Oeynhausen

© Architekten Bökamp

© Architekten Bökamp

© Oliver Windus

Ansicht Süd

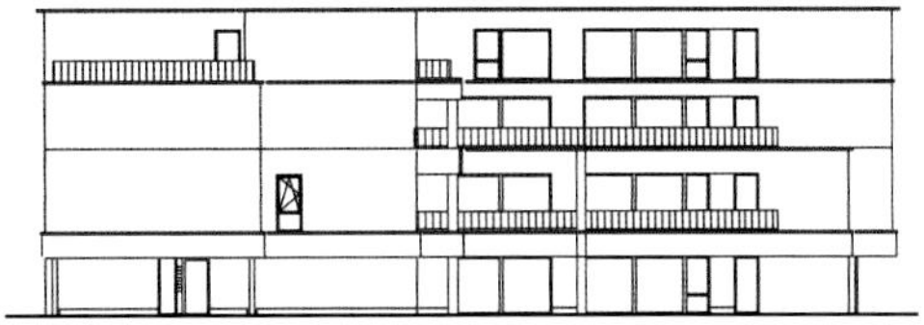

Ansicht Nord

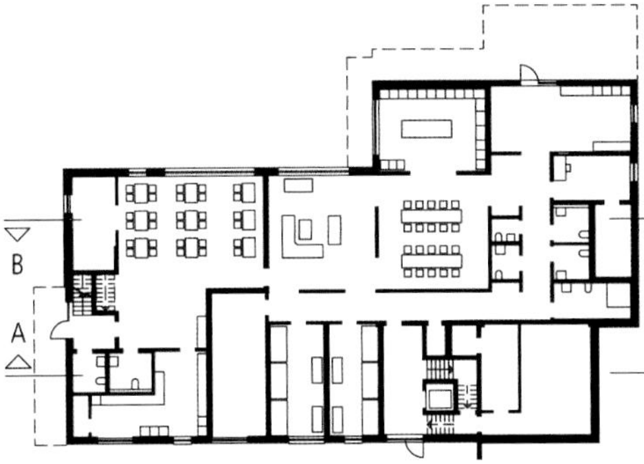

Erdgeschoss

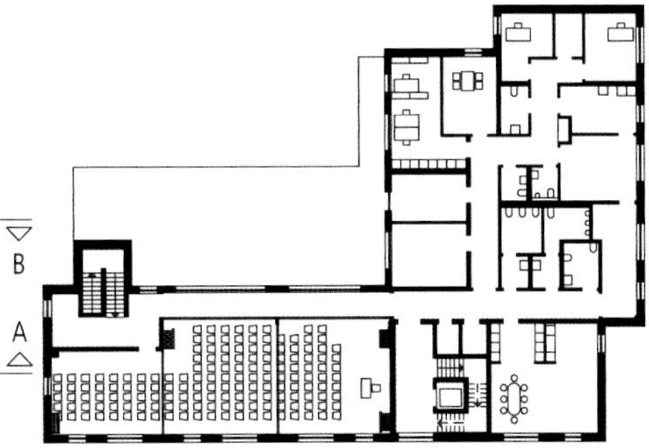

1. Obergeschoss

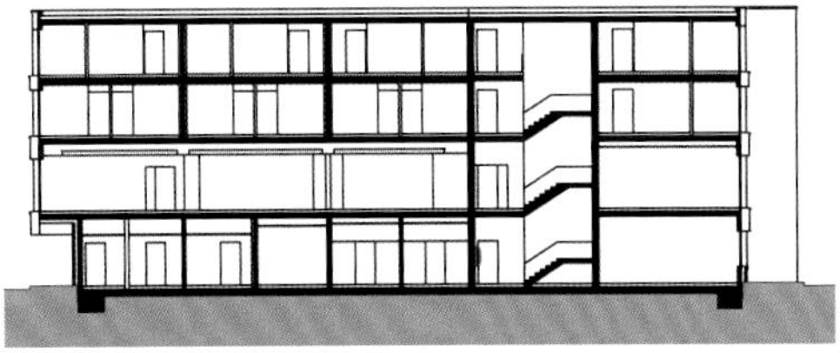

Schnitt A-A

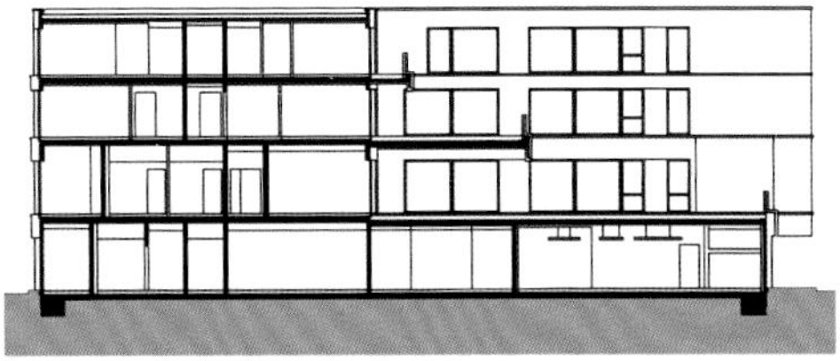

Schnitt B-B

Ansicht West

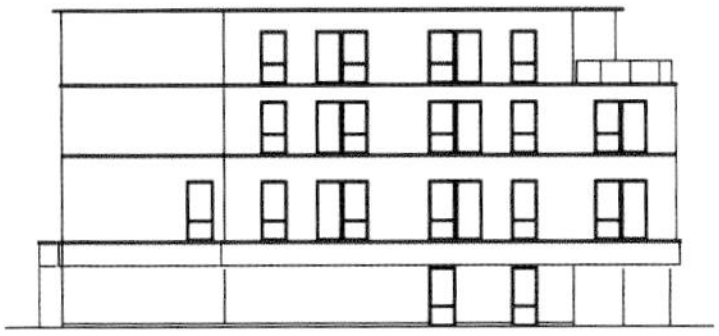

Ansicht Ost

6200-0118
Begegnungsstätte
Tagespflege
(18 Plätze)
Sozialstation (35 AP)
Wohnheim (15 WE)

Objektbeschreibung

Allgemeine Objektinformationen

Der Neubau vereint vielseitige soziale Nutzungen mit einem umfangreichen Anforderungskatalog. In der Begegnungsstätte sind ein multifunktionaler Saal und ein kleines Café, eine Tagespflege, Büroeinheiten, sowie Wohneinheiten für Jugendliche und junge Erwachsene mit Einschränkungen, die dort zusätzlich pädagogisch begleitet werden, untergebracht.

Nutzung

1 Erdgeschoss
Windfang, Garderobe, Café, Aufenthaltsraum, Speiseraum, Kinderecke, Küche, Büro, Therapie-/Gruppenraum, Ruheraum, Sanitärräume, Pflegebad, Umkleideraum, Lager, Technikraum

3 Obergeschosse
1.OG: Veranstaltungssaal, Kreativraum, Büro, Dienstzimmer, Sanitärräume, Stuhllager, Lagerräume, Terrasse
2.OG: Appartements, Gemeinschaftsräume, Büro, Sanitärräume, Lagerräume, Terrasse
3.OG: Appartements, Sanitärräume, Lagerraum, Terrasse

Nutzeinheiten

Arbeitsplätze: 42
Pflegeplätze: 18
Stellplätze: 27
Wohneinheiten: 15
Wohnfläche: 846 m²

Grundstück

Bauraum: Baulücke
Neigung: Ebenes Gelände
Bodenklasse: BK 1 bis BK 4

Markt

Hauptvergabezeit: 1.Quartal 2018
Baubeginn: 1.Quartal 2018
Bauende: 1.Quartal 2019
Konjunkturelle Gesamtlage: Durchschnitt
Regionaler Baumarkt: Durchschnitt

Baukonstruktion

Das Gebäude ist als Massivholzkonstruktion mit Brettsperrholzwänden und -decken erstellt. Die Gründung erfolgt über Streifenfundamente, auf denen eine Stb-Bodenplatte aufliegt. Der Treppenhauskern ist ebenfalls in Stahlbeton ausgeführt. Als Fassadenbekleidung wurde eine Lärchenholzschalung verwendet, in Teilbereichen gibt es auch ein WDVS mit farbigem Außenputz. Die Fenster sind in Holz-Alu. Außenliegende Textilscreens schützen vor Sonne und Wärme. Nichttragende Innenwände und Installationswände sind als Trockenbaukonstruktionen erstellt. Als Bodenbeläge kamen Linoleum und Fliesen zum Einbau. Die Oberflächen der Wände sind beschichtet, die Decken wurden entweder als abgehängte Decken bzw. Akustikdecken ausgeführt oder mit sichtbarer Holzoberfläche belassen. Das Flachdach wurde bekiest. In allen Geschossen sind Balkone oder Dachterrassen ausgeführt.

Technische Anlagen

Das Mehrgenerationenhaus hat eine Energiezentrale erhalten, aus der auch ein Kindergarten im Nachbargebäude gespeist wird. Als Heizung kommt eine Luft-Wasser-Wärmepumpe zum Einsatz, die Räume werden über eine Fußbodenheizung mit Wärme versorgt. Spitzenlasten werden mit einer Gas-Brennwerttherme abgedeckt. Eine PV-Anlage deckt einen Teil des Stromverbrauchs. Sie soll sukzessive erweitert werden, so dass nach Einregulierung der installierten Regeltechnik der Strombedarf zu 70% regenerativ erzeugt werden kann. Auf Bus-Technik sowie eine Lüftungsanlage mit Wärmerückgewinnung wurde verzichtet. Eine Abluftanlage ist vorhanden.

Planungskennwerte für Flächen und Rauminhalte nach DIN 277

Flächen des Grundstücks		Menge Einheit	% an GF
BF	Bebaute Fläche	832,00 m²	36,2
UF	Unbebaute Fläche	1.468,00 m²	63,8
GF	Grundstücksfläche	2.300,00 m²	100,0

Grundflächen des Bauwerks		Menge Einheit	% an NUF	% an BGF
NUF	Nutzungsfläche	1.820,38 m²	100,0	62,8
TF	Technikfläche	60,31 m²	3,3	2,1
VF	Verkehrsfläche	476,48 m²	26,2	16,4
NRF	Netto-Raumfläche	2.357,17 m²	129,5	81,3
KGF	Konstruktions-Grundfläche	542,22 m²	29,8	18,7
BGF	Brutto-Grundfläche	2.899,39 m²	159,3	100,0

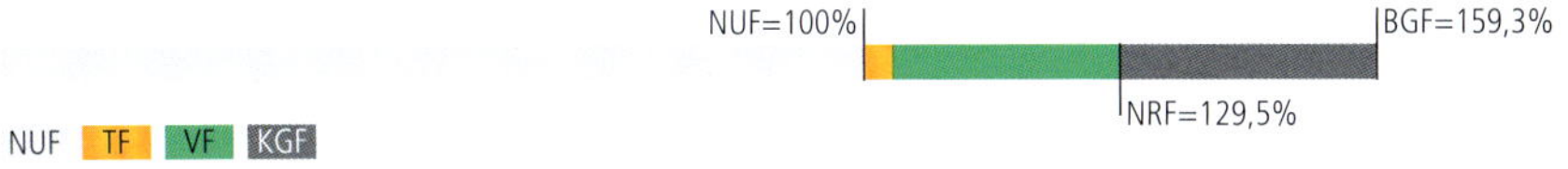

Brutto-Rauminhalt des Bauwerks		Menge Einheit	BRI/NUF (m)	BRI/BGF (m)
BRI	Brutto-Rauminhalt	9.199,26 m³	5,05	3,17

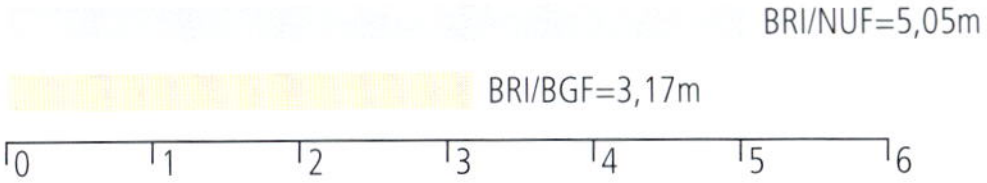

Kostenkennwerte für die Kostengruppen der 1. Ebene DIN 276

KG	Kostengruppen (1. Ebene)	Einheit	Kosten €	€/Einheit	€/m² BGF	€/m³ BRI	% 300+400
100	Grundstück	m² GF	–	–	–	–	–
200	Vorbereitende Maßnahmen	m² GF	33.607	14,61	11,59	3,65	0,4
300	Bauwerk – Baukonstruktionen	m² BGF	5.531.556	1.907,83	1.907,83	601,30	69,4
400	Bauwerk – Technische Anlagen	m² BGF	2.443.848	842,88	842,88	265,66	30,6
	Bauwerk 300+400	**m² BGF**	**7.975.404**	**2.750,72**	**2.750,72**	**866,96**	**100,0**
500	Außenanlagen und Freiflächen	m² AF	–	–	–	–	–
600	Ausstattung und Kunstwerke	m² BGF	–	–	–	–	–
700	Baunebenkosten	m² BGF	–	–	–	–	–
800	Finanzierung	m² BGF	–	–	–	–	–

KG	Kostengruppe	Menge Einheit	Kosten €	€/Einheit	%
200	**Vorbereitende Maßnahmen**	2.300,00 m² GF	33.607	**14,61**	0,4

Herrichten

KG	Kostengruppe	Menge Einheit	Kosten €	€/Einheit	%
3+4	**Bauwerk**				**100,0**
300	**Bauwerk – Baukonstruktionen**	2.899,39 m² BGF	5.531.556	**1.907,83**	69,4

Baugrubenherstellung, Wasserhaltung, Baugrundverbesserung, Stb-Streifenfundamente, Stb-Bodenplatte, Abdichtung, Wärmedämmung, Trittschalldämmung, Heizestrich, Linoleum, Bodenfliesen, Schotterschicht, Sauberkeitsschicht, Perimeterdämmung, Dränage; Massivholzwände aus fünfschichtigem Brettsperrholz, Stb-Stützen, Alufenster- und Türelemente, Doppelstegträger mit Einblasdämmung, Holzweichfaserplatten, senkrechte Lärchenschalung mit Glattkantbrettern, Alu-Lüftungsprofile, WDVS mit Holzweichfaserplatten, farbiger Außenputz, GK-Trockenputz, Dispersionsbeschichtung, Wandfliesen, Textilscreens als Sonnenschutz; Massivholzwände, Stb-Wände für Treppenhaus, Trockenbauwände, Vorsatzschalen, Holzinnentüren HPL, Stahlzargen, Schallschutztüren, Schiebetüren, Dispersionsbeschichtung, Wandfliesen, mobile Trennwände; Massivholzdecken, Dämmung, Heizestrich, Linoleum, Bodenfliesen, abgehängte Decken, Dispersionsbeschichtung; Massivholz-Flachdach, Gefälledämmung, Abdichtung, Kiesschüttung, Dachentwässerung, Dachüberstand Furnierschichtholz, Dachterrassen, Stahlgeländer; Einbauküchen

KG	Kostengruppe	Menge Einheit	Kosten €	€/Einheit	%
400	**Bauwerk – Technische Anlagen**	2.899,39 m² BGF	2.443.848	**842,88**	30,6

Gebäudeentwässerung, Kalt- und Warmwasserleitungen, Sanitärobjekte, Zirkulationspumpe; Luft-Wasser-Wärmepumpe, Gas-Brennwerttherme, Pufferspeicher 620l, Heizungsrohre, Fußbodenheizung; Abluftanlage; Photovoltaikanlage, Elektroinstallation, Deckenbeleuchtung, Hängelampen, Sicherheitsbeleuchtungsanlage, Blitzschutz; Türsprechanlage, Torschranke, Brandmeldeanlage, Datennetz; Aufzugsanlage; Gebäudeautomation

6500-0055
Schulmensa
(160 Sitzplätze)

Objektübersicht

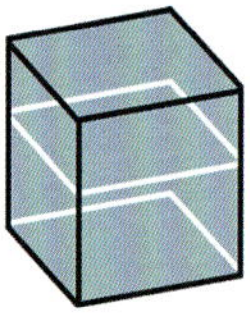

BRI 1.169€/m³

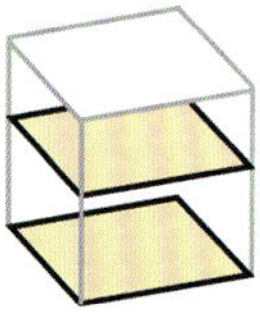

BGF 5.078€/m²

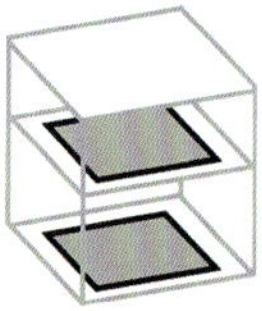

NUF 9.509€/m²

Objekt:
Kennwerte: 1. Ebene DIN 276
BRI: 3.016 m³
BGF: 694 m²
NUF: 371 m²
Bauzeit: 79 Wochen
Bauende: 2020
Standard: Durchschnitt
Bundesland: Brandenburg
Kreis: Barnim

Architekt*in:
Renner Architekten GmbH
Bürgerheimstraße 5
10365 Berlin

Bauherr*in:
Gemeinde Wandlitz
Prenzlauer Chaussee 157
16348 Wandlitz

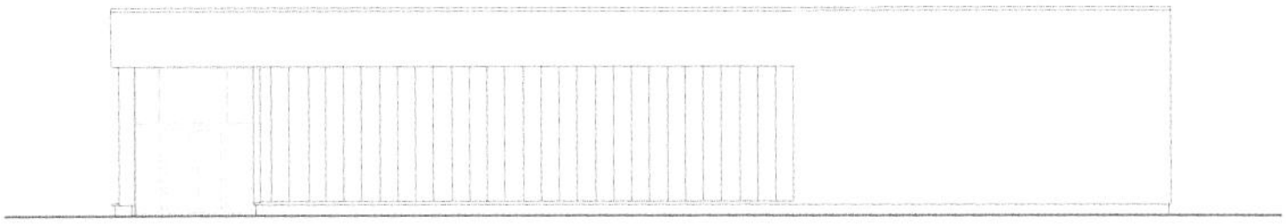

Ansicht Ost

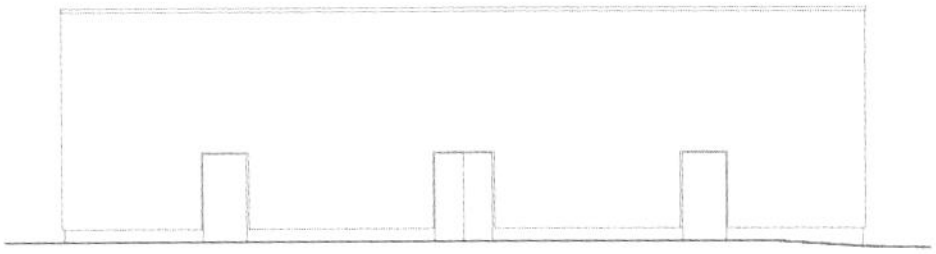

Ansicht Nord

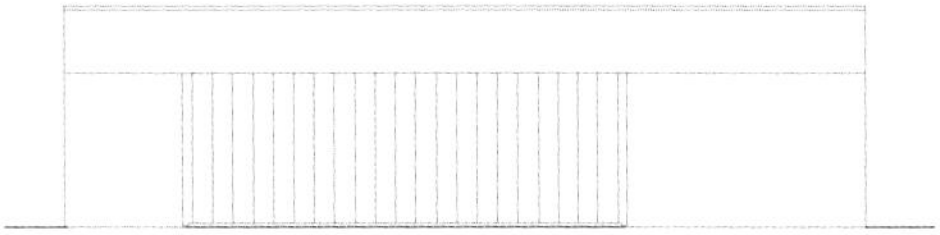

Ansicht Süd

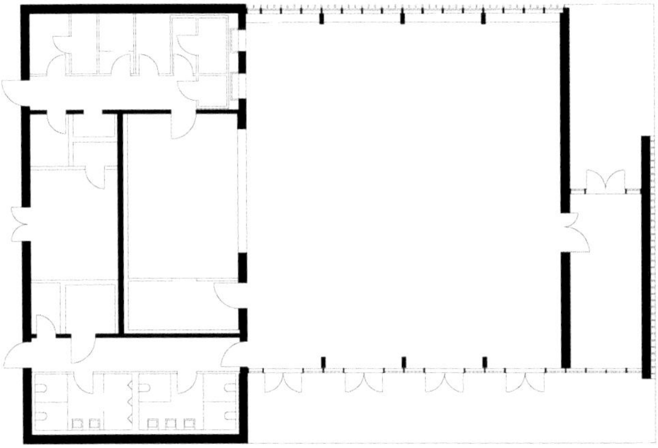

Erdgeschoss

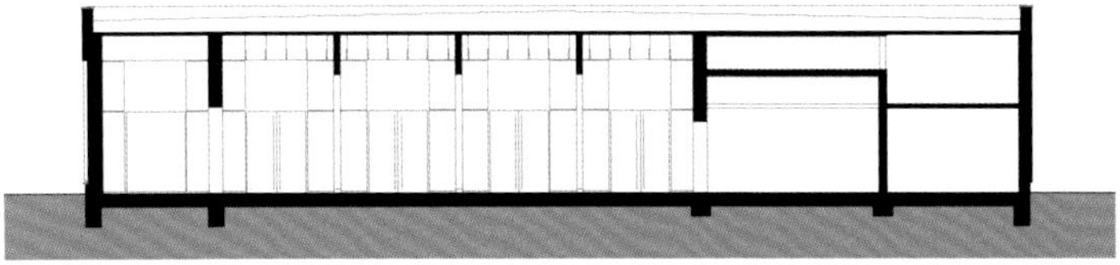

Schnitt

Ansicht West

Objektbeschreibung

Allgemeine Objektinformationen

Am Schulstandort entstand eine neue Mensa für 320 Schulessen. Die Schulmensa dient darüber hinaus als Gemeindesaal für bürgernahe Veranstaltungen. In Verbindung mit der angrenzenden Festwiesen kann das Gebäude bei besonderen Aktivitäten als Bürgerhaus genutzt werden. Der eigenständige Baukörper weicht in Materialität und Kubatur von seiner einheitlich gestalteten Umgebung ab und folgt dem Entwurfsprinzip eines Pavillons, der wie eine Erdscholle aus der Festwiese herausragt.

Nutzung

1 Erdgeschoss
Speisesaal, Küche, Sanitärräume, Nebenräume

1 Obergeschoss
Technikebene

Nutzeinheiten

Sitzplätze: 160

Grundstück

Bauraum: Freier Bauraum
Neigung: Ebenes Gelände
Bodenklasse: BK 1 bis BK 3

Markt

Hauptvergabezeit: 2. Quartal 2019
Baubeginn: 2. Quartal 2019
Bauende: 4. Quartal 2020
Konjunkturelle Gesamtlage: Durchschnitt
Regionaler Baumarkt: unter Durchschnitt

Baukonstruktion

Das nicht unterkellerte Gebäude ist aus vorgefertigten Holzrahmenmodulen auf einer Bodenplatte und einem Sichtbetonsockel errichtet. Die Hauptelemente des weitgespannten Speisesaaldachtragwerks sind im Achsabstand von 3,75m angeordnete Brettschichtholzbinder, die eine Massivholzdecke tragen. Die Holzfassade ist unterschiedlich stark perforiert: Die opake vertikale Lärchenholzschalung, die im nördlichen Drittel der Mensa die dienenden Räume birgt, öffnet sich auf Höhe des Speisesaals zur Schule hin als Lamellenhaut. Die Alu-Pfosten-Riegelfassade ist mit zweifacher Verglasung realisiert. Das Flachdach ist mit einer Gefälledämmung und einer extensiven Dachbegrünung mit Kiesrandstreifen ausgeführt. Der Speisesaal hat eine Akustik-Wandbekleidung erhalten. Die Holzkonstruktionswände sind teilweise mit Grobspan- bzw. Gipskartonplatten versehen, teils sind sie mit Wandfliesen bekleidet. Die Fußbodenbeläge bestehen aus geschliffenem Estrich und kleinformatigen Fliesen.

Technische Anlagen

Die Mensa ist an das Fernwärmenetz angeschlossen. Der Speisesaal verfügt über eine Fußbodenheizung, die Nebenräume über Heizkörper. Alle technischen Anlagen sind in einer Ebene über den Nebenräumen angeordnet. Der Saal wird natürlich be- und entlüftet. Nachts dient die mechanische Lüftungsanlage der Küche zusätzlich zur Auskühlung des Saals. Eine Außenluftlamellenhaube und eine Hygiene-Küchenlüftungsdecke aus Edelstahl sind eingebaut. Der Neubau verfügt über eine Gebäudeautomation.

Planungskennwerte für Flächen und Rauminhalte nach DIN 277

Flächen des Grundstücks		Menge Einheit	% an GF
BF	Bebaute Fläche	486,77 m²	57,8
UF	Unbebaute Fläche	355,53 m²	42,2
GF	Grundstücksfläche	842,30 m²	100,0

Grundflächen des Bauwerks		Menge Einheit	% an NUF	% an BGF
NUF	Nutzungsfläche	370,63 m²	100,0	53,4
TF	Technikfläche	205,58 m²	55,5	29,6
VF	Verkehrsfläche	26,47 m²	7,1	3,8
NRF	Netto-Raumfläche	602,68 m²	162,6	86,8
KGF	Konstruktions-Grundfläche	91,32 m²	24,6	13,2
BGF	Brutto-Grundfläche	694,00 m²	187,2	100,0

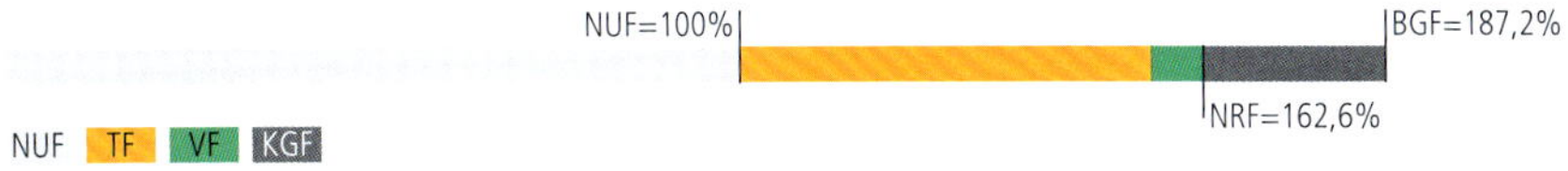

Brutto-Rauminhalt des Bauwerks		Menge Einheit	BRI/NUF (m)	BRI/BGF (m)
BRI	Brutto-Rauminhalt	3.016,00 m³	8,14	4,35

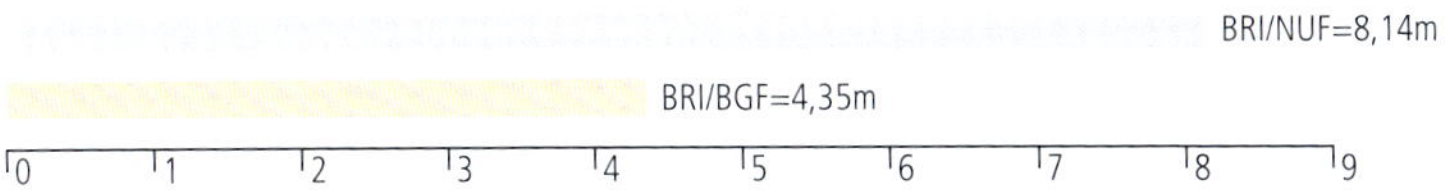

Kostenkennwerte für die Kostengruppen der 1. Ebene DIN 276

KG	Kostengruppen (1. Ebene)	Einheit	Kosten €	€/Einheit	€/m² BGF	€/m³ BRI	% 300+400
100	Grundstück	m² GF	–	–	–	–	–
200	Vorbereitende Maßnahmen	m² GF	–	–	–	–	–
300	Bauwerk – Baukonstruktionen	m² BGF	2.222.599	3.202,59	3.202,59	736,94	63,1
400	Bauwerk – Technische Anlagen	m² BGF	1.301.731	1.875,69	1.875,69	431,61	36,9
	Bauwerk 300+400	**m² BGF**	**3.524.330**	**5.078,29**	**5.078,29**	**1.168,54**	**100,0**
500	Außenanlagen und Freiflächen	m² AF	545.368	1.022,19	785,83	180,83	15,5
600	Ausstattung und Kunstwerke	m² BGF	123.015	177,26	177,26	40,79	3,5
700	Baunebenkosten	m² BGF	–	–	–	–	–
800	Finanzierung	m² BGF	–	–	–	–	–

KG	Kostengruppe	Menge Einheit	Kosten €	€/Einheit	%
3+4	**Bauwerk**				**100,0**
300	**Bauwerk – Baukonstruktionen**	694,00 m² BGF	2.222.599	**3.202,59**	63,1

Stb-Bodenplatte, Wärmedämmung, Zementestrich, Bodenfliesen, Hartbeton; Sichtbetonsockel, Holzrahmenwände, BSH-Pendelstützen, Lärchenholzschalung, Alu-Fassadenlamellen, außen, eloxiert, Alu-Pfosten-Riegelfassade, eloxiert, Zweifachverglasung, Oberlichter, motorisch, Blendschutz, innen motorisch; Leichtbetonsockel, Holzständerwände, Innentüren, Tapetentüren, Küchenausgabe-Rolltor, OSB/GK-Bekleidung, Akustikbekleidung, Wandfliesen; Massivholzdecke; Massivholzdach, BSH-Binder, Lichtkuppel, Akustikbaffeln, Gefälledämmung, extensive Dachbegrünung, Kiesrandstreifen, Attikaabdeckung, Dachentwässerung

KG	Kostengruppe	Menge Einheit	Kosten €	€/Einheit	%
400	**Bauwerk – Technische Anlagen**	694,00 m² BGF	1.301.731	**1.875,69**	36,9

Gebäudeentwässerung, Fettabscheider, Kalt- und Warmwasserleitungen, Sanitärobjekte; Fernwärmeanschluss, Heizungsrohre, Heizkörper, Fußbodenheizung; RLT-Anlage, Deflektorhaube, Außenluftlamellenhaube, Vor- und Tiefkühlkammern, Hygiene-Küchenlüftungsdecke; Elektroinstallation, Deckenanbauleuchten, Langfeldpendelleuchten; Hausalarmanlage, EMZ; küchentechnische Anlagen; Gebäudeautomation

KG	Kostengruppe	Menge Einheit	Kosten €	€/Einheit	%
500	**Außenanlagen und Freiflächen**	533,53 m² AF	545.368	**1.022,19**	15,5

Betonpflaster, Betonplatten für Terrassen, Kiestraufe; Entwässerungsrinnen, Versickerungsmulden; Sitzmauer aus Sichtbeton, Sitzobjekte aus Beton, Fahrradständer; Oberboden für Pflanzflächen, Laubbäume, Gräser, Bodendecker, Sträucher, Rasenansaat, Betonblockstufen als Trittflächen

KG	Kostengruppe	Menge Einheit	Kosten €	€/Einheit	%
600	**Ausstattung und Kunstwerke**	694,00 m² BGF	123.015	**177,26**	3,5

Stapelstühle, Sitzbänke, Mehrzwecktische, Barhocker, Stehtische, Spinde, Garderobenhaken, Schaukasten magnetisch als Pintafel, Menütafel magnetisch als Pintafel, Garderobenelemente klappbar, Besteckspenderkorpus

7700-0090
Streugutlagerhalle

Objektübersicht

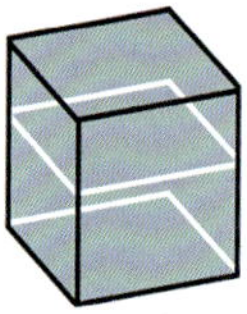

BRI 189 €/m³

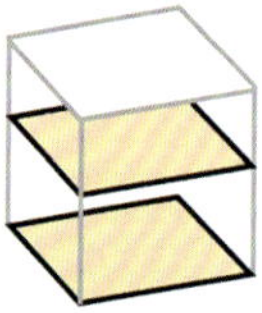

BGF 1.746 €/m²

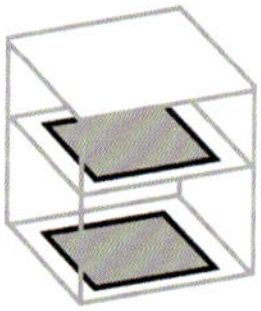

NUF 2.006 €/m²

Objekt:
Kennwerte: 3. Ebene DIN 276
BRI: 13.435 m³
BGF: 1.456 m²
NUF: 1.267 m²
Bauzeit: 70 Wochen
Bauende: 2017
Standard: Durchschnitt
Bundesland: Sachsen
Kreis: Leipzig, Stadt

Architekt*in:
Eßmann | Gärtner | Nieper
Architekten GbR
Gabelsbergerstraße 1a
04317 Leipzig

Bauherr*in:
Eigenbetrieb Stadtreinigung
Leipzig
Geithainer Straße 60
04328 Leipzig

© Steffen Junghans

© Steffen Junghans

© Steffen Junghans

© Steffen Junghans

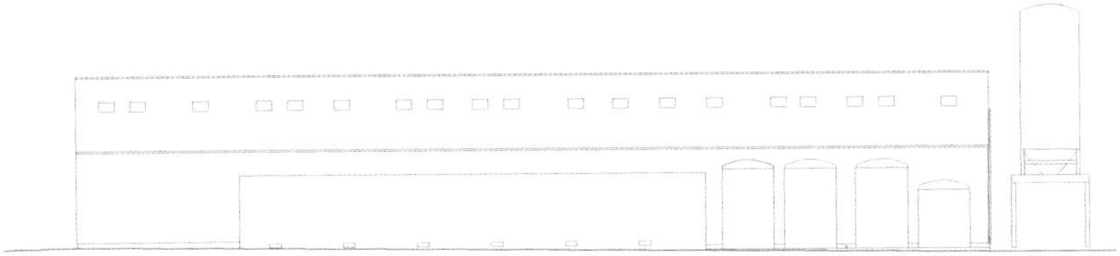

Ansicht Nord

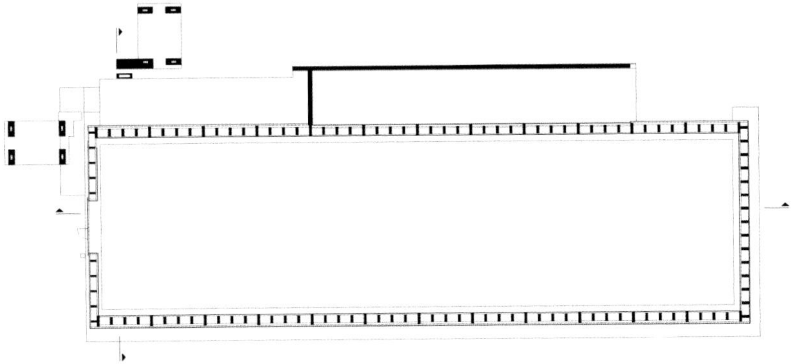

Erdgeschoss

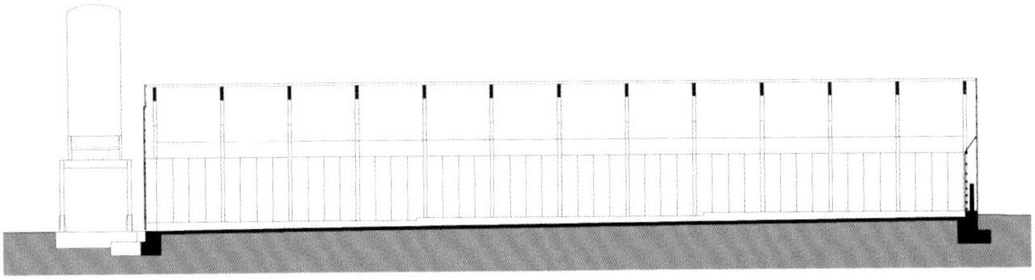

Längsschnitt

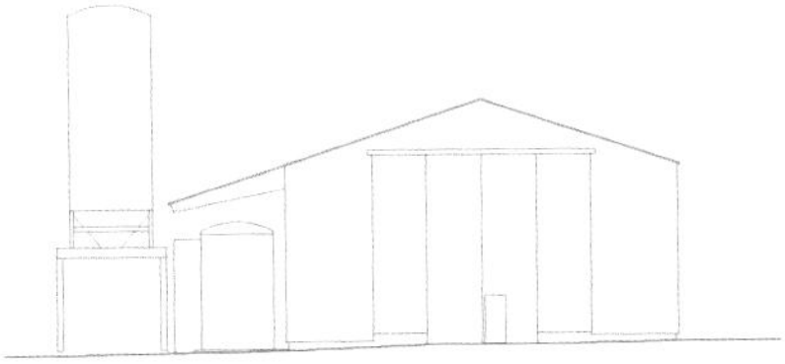

Ansicht West

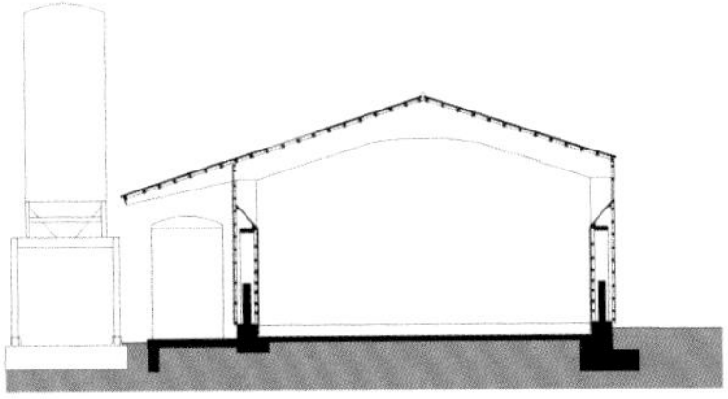

Querschnitt

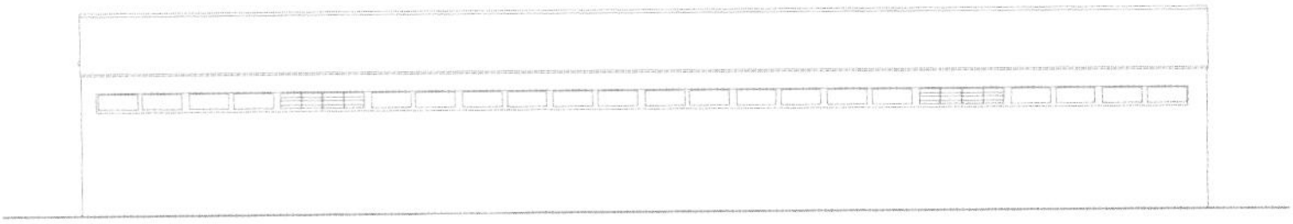

Ansicht Süd

Objektbeschreibung

Allgemeine Objektinformationen

Die neue Streugutlagerhalle wurde als langgestreckter quaderförmiger Baukörper in Holzbauweise mit Satteldach parallel zur straßenseitigen Grundstücksgrenze erstellt. Die Baumaßnahme beinhaltet den Neubau der Lagerhalle für Streugut, Siloanlagen zur Befüllung von Fahrzeugen mit Streugut und Sole sowie Aufenthaltscontainer für bis zu fünf Arbeitskräfte.

Nutzung

1 Erdgeschoss
Lagern, Verteilen, Aufenthalt

Nutzeinheiten

Arbeitsplätze: 5
Hallenfelder: 1
Hallenfläche: 1.037 m^2

Grundstück

Bauraum: Freier Bauraum
Neigung: Geneigtes Gelände
Bodenklasse: BK 3 bis BK 5

Markt

Hauptvergabezeit: 2. Quartal 2016
Baubeginn: 3. Quartal 2016
Bauende: 4. Quartal 2017
Konjunkturelle Gesamtlage: über Durchschnitt
Regionaler Baumarkt: über Durchschnitt

Baukonstruktion

Die nicht unterkellerte Lagerhalle gründet auf einer Stahlbetonbodenplatte. Die Silos wurden auf Einzelfundamenten errichtet. Die aufgehende Konstruktion aus Holzleimstützen wurde auf einer umlaufenden Aufkantung aus Stahlbeton aus Fertigteilelementen erbaut. Als Außenfassade dient eine senkrecht angeordnete Nut- und Federschalung aus Lärchenholz. Im oberen Bereich der Fassade wurde an einer Längsseite ein Fensterband aus Holzfenstern eingebaut, das an zwei Stellen durch Lüftungselemente unterbrochen wird. Ein fast gebäudehohes Holzschiebetor mit Schlupftür bildet den Zugang zur Halle. Das flach geneigte Satteldach wird von Leimholzbindern getragen, die Dachhaut bilden Faserzementplatten. Innen sind die Wände mit Pressspanplatten bekleidet. Als Bodenbelag kam Asphalt zur Ausführung.

Technische Anlagen

Die technischen Anlagen umfassen zwei Silos mit je 120t Kapazität, eine Solemischanlage und drei Soletanks mit Volumen von je 50 m^3.

Planungskennwerte für Flächen und Rauminhalte nach DIN 277

Flächen des Grundstücks		Menge Einheit	% an GF
BF	Bebaute Fläche	1.455,57 m²	31,2
UF	Unbebaute Fläche	3.216,43 m²	68,8
GF	Grundstücksfläche	4.672,00 m²	100,0

Grundflächen des Bauwerks		Menge Einheit	% an NUF	% an BGF
NUF	Nutzungsfläche	1.266,74 m²	100,0	87,0
TF	Technikfläche	–	–	–
VF	Verkehrsfläche	–	–	–
NRF	Netto-Raumfläche	1.266,74 m²	100,0	87,0
KGF	Konstruktions-Grundfläche	188,83 m²	14,9	13,0
BGF	Brutto-Grundfläche	1.455,57 m²	114,9	100,0

Brutto-Rauminhalt des Bauwerks		Menge Einheit	BRI/NUF (m)	BRI/BGF (m)
BRI	Brutto-Rauminhalt	13.434,52 m³	10,61	9,23

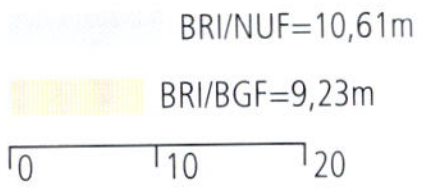

Lufttechnisch behandelte Flächen	Menge Einheit	% an NUF	% an BGF
Entlüftete Fläche	–	–	–
Be- und entlüftete Fläche	–	–	–
Teilklimatisierte Fläche	–	–	–
Klimatisierte Fläche	–	–	–

KG	Kostengruppen (2. Ebene)	Menge Einheit	Menge/NUF	Menge/BGF
310	Baugrube / Erdbau	2.039,10 m³ BGI	1,61	1,40
320	Gründung, Unterbau	1.428,31 m² GRF	1,13	0,98
330	Außenwände/Vertikale Baukonstruktionen, außen	1.207,54 m² AWF	0,95	0,83
340	Innenwände / vertikal innen	–	–	–
350	Decken / horizontal	–	–	–
360	Dächer	1.559,81 m² DAF	1,23	1,07

Kostenkennwerte für die Kostengruppen der 1. Ebene DIN 276

KG	Kostengruppen (1. Ebene)	Einheit	Kosten €	€/Einheit	€/m² BGF	€/m³ BRI	% 300+400
100	Grundstück	m² GF	–	–	–	–	–
200	Vorbereitende Maßnahmen	m² GF	54.926	11,76	37,73	4,09	2,2
300	Bauwerk – Baukonstruktionen	m² BGF	2.420.479	1.662,91	1.662,91	180,17	95,2
400	Bauwerk – Technische Anlagen	m² BGF	121.044	83,16	83,16	9,01	4,8
	Bauwerk 300+400	**m² BGF**	**2.541.523**	**1.746,07**	**1.746,07**	**189,18**	**100,0**
500	Außenanlagen und Freiflächen	m² AF	1.993.998	619,94	1.369,91	148,42	78,5
600	Ausstattung und Kunstwerke	m² BGF	–	–	–	–	–
700	Baunebenkosten	m² BGF	–	–	–	–	–
800	Finanzierung	m² BGF	–	–	–	–	–

KG	Kostengruppe	Menge Einheit	Kosten €	€/Einheit	%
200	**Vorbereitende Maßnahmen**	4.672,00 m² GF	54.926	**11,76**	2,2

Suchschachtung, Oberboden abtragen, entsorgen, Abräumen von Pflanzbewuchs, Rodungsarbeiten, Kampfmittelsondierung; Entsorgung, Deponiegebühren

KG	Kostengruppe	Menge Einheit	Kosten €	€/Einheit	%
3+4	**Bauwerk**				**100,0**
300	**Bauwerk – Baukonstruktionen**	1.455,57 m² BGF	2.420.479	**1.662,91**	95,2

Stb-Bodenplatten, Abdichtung, Versiegelung, Estrich, Pflaster; Stb-Wände, Schüttwände, OSB-Bekleidung, Holzstützen, Stahlstützenfüße, Holzschiebetor, Holzfenster, Holzschalung; Satteldach, Holzbinder, Faserzementplatten, Dachentwässerung

KG	Kostengruppe	Menge Einheit	Kosten €	€/Einheit	%
400	**Bauwerk – Technische Anlagen**	1.455,57 m² BGF	121.044	**83,16**	4,8

Gebäudeentwässerung, Wasseranschluss; Elektroinstallation, Beleuchtung, Erdung; EDV-Verkabelung

KG	Kostengruppe	Menge Einheit	Kosten €	€/Einheit	%
500	**Außenanlagen und Freiflächen**	3.216,43 m² AF	1.993.998	**619,94**	78,5

Bodenarbeiten; Fundamente; Tragschichten, Asphalt, Rasengittersteine; Stabgitterzaun, Toranlagen, Blockstufen; Oberflächenentwässerung, Elektroinstallation, Beleuchtung, Funksystem, Sicherheitseinrichtungen, Streugutanlage, Silos, Soletanks, Fördereinrichtungen; Poller; Rückhaltebecken, Oberbodenarbeiten, Bäume, Rasenansaat

Kostenkennwerte für die Kostengruppen 300 der 2. und 3.Ebene DIN 276 (Übersicht)

KG	Kostengruppe	Menge Einheit	€/Einheit	Kosten €	% an 3+4
300	**Bauwerk – Baukonstruktionen**	**1.455,57 m2 BGF**	**1.662,91**	**2.420.479,21**	**95,2**
310	**Baugrube / Erdbau**	**2.039,10 m3 BGI**	**82,63**	**168.500,90**	**6,6**
311	Herstellung	2.039,10 m3 BGI	78,20	159.461,99	6,3
312	Umschließung	927,20 m2	7,02	6.512,05	0,3
313	Wasserhaltung	2.039,10 m3	1,24	2.526,88	< 0,1
314	Vortrieb	–	–	–	–
319	Sonstiges zur KG 310	–	–	–	–
320	**Gründung, Unterbau**	**1.428,31 m2 GRF**	**515,51**	**736.302,13**	**29,0**
321	Baugrundverbesserung	37,00 m2	147,81	5.468,88	0,2
322	Flachgründungen und Bodenplatten	1.428,31 m2	337,11	481.497,98	18,9
323	Tiefgründungen	–	–	–	–
324	Gründungsbeläge	1.346,25 m2	131,65	177.236,02	7,0
325	Abdichtungen und Bekleidungen	1.696,04 m2	42,51	72.099,24	2,8
326	Dränagen	–	–	–	–
329	Sonstiges zur KG 320	–	–	–	–
330	**Außenwände/Vert. Baukonstrukt., außen**	**1.207,54 m2 AWF**	**718,68**	**867.834,47**	**34,1**
331	Tragende Außenwände	11,47 m2	6.855,77	78.635,71	3,1
332	Nichttragende Außenwände	1.077,76 m2	152,20	164.030,73	6,5
333	Außenstützen	788,09 m	545,70	430.059,10	16,9
334	Außenwandöffnungen	118,31 m2	335,53	39.697,09	1,6
335	Außenwandbekleidungen, außen	1.388,04 m2	111,96	155.411,84	6,1
336	Außenwandbekleidungen, innen	–	–	–	–
337	Element. Außenwandkonstruktionen	–	–	–	–
338	Lichtschutz zur KG 330	–	–	–	–
339	Sonstiges zur KG 330	–	–	–	–
340	**Innenwände/Vert. Baukonstrukt., innen**	**–**	**–**	**–**	**–**
341	Tragende Innenwände	–	–	–	–
342	Nichttragende Innenwände	–	–	–	–
343	Innenstützen	–	–	–	–
344	Innenwandöffnungen	–	–	–	–
345	Innenwandbekleidungen	–	–	–	–
346	Elementierte Innenwandkonstruktionen	–	–	–	–
347	Lichtschutz zur KG 340	–	–	–	–
349	Sonstiges zur KG 340	–	–	–	–
350	**Decken/Horizontale Baukonstruktionen**	**–**	**–**	**–**	**–**
351	Deckenkonstruktionen	–	–	–	–
352	Deckenöffnungen	–	–	–	–
353	Deckenbeläge	–	–	–	–
354	Deckenbekleidungen	–	–	–	–
355	Elementierte Deckenkonstruktionen	–	–	–	–
359	Sonstiges zur KG 350	–	–	–	–
360	**Dächer**	**1.559,81 m2 DAF**	**255,06**	**397.849,50**	**15,7**
361	Dachkonstruktionen	1.559,81 m2	175,26	273.378,46	10,8
362	Dachöffnungen	–	–	–	–
363	Dachbeläge	1.634,64 m2	76,15	124.471,04	4,9
364	Dachbekleidungen	–	–	–	–
365	Elementierte Dachkonstruktionen	–	–	–	–
366	Lichtschutz zur KG 360	–	–	–	–
369	Sonstiges zur KG 360	–	–	–	–
370	**Infrastrukturanlagen**	**–**	**–**	**–**	**–**
380	**Baukonstruktive Einbauten**	**–**	**–**	**–**	**–**
390	**Sonst. Maßnahmen für Baukonstrukt.**	**1.455,57 m2 BGF**	**171,75**	**249.992,22**	**9,8**

Kostenkennwerte für die Kostengruppen 400 der 2. und 3. Ebene DIN 276 (Übersicht)

KG	Kostengruppe	Menge Einheit	€/Einheit	Kosten €	% an 3+4
400	**Bauwerk – Technische Anlagen**	**1.455,57 m² BGF**	**83,16**	**121.044,00**	**4,8**
410	**Abwasser-, Wasser-, Gasanlagen**	**1.455,57 m² BGF**	**3,61**	**5.251,98**	**0,2**
411	Abwasseranlagen	1.455,57 m² BGF	1,92	2.796,03	0,1
412	Wasseranlagen	1.455,57 m² BGF	1,69	2.455,94	< 0,1
413	Gasanlagen	–	–	–	–
419	Sonstiges zur KG 410	–	–	–	–
420	**Wärmeversorgungsanlagen**	**–**	**–**	**–**	**–**
421	Wärmeerzeugungsanlagen	–	–	–	–
422	Wärmeverteilnetze	–	–	–	–
423	Raumheizflächen	–	–	–	–
424	Verkehrsheizflächen	–	–	–	–
429	Sonstiges zur KG 420	–	–	–	–
430	**Raumlufttechnische Anlagen**	**–**	**–**	**–**	**–**
431	Lüftungsanlagen	–	–	–	–
432	Teilklimaanlagen	–	–	–	–
433	Klimaanlagen	–	–	–	–
434	Kälteanlagen	–	–	–	–
439	Sonstiges zur KG 430	–	–	–	–
440	**Elektrische Anlagen**	**1.455,57 m² BGF**	**76,39**	**111.186,38**	**4,4**
441	Hoch- und Mittelspannungsanlagen	–	–	–	–
442	Eigenstromversorgungsanlagen	–	–	–	–
443	Niederspannungsschaltanlagen	–	–	–	–
444	Niederspannungsinstallationsanlagen	1.455,57 m² BGF	25,21	36.692,20	1,4
445	Beleuchtungsanlagen	1.455,57 m² BGF	11,56	16.827,60	0,7
446	Blitzschutz- und Erdungsanlagen	1.455,57 m² BGF	39,62	57.666,58	2,3
447	Fahrleitungssysteme	–	–	–	–
449	Sonstiges zur KG 440	–	–	–	–
450	**Kommunikationstechnische Anlagen**	**1.455,57 m² BGF**	**3,16**	**4.605,65**	**0,2**
451	Telekommunikationsanlagen	–	–	–	–
452	Such- und Signalanlagen	–	–	–	–
453	Zeitdienstanlagen	–	–	–	–
454	Elektroakustische Anlagen	–	–	–	–
455	Audiovisuelle Medien- u. Antennenanl.	–	–	–	–
456	Gefahrenmelde- und Alarmanlagen	–	–	–	–
457	Datenübertragungsnetze	1.455,57 m² BGF	3,16	4.605,65	0,2
458	Verkehrsbeeinflussungsanlagen	–	–	–	–
459	Sonstiges zur KG 450	–	–	–	–
460	**Förderanlagen**	**–**	**–**	**–**	**–**
461	Aufzugsanlagen	–	–	–	–
462	Fahrtreppen, Fahrsteige	–	–	–	–
463	Befahranlagen	–	–	–	–
464	Transportanlagen	–	–	–	–
465	Krananlagen	–	–	–	–
466	Hydraulikanlagen	–	–	–	–
469	Sonstiges zur KG 460	–	–	–	–
470	**Nutzungsspez. u. verfahrenstechn. Anl.**	**–**	**–**	**–**	**–**
480	**Gebäude- und Anlagenautomation**	**–**	**–**	**–**	**–**
490	**Sonst. Maßnahmen für techn. Anlagen**	**–**	**–**	**–**	**–**

Kostenkennwerte für Leistungsbereiche nach STLB (Kosten des Bauwerks nach DIN 276)

LB	Leistungsbereiche	Kosten €	€/m² BGF	€/m³ BRI	% an 3+4
000	Sicherheits-, Baustelleneinrichtungen inkl. 001	153.888	105,70	11,50	6,1
002	Erdarbeiten	238.073	163,60	17,70	9,4
006	Spezialtiefbauarbeiten inkl. 005	–	–	–	–
009	Entwässerungskanalarbeiten inkl. 011	2.796	1,90	0,21	0,1
010	Drän- und Versickerarbeiten	–	–	–	–
012	Mauerarbeiten	–	–	–	–
013	Betonarbeiten	564.247	387,60	42,00	22,2
014	Natur-, Betonwerksteinarbeiten	–	–	–	–
016	Zimmer- und Holzbauarbeiten	1.023.827	703,40	76,20	40,3
017	Stahlbauarbeiten	–	–	–	–
018	Abdichtungsarbeiten	79.008	54,30	5,90	3,1
019	Kampfmittelräumarbeiten	–	–	–	–
020	Dachdeckungsarbeiten	98.146	67,40	7,30	3,9
021	Dachabdichtungsarbeiten	–	–	–	–
022	Klempnerarbeiten	17.483	12,00	1,30	0,7
	Rohbau	**2.177.467**	**1.496,00**	**162,10**	**85,7**
023	Putz- und Stuckarbeiten, Wärmedämmsysteme	–	–	–	–
024	Fliesen- und Plattenarbeiten	–	–	–	–
025	Estricharbeiten	94.364	64,80	7,00	3,7
026	Fenster, Außentüren inkl. 029, 032	21.610	14,80	1,60	0,9
027	Tischlerarbeiten	–	–	–	–
028	Parkettarbeiten, Holzpflasterarbeiten	–	–	–	–
030	Rollladenarbeiten	–	–	–	–
031	Metallbauarbeiten inkl. 035	8.982	6,20	0,67	0,4
034	Maler- und Lackiererarbeiten inkl. 037	17.002	11,70	1,30	0,7
036	Bodenbelagarbeiten	–	–	–	–
038	Vorgehängte hinterlüftete Fassaden	–	–	–	–
039	Trockenbauarbeiten	–	–	–	–
	Ausbau	**141.958**	**97,50**	**10,60**	**5,6**
040	Wärmeversorgungsanl. - Betriebseinr. inkl. 041	–	–	–	–
042	Gas- und Wasserinstallation, Leitungen inkl. 043	2.456	1,70	0,18	< 0,1
044	Abwasseranlagen - Leitungen	–	–	–	–
045	GWE-Einrichtungsgegenstände inkl. 046	–	–	–	–
047	Dämmarbeiten an betriebstechnischen Anlagen	–	–	–	–
049	Feuerlöschanlagen, Feuerlöschgeräte	–	–	–	–
050	Blitzschutz- und Erdungsanlagen	57.667	39,60	4,30	2,3
053	Niederspannungsanlagen inkl. 052, 054	36.634	25,20	2,70	1,4
055	Sicherheits- u. Ersatzstromversorgungsanl.	–	–	–	–
057	Gebäudesystemtechnik	–	–	–	–
058	Leuchten und Lampen inkl. 059	16.828	11,60	1,30	0,7
060	Sprechanlagen, elektroakust. Anlagen inkl. 064	–	–	–	–
061	Kommunikationsnetze inkl. 063	4.679	3,20	0,35	0,2
069	Aufzüge	–	–	–	–
070	Gebäudeautomation	–	–	–	–
075	Raumlufttechnische Anlagen inkl. 078	–	–	–	–
	Gebäudetechnik	**118.262**	**81,20**	**8,80**	**4,7**
084	Abbruch, Rückbau, Schadstoffsanierung	7.201	4,90	0,54	0,3
	Abbrucharbeiten	**7.201**	**4,90**	**0,54**	**0,3**
	Sonstige Leistungsbereiche	**96.635**	**66,40**	**7,20**	**3,8**

7800-0030
Fahrradparkhaus
(224 STP)

Objektübersicht

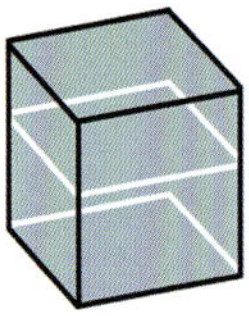

BRI 533 €/m³

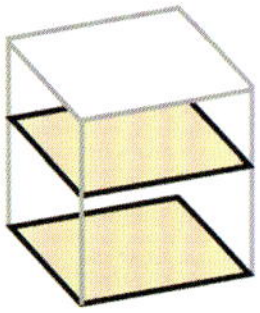

BGF 2.150 €/m²

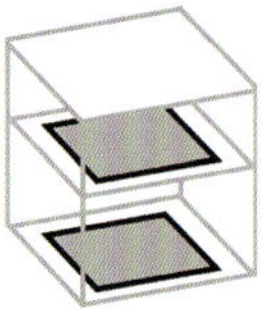

NUF 4.579 €/m²

Objekt:
Kennwerte: 3. Ebene DIN 276
BRI: 6.728 m³
BGF: 1.666 m²
NUF: 782 m²
Bauzeit: 96 Wochen
Bauende: 2020
Standard: Durchschnitt
Bundesland: Rheinland-Pfalz
Kreis: Bad Kreuznach

Architekt*in:
slb_architekten und ingenieure
Hachenberg & Roll GbR
Heerstraße 177
56154 Boppard

Bauherr*in:
Stadt Bad Kreuznach
Victoriastraße 13
55543 Bad Kreuznach

© Mathias Ackerknecht

© Mathias Ackerknecht

© Sven Schneider

© Sven Schneider

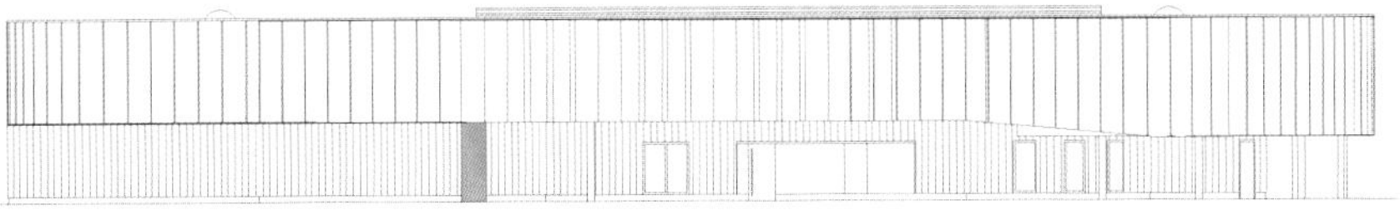

Ansicht West

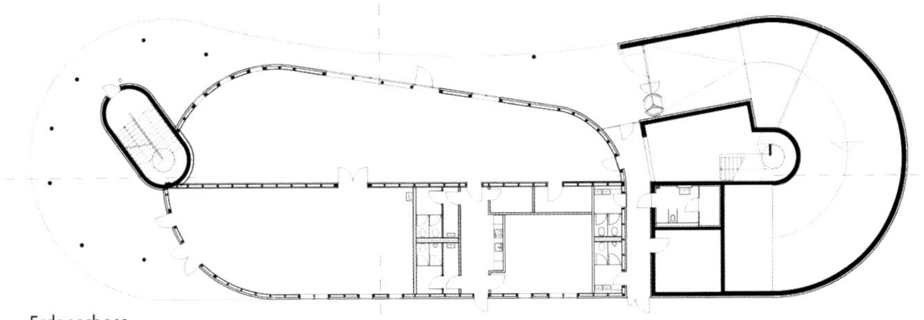

Erdgeschoss

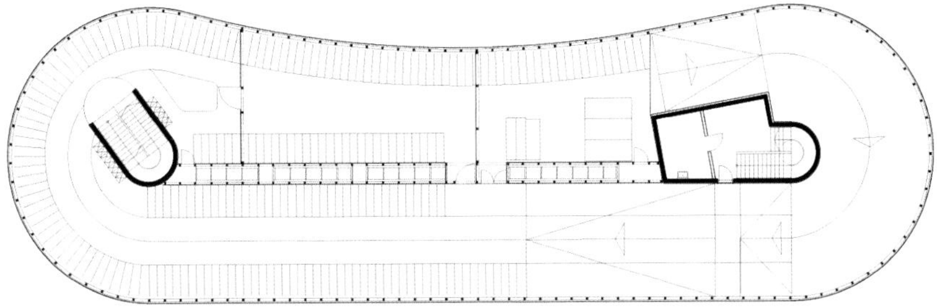

Obergeschoss

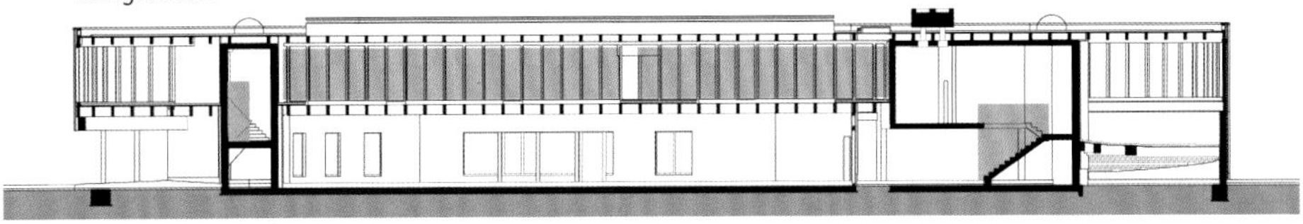

Längsschnitt

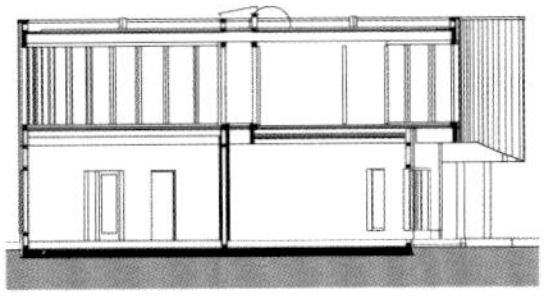

Querschnitt

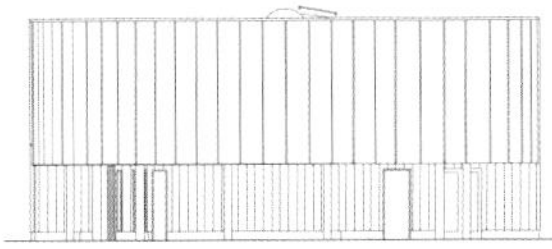

Ansicht Süd

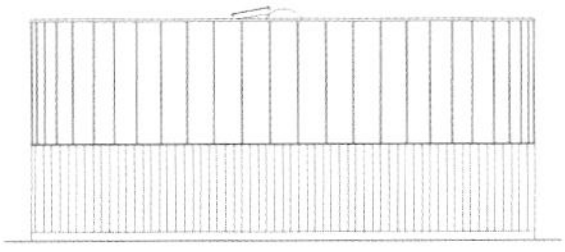

Ansicht Nord

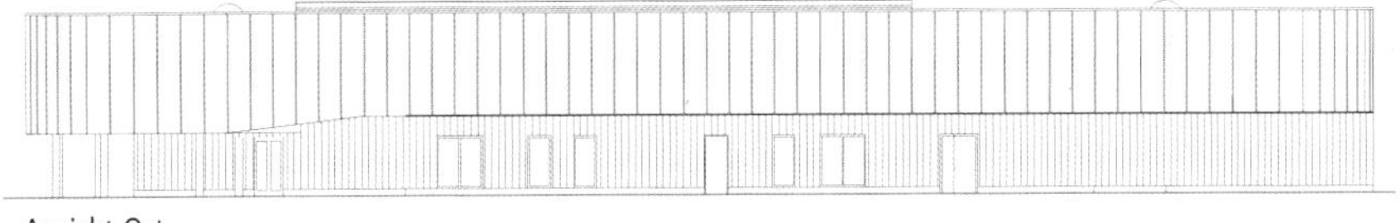

Ansicht Ost

Objektbeschreibung

Allgemeine Objektinformationen

Die für Rheinland-Pfalz erste und bislang einmalige Mobilitätsstation verknüpft für Reisende und Pendler verschiedene Verkehrsmittel unter einem Dach und soll weitere Anreize für den Umstieg vom Auto auf das Fahrrad, e-Bike, den ÖPNV und Zugverkehr bieten. Die 224 Fahrradparkplätze im Obergeschoss sind durch eine Rampe erschlossen und können auf bis zu 600 Stellplätze erweitert werden. Im Erdgeschoss befinden sich die Serviceeinrichtungen.

Nutzung

1 Erdgeschoss
Kundencenter, Fahrradwerkstatt/Verkaufsraum, Aufenthaltsraum für Busfahrer, Sanitärräume, Teeküche, Abstellraum, Serverraum, Hausanschlussraum, Treppenhäuser

1 Obergeschoss
Fahrradparkhaus, Zufahrtsrampe, Technikraum, Treppenhäuser

Besonderer Kosteneinfluss Nutzung
Altlastentsorgung, Aushub teilweise als "gefährlicher Abfall" eingestuft. PV-Module in Verglasung integriert.

Nutzeinheiten

Stellplätze: 224

Grundstück

Bauraum: Freier Bauraum
Neigung: Ebenes Gelände
Bodenklasse: BK 1 bis BK 5

Markt

Hauptvergabezeit: 1. Quartal 2019
Baubeginn: 1. Quartal 2019
Bauende: 4. Quartal 2020
Konjunkturelle Gesamtlage: Durchschnitt
Regionaler Baumarkt: Durchschnitt

Baukonstruktion

Die Flachgründung des Neubaus, die beiden massiven Treppenhauskerne sowie die Außenwände der Auffahrt bestehen aus Stahlbeton. Ansonsten handelt es sich um eine reine Holzkonstruktion aus Stützen und Trägern. Die Außenwände sind in Holzrahmenbauweise gebaut und die Deckenelemente wurden vorgefertigt. Holzschalung bekleidet die Fassade im Erdgeschoss. In die Glasscheiben der Obergeschossfassade integrierte Photovoltaikmodule liefern Strom zur Versorgung von Ladestationen und Beleuchtung. Es kamen Alufenster und -türen sowie Holzinnentüren. Doppelstabmatten mit Türen dienen der Raumabtrennung im Obergeschoss. Als Bodenbelag wurde Gussasphalt, Linoleum, Fliesen oder Pflaster gewählt. Durch das Oberlicht im Flachdach und die Horizontalverglasung in der Decke fällt das Licht bis ins Erdgeschoss.

Technische Anlagen

Die Wärmeversorgung erfolgt mittels einer Luft-Wasser-Wärmepumpe. Für die kontrollierte Lüftung der Räume des Erdgeschosses wurde eine Lüftungsanlage eingebaut. Die Beleuchtung der Zufahrt und der Parkflächen wird über Bewegungsmelder gesteuert.

Sonstiges

Dem eigentlichen Projektstart gingen eine Machbarkeitsstudie sowie die erfolgreiche Teilnahme am Bundeswettbewerb "Klimaschutz durch Radverkehr" voraus. Der Bau wurde durch das Bundesministerium für Umwelt, Naturschutz und nukleare Sicherheit gefördert.

Planungskennwerte für Flächen und Rauminhalte nach DIN 277

Flächen des Grundstücks		Menge Einheit	% an GF
BF	Bebaute Fläche	950,00 m²	–
UF	Unbebaute Fläche	–	–
GF	Grundstücksfläche	–	–

Grundflächen des Bauwerks		Menge Einheit	% an NUF	% an BGF
NUF	Nutzungsfläche	782,46 m²	100,0	47,0
TF	Technikfläche	29,25 m²	3,7	1,8
VF	Verkehrsfläche	525,41 m²	67,1	31,5
NRF	Netto-Raumfläche	1.337,12 m²	170,9	80,3
KGF	Konstruktions-Grundfläche	329,06 m²	42,1	19,7
BGF	Brutto-Grundfläche	1.666,18 m²	212,9	100,0

Brutto-Rauminhalt des Bauwerks		Menge Einheit	BRI/NUF (m)	BRI/BGF (m)
BRI	Brutto-Rauminhalt	6.728,11 m³	8,60	4,04

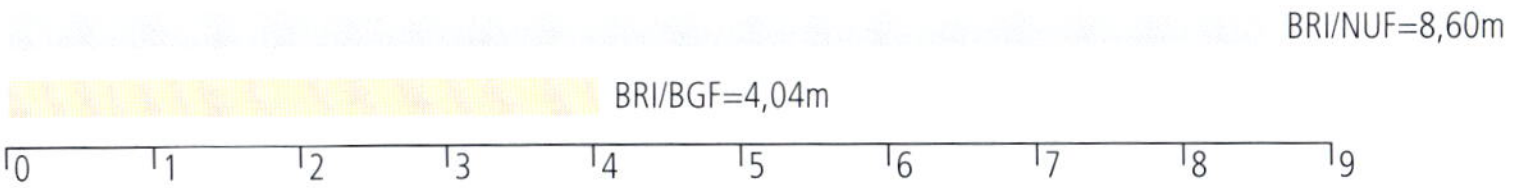

Lufttechnisch behandelte Flächen	Menge Einheit	% an NUF	% an BGF
Entlüftete Fläche	–	–	–
Be- und entlüftete Fläche	–	–	–
Teilklimatisierte Fläche	–	–	–
Klimatisierte Fläche	–	–	–

KG	Kostengruppen (2. Ebene)	Menge Einheit	Menge/NUF	Menge/BGF
310	Baugrube / Erdbau	1.934,80 m³ BGI	2,47	1,16
320	Gründung, Unterbau	950,00 m² GRF	1,21	0,57
330	Außenwände/Vertikale Baukonstruktionen, außen	1.126,48 m² AWF	1,44	0,68
340	Innenwände/Vertikale Baukonstruktionen, innen	972,89 m² IWF	1,24	0,58
350	Decken/Horizontale Baukonstruktionen	917,23 m² DEF	1,17	0,55
360	Dächer	1.043,56 m² DAF	1,33	0,63

Kostenkennwerte für die Kostengruppen der 1. Ebene DIN 276

KG	Kostengruppen (1. Ebene)	Einheit	Kosten €	€/Einheit	€/m² BGF	€/m³ BRI	% 300+400
100	Grundstück	m² GF	–	–	–	–	–
200	Vorbereitende Maßnahmen	m² GF	276.674	–	166,05	41,12	7,7
300	Bauwerk – Baukonstruktionen	m² BGF	3.229.827	1.938,46	1.938,46	480,05	90,1
400	Bauwerk – Technische Anlagen	m² BGF	353.144	211,95	211,95	52,49	9,9
	Bauwerk 300+400	**m² BGF**	**3.582.971**	**2.150,41**	**2.150,41**	**532,54**	**100,0**
500	Außenanlagen und Freiflächen	m² AF	231.956	381,32	139,21	34,48	6,5
600	Ausstattung und Kunstwerke	m² BGF	2.129	1,28	1,28	0,32	< 0,1
700	Baunebenkosten	m² BGF	–	–	–	–	–
800	Finanzierung	m² BGF	–	–	–	–	–

KG	Kostengruppe	Menge Einheit	Kosten €	€/Einheit	%
200	**Vorbereitende Maßnahmen**	–	276.674	**–**	7,7
	Strom-Versorgungsleitungen sichern, Abbruch von Betonrohren, Betonverbundpflaster, Betonschächten, Lampenfundamenten; Entsorgung, Deponiegebühren, Ausbauen und Lagern von Lampenmasten, belastetes Aushubmaterial abfahren, Deponiegebühren; Versorgungsleitung im Gehweg umlegen				
3+4	**Bauwerk**				**100,0**
300	**Bauwerk – Baukonstruktionen**	1.666,18 m² BGF	3.229.827	**1.938,46**	90,1
	Trägerbohlenwand; Baugrundstabilisierung, Stb-Flachgründung, Estrich, Linoleum, Bodenfliesen, Betonpflaster; Holzrahmenwände, Stb-Wände, Stb-Stützen, Alufenster, Alurahmentüren, Glasfassade mit PV-Modulen, Holzbekleidung; GK-Wände, Holztüren, Akustik-Holzbekleidung, Beschichtung, Wandfliesen, Holzrahmenwände mit Doppelstabmatten, WC-Trennwände; Holzbalkendecken/-rampe, Stb-Decken, Stb-Treppen, Alu-Pfosten-Riegel-Oberlicht Mineralplattendecken, Holzrasterdecken; Holzbalkendach, Stb-Dächer, Lichtkuppeln, Dachabdichtung, Dämmung, extensive Dachbegrünung, Dachentwässerung; Fahrradanlehnbügel				
400	**Bauwerk – Technische Anlagen**	1.666,18 m² BGF	353.144	**211,95**	9,9
	Gebäudeentwässerung, Kalt- und Warmwasserleitungen, Sanitärobjekte; Luft-Wasser-Wärmepumpe, Heizungsrohre, Fußbodenheizung; Lüftungsanlage mit WRG; Elektroinstallation, Beleuchtung, Erdung; Notrufanlage, Datenübertragungsnetz; Druckluftleitungen				
500	**Außenanlagen und Freiflächen**	608,30 m² AF	231.956	**381,32**	6,5
	Bodenarbeiten; Betonfundamente; Betonpflaster, Betonverbundpflaster; Stahlgeländer, Edelstahlhandläufe, Stb-Winkelstützwände, Betonblockstufen; Abwasserrohre, Oberflächenentwässerung, Elektroleerrohre, Telefonkabel; Oberbodenarbeiten, Bodendecker				
600	**Ausstattung und Kunstwerke**	1.666,18 m² BGF	2.129	**1,28**	< 0,1
	Sanitärausstattung				

Kostenkennwerte für die Kostengruppen 300 der 2. und 3.Ebene DIN 276 (Übersicht)

KG	Kostengruppe	Menge Einheit	€/Einheit	Kosten €	% an 3+4
300	**Bauwerk – Baukonstruktionen**	**1.666,18 m² BGF**	**1.938,46**	**3.229.827,20**	**90,1**
310	**Baugrube / Erdbau**	**1.934,80 m³ BGI**	**72,47**	**140.217,31**	**3,9**
311	Herstellung	1.934,80 m³ BGI	28,63	55.398,97	1,5
312	Umschließung	233,74 m²	362,87	84.818,34	2,4
313	Wasserhaltung	–	–	–	–
314	Vortrieb	–	–	–	–
319	Sonstiges zur KG 310	–	–	–	–
320	**Gründung, Unterbau**	**950,00 m² GRF**	**285,82**	**271.531,85**	**7,6**
321	Baugrundverbesserung	787,01 m²	128,45	101.087,91	2,8
322	Flachgründungen und Bodenplatten	950,00 m²	90,94	86.393,52	2,4
323	Tiefgründungen	–	–	–	–
324	Gründungsbeläge	454,27 m²	149,65	67.980,40	1,9
325	Abdichtungen und Bekleidungen	748,74 m²	21,46	16.070,00	0,4
326	Dränagen	–	–	–	–
329	Sonstiges zur KG 320	–	–	–	–
330	**Außenwände/Vert. Baukonstrukt., außen**	**1.126,48 m² AWF**	**822,35**	**926.355,42**	**25,9**
331	Tragende Außenwände	888,25 m²	359,35	319.192,87	8,9
332	Nichttragende Außenwände	155,77 m²	334,41	52.090,66	1,5
333	Außenstützen	21,41 m	97,96	2.097,35	< 0,1
334	Außenwandöffnungen	82,46 m²	1.325,05	109.263,76	3,0
335	Außenwandbekleidungen, außen	1.212,62 m²	340,84	413.304,17	11,5
336	Außenwandbekleidungen, innen	200,41 m²	25,74	5.158,49	0,1
337	Element. Außenwandkonstruktionen	–	–	–	–
338	Lichtschutz zur KG 330	–	–	–	–
339	Sonstiges zur KG 330	1.126,48 m² AWF	22,41	25.248,13	0,7
340	**Innenwände/Vert. Baukonstrukt., innen**	**972,89 m² IWF**	**352,86**	**343.289,77**	**9,6**
341	Tragende Innenwände	605,54 m²	302,85	183.388,08	5,1
342	Nichttragende Innenwände	202,88 m²	127,82	25.932,31	0,7
343	Innenstützen	–	–	–	–
344	Innenwandöffnungen	21,71 m²	1.101,81	23.920,21	0,7
345	Innenwandbekleidungen	552,16 m²	92,43	51.036,55	1,4
346	Elementierte Innenwandkonstruktionen	142,76 m²	413,37	59.012,63	1,6
347	Lichtschutz zur KG 340	–	–	–	–
349	Sonstiges zur KG 340	–	–	–	–
350	**Decken/Horizontale Baukonstruktionen**	**917,23 m² DEF**	**643,63**	**590.355,89**	**16,5**
351	Deckenkonstruktionen	898,33 m²	493,80	443.599,25	12,4
352	Deckenöffnungen	18,90 m²	1.478,62	27.945,93	0,8
353	Deckenbeläge	780,00 m²	43,14	33.649,24	0,9
354	Deckenbekleidungen	346,53 m²	154,68	53.600,38	1,5
355	Elementierte Deckenkonstruktionen	–	–	–	–
359	Sonstiges zur KG 350	917,23 m² DEF	34,41	31.561,09	0,9
360	**Dächer**	**1.043,56 m² DAF**	**530,76**	**553.884,61**	**15,5**
361	Dachkonstruktionen	1.000,53 m²	177,62	177.716,76	5,0
362	Dachöffnungen	43,03 m²	1.423,68	61.261,06	1,7
363	Dachbeläge	1.009,60 m²	302,48	305.386,02	8,5
364	Dachbekleidungen	6,79 m²	746,03	5.065,57	0,1
365	Elementierte Dachkonstruktionen	–	–	–	–
366	Lichtschutz zur KG 360	–	–	–	–
369	Sonstiges zur KG 360	1.043,56 m² DAF	4,27	4.455,17	0,1
370	**Infrastrukturanlagen**	**–**	**–**	**–**	**–**
380	**Baukonstruktive Einbauten**	**1.666,18 m² BGF**	**23,67**	**39.430,66**	**1,1**
390	**Sonst. Maßnahmen für Baukonstrukt.**	**1.666,18 m² BGF**	**218,92**	**364.761,66**	**10,2**

Kostenkennwerte für die Kostengruppen 400 der 2. und 3. Ebene DIN 276 (Übersicht)

KG	Kostengruppe	Menge Einheit	€/Einheit	Kosten €	% an 3+4
400	**Bauwerk – Technische Anlagen**	**1.666,18 m² BGF**	**211,95**	**353.143,91**	**9,9**
410	**Abwasser-, Wasser-, Gasanlagen**	**1.666,18 m² BGF**	**26,02**	**43.359,97**	**1,2**
411	Abwasseranlagen	1.666,18 m² BGF	10,24	17.067,36	0,5
412	Wasseranlagen	1.666,18 m² BGF	11,77	19.615,74	0,5
413	Gasanlagen	–	–	–	–
419	Sonstiges zur KG 410	1.666,18 m² BGF	4,01	6.676,88	0,2
420	**Wärmeversorgungsanlagen**	**1.666,18 m² BGF**	**44,93**	**74.855,74**	**2,1**
421	Wärmeerzeugungsanlagen	1.666,18 m² BGF	15,94	26.565,05	0,7
422	Wärmeverteilnetze	1.666,18 m² BGF	11,81	19.680,64	0,5
423	Raumheizflächen	1.666,18 m² BGF	17,17	28.610,04	0,8
424	Verkehrsheizflächen	–	–	–	–
429	Sonstiges zur KG 420	–	–	–	–
430	**Raumlufttechnische Anlagen**	**1.666,18 m² BGF**	**52,85**	**88.050,49**	**2,5**
431	Lüftungsanlagen	1.666,18 m² BGF	52,85	88.050,49	2,5
432	Teilklimaanlagen	–	–	–	–
433	Klimaanlagen	–	–	–	–
434	Kälteanlagen	–	–	–	–
439	Sonstiges zur KG 430	–	–	–	–
440	**Elektrische Anlagen**	**1.666,18 m² BGF**	**74,28**	**123.757,89**	**3,5**
441	Hoch- und Mittelspannungsanlagen	–	–	–	–
442	Eigenstromversorgungsanlagen	–	–	–	–
443	Niederspannungsschaltanlagen	–	–	–	–
444	Niederspannungsinstallationsanlagen	1.666,18 m² BGF	47,42	79.013,62	2,2
445	Beleuchtungsanlagen	1.666,18 m² BGF	23,46	39.084,20	1,1
446	Blitzschutz- und Erdungsanlagen	1.666,18 m² BGF	3,40	5.660,06	0,2
447	Fahrleitungssysteme	–	–	–	–
449	Sonstiges zur KG 440	–	–	–	–
450	**Kommunikationstechnische Anlagen**	**1.666,18 m² BGF**	**9,58**	**15.955,53**	**0,4**
451	Telekommunikationsanlagen	–	–	–	–
452	Such- und Signalanlagen	1.666,18 m² BGF	0,82	1.369,20	< 0,1
453	Zeitdienstanlagen	–	–	–	–
454	Elektroakustische Anlagen	–	–	–	–
455	Audiovisuelle Medien- u. Antennenanl.	–	–	–	–
456	Gefahrenmelde- und Alarmanlagen	–	–	–	–
457	Datenübertragungsnetze	1.666,18 m² BGF	8,75	14.586,30	0,4
458	Verkehrsbeeinflussungsanlagen	–	–	–	–
459	Sonstiges zur KG 450	–	–	–	–
460	**Förderanlagen**	**–**	**–**	**–**	**–**
461	Aufzugsanlagen	–	–	–	–
462	Fahrtreppen, Fahrsteige	–	–	–	–
463	Befahranlagen	–	–	–	–
464	Transportanlagen	–	–	–	–
465	Krananlagen	–	–	–	–
466	Hydraulikanlagen	–	–	–	–
469	Sonstiges zur KG 460	–	–	–	–
470	**Nutzungsspez. u. verfahrenstechn. Anl.**	**1.666,18 m² BGF**	**3,09**	**5.150,34**	**0,1**
480	**Gebäude- und Anlagenautomation**	**–**	**–**	**–**	**–**
490	**Sonst. Maßnahmen für techn. Anlagen**	**1.666,18 m² BGF**	**1,21**	**2.013,97**	**< 0,1**

Kostenkennwerte für Leistungsbereiche nach STLB (Kosten des Bauwerks nach DIN 276)

LB	Leistungsbereiche	Kosten €	€/m² BGF	€/m³ BRI	% an 3+4
000	Sicherheits-, Baustelleneinrichtungen inkl. 001	355.848	213,60	52,90	9,9
002	Erdarbeiten	156.487	93,90	23,30	4,4
006	Spezialtiefbauarbeiten inkl. 005	84.818	50,90	12,60	2,4
009	Entwässerungskanalarbeiten inkl. 011	11.665	7,00	1,70	0,3
010	Drän- und Versickerarbeiten	–	–	–	–
012	Mauerarbeiten	–	–	–	–
013	Betonarbeiten	382.982	229,90	56,90	10,7
014	Natur-, Betonwerksteinarbeiten	–	–	–	–
016	Zimmer- und Holzbauarbeiten	1.076.949	646,40	160,10	30,1
017	Stahlbauarbeiten	–	–	–	–
018	Abdichtungsarbeiten	36.512	21,90	5,40	1,0
019	Kampfmittelräumarbeiten	–	–	–	–
020	Dachdeckungsarbeiten	–	–	–	–
021	Dachabdichtungsarbeiten	265.575	159,40	39,50	7,4
022	Klempnerarbeiten	58.494	35,10	8,70	1,6
	Rohbau	**2.429.329**	**1.458,00**	**361,10**	**67,8**
023	Putz- und Stuckarbeiten, Wärmedämmsysteme	–	–	–	–
024	Fliesen- und Plattenarbeiten	14.586	8,80	2,20	0,4
025	Estricharbeiten	48.444	29,10	7,20	1,4
026	Fenster, Außentüren inkl. 029, 032	467.398	280,50	69,50	13,0
027	Tischlerarbeiten	19.266	11,60	2,90	0,5
028	Parkettarbeiten, Holzpflasterarbeiten	–	–	–	–
030	Rollladenarbeiten	–	–	–	–
031	Metallbauarbeiten inkl. 035	150.751	90,50	22,40	4,2
034	Maler- und Lackiererarbeiten inkl. 037	12.766	7,70	1,90	0,4
036	Bodenbelagarbeiten	22.222	13,30	3,30	0,6
038	Vorgehängte hinterlüftete Fassaden	–	–	–	–
039	Trockenbauarbeiten	54.511	32,70	8,10	1,5
	Ausbau	**789.944**	**474,10**	**117,40**	**22,0**
040	Wärmeversorgungsanl. - Betriebseinr. inkl. 041	76.425	45,90	11,40	2,1
042	Gas- und Wasserinstallation, Leitungen inkl. 043	13.882	8,30	2,10	0,4
044	Abwasseranlagen - Leitungen	4.326	2,60	0,64	0,1
045	GWE-Einrichtungsgegenstände inkl. 046	16.136	9,70	2,40	0,5
047	Dämmarbeiten an betriebstechnischen Anlagen	7.068	4,20	1,10	0,2
049	Feuerlöschanlagen, Feuerlöschgeräte	–	–	–	–
050	Blitzschutz- und Erdungsanlagen	5.660	3,40	0,84	0,2
053	Niederspannungsanlagen inkl. 052, 054	79.252	47,60	11,80	2,2
055	Sicherheits- u. Ersatzstromversorgungsanl.	–	–	–	–
057	Gebäudesystemtechnik	–	–	–	–
058	Leuchten und Lampen inkl. 059	39.084	23,50	5,80	1,1
060	Sprechanlagen, elektroakust. Anlagen inkl. 064	1.369	0,82	0,20	< 0,1
061	Kommunikationsnetze inkl. 063	14.586	8,80	2,20	0,4
069	Aufzüge	–	–	–	–
070	Gebäudeautomation	–	–	–	–
075	Raumlufttechnische Anlagen inkl. 078	86.808	52,10	12,90	2,4
	Gebäudetechnik	**344.597**	**206,80**	**51,20**	**9,6**
084	Abbruch, Rückbau, Schadstoffsanierung	–	–	–	–
	Abbrucharbeiten	**–**	**–**	**–**	**–**
	Sonstige Leistungsbereiche	**19.102**	**11,50**	**2,80**	**0,5**

ANHANG

Regionalfaktoren

Regionalfaktoren Deutschland

Diese Faktoren geben Aufschluss darüber, inwieweit die Baukosten in einer bestimmten Region Deutschlands teurer oder günstiger liegen als im Bundesdurchschnitt. Sie können dazu verwendet werden, die BKI Baukosten an das besondere Baupreisniveau einer Region anzupassen.
Hinweis: Alle Angaben wurden durch Untersuchungen des BKI weitgehend verifiziert. Dennoch können Abweichungen zu den angegebenen Werten entstehen. In Grenznähe zu einem Land-/Stadtkreis mit anderen Baupreisfaktoren sollte dessen Baupreisniveau mit berücksichtigt werden, da die Übergänge zwischen den Land-/Stadtkreisen fließend sind. Die Besonderheiten des Einzelfalls können ebenfalls zu Abweichungen führen.
Für die größeren Inseln Deutschlands wurden separate Regionalfaktoren ermittelt. Dazu wurde der zugehörige Landkreis in Festland und Inseln unterteilt. Alle Inseln eines Landkreises erhalten durch dieses Verfahren den gleichen Regionalfaktor. Der Regionalfaktor des Festlandes erhält keine Inseln mehr und ist daher gegenüber früheren Ausgaben verringert.

Land- / Stadtkreis / Insel	Bundeskorrekturfaktor
Aachen, Städteregion	0,937
Ahrweiler	0,970
Aichach-Friedberg	1,051
Alb-Donau-Kreis	0,981
Altenburger Land	0,909
Altenkirchen (Westerwald)	0,964
Altmarkkreis Salzwedel	0,857
Altötting	0,990
Alzey-Worms	0,942
Amberg, Stadt	1,060
Amberg-Sulzbach	1,039
Ammerland	0,833
Amrum, Insel	1,394
Anhalt-Bitterfeld	0,809
Ansbach	1,028
Ansbach, Stadt	1,062
Aschaffenburg	1,094
Aschaffenburg, Stadt	1,103
Augsburg	1,089
Augsburg, Stadt	1,189
Aurich, Festlandanteil	0,729
Aurich, Inselanteil	1,254
Bad Dürkheim	1,009
Bad Kissingen	1,028
Bad Kreuznach	0,947
Bad Tölz-Wolfratshausen	1,172
Baden-Baden, Stadtkreis	0,979
Baltrum, Insel	1,254
Bamberg	1,058
Bamberg, Stadt	1,204
Barnim	0,908
Bautzen	0,892
Bayreuth	1,081
Bayreuth, Stadt	1,058
Berchtesgadener Land	1,090
Bergstraße	1,025
Berlin, Stadt	1,119
Bernkastel-Wittlich	1,024
Biberach	1,008
Bielefeld, Stadt	0,903
Birkenfeld	1,023
Bochum, Stadt	0,871
Bodenseekreis	0,999
Bonn, Stadt	0,928
Borken	0,912
Borkum, Insel	1,049
Bottrop, Stadt	0,843
Brandenburg an der Havel, Stadt	0,975
Braunschweig, Stadt	0,849
Breisgau-Hochschwarzwald	1,101
Bremen, Stadt	0,964
Bremerhaven, Stadt	0,937
Burgenlandkreis	0,896
Böblingen	1,098
Börde	0,853
Calw	1,082
Celle	0,876
Cham	0,865
Chemnitz, Stadt	0,808
Cloppenburg	0,760
Coburg	0,977
Coburg, Stadt	1,096
Cochem-Zell	0,978
Coesfeld	0,935
Cottbus, Stadt	0,893
Cuxhaven	0,816
Dachau	1,179
Dahme-Spreewald	0,927
Darmstadt, Stadt	1,067

Darmstadt-Dieburg 0,987
Deggendorf 0,977
Delmenhorst, Stadt 0,821
Dessau-Roßlau, Stadt 0,919
Diepholz 0,856
Dillingen a.d.Donau 1,069
Dingolfing-Landau 0,973
Dithmarschen 0,997
Donau-Ries 1,031
Donnersbergkreis 0,988
Dortmund, Stadt 0,822
Dresden, Stadt 0,868
Duisburg, Stadt 0,968
Düren 0,960
Düsseldorf, Stadt 0,990

Ebersberg 1,264
Eichsfeld 0,897
Eichstätt 1,062
Eifelkreis Bitburg-Prüm 0,991
Elbe-Elster 0,885
Emden, Stadt 0,720
Emmendingen 1,099
Emsland 0,802
Ennepe-Ruhr-Kreis 0,936
Enzkreis 1,036
Erding 1,150
Erfurt, Stadt 0,855
Erlangen, Stadt 1,140
Erlangen-Höchstadt 1,077
Erzgebirgskreis 0,869
Essen, Stadt 0,912
Esslingen 1,035
Euskirchen 0,925

Fehmarn, Insel 1,196
Flensburg, Stadt 0,801
Forchheim 1,114
Frankenthal (Pfalz), Stadt 0,918
Frankfurt (Oder), Stadt 0,833
Frankfurt am Main, Stadt 0,982
Freiburg im Breisgau, Stadtkreis 1,143
Freising 1,071
Freudenstadt 1,052
Freyung-Grafenau 0,984
Friesland, Festlandanteil 0,850
Friesland, Inselanteil 1,650
Fulda 0,995
Föhr, Insel 1,394
Fürstenfeldbruck 1,250
Fürth 1,110
Fürth, Stadt 1,011

Garmisch-Partenkirchen 1,174
Gelsenkirchen, Stadt 0,869
Gera, Stadt 0,934
Germersheim 1,002
Gießen 0,952
Gifhorn 0,869
Goslar 0,913
Gotha 0,873
Grafschaft Bentheim 0,830
Greiz 0,913
Groß-Gerau 0,991
Göppingen 1,001
Görlitz 0,853
Göttingen 0,892
Günzburg 1,096
Gütersloh 0,918

Hagen, Stadt 0,853
Halle (Saale), Stadt 0,809
Hamburg, Freie und Hansestadt 1,179
Hameln-Pyrmont 0,845
Hamm, Stadt 0,916
Hannover, Region 0,893
Harburg 0,985
Harz 0,842
Havelland 0,979
Haßberge 1,054
Heidekreis 0,879
Heidelberg, Stadtkreis 1,061
Heidenheim 1,032
Heilbronn 1,007
Heilbronn, Stadtkreis 1,015
Heinsberg 0,942
Helgoland, Insel 1,981
Helmstedt 0,862
Herford 0,881
Herne, Stadt 0,911
Hersfeld-Rotenburg 0,993
Herzogtum Lauenburg 0,948
Hiddensee, Insel 1,142
Hildburghausen 0,900
Hildesheim 0,851
Hochsauerlandkreis 0,929
Hochtaunuskreis 1,016
Hof 1,106
Hof, Stadt 1,118
Hohenlohekreis 1,039
Holzminden 0,776
Höxter 0,929

Ilm-Kreis 0,845
Ingolstadt, Stadt 1,168

Jena, Stadt ... 0,968
Jerichower Land ... 0,827
Juist, Insel ... 1,254

Kaiserslautern ... 0,965
Kaiserslautern, Stadt ... 0,956
Karlsruhe ... 1,044
Karlsruhe, Stadtkreis ... 1,148
Kassel ... 0,968
Kassel, Stadt ... 1,013
Kaufbeuren ... 1,023
Kelheim ... 1,011
Kempten (Allgäu) ... 0,963
Kiel, Stadt ... 1,036
Kitzingen ... 1,026
Kleve ... 0,921
Koblenz, Stadt ... 0,932
Konstanz ... 1,102
Krefeld, Stadt ... 0,860
Kronach ... 1,139
Kulmbach ... 1,062
Kusel ... 0,934
Kyffhäuserkreis ... 0,882
Köln, Stadt ... 0,975

Lahn-Dill-Kreis ... 0,968
Landau in der Pfalz, Stadt ... 0,923
Landsberg am Lech ... 1,150
Landshut ... 0,998
Landshut, Stadt ... 1,123
Langeoog, Insel ... 1,385
Leer, Festlandanteil ... 0,749
Leer, Inselanteil ... 1,049
Leipzig ... 0,911
Leipzig, Stadt ... 0,800
Leverkusen, Stadt ... 0,887
Lichtenfels ... 1,047
Limburg-Weilburg ... 1,015
Lindau (Bodensee) ... 1,072
Lippe ... 0,931
Ludwigsburg ... 1,041
Ludwigshafen am Rhein, Stadt ... 0,935
Ludwigslust-Parchim ... 0,914
Lörrach ... 1,065
Lübeck, Hansestadt ... 0,972
Lüchow-Dannenberg ... 0,875
Lüneburg ... 0,901

Magdeburg, Stadt ... 0,846
Main-Kinzig-Kreis ... 0,994
Main-Spessart ... 1,018
Main-Tauber-Kreis ... 1,040
Main-Taunus-Kreis ... 0,992
Mainz, Stadt ... 1,021
Mainz-Bingen ... 1,014
Mannheim, Stadtkreis ... 0,986
Mansfeld-Südharz ... 0,865
Marburg-Biedenkopf ... 0,986
Mayen-Koblenz ... 1,005
Mecklenburgische Seenplatte ... 0,941
Meißen ... 0,947
Memmingen ... 1,049
Merzig-Wadern ... 0,982
Mettmann ... 0,908
Miesbach ... 1,262
Miltenberg ... 1,108
Minden-Lübbecke ... 0,857
Mittelsachsen ... 0,929
Märkisch-Oderland ... 0,918
Märkischer Kreis ... 0,957
Mönchengladbach, Stadt ... 0,879
Mühldorf a. Inn ... 1,042
Mülheim an der Ruhr, Stadt ... 0,872
München ... 1,319
München, Stadt ... 1,606
Münster, Stadt ... 0,877

Neckar-Odenwald-Kreis ... 1,048
Neu-Ulm ... 1,073
Neuburg-Schrobenhausen ... 1,033
Neumarkt i.d.OPf. ... 0,975
Neumünster, Stadt ... 0,878
Neunkirchen ... 0,988
Neustadt a.d. Aisch-Bad Windsheim ... 1,117
Neustadt a.d.Waldnaab ... 1,032
Neustadt an der Weinstraße, Stadt ... 0,968
Neuwied ... 0,951
Nienburg (Weser) ... 0,727
Norderney, Insel ... 1,254
Nordfriesland, Festlandanteil ... 1,044
Nordfriesland, Inselanteil ... 1,394
Nordhausen ... 0,860
Nordsachsen ... 0,936
Nordwest-Mecklenburg, Inselanteil ... 1,180
Nordwestmecklenburg, Festlandanteil ... 0,930
Northeim ... 0,864
Nürnberg, Stadt ... 1,075
Nürnberger Land ... 1,099

Oberallgäu ... 1,077
Oberbergischer Kreis ... 0,910
Oberhausen, Stadt ... 0,935
Oberhavel ... 0,952
Oberspreewald-Lausitz ... 0,876
Odenwaldkreis ... 1,000
Oder-Spree ... 0,922

Offenbach	0,984
Offenbach am Main, Stadt	0,996
Oldenburg	0,856
Oldenburg (Oldb), Stadt	0,847
Olpe	0,977
Ortenaukreis	1,035
Osnabrück	0,827
Osnabrück, Stadt	0,823
Ostalbkreis	1,063
Ostallgäu	1,037
Osterholz	0,853
Ostholstein, Festlandanteil	0,946
Ostholstein, Inselanteil	1,196
Ostprignitz-Ruppin	0,932
Paderborn	0,925
Passau	0,938
Passau, Stadt	1,051
Peine	0,857
Pellworm, Insel	1,394
Pfaffenhofen a.d. Ilm	1,058
Pforzheim, Stadtkreis	1,037
Pinneberg, Festlandanteil	0,981
Pinneberg, Inselanteil	1,981
Pirmasens, Stadt	0,981
Plön	0,978
Poel, Insel	1,180
Potsdam, Stadt	1,074
Potsdam-Mittelmark	0,952
Prignitz	0,786
Rastatt	1,006
Ravensburg	1,042
Recklinghausen	0,870
Regen	0,957
Regensburg	1,056
Regensburg, Stadt	1,093
Rems-Murr-Kreis	1,031
Remscheid, Stadt	0,895
Rendsburg-Eckernförde	0,902
Reutlingen	0,993
Rhein-Erft-Kreis	0,958
Rhein-Hunsrück-Kreis	0,967
Rhein-Kreis Neuss	0,900
Rhein-Lahn-Kreis	0,986
Rhein-Neckar-Kreis	1,058
Rhein-Pfalz-Kreis	0,934
Rhein-Sieg-Kreis	0,945
Rheingau-Taunus-Kreis	0,995
Rheinisch-Bergischer Kreis	0,956
Rhön-Grabfeld	1,045
Rosenheim	1,250
Rosenheim, Stadt	1,150
Rostock	0,982
Rostock, Stadt	1,014
Rotenburg (Wümme)	0,787
Roth	1,056
Rottal-Inn	0,954
Rottweil	1,004
Rügen, Insel	1,142
Saale-Holzland-Kreis	0,847
Saale-Orla-Kreis	0,846
Saalekreis	0,868
Saalfeld-Rudolstadt	0,944
Saarbrücken, Regionalverband	0,938
Saarlouis	0,956
Saarpfalz-Kreis	0,973
Salzgitter, Stadt	0,827
Salzlandkreis	0,829
Schaumburg	0,859
Schleswig-Flensburg	0,943
Schmalkalden-Meiningen	0,938
Schwabach, Stadt	1,118
Schwalm-Eder-Kreis	0,972
Schwandorf	1,001
Schwarzwald-Baar-Kreis	0,994
Schweinfurt	1,088
Schweinfurt, Stadt	1,033
Schwerin, Stadt	1,032
Schwäbisch Hall	0,964
Segeberg	0,927
Siegen-Wittgenstein	0,987
Sigmaringen	1,081
Soest	0,925
Solingen, Stadt	0,915
Sonneberg	0,954
Speyer, Stadt	1,143
Spiekeroog, Insel	1,385
Spree-Neiße	0,787
St. Wendel	0,970
Stade	0,881
Starnberg	1,274
Steinburg	0,932
Steinfurt	0,898
Stendal	0,730
Stormarn	0,942
Straubing, Stadt	1,267
Straubing-Bogen	1,026
Stuttgart, Stadtkreis	1,151
Suhl, Stadt	0,926
Sylt, Insel	1,394
Sächsische Schweiz-Osterzgebirge	0,986
Sömmerda	0,856
Südliche Weinstraße	1,003
Südwestpfalz	0,977

Teltow-Fläming 0,952
Tirschenreuth 1,005
Traunstein 1,106
Trier, Stadt 1,023
Trier-Saarburg 1,048
Tuttlingen 1,008
Tübingen 1,064

Uckermark 0,850
Uelzen 0,891
Ulm, Stadtkreis 1,017
Unna 0,880
Unstrut-Hainich-Kreis 0,842
Unterallgäu 0,982
Usedom, Insel 1,138

Vechta 0,831
Verden 0,857
Viersen 0,952
Vogelsbergkreis 0,979
Vogtlandkreis 0,909
Vorpommern-Greifswald, Festlandanteil 0,888
Vorpommern-Greifswald, Inselanteil 1,138
Vorpommern-Rügen, Festlandanteil 0,892
Vorpommern-Rügen, Inselanteil 1,142
Vulkaneifel 0,985

Waldeck-Frankenberg 0,999
Waldshut 1,067
Wangerooge, Insel 1,650
Warendorf 0,884
Wartburgkreis 0,942
Weiden i.d.OPf., Stadt 1,031
Weilheim-Schongau 1,111
Weimar, Stadt 0,972
Weimarer Land 0,915
Weißenburg-Gunzenhausen 1,067
Werra-Meißner-Kreis 0,939
Wesel 0,913
Wesermarsch 0,834
Westerwaldkreis 0,985
Wetteraukreis 0,994
Wiesbaden, Stadt 0,980
Wilhelmshaven, Stadt 0,855
Wittenberg 0,812
Wittmund, Festlandanteil 0,754
Wittmund, Inselanteil 1,385
Wolfenbüttel 0,904
Wolfsburg, Stadt 0,900
Worms, Stadt 0,989
Wunsiedel i.Fichtelgebirge 1,115
Wuppertal, Stadt 0,850
Würzburg 1,118
Würzburg, Stadt 1,267

Zingst, Insel 1,142
Zollernalbkreis 1,053
Zweibrücken, Stadt 1,041
Zwickau 0,924

ANHANG

Verzeichnis der Architektur- und Planungsbüros

Verzeichnis der Architektur- und Planungsbüros	Obj.-Nr.
Wamsler, Martin, Freier Architekt BDA; Friedrichshafen	6100-1186
wbg Nürnberg GmbH Immobilienunternehmen; Nürnberg	6100-1560
werk.um architekten; Darmstadt	4100-0219, 4400-0354
Werkgruppe Kleinmachnow Architekten PartGmbB; Kleinmachnow	4400-0347
Zeller & Moye; Berlin	6100-1539

BKI dankt den genannten Büros für die zur Verfügung gestellten Objektdaten.

Nutzen Sie die Vorteile Ihrer Projekt-Veröffentlichung in den BKI-Produkten:
- Dokumentierte Kosten Ihres Projekts nach DIN 276
- Ausbau und Erweiterung Ihrer bürointernen Baukostendaten für Folgeprojekte
- Dokumentationsunterlagen als Referenz für Ihre Projekt-Akquise
- Aufwandsentschädigung von bis zu 700,- €
- Aufnahme Ihrer Bürodaten in die Liste der Architekt*innen und Planer*innen
- Kostenloses Fachbuch

Weitere Informationen unter www.bki.de/bki-verguetung.html